CHAPRA의
파이썬 수치해석

APPLIED NUMERICAL METHODS WITH PYTHON

FOR ENGINEERS AND SCIENTISTS

APPLIED NUMERICAL METHODS WITH PYTHON
FOR ENGINEERS AND SCIENTISTS

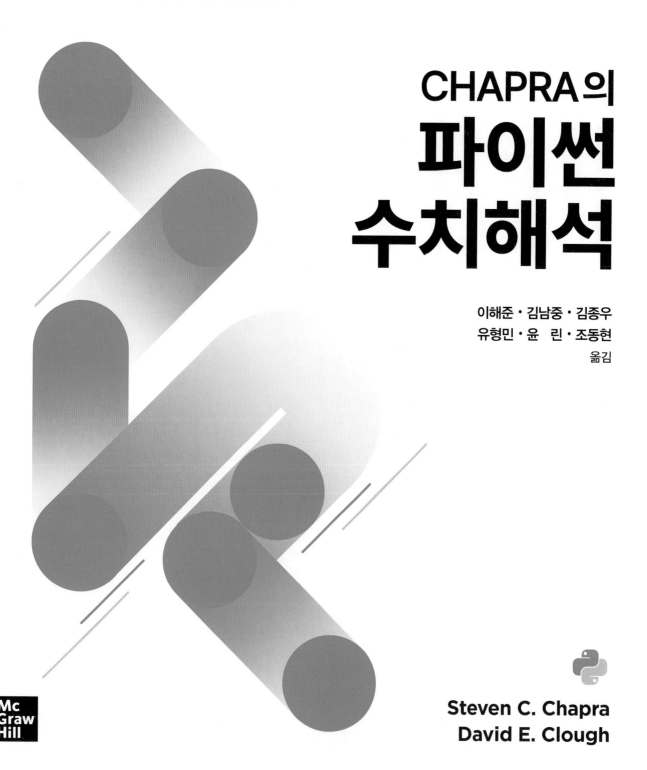

CHAPRA의
파이썬
수치해석

이해준・김남중・김종우
유형민・윤 린・조동현
옮김

McGraw Hill

Steven C. Chapra
David E. Clough

CHAPRA의 **파이썬 수치해석**
Applied Numerical Methods with Python
for Engineers and Scientists

발 행 일 2023년 3월 27일
저   자 Steven C. Chapra, David E. Clough
역   자 이해준, 김남중, 김종우, 유형민, 윤 린, 조동현
발 행 처 맥그로힐에듀케이션코리아 유한회사
발 행 인 SHARALYN YAP LUYING(샤랄린얍루잉)
등록번호 제2013-000122호(2012.12.28)
주   소 서울시 마포구 양화로 45, 8층 801호
          (서교동, 메세나폴리스)
전   화 (02)325-2351
편집·교정 한국학술정보㈜
인   쇄 ㈜성신미디어

I S B N 979-11-321-1282-2

판 매 처 ㈜한티에듀
문   의 (02)332-7993, 4
정   가 38,000원

저자 소개

Steve Chapra는 미국 터프트대학교(Tufts University) 목환경공학과 명예교수이자 Louis Berger 석좌교수이다. 그의 다른 저서로는 *Surface Water-Quality Modeling, Numerical Methods for Engineers*와 *Applied Numerical Methods with MATLAB* 등이 있다. 그는 미국 맨해튼칼리지(Manhattan College)와 미시간대학교(University of Michigan)에서 학위를 받았고, 터프트대학교에 합류하기 전에 미국 환경보호청(EFA)과 해양대기청(NOAA)에서 근무하고 텍사스A&M대학교(Texas A&M University)와 콜로라도대학교(University of Colorado) 그리고 런던 임페리얼칼리지(Imperial College London)에서 학생들을 가르쳤다. 그의 연구 분야는 표층 수질 모델링 및 환경공학의 고급 컴퓨팅 응용이다. 그는 미국 토목학회(ASCE)의 펠로우(Fellow)이자 종신회원이며, 학술 및 학문적 공헌으로 미국 토목학회의 Rudolph Hering Medal, 미국 공학교육학회의 Meriam-Wiley Distinguished Author 상 등을 수상하였다. 또한 그는 텍사스A&M대학교, 콜로라도대학교, 터프트대학교에서 뛰어난 선생이자 조언가로 인정받아 왔다. 평생교육의 열렬한 지지자로서 수치해석 기법, 컴퓨터 프로그래밍, 환경 모델링 관련 전문가를 위한 90개 이상의 워크숍에서 가르쳐 왔다.

David Clough는 미국 델라웨어주 윌밍턴에 있는 DuPoint 사에서 짧은 경력을 마치고 난 후 1975년에 콜로라도대학교의 화공-생명공학과의 교수진으로 합류했고 2017년에 은퇴 후 현재까지 명예교수직을 맡고 있다. 그는 여전히 콜로라도대학교에서 교수들과 학생들을 가르치고 연구를 진행하는 데 열심인데, 특히 시니어 디자인 과정의 일환으로 프로세스 모델링과 컴퓨터 시뮬레이션에 관련된 일련의 워크숍에서 지금도 가르치고 있다. 그는 케이스웨스턴리저브대학교(Case Western Reserve University)와 콜로라도대학교 화학공학과에서 학위를 받고 응용 컴퓨팅, 공정 자동화, 다양한 공정의 모델링에 대한 광범위한 경험을 가지고 있는데, 고분자 중합, 고온 촉매 반응기, 유동층(fluidized beds), 개방 채널 흐름, 생의학 장치, 태양열 반응로 등의 동역학적 특성에 대한 연구가 이에 포함된다. 그는 1960년대 초반에 고등학교에서 Fortran 프로그래밍 언어를 처음 배운 이후로 다양한 종류의 프로그래밍 언어와 컴퓨터 도구를 경험하고 이를 그의 교육, 연구, 산업적 응용 분야에 적용해 왔다. 또한 응용 계산 및 문제 해결 분야의 실무 전문가들에게 수백 개의 단기 과정 수업을 가르쳤다. 30여 년에 걸친 그의 스프레드시트(spreadsheet) 문제 해결 교과목은 미국 화공학회(AIChE)에서 제공한 가장 인기 있는 수업으로 인정받고 있다. Steve Chapra가 콜로라도대학교에 재직하던 시절에 그와 협력하여 공학 컴퓨팅 개론 과목을 함께 개발하였고, 지금은 그 과목을 수천 명의 1학년 공대 학생들이 배우고 있다.

저자 서문

우리가 1960년대에 학생으로서 처음으로 컴퓨터 사용법을 배웠을 때 공학 및 과학 계산 분야에서 선택되는 프로그래밍 언어는 Fortran이었다. 이후 반세기 동안 수많은 다른 프로그래밍 언어들이 연구와 교육을 위해 필요한 수치 계산을 구현하는 데 유용한 것으로 입증되어 일련의 개선된 Fortran 버전과 더불어 Algol, Basic, Pascal 및 C/C++ 등의 언어들이 계산 도구상자(tool box)에 포함되었다. 그러나 이러한 진화 과정의 한 가지 단점은 대부분의 프로그래밍 언어들이 프로그래머가 직접 공학 과학 응용 분야에 필요한 '산업적 강점' 알고리즘의 방대한 무기고에 접근할 수 있는 통합적 수치해석 라이브러리를 제공하지 않았다는 점이다.

1984년에 MathWorks 주식회사는 완전히 통합된 다중 패러다임 수치 계산 환경을 제공하는 고급 프로그래밍 언어 MATLAB(MATrix LABoratory)을 발표함으로써 이러한 단점을 보완했다. MATLAB은 순차적인 프로그래밍뿐만 아니라 그림 그리기, 사용자 접속환경(interface) 만들기, 다른 언어와의 접속환경 만들기 등을 허용한다. 그러나 이보다 가장 중요한 장점은 MATLAB은 프로그래머가 밑바닥부터 코드를 개발할 필요 없이 가장 최첨단의 수치해석 방법을 직접 적용할 수 있는 내장함수와 도구상자를 보조 도구로 제공한다는 점이다.

MATLAB은 이처럼 고품질의 강력한 계산 환경을 제공하지만 상대적으로 비싸다는 단점이 있다. 대학과 같은 큰 기관에 속한 사용자에게는 가격이 커다란 고려사항은 아니겠지민 소규모 컨설팅 회사나 지방 정부, 개인, 심지어 기업과 같은 큰 조직까지도 비용에 따른 제약을 받기 때문에 더 저렴한 대안을 필요로 한다.

Guido van Rossum이 개발하여 1991년에 처음 출시한 파이썬(Python)은 강력한 수치해석 기법 루틴에 쉽게 접근할 수 있는 다중 패러다임 개방형 소스(open-source) 개발환경으로서 개인이나 조직에서 무료로 사용할 수 있다. 게다가 많은 '무료' 소프트웨어의 경우와 달리 잘 관리되고 유지되어 왔기 때문에 MATLAB의 대안으로서 점점 큰 인기를 얻고 있다.

이러한 장점에 힘입어 공학 및 과학 교육 분야에서도 파이썬의 사용량이 증가하고 있기 때문에 우리는 한 학기용 수치해법 교재로 사용할 분량으로 이 책을 쓰기로 결정했다. 이 책은 수치해석 기법을 공학 과학 문제에 적용하여 풀이하고자 하는 학생들을 위해 작성했다. 따라서 이 책에서 소개되는 기법들은 수학 자체보다는 문제 풀이에 동기부여를 하는 방향으로 설명되고 이를 통해 학생들이 주어진 기술의 특성과 단점에 대해 통찰력을 갖도록 하였다. 결과적으로 학생들이 구조화되고 일관된 방식으로 적당히 복잡한 알고리즘을 도입할 수 있게 하여 '바퀴를 새로 만드는 작업'없이(역자 주: 밑바닥부터 시작하는 작업 없이) 더 어려운 문제들을 풀이할 수 있도록 해 준다.

이 책의 기본 내용, 구성, 교수법 등은 우리가 출간한 기존의 수치해석 교재와 동일하다. 특히,

의도적으로 대화체 문장을 유지하여 책을 읽기 쉽게 하였고, 독자들에게 직접 말하기를 시도하여 자기 스스로 학습하는 도구로 쓰일 수 있게 고안하였다. 따라서 이 책은 교실 밖에서 수치해석 기법과 파이썬 모두에 능숙하기를 원하는 전문가들을 위해서도 유용한 가치를 지닐 것으로 확신한다.

우리는 공학 및 과학의 응용 분야에서 작동하는 광범위한 사례를 포함하여 교육적 효과를 키우는데 기여하는 요소들을 유지하고자 노력해 왔다. 또한 무엇보다 중요하게 이 책을 가능한 한 '학생 친화적'인 교재로 만들기 위해 우리의 설명이 간단하고 실용적이 되도록 공동으로 노력해 왔다.

우리는 이 책의 주된 목적이 파이썬 프로그래밍 언어 자체를 깊이 가르치고자 하는 것이 아니며 파이썬에 대한 사전 경험을 필요로 하지 않음을 분명히 하고자 한다. 따라서 독자들이 수치해석 기법을 구현할 수 있게 파이썬 프로그래밍의 배경지식을 충분히 제공한다.

우리는 학생들이 응용을 통해 파이썬의 '적시(just in time)' 특성을 배우고 이러한 경험을 보다 광범위한 프로그래밍 언어에 대한 친숙함으로 보편화시킬 수 있게 귀납적인 접근 방법을 사용하기 위해 노력했다. 학생들이 직접 코드를 개발하는 방식을 제공하는 파이썬 코드의 다양한 예들 중에서, 우리는 의도적으로 상대적으로 친숙한 접속환경과 MATLAB과 동일한 많은 기능을 제공하는 Spyder 통합 개발 환경을 사용했다. 이는 명령창, 편집기, 변수탐색기, 디버깅(debugging) 도구 및 유용한 도움말 창을 포함한다. 이미 파이썬에 능통한 프로그래머라면 우리가 빠뜨린 일부 기능에 실망할 수도 있겠지만 우리는 본 책의 주된 목적이 과학-기술-공학-수학(STEM) 분야 학생에게 수치해석을 교육하는 데 있다는 것을 상기시키고자 한다.

비록 우리의 주된 의도는 수치해석 방법으로 문제를 해결하는 것을 올바르게 소개하여 학생들의 능력을 키우는 것이지만, 이러한 소개를 흥미진진하게 만든다는 부수적인 목표도 가지고 있다. 우리는 공학과 과학, 문제 해결, 수학, 그리고 프로그래밍 자체를 즐기는 동기 부여된 학생들이 궁극적으로 더 나은 전문가가 되리라 믿는다. 우리의 책이 이러한 분야에 대한 열정과 감탄을 불러일으킨다면 우리는 이 노력이 성공했다고 여길 것이다.

Steven C. Chapra
Tufts University
Medford, Massachusetts
steven.chapra@tufts.edu

David E. Clough
University of Colorado
Boulder, Colorado
david.clough@colorado.edu

 맥그로힐 Connect®: 학생들의 성적향상을 위한 3년 연속 US CODiE 수상에 빛나는 가장 안정적이고 사용하기 편리한 개인맞춤형 학습

Adaptive Learning (개인 맞춤형 솔루션)

- Connect를 통한 과제 수행은 내용과 연관 있는 내용부터 적용 할 수 있게 함으로써 내용 이해와 비판적 사고를 도와 줍니다.

- Connect는 SmartBook 2.0® 을 통해 각각의 개인에 맞추어진 개별화된 학습 방향을 제시합니다.

- SmartBook 2.0® 의 개인 맞춤 하이라이팅과 연습문제 출제는 학생들로 하여금 양방향 학습경험을 제공하여 더욱 효율적 인 학습을 도와줍니다.

Connect를 이용한 후 학생들의 성적향상

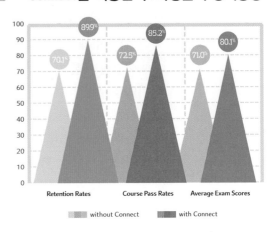

학생들이 대답한 **70억 개가 넘는 연습 문제**의 방대한 데이터는 Mcgrawhill의 Connect를 보다 지능적이고, 믿을 수 있고 정확한 제품으로 만들어줍니다.

Connect를 활용한 학생들의 평균 **10% 이상**의 코스 합격률과 성적 향상

양질의 최신 강의자료

- Connect 안에는 강의를 위한 자료가 단순하고 직관적인 인터 페이스로 구성이 되어 있습니다.

- Connect의 smartbook 2.0은 모바일과 태블릿PC에 최적화되어 있어, 어디서나 인터넷 환경에 구애받지 않고 접속하여 공부 할 수 있습니다.

- Connect에는 동영상, 시뮬레이션, 게임 등과 같이 학생들의 비판적 사고를 길러줄 수 있는 다양한 콘텐츠가 있습니다.

Connect를 사용한 **73%**의 교수님들의 강의평가가 평균 **28% 향상**되었습니다.

Connect Insight: 강력한 분석과 리포트

- Connect Insight는 개별 학생들의 분석과 성취도를 전체 또는 특정 과제로 분류하여 한눈에 보기 쉬운 형태로 보고서를 작성합니다.

- Connect Insight는 학생들의 과제 소요 시간, 개별학습 태도, 성취도 등의 모든 데이터를 대시 보드로 제공합니다. 교수님들은 어떤 학생이 어떤 분야에 취약한지 바로 알아볼 수 있습니다.

- Connect을 통해 과제와 퀴즈의 자동 성적 평가가 가능하며, 개별 그리고 전체 반 학생들의 성취도를 한눈에 알아볼 수 있는 보고서로 제공됩니다.

©Hero Images/Getty Images RF

학생들은 Connect로 강의를 들을 때, 더 많은 A와 B를 취득합니다.

신뢰할 수 있는 서비스와 기술지원

- Connect는 대학 학사관리시스템(LMS)과 통합로그인(Single Sign On)으로 접속하며 성적평가도 자동으로 연동됩니다.

- Connect는 종합적인 서비스와 기술지원 그리고 솔루션 사용을 위한 각 단계에 맞는 사용법 트레이닝을 제공합니다.

- Connect 사용법에 대해 궁금하다면 주소창에 https://www.mheducation.com/highered/connect.html을 쳐보세요.

SmartBook® 2.0

The First and Only Adaptive Reading Experience

Effective. Efficient. Easy-to-Use

맥그로힐 Connect® 내에서 사용 가능한 SmartBook® 2.0은 학생 개개인에 맞춤화된 적응형 학습을 제공하는 특별한 e-Book으로, 추가 학습이 필요한 개념을 우선하여 학습할 수 있도록 합니다. 학생들은 학습 효율을 빠르게 높일 수 있고, 교수자는 심도 있는 강의 구성에 집중할 수 있습니다.

더 면밀한 관리

특정 챕터, 주제, 개념에 대해 우선 학습하여 효율적인 시간 관리

더 정확한 보고

학생의 학습 상황을 모니터하고 학습 정보에 대한 인사이트를 교수자에게 제공

더 완벽한 준비

학생의 가장 취약한 영역을 복습시킴으로써 시험을 더 효율적으로 준비

더 편리한 접근

언제 어디서나 모바일 장치를 통해 학습할 수 있는 편리성, 유연성 제공

Read ▶ Practice ▶ Recharge

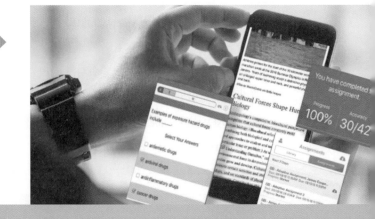

SmartBook® 2.0 - Connect®의 적응형 학습 솔루션으로 학생들의 자신감을 높이고 학생들이 성공할 수 있도록 준비해 보세요!

더 많은 정보는 **mheducation.com/highered/connect/smartbook** ≫

역자 소개

이해준   부산대학교 전기공학과 교수

김남중   가천대학교 기계공학과 교수

김종우   경희대학교 기계공학과 교수

유형민   한국기술교육대학교 기계공학부 교수

윤 린   한밭대학교 기계공학과 교수

조동현   부산대학교 항공우주공학과 교수

역자 서문

컴퓨터를 이용한 계산 과학이 실험 및 이론과 더불어 과학기술 연구 분야의 한 축을 차지하게 된 것은 불과 수십 년에 지나지 않은 짧은 시간이었지만, 컴퓨터 연산 능력 증가에 힘입어 응용 분야의 범위는 상상할 수 없을 만큼 빠르게 확장되고 있다. 지난 40여 년간 세계 최고 수준의 컴퓨터 하드웨어 성능이 대략 100억 배가량 증가했고 이와 더불어 병렬화 기법 등의 소프트웨어 기술도 비약적으로 성장했기 때문에, 과거에는 세계 최고 성능의 컴퓨터로도 불가능했던 계산이 이제는 개인용 컴퓨터에서도 가능해졌다. 게다가 지식과 정보의 나열은 방대한 빅데이터를 토대로 한 Chat-GPT 등의 인공지능이 흉내 낼 수 있지만 이공학 분야의 문제 풀이는 여전히 인공지능조차 접근할 수 없는 어려운 영역으로 남아 있다. 이러한 시대적 흐름을 고려할 때 수치해석 기법의 원리를 익히고 이를 실제적인 공학 및 과학 분야에 응용할 수 있는 문제 풀이 능력을 배양하는 교육은 학생 개인의 발전을 위해서뿐만 아니라 국가의 역량을 키우는 데에도 가히 필수적이라고 할 수 있다.

초기에 수치해석을 연구하던 학자들은 수학적인 방법론을 개발하고 오차가 얼마나 되는지를 증명하는 데 많은 노력을 기울였고 1980년대까지의 수치해석에 대한 교육도 이러한 방법론에 대한 전수를 중요한 내용으로 다루었다. 그러나 근래에 와서는 그간 발전해 온 수치해석 기법에서 개발된 최고 수준의 함수 모듈이 라이브러리화된 프로그램(대표적으로 MATLAB)을 이용하여 학생들이 직접 세부 계산 모듈을 만드는 대신 함수를 불러서 사용하되, 다루는 대상을 보다 종합적이고 복합적인 문제로 확장시키는 흐름이 만들어지게 되었다. 따라서 좋은 라이브러리를 지닌 MATLAB 프로그램을 공학 및 과학 분야의 문제 풀이에 사용할 수 있게 소개하는 실용적인 접근법이 교육적으로 효과적인 시기가 도래했고, 이런 관점에서 S. Chapra 박사의 MATLAB을 활용한 수치해석 관련 교재가 한국의 학생들에게도 많은 사랑을 받아 왔다.

그러나 가격이 비싸기 때문에 개인이 사용하기에는 부담이 있는 MATLAB과는 달리 무료인 개방형 소스 프로그램이면서 수학, 과학기술, 그래프 작성 등과 관련된 방대한 라이브러리를 가지고 있고 근래에 각광받고 있는 인공지능 프로그래밍에도 쉽게 접목할 수 있는 장점을 지닌 파이썬의 중요성이 점점 더 커지고 있는 시대적 흐름에 힘입어, 누구나 쉽게 무료로 컴퓨팅 프로그래밍 기술을 수치해석에 접목할 수 있도록 파이썬 기반의 수치해석 교재를 번역하게 되었다. 이 책은 대학에서 한 학기 동안에 기본적인 수치해석 기법을 익히는 것을 목표로 작성되었기 때문에, 보다 심도 깊은 편미분방정식의 풀이나 더 빠른 계산을 가능하게 하는 병렬화 연산 기법, 인공지능 프로그래밍 등의 고급 과정은 다루지 않는다. 또한 파이썬 프로그램의 심도 깊은 사용 방법이나 다양한 라이브러리들이 지닌 장점과 활용법에 대해서도 이 책에서는 상세히 소개하고 있지 않다. 그럼에도 불구하고, 이 책은 직접 과학 및 공학의 문제를 정의하고, 풀어야 할 식을 유도하여 프로그램 알고리즘을 구상한 후, 그로부터 다양한 수치해석 기법을 응용하여 자신의 개인용 컴퓨터에서 처음으로 과학기술 문제를 풀이해 볼 학부생들에게는 더없이 좋은 안내서가 되리라고 확신한다. 이 책을 통해 배운 학생들이 문제 해결 능력을 갖춘 훌륭한 과학자로 성장한다면 이 책을 번역하고 출판하는 과정에서 겪었던 모든 수고스러움은 사라지고 오직 감사의 마음만이 남게 될 것이다.

마지막으로 번역에 참여하신 역자분들의 수고와 헌신에 감사드리며, 출판 작업을 맡으신 McGrawHill Korea 담당자님들의 노고에 다시 한번 고마운 마음을 전한다.

2023년 3월

이해준

차례

모델링, 컴퓨터 그리고 오차 분석

Modeling, Computers, and Error Analysis

1.1 동기 부여

수치해석이란 무엇이고 왜 우리는 이것을 공부해야 하는가?

수치해석이란 산술적인 계산과 논리 연산을 통하여 수학적인 문제를 풀기 위한 수식화 기법을 의미한다. 디지털 컴퓨터가 이러한 작업을 빠르게 수행할 수 있기 때문에, 수치해석은 종종 **컴퓨터를 활용한 수학**이라고 언급되기도 한다.

컴퓨터가 주로 사용되기 이전 시대에는 이러한 계산을 구현하는 데 필요한 많은 시간과 노력이 수치해석의 실제적 사용을 매우 제한하였다. 하지만 빠르고 저렴해진 디지털 컴퓨터의 발전과 함께 공학과 과학 문제 해결을 위한 수치해석의 역할은 매우 커져 가고 있다. 이러한 수치해석이 우리 업무의 많은 부분에서 중요해졌기 때문에, 우리는 수치해석이 모든 공학자와 과학자 기본 교육의 일부분이 되어야 한다고 믿는다. 우리가 수학과 과학의 다른 분야에서도 견고한 기초 지식을 가지고 있어야 하는 것과 같이, 수치해석의 기본적인 이해도 필요하다. 특히 우리는 이러한 수치해석의 가능성과 한계점을 분명하게 인식해야 한다.

수치해석이 모든 교육에 기여하는 것을 넘어서, 당신이 수치해석을 배워야 하는 몇 가지 추가적인 이유는 다음과 같다.

1. 수치해석은 당신이 풀고자 하는 문제의 범위를 매우 넓혀 준다. 수치해석은 매우 큰 규모의 식이나, 비선형성 그리고 공학이나 과학에서 일반적이지 않고 기존 수학을 이용하여 해석적으로 풀 수 없는 복잡한 형태의 문제들을 다룰 수 있다. 따라서 수치해석은 당신의 문제 해결 능력을 매우 높여 준다.

2. 수치해석은 사용자에게 '상용화된' 소프트웨어에 대한 직관을 높여 준다. 당신은 업무 중 수치해석과 관련된 상용 컴퓨터 프로그램을 사용할 기회가 있을 것이다. 이러한 프로그램은 내재된 풀이 방법에 대한 기본적인 이론을 이해함으로써 더 현명하게 이용할 수 있다. 사용자에게 프로그램 내부에서 벌어지는 일 또는 그것들이 제공하는 결과의 유효성에 대한 이해가 없다면 프로그램을 '블랙박스'처럼 다룰 수밖에 없다.

3. 많은 공학적 문제들이 상용 프로그램으로 다룰 수 없는 경우가 존재한다. 만약 당신이 수치해석에 정통하고 컴퓨터 프로

그래밍에 능숙하다면, 비싼 소프트웨어를 구매하거나 커미션을 줄 필요없이 주어진 문제를 풀기 위하여 당신 자신의 프로그램을 설계할 수 있다.

4. 수치해석은 컴퓨터를 사용하기 위한 방법을 배우는 데 효율적인 수단이다. 수치해석은 컴퓨터 구현을 염두에 두고 설계되었으므로, 컴퓨터의 능력과 한계를 보여 주는 데 이상적이다. 당신이 성공적으로 컴퓨터에서 수치해석을 구현하고, 다른 방식으로 풀지 못했던 문제에 작성한 수치해석을 적용하였을 때, 컴퓨터가 당신의 전문가적 능력 발전에 기여하였는지를 극적으로 보여 줄 수 있다. 동시에 당신은 큰 규모의 수치 계산의 일부분인 근사오차를 인식하고 제어하는 방법을 배울 것이다.

5. 수치해석은 당신에게 수학의 이해를 강화하는 수단을 제공한다. 수치해석의 기능 중 하나는 높은 수준의 수학적 내용을 기본적인 산술 연산으로 전환해 주는 것이기 때문에, 수치해석은 복잡한 주제의 핵심을 알려 준다. 이러한 다른 시각으로부터 높아진 이해와 직관을 얻을 수 있다.

이러한 이유들을 동기로 우리는 수치해석과 디지털 컴퓨터가 수학적 문제에 대한 신뢰할 만한 결과를 도출하는지 이해할 수 있다. 이 책의 나머지 부분은 이러한 과정에 목표를 둔다.

1.2 구성

이 책은 여섯 부로 나뉜다. 후반 다섯 부에서는 수치해석의 주요 분야에 초점을 맞추었다. 이러한 내용들을 다루기에 앞서 우선 네 개의 장으로 구성된 1부에서는 필수적인 기초 지식을 다룬다.

1장에서는 실제 문제를 푸는 데 수치해석이 어떻게 사용되는지 그 구체적인 예시를 제공한다. 이를 위하여 우리는 자유낙하 중인 번지점퍼의 **수학적 모델**을 개발한다. 뉴턴의 운동 제2법칙을 따르는 이 모델은 상미분방정식으로 도출된다. 처음으로 해석해를 도출하기 위하여 미적분학을 적용하고, 간단한 수치해석을 활용하여 이에 대응할 만한 해를 어떻게 도출하는지 보일 것이다. 그후 2부부터 6부까지에서 다룰 수치해석의 주요 분야에 대하여 소개하며 마무리한다.

2장에서는 IPython(Interactive 파이썬) 명령창 콘솔과 Spyder 편집기를 통하여 파이썬 언어를 소개한다. *IPython* 명령창 콘솔은 계산을 수행하고 그래프를 그리는 작업과 같은 평범한 작업을 어떻게 수행하는지에 대한 직관적인 방법을 제공한다. *Spyder* 편집기는 쉽게 수정하고 저장이 필요한 더 긴 프로그램 스크립트를 작성하는 데 사용할 인터페이스이다.

3장에서는 Spyder 편집기의 사용에 초점을 맞추고 수치해석 알고리즘을 구현하는 데 필수적인 파이썬 언어의 구조적 요소에 대하여 소개한다.

4장에서는 오차 분석의 중요한 주제를 다룬다. 이는 수치해석을 효율적으로 사용하기 위하여 필수적으로 이해해야 한다. 이 장의 첫 부분은 디지털 컴퓨터가 정확히 수치를 표현하지 못하기 때문에 발생하는 **반올림오차**에 초점을 맞춘다. 후반부에서는 정확한 수학적 과정의 근사를 사용하며 발생한 **절단오차**를 다룬다.

수학적 모델링, 수치해석 그리고 문제 해결

Mathematical Modeling, Numerical Methods, and Problem Solving

학습 목표

이 장의 주된 목표는 수치해석이 무엇이고 공학적, 과학적 문제 해결과 어떻게 연관되어 있는가에 대한 명확한 개념을 제공하는 것이다. 구체적인 목표와 주제들은 다음과 같다.

- 간단한 물리 시스템의 거동을 묘사하기 위한 과학적 기초 원리들을 수학적 모델로 공식화하는 방법을 학습
- 수치해석이 디지털 컴퓨터에서 구현 가능한 방법으로 해를 어떻게 도출하는지 이해
- 다양한 공학적 규칙에 사용되는 모형의 원리를 제공하는 보존 법칙을 이해하고, 이러한 모델들의 정적 및 동적 해의 차이를 설명
- 이 책에서 다룰 다양한 종류의 수치해석 기법 학습

문제 제기

번지점프 관련 업무를 수행하는 회사에 고용되었다고 가정하자. 당신은 점프 후 자유낙하를 하는 동안 점프한 사람의 속도를 시간에 대한 함수로 예측하는 일을 맡았다. 이 정보는 각기 다른 질량을 가진 사람을 위한 번지점프 줄의 길이와 필요한 강도를 결정하기 위한 대규모 분석의 일부분으로 사용될 것이다.

당신은 물리학 지식으로부터 가속도는 질량에 대한 힘의 비율과 같다고 알고 있다(뉴턴의 운동 제2법칙). 이 직관과 당신의 물리학 그리고 유체역학적 지식에 기반하여, 당신은 시간에 따른 속도의 변화량을 확인하기 위해 아래의 수학적 모델을 개발하였다.

$$\frac{dv}{dt} = g - \frac{c_d}{m}v^2$$

v는 하강 속도 (m/s), t는 시간 (s), g는 중력 가속도 ($\cong 9.81$ m/s^2), c_d는 집중 저항계수 (kg/m) 그리고 m은 점프를 하는 사람의 질량 (kg)이다. 집중 저항계수는 그 크기가 점프하는 사람의 면적이나 유체 밀도와 같은 요소들에 따라서 달라지기 때문에 '집중'이라고 한다(1.4절 참고).

이 식이 미분방정식이기 때문에 t에 대한 해석해 혹은 엄밀해인 v의 식을 얻기 위하여 미적분학을 사용해야 함을 알고 있다. 하지만 우리는 다른 방식으로 해를 구하는 법을 이야기할 것이다. 이 방식은 컴퓨터를 활용한 수치적 혹은 근사해를 개발하는 것과 관련이 있다.

이와 같이 특정 문제의 해를 구하는 데 컴퓨터를 어떻게 활용할지를 보여 주는 것 이외에 더 근본적인 목적은 (*a*) 수치해석이 무엇인지, (*b*) 그것이 어떻게 공학적 그리고 과학적 문제 해결을 하는지를 기술하는 것이다. 이러한 설명을 통하여 우리는 수학적 모델이 공학자와 과학자들이 그들

Upward force due to air resistance

Downward force due to gravity

그림 1.1
자유낙하 중인 번지점프 하는 사람에게 작용하는 힘.

의 업무에서 수치해석을 어떻게 사용하는지를 보여 줄 것이다.

1.1   간단한 수학적 모델

수학적 모델은 넓은 의미로 물리적인 시스템이나 수학적인 프로세스의 필수적인 요소들을 공식이나 방정식으로 표현한 것으로 정의한다. 일반적으로 다음과 같은 함수 형식으로 표현 가능하다.

$$\text{종속변수} = f(\text{독립변수, 매개변수, 외력}) \tag{1.1}$$

종속변수는 시스템의 상태 혹은 거동을 반영하는 특성이다. **독립변수**는 일반적으로 시스템 거동이 정의되는 시간적 혹은 공간적 차원을 의미한다. **매개변수**는 시스템의 특성이나 구성을 반영한다. **외력**은 시스템에 작용하는 외부적인 영향을 의미한다.

식 (1.1)의 수학적 표현은 간단한 수학적 관계부터 큰 규모의 연립 미분방정식까지 포함할 수 있다. 예를 들어, 뉴턴은 경험에 근거하여 운동 제2법칙을 고안하였다. 제2법칙은 힘을 받고 있는 물체의 운동량의 시간에 따른 변화량은 그 물체에 작용하고 있는 합력과 같다고 말한다. 이러한 제2법칙의 수학적인 표현 혹은 모델은 널리 알려진 다음에 기술된 식이다.

$$F = ma \tag{1.2}$$

F는 물체에 작용하는 총 합력 (N, 혹은 $kg \cdot m/s^2$), m은 물체의 질량 (kg), a는 물체의 가속도 (m/s^2)이다.

위의 제2법칙 식에서 단순히 m으로 양변을 나누어 식 (1.1)의 형식으로 표현하면 다음과 같다.

$$a = \frac{F}{m} \tag{1.3}$$

a는 시스템의 거동을 보여 주는 종속변수이고, F는 외력, m은 매개변수이다. 이와 같은 간단한 경우 가속도가 시간 혹은 공간에 따라 어떻게 변화하는지를 예측하지 않으므로, 독립변수가 없음에 주의하라.

식 (1.3)은 물리 기반 세계에서 수학적 모델이 갖는 일반적인 특성 몇 개를 기술하고 있는데, 이는 다음과 같다.

- 자연현상 혹은 체계를 수학적인 언어로 기술한다.
- 실제의 이상화 혹은 간략화를 보여 준다. 모델은 자연현상의 세부를 무시하고, 그 필수적인 요소에 집중하고 있다. 따라서 제2법칙은 인간이 감지할 수 있는 속도와 크기에서의 지구 혹은 지구 표면상에서 작용되는 무시될 수 있는 상대성에 대하여 고려하지 않는다.
- 마지막으로 모델은 검증 가능한 결과를 도출하고 결과적으로 예측 목적으로 사용할 수 있다. 예를 들어, 만약 물체에 작용하는 힘과 물체의 무게를 안다면 식 (1.3)은 가속도를 계산하는 데 사용할 수 있다.

모델의 간략한 수학적 표현으로 인하여, 식 (1.2)의 해는 쉽게 구할 수 있다. 하지만 다른 수학적 모델 혹은 물리적 현상은 매우 복잡할 수 있고, 엄밀해를 구할 수 없거나 또는 정교한 수학적 기법이 필요할 수 있다. 이러한 더 복잡한 모델이란 뉴턴의 운동 제2법칙을 지구 표면과 가까운 곳에서 자유낙하하는 사람의 종단속도를 결정하는 데 적용하는 것이다. 떨어지는 물체는 번지점프를 하는 사람이다(그림 1.1). 이 경우 모델은 가속도가 속도의 시간에 따른 변화로서 표현됨을 유도할 수 있고, 이를 식 (1.3)에 대입하여 다음 식을 얻어 낼 수 있다.

$$\frac{dv}{dt} = \frac{F}{m} \tag{1.4}$$

v는 속도 (m/s)이다. 따라서 속도의 시간에 따른 변화는 물체의 무게로 물체에 작용하는 합력을 나눈 것과 같다. 만약 합력의 크기가 양의 값이라면 물체는 가속할 것이다. 만약 음의 값이라면 물체의 속도가 줄어들 것이다. 만약 합력이 0이라면, 물체의 속도는 같은 값을 유지할 것이다.

다음으로 우리는 합력의 크기를 측정 가능한 변수와 매개변수로 나타낼 것이다. 지구 부근에서 떨어지는 물체에서 총 힘은 아래로 작용하는 중력 F_D와 위로 작용하는 공기저항력 F_U 두 가지 반대되는 힘으로 구성된다.

$$F = F_D + F_U \tag{1.5}$$

만약 아래로 작용하는 힘을 양의 부호로 표기하기로 정한다면, 제2법칙은 다음과 같이 중력을 표현하는 데 사용할 수 있다.

$$F_D = mg \tag{1.6}$$

g는 중력가속도 (9.81 m/s^2)를 의미한다.

공기저항은 다양한 방법으로 수식화할 수 있다. 유체역학으로부터의 좋은 근사식은 공기저항이 속도의 제곱에 비례한다고 가정하는 것이라고 제안한다.

$$F_U = -c_d v^2 \tag{1.7}$$

c_d는 **집중 저항계수**라고 부르는 비례상수이다. 따라서 낙하 속도가 커지면 공기저항에 의해 위 방향 힘도 커진다. 매개변수 c_d는 떨어지는 물체의 특성인 형태와 표면 거칠기 등을 반영한다. 이 경우, c_d는 옷의 종류나 점프하는 사람이 자유낙하하는 동안의 방향 등의 함수일 수 있다.

합력의 크기는 아래 방향과 위 방향 힘 간의 차이이다. 따라서 식 (1.4)부터 식 (1.7)까지의 합은 다음의 식을 도출한다.

$$\frac{dv}{dt} = g - \frac{c_d}{m} v^2 \tag{1.8}$$

식 (1.8)은 떨어지는 물체의 가속도와 그 물체에 작용하는 힘을 연관시키는 모델이다. 이것은 우리가 예측하고자 하는 변수 변화량의 미분(dv/dt)에 대하여 기술되었으므로 **미분방정식**이다. 하지만 식 (1.3)의 뉴턴의 운동 제2법칙의 해와는 대조적으로 점프한 사람의 속도를 위한 식 (1.8)의 엄밀해는 간단한 대수적 조작으로 구할 수 없다. 미적분학의 발전된 기술이 엄밀해 혹은 해석해를 얻기 위해서 적용되어야 한다. 예를 들어, 만약 점프한 사람이 초기에 멈춰 있었다면, 식 (1.8)을 푸는 데 미적분학을 사용하여 다음과 같은 해를 도출할 수 있다.

$$v(t) = \sqrt{\frac{gm}{c_d}}\ \tanh\left(\sqrt{\frac{gc_d}{m}}t\right) \tag{1.9}$$

tanh는 직접적으로 계산하거나[1] 다음의 더 기본적인 지수함수를 통하여 구할 수 있는 쌍곡선 탄젠트이다.

$$\tanh x = \frac{e^x - e^{-x}}{e^x + e^{-x}} \tag{1.10}$$

식 (1.9)는 식 (1.1)의 일반적인 형태를 보여 준다. $v(t)$는 종속변수이고, t는 독립변수이고, c_d와 m은 매개변수이고, g는 외력 함수이다.

예제 1.1	**번지점프 문제의 해석해**

문제 정의 질량이 68.1 kg인 번지점프하는 사람이 열기구에서 뛰어내린다. 식 (1.9)를 사용하여 자유낙하 12초 후 속도를 계산하라. 또한 무한히 긴 줄에 번지점프하는 사람이 매달려 있다면(혹은 운이 좋지 않아서 자유낙하를 한다면), 종단속도를 결정하라. 공기저항계수는 0.25 kg/m이다.

풀이 식 (1.9)에 매개변수를 대입하면 다음을 얻는다.

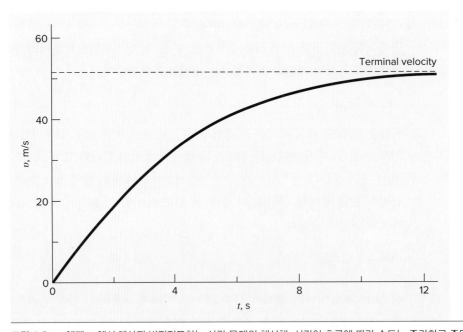

그림 1.2   예제 1.1에서 계산된 번지점프하는 사람 문제의 해석해. 시간이 흐름에 따라 속도는 증가하고 종단속도에 도달한다.

---

1)   파이썬은 math 모듈에서 사용 가능한 내장함수 tanh(x)를 이용하여 쌍곡선 탄젠트 값을 직접 계산할 수 있다.

$$v(t) = \sqrt{\frac{9.81(68.1)}{0.25}} \tanh\left(\sqrt{\frac{9.81(0.25)}{68.1}} \, t\right) = 51.6938 \tanh(0.18977t)$$

이를 이용하여 다음의 값을 얻을 수 있다.

t, s	v, m/s
0	0
2	18.7292
4	33.1118
6	42.0762
8	46.9575
10	49.4214
12	50.6175
∞	51.6938

모델에 따르면, 번지점프하는 사람은 빠르게 가속한다(그림 1.2). 49.4214 m/s (대략 110 mi/hr)의 속도에 10초 만에 도달한다. 충분히 긴 시간 후에 **종단속도**라 일컫는 일정한 속도인 51.6983 m/s (115.6 mi/hr)에 도달한다. 이 속도는 결국에는 중력이 공기저항과 균형을 이루므로 일정한 값을 가진다. 따라서 합력은 0이고, 가속도는 줄어든다.

식 (1.9)는 원래의 미분방정식을 정확히 만족하기 때문에 **해석해** 혹은 **닫힌해**라고 부른다. 불행하게도 많은 수의 수학적 모델이 정확한 해를 구할 수 없다. 이러한 많은 경우에서 유일한 대안은 정확한 해를 근사하는 수치해를 발견하는 것이다.

수치해석은 수학적 문제를 재정리하여 산술 연산을 통하여 해를 구할 수 있도록 하는 것이다. 식 (1.8)의 경우 속도의 시간에 따른 변화량을 아래와 같이 근사할 수 있음을 확인함으로써 이를 설명할 수 있다(그림 1.3).

$$\frac{dv}{dt} \cong \frac{\Delta v}{\Delta t} = \frac{v(t_{i+1}) - v(t_i)}{t_{i+1} - t_i} \tag{1.11}$$

Δv와 Δt는 속도와 시간의 증분을 의미한다. $v(t_i)$는 시작 시간 t_i에서의 속도를 $v(t_{i+1})$은 이후 시간 t_{i+1}에서의 속도를 의미한다. $dv/dt \cong \Delta v/\Delta t$는 Δt가 유한하기 때문에 근사식임에 유의하라. 미적분학에서는 다음과 같이 정의한다.

$$\frac{dv}{dt} = \lim_{\Delta t \to 0} \frac{\Delta v}{\Delta t}$$

식 (1.11)은 역과정을 보여 준다.

식 (1.11)은 시간 t_i에서 도함수의 **유한차분** 근사라고 부른다. 이는 식 (1.8)에 대입되어서 다음의 식을 제공한다.

$$\frac{v(t_{i+1}) - v(t_i)}{t_{i+1} - t_i} = g - \frac{c_d}{m}v(t_i)^2$$

이 식을 재정렬하면 다음의 식을 얻을 수 있다.

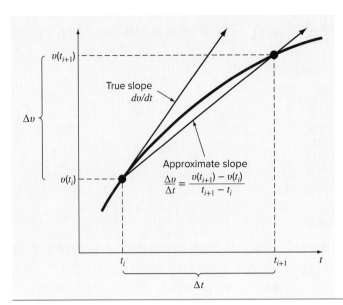

그림 1.3 t에 대한 1차 미분의 근사를 위한 유한차분 사용.

$$v(t_{i+1}) = v(t_i) + \left[g - \frac{c_d}{m} v(t_i)^2 \right] (t_{i+1} - t_i) \tag{1.12}$$

괄호 안에 있는 항들은 식 (1.8) 미분방정식의 우변항임에 주의하라. 이것은 v의 변화량 혹은 기울기를 계산하는 방법을 제공한다. 따라서 식은 간략하게 다음과 같이 기술될 수 있다.

$$v_{i+1} = v_i + \frac{dv_i}{dt} \Delta t \tag{1.13}$$

v_i 표시는 시간 t_i에서 속도를 의미하고, $\Delta t = t_{i+1} - t_i$를 의미한다.

이제 미분방정식이 기울기와 v와 t의 이전 값들을 사용하여 시간 t_{i+1}에서의 속도를 산술적으로 결정할 수 있는 식으로 변환되었음을 확인하였다. 만약 임의의 시간 t_i에서의 초기 속도가 주어진다면 쉽게 그 이후 시간 t_{i+1}에서의 속도를 계산할 수 있다. 시간 t_{i+1}에서의 새로운 속도는 반대로 시간 t_{i+2}나 이후 속도를 계산하는 데 사용될 수 있다. 따라서 이 방식을 통하여 임의의 순간 값은 다음과 같이 표현된다.

새로운 값 = 이전 값 + 기울기 × 간격 크기

이러한 계산 방법을 **오일러 방법**이라고 부른다. 우리는 이에 대한 세부사항을 이 책의 후반부에서 미분방정식을 다룰 때 이야기할 것이다.

예제 1.2   **번지점프 문제의 수치해**

문제 정의 오일러 방법으로 속도를 계산하는 식 (1.12)를 이용하여 예제 1.1의 계산을 수행하라. 계산을 위한 간격 크기는 2초로 하여라.

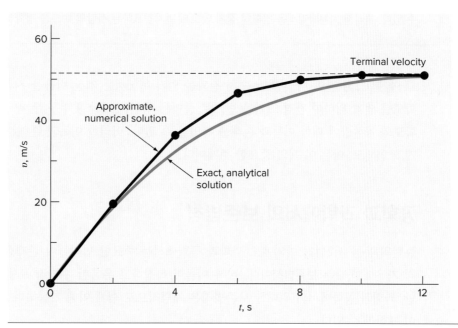

그림 1.4 번지점프하는 사람 문제의 수치해와 해석해의 비교.

풀이 계산의 시작($t_0 = 0$)에서 점프하는 사람의 속도는 0이다. 이 정보와 예제 1.1의 매개변수 값을 사용하여, 식 (1.12)를 $t_1 = 2$초일 때의 속도를 계산하는 데 사용할 수 있다.

$$v = 0 + \left[9.81 - \frac{0.25}{68.1}(0)^2 \right] \times 2 = 19.62 \text{ m/s}$$

다음 구간에서($t = 2$초부터 4초까지) 계산을 반복하면 다음을 얻는다.

$$v = 19.62 + \left[9.81 - \frac{0.25}{68.1}(19.62)^2 \right] \times 2 = 36.4137 \text{ m/s}$$

계산을 유사하게 반복하여 다음의 추가 값들을 얻을 수 있다.

t, s	v, m/s
0	0
2	19.6200
4	36.4137
6	46.2983
8	50.1802
10	51.3123
12	51.6008
∞	51.6938

그림 1.4는 엄밀해와 얻어진 결과를 함께 보여 준다. 수치해석이 엄밀해의 중요한 특징을 잡아냈음을 확인할 수 있다. 하지만 연속적인 곡선 함수를 근사하는 데 직선을 사용하였기 때문에, 두 개의 결과에 차이가 있다. 이러한 차이를 줄이는 한 가지 방법은 더 작은 간격 크기를 사용하는 것이다. 예를 들어, 1초 간격을 식 (1.12)에 사용하면 오차가 작아지며, 참해에 더 근접한 직선을 얻을 수 있다. 손으로 해를 구한다면 더 작은 간격 크기를 사용하는 노력은 수치해를 효율적이지 못하게 만든다. 하지만 컴퓨터의 도움으로 큰 규모의 계산도 쉽게 수행될

수 있다. 따라서 미분방정식을 정확히 풀지 않고도 번지점프하는 사람의 속도를 정확히 계산할 수 있다.

예제 1.2와 같이 더 정확한 수치 결과를 얻기 위해서는 계산 비용을 지출하여야 한다. 높은 정확도를 얻기 위하여 간격 크기를 반으로 줄이는 행위는 계산 횟수를 두 배 증가시킨다. 따라서 정확도와 계산량에 대한 이득과 손해를 확인할 수 있다. 이러한 이득과 손해는 수치해석에서 뚜렷하게 확인되고, 이는 이 책의 중요한 주제이다.

1.2 공학과 과학에서의 보존법칙

뉴턴의 운동 제2법칙 이외에도 과학과 공학에서는 중요한 법칙들이 존재한다. 이러한 중요한 법칙 가운데 하나는 **보존법칙**이다. 비록 이들이 복잡하고 유용한 수학적 모델들의 기초를 형성하지만, 과학과 공학에서의 위대한 보존법칙은 개념적으로 쉽게 이해 가능하다. 보존법칙은 다음과 같이 표현할 수 있다.

변화량 = 증가량 − 감소량   (1.14)

이는 우리가 뉴턴의 법칙을 이용하여 번지점프하는 사람의 힘의 평형을 고려할 때 사용했던 형식과 정확히 일치한다[식 (1.8)].

비록 간단하지만 식 (1.14)는 공학과 과학에서 사용되는 보존법칙의 가장 기본적인 방식 중 하나를 내포하고 있다. 이는 시간에 따른 변화량을 예측하는 것이다. 우리는 이 방식에 **시간-변화**(혹은 **과도**) 계산이라는 특별한 이름을 붙이겠다.

변화를 예측하는 것 이외에 보존법칙을 적용하는 다른 방식은 변화가 존재하지 않는 경우이다. 만약 변화량이 0이라면, 식 (1.14)는 다음과 같다.

변화량 = 0 = 증가량 − 감소량

혹은

증가량 = 감소량   (1.15)

따라서 변화가 존재하지 않는다면, 증가량과 감소량은 균형을 이루어야 한다. **정상 상태** 계산이라는 특별한 이름이 붙은 이 경우는 공학과 과학에서 많은 응용 예시를 가지고 있다. 예를 들어, 파이프를 통과하는 정상 상태의 비압축성 유체의 흐름은 합류점으로 들어오는 유체의 양은 합류점을 나가는 유체의 양과 균형을 이루어야 한다.

유입량 = 유출량

그림 1.5와 같은 합류점에서 이러한 균형은 네 번째 파이프의 유출량이 60이 되어야 함을 계산하

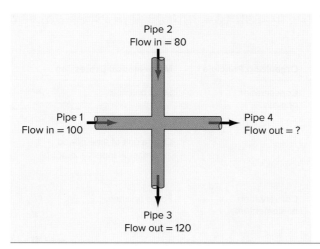

그림 1.5　관의 합류점에서 정상 상태의 비압축성 유체 흐름의 유량 균형.

는 데 사용될 수 있다.

번지점프하는 사람의 정상 상태는 합력이 0이 되는 경우 [식 (1.8)에서 $dv/dt = 0$]와 대응된다.

$$mg = c_d v^2 \tag{1.16}$$

따라서 정상 상태에서 아래쪽 그리고 위쪽으로 작용하는 힘들은 균형을 이루고, 식 (1.16)은 종단 속도 계산을 위하여 사용될 수 있다.

$$v = \sqrt{\frac{gm}{c_d}}$$

비록 식 (1.14)와 식 (1.15)는 매우 간단해 보이지만 보존법칙이 공학과 과학에서 사용되는 두 가지 기본적인 방법을 보여 준다. 그렇기 때문에, 이들은 수치해석과 공학 그리고 과학의 관계를 보여 주기 위한 이 후 장에서 중요한 역할을 하고 있다.

표 1.1은 공학에서 중요하게 사용되는 보존법칙과 연관된 몇몇 모델들을 요약하고 있다. 토목 공학에서 힘의 균형은 표 1.1의 단순 트러스와 같은 구조를 분석하는 데 사용한다. 같은 법칙이 위-아래로 움직이는 과도 현상 움직임이나 자동차의 진동을 분석하는 기계공학에서 사용된다.

마지막으로, 전자공학은 전자 회로를 모델링하기 위하여 전류 그리고 에너지 균형을 사용한다. 전하 보존의 결과로 도출된 전류 균형은 그림 1.5의 유체 균형과 유사하다. 합류점에서 유체가 균형을 이루어야 함과 같이, 전류 또한 전선의 합류점에서 균형을 이루어야 한다. 에너지 보존은 회로의 임의 루프에서 전압의 변화의 합이 0이 되어야 함을 알려 준다.

화학, 토목, 전자 그리고 기계 이상의 다른 많은 분야들이 존재함에 주의하라. 이들은 네 가지 주요 공학과 연관되어 있다. 예를 들어, 화학공학 기술은 환경, 정유 그리고 의공학과 같은 분야에서 매우 많이 사용된다. 유사하게 항공 분야는 기계공학과 공통점이 많다. 우리는 다음 내용에서 이러한 분야를 함께 다룰 것이다.

표 1.1　공학의 네 가지 중요한 영역에서 자주 사용되는 장치와 평형의 종류. 각각의 경우, 평형을 고려하는 근거인 보존법칙이 명시되어 있다.

Field	Device	Organizing Principle	Mathematical Expression
Chemical engineering	Reactors	Conservation of mass	Mass balance: Input → Output Over a unit of time period $\Delta\text{mass} = \text{inputs} - \text{outputs}$
Civil engineering	Structure	Conservation of momentum	Force balance: $+F_V$, $-F_H$, $+F_H$, $-F_V$ At each node Σ horizontal forces $(F_H) = 0$ Σ vertical forces $(F_V) = 0$
Mechanical engineering	Machine	Conservation of momentum	Force balance: Upward force, $x = 0$, Downward force $m\dfrac{d^2x}{dt^2} = \text{downward force} - \text{upward force}$
Electrical engineering	Circuit	Conservation of charge	Current balance: $+i_1 \longrightarrow \bullet \longrightarrow -i_3$, $+i_2$ For each node Σ current $(i) = 0$
		Conservation of energy	Voltage balance: i_1R_1, i_2R_2, ξ, i_3R_3 Around each loop Σ emf's $- \Sigma$ voltage drops for resistors $= 0$ $\Sigma\,\xi - \Sigma\,iR = 0$

1.3 이 책에서 다룰 수치해석

이 책의 도입부에서 오일러 방법이 선택된 이유는 이 방식이 수치해석의 전형적인 모습을 보여 주기 때문이다. 핵심적으로 대부분은 수학적인 연산을 디지털 컴퓨터가 적용 가능한 간단한 종류의 산술적 그리고 논리적 연산자로 변환해 주는 작업을 포함한다. 그림 1.6은 이 책에서 다루는 주요 주제를 요약한 것이다.

2부에서는 해를 구하는 것과 최적화라는 두 개의 연관된 주제를 다룬다. 그림 1.6a에서 해를 찾는 것은 함수에서 0이 되는 위치를 찾는 것과 관계된다. 반대로 **최적화**는 함수의 '최고' 혹은 최적

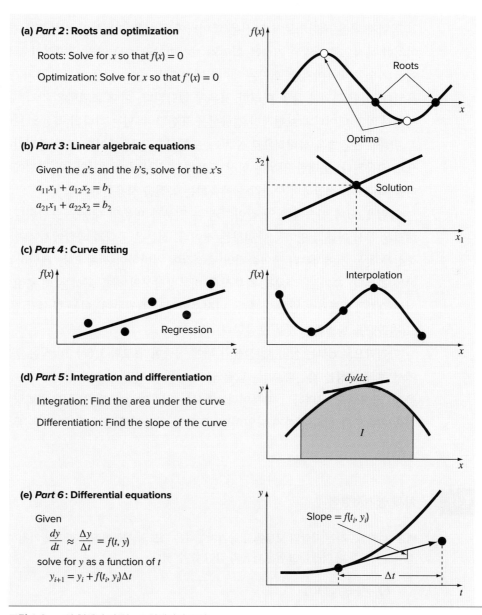

(a) Part 2 : Roots and optimization

Roots: Solve for x so that $f(x) = 0$

Optimization: Solve for x so that $f'(x) = 0$

(b) Part 3 : Linear algebraic equations

Given the a's and the b's, solve for the x's

$a_{11}x_1 + a_{12}x_2 = b_1$

$a_{21}x_1 + a_{22}x_2 = b_2$

(c) Part 4 : Curve fitting

(d) Part 5 : Integration and differentiation

Integration: Find the area under the curve

Differentiation: Find the slope of the curve

(e) Part 6 : Differential equations

Given

$$\frac{dy}{dt} \approx \frac{\Delta y}{\Delta t} = f(t, y)$$

solve for y as a function of t

$$y_{i+1} = y_i + f(t_i, y_i)\Delta t$$

그림 1.6 이 책에서 다루는 수치해석의 요약.

의 독립변수의 값을 결정하는 것과 연관이 있다. 따라서 그림 1.6a와 같이 최적화는 최댓값 혹은 최솟값을 밝히는 것과 관계된다. 비록 다른 방법들이 사용된다고 하더라도 해를 찾는 것 그리고 최적화를 하는 것 모두 전형적으로 설계 과정에서 발생하는 일이다.

　3부는 연립 선형대수방정식을 푸는 것에 집중한다(그림 1.6b). 이러한 연립 선형대수방정식은 방정식을 만족하는 값을 고려한다는 점에서 해를 찾는 것과 유사하다. 하지만 하나의 식을 만족하는 것과는 다르게, 여러 개의 선형대수방정식을 동시에 만족하는 값들을 찾는다는 점이 차이점이다. 이러한 식들은 다양한 문제 상황에서 그리고 공학과 과학을 다루는 도중에 발생한다. 특별히 이는 구조, 전자회로, 유체 네트워크 등의 서로 연관된 대규모의 수학적 모델링에서 발생한다. 또한 이 식들은 커브 피팅이나 미분방정식 등 다른 수치해석 영역에서도 마주칠 수 있다.

　공학자 혹은 과학자로서 당신은 데이터에 곡선을 피팅해야 하는 경우를 자주 마주칠 것이다. 이러한 목적으로 개발된 기술은 회귀와 보간법이라는 두 가지 일반적인 분류로 나눌 수 있다. 4부에서 기술할 내용이지만, **회귀**는 데이터에 영향을 줄 수 있을 정도의 오차가 포함되었을 경우에 사용된다. 실험 결과가 종종 이러한 경우에 해당된다. 이때 회귀법은 각각 포인트를 정확하게 일치시키지 않고 데이터의 보편적인 경향성을 표현할 수 있는 하나의 곡선을 도출한다.

　반대로 **보간법**은 상대적으로 오차가 포함되지 않는 데이터 간의 중간값을 결정하기 위한 목적으로 사용된다. 이러한 경우는 항상 도표화된 정보에 해당된다. 이 방법에서는 곡선을 직접 데이터를 지나도록 접합하며 중간값을 예측하는 곡선을 사용한다.

　그림 1.6d에 기술된 바와 같이, 5부는 적분과 미분의 내용을 포함한다. **수치적 적분**의 물리적 해석은 곡선 아래의 영역을 판별하는 것이다. 적분은 공학과 과학에서 특별하게 생긴 물체의 무게중심을 찾는 것에서부터 불연속적인 측정값에 기반하여 전체 양을 계산하는 것까지 많은 응용 분야를 갖는다. 추가로, 수치적 적분식은 미분방정식의 해를 구하는 데 중요한 역할을 한다. 5부에서는 **수치적 미분**의 방법을 다룬다. 미적분학에서 배웠듯이, 이는 함수의 경사를 판별하는 것 혹은 그 변화량을 판별하는 것을 포함한다.

　마지막으로 **6부**는 **상미분방정식**의 해에 집중한다(그림 1.6e). 이 식은 공학과 과학의 모든 분야에서 큰 중요성을 갖는다. 이는 많은 물리 법칙이 어떤 변수의 수치 자체보다는 그 수치의 변화량을 더 중요하게 고려하기 때문이다. 예시는 인구예측 모델(인구의 변화량)부터 낙하하는 물체의 가속도(속도의 변화량)까지 다양하다. 또한 초기조건과 경계조건이라는 두 가지 형태의 문제들을 다룬다.

사례연구 1.4　　**실제 공기저항력**

배경　번지점프하는 사람의 모델에서 공기저항력은 속도의 제곱에 의존한다고 가정하였다[식 (1.7)]. Rayleigh 경이 수식화한 더 자세한 표현은 다음과 같이 쓸 수 있다.

$$F_d = -\frac{1}{2}\rho v^2 A C_d \vec{v} \tag{1.17}$$

continued

F_d는 항력 (N), ρ는 유체 밀도 (kg/m^3), A = 운동 방향에 수직인 면에 대한 물체의 면적 (m^2), C_d는 무차원 공기저항계수 그리고 $\vec{v}$는 속도 방향을 표현하는 단위 벡터이다.

난류 조건을 가정한 이 관계식은[(즉, 높은 레이놀즈 수(*Reynolds number*)] 식 (1.7)의 집중 공기 저항계수를 더 근본적인 형태로 표현할 수 있도록 한다.

$$c_d = \frac{1}{2}\,\rho A C_d \tag{1.18}$$

따라서 집중 공기저항계수는 물체의 면적, 유체 밀도, 무차원 공기저항계수에 의존한다. 후자는 물체의 '거칠기'와 같은 공기저항에 영향을 주는 다른 요소들을 포함한다. 예를 들어 펑퍼짐한 옷을 입은 점프를 하는 사람이 몸에 붙는 점프수트를 입은 사람보다 더 높은 C_d를 가질 것이다.

속도가 매우 낮으면 물체 주변의 유동은 층류이고 공기저항력과 속도 간의 관계는 선형이 됨에 유의하라. 이는 *Stokes* 저항이라고 한다.

번지점프 모델을 개발하면서 아래쪽 방향을 양의 방향이라고 가정하였다. 따라서 식 (1.7)은 식 (1.17)의 정확한 표현인데, 이는 $\vec{v} = +1$이고 공기저항력이 음수이기 때문이다. 따라서 저항력은 속도를 감소시킨다.

하지만 만약 점프를 하는 사람이 위쪽 방향의 속도(즉, 음수)를 갖는다면 어떨까? 이 경우 $\vec{v} = -1$이고 식 (1.17)은 양의 저항력을 도출한다. 양의 저항력은 위쪽인 음의 속도에 대응하여 아래쪽으로 작용하는 양의 저항력이므로 물리적으로 타당하다.

불행하게도 이 경우 식 (1.7)은 단위 방향 벡터를 포함하지 않았기 때문에 음의 저항력을 도출한다. 즉, 속도를 제곱함으로써 부호를 잃게 되고 방향도 잃게 된다. 결과적으로 모델은 공기저항이 위쪽 속도를 가속한다는 물리적으로 타당하지 못한 결과를 도출한다.

이 사례 연구에서 위쪽 그리고 아래쪽 속도에 대하여 잘 동작하도록 우리 모델을 수정할 것이다. 수정된 모델을 초기 속도 $v(0)$ = -40 m/s인 예제 1.2를 통하여 시험할 것이다. 추가로 어떻게 수치해석을 확장하여 점프하는 사람의 위치를 결정하는가를 보여 줄 것이다.

풀이 다음의 간단한 수정으로 저항력의 부호를 포함시킬 수 있다.

$$F_d = -\frac{1}{2}\,\rho v|v| A C_d \tag{1.19}$$

또는 집중 항력계수로 나타내면 다음과 같다.

$$F_d = -c_d v|v| \tag{1.20}$$

따라서 풀어야 할 미분방정식은 다음과 같다.

$$\frac{dv}{dt} = g - \frac{c_d}{m} v|v| \tag{1.21}$$

점프하는 사람의 위치를 결정하기 위하여 다음의 식을 통하여 움직인 거리 x (m)와 속도를 연관시킨다.

$$\frac{dx}{dt} = -v \tag{1.22}$$

속도와는 다르게 이 식은 위쪽 변위를 양수라고 가정하였다. 식 (1.12)와 같은 방식으로 이 식은 오일러 방법을 통하여 수치적으로 적분할 수 있다.

continued

$$x_{i+1} = x_i - v(t_i)\Delta t \tag{1.23}$$

점프하는 사람의 초기 위치를 $x(0) = 0$이라 가정하고 예제 1.1과 1.2의 매개변수 값을 사용하여 $t = 2$일 때 속도와 변위는 다음과 같이 계산할 수 있다.

$$v(2) = -40 + \left[9.81 - \frac{0.25}{68.1}(-40)(40)\right]2 = -8.6326 \text{ m/s}$$

$$x(2) = 0 - (-40)2 = 80 \text{ m}$$

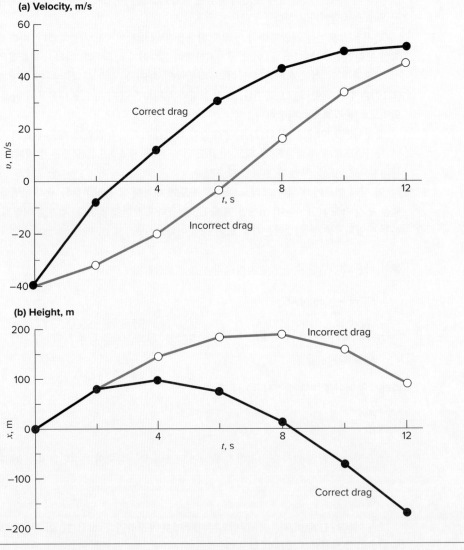

그림 1.7   오일러 방법으로 만들어 낸 위쪽(음수) 방향의 초기 속도를 가진 자유낙하 중인 번지점프하는 사람의 (a) 속도, (b) 높이 그래프. 옳은 저항식인 식 (1.20)과 잘못된 저항식인 식 (1.7) 모두에 대한 결과가 표시되었다.

사례연구 1.4 **continued**

만약 옳지 못한 저항력 식을 사용하였다면, 결과는 -32.1274 m/s와 80 m였을 것이다.

계산을 다음 구간(t = 2부터 4초까지)에 대하여 반복할 수 있다.

$$v(4) = -8.6326 + \left[9.81 - \frac{0.25}{68.1}(-8.6326)(8.6326)\right]2 = 11.5346 \text{ m/s}$$

$$x(4) = 80 - (-8.6326)2 = 97.2651 \text{ m}$$

옳지 못한 저항력을 사용하였다면 -20.0858 m/s와 144.2549 m 값을 얻는다.

그림 1.7은 계산을 계속 진행한 결과와 옳지 못한 저항 모델을 사용하였을 때의 결과를 함께 보여 준다. 옳은 식은 저항력은 항상 속도를 줄이기 때문에 더 빠르게 떨어짐에 유의하라.

시간에 따라 두 개의 속도 결과는 같은 종단속도로 수렴한다. 이는 결국 두 경우 모두 아래쪽으로 향하고, 식 (1.7)이 맞게 되기 때문이다. 하지만 높이 예측에 대한 영향은 매우 커서 옳지 못한 저항력은 더 높은 궤적을 보여 준다.

이 사례 연구는 옳은 물리 모델을 갖는 것이 얼마나 중요한지를 보여 준다. 몇몇 경우 해가 명백히 비현실적인 결과를 산출한다. 이번 사례 연구는 오류를 포함한 해가 명백히 틀렸다는 시각적인 증거가 없기 때문에 더욱 위험하다. 즉, 옳지 못한 해도 타당성 있게 '보인다'.

연습문제

* 짝수번호는 온라인 사이트에 있으며 본 책 '차례' 끝부분 xxi페이지에 사이트주소가 있음.

1.1 미적분학을 이용하여 식 (1.9)가 초기 조건 $v(0) = 0$인 식 (1.8)의 해임을 증명하라.

1.3 은행 계좌에서 다음의 정보를 얻을 수 있다.

Date	Deposits	Withdrawals	Balance
5/1			1512.33
	220.13	327.26	
6/1			
	216.80	378.61	
7/1			
	450.25	106.80	
8/1			
	127.31	350.61	
9/1			

돈에 대한 이자는 다음의 식과 같이 계산됨에 유의하라.

   Interest = iB_i

i는 1개월당 소수점으로 표현된 이자율, B_i는 월초의 초기 잔고이다.

(a) 만약 이자율이 한 달에 1%라면 (i = 0.01/월), 6/1, 7/1, 8/1 그리고 9/1에 계좌 잔고를 돈의 보존법칙을 이용하여 계산하라. 계산의 매 단계를 보여라.

(b) 다음과 같은 형식의 현금 잔고를 위한 미분방정식을 작성하라.

$$\frac{dB}{dt} = f[D(t), W(t), i]$$

t는 시간 (월), $D(t)$는 시간에 대한 함수인 잔고 ($/월), $W(t)$는 시간에 대한 함수인 인출금 ($/월)이다. 이 경우 이자는 계속적으로 쌓인다고 가정하자. 즉, 이자 = iB 이다.

(c) 시간 증분 0.5월을 사용한 오일러 방법을 이용하여 잔고를 예측하라. 입금과 출금은 한달 동안 균일하게 이루어진다고 가정하라.

(d) **(a)**와 **(c)**에 대하여 잔고 vs 시간 그래프를 표시하라.

1.5 식 (1.7)의 비선형 관계 대신에 선형 관계로서 번지점프하는 사람의 위쪽 힘을 모델링할 수 있다.

$$F_U = -c'v$$

c'는 1차 저항계수 (kg/s)이다.

(a) 미적분학을 사용하여 점프하는 사람이 초기에 멈춰 있을 경우 해를 구하라.

(b) 동일한 초기조건과 매개변수 값을 사용하여 예제 1.2의 수치 계산을 반복하라. c'값은 11.5 kg/s를 사용하라.

1.7 2차 공기저항을 갖는 모델의 경우[식 (1.8)], m = 80 kg 그리고 c_d = 0.25kg/m일 경우, 오일러 방법을 사용하여 자유낙하하는 사람의 속도를 계산하라. 간격 크기는 1초로 t = 0부터 20초까지 계산을 수행하라. 낙하산을 갖고 점프하는 사람이 t = 0일 때 위쪽 방향으로 20 m/s으로 초기 속도를 갖는다고 가정하라. t = 10초에서 낙하산이 펴지고 공기저항은 1.5 kg/m로 증가한다.

1.9 저장 탱크(그림 P1.9)가 깊이 y만큼의 유체를 가지고 있다. y = 0일 때 탱크는 반이 찬다. 요구 상황을 만족하기 위하여 유체는 상수인 유동속도 Q로 흘러나온다. 유체는 삼각함수 $3Q\sin^2(t)$의 비율로 재유입된다. 이 시스템을 위한 식 (1.14)는 다음과 같이 쓸 수 있다.

$$\frac{d(Ay)}{dt} = 3Q\sin^2(t) - Q$$
$$\left(\begin{array}{c}\text{change in}\\\text{volume}\end{array}\right) = (\text{inflow}) - (\text{outflow})$$

혹은 표면 넓이 A는 상수이므로 다음과 같다.

$$\frac{dy}{dt} = 3\frac{Q}{A}\sin^2(t) - \frac{Q}{A}$$

간격 크기가 0.5 d일 때 오일러 방법을 사용하여 t = 0부터 10 d까지 깊이 y를 계산하라. 매개변수 값은 A = 1,250 m^2, Q = 450 m^3/d이다. 초기조건은 y = 0을 가정하라.

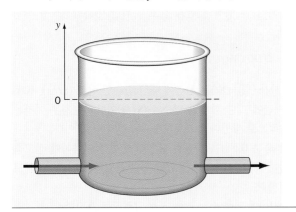

그림 P1.9

1.11 부피 보존법칙을 적용하여(연습문제 1.9 참고), 원뿔형 저장 탱크(그림 P1.11) 내부의 수위를 예측하라. 액체는 삼각함수 $Q_{in} = 3\sin^2(t)$의 비율로 유입되고, 다음과 같이 유출된다.

$$Q_{out} = 3(y - y_{out})^{1.5} \qquad y > y_{out}$$
$$Q_{out} = 0 \qquad y \le y_{out}$$

유체 흐름은 m^3/d의 단위를 가지며, y는 탱크의 바닥으로부터 물 표면의 상승 (m)을 의미한다. 간격 크기가 0.5 d일 때 오일러 방

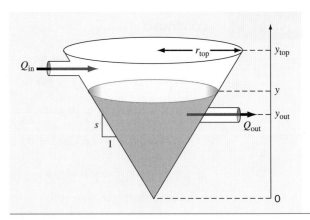

그림 P1.11

법을 사용하여 t = 0부터 10 d까지 깊이 y를 계산하라. 매개변수 값은 r_{top} = 2.5 m, y_{top} = 4 m 그리고 y_{out} = 1 m이다. 높이는 $y(0)$ = 0.8 m이고, 배출 파이프 밑에서 시작한다고 가정한다.

1.13 그림 P1.13은 하루 동안 보통 사람이 다양한 방식으로 물을 흡수하고 배출하는 것을 묘사한다. 1리터는 음식으로부터 흡수하고, 0.3리터는 인체 대사로 소비한다. 호흡을 통하여 하루동안 들숨으로 0.05리터를, 날숨으로 0.4리터를 교환한다. 인체는 0.3, 1.4, 0.2 그리고 0.35리터의 물을 땀, 소변, 대변 그리고 피부를 통하여 잃는다. 항상성을 유지하기 위하여 하루 동안 얼마만큼의 물을 마셔야 하는가?

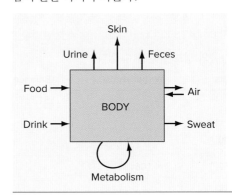

그림 P1.13

1.15 구형 액체 방울이 표면적과 비례하게 증발한다고 가정하자.

$$\frac{dV}{dt} = -kA$$

V는 부피 (mm^3), t는 시간 (분), k는 증발 속도 (mm/분) 그리고 A는 표면 넓이 (mm^2)이다. 오일러 방법을 사용하여 간격 크기가 0.25분일 때 t = 0부터 10분까지 방울의 부피를 계산하라. K = 0.08 mm/분과 방울은 초기에 2.5 mm 반지름을 가지고 있음을

가정하라. 마지막으로 계산된 부피의 반지름을 결정함으로써 결과의 유효성을 검증하고, 이 값이 증발 속도와 일치됨을 보여라.

1.17 뉴턴의 냉각법칙은 물체의 온도는 그 물체와 주변의 매질 (대기 온도) 간 온도 차이에 비례하여 변한다고 가정한다.

$$\frac{dT}{dt} = -k(T - T_a)$$

T는 물체의 온도 (℃), t는 시간 (분), k = 비례상수 (/분), T_a는 대기 온도이다. 커피가 초기에 70 ℃ 온도를 갖는다고 가정하자. 만약 T_a = 20 ℃이고 k = 0.019/분 이라면 간격 크기 2분을 사용하여 t = 0부터 20분까지 온도 변화를 오일러 방법을 사용하여 계산하라.

1.19 속도는 거리 x (m)의 변화 비율과 같다.

$$\frac{dx}{dt} = v(t) \tag{P1.19}$$

오일러 방법과 식 (P1.19)와 식 (1.8)을 수학적으로 결합하여 시간의 함수로써 속도와 거리를 결정하라. 예제 1.2에서 사용된 같은 매개변수와 조건을 사용하여 자유낙하하는 사람의 처음 10초 동안의 결과를 그래프로 표현하라.

1.21 1.4절에서 이야기한 바와 같이, 난류 조건을 가정한 저항력의 기본적인 표현은 다음과 같이 수식화 가능하다.

$$F_d = -\frac{1}{2} \rho A C_d v|v|$$

F_d는 저항력 (N), ρ는 유체 밀도 (kg/m³), A는 움직임 방향과 수직한 평면상에 물체의 앞면 넓이 (m²), v = 속도 (m/s), C_d = 무차원 저항 계수이다.

(a) 지름 d, 밀도 ρ_s인 구의 수직 운동을 묘사하기 위하여 속도와 위치(연습문제 1.19 참고)에 대한 두 미분방정식을 도출하라. 속도의 미분방정식은 구의 지름에 대한 함수로 작성되어야 한다.

(b) 오일러 방법과 간격 크기 Δt = 2초를 사용하여 초기 14초 동안 구의 위치와 속도를 계산하라. 다음의 파라미터를 계산에 사용하라. d = 120 cm, ρ = 1.3 kg/m³, ρ_s = 2,700 kg/m³, C_d = 0.47이다. 구의 초기조건은 $x(0)$ = 100 m, $v(0)$ = -40 m/s임을 가정하라.

(c) 결과 그래프를 도출하고, 구가 언제 바닥에 닿을지 예측하는 데 이를 사용하라.

(d) 벌크 2차 저항계수 c_d' (kg/m)의 값을 계산하라. 벌크 2차 저항계수는 속도의 최종 미분방정식에서 $v|v|$를 곱한 항이다.

1.23 그림 P1.23과 같이 균일한 하중 w = 10,000 kg/m를 받

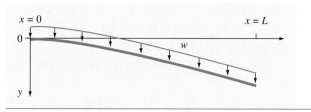

그림 P1.23 외팔보.

고 있는 외팔보의 아래 방향 처짐 y (m)은 다음과 같이 계산될 수 있다.

$$y = \frac{w}{24EI}(x^4 - 4Lx^3 + 6L^2x^2)$$

x는 거리 (m), E = 탄성계수 = 2×10^{11} Pa, I = 관성모멘트 = 3.25×10^{-4} m⁴, L = 길이 = 4 m이다. 이 식은 x에 대한 함수로써 아래쪽 처짐의 기울기를 얻어 내기 위하여 미분할 수 있다.

$$\frac{dy}{dx} = \frac{w}{24EI}(4x^3 - 12Lx^2 + 12L^2x)$$

만약 x = 0에서 y = 0이라면 이 식과 오일러 방법 (Δx = 0.125 m)을 사용하여 x = 0부터 L까지 변형을 계산하라. 도출된 결과와 첫 번째 식으로부터 얻은 해석해를 함께 그래프에 나타내라.

1.25 유체를 넘어서 *Archimedes* 원리는 지구 지각 위의 대륙에 적용되었을 때 지질학에서의 유용성을 증명하였다. 그림 P1.25는 가벼운 원뿔 형태의 화강암 산이 지표면에서 무거운 현무암 층 위에 '떠 있는' 경우를 표현한 것이다. 표면 아래의 원뿔 일부분이 절두체(frustum)라고 언급됨에 유의하라. 이 경우 다음 매개변수를 사용하여 정상 상태 힘의 균형을 계산하라. 현무암 밀도 (ρ_b), 화강암 밀도 (ρ_g), 원뿔 바닥 반지름 (r), 지표면 윗부분 높이 (h_1), 지표면 아랫부분 높이 (h_2)이다.

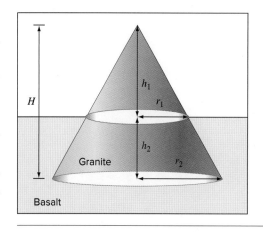

그림 P1.25

1.27   선형 저항을 받는 낙하산병($m = 70$ kg, $c = 12.5$ kg/s)이 지면에 대한 상대 수평속도 180 m/s, 높이 200 m에서 날고 있는 비행기에서 점프를 한다고 가정하라.

(a) x, y, $v_x = dx/dt$, $v_y = dy/dt$의 네개의 미분방정식을 기술하라.

(b)   만약 초기 수평 위치를 $x = 0$라 정의한다면, 증분 $\Delta t = 1$일 때 오일러 방법을 사용하여 10초 후 점프를 하는 사람의 위치를 계산하라.

(c) y vs t 그리고 y vs x 그래프를 그려라. 그래프를 사용하여 시각적으로 만약 낙하산이 퍼지지 않았을 때 점프하는 사람이 바닥에 충돌하는 위치와 시간을 예측하라.

파이썬 기초
Python Fundamentals

학습 목표

이 장의 주된 목표는 수치 계산에 집중하여 파이썬 프로그래밍 언어를 소개하는 것이다. 더욱이 IPython 콘솔을 통하여 양방향 소통을 통한 계산을 구현하기 위하여 계산 모드로 파이썬을 사용할 것이다. 또한 파이썬 코드 블록들을 실행하기 위하여 Spyder 데이터 창을 어떻게 사용하는지에 대하여 보여 줄 것이다. 구체적인 목표와 주제들은 아래와 같다.

- 파이썬 프로그램 개발 환경에서 수치적/과학적 계산과 관련된 중요한 모듈을 포함시키는 법
- 변수에 실수와 허수를 할당하는 법
- 벡터와 행렬에 값을 부과하는 법. 이는 arange, linspace 그리고 logspace와 같은 NumPy 모듈의 함수들 사용한 수치적 나열을 포함함
- 우선 순위 규칙을 포함한 수학적인 표현을 만드는 법
- Math와 numpy 같은 수치 계산에 일반적으로 포함되는 모듈과 파이썬 내장함수에 대한 기본적인 이해
- 도움 기능을 통하여 내장함수에 대한 정보를 찾는 법
- pylab을 이용하여 식에 기반한 간단한 선형 그래프를 그리는 방법

문제 제기

1장에서는 번지점프하는 사람과 같이 자유낙하하는 사람의 종단속도를 결정하기 위하여 힘의 균형을 이용하였다.

$$v_t = \sqrt{\frac{m\,g}{c_d}}$$

v_t는 종단속도 (m/s), g는 중력 가속도 (대략적으로 = 9.81 m/s^2), m은 질량 (kg), c_d는 항력계수 (kg/m)이다.

종단속도 예측 이외에도 이 식은 항력계수를 계산하기 위하여 재배열될 수 있다.

$$c_d = \frac{m\,g}{v_t^2} \tag{2.1}$$

따라서 만약 여러 명의 질량을 아는 점프하는 사람의 종단속도를 측정하였다면 이 식은 항력계수를 예측하는 방법을 제공한다. 표 2.1의 데이터는 이러한 목적으로 수집된 정보이다.

표 2.1 점프하는 사람 몇 명의 질량과 종단속도 데이터.

m, kg	83.6	60.2	72.1	91.1	92.9	65.3	80.9
v_t, m/s	53.4	48.5	50.9	55.7	54.0	47.7	51.1

이 장에서는 이 데이터를 분석하는데 파이썬이 어떻게 사용되는지 배운다. 단순히 항력계수와 같은 값을 계산하는 데 파이썬이 어떻게 사용되는지를 설명하는 것 이상으로, pylab 모듈과 같은 시각적 장치들이 이러한 분석에서 어떤 방식으로 추가적인 내용을 전달하는지를 설명한다.

2.1   Spyder / IPython 환경[1)]

파이썬은 오픈소스 프로그래밍 언어로서 무상으로 제공된다. 파이썬 프로그램은 다양한 환경에서 작성되고 개발될 수 있다. 파이썬 코드는 윈도우 운영체계에서 제공하는 노트패드와 같은 간단한 텍스트 에디터로 작성될 수 있고, 명령창에서 실행될 수 있다. 하지만, 대부분의 프로그래머들은 통합 개발 환경(IDE, Integrated Development Environment)을 선호한다. 그렇기 때문에 우리는 IDE와 같은 환경을 선택해야 하며, 그중에서 Anaconda 소프트웨어 패키지의 한 요소이고 가장 인기있는 환경 중에 하나인 Spyder를 이용한다. Spyder는 IPython 콘솔을 사용한다. 이 IDE를 설치하기 위한 정보는 https://www.anaconda.com/distribution에서 얻을 수 있다.

그림 2.1은 Spyder IDE 환경을 표시한다. 이 장의 목표를 위하여, 우리는 IPython 콘솔창에 명령어를 입력한다. IDE의 추가적인 내용은 Explorer창에 표시된 튜토리얼을 통하여 얻을 수 있다. 이 장의 후반부에서는 편집창에 코드를 입력하고 실행할 것이다.

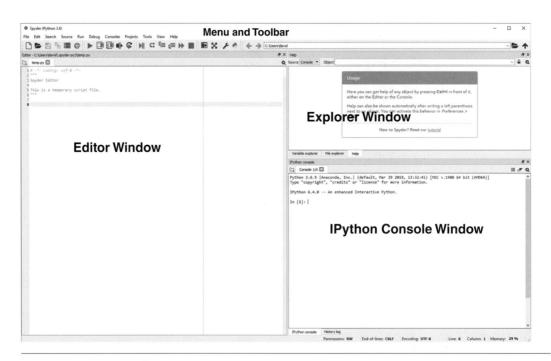

그림 2.1   Spyder의 개발 환경.

---

1)   본 장을 '읽는' 가장 좋은 방법은 '실행'하는 것이다. 독자는 본 장을 진행하면서 모든 예제들을 Spyder IDE에 실행하라.

파이썬의 계산 모드는 명령을 하나씩 입력함과 동시에 순차적으로 실행된다. 그리고 각각의 명령에 대하여 결과를 얻게 된다. 이때 파이썬을 좋은 계산기라 생각할 수 있다. 예를 들어, 만약 다음의 명령어를 입력한다면,

```
In [1]:  55-16
```

콘솔은 결과를 다음과 같이 보여 준다.[2]

```
Out[1]:  39
```

2.2 할당

할당은 변수명에 값을 부과하는 것을 의미한다. 이는 변수명에 대응되는 메모리에 값을 저장하는 결과를 가져온다.

2.2.1 스칼라

스칼라 변수에 값을 할당하는 것은 다른 컴퓨터 언어와 유사하다. 다음을 실행하라.

```
a = 4
```

콘솔은 결과를 보여 주지 않고 다음 명령 라인을 실행한다. 만약 탐색기 창의 변수 탐색기 탭을 연다면, 다음의 내용을 확인할 수 있다.

Name	Type	Size	Value
a	int	1	4

다음 명령어를 실행하라.

```
A = 6
```

변수 탐색기 창에 다음의 내용을 확인할 수 있다.

Name	Type	Size	Value
A	int	1	6
a	int	1	4

따라서 변수명에서 대문자/소문자가 구분됨을 확인할 수 있다. 즉, 변수 A는 a와 구별된다. 변수명을 콘솔에 입력함으로써 변수값을 표시할 수 있다.

---

2) IPython 콘솔은 자동적으로 프롬프트 In[n]:과 함께 라인 숫자를 지정하고, 결과는 Out[n]:과 함께 표시한다. 빈 라인이 결과 라인 이후에 삽입된다. 필요하다면 콘솔에서 결과를 복사하여 마이크로소프트 워드나 파워포인트 등의 다른 문서에 이를 붙여넣기할 수 있다.

A

값이 출력 라인에 표시될 것이다.

다수의 명령어도 세미콜론을 통하여 분리함으로써 하나의 라인으로 표현할 수 있다.

```
y = -3; z = 25
```

복소수도 변수에 할당할 수 있으며, 이는 파이썬이 자동적으로 복소수 계산을 처리할 수 있기 때문이다. 단위 허수인 $\sqrt{-1}$이 j 표시로 사용되어 복소수의 허수를 구분하는 데 사용된다. 결과적으로 복소수는 간단히 다음과 같이 할당될 수 있다.

```
c = 2 + 4j
```

그 이후에 다음을 입력하면,

```
c
```

다음과 같은 결과값이 출력된다.

```
(2+4j)
```

다음의 명령어를 통하여 파이썬의 math 모듈을 가져오기 함으로써 몇 가지 미리 지정된 변수들을 사용할 수 있다.

```
import math
```

두 가지 예시는 π와 오일러 수인 e이다.[3]

```
math.pi
3.141592653589793

math.e
2.718281828459045
```

유효숫자가 16자리임에 주의하라.[4]

일반적으로 파이썬은 최대 유효숫자를 보여 준다. 사용자는 포맷 형식을 변경함으로써 이를 수정할 수 있다. 지금 시점에서 이 방식의 세부 사항은 이야기하지 않겠지만, 이후의 절과 장에서 이것들에 대한 소개를 할 것이다. 다음의 두 예제가 있다.

π의 소수점 아래 4자리를 표시하는 방법:

```
'{0:7.4f}'.format(math.pi)
'  3.1416'
```

해석하면,

---

3) Napier 상수라고도 불린다.

4) 파이썬은 8개의 이진수 바이트를 사용하여 소수점 숫자를 표현하기 위하여 IEEE 표준을 사용한다. 이 방식은 대략적으로 10^{-308}부터 10^{308}까지 그리고 15부터 16자리 유효 십진수를 표현한다.

```
'{0:7.4f}'
```

```
0 :  first item formatted
7 :  minimum field width of 7 characters
4 :  number of decimal places
f :  fixed decimal display
```

' ' 안에 표시된 부분은 숫자열이 아닌 문자열임에 주의하라.

<u>플랑크 상수 h를 지수형식으로 소수점 아래 4자리로 표현하는 방법:</u>

첫 번째로 다음과 같이 SciPy 모듈을 통하여 값을 불러온다.

```
import scipy.constants as pc
```

그리고,

```
'{0:12.4e}'.format(pc.h)
'  6.6261e-34'
```

위의 pc는 scipy.constants의 줄임말로 정의되었다. 문자열에 대한 문법은 이전 예제와 같다.

2.2.2 배열, 벡터 그리고 행렬

파이썬은 숫자를 포함한 정보의 집합을 표현하는 다른 방법을 가지고 있다. 이와 관련된 모든 세부 정보를 소개하는 것은 우리의 목적에 맞지 않으므로, 수치 데이터의 집합을 표현하는 데 집중하겠다. 다음은 파이썬의 집합 형식에 대한 요약이다:

Type	Description	Example
list	a collection of various data types; e.g., using brackets	`[2 , False , 'oats' , 0.618034]`
tuple	an immutable list (cannot be extended, shrunk, have elements removed or reassigned); e.g., using parentheses	`(2 , False , 'oats' , 0.618034)`
set	an unordered collection of unique objects; e.g., using braces	`{2 , False , 'oats' , 0.618034}`
dictionary	a collection of objects, each identified by a key, not a numerical index or subscript; e.g., value pairs within braces	`Fourteeners={'Elbert':4401.2,` `'Massive':4398.,` `'Harvard':4395.6}`
array	a collection of a single data type indexed by integer subscripts for use in numerical methods and statistical calculations, provided by the NumPy module	see examples below

비록 모든 형식들이 파이썬의 일반적인 사용을 위하여 포함되었지만, 배열은 이 책에서 특히 흥미 있어하는 주제이다. NumPy의 클래스 이름인 ndarray라고도 불리우는 배열은 np.array 함수를 이용하여 리스트나 튜플(tuple)로부터 생성 가능하다. 이를 위한 예시는 다음과 같다.

```
import numpy as np
x = np.array( [ 12.2, 10.9, 13.6, 8.4, 11.1 ])
```

변수 x는 일차원 배열을 표현한다. 이를 다음과 같이 표시할 수 있다.

```
x
array([12.2, 10.9, 13.6,  8.4, 11.1])
```

이차원 배열은 리스트의 리스트로서 다음과 같이 정의할 수 있고,

```
A = np.array( [ [ 2, 4 ],[ 1, 3 ] ] )
```

다음과 같이 표시된다.

```
A
array([[2, 4],
       [1, 3]])
```

또한 파이썬과 NumPy 모듈은 선형대수 조작이나 계산을 편리하게 할 수 있는 **행렬**객체를 제공한다. 행렬은 배열과 유사하게 생성할 수 있고 매트랩(MATLAB) 소프트웨어의 행렬과 유사한 방식을 통하여 생성할 수 있다. 다음은 그 예시이다.

```
A = np.matrix(' 2 4 ; 1 3 ')

A
matrix([[2, 4],
        [1, 3]])
```

np.matrix 함수의 인자가 문자열('' 로 구분된)임에 주의하라.

np.array 함수를 이용하여 배열을 만들 때 행벡터나 열벡터의 구분은 없다. np.matrix 함수를 통하여 이러한 구분을 지을 수 있다.

```
x = np.matrix( ' 12.2 10.9 13.6 8.4 11.1 ' )

x
matrix([[12.2, 10.9, 13.6,  8.4, 11.1]])

w = np.matrix( ' 12.2 ; 10.9 ; 13.6 ; 8.4 ; 11.1 ' )

w
matrix([[12.2],
        [10.9],
        [13.6],
        [ 8.4],
        [11.1]])
```

파이썬이 리스트 안에 여러 개의 리스트로서 이를 저장하는 것을 보았다. 이전에 이야기했듯이 배열과 행렬은 계산 과정을 용이하게 한다.

변수 탐색창은 생성한 변수들을 표시한다.

A	int32	(2, 2)	[[2 4] [1 3]]
w	float64	(5, 1)	[[12.2] [10.9]
x	float64	(1, 5)	[[12.2 10.9 13.6 8.4 11.1]]

배열의 크기는 (행, 열)과 같은 형식으로 표시됨에 주의하라. w는 5개의 행과 1개의 열로 표시되었다. 또한 저장된 데이터의 형식도 표시되어 있다. w의 내용은 완벽히 표시되어 있지 않지만 사용자가 해당 변수를 더블클릭한다면 다음과 같이 내용을 볼 수 있다.

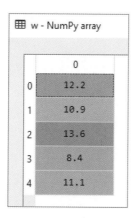

행은 0부터 4까지 인덱스가 표시되어 있고, 열은 0으로 표시되어 있다. 이는 중요한 부분이다: 파이썬에서 배열의 인덱스나 첨자는 0부터 시작하고, 일반적으로 수학적인 표현에서 기대하는 것과 같이 1에서 시작하지 않는다. 이는 C 언어 혹은 엑셀의 VBA[5]와 같은 다른 소프트웨어와 유사하다. 1에서부터 인덱스가 시작되는 형식은 매트랩 프로그램이나 포트란 언어에서 유래되었다.

인덱싱의 예시는 다음과 같다.

```
w[2,0]     (3rd row, 1st column)
13.6

A[0,1]     (1st row, 2nd column)
4
```

기입된 숫자가 괄호 [ ]으로 묶여 있음에 주의하라.

NumPy 모듈은 배열을 정의하는 함수를 포함하고, 이는 행렬을 만들기 위한 matrix 함수에 포함되어 있다. 다음은 이에 대한 하나의 예시로 0으로 채워진 배열과 행렬을 만드는 방법을 보여준다.

```
Z = np.zeros((5,3))

Z
array([[0., 0., 0.],
       [0., 0., 0.],
       [0., 0., 0.],
       [0., 0., 0.],
       [0., 0., 0.]])

Zm = np.matrix(Z)

Zm
matrix([[0., 0., 0.],
        [0., 0., 0.],
        [0., 0., 0.],
        [0., 0., 0.],
        [0., 0., 0.]])
```

---

5) Option Base 1 선언을 사용하여 VBA는 배열 첨자의 원점으로 1을 사용할 수 있다.

이와 유사한 함수는 ones와 eye가 있다. 후자는 단위 배열이나 행렬을 만드는 데 사용된다.

```
O = np.ones((2,3))

O
array([[1., 1., 1.],
       [1., 1., 1.]])

I = np.eye(3,3)

I
array([[1., 0., 0.],
       [0., 1., 0.],
       [0., 0., 1.]])
```

2.2.3 콜론 첨자와 첨자의 범위

행렬의 모든 행이나 모든 열을 참조하고 싶을 때가 존재한다. 이때 콜론(:)을 사용하여 이를 수행할 수 있다.

```
A[0,:]                    (첫 번째 행, 모든 열)
matrix([[2, 4]])

A[:,1]                    (모든 행, 두번째 열)
matrix([[4],
        [3]])
```

단일 행 혹은 열벡터의 경우에도 행과 열의 인덱스를 항상 포함시켜야 하는 것에 유의하라.

사용자는 첨자의 범위를 선택하는 데도 콜론을 사용할 수 있다.

```
x[0,0:2]                  (모든 행, 두번째 열)
matrix([[12.2, 10.9]])
```

주의: 이는 파이썬 리스트의 중요한 특징을 보여 준다. 인덱스의 범위를 특정할 때 결과는 상한값을 <u>포함하지 않는다.</u> 즉, 0:2는 단지 0과 1만을 포함한다.

2.2.4 arange, linspace 그리고 logspace 함수

NumPy 모듈의 세가지 함수는 연속적인 숫자의 배열(혹은 행렬)을 만드는 데 자주 사용된다. arange는 다음과 같이 사용한다.

```
np.arange(x1,x2,dx)
```

이는 'x1에서 시작하여 dx 간격으로 x2를 초과하지 않고, 마지막 숫자를 포함하지 않도록 배열을 만들어라'로 이해된다. 다음은 그 예시이다.

```
x = np.arange(0,1,0.1)
```

x는 [0. 0.1 0.2 0.3 0.4 0.5 0.6 0.7 0.8 0.9]를 포함할 것이고 상한값인 1을 제외할 것이다. 상한값을 포함시키는 방법은 다음과 같다.

```
np.arange(x1,x2+dx,dx)
```

일반적인 linspace의 사용법은 다음과 같다.

```
np.linspace(x1,x2,n)        (n equally-spaced points from x1 to x2)
```

예시는 다음과 같다.

```
d = np.linspace(1,100,8)
d
array([  1.       ,  15.14285714,  29.28571429,  43.42857143,
         57.57142857,  71.71428571,  85.85714286,  100.       ])
```

만약 마지막 인자인 n이 없다면, 디폴트 값은 50이다.

혹은 사용자가 로그함수에 표현된 값 사이에서 균등하게 분배된 값으로 배열을 채우고 싶을 수 있다. 이때 사용자는 logspace 함수를 다음과 같이 사용할 수 있다.

```
np.logspace(logx1,logx2,n)
```

예시는 다음과 같다.

```
np.logspace(-1,2,4)        (4 points from 10^{-1} to 10^2 at log_{10} values -1,0,1,2)
array([  0.1,   1. ,   10. ,   100. ])
```

디폴트 로그 밑수는 가장 일반적인 값인 10이고, 2와 같은 다른 숫자를 사용할 수 있다.

```
np.logspace(1,6,6,base=2.0)
array([  2.,   4.,   8.,  16.,  32.,  64.])
```

다시 말하면 만들어지는 배열 크기의 디폴트 값은 50이다.

2.2.5 문자열

파이썬의 일반적인 활용처에서 문자 데이터는 중요한 역할을 한다. 글자와 숫자의 혼용 혹은 **문자열**은 하나 혹은 두 개의 인용 부호(' 혹은 ")를 사용하여 표현될 수 있다.

```
f = 'Alison'
s = 'Krauss'
```

*String*은 문자 배열을 의미하고, 사용자는 인덱스나 첨자를 사용하여 이를 참조한다.

```
s[2]
'a'        (0을 원점으로 하기 때문에 2는 세 번째 문자를 의미함)
```

문자를 + 부호를 사용하여 결합시킬 수 있다.

```
f+s
'AlisonKrauss'
```

혹은 다음과 같이 수행할 수 있다.

```
f+' '+s
'Alison Krauss'
```

만약 길이가 긴 파이썬 코드를 가지고 있다면 여러 개의 괄호나 백슬래시(\) 부호를 사용하여 두 개의 혹은 더 많은 라인으로 이를 분리할 수 있다. 예를 들어,

```
a = [ 1, 2, 3, 4, 5 \
, 6, 7, 8 ]

a
[1, 2, 3, 4, 5, 6, 7, 8]
```

긴 문자열을 두 개 혹은 여러 개의 라인으로 분리할 때 \로는 이를 수행할 수 없으므로, 다음과 같은 몇 가지 대안이 존재한다.

\를 사용하여 작은 문자열로 분리할 수 있다.

```
LincGetty = 'Four score and seven years ago, ' \
'our fathers brought forth, upon this continent, ' \
'a new nation ... '
```

(   )로 작은 문자열로 분리할 수 있다.

```
LincGetty = ('Four score and seven years ago, '
'our fathers brought forth, upon this continent, '
'a new nation ... ')
```

위의 두 가지 모두 결과물은 다음과 같다.

```
LincGetty
'Four score and seven years ago, our fathers brought forth, upon this
continent, a new nation ... '
```

문자열을 다루기 위한 몇 가지 파이썬 내장함수와 방법들이 존재한다. 표 2.2는 이들 중 흔히 사용하는 몇 가지를 보여 준다.

다음은 s.*methodname*(·)의 사용법과 관련된 예시이다.

```
len('How long is this string?')
24

str(3.14159)
'3.14159'

float('3.14159')
3.14159

s = 'my string'
s.startswith('my')
True

'abcde'.upper()
'ABCDE'

s.isalpha()          (s 변수 안의 스페이스는 문자열이 아니다.)
False
```

사용자는 print 명령어를 이용하여 문자열 값을 표시할 수 있다.

표 2.2   유용한 문자열 함수 및 방법들.

Functions	Description
`len(s)`	function, number of characters in the string `s`
`str(x)`	function, convert the number `x` to a string
`int(s)`	convert the string `s` to integer number
`float(s)`	convert the string `s` to floating point number
Methods	
`endswith(suffix)`	returns `True` if the string ends with `suffix`
`startswith(prefix)`	returns `True` if the string starts with `prefix`
`index(substring)`	returns the lowest index in the string containing `substring`
`upper()`	converts letters in the string to all uppercase characters
`lower()`	converts letters in the string to all lowercase characters
`isdigit()`	returns `True` if all the characters in the string are digits
`isalpha()`	returns `True` if all the characters in the string are alphabetic

```
Pres = 'Washington Adams Jefferson Madison'

print(Pres)
Washington Adams Jefferson Madison
```

'문자는 결과에 포함되지 않음에 주의하라. 만약 분리 라인 위에 이름을 표시하고 싶다면, *escape sequence* \n을 사용한다.

```
Pres1 = 'Washington\nAdams\nJefferson\nMadison'

print(Pres1)
Washington
Adams
Jefferson
Madison
```

2.3   수학적 연산

다른 컴퓨터 언어와 유사하게 스칼라 값에 대한 수치적 연산은 쉽게 다룰 수 있다. 파이썬 산술 연산자는 다음과 같다.

+	addition
−	subtraction and negation (unary)
*	multiplication
/	division (floating point)
//	division (integer)
%	modulus (remainder)
**	exponentiation

일반적으로 산술적 표현은 왼쪽에서 오른쪽으로, 괄호 안에서부터 수행된다. 다른 연산자보다 먼저 어떠한 연산자가 수행되어야 하는지, 수행의 우선순위가 높은 것부터 낮은 순으로 어떻게 진행되는지를 인식하는 것은 매우 중요하다. 이는 다음과 같다.

**	highest
− (unary)	•
*, /, //, %	•
+ , −	lowest

이러한 연산자는 계산기와 같은 방식으로 **IPython** 콘솔에서 실행된다. 다음의 명령어를 실행하라.

```
import numpy as np

np.pi * 0.5**2 / 4
0.19634954084936207    (지름이 0.5인 원의 넓이를 계산한다.)
```

연산의 순서는 위 테이블과 같다.

```
0.5**2 ⇨ result1
np.pi * result1 ⇨ result2
result2 / 4 ⇨ final result
```

계산기에서의 메모리 레지스터를 사용하는 것과 같이 중요한 값을 변수에 저장하여 사용하는 것이 많은 계산에서 편리하다.

```
x = 3 ; y = 2 ; z = 1.5   (사용자는 하나의 라인에 ;를 사용하여 여러 개의 구문을 선언할 수 있다.)

- x ** y              (**가 먼저 계산되고 그 후 -가 적용된다.)
-9
```

음의 부호를 가장 먼저 사용하고 싶다면 이를 괄호로 묶어서 표현한다.

```
( - x ) ** y
9
```

대수 표현인 x^{y^z}가 주어졌을 때, 우리는 y^z를 가장 먼저 계산하고자 한다. 즉, 반복 지수 표현에서는 오른쪽에서 왼쪽으로 계산을 수행해 나간다. 파이썬에서도 이는 동일하다.

```
x ** y ** z
22.361590938430393

x ** ( y ** z )    (y**z가 가장 먼저, 오른쪽에서 왼쪽으로 실행되어 같은 결과를 보임을 알 수 있다.)
22.361590938430393

( x ** y ) ** z    (왼쪽에서 오른쪽으로의 계산 순서를 위하여 괄호를 사용한다.)
27.0
```

계산은 복소수와도 연관될 수 있다. 만약 우리가 다음의 숫자를 정의한다면,

```
a = 2 + 4j
b = 0.5 - 0.3j

1/a
(0.1-0.2j)
```
(결과의 확인은 다음과 같다: $\dfrac{1}{2+4j}\dfrac{2-4j}{2-4j} = \dfrac{2-4j}{20} = 0.1 - 0.2j$)

또한

```
a * b
(2.2+1.4j)
```

그리고

```
a ** 2
(-12+16j)              (복소수 결과는 괄호 안에 표시됨에 유의하라.)
```

행렬을 사용하여 계산을 수행할 수 있다.

```
a = np.matrix(' 1 2 3 4 5 ')
a
matrix([[1, 2, 3, 4, 5]])

b = np.matrix(' 2 ; 4 ; 6 ; 8 ; 10 ')
b
matrix([[ 2],
        [ 4],
        [ 6],
        [ 8],
        [10]])

a*b                    (이는 a와 b의 내적이다.)
matrix([[110]])        ('행렬' 이름이 결과창에 어떻게 표시되는지 유의하라.)
```

또는, print 함수를 사용하여,

```
print(a*b)                              (1 × 5) * (5 × 1) ⇨ (1 × 1, 스칼라값)
[[110]]
```

a와 b의 벡터곱을 수행할 수 있을까?

```
b*a
matrix([[ 2,  4,  6,  8, 10],           (5 × 1) * (1 × 5) ⇨ (5 × 5, 정방행렬)
        [ 4,  8, 12, 16, 20],
        [ 6, 12, 18, 24, 30],
        [ 8, 16, 24, 32, 40],
        [10, 20, 30, 40, 50]])
```

물론이다.

다음과 같은 행렬의 계산을 고려하자.

```
A
matrix([[1, 2, 3],
        [4, 5, 6],
        [7, 8, 9]])
```

a와 b를 벡터로 재정의한다.

```
a = np.matrix(' 1 2 3 ')
b = np.matrix(' 4 ; 5 ; 6 ')
```

다음은 추가 예시들이다.

```
a*A
matrix([[30, 36, 42]])

A*b
matrix([[ 32],
        [ 77],
        [122]])
```

마지막 라인은 오류 메시지의 일부분이지만 가장 중요한 부분이다. $(3 \times 3)*(1 \times 3)$은 벡터의 내적 차원(1과 3)을 충족시키지 않는다.

```
A*a
ValueError: shapes (3,3) and (1,3) not aligned: 3 (dim 1) != 1 (dim 0)
```

우리는 행렬 간 곱을 수행할 수 있다.

```
A*A
matrix([[ 30,  36,  42],
        [ 66,  81,  96],
        [102, 126, 150]])
```

다음은 어떠한가?

```
A**2
matrix([[ 30,  36,  42],
        [ 66,  81,  96],
        [102, 126, 150]])          (A*A와 동일한 결과)
```

전치 행렬을 다음과 같이 계산할 수 있다.

```
A.transpose()
matrix([[1, 4, 7],          (행과 열이 바뀌었다.)
        [2, 5, 8],
        [3, 6, 9]])
```

때때로 사용자가 행렬 계산 대신에 **배열 연산**을 원할 때가 있다. 즉, A의 각 요소와 대응되는 요소 간의 곱을 수행하고 결과를 얻고자 할 때가 존재한다. 파이썬에서 이는 쉽지는 않지만 NumPy 모듈의 multiply 함수를 사용하여 수행할 수 있다.

```
np.multiply(A,A)
matrix([[ 1,  4,  9],
        [16, 25, 36],
        [49, 64, 81]])
```

행렬 객체에 추가하여, 배열 객체에 대하여 이러한 계산이 가능한지에 대한 궁금함이 존재한다.

```
a = np.array([ 1, 2, 3 ])
b = np.array([ 4, 5, 6 ])

a*b
array([ 4, 10, 18])          (행렬과 *를 사용하여 요소별 곱을 수행한다.)
```

내적 혹은 **외적**은 다음과 같이 계산된다.

```
a.dot(b)          (이 명령어는 내적을 수행한다.)
32
```

벡터곱은 cross 함수를 통하여 제공된다.

```
np.cross(a,b)
array([-3,  6, -3])
```

벡터곱은 다음과 같이 정의된다.

$$\mathbf{a} \times \mathbf{b} = \begin{vmatrix} \mathbf{i} & \mathbf{j} & \mathbf{k} \\ a_1 & a_2 & a_3 \\ b_1 & b_2 & b_3 \end{vmatrix} = (a_2 b_3 - a_3 b_2)\mathbf{i} + (a_3 b_1 - a_1 b_3)\mathbf{j} + (a_1 b_2 - b_1 a_2)\mathbf{k}$$

주의를 기울여야할 두 가지 IPython 콘솔의 기능이 있다. 첫째는 ↑키를 이용하여 이전 명령을 불러올 수 있다. 이는 사용자가 오류를 포함한 명령어를 입력했을 때 특히 편리하다. ↑키를 이용하여 사용자는 이전 명령들을 볼 수 있다. 사용자는 이를 수정하고, 엔터 키를 눌러 진행할 수 있다. ↑키를 여러 번 누름으로써 몇 번째 명령어 전의 것도 볼 수 있다.

둘째, 사용자가 파이썬 함수나 방법의 이름을 알고 싶다면 사용자는 help(•) 명령어를 입력함으로써 정보를 얻을 수 있다. 예를 들어,

```
help(int)
Help on class int in module builtins:

class int(object)
 |  int(x=0) -> integer
 |  int(x, base=10) -> integer
 |
 |  Convert a number or string to an integer, or return 0 if no arguments
 |  are given. If x is a number, return x.__int__(). For floating point
 |  numbers, this truncates towards zero.
```

위에 표시된 내용보다 더 많은 내용이 표시된다. 위의 내용은 그중 일부분이다.

Spyder help 메뉴에는 더 많은 일반적인 도움 기능들이 존재한다. 또한 만약 사용자가 파이썬에 관련된 구체적인 질문을 가지고 있다면, Google이나 Bing과 같은 인터넷 검색 엔진에 이를 입력하면 답을 찾을 수 있다.

2.4　내장함수의 사용

파이썬과 파이썬의 많은 모듈은 풍부한 내장함수를 가지고 있다. 만약 내장함수의 이름을 알고 있다면, 이미 기술한 바와 같이 help(•) 명령어를 사용하여 해당 내장함수에 대한 더 많은 정보를 얻을 수 있다. 예시는 다음과 같다.

```
import math

help(math.log)
Help on built-in function log in module math:

log(...)
    log(x[, base])

    Return the logarithm of x to the given base.
    If the base not specified, returns the natural logarithm (base e) of x.
```

기본 파이썬 구성에는 수치 계산을 위한 광범위한 라이브러리는 포함되어 있지 않다. 두 가지 자주 사용하는 함수는 abs(•)와 round(•)이다. 실수 인자에 대하여 abs(•) 함수는 절댓값을 반환한다. 복소수에 대하여는 이 함수는 다음과 같이 그 크기를 반환한다.

$$\text{abs}(a + bj) = \sqrt{a^2 + b^2}$$

두 가지 예시는 다음과 같다.

```
abs(-2.45)
2.45

abs(-6+4j)
7.211102550927978
```

round($\bullet$) 함수는 소수를 그것과 가장 가까운 정수로 변환한다. 두 개의 정수 중간에 위치하는 숫자에 대하여 이 함수는 짝수를 반환한다. 예를 들어,

```
round(-7.6)
-8

round(4.5)
4
```

여러 개의 인수에 대하여 사용할 수 있는 두 개의 유용한 내장함수는 max($\bullet$)와 min($\bullet$) 함수이다.

```
x = 14 ; y = 22
max(x,y)
22

a = np.array([2, 7, 3, -4, 3.5])

min(a)
-4.0

max(a)
7.0
```

math와 cmath는 과학 수치 계산을 위하여 필요한 많은 수의 함수들을 제공해 주는 모듈들이다. 후자는 복소수를 인자로 갖는 함수들을 제공한다. 다음과 같은 명령을 통하여,

```
import math
```

다양한 함수들 중에서 다음의 함수들이 사용 가능하다.[6] 예를 들어, math.exp(x)와 같이 각각의 함수 명 앞에 math.이 기입되어야 한다.

sqrt(x)	$\sqrt{x}$
log(x)	$\ln(x)$
log10(x)	$\log_{10}(x)$
log(x,b)	$\log_b(x)$
exp(x)	e^x

삼각함수: [인수와 결과는 도(degrees)가 아닌 라디안(radian)으로 표시된다.]

```
sin(x), cos(x), tan(x)
asin(x), acos(x), atan(x), atan2(x,y)
```

---

[6]   math 모듈 함수의 완벽한 리스트는 https://docs.python.org/3/library/math.html에서 얻을 수 있다.

atan(x) 함수는 1사분면 그리고 4사분면의 결과, 즉 -π/2에서 π/2 사이 값을 반환한다. atan2(x,y)
함수는 $tan^{-1}(y/x)$의 4사분면 결과, 즉 -π에서 π 사이 값을 반환한다.

쌍곡선 함수:

    sinh(x), cosh(x), tanh(x), asinh(x), acosh(x)

변환 함수:

    degrees(x)
    radians(x)   이 명령어는 라디안을 도($x\frac{180}{\pi}$)로 변환시킴

다음은 math 모듈 함수를 실행시키는 여러 개의 예시이다.

```
math.log10(100)
2.0

math.log(100)
4.605170185988092

math.log(100)/math.log(10)
2.0

math.log(100,10)
2.0

math.exp(math.log(1))
1.0

math.sin(math.radians(45))
0.7071067811865476

math.atan(3/(-2))          (4사분면에 존재하는)
-0.982793723247329

math.atan2(3,-2)          (2사분면에 존재하는)
2.158798930342464
```

수치 계산의 일반적인 요구사항은 공학 혹은 과학적 수식을 구현하는 것이다. 자유낙하 중인
번지점프하는 사람의 속도는 식 (1.9)를 이용하여 계산할 수 있다.

$$v = \sqrt{\frac{mg}{c_d}} \tanh\left(\sqrt{\frac{c_d g}{m}}\, t\right)$$

v는 m/s로 표시된 속도이고, g는 중력가속도 (9.81 m/s^2), m는 질량 (kg), c_d는 공기저항계수 (kg/
m), t는 시간 (s)이다.

만약 결과를 한 번 계산하기를 원한다면, 파라미터의 값이 모두 정해져 있다는 가정하에 하나의
파이썬 구문이 이를 수행할 수 있다. 예를 들어,

```
g = 9.81 ; m = 68.1 ; cd = 0.25
t = 10
v = math.sqrt(m*g/cd)*math.tanh(math.sqrt(cd*g/m)*t)
print('{0:5.2f}'.format(v))
49.42
```

하지만 예를 들어 t의 다른 값에 대하여 반복하여 이 식을 사용하고 싶다면, 새로운 함수로써 식을 다루는 것이 이득이 될 것이다. 이 장의 후반부에 사용자 정의함수를 통하여 이를 설명할 것이나 이 시점에서 예시를 통하여 이를 설명하고자 한다.

이를 위하여 Spyder의 편집창을 사용한다.

```
temp.py ⊠

1 # -*- coding: utf-8 -*-
2 """
3 Spyder Editor
4
5 This is a temporary script file.
6 """
7
8
```

우선은 다음과 같은 구문을 입력한다.

```
import math
def bungee(t):
    g = 9.81 ; m = 68.1 ; cd = 0.25
    v = math.sqrt(m*g/cd)*math.tanh(math.sqrt(cd*g/m)*t)
    return v
```

이 코드는 실행 버튼 ▶을 클릭함으로써 또는 F5 키를 누름으로써 실행할 수 있다. 콘솔은 runfile 출력을 표시한다. 이후 사용자 함수 bungee(•)는 콘솔에서 결과를 도출하기 위하여 다음과 같이 사용될 수 있다.

```
bungee(10)
49.42136691869133
```

다음으로 NumPy 모듈의 도움을 받아 파이썬에서의 **벡터화** 방법을 설명하고자 한다. 우리는 0부터 20까지 증분 2의 값을 가진 배열을 만들 수 있다.

```
import numpy as np

tm = np.linspace(0,20,11)        ( Alternately, tm = np.arange(0,22,2) )

tm
Out[6]: array([ 0., 2., 4., 6., 8., 10., 12., 14., 16., 18., 20.])
```

g, m 그리고 cd 값을 콘솔에 입력한다.

```
g = 9.81 ; m = 68.1 ; cd = 0.25
```

사용자 함수 내에서 math.tanh 함수 대신에 np.tanh 함수를 사용하는 구문을 작성한다.[7]

```
v = math.sqrt(m*g/cd)*np.tanh(math.sqrt(cd*g/m)*tm)
```

---

7)   math 함수의 함수들은 벡터화를 지원하지 않지만, NumPy의 이에 대응되는 함수들은 벡터화를 지원한다.

이는 식을 **벡터화**하고, tm 배열을 v 배열로 전환시킨다.

```
v
array([ 0.        , 18.72918885, 33.11182504, 42.07622706, 46.95749513,
       49.42136692, 50.61747935, 51.18714999, 51.45599493, 51.58232304,
       51.64156286])
```

벡터화는 행렬 객체에서도 사용 가능하다. tm 배열을 행렬로 전환할 수 있다.

```
tmm = np.matrix(tm)
```

```
tmm
matrix([[ 0.,  2.,  4.,  6.,  8., 10., 12., 14., 16., 18., 20.]])
```

그 후 이것을 식에 사용하면,

```
v = math.sqrt(m*g/cd)*np.tanh(math.sqrt(cd*g/m)*tmm)
```

행렬 결과를 얻어 낼 수 있다.

또한 tmm을 열벡터로 바꾸고, 결과를 얻기 위한 열벡터 계산을 수행할 수 있다.

```
tmmt = tmm.transpose()
```

```
tmmt
matrix([[ 0.],
        [ 2.],
        [ 4.],
        [ 6.],
        [ 8.],
        [10.],
        [12.],
        [14.],
        [16.],
        [18.],
        [20.]])
```

```
v = math.sqrt(m*g/cd)*np.tanh(math.sqrt(cd*g/m)*tmmt)
```

```
v
matrix([[ 0.        ],
        [18.72918885],
        [33.11182504],
        [42.07622706],
        [46.95749513],
        [49.42136692],
        [50.61747935],
        [51.18714999],
        [51.45599493],
        [51.58232304],
        [51.64156286]])
```

이미 언급했듯이 이러한 결과는 보다 간결한 형식으로 표시될 수 있다.

파이썬의 그래프와 관련된 내장함수 내용은 Appendix A를 참조하시오.

2.5 기타 자원

이 장의 초반부는 이 책의 후반부에 사용할 파이썬의 기능들에 대하여 초점을 맞추었다. 이번 장은 파이썬과 파이썬의 다양한 기능에 대한 상세한 설명을 포함하지는 않는다. 특히 소프트웨어 개발 측면에서 파이썬을 깊이 있게 공부하고 싶다면, 예를 들어 Hill(2015), Nagar(2018), Ramalho(2015), VanderPlas(2017)와 같이 파이썬에만 집중한 훌륭한 교재들을 통하여 이를 배울 수 있다.

파이썬과 지원 모듈에 대한 다양한 레벨의 '도움'이 존재한다. 이미 IPython 콘솔의 help(•) 함수를 소개하였다. 이는 사용자가 정보를 더 얻고 싶은 명령어를 안다는 것을 전제로 한다. Spyder 인터페이스에서, 커서를 위치시키거나 키워드 직전에서 Ctrl-I 조합을 누름으로써 추가 정보를 얻을 수 있다. 예를 들어, 위에서 작성한 프로그램에서 append 방식에 커서를 위치시키고 Ctrl-I를 누르면, 상단우측 창에 아래의 정보를 확인할 수 있다.

Definition : append(object) -> None -- append object to end
Type : Function in builtins module

Help 메뉴 그리고 온라인 문서를 통하여 더 자세한 정보를 얻을 수 있다.

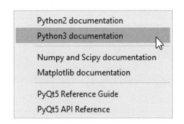

Python2 documentation
Python3 documentation

Numpy and Scipy documentation
Matplotlib documentation

PyQt5 Reference Guide
PyQt5 API Reference

파이썬3에 관하여 다음의 정보를 얻을 수 있다.

Python 3.7.3 documentation

Welcome! This is the documentation for Python 3.7.3.

Parts of the documentation:

What's new in Python 3.7?
or all "What's new" documents since 2.0

Tutorial
start here

Library Reference
keep this under your pillow

Language Reference
describes syntax and language elements

Python Setup and Usage
how to use Python on different platforms

Python HOWTOs
in-depth documents on specific topics

Installing Python Modules
installing from the Python Package Index & other sources

Distributing Python Modules
publishing modules for installation by others

Extending and Embedding
tutorial for C/C++ programmers

Python/C API
reference for C/C++ programmers

FAQs
frequently asked questions (with answers!)

이를 통하여 사용자는 보다 많은 정보를 얻을 수 있다.

　　이전에 기술한 바와 같이 인터넷 브라우저와 검색 엔진을 통한 파이썬에 관련된 질문들이 종종 해답을 위한 정보를 제공한다. 예를 들면, 다음과 같은 질문은

> how do I make a log-log plot in Python?

다른 많은 정보를 제공해 준다.

Python Log Plots | plotly
https://plot.ly/python/log-plot/ ▾
How to **make Log plots in Python** with Plotly. ... Get started by downloading the client and reading the primer. You can set up Plotly to work in online or offline ...

이로부터 시작할 수 있다. 많은 경우 좋은 접근법은 당신이 시도하는 것과 유사한 계산을 수행하는 파이썬 코드를 찾는 것이다. 그리고 당연하게도 당신이 더욱 노련해지면서, 본인의 지식이 새로운 일과 문제를 해결하기 위하여 적절하게 사용될 것이다.

사례연구 2.6　　탐색적 데이터 분석

배경　교과서는 과거에 유명한 공학자나 과학자들이 개발한 식들로 가득 차 있다. 비록 이 식들은 매우 유용하지만, 빈번하게 데이터를 모으고 분석함으로써 이러한 관계식을 대신하는 경우가 존재한다. 이 과정에서 종종 새로운 식을 도출하기도 한다. 하지만 최종 예측 식에 도달하기에 앞서 보통 계산을 수행하거나 그래프를 그림으로써 데이터를 탐색한다. 대부분의 경우 우리는 데이터에 숨겨져 있는 패턴이나 메커니즘에 대한 직관을 얻고자 한다.

　　이번 사례연구에서 파이썬이 이러한 탐색적 데이터 분석에 어떻게 도움을 주는지 알아보고자 한다. 식 (2.1)과 표 2.1의 데이터에 근거해 자유낙하하는 사람의 공기저항계수를 예측함으로써 이를 파악하고자 한다. 하지만 단순히 공기저항계수를 계산하는 것 이상으로, 데이터의 패턴을 구분하기 위해 pylab을 통한 그래프 기능을 사용하고자 한다.

풀이　표 2.1의 데이터와 중력 가속도는 편집창에 다음과 같이 입력할 수 있다.

```
"""
Case Study
Exploratory Data Analysis
D. E. Clough
4/26/2019
"""
import numpy as np
import pylab
m = np.matrix('83.6,60.2,72.1,91.1,92.9,65.3,80.9')
vt = np.matrix('53.4,48.5,50.9,55.7,54.0,47.7,51.1')
g = 9.81
cd = g*m/np.power(vt,2)
print(cd)
```

코드를 실행하면(F5), 콘솔은 다음을 출력한다.

```
[[0.28760258 0.2510626  0.27300381 0.28805605 0.31253395 0.28154345
  0.30393151]]
```

사례연구 2.6　　continued

앞의 코드에 대한 평:

　"""" 부호로 구분한 헤더를 포함시켰다. 이는 문서화 측면에서 좋은 습관이다. 행렬/벡터의 요소를 제곱하기 위하여 지수화 연산자 **를 사용할 수 없다. 이 연산자는 행렬곱을 시도할 것이다. 대신 NumPy 모듈의 power 함수를 사용하였다. 나눗셈 연산자 /는 문제없이 원소별 나눗셈을 수행한다.

　몇 개의 분포를 cd 벡터의 예시로 계산하고 표시하기 위하여 코드에 몇 줄의 구문을 추가할 수 있다.

```
cdavg = np.average(cd)
cdmin = np.min(cd)
cdmax = np.max(cd)
print('cd statistics')
print('average =', '{0:5.3f}'.format(cdavg))
print('minimum = ','{0:5.3f}'.format(cdmin))
print('maximum = ','{0:5.3f}'.format(cdmax))
```

결과는 다음과 같다.

```
cd statistics
average = 0.285
minimum =  0.251
maximum =  0.313
```

따라서 평균 공기저항계수는 0.285이고, 범위는 0.251부터 0.313 kg/m까지이다.

　이제 위의 평균 공기저항 계수에 기반하여 종단속도 예측을 하기 위하여 식 (2.1)을 이용하여 이 데이터를 활용할 것이다. 다음은 결과를 출력하는 다른 방식을 보여 준다.

```
vpred = np.sqrt(m*g/cdavg)
np.set_printoptions(precision=3)
print(vpred)

[[53.607 45.49  49.783 55.96  56.51  47.377 52.734]]
```

이 값들과 실제 종단속도 값을 함께 그래프에 표시할 수 있다. 결과를 이해하는 데 도움을 줄 수 있는 예측값과 실젯값 사이의 완벽한 일치를 표시하는 점선(1:1 혹은 45° 선)을 추가할 것이다.

```
pylab.plot(vt,vpred,c='k',marker='o',mfc='w',mec='k')
pylab.plot([48,56],[48,56],ls='--',c='k',lw=1.)
pylab.grid()
pylab.title('Plot of predicted versus measured terminal velocities')

pylab.xlabel('measured')
pylab.ylabel('predicted')
```

사례연구 2.6 continued

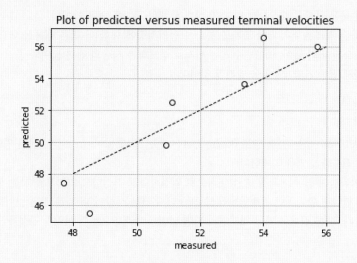

위의 그래프에서 plot 명령어 첫 줄에 mfc(마커 안의 색상)과 mec(마커 선 색상) 세부사항을 추가하였다. plot의 두 번째 줄에 lw(선 두께) 인자를 더하였다. 그래프를 보면, 예측과 측정 종단속도 간에 유사한 경향성은 보이나 고려할 만한 차이를 갖고 있다. 또한 예측값은 낮은 속도에서 낮고, 높은 속도에서는 높은 경향을 보인다. 이 결과는 공기저항계수가 경향성을 가질 수 있다는 의심을 키운다. 예측한 공기저항 계수와 질량 간의 그래프를 조사할 수 있다.

```
pylab.figure()
pylab.plot(m,cd,marker='o',mfc='w',mec='k')
pylab.xlabel('mass (kg)')
pylab.ylabel('estimated drag coefficient (kg/m)')
pylab.title('Plot of drag coefficient versus mass')
pylab.grid()
```

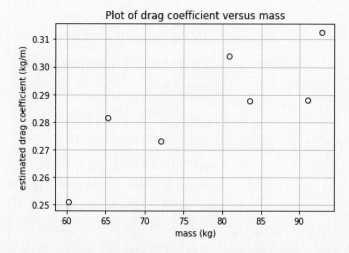

위의 그래프는 공기저항계수가 상수가 아닌 점프를 하는 사람의 질량에 따라 증가하는 경향성을 보인다. 이 결과를 근거로 모형이 개선되어야 한다는 결론을 얻을 수 있다. 최소한 이러한 예비 발견을 확신하기 위하여 많

| 사례연구 2.6 | continued |

은 수의 점프를 하는 사람을 대상으로 한 추가 실험에 대한 동기를 얻을 것이다.

추가로 도출된 결과는 유체역학 교재를 통하여 공기저항에 대한 더 많은 내용을 학습하기를 독려한다. 1.4 절에서 이미 서술된 바와 같이, 매개변수 c_d는 실제로 점프하는 사람의 전면 넓이와 공기 밀도와 같은 다른 요소들을 포함한 실제 집중 저항계수임을 발견할 것이다.

$$c_d = \frac{C_D \rho A}{2} \tag{2.2}$$

C_D는 무차원 저항계수, ρ는 공기 밀도 (kg/m^3), A는 전면 영역 넓이 (m^2)이다. 전면 영역 넓이는 속도 방향과 수직인 평면에 전사한 영역을 의미한다.

밀도는 데이터를 수집하는 과정 중 상대적으로 일정하다고 가정하므로(점프를 하는 사람이 같은 날 같은 높이에서 점프를 한다면 합리적인 가정임), 식 (2.2)는 더 무거운 사람이 더 넓은 전면 넓이를 가지고 있을 수 있다는 것을 의미한다. 다른 질량을 가진 개개인의 전면 넓이를 측정함으로써 이러한 가설을 입증할 수 있다.

연습문제   * 짝수번호는 온라인 사이트에 있으며 본 책 '차례' 끝부분 xxi페이지에 사이트주소가 있음.

2.1 다음 파이썬 명령이 실행되었을 때 무엇이 표시될 것인지를 예측하라. 그 후 이 명령을 실행하라. 이들이 어떻게 동작하는지 설명하라. 필요하다면 도움말을 사용하라.

```
import numpy as np
A = np.matrix(' 1,2,3 ; 2,4,6 ; 3,2,1 ')
print(A)

At = A.transpose()
print(At)

A1 = A[:,2]
print(A1)

nm = np.sum(np.diag(A))
print(nm)

Ad = np.delete(A,1,0)
print(Ad)
```

2.3 다음 식을 사용하여 x값의 벡터를 계산하고 보여 주기 위한 파이썬 구문을 작성하고 테스트하라.

$$x = \frac{y(a + bz)^{1.8}}{z(1 - y)}$$

y와 z는 x와 같은 길이의 벡터이다. 다른 값의 a, b 그리고 다른 범위의 y, z를 사용하여 코드를 실행하라. 과정 중에 발견된 이슈에 대하여 이야기하라.

2.5 'hump' 함수 $f(x)$는 간격 $a \leq x \leq b$에서 다른 두 개의 최

댓값을 갖는 곡선을 정의한다. 예시는 다음과 같다.

$$f(x) = \frac{1}{(x - 0.3)^2 + 0.01} + \frac{1}{(x - 0.9)^2 + 0.04} - 6 \qquad 0 \leq x \leq 2$$

주어진 범위에서 100개의 x에 대응되는 $f(x)$를 계산하고 그래프를 그리는 파이썬 코드를 작성하라.

2.7 NumPy arange 함수를 사용하여 linspace 함수를 사용하여 제작된 다음의 벡터와 동일한 결과를 만들어 내라.

(a) np.linspace(-2,1.5,8)

(b) np.linspace(8,4.5,8)

2.9 다음 파이썬 구문은 행렬 A를 만든다.

```
import numpy as np
a1 = np.matrix(' 3 2 1 ')
a2 = np.matrix(np.arange(0,1.1,.5))
a3 = np.matrix(np.linspace(6,8,3))
A = np.vstack((a1,a2,a3))
```

(a) 결과로 얻어진 행렬을 구하라.

(b) A의 두번째 행과 세 번째 열을 곱하는 두 개의 파이썬 명령어를 구하라. 두 개의 명령어가 같은 스칼라 값을 가짐을 확인하라.

2.11 저항, 커패시터, 인덕터(코일)로 구성된 간략한 전기 회로가 그림 P2.11에 표시되어 있다. 스위치가 닫혔을 때, 시간에 따른 커패시터의 전압 포텐셜은 다음과 같다.

$$V(t) = V_0\, e^{-\left(\frac{R}{2L}\right)t} \cos\left(\sqrt{\frac{1}{LC} - \left(\frac{R}{2L}\right)^2}\, t\right)$$

t는 시간 (s), V_0는 초기 전압 (volts), R은 저항 (ohms), L는 인덕턴스 (henrys), C는 커패시턴 (farads)이다. 파이썬을 사용하여 $t = 0$에서 0.8초까지 이 함수의 그래프를 그려라. $V_0 = 10$ volts, $R = 60$ ohms, $L = 9$ henrys 그리고 $C = 50$ microfarads이다.

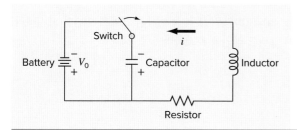

그림 P2.11

2.13 만약 힘 F (N)이 압축된 스프링에 작용되었다면, 스프링의 변위 x (m)는 종종 간단한 Hooke의 법칙으로 모델링할 수 있다.

$$F = kx$$

k는 스프링 상수 (N/m)이다. 스프링에 저장된 포텐셜 에너지, U (J)는 다음과 같이 계산 가능하다.

$$U = \frac{1}{2}kx^2$$

다섯 개의 스프링을 실험하였고, 다음의 데이터를 수집하였다.

F, N	14	18	8	9	13
x, m	0.013	0.020	0.009	0.010	0.012

파이썬을 사용하여 벡터 형식으로 F와 x를 저장하라. 스프링 상수 k 그리고 포텐셜 에너지 U를 벡터로 저장하라. np.max 함수를 사용하여 최대 포텐셜 에너지를 결정하라.

2.15 매닝의 식은 직사각형 열린 채널의 물의 속도를 계산하는데 사용할 수 있다.

$$U = \frac{\sqrt{S}}{n}\left(\frac{BH}{B + 2H}\right)^{2/3}$$

U는 속도 (m/s), S는 채널 경사, n은 거칠기 계수, B는 채널 폭 (m), H는 물 깊이 (m)이다. 다음 데이터는 다섯 개의 채널로부터 얻어진 결과이다.

n	S	B	H
0.035	0.0001	10	2.0
0.020	0.0002	8	1.0
0.015	0.0010	20	1.5
0.030	0.0007	24	3.0
0.022	0.0003	15	2.5

파이썬 구문을 작성하여 행은 각 채널을, 열은 매개변수를 갖는 행렬 P에 이 값들을 저장하라. 하나 혹은 다수의 구문을 추가하여 매개변수 행렬의 값에 기반을 둔 열벡터 U로 속도를 계산하라. 결론으로써 얻은 벡터를 표시하라.

2.17 Matplotlib 모듈의 pylab 인터페이스는 semi-log와 log-log 그래프 기능을 지원한다. pylab.plot 함수의 사용을 제외하고, 예를 들어 pylab.semilog 함수를 사용하여 세로축을 log 스케일로 변환할 수 있다. 연습문제 2.16의 파이썬 코드를 수정하여 semilogy 그래프를 그려라. 결과 그래프를 관찰하고 특징을 설명하라.

2.19 pylab.loglog 함수는 log 스케일을 x축과 y축 동시에 사용한다는 점을 제외하고 pylab.plot 함수와 유사하다. 연습문제 2.18에서 주어진 데이터와 함수의 log-log 그래프를 그려라. 결과 그래프에 대하여 논하라.

2.21 표 2.1의 데이터를 만들었을 때의 번지점프하는 사람을 만나서 전면 넓이를 측정하였다. 표 2.1에 값들과 대응되는 순서로 나열된 결과 값은 다음과 같다.

A, m²	0.455	0.402	0.452	0.486	0.531	0.475	0.487

(a) 만약 공기 밀도가 $\rho = 1.223$ kg/m³이라면, 파이썬을 사용하여 무차원 공기저항계수 C_D값을 계산하라.

(b) 결과 C_D값의 평균, 최소 그리고 최댓값을 결정하라.

(c) A vs m과 C_D vs m 두 개의 그래프를 그려라. 설명을 위한 축 레이블과 그래프의 제목을 추가하라. 그리드 라인을 추가하라.

2.23 다음 명령어를 콘솔에 입력하였을 때 무엇을 보게 될 것인지 예측하라.

(a) np.arange(6)

(b) np.arange(6,1,-1)

(c) np.linspace(1,6,6)

(d) np.linspace(6,1,6)

(e) np.logspace(-2,2,5)

예측 후에 명령어를 테스트하라. 예측과 어떤 차이가 있는지 확인하고 배운 것을 설명하라.

2.25 1차 온도의 함수로써 화학 반응률은 아레니우스식으로 다음과 같이 표현된다.

$$k = k_0 e^{-\frac{E}{RT}}$$

k는 반응률 (1/s), k_0는 지수 앞자리 (혹은 진동수) 요소 (1/s), E는 활성 에너지 (J/mol), R은 이상 기체 상수 (8.314 J/(mol·K))

그리고 T는 절대온도 (K)이다.

$k_0 = 7 \times 10^{16}$ 1/s와 $E = 1 \times 10^5$ J/mol일 때 반응을 모델링하였다. 파이썬 코드를 작성하여 $235 \leq T \leq 325$ 구간에서 반응률을 계산하라.

k vs T 그래프를 그려라. `Pylab.semilogy` 함수를 사용하여 $\log_{10}k$ vs $1/T$ 그래프를 그려라. 결과에 대하여 논의하라.

2.27 *butterfly curve*는 다음의 다항식과 같다.

$$x = \sin(t)\left(e^{\cos(t)} - 2\cos(4t) - \sin^5\left(\frac{t}{12}\right)\right)$$

$$y = \cos(t)\left(e^{\cos(t)} - 2\cos(4t) - \sin^5\left(\frac{t}{12}\right)\right)$$

$0 \leq t \leq 100$에 증분 $\Delta t = 1/16$일 때 x와 y값을 계산하라. 파이썬 Matplotlib pylab 인터페이스를 사용하여 다음 그래프를 그려라.

(a) x와 y vs t

(b) y vs x

(a)의 그래프에서 서로 다른 검정 라인 스타일을 사용하고 레전드를 추가하라. (b) 그래프를 x축과 y축을 같게 하여 정사각형으로 만들어라. (a)와 (b)경우 모두 축 이름과 그래프 이름을 표시하라. 그래프에 그리드 라인을 추가하라.

파이썬 프로그래밍

Programming in Python

학습 목표

이 장의 주요한 목적은 수치해석을 구현하기 위한 파이썬 스크립트를 어떻게 작성하는지에 대한 학습이다. 이를 위한 구체적인 목표와 주제들은 아래와 같다.

- Spyder 에디터를 사용하여 파이썬 스크립트를 작성하는 방법, 작성된 스크립트를 콘솔에서 호출하는 방법, 또는 Spyder 메뉴에서 실행하는 방법
- 데이터 창에서 간단한 함수 작성법
- 함수와 스크립트의 차이점의 이해
- 스크립트 헤더, 코드 라인 간 주석, 그리고 코드의 마지막 부분에서 설명을 포함한 코드 작성의 습관화
- 편집창을 통한 사용자 입력 및 콘솔창의 결과 출력을 위한 파이썬 코드 작성법
- 파이썬을 이용한 데이터 파일의 읽기 및 쓰기 이해
- 선택과 반복을 포함한 구조적 프로그래밍의 구현
- 벡터화 및 이를 통한 간결하고 신뢰성 있는 파이썬 프로그래밍 이해
- 다용도 파이썬 프로그램을 작성하기 위한 변수명, 상수값, 함수명 작성 이해

문제 제기

1장에서 번지점프하는 사람의 낙하 속도를 예측하기 위한 수학적 모델 개발을 위하여 힘의 균형을 사용하였다. 이 모델은 다음의 미분방정식 형태를 가진다.

$$\frac{dv}{dt} = g - \frac{c_d}{m}v|v|$$

v는 종단속도 (m/s), g는 중력 가속도 (약 = 9.81 m/s^2), m은 질량 (kg), c_d는 저항계수 (kg/m)이다.

이 미분방정식의 근사적 수치해는 오일러 방식을 도입함으로써 얻을 수 있다는 사실을 배웠다.

$$v_{i+1} = v_i + \frac{dv_i}{dt}\Delta t$$

이 식은 시간의 함수로써 속도를 계산하기 위하여 반복적으로 구현 가능하다. 하지만 높은 정밀도를 얻기 위해서는 많은 수의 작은 크기의 Δt를 사용하여야 한다. 이 작업을 손으로 수행하기 위해서는 매우 많은 시간과 노력이 요구된다. 하지만 파이썬의 도움을 통하여 이러한 계산은 쉽게 수행 가능하다.

그러므로 문제는 이러한 방식의 작업을 어떻게 구현하는가이다. 이 장에서는 해를 얻기 위하여 파이썬 스크립트 파일을 어떻게 사용하는지에 대한 자세한 설명을 제공한다.

3.1   파이썬 스크립트 파일

2장에서 확인했듯이, Spyder/IPython 개발자 환경(IDE)을 실행하는 일반적인 방법은 IPython 콘솔에서 단일 명령을 입력하는 것이다. 편집창에서 파이썬 스크립트를 만드는 것은 파이썬을 활용한 문제 해결 능력의 큰 향상을 가져온다. 파이썬 스크립트는 단일 구문으로 실행될 수 있는 여러 개의 구문들로 구성된다. 파이썬 스크립트는 *.py* 확장자를 갖는 파일로 저장된다. 일반적으로 스크립트는 구문(실행 가능한 최소 코드, statement)를 포함하고 함수라고 부르는 프로그래밍 구조 구문을 가진다.

3.1.1 파이썬 스크립트

스크립트란 단지 파일로 저장된 파이썬 구문의 모음이다. 스크립트는 사용자가 한 번 이상의 실행을 원하는 여러 개의 구문을 동작하는 데 유용하다. 또한 스크립트 전체를 다시 입력할 필요없이 수정, 저장, 재실행할 수 있으므로, 에러가 발견되었을 때 유용하다. 스크립트는 편집창의 위쪽에 위치한 ▶ 버튼, *F5* 버튼, 혹은 메뉴의 실행 버튼을 클릭함으로써 실행할 수 있다.

예제 3.1	스크립트 파일

문제 정의 시작 속도가 0인 경우, 자유낙하 중인 번지점프하는 사람의 속도를 계산하기 위한 스크립트 파일을 개발하라.

풀이 New File 버튼 🗋을 클릭하거나 *Ctrl-N* 조합을 이용하여 스크립트 작성을 위한 새 창을 편집기에 생성시킨다. Spyder 편집기는 처음 몇 라인에 디폴트 엔트리를 포함한 새 창을 제공한다.

```
# -*- coding: utf-8 -*-
"""
Created on Sat May 11 15:43:22 2019

@author: yourname
"""
```

일반적으로 첫 라인은 삭제 가능하며, 스크립트의 목적을 설명하기 위하여 헤더 """ 사이에 더 많은 정보를 넣는 것을 추천한다. 예를 들면 다음과 같다.

```
"""
This script computes the velocity of a free-falling bungee jumper at a
specific time from launch based on Eq 1.9.

Sat May 11 15:43:22 2019

Author:  David Clough
"""
```

헤더 뒤에 다음의 파이썬 구문을 입력한다.

```
import math
g = 9.81   # m/s^2
m = 68.1   # kg
t = 12   # s
cd = 0.25   # kg/m
v = math.sqrt(m*g/cd)*math.tanh(math.sqrt(cd*g/m)*t)
print('velocity = ',v,' m/s')
```

행의 마지막 부분에 자료의 단위를 알려 주기 위하여 주석을 더했음을 알 수 있다. 이는 명료함을 위한 좋은 습관이다.

🖫 버튼 혹은 *Ctrl-S*을 이용하여 파일을 scriptdemo.py. 이름으로 저장한다. 이 스크립트를 ▶ 버튼 혹은 *F5* 버튼을 클릭하여 실행한다. 콘솔에서 다음을 확인할 수 있다.

```
velocity = 50.61747935192882 m/s
```

스크립트는 콘솔창에 각각의 라인을 따로 입력한 것과 동일하게 실행된다.

마지막 단계로 콘솔창에서 g를 입력하고 Enter를 누른다. 이를 통하여 다음을 확인할 수 있다.

```
g
Out[n]: 9.81        (n: will be a counting integer)
```

즉, 비록 g가 스크립트에서 정의되었더라도, 콘솔 작업공간이나 콘솔 위 변수탐색기에서 이 값을 확인할 수 있다.

| g | float | 1 | 9.81 |

추후에 함수를 통하여 이 개념을 알아볼 것이다.

3.1.2 파이썬 함수

파이썬 함수는 입력 매개변수를 받아서 결과를 반환하는 스크립트이다. 이는 함수의 정의 밖에서 파이썬 구문을 통하여 실행되거나 '호출된다'. 함수의 코드는 다른 파이썬 스크립트 구문 중에 산재되어 있거나, 혹은 별도의 .py 파일에 위치할 수 있다. 함수가 인식되기 위해서는, 함수를 실행하여야 한다. 파이썬 함수는 MATLAB이나 C/C++, 비주얼베이직과 VBA[1], 포트란 같은 프로그래밍 언어에서 사용자 정의 함수와 유사하다.

일반적인 파이썬 함수의 문법은 다음과 같다.

```
def function_name(arguments):
    """ docstring """
    statements
    return output_results/statement
```

def는 정의를 의미하고, function_name은 함수가 어떻게 인식되는지를, *arguments*는 보통 변수명이지만 때때로 다른 함수의 이름인 하나 혹은 다수의 이름 리스트를 의미한다. *docstring*은 필

---

1) VBA는 마이크로소프트 Office 제품군 Excel, Word, PowerPoint, Access의 여러 버전에서 사용가능한 프로그래밍 언어인 Visual Basic for Applications을 의미한다.

수적이지는 않지만, 사용을 추천한다. 이것은 함수, 입력 인자, 반환 결과에 대한 정보를 제공한다. *docstring*은 """ 사이에서 하나의 라인 이상이 될 수 있다. 비록 return 구문이 파이썬 구문을 포함할 수 있지만, *statements*는 *output_results*를 계산한다.

*output_results*는 위의 구문에서 계산된 하나 혹은 그 이상의 변수명을 포함 가능하다. 콜론(:)이 *def* 구문의 끝에 요구되고, 이후 구문들은 필수적으로 들여쓰기('탭'을 추가하거나 4개의 스페이스 입력)가 필요함에 주의하라. 편집기와 콘솔은 함수가 입력되면 자동적으로 들여쓰기 해준다. 이는 *docstring*과는 별개이며, 함수 내 구문을 명확히 설명하기 위한 주석을 추가하는 것은 좋은 습관이다. *docstring*은 함수의 특성이 되고, 다음 구문을 통하여 확인할 수 있다.

    function_name.__doc__   doc 전과 후의 두 개의 언더스코어에 유의하라.

콘솔에서 함수 정의를 입력할 수도 있지만, 일반적으로 에디터창에 입력하고 .py 파일이나 추가 스크립트 구문을 포함한 .py 파일의 일부분으로 저장한다. 소문자 혹은 언더스코어(_)와 같은 부호를 조합하는 방식으로 함수의 이름을 설정하는 것이 일반적이다.

예제 3.2	파이썬 함수

문제 정의 예제 3.1에서처럼 이제 계산을 구현하기 위하여 파이썬 함수를 활용하여 자유낙하 중인 번지점프하는 사람의 속도를 계산한다.

풀이 편집창에 새 창을 열고 아래의 구문을 입력한다.

```
import math
import scipy.constants as pc

def freefall(t,m,cd):
    """
    function freefall: computes bungee jumper velocity
                with second-order drag
    input arguments:
    t = time (s), m = mass (kg), cd = drag coefficient (kg/m)
    returns velocity in m/s
    """
    g = pc.g  # retrieve gravitational acceleration from SciPy
    return math.sqrt(m*g/cd)*math.tanh(math.sqrt(g*cd/m)*t)
```

freefall.py 이름으로 (메뉴에서, *File → Save As* 혹은 *Ctrl-Shift-S*) 파일을 저장한다. 이해할 수 있는 어떠한 이름을 정해 주어도 좋지만, freefall은 내부 함수의 내용을 상기시켜 준다. ▶ 혹은 F5를 이용하여 프로그램을 실행한다. 이때 응답이 없을 것이다. 함수를 테스트하기 위해서 다음의 구문을 콘솔창에 입력한다.

```
freefall(12,68.1,0.25)
```

다음의 응답 결과를 확인할 수 있다.

```
50.608007473466444
```

freefall과 같은 사용자 정의 함수의 장점은 다른 인자 값에 대해서도 반복하여 호출할 수 있다는 점이다. 만약 같은 저항계수를 갖는 100 kg인 점프한 사람의 8초 후 속도를 계산하기를 원한다고 가정하자.

```
'velocity = {0:g} m/s'.format(freefall(8,100,0.25))
'velocity = 53.1749 m/s'
```

이때 g 형식을 사용한다. 이 형식은 6개의 유효숫자를 가지는 일반적 형식 지정자이다. 이것은 10^{-4}에서 10^{6} 사이의 f 형식을 사용하고, 이 외의 영역에서는 e 형식을 사용한다.

docstring 도움말을 보기 위하여 다음을 입력한다.

```
print(freefall.__doc__)
```

다음의 구문이 표기된다.

```
function freefall: computes bungee jumper velocity
                         with second-order drag
input arguments:
t = time (s), m = mass (kg), cd = drag coefficient (kg/m)
returns velocity in m/s
```

이 예제 마지막 부분에 콘솔창에 다음의 구문을 입력한다면,

```
g
```

아래 추가 구문을 포함한 오류 메시지가 나옴에 유의하라.

```
NameError: name 'g' is not defined
```

freefall 함수에서 g가 값을 가짐에도 불구하고 (SciPy에서는 9.80665), 콘솔 작업공간에서는 값을 갖지 않는다. 예제 3.1의 끝부분에서 이야기했듯이, 이는 함수와 일반적인 스크립트 코드 사이의 중요한 구분을 보여 준다. 함수 내의 변수는 **국소적**(*local*)이라고 불리며, 함수가 실행된 후에 제거된다. 반대로 스크립트에서의 변수는 스크립트가 실행된 후에도 존재한다.

파이썬 함수는 하나 이상의 결과를 반환할 수 있다. 결과는 괄호로 묶여 있는 **튜플**(*tuple*) 형식으로 반환된다. 그들의 개별 요소는 다음과 같이 도출될 수 있다.

```
import numpy as np
def stats(x):
    n = len(x)
    avg = np.average(x)
    s = np.std(x)
    return n,avg,s
```

다음은 IPython 콘솔에서 이의 활용에 대한 예제이다.

```
y = [8,5,10,12,6,7,5,4]
stats(y)
(8, 7.125, 2.5708704751503917)
```

이 책 후반부의 많은 부분에서, 편집창에서 만든 스크립트와 함수를 사용할 것이다.

3.1.3 변수 유효범위

파이썬 변수는 변수가 고유한 식별값을 갖는 컴퓨터 환경을 의미하는 **유효범위**라고 불리는 특성을

갖는다. 일반적으로 변수의 유효범위는 파이썬 스크립트/IPython 콘솔과 관련된 작업공간 혹은 함수 내로 한정된다. 이러한 기능은 혼란을 막아 주고 프로그래머가 의도치 않게 다른 작업 중에 변수에 같은 이름을 설정함으로써 발생하는 오류를 막아 준다.

IPython 콘솔에서 직접 명령을 통하여 정의된 어떠한 변수라도 파이썬 작업공간에 존재한다. 변수의 이름을 콘솔에 입력함으로써 해당 변수의 값을 쉽게 조사할 수 있다. 예를 들어, stats 함수를 사용한 마지막 예제에서 콘솔을 통하여 y를 정의하였고, 변수 탐색창에서 다음을 확인할 수 있다.

Name	Type	Size	
y	list	8	[8, 5, 10, 12, 6, 7, 5, 4]

지역변수와 작업공간 변수 간의 관계를 이해해야 한다. 손쉬운 예제로서 다음의 두 개의 숫자를 더해 주는 함수와 스크립트를 고려하자.

```python
def adder(a,b):
    print('x = ',x)
    s = a+b
    return s
x = 88
c = 1
d = 5
print('sum = ',adder(c,d))
print('s = ',s)
```

편집기는 마지막 라인에 대한 경고 부호(⚠)로 알려 주고, 오류 메시지 'undefined name s.'를 출력한다. 변수 s는 adder 함수에서 정의된 지역변수이므로, 일반 스크립트에서 '볼' 수 없다. 구문을 지우고 함수를 포함한 스크립트를 실행하면, 콘솔은 다음을 출력한다.

```python
x = 88
sum = 6
```

함수 내에서 작업공간 변수 x를 볼 수 있다는 점은 분명하다. 이해를 돕기 위해 달리 설명하자면 함수로부터 작업공간을 위로 올려보는 것은 가능하지만, 작업공간으로부터 함수 내부를 들여다보는 것은 불가능하다. 다음은 여러 개의 함수를 다루는 다른 예제이다.

```python
import numpy as np
def sgnsqr(x):
    x1 = x*abs(x)
    return x1
def sgnsqrt(x):
    print('x1 = ',x1)
    x2 = np.sqrt(abs(x))*np.sign(x)
    return x2
x = -2.0
print('x squared with sign = ',sgnsqr(x))
print('square root of x with sign = ',sgnsqrt(x))
print('x2 = ',x2)
```

Spyder 에디터는 오류로서 두 개의 강조 표시된 구문을 출력한다. 이는 두 번째 sgnsqrt 함수로부터 첫 번째 sqnsqr 함수의 x1 변수가 확인할 수 없기 때문이다. 또한, sgnsqr에서 지역변수인

x2는 일반 작업공간에서 확인할 수 없다. 이 두 개의 구문을 제거하고 코드를 실행하면, 다음을 얻을 수 있다.

```
x squared with sign = -4.0
square root of x with sign = -1.4142135623730951
```

파이썬의 작업공간 변수가 유효범위에 있어서 **전역**이라고 결론짓는다. 이전 절에서의 논의에 기반하여 파이썬의 지역변수의 유효범위를 바꿀 수 있는지에 대한 궁금증이 일어난다. 이는 가능하다.

만약 지역에서 전역으로 함수 안에서 변수의 유효범위를 바꾸기를 원한다면, 그 변수를 전역으로 선언하면 가능하다. 다음 adder 함수 예제에서 이 변환을 볼 수 있다.

```
def adder(a,b):
    global x
    x = 88
    s = a+b
    return s
c = 1
d = 5
print('sum = ',adder(c,d))
print('x = ',x)
```

결과는 다음과 같다.

```
sum = 6
x = 88
```

x는 함수 내에서 할당되었지만, 스크립트 그 이후 함수에서 사용할 수 있음을 볼 수 있다.

다음의 경우, 다른 함수에 내장된 함수들을 고려한다. 이에 관련된 예제이다.

```
def fun1(x):
    b = -1
    def fun2(a,x):
        b = a*x**5
        return b
    return fun2(b,x)
print('fun1 result = ',fun1(2))
print('fun2 result = ',fun2(2,-1))
```

여기서 fun2 함수는 fun1 함수에 내장되었다. 코드의 마지막 라인은 정의되지 않은 fun2에 대한 오류를 보여 준다. fun2 함수는 fun1 함수의 외부에서 선언될 수 없다. 마지막 구문을 제거하면 결과는 다음과 같다.

```
fun1 result = -32
```

이 과정은 다음과 같다.

1. fun1은 argument 2에서 선언되었다.

2. fun1은 fun2(-1,2)의 결과를 반환한다.

   fun2는 $-1 \times 2^5 \Rightarrow -32$를 계산한다.

3. -32가 표시된다.

비록 이 예제는 실제적이지 않지만, 유효범위의 중요 개념을 보여 준다. 단순한 파이썬 프로그램을 제외하고는 항상 유효범위를 염두해야 한다.

3.2 입력-출력

지금까지 콘솔에서 결과를 출력하기 위하여 print 함수를 사용하는 많은 예시를 보았다. 이번 절에서는 파이썬의 배열을 위한 사용자 입력, 파일 입력/출력 그리고 저장공간 저장/읽기 기능을 학습한다.

입력 함수. 이 함수는 엔트리를 변수에 신속히 할당하도록 한다. 함수는 문자 결과를 반환하므로, 만약에 수치량을 입력하고자 한다면 float 혹은 int 함수를 이용하여 이를 변환해야 한다. 일반적인 문법은 다음과 같다.

```
s = input('prompt string')
```

결과 s는 문자이다. 다음은 구체적인 예시이다.

```
Ts = input('enter a value for the temperature in degC: ')
Tin = float(Ts)
print('Temperature in degF is ','{0:6.1f}'.format(Tin*1.8+32))
```

콘솔에는 다음의 내용이 출력된다.

```
enter a value for the temperature in degC: 37
Temperature in degF is     98.6
```

위에 사용자는 37을 입력하였다. 좀 더 압축된 코드를 위해서 float 함수는 다음과 같이 입력함수를 '감쌀' 수 있다.

```
Tin = float(input('enter a value for the temperature in degC: '))
```

데이터 읽기. 공학과 과학에서는 외부 파일로부터 여러 데이터를 읽어 들이는 것이 필요하다. 이러한 파일들은 수천 개의 레코드를 포함하고 있고, 각 레코드에는 수십 개의 데이터를 포함하고 있다. 이제 파일로부터 작은 데이터셋을 읽는 방법에 대하여 설명할 것이지만 큰 파일에 대해서도 이 원칙은 확장될 수 있다. 다음 testdata.txt라는 이름의 탭으로 구분된 텍스트 파일에 저장된 압축 데이터를 고려하자.

0	-0.109	53.8
9	0	53.6
18	0.178	53.5
27	0.339	53.5
36	0.373	53.4
45	0.441	53.1
54	0.461	52.7
63	0.348	52.4
72	0.127	52.2
81	-0.18	52
90	-0.588	52

파이썬 프로그램으로 이 파일을 읽고 time, x, y 세 개의 배열에 이 값들을 할당하고자 한다. 윈도우의 Notepad나 WordPad와 같은 텍스트 편집 프로그램으로 이러한 파일을 만들 수 있다. NumPy 모듈의 파일 명령어는 일반적으로 읽고 쓰는 일들에 사용된다. 다음은 위의 파일을 읽고 그래프를 그리는 코드이다.

```
import numpy as np
import pylab
time,x,y = np.loadtxt('testdata.txt',unpack=True)
pylab.plot(time,x,c='k')
pylab.twinx()
pylab.plot(time,y,c='k',ls='--')
pylab.grid()
```

결과는 다음 그래프와 같다.

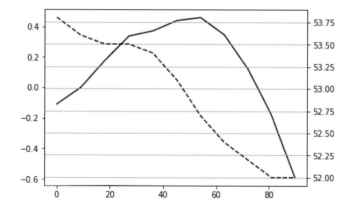

unpack=True 설정은 변수인 time, x, y에 열로 구분된 데이터를 입력한다. pylab.twinx() 명령어는 오른쪽 축에 크기 표시를 하여 y 곡선의 그래프를 그린다. 이는 x와 y가 크기에서 큰 차이를 보이기 때문이다. 축 레이블과 레전드를 표시하기 위해 해야 할 일들이 더 있지만 이 부분은 생략한다.

종종 데이터 파일은 '콤마로 구분'되어 있고 .csv 파일 확장자를 가진다. np.loadtxt 함수는 동일 레코드의 데이터 간 스페이스나 탭을 인식함으로써 데이터를 구분한다. 이전 데이터 파일 testdata.csv를 수정한 다음의 파일을 고려하자.

```
0,-0.109,53.8
9,0,53.6
18,0.178,53.5
27,0.339,53.5
36,0.373,53.4
45,0.441,53.1
54,0.461,52.7
63,0.348,52.4
72,0.127,52.2
81,-0.18,52
90,-0.588,52
```

쉼표를 구분자로 규정하기 위하여 np.loadtxt 파일을 수정할 수 있다.

```
import numpy as np
time,x,y = np.loadtxt('testdata.csv',unpack=True,delimiter=',')
print(time[1],x[1],y[1])
```

결과는 다음과 같다.

```
9.0 0.0 53.6
```

사용자가 Spyder 도움말에서 찾을 수 있는 np.loadtxt 함수에 관한 추가 세부사항이 있다. 더 많은 옵션을 제공하고 파일 레코드에 빈 데이터가 있는 상황을 다룰 수 있는 genfromtxt( )라는 NumPy 모듈의 다른 파일 읽기 함수도 언급할 만하다.

데이터 파일 쓰기. 파이썬에서 계산의 결과를 종종 텍스트 파일과 같은 외부 파일로 저장하는 것은 일반적인 관행이다. 텍스트 파일은 그 이후에 다른 파이썬 프로그램에서 불러올 수 있고, 또는 통계 패키지, 스프레스시트, 데이터베이스 패키지 등과 같은 다른 소프트웨어로 불러올 수 있다. 다음의 스크립트는 testdata.csv 파일을 읽고 testdata1.txt 파일로 저장하는 기능을 하므로 데이터는 원본과 같은 형식으로 저장된다. time, x, y 배열을 생성하고 전달할 필요가 있다.

```
import numpy as np
time,x,y = np.loadtxt('testdata.csv',unpack=True,delimiter=',')
np.savetxt('testdata1.txt',np.array([time,x,y]).transpose()
    ,fmt=['%5d','%7.3f','%5.1f'])
```

결과 testdata1.txt 파일은 다음과 같다.

```
 0   -0.109   53.8
 9    0.000   53.6
18    0.178   53.5
27    0.339   53.5
36    0.373   53.4
45    0.441   53.1
54    0.461   52.7
63    0.348   52.4
72    0.127   52.2
81   -0.180   52.0
90   -0.588   52.0
```

fmt 구분자를 사용하여 세 개의 열을 특정 형식으로 어떻게 변경하는지 확인했다.

배열의 저장과 읽기. NumPy 모듈은 배열의 저장과 불러오기를 위하여 save와 load 함수를 제공한다. 배열은 이진 형식으로 외부 .npy 파일에 저장된다. 다음은 save와 load 함수의 사용 예시이다.

```python
import numpy as np
time,x,y = np.loadtxt('testdata.csv',unpack=True,delimiter=',')
X = np.array([time,x,y]).transpose()
np.save('Xdata.npy',X)
X2=np.load('Xdata.npy')
print(X2)
```

print 구문은 콘솔에 결과값을 출력한다.

```
[[ 0.    -0.109 53.8 ]
 [ 9.     0.    53.6 ]
 [18.     0.178 53.5 ]
 [27.     0.339 53.5 ]
 [36.     0.373 53.4 ]
 [45.     0.441 53.1 ]
 [54.     0.461 52.7 ]
 [63.     0.348 52.4 ]
 [72.     0.127 52.2 ]
 [81.    -0.18  52.  ]
 [90.    -0.588 52.  ]]
```

결과값이 배열인 점에 유의하라. 만약 파이썬 프로그램에서 결과를 배열로 가지고 있고, 다른 프로그램에서 이를 불러오고 싶다면 save와 load를 사용하는 것이 편리하다.

3.3 구조 프로그래밍

가장 간단한 파이썬 스크립트는 여러 개의 구문을 순차적으로 실행하는 것이다. 지금까지 이 책의 대부분의 예시가 이러한 형식이었다. 이 방식은 스크립트의 구문이 코드의 가장 위에서부터 코드의 마지막까지 한 줄씩 실행된다. 이러한 순차적 실행은 매우 제한적이기 때문에 모든 컴퓨터 언어는 비순차적으로 프로그램을 실행할 수 있는 구문을 제공한다. 이러한 구문들은 다음과 같이 구분된다.

- **판단문**(혹은 선택문). 판단에 기반하여 언어의 흐름을 나눔
- **루프**(혹은 반복). 구문이 반복되도록 흐름에 루프를 줌

3.3.1 판단문

if 문. 이 구조는 만약 논리 조건이 참이라면 구문을 실행하도록 한다. 일반적인 문법은 다음과 같다.

```
if condition :
    statements
```

구문은 함수 정의문과 같이 들여쓰기 해야 한다. 콜론(:)의 사용에 주의하라. 들여쓰기가 끝날 때가 구조의 마지막이다. 예를 들어, 성적이 통과인지를 판별하는 간단한 파이썬 함수가 있다. 이 함수는

편집창에서 입력되어 SimpleIfStructureExample.py라는 이름으로 저장되었다.

```
def grader(grade):
    """
    determines if a grade is passing
    input:
      grade = numerical value of grade (0 to 100)
    output:
      displayed message if grade is passing
    """
    if grade >= 60:
        print('passing grade')
```

다음은 콘솔에서 grader 함수의 테스트 결과이다.

```
grader(85.6)
passing grade
```

성적이 60점 이하일 때 응답이 없음에 주의하라. 사용자는 if와 print 함수를 합침으로써 코드를 조금 더 압축할 수 있다.

```
if grade >= 60: print('passing grade')
```

세미콜론(;)을 이용하여 기존 구문에 추가 구문을 더할 수 있다. 하지만 하나의 구문에만 단순한 *one-line if* 형식을 추천한다. 다른 경우에는 들여쓰기 형식을 사용하길 바란다. 후자는 코드를 좀 더 읽기 쉽게 만들어 준다.

논리 조건. 논리 조건의 가장 단순한 형태는 참 혹은 거짓을 저장하는 불리안 변수이다. 이를 이용한 if 구문은 다음과 같다.

```
if reset :
```

reset은 불리안 형식 변수이다.

논리 조건의 보다 일반적인 구조는 다음과 같이 두 개의 값을 비교하는 관계 표현이다.

value₁ relational_operator value₂

*value₁*과 *value₂*는 상수, 변수 혹은 구문이 사용 가능하다. *relational_operator*는 표 3.1에 기술된 것들 중에 하나이다.

표 3.1   파이썬의 논리 연산 요약.

Example	Operator	Relationship
x == 0	==	equal to
unit != 'm'	!=	not equal to
a > 0	>	greater than
s < t	<	less than
3.9 >= a/3	>=	greater than or equal to
r <= 0	<=	less than or equal to

또한 파이썬은 논리 연산자를 사용하여 하나 이상의 논리 조건을 테스트할 수 있다. 다음은 논리 연산자에 대한 강조할 만한 부분이다.

not　　표현에 대한 논리 부정을 수행할 때 사용된다.

　　　　not *expression*

　　　　만약 표현이 참이라면, 결과는 거짓이다. 반대로 만약 표현이 거짓이라면 결과는 참이 된다.

and　　두 개의 표현의 논리곱을 수행할 때 사용된다.

　　　　expression₁ and *expression₂*

　　　　만약 두 표현 모두 참이라 판명되면, 결과는 참이다. 만약 둘 중 하나 혹은 두 표현 모두 거짓이면, 결과는 거짓이다.

or　　두 개의 표현의 논리합을 수행할 때 사용된다.

　　　　expression₁ or *expression₂*

　　　　둘 중 하나 혹은 두 표현 모두 참이면, 결과는 참이다. 만약 두 표현 모두 거짓이라면, 결과는 거짓이다.

표 3.2는 연산자 각각의 가능한 모든 결과를 요약한다. 산술 연산과 같이 논리 연산자 계산에도 우선 순위가 존재한다. 우선순위가 높은 것부터 낮은 것까지 not, and, or의 순으로 배열된다. 동등한 우선순위의 연산자 간의 선택의 경우에 파이썬은 왼쪽부터 오른쪽까지의 순서로 계산을 수행한다. 마지막으로 산술 연산자와 같이 괄호는 우선 순위를 강제하기 위하여 사용할 수 있다.

컴퓨터가 논리 연산자를 계산하기 위하여 우선순위를 어떻게 적용하는지 알아보자. 만약 a = -1, b = 2, x = 1 그리고 y = 'b'라면, 다음이 참인지 거짓인지 판별해 보아라.

　　a * b > 0 and b == 2 and x > 7 or not y > 'd'

판별을 쉽게 하기 위하여 변수에 값을 대입한다.

　　-1 * 2 > 0 and 2 == 2 and 1 > 7 or not 'b' > 'd'

파이썬의 첫 번째 우선순위는 산술 표현을 계산하는 것이다. 여기서 -1*2 하나가 존재한다.

표 3.2　파이썬의 논리 연산자로부터 도출 가능한 결과를 요약한 *truth table*. 연산자의 우선 순위는 표의 가장 위에 표시되었다.

x	y	Highest	→	Lowest
		not x	x and y	x or y
T	T	F	T	T
T	F	F	F	T
F	T	T	F	T
F	F	T	F	F

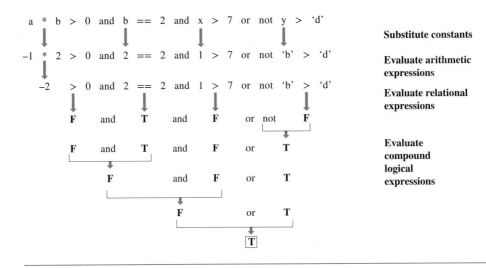

그림 3.1   복잡한 논리 표현의 단계별 평가.

```
-2 > 0 and 2 == 2 and 1 > 7 or not 'b' > 'd'
```

다음은 모든 상대 표현이 계산된다.

```
-2 > 0 and 2 == 2 and 1 > 7 or not 'b' > 'd'
   F   and  T   and  F   or not    F
```

`'b' > 'd'`는 `'b'`가 `'d'`보다 작기 때문에 거짓임에 유의하라. 이는 `'b'`가 알파벳 순서에서 `'d'` 이전이기 때문이다.

이때 논리 연산자는 우선순위에 의해서 계산을 수행한다. 가장 높은 것은 `not`이고, 그래서 `not F = T`이다.

```
F  and  T  and  F  or  T
```

다음으로 `and` 연산자는 왼쪽에서 오른쪽으로 계산된다.

```
F  and  F  or  T
   F      or  T
```

최종 계산은 `or` 연산자이고, 결과는 참이다. 모든 과정이 그림 3.1에 표시되어 있다.

if..else 구조. 이 구조는 만약 논리 조건이 참일 때 하나의 구문을 실행하도록 하고, 만약 조건이 거짓이라면 다른 구문을 실행한다. 일반적인 문법은 다음과 같다.

```
if condition :
    statements₁
else:
    statements₂
```

이전 파이썬 예시들과 유사하게 들여쓰기(탭이나 4칸의 공백)가 요구된다. 이 구조는 다음 파이썬 구문이 들여쓰기가 되어 있지 않을 때 종료된다.

if...elif...else 구조. 종종 if 구조의 조건이 거짓으로 판명되면, 다른 조건의 테스트가 필요한 경우가 있다. 이런 형식의 구조는 특정한 문제 셋팅에서 두 개 이상의 선택지가 존재할 때 발생한다. 이러한 경우를 위하여 선택 구조의 특별한 형태인, *if...elif...else*가 개발되었다. 일반적인 문법은 다음과 같다.

```
if condition₁ :
    statements₁
elif condition₂:
    statements₂
elif condition₃:
    statements₃
          .
          .
          .
else:
    statements_else
```

elif 구문의 개수는 요구되는 대안 테스트의 숫자에 의존한다. 테스트 간에는 우선순위가 존재한다. 이는 테스트 조건이 참이라 판명된 직후 관련된 구문이 실행되고, 구조는 나머지 조건을 실행하지 않고 종료된다. else 구문은 모든 조건이 거짓으로 판명되었을 때 실행해야 하는 코드가 존재하지 않는 한 요구되지 않는다.

| 예제 3.3 | **if 구조** |

문제 정의 스칼라 값을 위해서 내장함수인 NumPy sign 함수는 인자의 부호에 따라 인자가 음수일 때는 -1을, 0일 때는 0를, 양수일 때는 1을 반환한다. 다음은 이 함수가 어떻게 동작하는지를 보여 주는 콘솔 명령어이다.

```
import numpy as np

np.sign(25.6)
1.0

np.sign(-1.776)
-1.0

np.sign(0)
0
```

이와 동일한 계산을 수행하는 파이썬 함수를 개발하여라.

풀이 첫 번째로, if 구조는 인자가 양수일 때 1을 반환하도록 사용할 수 있다.

```
def sgn(x):
    if x > 0 :
        return 1
```

편집창에서 함수를 실행한 후 콘솔에서 이를 시험할 수 있다.

```
sgn(25.6)
1
```

다음의 구문은 결과가 출력되지 않는다.

```
sgn(-1)
```

비록 함수가 양수를 옳게 처리하지만, 위에서 확인한 바와 같이 음수인 인자를 받았을 때 결과를 출력하지 않는다. 이런 단점을 부분적으로 해결하기 위해서 if...else 구조를 조건이 거짓이면 −1을 출력하는 데 사용될 수 있다.

```
def sgn(x):
    if x > 0 :
        return 1
    else:
        return -1
```

만약 마지막 테스트를 다시 한다면 옳은 결과를 출력한다.

```
sgn(-1)
-1
```

비록 양수와 음수 경우 옳게 처리하지만, 0인자인 경우 함수는 -1을 반환한다.

```
sgn(0)
-1
```

이 경우 0을 얻어야 하므로, 결과가 옳지 않다.

if...else 구조는 모든 경우를 올바르게 다룰 수 있는 if...elif...else 구조로 확장 가능하다.

```
def sgn(x):
    if x > 0 :
        return 1
    elif x < 0 :
        return -1
    else:
        return 0
```

이제 함수가 올바르게 동작하는지 확인하기 위하여 세 가지 경우에 대하여 시험을 수행한다.

```
sgn(25.6)
1

sgn(-1.776)
-1

sgn(0)
0
```

다른 언어는 순서에 관계없이 다수의 선택을 허용하는 *Select Case* 혹은 *switch* 구조를 가지고 있음에 유의하라. 파이썬은 이러한 옵션을 가지고 있지 않다. 따라서 if...elif...else 구조를 사용할 때, 테스트의 순서에 유의해야 한다.

3.3.2 인자에 대한 추가사항

위 함수의 예제에서 선언된 함수의 인자는 def 구문에서 나열된 순서대로 구체화되어야 한다. 이는 **위치인자**라 한다. 순서에 관계없이 구체화할 수 있는 **키워드 인자**를 사용할 수도 있다. 위치인자와 키워드 인자를 혼합하여 사용할 수도 있다. 하지만 위치인자는 def 구문 리스트의 처음에 위치해야 한다.

온도 변환 함수의 예시를 통하여 이를 설명한다.

```
def tempconvert(tempin,units='degF'):
    if units == 'degF':
        return (tempin-32)/1.8
    else:
        return tempin*1.8+32
```

이때 units 인자를 위해서 디폴트 값을 구체화하였다. 만약 이 인자값이 함수 호출 시 존재하지 않는다면, 디폴트 변환은 화씨를 섭씨로 변환하는 것이 된다. 하지만 만약 단위를 위해서 'degC'와 같은 다른 문자열을 할당하였다면, 변환은 반대로 수행될 것이다. 다음은 콘솔에서 이 함수를 사용하는 예시이다.

```
tempconvert(98.6)
Out[86]: 36.99999999999999

tempconvert(37,units='degC')
Out[87]: 98.60000000000001
```

함수 정의에서 인자의 이름을 표시함으로써 인자를 순서에 관계없이 입력할 수 있다.

```
tempconvert(units='degF',tempin=-40)
-40.0
```

3.3.3 루프

이름이 의미하듯이 루프는 연산을 반복적으로 수행한다. 반복이 어떻게 종료되는지에 따라서 두 가지 루프 타입이 존재한다. 파이썬에서 *for* **루프**라고 불리는 횟수 제한 루프는 특정된 반복의 횟수 이후에 종료된다. 파이썬에서 *while* **루프**라고 불리는 일반적인 루프는 조건을 만족하는 한 계속 반복된다.

for 구조. *for* **루프**는 특정한 횟수로 구문을 반복한다. 이 구조를 위한 파이썬의 일반적인 문법은 다음과 같다.

```
for item in iterable_object:
    statements
```

예시는 다음과 같다.

```
for choice in ['blue','green','yellow','magenta','cyan']
    statements
```

구문은 choice 변수가 리스트의 순서대로 각 색깔이 되도록 다섯 번 반복된다.

대부분의 과학과 공학 수치 응용에서는 시작값, 종료값, 증분과 관련된 인덱스를 이용하여 반복을 수행하는 for 루프에 더 흥미가 있다. 다음은 몇 가지 예시이다.

- 1부터 25까지 증분 1
- 10부터 1까지 증분 -1
- 0부터 100까지 증분 10

일반적인 문법은 다음과 같다.

```
for i in [1,2,3,4,5]
    statements
```

파이썬은 인덱스를 지정해주는 *range* 형식을 제공한다. 이 *range* 형식은 리스트나 배열이 아니고, 정수 인덱스 값을 제공하기 위한 메커니즘으로 이해할 수 있다. 이를 사용하기는 다소 까다롭고, 앞으로 for 루프를 위해서 빈번하게 사용할 것이기 때문에 이 구문을 잘 이해하는 것이 중요하다. 문법은 다음과 같다.

```
for index in range(start,end,step)
    statements
```

만약 *start* 와 *step*을 지정하지 않으면, 예시는 다음과 같다.

```
range(4)
```

이는 0,1,2,3과 같이 4개의 인덱스를 생산한다.

디폴트 값으로 *start* = 0임에 주의하라. 둘째, 만들어진 인덱스가 *end* 값에 도달하기 <u>바로 직전에</u> 멈추었음에 주의하라. 추가적인 예제를 통하여 더 알아보자.

```
range(1,10,3)
```

여기서 배열은 1, 4, 7 그리고 10이 될 수 있다. 하지만 *end* = 10이므로, 10은 더해지지 않는다. 결과는 1, 4, 7이다.

종종 배열이나 행렬의 첨자를 루프의 인덱스 변수로 사용할 수 있다. 이러한 첨자는 0을 원점으로 가지므로, 간단한 *range* 형식이 잘 동작한다. 예를 들어, 25개 원소를 가진 배열은 다음과 같이 인덱싱할 수 있다.

```
range(25)        (이는 0, 1, 2, ..., 24와 같은 나열 혹은 25개 아이템을 만든다.)
```

이 개념을 설명하기 위하여, 1부터 *n*까지 정수의 합을 계산하는 파이썬 함수를 고려하자.

```
def sumint(n):
    sum = 0
    for i in range(n):
        sum = sum + (i+1)
    return sum
print(sumint(10))
print(10*11/2)
```

이 코드가 실행되면, 결과는 다음과 같다.

```
55
55.0
```

두 번째 print 함수는 수열의 합 공식을 사용한다.

$$\sum_{i=1}^{n} i = \frac{n(n+1)}{2},$$

이를 통하여 첫번째 결과를 확인한다. *range* 형식으로 만들어진 배열이 0, 1, ..., *n*-1이므로, 합계 구문에 i+1을 사용해야 한다. i와 sum은 이 함수 밖에서 값을 갖지 않는다는 것에 주의하라. 다른 궁금증은 루프가 끝난 후 i에 저장된 값을 확인하는 것이다. 이는 다음 구문을 통하여 확인한다.

```
def sumint(n):
    sum = 0
    for i in range(n):
        sum = sum + (i+1)
    print('i at end of for loop = ',i)
    return sum
print(sumint(10))
print(10*11/2)
```

결과는 다음과 같다.

```
i at end of for loop = 9
55
55.0
```

i는 루프가 끝난 후 마지막 값을 가짐을 볼 수 있다. 루프 종료 후 마지막 값보다 큰 값을 갖는 다른 프로그래밍 언어에서는 해당되지 않는 상황임에 유의하라.

예제 3.4	**for 루프 사용한 팩토리얼 계산**

문제 정의 팩토리얼을 계산하기 위한 파이썬 함수를 개발하라.[2]

$$0! = 1$$
$$1! = 1$$
$$2! = 1 \times 2 = 2$$
$$3! = 1 \times 2 \times 3 = 6$$
$$4! = 1 \times 2 \times 3 \times 4 = 24$$
$$5! = 1 \times 2 \times 3 \times 4 \times 5 = 120$$

풀이 이 계산을 구현하는 간단한 파이썬 함수는 다음과 같이 개발할 수 있다.

---

2) Math 모듈은 이미 이 계산을 수행하는 factorial 함수를 가지고 있다.

```
def factor(n):
    """
    computes the product of all the integers from 1 to n
    special case:  factor(0)=1
    """
    x = 1
    for i in range(n):
        x = x * (i+1)
    return x
```

콘솔에서 이 함수의 몇 가지 시험을 수행한다.

```
factor(0)
1

factor(1)
1

factor(5)
120

factor(20)
2432902008176640000
```

factor(5)의 경우, 이 루프가 5번 (i가 0에서 4까지) 수행될 것이고, 매회 이전 x에 i+1을 곱한다. 결과는 120 혹은 5이다. $n = 0$일 경우 어떤 일이 벌어지는지에 주의하라. range(0)은 for 루프를 한 번 실행할 것인가? 이를 다음의 파이썬 스크립트로 확인할 수 있다.

```
for i in range(0):
    print(i)
```

스크립트가 실행되면 콘솔에 결과값이 출력되지 않는다. 결과적으로 루프는 실행되지 않았다. range(0)은 i를 위한 값을 반환하지 않는다.[3] for 루프 이전에 x = 1 값을 설정하였으므로 이는 factor(0)에서도 유지된다.

벡터화. 연습을 통하여 for 루프를 쉽게 구현 및 이해할 수 있다. 하지만 파이썬에서 이는 특정 횟수로 구문을 반복하는 가장 효율적인 방식이라고 할 수는 없다. NumPy 모듈을 사용하여 파이썬은 배열이나 행렬을 직접 동작할 수 있고, **벡터화**는 더 효율적인 선택안을 제공한다. 예를 들어, 다음의 루프 구조를 확인하자.

```
import numpy as np
y = np.zeros(251)
for i in range(251):
    t = i * 0.02
    y[i] = np.cos(t)
```

for 루프는 빈 y 배열에 $t = 0$부터 50사이의 251개의 균일하게 분포된 $\cos(t)$값을 채워 넣는다. 다른 방법으로 다음의 벡터화 코드를 사용하여 동일한 작성을 수행할 수 있다.

---

3) 이는 중요한 원칙을 보여 준다. 파이썬의 구문, 타입 혹은 함수에 대한 궁금함이나 의심이 생길 때, 테스트를 설정하고 조사하라.

```
import numpy as np
y = np.zeros(251)
t = np.arange(0.0,50.02,0.02)
y = np.cos(t)
```

더 복잡한 코드에서는 코드를 벡터화하는 것이 명확하지 않을 수 있다는 점에 유의하라. 즉, for 루프가 배열과 행렬에 사용되었을 때, 벡터화는 항상 고려되어야 한다.

메모리 사전할당. 파이썬은 새로운 요소가 생성되었을 때 자동으로 배열의 크기를 조정하지 않는다. 예를 들어 이전 코드에서 아래의 변형은 동작하지 않는다.

```
import numpy as np
for i in range(251):
    t = i * 0.02
    y[i] = np.cos(t)
```

이 코드는 동작하지 않고 편집창에 '정의되지 않는 변수 y'라는 오류를 출력한다. 이전 코드에서 알아차릴 수 있듯이 np.zeros 함수로 y 배열을 처음 생성하였다. 이 배열의 필요한 크기를 미리 결정했어야 한다.

사용 가능한 다른 방법은 np.append 함수를 이용하여 y의 크기를 요소마다 늘리는 방법이다. 다음 예시를 살펴보자.

```
import numpy as np
y = np.array(0)
for i in range(250):
    t = i * 0.02
    y = np.append(y,np.cos(t))
```

이미 크기를 결정한 배열은 계산적으로 효율적이다. 하지만 배열의 최종 크기를 루프를 실행하기 전까지 알지 못하는 경우가 존재한다. 후자의 경우 np.append 방식이 추천된다.

while 구문. *while* **루프**는 논리 조건이 참일 경우에 한하여 계속 실행된다. 일반적인 문법은 다음과 같다.

```
while condition:
    statements
```

조건이 참인 경우 구문은 반복된다. 간단한 예시는 다음과 같다.

```
x = 8
while x > 0:
    x = x - 3
    print(x)
```

이 코드가 실행될 때, 결과는 다음과 같다.

```
5
2
-1
```

−1은 다음 while의 조건이 참인지 판별하기 전에 출력되고 루프는 종료된다.

추가적인 반복문의 특징. for와 while 반복문에 유연성 및 코드 구조 변형을 제공하기 위하여 적용할 수 있는 몇 가지 수정이 존재한다. 가장 눈에 띄는 것은 *break* 명령어이다.

포트란과 비주얼 베이직과 같은 다른 프로그래밍 언어는 루프의 어느곳에서나 반복을 빠져나올 수 있다. 이것은 파이썬에 는 해당되지 않지만, if 구문과 break 명령어를 사용함으로써 이 기능을 모방할 수 있다. 이를 *while...break* 구조라고 부른다. break 명령어는 루프의 과정 중 빠져나온다는 것에 주의하라. 일반적인 문법은 다음과 같다.

```
while True:
    statements
    if condition: break
    statements
```

이때 while의 항상 참인 테스트에서 루프는 빠져나오지 못한다. 조건 테스트가 참일 때 break 구문에서 빠져나오게 된다. if 구문이 while 구문의 바로 밑에 있을 경우, 이를 *pretest* **루프**라고 칭한다. 구문들의 산재되어 있다면, *midtest* **루프**라고 하며, 구문의 마지막에 위치한다면, *posttest* **루프**라 부른다. while 루프에 하나 이상의 if...break test를 갖는 것 또한 가능하다. 이는 보다 유연하고 범용적인 루프 구조를 제공한다.

다음은 *pretest* **루프**의 예시를 보여 준다.[4]

```
x = 100
while True:
    if x < 0: break
    x = x − 5
print(x)
```

루프는 if test가 참이 되도록 x를 변화시킨다. 스크립트가 실행되었을 때 콘솔에 보일 결과는 다음과 같다.

```
−5
```

모든 while 루프는 exit를 위한 조건을 가지고 있어야 한다. 어느 점에서든 테스트가 참이어야 한다. 그렇지 않으면 멈추지 않는 **무한 반복**이라고 불리는 상태가 된다. 대안으로 루프 코드 마지막에 if 테스트를 배치하여 *posttest* 루프를 만들 수 있다.

```
x = 100
while True:
    x = x − 5
    if x < 0: break
print(x)
```

이는 위와 동일한 결과를 도출한다. 하지만 이 루프는 전자보다 한 번 덜 반복이 될 것이다.

---

4) 사용자는 또한 True 대신 숫자 1을, False 대신 숫자 0을 사용할 수 있다. 이 책에서는 True와 False가 명확하기 때문에 선호된다.

앞의 두 예시에서 Print 구문이 들여쓰기 되어 있지 않으므로, 이 구문이 루프의 밖에 있음을 의미한다는 것에 주의하라. 만약 루프의 내부에 print가 존재하기를 원한다면, 다음과 같이 입력해야 한다.

```
x = 100
while True:
    if x < 0: break
    x = x - 5
    print(x)
```

이 경우 출력은 다음과 같다.

```
100
95
90
 .
 .
 .
 5
 0
-5
```

사실 모든 세 가지 루프 구조, pre-, mid-, posttest가 모두 동일함은 명확하다. 이는 if⋯break 구문을 어디에 위치시키느냐에 따라서 pre-, mid-, 또는 posttest 루프를 가지게 된다. 이러한 단순함이 포트란이나 비주얼 베이직과 같은 컴퓨터 언어의 설계자에게 while과 같은 일반적인 루프의 구조보다 이 구조를 더 좋아하게 만든다.[5]

파이썬은 루프의 현재 반복은 종료되나 전체 루프의 반복은 계속되도록 해 주는 *continue* 명령어를 제공한다. 다음은 그 예시이다.

```
import random
i = 0
sum = 0
while True:
    x = random.normalvariate(100,20)
    if x < 100: continue
    i = i + 1
    sum = sum + x
    if i >= 10: break
avg = sum/i
print(avg)
```

이 스크립트의 실행은 다음과 같은 결과를 도출한다.

```
111.92167734130621
```

random.normalvariate 함수는 평균이 100이고 분산이 20인 정규분포로부터 무작위 값을 만드는 함수이다. 만약 무작위 값이 100보다 작다면 continue 명령어 이후의 계산을 제외하고 루프를

---

5) 비주얼 베이직(VBA)은 일반적인 *Do...Loop*에 추가하여, *Do While...Loop*와 *Do...Loop Until* 구조를 가지고 있다. 이들은 프로그래머들을 혼란스럽게 하고, 다수는 루프 안에서 단순한 *Do...Loop*와 파이썬의 *if...break*와 동일한, *If...Exit Do*를 함께 사용하라 추천한다.

반복하도록 한다. 만약 x가 100보다 같거나 크다면(>=), i는 증가하고 실행되는 sum은 $x^{6)}$의 값을 누적한다. 10번의 증가/누적 후에 루프는 종료되고, 10번의 실행의 평균이 계산되어 콘솔에 출력된다.

실수로 파이썬에서 무한 반복을 만들 수 있다. 만약 Spyder 환경에서 이 일이 벌어진다면, 콘솔창 우측 상단의 빨간 네모 버튼을 클릭함으로써 강제 종료할 수 있다.

for 루프와 while 루프 모두 else 절을 제공한다. 이를 이 책에서는 자주 사용하지 않지만, 설명의 충실함을 위하여 논의할 가치가 있다. 각 루프 타입에서 else 구문의 일반적인 문법은 다음과 같다.

```
for item in iterable_object:
    statements₁
    if condition: break
    statements₂
else
    statements₃

while True:
    statements₁
    if condition: break
    statements₂
else
    statements₃
```

만약 반복이 정상적으로 종료된다면, else 절이 <u>실행된다</u>. 만약 break 명령이 루프를 종료시킨다면, else 절은 <u>실행되지 않는다</u>. 이는 상식에 반하는 것처럼 보이지만, 유의할 만한 점이다.

3.4 중첩과 들여쓰기

구조들이 서로 중첩될 수 있다는 것을 이해할 필요가 있다. 중첩은 하나의 구조에 다른 구조를 위치시키는 것을 의미하고, 이는 결정문 혹은 반복문이 해당될 수 있다. 다음은 이 개념을 설명하기 위한 예시이다.

예제 3.5	중첩 구조

문제 정의 아래 이차방정식의 해는

$$f(x) = ax^2 + bx + c$$

다음과 같은 이차식으로 표현할 수 있다.

$$x = \frac{-b \pm \sqrt{b^2 - 4ac}}{2a}$$

---

6) 파이썬은 변수의 증가와 감소를 위한 이중 연산자를 허용한다. i=i+1 대신, i+=1을 사용할 수 있다. y=y-1 대신, 대안으로 y-=1를 사용한다. 또한 *와 / 연산자도 동일한 방식으로 사용할 수 있다.

계수의 값이 주어졌을 때 이 식을 계산하는 파이썬 함수를 개발하라.

풀이 하향식 설계는 근을 계산하는 알고리즘의 디버깅을 위한 좋은 방법을 제공한다. 이는 세부사항을 제외한 기본적인 구조를 개발하고, 그 이후 알고리즘을 다듬는 것과 연관된다. 처음에 만약 변수 a가 0이라면 하나의 해 혹은 자명해(trivial solution)와 같은 '특별한' 경우가 발생할 것이라는 사실을 알고 있다. 이를 제외하면 이차 식을 사용한 일반적인 경우가 발생할 것이다. 이러한 '큰 그림'은 다음과 같이 프로그램될 수 있다.

```python
def quadroots(a,b,c):
    """
    quadroots:  roots of the quadratic equation
       quadroots(a,b,c): real and complex roots
                         of a quadratic polynomial
    input:
       a = second-order coefficient
       b = first-order coefficient
       c = zero-order coefficient
    output:
       r1: real part of the first root
       i1: imaginary part of first root
       r2: real part of the second root
       i2: imaginary part of second root
    """
    if a == 0:
        # special cases
    else:
        # quadratic formula
    return r1,i1,r2,i2
```

다음으로 특별한 경우를 처리하기 위한 세부 코드를 작성한다.

```python
# special cases
if b != 0:
    # single root
    r1 = -c/b
    return r1
else:
    # trivial solution
    print('Trivial solution. Try again.')
```

그리고 이차식의 경우를 다루기 위한 세부 코드를 작성한다.

```python
# quadratic formula
d = b**2 - 4*a*c
if d >= 0:
    # real roots
    r1 = (-b+math.sqrt(d))/(2*a)
    r2 = (-b-math.sqrt(d))/(2*a)
    i1 = 0
    i2 = 0
else:
    # complex roots
    r1 = -b/(2*a)
    i1 = math.sqrt(abs(d))/(2*a)
    r2 = r1
    i2 = -i1
return r1,i1,r2,i2
```

최종 결과를 얻기 위하여 작성한 코드 블록을 간략한 '큰 그림' 구조에 삽입한다.

```
def quadroots(a,b,c):
    """
    quadroots:  roots of the quadratic equation
        quadroots(a,b,c): real and complex roots
                          of a quadratic polynomial
    input:
        a = second-order coefficient
        b = first-order coefficient
        c = zero-order coefficient
    output:
        r1: real part of the first root
        i1: imaginary part of first root
        r2: real part of the second root
        i2: imaginary part of second root
    """
    import math
    if a == 0:
        # special cases
        if b != 0:
            # single root
            r1 = -c/b
            return r1
        else:
            # trivial solution
            print('Trivial solution. Try again.')
    else:
        # quadratic formula
        d = b**2 - 4*a*c
        if d >= 0:
            # real roots
            r1 = (-b+math.sqrt(d))/(2*a)
            r2 = (-b-math.sqrt(d))/(2*a)
            i1 = 0
            i2 = 0
        else:
            # complex roots
            r1 = -b/(2*a)
            i1 = math.sqrt(abs(d))/(2*a)
            r2 = r1
            i2 = -i1
        return r1,i1,r2,i2
```

경우에 따른 적절한 결과를 제공하기 위한 반환 구문의 위치에 주의하라.

음영으로 강조 표시된 바와 같이 코드의 배경이 되는 논리 구조를 명확하게 하는 데 들여쓰기가 어떻게 도움을 주는지에 유의하라. 다음은 함수가 어떻게 동작하는지를 알 수 있는 콘솔 결과를 보여 준다.

```
quadroots(1,1,1)
(-0.5, 0.8660254037844386, -0.5, -0.8660254037844386)

quadroots(1,5,1)
(-0.20871215252208009, 0, -4.7912878474779195, 0)

quadroots(0,5,1)
-0.2

quadroots(0,0,0)
Trivial solution. Try again.
```

3.5 함수명 인자를 갖는 파이썬 함수

이 책의 나머지 부분 중 다수는 수치적으로 다른 함수를 계산하기 위하여 함수를 개발하는 것과 연관된다. 비록 새로운 식이 분석됨에 따라서 맞춤형 함수가 개발될 수 있지만, 더 좋은 대안은 범용적인 함수를 설계하고, 분석하기 원하는 특정 함수의 이름을 인자로서 전달하는 것이다. 이를 함수-함수라고 부른다. 파이썬에서 이를 어떻게 달성하는지에 대한 세부사항을 설명하기에 앞서, 파이썬 def 함수 없이 간단한 사용자 정의 함수를 정의하는 방법인 람다 함수에 대하여 소개할 것이다.

3.5.1 람다 함수

람다 함수는 파이썬 def 함수 생성 없이 간단한 함수를 만든다. 이는 다음과 같은 문법으로 정의될 수 있다.

```
function_name = lambda arglist: expression
```

세부 예시는 다음과 같다.

```
f1 = lambda x,y: x**2 + y**2
```

한 번 이 함수를 스크립트 안에서 혹은 콘솔에서 실행하여 정의하면, 다른 함수와 마찬가지로 사용할 수 있다.

```
f1(3,4)
25
```

람다 함수는 작업공간로부터 매개변수를 추가할 수 있다. 예를 들어,

```
a = 4
b = 2
f2 = lambda x: a*x**b
```

a와 b 변수는 전역 범위를 갖는다. 이 스크립트가 실행된 후, f2 함수는 콘솔에서 사용될 수 있다.

```
f2(3)
36
```

그 후 콘솔에서 값을 수정할 수 있고, 이는 f2 함수의 정의에 영향을 끼칠 것이다.

```
a=3
```

```
f2(3)
27
```

람다 함수는 일반적으로 **무명함수**라고 불린다.

3.5.2 함수-함수

함수-함수는 입력 인자로 전달된 다른 함수를 연산하는 함수이다. 파이썬은 함수명 인자를 수용한

다. 간단한 예시인 x의 두 값, x_1과 x_2의 중간 값에서의 함수, $f(x)$의 값을 계산하는 함수를 만들고자 하는 경우를 생각해 보자. 이 작업을 수행하는 파이썬 코드는 다음과 같다.

```
import numpy as np
def midpoint(f,x1,x2):
    """
    this function evaluates f(x) at the midpoint
    between x1 and x2
    """
    xmid = (x1+x2)/2
    return (f(xmid))

def f(w):
    return np.sin(w)*np.cosh(w)-5

fmid = midpoint(f,0,3)
print('function value at midpoint =',fmid)
```

midpoint 함수를 위해서 def 구문의 인자를 포함시켰음을 확인할 수 있다. 이는 함수-함수 midpoint가 다른 함수 f를 계산할 것임을 의미한다.

다음의 함수를 이용하여 설명할 것이다.

$$f(x) = \sin(x)\cosh(x) - 5$$

x1 = 0, x2 = 3일 때 midpoint 함수를 호출하고, 그 결과는 다음과 같다.

```
function value at midpoint = -2.6534832023556882
```

새로운 함수를 정의하여 사용할 수 있다는 것이 이 함수의 다기능성을 보여 준다.

$$g(x) = \frac{\pi x^2}{4}$$

x1 = 1.5, x2 = 2.78일 때 midpoint 함수를 사용한다. 다음은 콘솔에서 람다 함수를 이용하여 $g(x)$를 정의하였다.

```
g = lambda x: np.pi*x**2/4

midpoint(g,1.5,2.78)
3.596809429094953
```

이 책의 후반부에서 정교한 수치해석을 수행하기 위하여 파이썬의 함수-함수의 용도를 설명할 것이다. 이 함수와 NumPy와 같은 만들어진 모듈로부터 가져온 다른 함수들을 사용할 것이다.

예제 3.6	**함수-함수의 제작과 구현**

문제 정의 일정 범위 안 함수의 평균값을 계산하기 위한 파이썬 함수-함수를 개발하라. $t = 0$부터 12초까지 번지점프하는 사람의 속도를 통하여 그 사용성을 설명하라.

$$v(t) = \sqrt{\frac{mg}{c_d}} \tanh\left(\sqrt{\frac{c_d g}{m}} t\right)$$

$g = 9.81$, $m = 68.1$, $c_d = 0.25$이다.

풀이 독립변수를 입력받은 함수의 평균값은 내장된 파이썬 명령어를 사용하여 다음과 같이 계산될 수 있다.

```
import numpy as np
import pylab
g = 9.81
m = 68.1
cd = 0.25
t = np.linspace(0,12,100)
v = np.sqrt(m*g/cd)*np.tanh(np.sqrt(cd*g/m)*t)
avgv = np.average(v)
print('average velocity = ',avgv)
pylab.plot(t,v,'k')
pylab.grid()
```

결과는 다음과 같다.

```
average velocity = 36.08702728414769
```

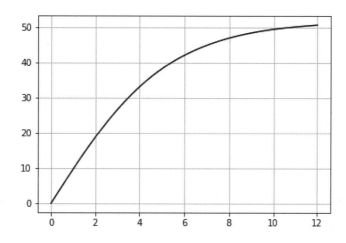

그래프의 분석은 이 결과가 곡선의 평균 높이를 합리적으로 추정했다는 것을 보여 준다. 이 배경지식을 통하여 동일한 계산을 수행하기 위한 파이썬 함수를 작성할 수 있다.

```
import numpy as np
def funcavg(a,b,n):
    """
    computes the average value of a function
    over a range
    requires import of numpy module
    input:
        a = lower bound of range
        b = upper bound of range
        n = number of intervals
    output:
        favg = average value of function
    """
    x = np.linspace(a,b,n)
    y = func(x)
    favg = np.average(y)
    return favg
```

```
def func(t):
    g = 9.81
    m = 68.1
    cd = 0.25
    f = np.sqrt(m*g/cd)*np.tanh(np.sqrt(cd*g/m)*t)
    return f
```

메인함수 funavg는 구간 내에 일정하게 분포되어 있는 x값을 생성하기 위하여 np.linspace를 사용하였다. 이 값들은 대응되는 y값을 생성하기 위하여 서브함수 func으로 전달되었다. 편집창에서 한 번 실행된 후, 다음 과 같이 콘솔에서 호출할 수 있다.

```
funcavg(0,12,60)
36.01273277768904
```

이제 func를 구체적으로 작성하기보다는 인자로 전달된 함수인 불특정 함수 f를 계산하도록 funcavg 함 수를 다시 작성한다.

```
def funcavg(f,a,b,n):
    """
    computes the average value of a function
    over a range
    requires import of numpy module
    input:
        f = function to be evaluated
        a = lower bound of range
        b = upper bound of range
        n = number of intervals
    output:
        favg = average value of function
    """
    x = np.linspace(a,b,n)
    y = f(x)
    favg = np.average(y)
    return favg
```

코드로부터 func를 제거하고 인자 f로 변경했기 때문에, 이 경우는 매우 범용적인 형태이다. 이 함수는 람다 함수를 정의함으로써 콘솔에서 실행할 수 있다.

```
import numpy as np

g = 9.81 ; m = 68.1 ; cd = 0.25

vel = lambda t: np.sqrt(m*g/cd)*np.tanh(np.sqrt(cd*g/m)*t)

funcavg(vel,0,12,60)
36.01273277768904
```

편집창에 다른 함수를 추가하고 이를 funcavg에 적용할 수 있다.

```
def f2(x):
    return np.sin(x)*np.cosh(x)-5
```

콘솔에는 다음과 같이 표시된다.

```
funcavg(f2,0,3,50)
-2.9645972090434975
```

최종 예시로 람다 함수를 funcavg의 인자에서 직접 정의하여 추가할 수 있다.

```
funcavg(lambda x:np.sin(x),0,2*np.pi,180)
0.0
```

합리적인 결과를 얻었는가?

funcavg는 함수 형태를 가진 어떠한 적절한 파이썬 표현이라도 계산하도록 설계되었다. 비선형방정식부터 미분방정식의 해를 구하는 것까지 이 책의 나머지 부분에 이를 자주 사용할 것이다.

3.5.3 매개변수 전달

1장에서 수학적 모형은 종속변수, 독립변수, 매개변수, 그리고 외력 함수로 구분될 수 있다고 언급했던 것을 기억하라. 번지점프 모델에서, 속도 (v)는 종속변수, 시간 (t)는 독립변수, 질량 (m)과 저항 계수 (c_d)는 매개변수, 그리고 중력 가속도 (g)는 외력 함수이다. 민감도 분석이나 사례 연구를 통하여 이러한 모델의 거동을 조사하는 것이 일반적이다. 이는 종속변수가 매개변수나 외력 함수가 변화할 때 얼마만큼 변화하는지를 관찰하는 것과 연관된다.

예제 3.6에서 함수함수 funavg를 개발하였고, 매개변수가 $m = 68.1$ kg, $c_d = 0.25$ m/kg으로 정해진 번지점프하는 사람의 속도 평균을 결정하는 데 사용하였다. 동일한 함수를 분석하나 다른 매개변수 값을 사용할 경우를 가정하자. 물론 각각의 경우에 새로운 값을 가진 함수를 재입력해도 되지만 단지 파라미터를 변경하는 것이 더 선호된다.

3.5.1절에서 배웠던 것처럼, 매개변수를 함수의 인자로 포함시키는 것이 가능하고, 함수의 def 구문에서 디폴트 값을 넣을 때 인자의 이름으로 구체화할 수 있으며, 구체화되지 않은 인자 이후에 어떠한 순서로든 나열할 수 있다. 이들을 키워드 인자라고 부른다. 예를 들어, 이전 절에서의 func 함수에서 함수 내부 매개변수를 구체화하는 대신 다음과 같이 작성할 수 있다.

```
import numpy as np
def func(t,m=70,cd=0.25):
    g = 9.81
    f = np.sqrt(m*g/cd)*np.tanh(np.sqrt(cd*g/m)*t)
    return f
```

그러므로 만약 m과 c_d의 구체화 없이 함수가 호출된다면, 디폴트 값이 사용될 것이다. 대안으로 순서에 관계없이 하나 혹은 둘 모두를 t 이후에 구체화할 수 있다. 다음은 그 예시이다.

```
func(12,cd=0.3)
47.1508430811294
```

이 계산에서 $m = 70$인 디폴트 값이 사용되었다.

파이썬은 함수에 조정 가능한 숫자의 인자를 넘길 수 있는 방식을 제공한다. 만약 이전 절의 funcavg를 입력 인자로서 위의 함수 func에 사용하기를 원한다면, 매개변수 m과 cd를 funcavg를 통하여 func으로 전달하기를 원할 것이다. 고려 중인 특정 함수(func)에 대하여 funcavg를 맞춤형으로 원하기 때문에 다음과 같이 funcavg def 구문을 변경하는 것은 적절하지 못하다.

```
def funcavg(f,a,b,n,m,cd):
```

추가 인자가 제공될 수 있다는 것을 의미하는 *args 인자를 funcavg 인자 리스트의 끝부분에 추가함으로써 이 문제를 보다 잘 다룰 수 있다. 그 후 f의 계산 과정에 추가의 인자를 전달하기 위하여 f(x) 구문에 *args를 추가할 수 있다. 대안으로 위의 func과 같이 계산을 원하는 함수에 키워드 인자를 사용한다면, *args 대신에 **kwargs를 사용한다. 다음의 코드는 두 가지 방법에 대하여 설명한다.

```
import numpy as np
def funcavg(f,a,b,n,*args):
    """
    computes the average value of a function
    over a range
    requires import of numpy module
    input:
        f = function to be evaluated
        a = lower bound of range
        b = upper bound of range
        n = number of intervals
    output:
        favg = average value of function
    """
    x = np.linspace(a,b,n)
    y = f(x,*args)
    favg = np.average(y)
    return favg

def func(t,m,cd):
    g = 9.81
    f = np.sqrt(m*g/cd)*np.tanh(np.sqrt(cd*g/m)*t)
    return f

print('{0:7.3f}'.format(funcavg(func,0,12,60,68.1,0.25)))
```

실행의 결과는 다음과 같다.

```
36.013
```

출력 명령에서 funcavg 함수가 호출되었을 때, func에 의하여 요구되는 추가 인자(68.1과 0.25)가 구체화되었다. 이 값들은 m으로써 func의 *args와 c_d로써 함수 f의 *args를 통하여 전달된다. 이제 funcavg는 func 예시만으로 제한되지는 않는다.

다음은 **kwargs를 사용하여 변수 키워드 인자를 구현하였다.

```
import numpy as np
def funcavg(f,a,b,n,**kwargs):
    """
    computes the average value of a function
    over a range
    requires import of numpy module
    input:
        f = function to be evaluated
        a = lower bound of range
        b = upper bound of range
        n = number of intervals
    output:
        favg = average value of function
    """
    x = np.linspace(a,b,n)
    y = f(x,**kwargs)
    favg = np.average(y)
    return favg

def func(t,m=70.0,cd=0.25):
    g = 9.81
    f = np.sqrt(m*g/cd)*np.tanh(np.sqrt(cd*g/m)*t)
    return f

print('{0:7.3f}'.format(funcavg(func,0,12,60,cd=0.3)))
```

이 코드가 실행되었을 때, 콘솔은 다음을 보여 준다.

```
34.322
```

특정 함수 내부에서 범용 함수를 통하여 특정한 경우의 매개변수를 전달하는 능력은 수치해석의 구현에서 유용하다.

사례연구 3.6   **번지점프하는 사람의 속도**

배경 3장 초반의 문제제기에서 이야기하였던 자유낙하 중인 번지점프하는 사람 문제의 풀이를 위하여 파이썬을 이용한다. 이는 다음의 해를 얻는 것과 관계된다.

$$\frac{dv}{dt} = g - \frac{c_d}{m}v|v|$$

초기 시간과 속도가 주어졌을 때 문제는 다음의 식을 반복해서 푸는 것과 관계됨을 기억하라.

$$v_{i+1} = v_i + \frac{dv_i}{dt}\Delta t$$

이제 높은 정밀도를 얻기 위하여 작은 스텝을 사용하였음을 기억하라. 그러므로 아마도 초기 시간으로부터 최종 시간의 값을 얻기 위해서 반복적으로 간격을 증가시키며 식을 적용하기를 원할 것이다. 결과적으로 문제를 풀기 위하여 알고리즘은 루프에 기반할 것이다.

풀이 시간 간격 $\Delta t = 0.5$를 사용하여 $t = 0$에서 계산을 시작하고, $t = 12$일 때 속도를 예측하기를 원한다고 가정하자. 그러므로 루프를 문제에 적용하여야 한다. 24번 반복 식을 적용하여야 한다. 이는

continued

$$n = \frac{12}{0.5} = 24$$

n = 루프의 반복 횟수이다. 이 결과는 엄밀하므로 비율은 정수이다. 알고리즘의 기반으로 for 루프로 사용할 수 있다. 미분방정식을 정의하는 서브함수를 포함한 파이썬 함수는 다음과 같다.

```python
def velocity1(dt,ti,tf,vi):
    """
    Solution of bungee jumper velocity
    by Euler's method
    Input:
        dt = time step (s)
        ti = initial time (s)
        tf = final time (s)
        vi = initial value of velocity (m/s)
    output:
        vf = velocity at tf (m/s)
    """
    t = ti
    v = vi
    n = int((tf-ti)/dt)
    for i in range(n):
        dvdt = deriv(v)
        v = v + dvdt*dt
        t = t + dt
    vf = v
    return vf

def deriv(v):
    g = 9.81
    m = 68.1
    cd = 0.25
    dv = g - cd/m * v * abs(v)
    return dv
```

velocity1 함수는 콘솔에서 호출되어 다음과 같은 결과를 출력한다.

```python
velocity1(0.5,0,12,0)
50.92590783030664
```

위 코드에서 n에 결과를 할당하기 전에 계산을 정수화하기 위하여 수치 절단을 통한 int 함수를 사용하였음에 주의하라. 이는 다음 range 구문이 정수 인자를 요구하기 때문이다.

분석해로부터 얻은 참값이 약 50.6175(예제 3.1 참고)임에 유의하라. 더 정확한 수치 결과를 얻기 위하여 더 작은 값을 dt로 사용할 수 있다.

```python
velocity1(0.001,0,12,0)
50.61812389135902
```

비록 이 함수는 간단히 프로그램화할 수 있지만 완벽하지는 않다. (tf-ti)/dt 비율이 구간의 정수와 차이를 보인다. 마지막 간격이 정확히 종료 시간에 도달할 수 있도록 for 루프를 while 루프로 변경할 수 있다. 다음의 코드를

continued

```
n = int((tf-ti)/dt)
for i in range(n):
    dvdt = deriv(v)
    v = v + dvdt*dt
    t = t + dt
vf = v
```

다음과 같이 변경하고

```
h = dt
while True:
    if t + dt > tf: h = tf - t
    dvdt = deriv(v)
    v = v + dvdt*h
    t = t + h
    if t >= tf: break
```

def 선언문의 velocity1을 velocity2로 이름을 바꾼다.

while 루프가 입력되었으므로, 하나의 라인 if 구조가 현재 시간에 dt를 더해 주는 행위가 종료 시각 tf를 넘어갈지를 판별해 주는 데 사용되었다. 만약 그렇다면 tf가 정확히 일치하기 위하여 간격 크기 h를 축소한다. 만약 그렇지 않다면 기존의 h값을 유지한다. t의 최종 조정 후 마지막 if 구문이 참으로 판별이 나고, while 루프는 break 명령에 의하여 종료될 것이다.

마지막 시간 간격을 줄였을 때 주어진 dt 값을 변화시키지 않도록 루프에 들어가기 이전에 루틴이 시간 간격 dt를 다른 변수 h에 할당하였음에 유의하라. dt의 원래 값을 이 코드가 포함되어 있는 다른 큰 프로그램의 다른 부분에서 쓸지 모른다는 기대로 이러한 작업을 한다.

만약 새로운 버전을 실행하면 테스트의 결과는 for 루프에 기반했던 버전과 같아야 한다.

```
velocity2(0.5,0,12,0)
50.92590783030664
```

더욱이 tf-ti 불균일하게 절단된 스텝 크기에서도 활용할 수 있다.

```
velocity2(0.35,0,12,0)
50.83478844076012
```

해에 대한 근사는 간격 크기를 바꾸기 때문에 결과에 약간의 차이가 발생한다. 알고리즘은 여전히 완벽하지 않다는 점에 유의하라. 예를 들어, 사용자가 tf-ti=5이고 dt=20과 같이 간격 크기를 계산 구간에 비교하여 더 크게 넣을 수 있다. 그러므로 이러한 오류를 잡아내고 실수를 수정할 수 있도록 오류 체크 코드를 넣는 것을 고려할 수 있다.

마지막으로 진행 중인 코드는 범용적이지 않다는 점도 인식해야 한다. 이는 번지점프하는 사람의 속도라는 특정한 문제를 풀기 위해 개발되었다는 점이다. 보다 범용적인 버전은 다음과 같이 개발될 수 있다.

```
def odesimp(dydt,dt,ti,tf,yi):
    t = ti ; y = yi ; h = dt
    while True:
        if t + dt > tf: h = tf - t
        y = y + dydt(y)*h
        t = t + h
        if t >= tf: break
    yend = y
    return yend
```

continued

해를 구하는 방식의 핵심은 유지하고 번지점프 예제(미분 방정식을 정의하는 특정 서브함수를 포함한)에 특정
된 알고리즘의 일부를 어떻게 제외했는지에 유의하라. 해를 구하기 위하여 첫번째 인자로서 odesimp에 함수
이름을 전달하고 아마도 람다 함수를 활용하여 미분 방정식을 구체화함으로써 번지점프 예제를 풀이하는 이러
한 루틴을 사용할 수 있다.

```
dvdt = lambda v: g - (cd/m)*v*abs(v)

odesimp(dvdt,0.5,0,12,0)
50.92590783030664
```

그 후에 odesimp 함수 안에 개입하고 변경할 필요 없이 다른 함수를 분석할 수 있다. 예를 들어, 만약 $t = 0$일
때 $y = 10$이고, 미분방정식은 다음과 같다면

$$\frac{dy}{dt} = -0.1y$$

분석해는 $y = 10e^{-0.1t}$가 된다. 그러므로 $t = 5$일 때 해는 $y(5) = 10e^{-0.1(5)} = 6.0653$이다. 다음과 같이 수치적으
로 유사한 결과를 얻기 위하여 odesimp을 사용할 수 있다.

```
odesimp(lambda y: -0.1*y,0.005,0,5,10)
6.064548228400564
```

마지막으로 매개변수를 전달하고 보다 나은 최종 버전을 만들기 위하여 *args을 사용할 수 있다. 이를 위하여
아래와 같이 odesimp 함수로부터 odesimp2 함수를 구현한다.

```
def odesimp2(dydt,dt,ti,tf,yi,*args):
    t = ti ; y = yi ; h = dt
    while True:
        if t + dt > tf: h = tf - t
        y = y + dydt(y,*args)*h
        t = t + h
        if t >= tf: break
    yend = y
    return yend
```

그렇다면 람다 함수 대신에, 편집창에서 dvdt를 위한 함수를 생성하는 옵션이 있다.

```
def dvdt(v,cd,m):
    g=9.81
    return g - (cd/m)*v*abs(v)
```

특정한 경우를 풀기 위한 스크립크 구문을 추가한다.

```
print('{0:7.3f}'.format(odesimp2(dvdt,0.5,0,12,0,0.25,68.1)))
```

결과는 콘솔에 다음과 같이 보인다.

```
50.926
```

결과 표시에 보다 압축된 형식을 추가하기 위하여 시간을 소비하였다. *args를 사용했기 때문에, 특정한 함
수의 계산을 위하여 odesimp2 함수의 마지막 두 개의 인자로써 cd와 m값을 제공해야 한다. 디폴트 값으로 키
워드 인자를 사용할 수도 있다. 그렇다면 odesimp2 함수의 두 곳에서 **kwargs가 *args를 대신할 것이다.

연습문제

* 짝수번호는 온라인 사이트에 있으며 본 책 '차례' 끝부분 xxi페이지에 사이트주소가 있음.

3.1 그림 P3.1은 원뿔 형태의 끝부분을 갖는 원통형 저장고를 보여 준다. 만약 액체의 높이가 매우 낮아 원뿔 부분에 위치한다면 액체의 부피는 원뿔의 부피가 된다. 만약 액체의 높이가 중간 정도로 원통에 위치한다면, 액체의 전체 부피는 가득 채워진 원뿔의 부피와 부분적으로 채워진 원통 부분의 합과 같다. 선택적 구조를 포함한 파이썬 함수를 사용하여, 저장고의 반지름 R, 액체 깊이 d가 주어졌을 때 저장고 안의 액체 부피를 계산하라. 그림과 같이 저장고의 원뿔 부분은 높이 R, 원통 부분은 높이 $2R$로 설계되었다. 깊이가 $3R$ 이하인 모든 경우 액체의 부피를 반환하도록 함수를 설계하라. 만약 $d > 3R$이라면 'Overtop'이라는 오류 메시지를 출력하라. 다음 입력값에 대하여 함수를 테스트하라.

R	0.9	1.5	1.3	1.3
d	1.0	1.25	3.8	4.0

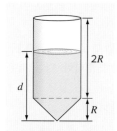

그림 P3.1

3.3 경제식은 월 대출 상환금을 계산하는 데 사용할 수 있다. 당신이 P만큼의 돈을 빌렸고, 매달 백분율이 아닌 소수점 값 i의 이자율로 상환하기로 동의했다고 가정하자. 월 상환금 A를 계산하기 위한 식은 다음과 같다.

$$A = P \frac{i(1+i)^n}{(1+i)^n - 1}$$

(주의: 이자율이 혼란스러울 수 있다. 대출은 종종 연 기준 백분율 이자 혹은 APR을 사용한다. APR과 이자율 간의 관계는 다음과 같다.)

$$i = \frac{APR/100}{12}$$

APR과 연간 이자율 i만큼 12개월 동안 지불한 것과 동등한 일회성 백분율 이자와는 차이가 존재한다. 이 차이는 다음과 같다.

$$(1+i)^n - 1$$

예를 들어, 12 %의 APR은 매달 이자율 i가 0.01일 때 이자이다. 1년 동안 이 값과 동등한 이자율은 약 12.68 %이다. 파이썬 함수를 사용하여 대출금 (P), 기간 (years), APR 백분율 (%)가 주어졌을 때 매달의 지불금을 계산하라. $40,000를 APR 5.3%로 대출하였을 때를 고려하라. 함수를 사용하여 3, 4, 5, 6년 동안의 대출 월별 상환금이 연간으로 표기된 표를 계산하는 스크립트를 제작하라.

3.5 Sine 함수는 다음의 무한급수와 동등하다.

$$\sin(x) = x - \frac{x^3}{3!} + \frac{x^5}{5!} - \cdots$$

급수의 각 항이 더해지면서 $\sin(x)$의 근사를 계산하고 표시해 주는 파이썬 스크립트를 개발하라. 즉, 다음과 같이 사용자가 선택한 차수 항까지의 전개를 계산하라. 각각의 전개에서 다음과 같은 백분율 상대오차를 계산하고 표시하라.

$$\sin(x) = x$$

$$\sin(x) = x - \frac{x^3}{3!}$$

$$\sin(x) = x - \frac{x^3}{3!} + \frac{x^5}{5!}$$

$$\% \, error = \frac{true \, value - series \, approximation}{true \, value} \times 100$$

테스트로써 제작한 함수를 사용하여 8개 항, 즉 $x^{15}/15$까지의 항을 포함하여 $\sin(0.9)$를 계산하라.

3.7 연습문제 3.6에서 서술된 극좌표를 결정하는 파이썬 함수를 개발하라. 하지만 한 가지 경우를 계산하는 함수를 설계하는 것 대신에 x와 y 벡터를 전달받도록 하라. x, y, r, θ의 표기된 열을 포함한 표를 출력하는 함수를 만들어라. 연습문제 3.6에서 설명된 경우들에 대하여 프로그램을 테스트하라.

3.9 Manning식은 정사각형 열린 수로에서 물의 속도를 예측하는 데 사용할 수 있다.

$$U = \frac{\sqrt{S}}{n} \left(\frac{BH}{B + 2H} \right)^{2/3}$$

U는 속도 (m/s), S는 수로 경사, n은 거칠기 계수, B는 수로 폭 (m), H는 깊이 (m)이다. 다음 데이터는 5개 수로로부터 얻은 결과이다.

각각의 수로에서의 속도를 계산하는 파이썬 스크립트를 작성하라. 각 매개변수에 대한 배열로 표 값을 입력하라. 하나의 파이썬 구문을 통하여 벡터화된 속도를 계산하라. 입력 데이터에 따른 속도가 5번째 열이 되도록 표 형식으로 계산한 속도를 표시하라. 열의 레이블을 표시하기 위하여 제목을 추가하라.

n	S	B	H
0.036	0.0001	10	2.0
0.020	0.0002	8	1.0
0.015	0.0012	20	1.5
0.030	0.0007	25	3.0
0.022	0.0003	15	2.6

3.11 부분적으로 채워져 있고 수평으로 놓인, 반지름이 r, 길이 L인 원통형 저장고 내부의 액체의 부피 V는 다음 식에 의하여 원통 중심선으로부터의 액체의 깊이 h와 연관된다.

$$V = \left[r^2 \cos^{-1}\left(\frac{r-h}{r}\right) - (r-h)\sqrt{2rh - h^2} \right] L$$

파이썬 함수를 개발하여 액체 부피 vs 깊이의 그래프를 그려라. 다음은 함수의 처음 몇 줄을 제시한다.

```
import numpy as np
def cyltank(r,L,plot_title):
    """
    create a plot of the volume of liquid
    in a horizontal, cylindrical tank
    from empty to full tank
    inputs:
        r = inside radius of tank
        L = length
        plot_title = string for title of plot
    """
```

프로그램을 다음의 구문으로 테스트하라.

```
cyltank(3,5,'Volume vs.Depth for Horizontal
Cylindrical Tank')
```

3.13 어떤 양수인 수 a의 제곱근[7]을 근사하기 위한 오래된 반복법인 '분할과 평균'은 다음과 같이 기술할 수 있다.

$$x_{i+1} = \frac{x_i + a/x_i}{2}$$

아래 첨자는 i부터 $i+1$까지 반복을 의미한다. 반복에 따른 상대적 변화는 다음과 같이 표현할 수 있다.

$$\varepsilon_{i+1} = \left| \frac{x_{i+1} - x_i}{x_{i+1}} \right| \times 100\%$$

while...break 루프에 기반한 파이썬 함수를 작성하라. 특정 허용오차 이하가 될 때까지 루프를 반복하라. 허용오차 0.0001%와 2, 10 그리고 -3을 이용하여 프로그램을 테스트하라. a가 음수일 경우 함수는 허수값 결과를 반환해야 한다. 즉, -4는 $2j$에 가까운 값을 반환해야 한다.

(힌트: 허수 값은 실수에 $1j$를 곱함으로써 얻어낼 수 있다.)

3.15 십진 자리수 n까지 숫자 x를 반올림해 주는 rounder라는

파이썬 함수를 개발하라. 함수의 첫 줄은 다음과 같다.

```
def rounder(x,n):
```

n이 음수일 때 반올림은 소수점 왼쪽이어야 한다. 예를 들어, $n = -1$일 때 10의 자리로 반올림한다. 다음의 표를 이용하여 함수를 테스트하라.

x	n
477.9587	2
−477.9587	2
0.125	2
0.362945	4
8192	−1
−1357842	−3

3.17 현재 달력에서 윤년을 결정하는 방법은 흥미롭다. 윤년이란 4로 나뉘는 해인데, 세기가 돌아올 때, 만약 400으로 나뉘는 해의 경우 윤년이 아니다. 따라서 1900년은 윤년이지만, 2000년은 윤년이 아니다. 연도를 입력받아 만약 윤년이라면 참을, 윤년이 아니라면 거짓을 출력하는 파이썬 함수를 개발하라. 함수를 검증하기 위하여 다양한 연도를 테스트하라.

3.19 전달받은 함수의 인자를 다시 전달할 수 있도록 사례연구 3.6의 끝부분에서 개발된 odesimp 함수를 변형하라. 다음 경우에 대하여 함수를 테스트하라.

```
dvdt = lambda v,m,cd: g - (cd/m)*v*abs(v)
odesimp(dvdt,0.5,0,12,-10,70,0.23)
```

3.21 정현파를 위한 일반적인 식은 다음과 같이 쓸 수 있다.

$$y(t) = \bar{y} + \Delta y \sin(2\pi f t - \phi)$$

y는 종속변수, $\bar{y}$는 평균값, Δy는 고도, f는 사이클/시간의 빈도수(시간이 초 단위라면, hertz 혹은 Hz), t는 독립변수인 시간, ϕ는 위상 변이이다.

파이썬을 사용하여 매개변수 $\bar{y}$, Δy, f 그리고 ϕ의 변화에 따라 어떻게 $y(t)$가 변화하는지 그래프를 통하여 분석하라. 또한 sin 함수와 cos 함수를 연관지어라. 특히 $0 \le t \le 2\pi$ 구간에서 다음 각각의 경우 두 개의 곡선의 그래프를 그려라.

$y(t) = \sin(3\pi t)$	$y(t) = \sin(2\pi t)$
$y(t) = \sin(2\pi t - \pi/4)$	$y(t) = \sin(2\pi t)$
$y(t) = 0.5 + 1.2\sin(2\pi t)$	$y(t) = \sin(2\pi t)$
$y(t) = \cos(2\pi t - \pi/2)$	$y(t) = \sin(2\pi t)$

추가로 베이스 경우에 대하여 $y(t)$ vs t를 극좌표로 표현하라.

3.23 $m \times n$ 행렬의 Frobenius 놈을 계산하기 위한 fnorm이라

---

7) 이 식은 $f(x) = 1 - x^2$의 $f(x) = 0$를 만족하는 점을 찾는 뉴턴법을 적용함으로써 유도될 수 있다. 뉴턴법은 6장에서 소개된다.

부르는 파이썬 함수를 작성하라.

$$\|A\|_f = \sqrt{\sum_{i=1}^{m}\sum_{j=1}^{n} a_{ij}^2}$$

다음은 이 함수를 사용하는 예시이다.

```
A = np.matrix(' 5 7 9 ; 1 8 4 ; 7 6 2')
fn = fnorm(A)
print(fn)
```

3.25 온도 벡터를 섭씨에서 화씨로 혹은 화씨에서 섭씨로 변환하는 파이썬 함수를 개발하라. Death Valley, CA와 South Pole에서의 월평균 기온인 다음 표의 값을 사용하여 함수를 테스트하라.

온도 vs 날짜, 하나는 °F, 다음은 °C 단위를 표시하는 두 개의 그래프를 만드는데 다음의 스크립트를 시작점으로 사용하라. 만약 사용자가 'C' 혹은 'F' 단위가 아닌 다른 것을 요청한다면, 입력을 수정할 수 있는 기회를 제공하라.

	Death Valley	South Pole		Death Valley	South Pole
Day	°F	°C	Day	°F	°C
15	54	−27	195	102	−59
45	60	−40	225	101	−59
75	69	−53	255	92	−59
105	77	−56	285	78	−50
135	87	−57	315	63	−38
165	96	−57	345	52	−27

```
"""
Script to generate plots of temperatures versus day of the year
for Death Valley and the South Pole.
Two plots generated:  1) using degC  2) using degF.
Both locations included on each plot.
Function tempconv accepts arrays of temperature input.
"""
import numpy as np
import pylab

# Add code to create function tempconv(tempin,scalecode) where scalecode is
# the temperature scale to which tempin will be converted.

day = np.array([15,45,75,105,135,165,195,225,255,285,315,345])
tfdv = np.array([54,60,69,77,87,96,102,101,92,78,63,52])
tcsp = np.array([-27,-40,-53,-56,-57,-57,-59,-59,-59,-50,-38,-27])
n = len(day)
tcdv = np.zeros(n)
tfsp = np.zeros(n)
tcdv = tempconv(tfdv,'C')
tfsp = tempconv(tcsp,'F')

# add code to create plots

# test your error check with
testtemp = tempconv(1200,'K')
print('{0:6.1f}'.format(testtemp))
```

반올림오차와 절단오차

Roundoff and Truncation Errors

학습 목표

이 장의 주된 목표는 수치적 접근법과 관계된 오차의 주요 원인들을 파악하는 것이다. 이 장에서 다루는 세부적인 목적과 주제는 다음과 같다.

- 정확도(accuracy)와 정밀도(precision)의 차이점 이해
- 오차를 정량화하는 법
- 오차 예측값을 이용한 연산의 반복여부 결정
- 디지털 컴퓨터의 숫자 표현 한계로 인하여 발생하는 반올림오차의 이해
- 부동소수점 방식의 표현 범위와 정확도의 한계
- 정밀한 수학적 표현이 근사 방법에 의하여 표현될 때 발생하는 절단오차
- 절단오차 추청을 위한 테일러 급수 사용법
- 1차, 2차 도함수 표현을 위한 전방, 후방, 중앙 유한차분 근사법
- 절단오차 최소화 과정에서 발생하는 반올림오차의 증가

문제 제기

1장에서 번지점프하는 사람의 속도 계산을 위한 수치적 모델을 개발하였다. 컴퓨터를 활용하여 이 문제를 풀기 위해서는, 유한차분을 이용하여 미분값을 근사하여야 한다.

$$\frac{dv}{dt} \cong \frac{\Delta v}{\Delta t} = \frac{v(t_{i+1}) - v(t_i)}{t_{i+1} - t_i}$$

따라서 이 식을 통하여 얻어진 결과는 정확하지 않고 오차를 포함하고 있다.

해를 얻기 위해서 사용한 컴퓨터 또한 완벽하지 않은 도구이다. 컴퓨터는 디지털 장치이므로 숫자의 자릿수와 정밀도를 표현하는 능력에 한계가 있다. 결과적으로 컴퓨터는 오차를 포함한 결과를 도출하게 된다.

즉, 사용한 수학적인 근사법과 디지털 컴퓨터 모두가 결과적으로 도출된 모델을 불확실하게 만든다. 따라서 우리가 처한 문제는 이러한 불확실성을 어떻게 다룰 것인가와 관련된다. 구체적으로 타당한 결과를 도출하기 위해서 발생한 오차를 이해하고, 정량화하고, 제어할 수 있는가? 이번 장에서는 공학자나 과학자가 이러한 딜레마를 다루는 데 사용하는 몇 가지 방법과 개념을 소개한다.

4.1 오차

공학자나 과학자는 불확실한 정보를 기반으로 목적을 이루거나 결정을 내려야 하는 상황에 계속적으로 놓인다. 비록 완벽함이 항상 추구되지만, 이는 쉽게 얻어내기 힘든 목표이다. 예를 들어,

뉴턴의 운동 제2법칙으로부터 얻어진 모델은 우수한 가정이라 할지라도, 실제로 번지점프하는 사람의 낙하를 정확하게 예측하기는 불가능하다. 바람이나 공기저항의 작은 변화들 같은 다양한 요소들이 예측의 차이를 가져올 것이다. 추가로 번지점프하는 사람의 낙하를 측정할 때 많은 오차가 발생할 수 있다. 이러한 차이들이 체계적으로 높거나 낮다면, 우리는 새로운 모델을 개발해야 한다. 그렇지만 이러한 오차들이 무작위적으로 분포되어 있거나 예측값 주변에 무리지어 분포되어 있다면, 이러한 차이는 무시할 수 있으며 모델이 적절하게 구성되었다고 생각할 수 있다. 수치적 근사는 분석 과정에서 유사한 차이를 불러일으키기도 한다.

이 장에서는 이러한 오차를 인식하고, 정량화하고, 최소화하는 것과 관련된 기본적인 주제들을 다룰 것이다. 또 이 절에서는 오차를 정량화하는 데 고려되는 일반적인 정보에 대해서 검토할 것이다. 다음으로 4.2절과 4.3절에서는 반올림오차(컴퓨터 가정으로 인한)와 절단오차(수학적 가정으로 인한)라 불리는 두 가지 주요한 수치적 오차를 다룰 것이다. 또한 절단오차를 줄이기 위한 전략이 종종 반올림오차를 어떻게 증가시키는지 설명할 것이다. 마지막으로 수치해석과 직접적으로 연관되지 않은 오차에 대해서 이야기할 것이다. 이러한 오차에는 실험적 실수나, 모델 오차, 데이터에 관련된 오차가 포함된다.

4.1.1 정확도와 정밀도

수치적 연산과 실험적 측정에 모두 연관되는 오차는 정확도와 정밀도에 관련하여 특징지어질 수 있다. **정확도**는 계산값이나 측정값이 얼마나 참값과 일치하는가를 의미한다. **정밀도**는 각각의 계산값 혹은 측정값이 서로 얼마나 일치하는가를 의미한다.

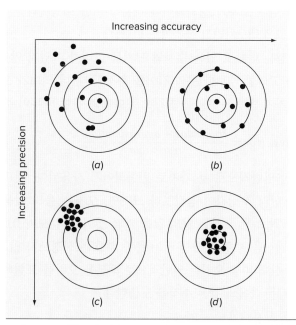

그림 4.1   정확도와 정밀도의 개념을 설명하는 marksmanship 예시. (*a*) 부정확하고 비정밀함, (*b*) 정확하고 비정밀함, (*c*) 부정확하고 정밀함, (*d*) 정확하고 정밀함.

이러한 개념은 사격 연습과의 유사성을 사용하여 그림으로 표현할 수 있다. 그림 4.1과 같이 탄환이 각각의 표적에 구멍을 만들었다. 이러한 구멍을 수치해석의 예측값이라고 생각할 수 있다. 표적의 가운데 부분이 참값을 표현한다. **부정확도**(종종 **편향**이라고 불리는)는 참값으로부터 체계적인 차이로 정의된다. 따라서 비록 그림 4.1*c*의 구멍이 그림 4.1*a*의 것보다 더 잘 무리 지어 있지만, 두 경우 모두 표적 왼쪽 위에 위치하고 있으므로 동등하게 편향되어 있다고 할 수 있다. 반대로 **비정밀도**(종종 **불확실성**이라고 불리는)는 분산의 크기를 표현한다. 따라서 비록 그림 4.1*b*와 그림 4.1*d*가 표적의 중앙에 위치하여 동등하게 정확하더라도, 후자가 점들이 더 밀집해 있기 때문에 더 정밀하다고 할 수 있다.

수치해석 방법은 특정 문제의 요구조건을 만족하도록 충분히 정확하고 편향되지 않아야 한다. 또한 적절한 설계가 가능하도록 충분히 정밀해야 한다. 이 책에서는 **오차**라고 하는 집합적인 단어를 사용하여 우리의 예측값의 부정확도와 비정밀도를 표현할 것이다.

4.1.2 오차의 정의

수치적 오차는 정확한 수학적인 표현이나 연산에 대하여 가정을 사용하면서 발생한다. 이러한 오차에 대하여, 근삿값과 참값 혹은 엄밀해와의 관계는 아래와 같이 설명할 수 있다.

$$true\ value = approximation + error \tag{4.1}$$

식 (4.1)을 재배열함으로서 수치적 오차가 참값과 근삿값의 차이와 같다는 것을 알 수 있다.

$$E_t = true\ value - approximation \tag{4.2}$$

여기서 E_t는 오차의 정확한 값을 의미한다. 아래첨자 '*t*'는 이것이 '참' 오차임을 말한다. 또한 이는 앞서 설명한 바와 같이, '상대'오차가 정의되어야 하는 의미를 설명한다. 여기서 참오차는 일반적으로 절댓값으로 표현되고 **절대오차**라고 불리기도 한다.

위와 같은 정의의 단점은 다루고 있는 수치의 크기를 고려하고 있지 않는 데 있다. 예를 들어, 센티미터 오차는 다리를 고려할 때보다 못의 길이를 측정할 때 더 의미가 크다. 측정하는 값의 크기를 고려할 수 있는 한 가지 방법은 오차를 참값으로 아래와 같이 나누어 주는 방법이다.

$$true\ fractional\ relative\ error = \frac{true\ value - approximation}{true\ value}$$

이 방법은 유용하지만 일반적으로 두 가지로 변형되어서 사용된다. 첫 번째는 이 식의 부호는 양이거나 음일 수 있다. 만약 추정값이 참값보다 크다면, 오차는 음의 값을 가질 것이다. 반대로 만약 추정값이 참값보다 작으면, 오차는 양의 값을 가질 것이다. 분모가 0보다 작다면, 이것 또한 음수인 값을 도출한다. 계산을 수행할 때 우리는 종종 부호는 신경쓰지 않고 그 크기에만 관심이 있을 수 있다. 두 번째는 상대 비율 오차는 일반적으로 백분율 오차를 표현하기 위하여 100%를 곱한다. 이러한 변형의 결과는 다음과 같은 수식을 도출한다.

$$\varepsilon_t = \left| \frac{true\ value - approximation}{true\ value} \right| \times 100\% \tag{4.3}$$

ε_t는 절대 참 백분율 상대오차이다.

예를 들어, 당신이 다리와 못의 길이를 측정하는 일을 하고 있고, 각각 9999와 9 cm의 측정값을 얻었다고 하자. 만약 참값이 각각 10,000과 10 cm라면, 두 경우 모두 오차는 1 cm이다. 하지만 절대 백분율 상대오차는 식 (4.3)을 이용하여 계산될 수 있고 각각 0.01%와 10%가 된다. 그러므로 비록 두 번의 측정 모두 절대오차는 1 cm이지만, 못의 상대오차가 훨씬 크다. 우리는 다리의 길이를 측정하는 데는 적절한 작업을 수행하였으나 못의 길이를 측정하는 데는 추가 작업이 필요할 것이라 결론지을 수 있다.

식 (4.2)와 식 (4.3)에서 E와 ε의 아래첨자 t는 오차가 참값을 기반으로 하고 있음을 의미한다. 못과 다리의 예시에서 우리는 참값을 제공받았다. 하지만 실제 상황에서 이러한 정보가 있는 경우는 극히 드물다. 다루고 있는 함수가 해석적으로 해를 찾을 수 있는 경우에만 수치해석에서 참값을 얻을 수 있다. 이는 단순한 시스템의 특정 상황에서의 이론적인 거동을 조사하고 있는 경우에 해당된다. 하지만 실제 응용에서는 당연하게도 **미리** 참값을 알지 못한다. 이러한 경우 대안은 참값을 대체할 수 있는 가장 최선의 예측값을 사용하여 오차를 정규화하는 것이다.

$$\varepsilon_a = \left| \frac{approximation\ error}{approximation} \right| \times 100\% \tag{4.4}$$

아래첨자 a는 오차가 근삿값을 이용하여 정규화되었다는 것을 의미한다. 실제 응용에서 식 (4.2)는 식 (4.4)의 오차식의 분자를 계산하는 데 사용할 수 없음에 주의하라. 수치해석의 어려운 점 중 하나는 참값에 관련한 지식이 없음에도 오차를 예측해야 하는 데 있다. 예를 들어, 특정 수치해석 방법은 답을 계산하기 위하여 **반복법**을 사용한다. 이러한 경우 현재 근삿값은 이전 근삿값을 기반으로 얻는다. 더 좋은 근삿값을 계산하기 위하여 이 과정을 반복한다. 이 경우 오차는 이전 그리고 현재 과정의 근삿값 간의 차이로서 계산된다. 따라서 백분율 상대오차는 다음과 같이 정의된다.

$$\varepsilon_a = \left| \frac{present\ approximation - previous\ approximation}{present\ approximation} \right| \times 100\% \tag{4.5}$$

오차를 표현하는 데 사용한 이 식과 다른 방식들은 이 후 장에서 자세히 설명할 것이다.

반복적 수치해석법을 수행하는 경우 반복을 언제 중단해야 하는지를 고려해야 한다. 이를 위하여 수용할 수 있을 정도의 백분율 상대오차 ε_s값을 결정해야 한다. 이와 같은 계산은 다음의 조건을 만족할 때까지 반복된다.

$$\varepsilon_a < \varepsilon_s \tag{4.6}$$

이러한 관계를 **멈춤 조건**이라고 한다. 만약 이 조건이 만족된다면 결과는 미리 정해진 수용할 만한 수준인 ε_s내에 존재한다고 가정한다.

오차를 근삿값의 유효숫자의 개수와 연관 짓는 것도 편리한 방법이다. Scarborough(1966)에 기술된 것과 같이 만약 다음의 조건이 만족된다면, 우리는 결과가 최소 n개의 유효숫자 내에서 정확하다고 생각할 수 있다.

$$\varepsilon_s = (0.5 \times 10^{2-n})\% \tag{4.7}$$

| 예제 4.1 | 반복법에서 오차 추정 |

문제 정의 수학에서 함수는 무한급수를 사용하여 종종 표현된다. 예를 들어, 지수함수는 아래와 같이 표현된다.

$$e^x \cong 1 + x + \frac{x^2}{2!} + \frac{x^3}{3!} + \cdots + \frac{x^n}{n!} \tag{E4.1.1}$$

따라서 더 많은 항이 급수에 더해질수록 근삿값은 e^x라는 참값을 더욱 잘 예측할 수 있다. 식 (E4.1.1)은 **맥클로린 급수**(*Maclaurin series expansion*)라고 불린다.

가장 간단한 형태인 $e^x \cong 1$의 형태에서 항을 하나씩 높이면서 $e^{0.5}$를 계산한다. 새로운 항을 더한 후 참 백분율 상대오차 그리고 근사 백분율 오차를 식 (4.3)과 식 (4.5)를 참고하여 계산한다. 이때 참값은 15개의 유효숫자까지 표현하면 $e^{0.5} \cong 1.64872127070013$ 임에 유의하라. 근사 오차 추정의 절댓값인 ε_a가 3자리 유효숫자까지 일치하도록 규정한 오차 기준인 ε_s이하가 될 때까지 항을 추가한다.

풀이 먼저 식 (4.7)은 얻어진 결과가 유효숫자 세자리까지 정확한지 확인하는 데 사용될 수 있다.

$$\varepsilon_s = (0.5 \times 10^{2-3})\% = 0.05\%$$

따라서 ε_a가 이 수준 이하로 내려가도록 전개식에 항을 추가한다.

첫 번째 추정은 식 한 개의 항을 가진 식 (E4.1.1)을 이용한다. 따라서 첫 번째 추정은 1과 같다. 두 번째 추정은 두 번째 항을 추가함으로써 다음과 같이 얻을 수 있다.

$$e^x = 1 + x$$

$x = 0.5$이므로 다음과 같이 값을 얻는다.

$$e^{0.5} = 1 + 0.5 = 1.5$$

이는 식 (4.3)의 참 백분율 상대오차로 다음과 같이 표현된다.

$$\varepsilon_t = \left| \frac{1.64872127070013 - 1.5}{1.64872127070013} \right| \times 100\% \cong 9.02\%$$

식 (4.5)는 오차의 근사 추정값을 계산하는 데 사용할 수 있다.

$$\varepsilon_a = \left| \frac{1.5 - 1}{1.5} \right| \times 100\% \cong 33.3\%$$

ε_a가 ε_s보다 작지 않으므로, 우리는 $x^2/2$라는 항을 추가하여 계산을 수행하고 오차를 계산한다. 이 과정을 $\varepsilon_a < \varepsilon_s$가 될 때까지 반복한다. 계산의 전체 과정은 다음과 같이 요약된다.

Terms	Result	ε_t, %	ε_a, %
1	1	39.3	
2	1.5	9.02	33.3
3	1.625	1.44	7.69
4	1.645833333	0.175	1.27
5	1.648437500	0.0172	0.158
6	1.648697917	0.00142	0.0158

따라서 여섯 개의 항이 추가된 후 추정오차는 $\varepsilon_s = 0.05\%$ 이하로 떨어지게 되고, 계산은 종료된다. 주목할 점은 결과가 세 자리가 아닌 다섯 자리까지 정확하다는 점이다. 6번째 항을 삭제하면서 소수점 4자리까지의 정확도

를 확보한다. 이 경우는 식 (4.5)와 식 (4.7) 모두 보수적으로 오차를 추정하기 때문이다. 이는 결과가 구체화된 정밀도만큼을 보장한다는 뜻이다. 비록 식 (4.5)와 같은 경우 항상 해당되지는 않지만, 대부분의 경우 좋은 결과가 보장된다. 추후에 함수를 통하여 이 개념을 알아볼 것이다.

4.1.3 반복 계산을 위한 컴퓨터 알고리즘

이 책에 서술되어 있는 많은 수치해석 기법은 예제 4.1에서 설명된 반복적 계산과 관련되어 있다. 이 방법들은 초기조건에서 시작하여 연속적으로 추정값을 계산하여 수학적인 문제를 푸는 방식이다.

컴퓨터를 이용하여 이러한 반복해를 계산하는 과정을 구현하는 것은 반복문이 연관되어 있다. 3.3.3절에서 보았듯이, 이는 **반복 횟수를 제한하는 방법**과 일반적인 **선택 구문을 포함하는 방법** 두 가지 방식으로 구현된다. 대부분의 반복 과정은 선택 구문을 사용한다. 따라서 미리 구체화된 반복 횟수를 사용하는 방식 대신, 예제 4.1과 같이 추정오차가 멈춤 조건보다 낮아질 때까지 반복한다.

예제 4.1과 같은 경우 작업을 수행하기 위한 급수 전개는 다음과 같이 표현된다.

$$e^x \cong \sum_{i=0}^{n} \frac{x^i}{i!}$$

이 식을 구현하기 위한 파이썬 함수는 그림 4.2에 표시되어 있다. 함수는 평가해야 할 숫자 x와 멈춤 오차 조건 es, 최대 허용 반복횟수 maxit를 전달받는다. 만약 함수에 마지막 두 숫자가 전달되지 않으면, def 구문에 표시된 디폴트 값이 사용된다. 만약 maxit 값이 전달되었고, 디폴트 es 값이 사용되었다면, maxit=...가 함수 호출에 포함되어야 한다.

함수는 세 개의 변수를 초기화한다: (a) 1로 시작하는 iter는 반복 횟수를 기록한다. (b) 전개의 첫번째 항이 저장되는 sol은 1부터 시작되고 이후 현재 솔루션의 값을 가지게 된다. (c) ea변수는 초기에는 100%로 시작하여 이후 백분율 상대오차가 저장된다. 반복이 적어도 한 번 이상 실행되기 위하여 ea는 초기에 100이 저장됨에 유의하라.

초기화 이후에 반복문을 구현하는 결정 구문이 뒤따른다. 새로운 해를 구하기 이전에 sol의 이전 값이 solold에 저장된다. 그 이후 새로운 sol의 값이 iter 반복 루프를 통하여 적절한 수열 전개 후 계산된다. 그리고 반복 카운터가 구현된다. 만약 sol의 새로운 값이 0이 아니라면, 백분율 상대오차 ea가 결정된다. 멈춤 조건과 반복 제한 조건이 시험된다. 만약 두 조건 모두 거짓이라면 루프는 반복된다. 만약 둘 중 하나라도 참이라면 루프는 종료되고 해가 반환된다.

Itermeth 함수가 실행되었을 때, 콘솔로부터(혹은 에디터 창의 다른 코드로부터) 호출 가능하다. 이 함수는 추정오차와 반복 횟수를 요구하는 지수함수 추정값의 튜플을 만든다. 예를 들어,

```
itermeth(1,1e-6,100)
(2.718281826198493, 9.216155641522974e-07, 12)
```

만약 튜플 대신에 반환된 해의 구성요소를 확인하고 싶다면 콘솔에서 다음의 코드를 사용할 수 있다.

```
import math
def itermeth(x,es=1e-4,maxit=50):
    """
    Maclaurin series expansion of the exponential function requires
    math module
    input:
        x = value at which the series is evaluated
        es = stopping criterion (default = 1e-4)
        maxit = maximum number of iterations (default=10)
    output:
        fx = estimated function value
        ea = approximate relative error (%)
        iter = number of iterations
    """
    # initialization
    iter = 1 ; sol = 1 ; ea = 100
    # iterative calculation
    while True:
        solold = sol
        sol = sol + x**iter / math.factorial(iter)
        iter = iter + 1
        if sol != 0: ea = abs((sol-solold)/sol)*100
        if ea < es or iter == maxit: break
    fx = sol
    return fx,ea,iter
```

그림 4.2   반복 계산을 풀기 위한 파이썬 함수. 이 예제는 예제 4.1에 기술된 e^x를 위한 맥클로린 급수를 계산하는 설정이다.

```
approxval,ea,iter = itermeth(1,1e-6,100)

approxval
2.718281826198493

ea
9.216155641522974e-07

iter
12
```

12번 반복 후 추정오차 $\simeq 9.21612 \times 10^{-7}\%$을 갖는 결과값 2.718281826198493을 얻었다. 이 결과는 MATLAB 모듈의 exp 함수를 사용하여 검증 가능하다. 만약 이 값을 참값으로 인정한다면(백그라운드에서 유사한 반복 방식과 매우 작은 멈춤 조건을 사용하여 계산한다), 아래의 명령어를 콘솔에 입력함으로써 이 결과와 '참' 백분율 상대오차를 비교해 볼 수 있다.

```
import math
truval = math.exp(1)

truval
2.718281828459045

et = abs((truval-approxval)/truval)*100

et
8.316106763523326e-08
```

살펴보면 얻어진 결과가 '참' 결과로부터 소수점 9자리 이후에서 차이가 남을 볼 수 있고, 예제 4.1의 경우와 같이 참 오차가 추정 오차보다 작다는 만족할 만한 결과를 얻었다.

반복 한계까지 도달할 만한 다양한 입력값을 통하여 함수를 시험하는 것은 좋은 습관이다. 다음의 예제를 참고하라.

```
itermeth(0.5,1e-7)
(1.6487212706873655, 1.632262003529942e-08, 11)

itermeth(0.5,1e-7,10)
(1.648721270418251, 3.264523199531576e-07, 10)
```

첫 번째 경우 오차조건이 만족되었고, 이를 위한 반복 횟수는 11이다. 하지만 두 번째 경우 반복 제한조건이 10으로 정해져 있다. 이때 반복 제한조건에 도달하였고, 오차조건은 만족하지 못하였다. 결과적으로 반환된 반복값이 오차조건을 만족하지 않으면서 제한조건으로 인하여 종료되었는지 확인하는 것이 필요하다.

다른 예시는 디폴트 오차조건을 만족하지만 반복 제한을 특정해야 한다.

```
itermeth(0.5,maxit=10)
(1.6487211681547618, 9.40182752709793e-05, 8)
```

멈춤 오차 조건 인수를 사용하지 않았기 때문에 반복 제한 인수와 *keyword*를 사용해야 한다.

예상할 수 있는 다른 의문은 sol이 언제 0이 될 것인가이다. x = −1인 경우를 고려하자. 첫 번째 반복에서는 다음과 같다.

```
sol = 1 + (-1)**1/1! = 0
```

하지만 이후 0이 아닌 항이 추가될 것이다. 따라서 '0으로 나눔' 제한조건이 요구된다.

```
itermeth(-1,1e-6,100)
(0.3678794413212817, 5.6748900913943406e-07, 13)
```

x = 1에 비하여 1번의 추가 반복이 요구됨을 확인하였다. 이는 추정값을 계산하는 데 있어서 부호를 바꾸는 행위와 관계가 있다.

4.2 반올림오차

반올림오차는 디지털 컴퓨터가 수치값을 정확하게 표현하지 못하여 발생한다. 공학과 과학 문제 해결에서 이러한 오차가 잘못된 결과를 가져올 수 있기 때문에 매우 중요하다. 어떤 경우에서는 계산을 불안정하게 만들고 명백히 오류인 결과를 도출해 낼 수도 있다. 이러한 계산들을 **불량조건**이라고 부른다. 더욱 안 좋은 점은 이러한 오차가 발견하기 어려운 미묘한 차이를 발생시킬 수 있다는 점이다.

수치 계산과 연관된 반올림오차의 두 가지의 중요한 특성은 다음과 같다.

1. 디지털 컴퓨터는 숫자를 표현하는 능력에서 크기와 정확도의 한계가 존재한다.

2. 어떤 수치적 조작은 반올림오차에 매우 민감하다. 이는 수학적 고려 방법과 산술연산을 수행하는 방식 두 가지에 의하여 발생할 수 있다.

4.2.1 컴퓨터의 숫자 표현

수치적 반올림오차는 숫자가 컴퓨터에 저장되는 방식과 직접적으로 연관된다. 정보가 표현되는 기본 단위를 **워드**(*word*)라 부른다. 이는 일련의 이진수 혹은 **비트**(*bit*)의 문자로 구성된 개체이다. 현대 컴퓨터에서 일반적인 워드는 8비트를 사용하고, 이를 **바이트**(*byte*)라 부른다. 숫자는 일반적으로 몇 개의 바이트로 저장된다. 이 같은 과정이 어떻게 이루어지는지를 이해하기 위하여 숫자 시스템에 관계된 몇 가지를 살펴볼 것이다.

숫자 시스템은 단순히 수량을 표현하는 방식을 이야기한다. 우리가 10개의 손가락과 10개의 발가락을 가지고 있으므로, 가장 친근하게 사용하는 숫자 시스템은 **십진법** 혹은 **기저-10**을 가지는 체계이다. 기저란 체계를 만드는 데 기준이 되는 숫자이다. 기저-10 체계는 숫자를 표현하기 위하여 10개의 기본 숫자[1] —0,1,2,3,4,5,6,7,8,9—를 사용한다. 기본 숫자에 의하여 0에서 9까지 숫자를 문제없이 셀 수 있다.

큰 숫자의 경우 기본 숫자의 조합과 더불어 크기를 묘사하는 위치값 혹은 **자리값**을 사용한다. 숫자의 가장 오른쪽에 위치한 숫자가 0에서 9까지 숫자를 표시한다. 오른쪽에서 두 번째 숫자는 0, 10, 20, . . . 90 혹은 기준 숫자에 10을 곱한 숫자를 표시한다. 오른쪽에서 세 번째 숫자는 100을 곱한 수를 표시하고, 이와 유사하게 진행된다. 예를 들어, 만약 8642.9를 가지고 있다면, 여덟 개의 1000, 여섯 개의 100, 네 개의 10, 두 개의 1 그리고 아홉 개의 0.1이 있다.

$$(8 \times 10^3) + (6 \times 10^2) + (4 \times 10^1) + (2 \times 10^0) + (9 \times 10^{-1}) = 8642.9$$

이러한 표현 방식은 **위치표기법**(*positional notation*)이라 부른다.

우리는 10진수 체계가 익숙하기 때문에 다른 대안이 있다는 것을 쉽게 인식하지 못한다. 예를 들어, 만약 엄지 손가락이나 엄지 발가락을 제외한다면, 혹은 인간이 단지 8개의 손가락과 발가락을 가지고 있다면, 우리는 의심할 여지없이 **기저-8** 혹은 **8진법** 표현을 개발했을 것이다. 이와 유사하게 우리의 컴퓨터는 두 개의 상태 0 혹은 1(혹은 꺼짐과 켜짐, 0볼트 혹은 3볼트)만을 표시할 수 있는, 두 개의 손가락을 가진 동물과 같다. 이는 컴퓨터의 주된 논리 구조가 켜짐/꺼짐의 전기 요소인 것과 관계된다. 따라서 컴퓨터의 숫자는 **이진법** 혹은 **기저-2**로 표현된다. 십진법 체계와 유사하게 수량은 위치표기법으로 표시될 수 있다. 예를 들어, 이진수 101.1_2는 다음과 동등하다.

$$(1 \times 2^2) + (0 \times 2^1) + (1 \times 2^0) + (1 \times 2^{-1}) = 101.1_2$$

혹은 십진수로 다음과 같이 표현할 수 있다.

$$4 + 0 + 1 + 0.5 = 5.5_{10}$$

---

1)   디짓(*digit*)이라는 단어는 (엄지를 포함한) 손가락 혹은 발가락을 뜻한다.

앞에서 사용된 아래첨자 2와 10은 기저 숫자를 명확하게 표시하기 위하여 사용되었다.

정수표현. 이제 기저-2 숫자가 기저-10 숫자와 어떻게 연관될 수 있는지 알아보았다(이 시점에서 반대방향의 전환은 분명치 않다). 컴퓨터에서 정수를 어떻게 표현하는지는 쉽게 예측할 수 있다. 이제 이 방식의 한계와 딜레마를 다룰 것이다. 한계는 정수를 표현하는 데 사용 가능한 바이트의 숫자와 관련 있다. 만약 하나의 바이트를 사용한다면 단지 여덟 개의 이진수를 사용할 수 있다. 만약 4바이트라면, 제한은 32비트이다. 딜레마는 음수를 어떻게 표현할 것인가이다.

1바이트를 갖는 워드의 이진 숫자를 고려하자. 이 경우 2^8 혹은 256개의 숫자를 표현할 수 있다. 다른 숫자는 표현될 수 없다. 0부터 시작하여(모든 숫자가 0), 표현 가능한 숫자를 세어 나간다. 이진법 체계에서 일의 자리의 캐리(carry)만 고려하면 1 + 1 = 0임에 주의하라. 마지막 숫자 11111111에 1을 더했을 때 무슨 일이 벌어지는지를 고려해 보자. 마지막 캐리는 버려지므로, 결과는 00000000이다.[2] 그렇다면 마지막 숫자에 1을 더해서 결과는 첫 번째 숫자가 되었다. 하나의 열로 나열된 것이 아닌 순환하는 구조의 현재 숫자 시스템에 대한 감이 온다. 사실 00000000의 양쪽에 존재하는 숫자를 더한다면, 00000001 + 11111111 = 00000000 이 된다. 따라서, +1을 더하였을 때 0이 도출되었으므로 두 번째 숫자는 -1과 유사하다. 순환의 왼쪽 숫자의 구별되는 특징은 첫 번째 비트가 1인 것이다. 이는 일반적으로 **부호 비트**라고 부른다. - 이 숫자가 0이라면 숫자는 양의 값을 가지고, 1이라면 숫자는 음의 값을 가진다. 남아 있는 유일한 문제는 순환의 아래 부분인 10000000이다. 이 값에 자기 자신의 값을 더하면 0이 되므로, self-negative임에 유의하

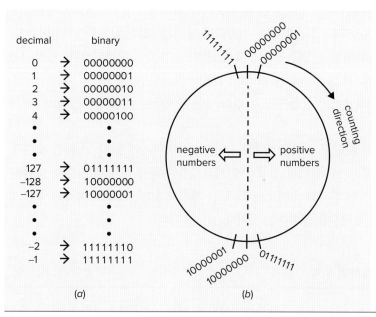

그림 4.3   1바이트 정수 표현.

---

[2]   말하자면 마지막 캐리는 일종의 이진숫자의 쓰레기통인 '비트 바구니'로 할당된다.

라. 부호 기준에 의하여 부호 비트가 1이므로 이 값은 음수로 생각할 수 있다. 이 일반적인 도식은 2의 **보수 표현**이라고 부른다. 이 숫자를 10진수로 변환하면, 가장 위의 숫자를 포함한 오른쪽에 0부터 127까지 숫자가 존재한다. 그리고 가장 아래 숫자를 포함하여 왼쪽에는 −1부터 −128까지 숫자가 존재한다. 음수 범위가 양수 범위보다 숫자 하나 더 크다.

컴퓨터 프로그래밍 시스템에서의 일반적인 범위는 두 가지이다. 4-바이트 혹은 'long integer' 형식은 아마도 숫자를 세는 데는 너무 큰 범위일지 모를 확장된 범위를 갖는다. 2-바이트 표현의 장점은 메모리 절반을 요구한다는 것이지만 범위가 제한된다.

파이썬은 정수를 표현하기 위하여 흥미로운 방식을 가지고 있다. 숫자가 증가함에 따라, 양의 수 혹은 음의 수로, 파이썬은 자동적으로 숫자를 표현하기 위한 바이트의 숫자를 증가시킨다. 결과적으로 파이썬을 사용하면 정수의 범위에 제한이 없다. 하지만 소수점을 고려하기 때문에 소개된 개념은 중요하다.

소수점 표현. 소수점 오른쪽 자리인 소수를 포함한 수치량은 일반적으로 **소수점 형식**을 사용하여 컴퓨터에서 표현된다. 과학적 표현과 매우 유사한 이 방식에서 숫자는 다음과 같이 표현된다.

$$\pm s \times b^e$$

s = 유효숫자 혹은 **가수**, b = 사용된 숫자 시스템의 기저(base), e = 지수

이 형태로 표현하기에 앞서, 숫자는 소수점을 옮기거나, 소수점으로 표현, 이진법으로 표현 혹은 다른 방식을 활용하여 소수점의 왼쪽에 하나의 자리만 남도록 정규화된다. 이는 컴퓨터의 메모리가 의미 없는 0을 저장하는 데 메모리를 낭비하지 않도록 한다. 예를 들어, 0.005678과 같은 숫자는 0.005678×10^0과 같이 저장되면 낭비가 크다. 하지만 정규화는 5.678×10^{-3}을 도출하고, 이는 2개의 0을 저장할 필요가 없다. 필요 없는 0이 제거되었다. 기저-2 숫자로 정규화하는 것을 고려할 때, 이진점(binary point) 왼쪽의 자리는 항상 1이다. 결과적으로 컴퓨터가 숫자를 저장할 때, 시작 1을 저장할 필요가 없다. 1은 존재하나 저장하지 않게 '인식'하도록 프로그래밍 할 수 있다.

컴퓨터 기반인 기저-2 구현을 자세히 설명하기에 앞서, 이러한 소수점 표현의 기본적인 의미를 탐색할 것이다. 특히 컴퓨터에 저장하기 위하여 가수와 지수가 유한한 숫자의 비트로 제한되는 것은 어떤 결과를 가져오는가? 다음 예시와 같이, 이를 수행하는 좋은 방법은 우리가 익숙한 가수-10인 십진수를 고려하는 것이다.

예제 4.2	소수점 표현의 영향

문제 정의 5-자리 워드 크기를 갖는 가상의 10-베이스 컴퓨터를 가지고 있다고 가정한다. 한 자리는 부호를 위하여 사용되고, 두 자리는 지수를 그리고 두 자리는 가수를 위하여 사용한다 가정하자. 문제를 간략하게 하기 위하여, 지수 자리 중 하나는 부호를 위하여 사용하고, 나머지 하나를 크기를 위하여 남겨 두었다 가정한다. 이 방식의 특징을 이야기하라.

풀이 정규화 후에 숫자의 일반적인 표현은 다음과 같다.

$$s_1 d_1 d_2 \times 10^{s_0 d_0}$$

s_0, s_1은 부호, d_0는 지수의 크기, $d_1 d_2$는 가수 자리의 크기를 나타낸다.

이제 이 시스템을 활용할 것이다. 첫 번째로 표현 가능한 가장 큰 양수는 무엇인가? 명백하게 두 개의 부호가 양이고 모든 크기를 나타내는 자릿수가 기저-10에서 가능한 가장 큰 숫자인 9로 설정되어 있을 때이다.

$$\text{가장 큰 수} = +9.9 \times 10^{+9}$$

그러므로 표현할 수 있는 가장 큰 숫자는 100억 보다 조금 작은 값이다. 비록 이는 큰 숫자처럼 보이지만, 실제로 그렇지는 않다. 예를 들어, 이 시스템에서 아보가드로 숫자, 6.022×10^{23}같은 흔히 사용되는 숫자를 표현할 수 없다.

유사하게 표현 가능한 가장 작은 숫자는 다음과 같다.

$$\text{가장 작은 수} = +0.1 \times 10^{-9}$$

이 숫자는 작게 보이지만, Plank 상수, 6.626×10^{-34}와 같은 값을 표현할 수 없다.

유사한 음의 값도 설명할 수 있다. 결과로 얻어지는 범위는 그림 4.4에 설명되어 있다. 범위를 벗어난 값이 큰 양 그리고 음의 숫자는 *overflow* 오류를 일으킨다. 유사하게, 매우 작은 양의 혹은 음의 숫자에 있어서 0 근처에 '구멍'이 존재하고, 이러한 작은 숫자는 0으로 변환될 것이다.

지수가 이러한 범위 제한의 대부분을 결정한다는 것을 기억하라. 예를 들어, 가수 영역을 한 자리 늘린다면, 최댓값은 약간 $+9.99 \times 10^{+9}$로 증가한다. 반대로 지수 영역에 한 자리를 증가시키면 $+9.9 \times 10^{+99}$로 크기의 차수를 90이나 증가시킨다.

하지만 정밀도에 대해서는 상황이 반대가 된다. 유효숫자는 범위를 정의하는 데는 작은 역할을 하고, 정밀도를 특정하는 데 큰 영향을 준다. 이는 유효숫자를 단지 두 자리로 제한하였을 때 극적으로 확인할 수 있다. 그림 4.5에서 보이는 것처럼, 0 근처에 '구멍'이 존재하는 것과 유사하게, 값 사이에 구멍 혹은 가격이 존재한다.

예를 들어, 유한한 자릿수를 가지는 유리수, $2^{-5} = 0.03125$는 3.1×10^{-2} 혹은 0.031과 같이 저장된다. 따라서 절단오차가 포함된다. 이 경우 백분율 상대오차는 다음과 같다.

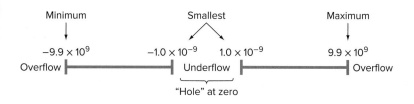

그림 4.4 그림의 숫자를 포함한 선은 예제 4.2에서 기술된 가상의 기저10 소숫점이 표현 가능한 범위를 보여준다.

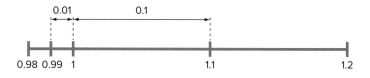

그림 4.5 그림은 예제 4.2에서 기술된 가상의 기저10 소숫점에 대응되는 숫자선의 일부분을 보여준다. 이 선 위에 표시된 숫자는 정확히 표현될 수 있다. 이 숫자들 사이에 놓인 다른 모든 숫자들은 절단오차를 갖는다.

$$\frac{0.03125 - 0.031}{0.03125} 100 = 0.8\%$$

0.03125같은 숫자를 가수의 자릿수를 확장시킴으로서 정확히 저장할 수 있지만, 무한한 자릿수를 갖는 숫자는 항상 근사되어야만 한다. 예를 들어, π, 3.14159...와 같이 사용되는 숫자는 3.1×10^0과 같이 표현된다. 이 경우 백분율 상대오차는 다음과 같다.

$$\frac{3.14159... - 3.1}{3.14159...} 100 \cong 1.32\%$$

비록 유효숫자에 자릿수를 더하는 것은 근사를 향상시킬 수 있지만, 이러한 숫자는 컴퓨터에 저장한다면 어느 정도의 절단오차를 포함한다.

다른 소수점 표현 방식의 미묘한 영향은 그림 4.5에 묘사되어 있다. 숫자 간 간격이 크기의 오더(order) 간 변화에 따라 어떻게 바뀌는지에 주의하라. -1 지수를 가지는 숫자에서, 0.1과 1 사이에, 간격은 0.01이다. 우리가 범위를 1부터 10까지로 변경한다면, 간격의 폭은 0.1로 증가한다. 이는 숫자의 절단오차가 절단오차 크기에 비례한다. 추가로 상대오차는 상향 한계가 존재할 것이다. 예시에서 최대 상대오차는 상향 한계가 존재할 것이다. 이 값을 *machine epsilon* 혹은 기계 정밀도라 부른다.

예제 4.2에서 이야기한 바와 같이, 지수와 가수 모두 유한한 자릿수를 가진다는 사실은 소수점 표현 방식의 표현 범위와 정확도에 한계가 있다는 것을 의미한다. 이제 소수점 값이 기저-2 혹은 이진수를 사용한 실제 컴퓨터에서 어떻게 표현되는지 알아본다.

첫 번째로 정규화를 살펴보자. 이전에 기술한 바와 같이, 이진수는 단지 0과 1만을 포함하므로, 정규화되었을 때 특별한 일이 발생한다. 이진점 왼쪽의 비트는 항상 1이 될 것이다. 이는 가장 앞의 비트는 저장될 필요는 없다는 것을 의미한다. 그러므로 0이 아닌 이진 소수점 표현 숫자는 다음과 같이 표현할 수 있다.

$$\pm(1 + f) \times 2^e$$

f는 가수, 즉 정규화된 가수의 소수부이다. 예를 들어, 만약 정규화된 이진수가 1101.1이라면, 결과는 1.1011×2^3 혹은 $(1 + 0.1011) \times 2^3$이 된다. 따라서 비록 기존 숫자가 5개의 유효 비트를 가지고 있더라도, 4개의 소수부 비트, 1011만을 저장하면 된다.

파이썬은 *IEEE 754 double-precision standard*에 따라서 소수점 숫자를 저장한다. 이는 많은 소프트웨어 프로그램에서 채택된 방식이다. 8바이트(64비트)가 소수점 숫자를 표현하는 데 사용된다. 그림 4.6과 같이 왼쪽 첫 번째 비트는 숫자의 부호를 위하여 남아 있고, 0은 양의 수를 1은 음의 수를 의미한다. 정수가 저장되는 방식과 유사한 방식으로 지수와 그 부호는 다음 11비트에 저장된다. 마지막으로 52비트는 가수를 위하여 남겨 놓았다. 하지만 정규화로 인하여, 첫 번째 비트가 항상 1인 실제 53개 비트가 사용된다.

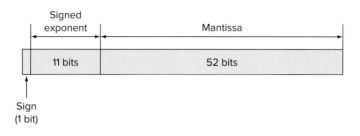

그림 4.6   부동 소숫점 숫자가 IEEE double-precision 형식에서 8바이트로 저장되는 방식.

IEEE 표준에 따라, 지수는 *biased* 혹은 *offset-zero* 형식으로 저장되고, <u>2의 보수 형식은 사용하지 않는다.</u> 다음의 표가 이를 나타낸다. 00000000000과 11111111111은 특별한 사용처가 있다. 이들은 수치 지수를 표현하는 데 사용되지 않는다.[3]

Binary Value	Decimal Value
11111111110	1023
.	.
.	.
10000000000	1
01111111111	0
01111110111	−1
.	.
.	.
00000000001	−1022

예제 4.2와 같이 이는 저장된 숫자에 제한된 범위와 정밀도가 있다는 것을 의미한다. 하지만, IEEE 형식은 더 많은 비트를 사용하므로, 결과의 숫자 시스템은 공학과 과학 계산 및 관계된 수치해석에 실용적이다.

범위. 위에서 보인 바와 같이, 지수에 사용된 11비트는 −1023부터 1023까지 수치 범위로 전환된다. 이 범위는 $2^{11} - 1 = 2047$의 고유한 숫자를 포함하고 0을 중심으로 대칭을 표현한다. 저장될 수 있는 가장 큰 양의 숫자는 비트-비트로 다음과 같이 압축하여 표현할 수 있다.

0	1	2	3	4	5	6	7	8	9	10	11	12	13	14	15	16	17	18	19	20	21	22	23	24	25	26	27	28	29	30	31	32	33	34	35	36	37	38	39	40	41	42	43	44	45	46	47	48	49	50	51	52	53	54	55	56	57	58	59	60	61	62	63
0	1	1	1	1	1	1	1	1	1	1	0	1	1	1	1	1	1	1	1	1	1	1	1	1	1	1	1	1	1	1	1	1	1	1	1	1	1	1	1	1	1	1	1	1	1	1	1	1	1	1	1	1	1	1	1	1	1	1	1	1	1	1	1
sign		exponent										mantissa																																																			

간략한 형태로 다음과 같이도 표현할 수 있다

가장 큰 값 = $+1.111 \ldots 111 \times 2^{+1023}$

위의 유효숫자는 이진 포인트 우측의 52개이다. 이는 십진수에서 2(혹은 이진수에서 10) 아래의

숫자이다. 실제로 $2 - 2^{-52} \cong 2$이다. 가장 큰 숫자를 기저-10으로 다음과 같이 전환 가능하다.

$$+2^{+1023} \cong 1.7977 \times 10^{308}$$

유사한 방식으로 가장 작은 양의 숫자는 다음과 같이 표현 가능하다.

$$\text{가장 작은 수} = +1.000 \ldots 000 \times 2^{-1022}$$

기저-10으로 $2^{-1022} \cong 2.2251 \times 10^{-308}$이다. IEEE 64비트 표준으로 사용가능한 범위는 공학과 과학 계산에서 다루어야 하는 숫자보다 훨씬 더 풍부하다.

정확도. 지수를 위하여 사용되는 52 비트는 기저-10에서 15에서 16에 대응된다. $252 \cong 4.5036 \times 10^{15}$이므로, 정확도는 약 4.5×10^{15}이다. 파이썬은 16 유효숫자를 표현한다. 예를 들어, π는

```
import math
print(math.pi)

3.141592653589793
```

IEEE 64비트 표준에서 machine epsilon은 $2^{-52} \cong 2.2204 \times 10^{-16}$임에 유의하라.

NumPy 모듈을 사용하여, 가장 큰 그리고 가장 작은 양의 숫자와 machine epsilon을 직접 확인할 수 있다.

```
import numpy as np

print(np.finfo(float).max)
1.7976931348623157e+308

print(np.finfo(float).min)
-1.7976931348623157e+308

print(np.finfo(float).eps)
2.220446049250313e-16
```

요청한 대로 이 숫자들은 변수에 할당될 수 있다.

4.2.2 컴퓨터 숫자의 산술적 조작

컴퓨터의 숫자 시스템의 제약을 제쳐 두고, 이러한 숫자들에 연관된 실제 산술적 조작 또한 절단 오차를 발생시킬 수 있다. 이것이 어떻게 발생하는지 이해하기 위하여, 간단한 덧셈과 뺄셈을 컴퓨터가 어떻게 수행하는지를 보겠다.

이 연산들의 친근함 때문에 정규화된 기저-10의 숫자가 간단한 덧셈과 뺄셈의 절단오차 영향을 설명하는 데 사용되었다. 다른 베이스 숫자는 이진수와 같은 유사한 방식으로 행동할 것이다. 논의를 간략화하기 위하여, 4자리 가수와 1자리 지수를 갖는 가상의 십진수 컴퓨터를 사용할 것이다. 예를 들어, 만약 1.557과 4.341×10^{-2}를 더하고 싶다면, 컴퓨터는 숫자를 1.557×10^{0}과 0.04341×10^{0}으로 표현하고, 지수 배열을 정렬할 것이다. 그 후 만약 가수를 더하고자 한다면, 1.640041×10^{0}을 얻을 것이다. 이제 이 가상의 컴퓨터가 4자리 가수를 다루기 때문에,

4.341×10^{-2}를 정렬하는 데 있어서, 컴퓨터는 0.043×10^{0}을 얻고, 덧셈의 결과는 1.600×10^{0}이 된다. 컴퓨터는 4.341×10^{-2}의 숫자 '41'을 잃어버렸고, 덧셈의 결과에 절단오차가 존재한다.

　뺄셈은 빼는 수의 부호가 반대임을 제외하면 덧셈과 동일하게 수행된다. 다시 말하여, 컴퓨터는 음수를 더한다. 예를 들어, 만약 36.41에서 26.86을 뺀다고 가정하면, 다음과 같다.

$$
\begin{array}{r}
3.641 \times 10^{1} \\
-2.686 \times 10^{1} \\
\hline
0.955 \times 10^{1}
\end{array}
$$

　결과를 정규화한다면, 9.550×10^{0}을 얻을 수 있음에 유의하고, 이는 단지 3개의 유효숫자를 가진다. 5 이후의 0은 단지 숫자 시스템에서 비어 있는 자릿수를 채우고 있다. 좀 더 극적인 예시는 다음과 같다.

$$
\begin{array}{r}
7.642 \times 10^{2} \\
-7.641 \times 10^{2} \\
\hline
0.001 \times 10^{2}
\end{array}
$$

　이 결과를 정규화하면 단지 하나의 유효숫자를 갖는 1.000×10^{-1}이 된다. 크기가 거의 비슷한 두 개의 숫자 간 뺄셈으로 인한 정밀도 저하는 **감산 취소**(*subtractive cancellation*)라 부른다. 이는 컴퓨터가 수학을 다루는 방식이 어떻게 수치적 문제를 불러일으키는지를 보여 주는 전형적인 예시이다. 간단히 말하여, 작은 숫자의 결과를 얻기 위하여 매우 큰 숫자를 다른 큰 숫자로부터 빼는 데 있어서 고민을 해 보아야 한다. 문제를 일으키는 다른 계산들은 다음과 같다.

대규모 계산. 어떤 방법들은 최종 결과에 도달하기 위하여 매우 큰 숫자의 산술적 조작을 요구한다. 추가로 이러한 계산은 종종 서로 연관되어 있다. 즉, 후반부의 계산은 초기의 계산 결과에 의존한다. 결과적으로 각각의 절단오차가 작더라도 긴 계산 과정을 통하여 누적된 영향이 커진다. 매우 간단한 경우는 기저-2 숫자는 반올림되지 않지만, 대응되는 기저-10 숫자는 반올림되는 숫자를 더하는 것과 관계된다. 파이썬 함수는 다음과 같다.

```python
def sumdemo():
    s = 0
    for i in range(10000):
        s = s + 0.0001
    return s
```

이 함수가 실행되고 호출되었을 때, 결과는 다음과 같다.

```
print(sumdemo())

0.9999999999999062
```

　$1000*0.0001 = 1$이므로 합은 1과 같다는 것을 기대할 수 있다. 하지만, 비록 0.0001이 기저-10에서 표현되기 쉬운 숫자이지만, 기저-2에서는 정확히 표현될 수 없다. 이진수 한자리를 더함으로써 0.0001의 근사 값에 더하면서 숫자를 넘지 않으려면 다음과 같은 숫자를 얻는다.

$$0.0000000000000110100011\ldots_2$$

이 이진 소수 0.0001_{10}과 정확히 같아지지 않는다. 이러한 마지막 이진 소수는 다음과 같다.

$$0.0000998973846435547_{10}$$

파이썬은 이러한 오차를 최소화하기 위해서 설계된 장치를 가지고 있다는 점에 유의하라. 예를 들어, 다음과 같은 배열을 만든다고 가정하자.

```
import numpy as np
s = np.arange(0,1.0001,0.0001)
```

위의 sumdemo 함수와 같이 근사의 결과를 받는 것 대신에 이 경우에는 다음의 결과를 얻는다.

```
print(s[10000])
1.0
```

큰 숫자에 작은 숫자 더하기. 작은 수 0.0010을 큰 수인 4000에 더하는데 4자리의 가수와 1자리의 지수를 가진 가상의 컴퓨터를 사용한다고 가정하자. 지수의 위치를 맞춘 후 다음의 결과를 도출한다.

$$\begin{array}{r} 4.000 \quad\quad \times 10^3 \\ 0.000001 \times 10^3 \\ \hline 4.000001 \times 10^3 \end{array}$$

숫자 시스템의 한계로 결과는 4.000×10^3이다. 따라서 덧셈을 수행하지 않은 것과 같다. 이러한 종류의 오차는 무한 급수의 근사를 계산할 때 발생할 수 있다. 이러한 배열의 초기 항들은 상대적으로 후반부의 항들보다 종종 크다. 합에 몇 개의 항들이 더해지고 난 후, 작은 숫자를 큰 숫자에 더하는 상황에 처한다. 이러한 종류의 오차를 완화하는 방법 중 하나는 급수의 순서를 반대로 더하는 것이다. 이 방법으로, 각각의 새로운 항들은 누적되는 합의 크기와 비교될 만한 크기를 같게 될 것이다. 물론 이는 몇 개의 항들을 고려해야 하는지, 즉 계산을 어디서부터 시작해야 되는지에 관한 질문을 불러일으킨다.

오염(smearing). 오염은 덧셈의 개별 항이 합보다 클 때 발생한다. 부호가 섞여 있는 급수를 계산할 때가 한 예가 된다. 이전에 기술한 바와 같이, 두 개의 큰 숫자를 빼서 매우 작은 숫자, 중요한 차이가 발생할 때도 또한 발생할 수 있다.

내적. 이전 절에서 분명히 언급했듯이, 몇몇의 무한 급수의 근사는 특히 반올림오차에 취약하다. 운 좋게도 급수의 계산은 수치해석의 일반적인 계산은 아니다. 보다 일반적인 조작은 다음과 같은 두 개의 벡터의 내적 계산이다.

$$\mathbf{x}'\mathbf{y} = \sum_{i=1}^{n} x_i y_i = x_1 y_1 + x_2 y_2 + \cdots x_n y_n$$

특히 연립 선형대수방정식의 해를 푸는 데 이러한 계산은 매우 빈번하다. 특히 n이 클 때 합은 반올림오차에 취약하다. 결과적으로 파이썬에서 소수점 표현 방식의 숫자를 표현할 때 사용하는 IEEE 표준이 유리함을 발견할 수 있다.

4.3 절단오차

절단오차는 정확한 수학적 과정 중에서 근사를 사용함으로써 얻어지는 결과이다. 예를 들면, 1장에서 번지점프하는 사람의 속도 도함수를 다음에 기술된 형식의 유한차분법으로 근사하였다[식 (1.11)].

$$\frac{dv}{dt} \cong \frac{\Delta v}{\Delta t} = \frac{v(t_{i+1}) - v(t_i)}{t_{i+1} - t_i} \tag{4.8}$$

차분식은 미분의 참값을 근사하기 때문에 절단오차가 수치적 해에 포함되었다(그림 1.3 참고). 이러한 오차의 특성에 대한 감각을 익히기 위하여, 수치해석에서 널리 쓰이는 함수를 근사하기 위하여 사용되는 수학적 공식인 테일러(Taylor) 급수에 집중할 것이다.

4.3.1 테일러 급수(Taylor Series)

테일러 정리[4]와 그와 관련된 공식인 **테일러 급수**는 수치해석에서 큰 의미를 갖는다. 테일러 급수는 다음과 같이 한 개의 독립변수의 함수로 표현할 수 있다.

테일러 정리: 만약 함수 f와 그의 $n + 1$번째 도함수가 x_i부터 $x_{i+1} = x_i + h$ 사이의 구간에서 연속이라면 함수의 x_{i+1}에서의 값은 테일러 급수로 다음과 같이 표현된다.

$$f(x_{i+1}) = f(x_i) + f'(x_i)h + \frac{f''(x_i)}{2}h^2 + \frac{f^{(3)}(x_i)}{3!}h^3 + \cdots + \frac{f^{(n)}(x_i)}{n!}h^n + R_n \tag{4.9}$$

나머지는 다음과 같이 정의된다.

$$R_n = \frac{f^{(n+1)}(\xi)}{(n + 1)!}h^{n+1} \tag{4.10}$$

아래첨자 n은 n차 근사의 나머지를 의미하고, ξ는 x_i와 x_{i+1} 사이에 위치한 x의 값을 의미한다.

기준점인 x_i에서의 함수와 그의 미분값은 상수임을 고려하면, 테일러 급수는 어떠한 매끄러운 함수는 다항식으로 근사 가능하다고 이야기한다. 테일러 급수는 실제적 결과를 만들어 내는 데 사용할 수 있는 수학적 형식의 표현 방법을 제공한다.

테일러 급수에 관련된 감을 얻는 데 유용한 방법은 각 항을 만들어 보는 것이다. 이를 위한 좋은 예는 한 점에서의 함숫값을 다른 점에서의 함숫값과 그 미분값으로 예측하는 것이다.

---

4) 1712년에 이를 발표한 영국 수학자, Brook Taylor의 이름을 따랐다.

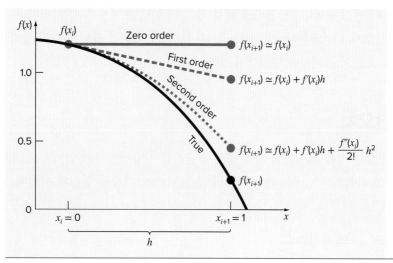

그림 4.7 $x = 1$에서 $f(x) = -0.1x^4 - 0.15x^3 - 0.5x^2 - 0.25x + 1.2$의 0차, 1차 그리고 2차 테일러 급수 전개 근사.

당신이 눈을 가리고 언덕의 한 곳에 위치하여 아래 방향을 보고 있다고 가정하자(그림 4.7). 이 때 수평 위치를 x_i, 언덕 바닥으로부터의 수직 거리를 $f(x_i)$라 가정하자. 당신에게 수평 거리 h만큼 떨어진 x_{i+1} 위치의 높이를 예측하라는 일이 주어졌다.

먼저 당신은 완벽하게 수평인 플랫폼에 위치하고 있어서 언덕이 당신으로부터 낮아지는지 혹은 높아지는지 알 수 없다. 이때 당신의 x_{i+1}에 대한 가장 좋은 예측은 무엇일까 생각한다면(당신 앞에 무엇이 놓여 있는지 알 수 없다는 것을 기억하라), 최선의 예측은 당신이 서 있는 것과 같은 높이라고 답하는 것이다. 당신의 이러한 예측을 수학적으로 다음과 같이 표현할 수 있다.

$$f(x_{i+1}) \cong f(x_i) \tag{4.11}$$

이 관계식은 0차 근사라고 불리고, 새로운 점에서의 f값을 예전 점에서의 값과 같다고 인식한다. 이 결과가 직관적으로 옳은 이유는 x_i와 x_{i+1}이 서로 매우 가깝다면 새로운 값은 아마도 예전 값과 유사할 것이 때문이다.

식 (4.11)은 만약 함수가 근사되었다면 완벽한 예측을 제공하고, 실제로 이는 상수이다. 우리 문제에서는 당신이 완벽하게 평평한 평지에 서 있다면 옳을 것이다. 하지만 만약 함수가 구간 내에서 변화한다면 더 나은 예측을 제공하기 위하여 테일러 급수의 추가적인 항이 요구된다.

이제 당신은 플랫폼에서 나와 언덕의 표면에 서서 한 발을 앞으로 내딛는다. 당신은 즉시 앞발이 뒷발보다 낮아졌음을 느낀다. 사실 당신은 높이의 차이 Δf를 측정하고, 높이 차이를 당신의 두 발 사이의 거리 Δx로 나눔으로써 수치적으로 경사를 예측할 수 있다. 이는 당신이 x_{i+1}에서의 높이를 예측하는 데 분명히 더 나은 정보를 제공한다. 요약하자면, 당신은 x_{i+1}으로 직선을 투사하여 경사 예측을 하였다.

$$f(x_{i+1}) \cong f(x_i) + \frac{\Delta f}{\Delta x}h \tag{4.12}$$

$\Delta f / \Delta x$는 x_i에서 x에 대한 f의 1차 도함수의 예측값이다. 만약 당신이 완벽한 경사 예측을 원한다면, $\Delta f / \Delta x \rightarrow df/dx$ 혹은 $f'(x_i)$이고, 식 (4.12)는 보다 간략하게 다음과 같이 표현될 수 있다.

$$f(x_{i+1}) \cong f(x_i) + f'(x_i)h \tag{4.13}$$

이는 추가적인 1차항이 $f'(x_i)$에 x_i와 x_{i+1} 사이의 거리인 h를 경사에 곱한 값을 포함하므로 1차 근사라 불린다. 따라서 이 표현은 x_i와 x_{i+1} 사이의 함수의 증가 혹은 감소를 예측할 수 있는 직선의 형태이다.

비록 식 (4.13)은 변화를 예측할 수 있지만 직선 함수이거나 선형 변화에 대해서만 정확하다. 보다 나은 예측을 하기 위하여 우리 식에 더 많은 항을 추가하여야 한다. 따라서 이제 당신은 언덕에 서서 두 번의 측정을 수행한다. 우선 당신은 하나의 발을 x_i에 고정하고 다른 발을 Δx만큼 뒤로 움직여 당신 뒤쪽의 경사를 측정한다.

$$f'_b(x - \Delta x) = \frac{f(x_i) - f(x_{i-1})}{\Delta x}$$

그 후 하나의 발을 x_i에 고정하고 다른 발을 Δx만큼 앞으로 움직여 앞쪽의 경사를 측정한다.

$$f'_f(x_i + \Delta x) = \frac{f(x_{i+1}) - f(x_i)}{\Delta x}$$

뒤쪽 경사가 앞쪽보다 완만함을 바로 인식한다. 명백하게 높이의 감소는 당신 앞에서 밑으로 '가속'하고 있고, 이상한 점은 $f(x_{i+1})$이 당신의 이전 선형 예측보다 더 낮다는 점이다. 이 예측의 정도를 수치적으로 구하기 위하여 도함수의 도함수인 2차 미분을 예측하기 위한 후방 그리고 전방 경사를 사용할 수 있다.

$$f''(x_i) \cong \frac{\dfrac{f(x_{i+1}) - f(x_i)}{\Delta x} - \dfrac{f(x_i) - f(x_{i-1})}{\Delta x}}{\Delta x} = \frac{f(x_{i+1}) - 2f(x_i) - f(x_{i-1})}{(\Delta x)^2} \tag{4.14}$$

식 (4.9)의 예측 식에 2차항을 추가할 수 있다.

$$f(x_{i+1}) \cong f(x_i) + f'(x_i)h + \frac{f''(x_i)}{2}h^2 \tag{4.15}$$

언덕의 하강 경사를 계산하여 향상된 예측을 도출하는 다항식을 테일러 급수를 사용하여 만들었다. 또한 테일러 정리가 다항식으로서 어떠한 매끄러운 함수도 근사할 수 있고, 테일러 급수가 수학적으로 이러한 생각을 어떻게 표현하는지 확인하였다.

함수의 곡률을 포착하기 위하여 완전한 테일러 급수 전개와 같이 더 많은 미분항을 계속적으로 추가할 수 있다.

$$f(x_{i+1}) = f(x_i) + f'(x_i)h + \frac{f''(x_i)}{2}h^2 + \frac{f^{(3)}(x_i)}{3!}h^3 + \frac{f^{(4)}(x_i)}{4!}h^4 + \cdots \tag{4.16}$$

이 식은 무한급수를 표현하므로, 식 (4.11), 식 (4.13), 식 (4.15)에서 등호(=)는 근사 표현($\cong$)

으로 대체되었다.

일반적으로 n차 테일러 급수 전개는 n차 다항식에 대하여 정확하다. 지수함수 혹은 삼각함수와 같은 미분 가능하고 연속적인 함수의 경우에는 유한한 급수항은 정확한 예측을 도출하지 못한다. 각각의 추가 항은 작지만 어느 정도의 근삿값 향상에 기여한다. 이러한 현상은 예제 4.3에서 이야기할 것이다. 무한한 숫자의 항이 더해졌을 때에만 급수는 정확한 결과를 도출한다.

비록 앞에서 기술한 내용이 사실이지만 테일러 급수 전개의 가치는 대부분의 경우 단지 몇 개의 항을 더하는 것만으로도 실용적인 목적을 위한 충분한 근삿값을 도출한다. '충분히 가까운' 값을 얻기 위하여 몇 개의 항이 요구되는가는 전개의 나머지 항에 달려 있다.

$$R_n = \frac{f^{(n+1)}(\xi)}{(n+1)!} h^{n+1} \tag{4.17}$$

이 관계식은 두 가지 중요한 한계를 갖는다. 첫 번째 ξ를 정확하게 알지 못하고 단지 x_i와 x_{i+1} 사이에 놓여 있다는 점이다. 두 번째 식 (4.17)을 계산하기 위하여 $f(x)$의 $n + 1$차 미분을 결정하여야 한다. 이를 위하여 $f(x)$를 알아야 한다. 만약 우리가 $f(x)$를 안다면, 처음부터 테일러 급수 전개를 할 필요가 없었을 것이다. 이러한 분명한 단점에도 불구하고 식 (4.17)은 여전히 절단오차에 대한 중요한 통찰력을 얻는 데 유용하다. 이는 식에서 h와 관련된 항을 <u>제어한다는 점이다.</u> 다시 말하면, $f(x)$를 계산하기 위하여 x로부터 얼마만큼 떨어져 있을지를 선택할 수 있고, 또한 전개식에 몇 개의 항을 추가할지를 선택할 수 있다. 결과적으로 식 (4.17)은 종종 다음과 같이 표현된다.

$$R_n = O(h^{n+1})$$

$O(h^{n+1})$ 항은 h^{n+1} 차수의 절단오차를 의미한다. 즉 오차는 간격 크기 h의 $n + 1$ 제곱에 비례한다. 비록 이 근사가 h_{n+1} 곱의 미분의 값을 결정하는 데 있어서 무의미하더라도, 테일러 급수 전개에 기반한 수치해석의 상대적 오차를 판별하는 데는 매우 중요하다. 즉 만약 오차가 $O(h^2)$이라면 간격 크기를 반으로 줄이면 오차는 1/4이 될 것이다.

일반적으로 절단오차는 테일러 급수의 항을 추가함으로써 항상 감소한다고 가정할 수 있다. 많은 경우 만약 h가 충분히 작다면 1차항 그리고 낮은 차 항들은 항상 오차의 높은 비율을 차지한다. 따라서 적절한 근사를 얻기 위하여 단지 몇 개의 항만이 요구된다. 이러한 특성이 다음 예시에 기술되어 있다.

예제 4.3	테일러 급수 전개를 통한 함수의 근사

문제 정의 $x_{i+1} = \pi/3$에서 $f(x) = \cos(x)$를 근사하기 위하여 $f(x)$의 값과 $x_{i+1} = \pi/4$에서의 도함수 값을 이용하여 $n = 0$부터 6까지 테일러 급수 전개를 수행하라. 이는 $h = \pi/3 - \pi/4 = \pi/12$임을 의미한다.

풀이 함수를 알고 있으므로 참값인 $f(\pi/3) = 0.5$를 계산할 수 있다. 0차 근사는 식 (4.11)로부터 다음과 같다.

$$f\left(\frac{\pi}{3}\right) \cong \cos\left(\frac{\pi}{4}\right) = \frac{1}{\sqrt{2}} \cong 0.7071067811865476 \qquad \text{파이썬의 완전 정밀도(full precision)}$$

이는 참 백분율 상대오차로 다음과 같다.

$$\varepsilon_t = \left| \frac{0.5 - 0.7071067811865476}{0.5} \right| \times 100\% \cong 41.4\%$$

1차 근사[식 (4.13)]를 위하여, $f'(x) = -\sin(x)$인 1차 미분 항을 더한다.

$$f\left(\frac{\pi}{3}\right) \cong \cos\left(\frac{\pi}{4}\right) - \sin\left(\frac{\pi}{4}\right)\left(\frac{\pi}{12}\right) \cong 0.5219866587632823$$

$\varepsilon_t \cong 4.40\%$이다. 2차 근사를 위하여 2차 미분 항 $f''(x) = -\cos(x)$을 더한다.

$$f\left(\frac{\pi}{3}\right) \cong \cos\left(\frac{\pi}{4}\right) - \sin\left(\frac{\pi}{4}\right)\left(\frac{\pi}{12}\right) - \frac{\cos(\pi/4)}{2}\left(\frac{\pi}{12}\right)^2 \cong 0.4977544914034251$$

$\varepsilon_t \cong 0.449\%$이다. 따라서 추가항을 더하는 것은 예측값의 정밀도를 향상시킨다. 이 과정을 반복하여 얻은 결과는 다음 표와 같다.

Order (n)	$f^{(n)}(x)$	$f(\pi/3)$ Taylor	$\|\varepsilon_t\|$
0	$\cos(x)$	0.707106781	−41.4%
1	$-\sin(x)$	0.521986659	−4.40%
2	$-\cos(x)$	0.497754491	0.449%
3	$\sin(x)$	0.499869147	0.0262%
4	$\cos(x)$	0.500007551	−0.00151%
5	$-\sin(x)$	0.500000304	−0.0000608%
6	$-\cos(x)$	0.499999988	0.00000244%

다항식의 경우와 같이 미분값이 0으로 수렴하지 않음에 주의하라. 각각의 추가 항이 예측에 어느 정도의 향상을 불러왔음을 확인하라. 하지만 대부분의 향상이 처음 몇 개의 항에 의하여 도출되었음에 유의하라. 3차 항을 더할 때 오차는 0.0262%로 줄었는데, 이는 참값의 99.974%를 얻었다는 것을 의미한다. 결과적으로 비록 더 많은 항의 추가가 오차를 더욱 줄이지만 예측값의 정밀도 향상은 무시할 수 있을 수준으로 변한다.

4.3.2 테일러 급수 전개의 나머지 항

테일러 급수가 수치 오차를 예측하는 데 어떻게 사용되는지 이야기하기 전에 왜 식 (4.17)에 ξ인자를 더했는지 설명해야 한다. 이를 위하여 간단한 시각적인 예시를 사용하고자 한다.

식 (4.11)의 테일러 급수 전개의 0차 항 이후를 절단했다고 가정하자.

$$f(x_{i+1}) \cong f(x_i)$$

그림 4.8에 0차 예측의 시각적 표현이 표시되었다. 이 예측 식의 나머지 혹은 R_0로 표시된 오차는 그림에서 보듯이 절단된 무한 급수로 구성되어 있다.

$$R_0 = f'(x_i)h + \frac{f''(x_i)}{2!}h^2 + \frac{f'''(x_i)}{3!}h^3 + \cdots$$

무한 급수 형식으로 나머지를 다루는 것은 불편하다. 한 가지 단순화하는 방법은 나머지 예측 그 자체를 절단하는 것이다.

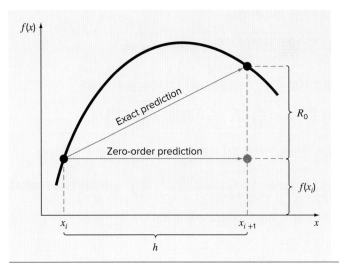

그림 4.8   0차 테일러 급수 예측 및 오차의 시각적 묘사.

$$R_0 \cong f'(x_i)h \tag{4.18}$$

비록 이전 절에서 기술한 바와 같이 낮은 차수의 항들은 높은 차수 항들보다 항상 나머지의 많은 부분을 담당하기 때문에, 절단한 2차 그리고 고차 항들로 인하여 이 결과는 정확하지 못하다. '정확하지 못함'은 식 (4.18)의 근사 등호 표현($\cong$)으로 표시되었다.

다른 단순화 방법은 근사를 등호 관계로 전환할 수 있는 그래프에 기반한다. 그림 4.9에 보이는 것과 같이 **미분 평균값 정리**는 만약 함수 $f(x)$와 그 1차 미분이 x_i부터 x_{i+1} 사이의 구간에서 연속이라면, $\{x_i, f(x_i)\}$와 $\{x_{i+1}, f(x_{i+1})\}$을 잇는 선과 평행한 $f'(\xi)$의 경사를 갖는 적어도 하나 이상의 함수가 존재한다. 매개변수 ξ[5]는 이 경사를 갖는 위치의 x값을 표시한다. 이 정리의 물리적인 묘사는 만약 당신이 평균 속도로 두 지점 사이를 여행한다면, 평균 속도로 움직이는 순간이 여행 중 적어도 한 번 이상 존재한다는 뜻이다. ξ는 유일하지 않을 수 있다. 즉, 이 현상이 발생하는 곳이 한 곳 이상일 수 있다. 하지만, 중요한 핵심은 오차 예측이 정확한 적어도 하나의 x값이 구간 안에 존재한다는 것이다.

이 정리를 이용함으로써 그림 4.9에 묘사된 것과 같이 경사 $f'(\xi)$는 높아진 거리 R_0를 거리 h로 나눈 것과 같다.

$$f'(\xi) = \frac{R_0}{h}$$

다시 정렬하면 다음을 얻는다.

$$R_0 = f'(\xi)h \tag{4.19}$$

---

5)   이는 그리스문자 zeta가 아닌 Xi이다. 현대 그리스어로 '크사이'라고 발음되며 그리스 알파벳에 14번째에 위치한다.

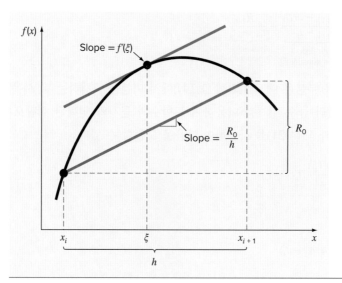

그림 4.9 평균값 정리에 대한 시각적 묘사.

따라서 식 (4.17)의 0차 형태를 도출하였다. 고차 형태는 식 (4.19)를 도출하는 데 사용한 논리의 확장이다. 1차 형태는 다음과 같다.

$$R_1 = \frac{f''(\xi)}{2!}h^2 \tag{4.20}$$

이 경우 ξ값은 식 (4.20)을 정확하게 만드는 2차 미분에 대응되는 x값이 된다. 유사한 고차 형태도 식 (4.17)로부터 개발 가능하다.

4.3.3 절단오차를 예측하기 위한 테일러 전개 사용

테일러 급수는 절단오차를 예측하는 데 매우 유용하기는 하지만, 수치해석에 이러한 전개가 어떻게 적용되는지는 아직 명확하지 않을 수 있다. 사실 우리는 이미 1장의 번지점프하는 사람 예제에서 이미 이 과정을 수행하였다. 예제 1.1과 예제 1.2의 목적이 시간의 함수로써 속도의 예측이었음을 기억하라. 즉, $v(t)$를 결정하는 것에 관심이 있었다. 식 (4.9)에서 구체적으로 기술된 바와 같이 $v(t)$는 테일러 급수로 다음과 같이 전개 가능하다.

$$v(t_{i+1}) = v(t_i) + v'(t_i)(t_{i+1} - t_i) + \frac{v''(t_i)}{2!}(t_{i+1} - t_i)^2 + \cdots + R_n$$

이제 1차 미분 항 이후의 급수를 절단하자.

$$v(t_{i+1}) = v(t_i) + v'(t_i)(t_{i+1} - t_i) + R_1 \tag{4.20-1}$$

식 (4.20-1)은 $v'(t)$에 대하여 풀이할 수 있다.

$$v'(t_i) = \underbrace{\frac{v(t_{i+1}) - v(t_i)}{t_{i+1} - t_i}}_{\substack{\text{First-order} \\ \text{approximation}}} - \underbrace{\frac{R_1}{t_{i+1} - t_i}}_{\substack{\text{Truncation} \\ \text{error}}} \tag{4.21}$$

식 (4.21)의 처음 부분은 예제 1.2[식 (1.11)]에서 미분을 근사하는 데 사용한 것과 같은 관계식이다. 어쨌든 테일러 급수 전개를 이용하여 도함수의 근사와 연관된 절단오차의 추정치를 얻을 수 있다. 식 (4.17)과 식 (4.21)을 사용하여 다음을 도출할 수 있다.

$$\frac{R_1}{t_{i+1} - t_i} = \frac{v''(\xi)}{2!}(t_{i+1} - t_i)$$

혹은

$$\frac{R_1}{t_{i+1} - t_i} = O(t_{i+1} - t_i)$$

그러므로 도함수의 예측치[식 (1.11) 혹은 식 (4.21)의 처음 부분]는 $t_{i+1} - t_i$의 차수를 갖는 절단오차를 가진다. 즉, 우리의 미분 근사의 오차는 간격 크기에 비례하여야 한다. 결과적으로 간격 크기를 반으로 줄인다면 미분값의 오차도 절반으로 줄어들 것으로 기대한다. 식 (4.21)을 수치해석에서 유한차분이라고 부르며 유한차분에 대한 자세한 내용은 21장에 기술되어 있다.

4.4 총 수치오차

총 수치오차는 절단오차와 반올림오차의 합이다. 일반적으로 반올림오차를 최소화하는 유일한 방법은 컴퓨터의 유효숫자의 수를 늘리는 것이다. 추가로 반올림오차는 감산 취소 혹은 계산량 증가에 따라 증가할 수 있다는 것에 유의하라. 반대로 절단오차는 간격 크기를 줄임으로써 감소할 수 있다. 간격 크기를 줄이는 것은 감산 취소 혹은 계산량 증가를 유도함으로 반올림오차가 증가함에 따라서 절단오차는 감소된다.

그러므로 다음의 딜레마를 마주하게 된다. 총 오차의 하나의 부분을 감소시키는 전략은 다른 부분을 증가시키는 결과를 초래한다. 계산에서 절단오차를 최소화하기 위하여 간격 크기를 감소시키는 것은 반올림오차의 영향을 증가시키고, 총 오차가 증가하는 것을 유도한다. 그러므로, 이러한 방식은 문제를 야기한다(그림 4.10). 우리가 직면한 도전은 특정 계산을 위한 적절한 간격 크기를 결정하는 것이다. 절단오차의 큰 증가를 불러일으키지 않고 계산량과 반올림오차를 줄이기 위한 적절한 간격 크기를 선택해야 한다. 만약 총 오차가 그림 4.10과 같다면, 직면한 도전은 절단오차가 간격 크기 감소의 장점을 무효화하기 시작하는 전환점을 찾는 것이다.

파이썬을 사용할 때 이러한 상황은 16자리 정밀도로 인하여 비교적 일반적이지 않다. 그럼에도 이러한 경우는 종종 발생하며, 이는 컴퓨터를 활용한 수치해석을 사용할 때 얻을 수 있는 정밀도의 절대적인 한계를 정의하는 '수치적 불확실성 정리'를 제시한다. 다음 절에서 이와 관련된 사례를 탐색한다.

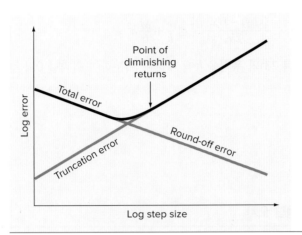

그림 4.10 수치해석 과정에서 종종 발생하는 반올림오차와 절단오차 간 상충관계의 시각적 묘사. 반올림오차가 간격 크기 축소의 장점을 없애는 점인 수확 체감(diminishing returns) 지점이 존재한다.

4.4.1 수치적 미분의 오차 분석

1차 도함수의 중앙 차분 근사는 다음과 같이 기술된다.

$$\underbrace{f'(x_i)}_{\text{True/value}} = \underbrace{\frac{f(x_{i+1}) - f(x_{i-1})}{2h}}_{\substack{\text{Finite-difference} \\ \text{approximation}}} - \underbrace{O(h^2)}_{\substack{\text{Truncation} \\ \text{error}}} \tag{4.22}$$

만약 유한차분 근사 표현 중 분자에 위치한 두 함숫값에 반올림오차가 없다면, 유일한 오차는 절단으로 인한 것이다.

하지만 우리가 디지털 컴퓨터를 사용하므로 함숫값은 다음과 같은 반올림오차를 포함한다.

$$f(x_{i-1}) = \tilde{f}(x_{i-1}) + e_{i-1}$$
$$f(x_{i+1}) = \tilde{f}(x_{i+1}) + e_{i+1}$$

$\tilde{f}'s$는 반올림한 함숫값이고 $e's$는 관련된 반올림오차이다. 식 (4.22)에 이 값들을 대입하면 다음을 얻는다.

$$\underbrace{f'(x_i)}_{\substack{\text{True} \\ \text{value}}} = \underbrace{\frac{\tilde{f}(x_{i+1}) - \tilde{f}(x_{i-1})}{2h}}_{\substack{\text{Finite-difference} \\ \text{approximation}}} + \underbrace{\frac{e_{i+1} - e_{i-1}}{2h}}_{\substack{\text{Roundoff} \\ \text{error}}} - \underbrace{\frac{f'''(\xi)}{6}h^2}_{\substack{\text{Truncation} \\ \text{error}}}$$

유한차분 근사의 총 오차는 간격 크기와 함께 감소하는 반올림오차와 간격 크기에 따라 증가하는 절단오차로 구성되어 있음을 알 수 있다.

반올림오차의 각 요소의 절댓값이 상한 ε를 가지고 있다고 가정하면, $e_{i+1} - e_{i-1}$의 차이의 최대 가능한 값은 2ε가 될 것이다. 추가로 2차 도함수가 최대 절댓값 M을 가진다고 가정하자. 총 오차의 절댓값 상한은 다음과 같이 표현할 수 있다.

$$\text{Total error} = \left| f'(x_i) - \frac{\tilde{f}(x_{i+1}) - \tilde{f}(x_{i-1})}{2h} \right| \leq \frac{\varepsilon}{h} + \frac{M}{6} h^2 \tag{4.23}$$

최적의 간격 크기는 식 (4.23)의 우변을 h에 대하여 미분하여 결과를 0과 같다고 함으로써 결정할 수 있다.

$$h_{opt} = \sqrt[3]{\frac{3\varepsilon}{M}} \tag{4.24}$$

예제 4.4	수치미분의 반올림 및 절단 오차

문제 정의 $x = 0.5$에서 다음 함수의 1차 도함수를 예측하기 위하여 $O(h^2)$의 중앙 차분 근사를 사용하였다.

$$f(x) = -0.1x^4 - 0.15x^3 - 0.5x^2 - 0.25x + 1.2$$

$h = 1$을 사용하여 같은 계산을 수행하라. 그 후 절단오차가 간격 크기를 줄여 감에 따라서 어떻게 우세해지는지 보여 주기 위하여 간격 크기를 1/10로 줄여서 계산을 반복하라. 결과를 식 (4.24)와 연관지어라. 도함수의 참값은 -0.9125임에 유의하라.

풀이 결과를 계산하고 그래프를 그리기 위하여 다음의 파이썬 함수 및 스크립트를 개발할 수 있다. 함수의 이름과 그것의 해석학적 미분함수 이름을 인자로 파이썬 함수에 전달했음에 유의하라.

```python
import numpy as np
def diffex(func,dfunc,x,n):
    dftrue = dfunc(x)
    h = 1
    H = np.zeros(n)
    D = np.zeros(n)
    E = np.zeros(n)

    H[0] = h
    D[0] = (func(x+h)-func(x-h))/2/h
    E[0] = abs(dftrue-D[0])
    for i in range(1,n):
        h = h/10
        H[i] = h
        D[i] = (func(x+h)-func(x-h))/2/h
        E[i] = abs(dftrue-D[i])
    return H,D,E

ff = lambda x: -0.1*x**4 - 0.15*x**3 - 0.5*x**2 - 0.25*x + 1.2
df = lambda x: -0.4*x**3 - 0.45*x**2 - x - 0.25

H,D,E = diffex(ff,df,0.5,11)
print( '   step size     finite difference      true error')
for i in range(11):
    print('{0:14.10f} {1:16.14f}  {2:16.13f}'.format(H[i],D[i],E[i]))
```

스크립트가 실행되었을 때 결과는 다음과 같다.

```
   step size        finite difference        true error
1.0000000000      -1.26250000000000       0.3500000000000
0.1000000000      -0.91600000000000       0.0035000000000
0.0100000000      -0.91253500000000       0.0000350000000
0.0010000000      -0.91250035000001       0.0000003500000
0.0001000000      -0.91250000349985       0.0000000034998
0.0000100000      -0.91250000003318       0.0000000000332
0.0000010000      -0.91250000000542       0.0000000000054
0.0000001000      -0.91249999945031       0.0000000005497
0.0000000100      -0.91250000333609       0.0000000033361
0.0000000010      -0.91250001998944       0.0000000199894
0.0000000001      -0.91250007550059       0.0000000755006
```

그림 4.11과 같이, 얻어진 결과는 예상과 같다. 먼저 반올림오차는 최솟값을 가지고 절단오차가 예측값을 지배한다. 따라서 식 (4.23)과 같이, 총 오차는 간격 크기를 1/10로 줄이면 매회 100배씩 떨어진다. 하지만, h = 0.0001 부근에서 시작하여 반올림오차가 증가하고 오차가 줄어드는 경향이 발생하는 것을 확인할 수 있다. 최소 오차는 $h = 10^{-6}$에서 얻어졌다. 이 점 이후에는 반올림오차가 우세해진다.

쉽게 미분 가능한 함수를 다루고 있기 때문에, 이러한 결과가 식 (4.24)와 일치하는지를 조사할 수 있다. 첫 번째로 함수의 3차 미분을 계산함으로써 M을 예측할 수 있다.

$$M = |f'''(0.5)| = |-2.4 \cdot 0.5 - 0.9| = 2.1$$

파이썬이 기저-10으로 16자리 소수점 정밀도를 갖고 있기 때문에 대략적인 반올림오차의 상한은 $\varepsilon = 10^{-16}$ 정도이다. 이 값을 식 (4.24)에 대입하면 다음을 얻는다.

$$h_{\text{opt}} = \sqrt[3]{\frac{3\left(1 \times 10^{-16}\right)}{2.1}} = 5.2 \times 10^{-6}$$

이는 파이썬 스크립트에서 얻은 1×10^{-6}의 결과와 같은 차수를 갖는다.

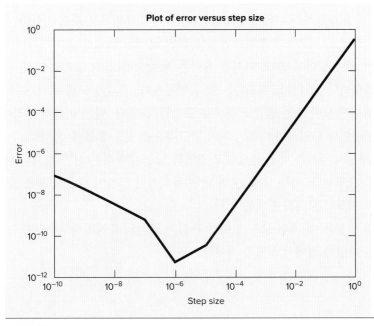

그림 4.11

4.4.2 수치오차의 제어

대부분의 실제 문제에서 수치오차와 연관된 정확한 오차는 알 수 없다. 물론 예외는 정확한 해를 아는 경우이지만, 이 경우는 수치적 근사를 필요 없게 만든다. 그러므로 대부분의 공학 그리고 과학적 응용 분야에서 계산의 오차의 어떤 예측값을 가져야 한다.

모든 문제에 해당하는 수치오차를 계산해 주는 체계적이고 일반적인 방법은 존재하지 않는다. 많은 경우 오차 예측은 공학자 혹은 과학자의 경험과 판단에 기반한다.

비록 오차 분석이 어느정도 경험의 영역이지만 우리가 제시할 수 있는 몇 가지 실용적인 프로그래밍 조언이 존재한다. 첫 번째이자 가장 중요한 것은 두 개의 매우 비슷한 숫자 간의 뺄셈을 피하라는 것이다. 이 연산이 수행될 때 유효숫자의 상실이 거의 매번 발생한다. 종종 감산 취소를 피하기 위하여 문제를 재정렬하거나 다시 작성할 수 있다. 또 숫자를 빼거나 더할 때 숫자를 정렬하여 가장 작은 숫자부터 작업하는 것이 최선이다. 이를 통하여 유효숫자의 손실을 피한다. 종종 계산이 매우 크거나 매우 작은 숫자들의 조합과 연관되어 있을 수 있다. 이때 숫자들이 비슷한 크기를 갖도록 숫자들의 크기를 조절해 줄 수 있다. 이 방법은 유효숫자의 손실을 피하고 더욱 신뢰성 있는 결과를 제공할 수 있다.

이러한 계산에서의 조언 이외에 이론적인 식을 사용하여 총 수치오차를 예측하는 것을 시도해 볼 수 있다. 테일러 전개는 이러한 오차 분석을 위한 주된 도구이다. 총 수치오차의 예측은 일반적인 크기의 문제에서도 매우 복잡하고 비관적일 수 있다. 그러므로 일반적으로 작은 크기의 문제에서만 시도된다.

수치 계산을 주로 사용하고 그 결과의 정확도를 예측하고자 하는 것이 추세이다. 이는 결과의 검증으로써 어떤 조건이나 식을 만족하는지 확인하는 것으로부터 수행된다. 또는 결과가 실제로 만족되는지를 확인하기 위하여 결과를 원래의 식에 대입하는 것도 가능하다.

마지막으로 수치오차와 불량조건에 관련된 문제의 인식을 높이기 위하여 수치적 실험을 수행할 준비가 되어 있어야 한다. 이러한 실험은 서로 다른 간격 크기나 다른 수치해석을 사용하여 계산을 반복하거나 결과들을 비교하는 것과 연관된다. 결과가 모델 매개변수나 입력값을 바꿀 때 어떻게 바뀌는지 보여 주는 민감도 분석을 도입할 수 있다. 다른 이론적 배경이나 계산 전략이 다른, 혹은 수렴성이나 안정성이 다른 수치적 알고리즘을 시도해 볼 수 있다.

수치 계산의 결과가 매우 중요하고 인명의 상실이나 혹은 심한 경제적 피해와 연관된다면 특별한 주의가 요구된다. 이는 둘 또는 더 많은 독립적인 그룹이 같은 문제를 풀고 그들의 결과를 검증을 위하여 비교하는 것과 관계된다.

오차의 역할은 이 책의 모든 절에서 관심과 분석의 주제이다. 이러한 주제에 대한 구체적 내용은 이 책의 다양한 절에서 설명할 것이다.

4.5   실수, 모델 오차 그리고 데이터 불확실성

이 책 대부분의 수치해석과 직접적으로 연관되지는 않지만, 다음의 오차의 원인은 이들은 종종 모델링 노력의 성공에 크게 영향을 끼친다. 따라서 이러한 요인을 수치적 기법을 실제 문제에 적용할 때 마음속에 항상 생각해야 한다.

4.5.1 실수

우리는 큰 실수에 익숙하다. 컴퓨터의 초창기에 잘못된 수학적 계산은 종종 컴퓨터 자체의 오작동에 기인했다. 칩 안의 중앙처리 장치와 같은 집적된 회로의 개발과 함께 이러한 원인으로 인한 오차 발생이 줄어들게 되었고 대부분의 실수는 인간의 완벽하지 못함에 기인하게 되었다.

자주 실수는 수치해석의 논의에서 제외된다. 이는 의심할 여지없이 실수는 어느 정도 피할 수 없기 때문이다. 하지만 이들의 발생을 최소화할 수 있는 몇 가지 방법이 존재한다. 특히 3장에 기술된 좋은 프로그래밍 습관은 프로그래밍 실수를 완화하는 데 매우 유용하다. 추가로 특정한 방법이 잘 동작하는지 확인하는 간단한 방법이 항상 존재한다. 이 책을 통하여 수치적 계산의 결과를 확인하는 방법을 논의한다.

4.5.2 모델오차

모델오차는 완벽하지 못하거나 오차를 포함한 수학적 모델과 연관된다. 대부분의 경우 무시될 수 있는 모델오차의 예시는 상대론적 효과를 고려하지 않은 뉴턴의 법칙의 응용이다. 예제 1.1에서 해의 적절함에 해를 끼치지 않는데, 이러한 오차는 번지점프하는 사람의 문제와 연관된 시간과 공간에서는 최솟값을 갖기 때문이다.

하지만 식 (1.7)에서와 같이 저항이 낙하 속도의 제곱에 비례하지 않고 다른 방식으로 속도와 다른 요소에 연관되어 있다고 가정하자. 혹은 공기의 흐름이 번지점프하는 사람의 경우 중요하지만 이것이 수학적 모델을 구성하는 데 고려되지 않았다고 가정하자. 이 경우 1장에서 얻은 분석적 그리고 수치적 결과가 모델로 인하여 오차를 가질 것이다. 활용할 수 있는 실험 데이터가 이러한 오차를 밝혀 줄 것이다. 이러한 종류의 오차를 인식해야 하고, 정밀도가 낮은 모델을 사용한다면 어떠한 수치해석도 적절한 결과를 제공하지 못한다는 것을 알아야 한다. 수학적 모델이 항상 강건함과 가능한 오차의 원인이라는 점을 항상 면밀히 조사해야 한다.

4.5.3 데이터 불확실성

모델이 기반이 되는 물리 데이터의 불확실성으로 인하여 종종 해석에 오차가 포함된다. 예를 들어, 한 사람이 점프를 반복하고 특정 시간 후에 그 혹은 그녀의 속도를 측정함으로써 번지점프 모델을 검증한다고 가정하자. 점프를 하는 사람이 다른 점프들과 비교하여 몇몇의 점프 동안에 더 빨리 떨어진다면 불확실성은 의심의 여지없이 이러한 측정에 연관된다. 또한 속도 측정에 사용된 기기 자체 혹은 실험자의 작동과 연관된 오차도 존재할 수 있다. 이러한 오차는 비정확성(편향오차) 그리고 비정밀함(무작위오차) 모두를 보여 준다. 만약 우리의 측정 장비가 일관적으로 속도를 낮게 혹은 높게 측정한다면, 우리는 비정확성 혹은 편향된 장치를 다루는 것이다. 반대로 만약 측정이 무작위하게 변화한다면, 측정잡음이나 정확도에 의문이 들 것이다. 편향은 종종 장비에 관하여서 인정받는 표준과의 비교를 통하여 교정할 수 있다.

측정오차는 데이터의 구체적인 특성을 가능한 많이 전달할 수 있는 하나 혹은 다수의 통계 정보를 요약함으로써 수치화할 수 있다. 이러한 세부적인 통계 수치는 다음을 표현하기 위하여 종종 선택된다. (1) 데이터의 주된 경향성 혹은 분포 중심의 위치 (2) 분포의 폭에 대응되는 데이터의 분산. 그리고 장비의 변화 혹은 환경적인 요소로 발생하는 데이터의 일시적인 변화 등에 연관되는 추가적인 수치가 존재한다. 이 책의 4부에서 회귀에 대하여 논의할 때 데이터 불확실성의 특성 분석에 대하여 논의하겠다.

비록 실수, 모델 오차, 데이터의 불확실성에 대하여 인식해야 하지만, 대부분의 경우 모델을 만들 때 사용되는 수치해석은 이러한 오차와 독립적으로 공부할 수 있다. 그러므로 이 책의 대부분에서 우리는 이러한 큰 실수가 없고, 옳은 모델을 가지고 있고, 오차가 없는 측정값을 다루고 있다고 가정한다. 이러한 조건하에 우리는 복잡한 요인에 대한 고려없이 수치오차를 연구할 수 있다.

연습문제

* 짝수번호는 온라인 사이트에 있으며 본 책 '차례' 끝부분 xxi페이지에 사이트주소가 있음.

4.1 임의의 양수 a의 제곱근을 근사하는 오래된 방법인 '분할과 평균'은 다음과 같은 식으로 표현할 수 있다.

$$x_{i+1} = \frac{x_i + a/x_i}{2}$$

그림 4.2에 기술된 알고리즘에 기반한 이 반복적 방법을 구현하는 파이썬 함수를 작성하고 테스트하라.

4.3 다음의 기저-8 숫자를 기저-10 숫자로 변환하라.
(a) 61565_8
(b) 2.71_8

4.5 당신의 컴퓨터가 0과 이 숫자보다 작은 숫자 간에 구별이 불가능할 것이라는 생각에 기반하여 파이썬에서 사용되는 가장 작은 양의 실수를 결정하라. 당신이 얻은 결과가 `np.finfo(float).tiny.`의 결과와 다를 것임에 유의하라.
(도전적 질문: 당신의 코드로부터 얻어진 이 숫자의 2베이스 로그 값과 NumPy 모듈로부터 얻어진 값을 조사하라.)

4.7 $f(x) = 1/(1\text{-}3x^2)$의 미분은 다음과 같이 주어진다.

$$\frac{6x}{(1 - 3x^2)^2}$$

$x = 0.577$에서 이 함수의 값을 구하는 데 어려움이 예상되는가? 3자리 그리고 4자리 반올림이 아닌 버림을 사용하여 계산하라.

4.9 다음의 무한 급수는 e^x를 근사하는 데 사용할 수 있다.

$$e^x \cong 1 + x + \frac{x^2}{2} + \frac{x^3}{3!} + \cdots + \frac{x^n}{n!}$$

(a) 이 맥클로린 급수 전개는 테일러 급수 전개[식 (4.13)]의 $x_i = 0$, $h = x$일 때의 특별한 경우임을 증명하라.
(b) $x_{i+1} = 0.25$일 때 x_{i+1}에서 $f(x) = e^{-x}$의 테일러 급수를 사용하라. 0차, 1차, 2차 그리고 3차 버전을 도입하고 각 경우 $|\varepsilon_t|$를 계산하라.

4.11 연습문제 4.10과 같은 계산을 수행하라. 단 $\sin(\pi/3)$을 예측하기 위한 다음 $\sin(x)$의 맥클로린 급수를 사용하라.

$$\sin(x) = x - \frac{x^3}{3!} + \frac{x^5}{5!} - \frac{x^7}{7!} + \cdots$$

4.13 만약 $f(x) = ax^2 + bx + c$라면 x의 모든 값에 대하여 식 (4.12)가 엄밀함을 증명하라.

4.15 연습문제 4.12에서 시험하였던 함수의 1차 미분값을 예측하기 위한 $O(h)$인 전방 및 후방 차분 근사와 $O(h^2)$인 중앙 차분 근사를 사용하라. 간격 크기 $h = 0.25$를 사용하여 $x = 2$에서 미분값을 계산하라. 미분값의 참값과 얻어 낸 결과를 비교하라. 테일러 급수 전개의 나머지 항과 관련하여 결과를 해석하라.

4.17 만약 $|x| < 1$이라면, 다음이 알려져 있다.

$$\frac{1}{1-x} = 1 + x + x^2 + x^3 + \cdots$$

$x = 0.1$에서 이 전개에 대하여 연습문제 4.10을 반복하라.

4.19 $h = 0.25$에서 간격 $[-2,2]$에서의 함수 $f(x) = x^3 - 2x + 4$를 고려하라. 어떤 근사가 가장 정확한지 도해적으로 묘사하기 위한 1차, 2차 미분값의 근사를 전방, 후방, 중앙 차분 근사를 사용하라. 이론적 값과 함께 세 가지 1차 미분 유한차분 근사를 그래프로 표시하고, 2차 미분값에도 같은 과정을 반복하라.

4.21 $x = \pi/6$에서 $f(x) = \cos(x)$에 대하여 예제 4.4를 반복하라.

4.23 감산 취소의 발생은 포물선, $ax^2 + bx + c$의 근을 찾는 것과 연관된다. 2차 식의,

$$x = \frac{-b \pm \sqrt{b^2 - 4ac}}{2a}$$

$b^2 \gg 4ac$인 경우, 분자의 차이는 매우 작아지고 반올림오차가 발생할 수 있다. 이러한 경우 감산 취소를 최소화하기 위한 대안 식은 다음과 같다.

$$x = \frac{-2c}{b \pm \sqrt{b^2 - 4ac}}$$

2차 식의 두 가지 버전과 함께 다음 식의 근을 계산하기 위하여 버림을 포함한 5자리 산술 계산을 사용하라.

$$x^2 - 5000.002x + 10$$

4.25 파이썬 함수를 개발하여 연습문제 4.11에 기술된 sin 함수를 위한 맥클로린 급수 전개를 계산하라. 그림 4.2의 지수함수와 유사하도록 함수를 작성하라. $\theta = \pi/3(60°)$, $\theta = 2\pi + \pi/3 = 7\pi/3(420°)$일 때 개발된 프로그램을 테스트하라. 원하는 근사 절대 오차(ε_a)를 만족하는 결과를 얻기 위하여 요구되는 반복 횟수의 차이에 대하여 설명하라.

4.27 $|x| \le 1$에 대한 x의 arctangent를 위한 맥클로린 급수 전개는 다음과 같다.

$$\tan^{-1}(x) = \sum_{n=0}^{\infty} \frac{(-1)^n}{2n+1} x^{2n+1}$$

(a) 처음 4개의 항을 기술하라.

(b) 가장 간단한 형식인 $\tan^{-1}(x) \cong x$부터 시작하여, $\tan^{-1}(\pi/6)$을 예측하기 위하여 한 번에 하나의 항씩 추가하라. 새로운 항이 더해진 후, 참 그리고 근사 상대오차를 계산하라. 계산기 혹은 파이썬을 사용하여 참값을 계산하라. 근사 오차 예측이 유효숫자 3자리를 보장하는 오차 기준 아래로 떨어질 때까지 항을 계속 추가하라.

근과 최적화

Roots and Optimization

2.1 개요

다음과 같은 2차 방정식의 근의 공식을 사용하여

$$x = \frac{-b \pm \sqrt{b^2 - 4ac}}{2a} \tag{PT2.1}$$

다음의 2차 방정식의 해를 구하는 방법을 배웠다.

$$f(x) = ax^2 + bx + c = 0 \tag{PT2.2}$$

식 (PT2.1)으로 계산된 값을 식 (PT2.2)의 '근'이라고 하며, 식 (PT2.2)를 0으로 하는 값이다. 이런 이유로 근의 방정식의 **영점**(*zeros*)이라고 한다.

비록 근의 공식으로 식 (PT2.2)를 쉽게 풀 수 있지만, 근을 쉽게 구하지 못하는 함수도 많다. 디지털 컴퓨터가 출현하기 전에는 이러한 방정식의 근을 구하는 여러 가지 방법이 있었다. 일부 경우에 식 (PT2.1)과 같은 식을 사용하여 직접적인 방법으로 근을 구할 수 있었다. 이렇게 직접적으로 풀 수 있는 방정식들도 있지만, 그렇지 못한 경우가 더 많다. 이런 경우에 유일한 대안은 근사해 기법을 사용하는 것이다.

근사해를 구하는 한 가지 방법은 함수의 그래프를 그려 x축과 만나는 점을 찾는 것이다. $f(x) = 0$을 만족하는 x값인 점이 근이다. 그래프를 사용하는 방법은 개략적인 근을 구할 수는 있으나 정밀성이 결여되기 때문에 한계가 있다. 다른 대안은 **시행착오법**(*tiral and error*)을 이용하는 것이다. 이 기법은 x의 값을 가정해서 $f(x)$가 0이 되는지를 평가하는 것이다. 만약 $f(x)$가 0이 아니면(대부분의 경우가 여기에 해당된다) 다른 가정값을 설정하여, 이것이 보다 좋은 근삿값인가를 알아보기 위해서 이 값에서의 $f(x)$를 다시 계산한다. 이와 같은 과정을 $f(x)$가 0에 가까워지는 가정값을 도출할 때까지 반복한다.

이렇게 막연히 근을 구하는 방법을 공학과 과학의 문제에 적용하기에는 비효율적이며 적합하지 못하다. 수치해법은 근사적이지만 참해로 가기 위한 체계적 전략을 적용할 수 있는 대안이 된다. 다음에 설명할 체계적인 방법과 컴퓨터를 동시에 사용하면 단순하고 효율적으로 대부분의 방정식의 근을 구할

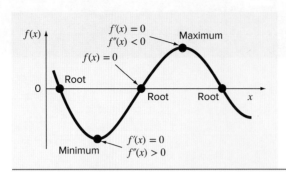

그림 PT2.1   근과 최적값의 차이점을 보여 주는 단일변수의 함수.

수 있다. 근 이외에도 공학자와 과학자들이 흥미를 가지는 함수의 또 다른 특성은 최솟값과 최댓값이다. 이러한 최적값의 결정을 **최적화**(*optimization*)라 한다. 미적분학에서 배웠듯이 이러한 해는 그래프가 평평한 곳 즉, 도함수가 0인 곳의 값으로 해석적으로 구할 수 있다. 때때로 이러한 해석해가 가능하지만, 대부분 실제 최적화 문제는 수치적인 컴퓨터 해를 요구한다. 수치적 관점에서 최적화 기법은 이미 언급한 근 구하는 방법과 유사하다. 즉, 두 가지 방법 모두 함수상의 어떤 위치를 가정하는 것과 찾는 것을 포함하고 있다.

두 문제 유형 사이의 근본적 차이점은 그림 PT2.1에서 설명된다. 근 구하는 방법은 함수의 값이 0이 되는 곳을 찾는 것이다. 반면에 최적화 기법은 함수의 극점을 찾는 것이다.

2.2 구성

2부의 처음 두 장은 근을 구하는 방법에 대한 내용에 할애한다. **5장**은 근을 찾기 위한 **구간법**(*bracketing method*)에 초점을 두고 있다. 이 방법은 근을 포함하는 구간을 설정하여 구간의 폭을 체계적으로 줄여 나가는 것이다. 구간법에는 **이분법**(*bisection*)과 **가위치법**(*false position*)이 있다. 이러한 방법을 시각적으로 이해하기 위해 그래프를 사용하는 방법을 이용한다. 미리 설정된 정밀도로 근을 추정하는 데 얼마나 많은 연산력이 필요할지를 결정하기 위해 오차공식이 개발되었다.

6장은 **개방법**(*open method*)을 다룬다. 이 방법 또한 체계적인 시행착오 반복법을 사용하지만 근이 초기가정 구간 내에 존재할 필요는 없다. 이 방법은 일반적으로 구간법보다 효율적이지만 항상 근을 찾을 수 있는 것은 아니다. **고정점 반복법**(*fixed-point iteration*), *Wegstein*법, *Newton-Raphson* 방법, **할선법**(*secant method*) 등의 여러 가지 개방법을 설명한다.

각각의 개방법에 대해 설명한 후, 구간법의 신뢰성과 개방법의 수렴속도를 갖는 혼합법인 *Brent*의 근 구하는 방법(*Brent's root-finding method*)을 다룬다. 이 방법은 SciPy의 하위 모듈인 optimize에서 찾을 수 있는 파이썬의 근 구하는 함수인 brentq의 기초가 된다. 공학과 과학 분야의 문제를 푸는 데 brentq가 어떻게 사용되는지 설명한 후, 6장의 끝에서는 다항식의 근을 찾는 특수한 방법에 대해 간단히 설명한다. 특히 이러한 작업을 위해 NumPy 모듈에 있는 파이썬의 편리한 내장기능들을 설명한다.

7장은 최적화를 다룬다. 먼저 어떤 단일 변수의 함수에서 최적값을 구하기 위한 구간법으로 **황금분할탐색법**(*golden-section search*)과 **2차 보간법**(*parabolic interpolation*)에 대해 설명한다. 그 후에 황금분할탐색법과 2차 보간법을 결합하여 만든 강력한 혼합방법을 설명한다. 이 방법도 Brent가 고안한 것으로 SciPy의 하위 모듈인 optimize에서 찾을 수 있는 파이썬의 1차원 근 구하기 함수 minimize_scalar의 기초가 된다. minimize_scalar를 설명한 후에 이 장의 마지막 부분에서는 다차원 함수의 최적화를 설명한다. minimize 함수의 영역에서 SciPy optimize 하위 모듈의 기능 사용을 설명하는 데 중점을 둔다. 마지막으로 이 장의 끝부분에서 공학과 과학 분야의 최적화 문제를 푸는 데 어떻게 파이썬이 적용되는지 예를 들어 설명한다.

근: 구간법

Roots: Bracketing Methods

학습 목표

이 장의 주요목표는 단일 비선형방정식의 근을 구하기 위해 구간법을 익히는 것이다. 특정한 목표와 주제는 다음과 같다.

- 근 구하는 문제가 무엇인지와 공학과 과학분야에서 발생하는 근 구하는 문제의 이해
- 그래프를 이용하여 근을 구하는 방법
- 증분탐색법과 그 한계점의 이해
- 이분법으로 근을 구하는 방법
- 이분법과 다른 근 구하기 알고리즘에서의 오차 비교
- 가위치법에 대한 이해와 가위치법과 이분법의 차이점, 이분법으로 근을 구하는 방법

이런 문제를 만나면

의학 연구에 의하면 속도가 자유낙하 4초 후에 36 m/s를 초과할 경우, 심각한 척추 손상을 입을 가능성이 매우 높다고 한다. 항력계수가 0.25 kg/m로 주어질 때 이러한 기준을 초과하는 질량을 결정하는 일이 주어졌다고 하자.

앞서 공부한 것처럼 다음 식은 시간의 함수로 낙하속도를 예측할 수 있는 해석해이다.

$$v(t) = \sqrt{\frac{mg}{c_d}} \tanh\left(\sqrt{\frac{c_d g}{m}}\ t\right) \tag{5.1}$$

위의 방정식은 m에 대해 외재적으로 풀 수 없다. 그 이유는 질량 m을 방정식의 좌변으로 따로 분리할 수 없기 때문이다.

이 문제를 풀 수 있는 대안은 양변에서 $v(t)$를 빼서 다음과 같이 새로운 함수로 만드는 것이다.

$$f(m) = \sqrt{\frac{mg}{c_d}} \tanh\left(\sqrt{\frac{c_d g}{m}}\ t\right) - v(t) \tag{5.2}$$

이제 이 문제의 답은 함수를 0으로 만드는 m의 값이다. 따라서 우리는 이것을 '근 구하는 문제'라한다. 이 장에서는 이러한 해를 구하기 위한 도구로 컴퓨터가 어떻게 사용되는지를 소개한다.

5.1 공학과 과학 분야에서의 근

방정식의 근을 구하는 문제는 다른 분야에서도 발생하지만, 공학 설계 분야에서 자주 발생한다. 표 5.1은 설계작업 시에 사용되는 많은 기본적인 원리를 정리한 것이다. 1장에서 소개한 바와 같이 이러한 원리로부터 유도된 수학 방정식 또는 수학적 모델은 독립변수, 강제함수 그리고 매개변

표 5.1   설계문제에서 사용되는 기본 원리.

Fundamental Principle	Dependent Variable	Independent Variable	Parameters
Thermal energy balance	Temperature		Thermal properties of material, system geometry
Mass balance	Concentration or quantity of mass		Chemical behavior of material, mass transfer, system geometry
Force balance	Magnitude and direction of forces	Time and Position	Strength of material, structural properties, system geometry
Mechanical energy balance	Changes in kinetic and potential energy		Mass and properties of material, system geometry
Newton's laws of motion	Acceleration, velocity and location		Mass of material, system geometry, dissipative parameters
Kirchoff's laws	Electrical currents and voltages	Time	Electrical properties (resistance, capacitance, inductance).

수의 함수로서 종속변수를 예측하는 데 사용된다. 이런 경우에 종속변수는 시스템의 성능 또는 상태를 나타내고, 매개변수는 시스템의 성질이나 구성을 나타낸다.

이러한 모델의 한 예가 번지점프하는 사람의 속도를 나타내는 식이다. 매개변수를 알고 있다면 식 (5.1)은 번지점프하는 사람의 속도를 예측하는 데 사용될 수 있다. 이러한 계산은 속도 v가 모델 매개변수의 함수로서 **외재적**(*explicitly*)으로 표현될 수 있기 때문에 직접 수행될 수 있다. 즉, 속도 v는 등호의 한편에 분리되어 있다.

그러나, 이 장의 앞부분에서 제시했듯이 어떤 시간 구간에서 미리 규정한 속도에 도달하기 위해, 주어진 항력계수로 낙하하는 사람의 질량을 구한다고 가정하자. 식 (5.1)은 모델변수와 매개변수 사이의 관계를 수학적으로 표현한 식이지만 외재적으로 질량을 구할 수 없다. 이러한 경우에 m을 **내재적**(*implicit*)이라 한다.

이것은 실제로 어려운 일인데 그 이유는 많은 설계 문제에서 원하는 거동(변수들로 표현되는)을 얻기 위해서는 시스템의 성질이나 구성(매개변수들로 표현되는)을 지정해야 하기 때문이다. 그래서 이들 문제는 종종 내재적인 매개변수의 결정이 요구된다.

수치해법을 이용해서 방정식의 근을 구하면 이러한 문제점을 해결할 수 있다. 수치해법을 이용해서 문제를 풀기 위해서는, 식 (5.1)의 양변에서 종속변수 v를 빼줌으로써 식 (5.1)을 식 (5.2)의 형태로 표현하는 것이 일반적이다. $f(m) = 0$을 만족하는 m값이 방정식의 근이다. 또한 이 값은 설계 문제의 답인 질량을 나타낸다.

지금부터 식 (5.2)와 같은 방정식의 근을 구하기 위해서 다양한 수치해법과 그래프를 사용하는 방법을 다룬다. 이런 기법은 공학과 과학 분야에서 일상적으로 마주치는 다양한 문제에 적용될 수 있다.

5.2 그래프와 시행착오법을 이용하는 방법

방정식 $f(x) = 0$에 대한 근의 추정값을 구하기 위한 간단한 방법은 함수를 그려 x축과 만나는 곳을 찾는 것이다. $f(x) = 0$이 되게 하는 x값을 근의 대략적인 근삿값으로 간주할 수 있다.

예제 5.1 | **그래프를 이용하는 방법**

문제 정의 자유낙하 4초 후의 속도가 36 m/s가 되는 번지점프하는 사람의 질량을 그래프를 이용하는 방법으로 구하라. 항력계수는 0.25 kg/m이고, 중력가속도는 9.81 m/s²이다.

풀이 다음의 파이썬 구문은 50에서 200 kg의 질량에 대한 식 (5.2)를 그리기 위한 것이다.

```
"""
Example 5.1
Graphical Approach
"""

import numpy as np
import pylab
cd = 0.25 ; g = 9.81 ; v = 36. ; t = 4.
mp = np.linspace(50.,200.)
fp = np.sqrt(mp*g/cd)*np.tanh(np.sqrt(cd*g/mp)*t)-v
pylab.plot(mp,fp,c='k',lw=0.5)
pylab.grid()
pylab.xlabel('mass - kg')
pylab.ylabel('f(m) - m/s')
```

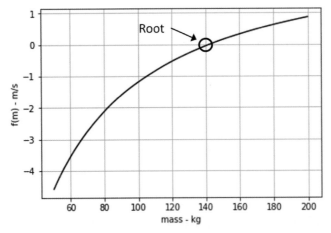

이 함수는 142 kg에서 m축을 지난다. 이 추정은 식 (5.2)의 근으로서 합리적인 추정이다. 이 추정값의 타당성은 식 (5.2)에 대입하여 식의 값이 0에 가까운지 확인하면 된다.

```
m = 142
np.sqrt(m*g/cd)*np.tanh(np.sqrt(cd*g/m)*t)-v
-0.0151594086184517
```

이 값은 0에 가깝다. 식 (5.2) 안에 속도항이 있기 때문에 그래프의 상대오차는

```
abs(np.sqrt(m*g/cd)*np.tanh(np.sqrt(cd*g/m)*t)-v)/v*100
0.042109468384588
```

0.04%인 것을 알 수 있다.

그래프를 이용하는 기법은 정밀하지 못하기 때문에 원하는 근의 실제값을 구하는 데 한계가 있다. 그러나 근의 대략적인 추정값을 얻기 위해서 유용하게 사용될 수 있다. 이러한 추정값은 앞으로 이 장에서 다루게 될 수치해법에 대한 초기 가정값으로 사용될 수 있다.

또 다른 간단한 시행착오에 관한 방법은 원하는 결과를 얻을 때까지 근에 대해 반복적으로 추측하는 것이다. 다음 예시에서 보듯이, 컴퓨터나 계산기를 이용하면 간단한 근의 위치에 대한 이 방법을 실용적으로 사용할 수 있다.

| 예제 5.2 | 시행착오법 |

문제 정의 시행착오법을 사용하여 예제 5.1의 답을 구하라.

풀이 시행착오법은 식 (5.1) (원하는 속도를 산출하는 질량을 추측하기) 또는 식 (5.2) (함수를 0으로 만드는 질량을 추측하기)에 사용할 수 있다. 지금 소개할 예시는 우리가 원하는 속도 36 m/s를 얻기 위해 질량을 추측하는 식 (5.1)에 관한 예시이다.

```
"""
Example 5.2
Function for trial-and-error method
"""

import numpy as np
def vtest(mtest):
    cd = 0.25 ; g = 9.81 ; t = 4
    return np.sqrt(mtest*g/cd)*np.tanh(np.sqrt(cd*g/mtest)*t)

vtest(75)
33.57849812941234

vtest(150)
36.14204303065125

vtest(130)
35.71665249183243

vtest(140)
35.943014716272536

vtest(145)
36.045626491526384

vtest(143)
36.005358021120394
```

값이 낮은 속도에서 높은 속도로 다시 낮은 속도 등으로 진행되며 36 m/s의 원하는 속도로 가까워지는 것을 볼 수 있다. 6번의 시행 후에 목표하는 속도에 가까운 143 kg이라는 결과가 나온다. 또한 시행이 진행되는 것을 통해, 질량의 변화에 대한 속도의 변화 정도에 대해서도 알 수 있다. 위의 결과를 보면 130에서 150 kg 사이의 질량은 합리적인 답을 제공한다.

그래프 방법과 마찬가지로, 시행착오법은 이후 제시될 수치방법의 초기 추정치를 지정하는 데 지침이 될 수 있다.

그래프를 이용하는 방법과 시행착오법은 근의 개략적인 추정값을 제공하는 것 외에도 함수의 특성을 이해하고 수치방법의 문제점을 예측하는 데 도움이 된다. 예를 들면, 그림 5.1은 하한 경곗값 x_l과 상한 경곗값 x_u의 구간에서 근이 존재할 수 있는 여러 가지 경우를 보여 주고 있다. 그림 5.1b는 한 개의 근이 $f(x)$의 양의 값과 음의 값에 의해 둘러싸이는 경우를 보여 준다. 반면에 그림 5.1d에서 $f(x_l)$과 $f(x_u)$는 서로 다른 부호를 가지고 있으나, 구간 x_l과 x_u 사이에 세 개의 근이 있음을 보여 주고 있다. 일반적으로 $f(x_l)$과 $f(x_u)$의 부호가 반대이면 구간 내에 홀수 개의 근이 존재한다. 그림 5.1a와 5.1c에서 볼 수 있듯이 $f(x_l)$과 $f(x_u)$의 부호가 같으면 구간 내에 근이 없거나 짝수 개의 근을 갖는다.

대부분의 경우 이러한 일반적 원리들이 맞지만, 이들이 적용되지 않는 경우도 있다. 예를 들어 그림 5.2a와 같이 x축에 접하는 함수나 그림 5.2b와 같이 불연속적인 함수의 경우에는 위의 원리가 적용되지 않는다. 3차 방정식 $f(x) = (x - 2)(x - 2)(x - 4)$는 x축에 접하는 함수의 한 예시이다. $x = 2$는 이 다항식의 두 항을 0으로 만든다. 수학적으로 $x = 2$를 중근이라 한다. 이 책의 범위를 벗어나지만 중근의 위치를 찾는 특별한 기법이 있다(Chapra and Canale, 2021 참조).

그림 5.2와 같은 문제의 경우, 구간 내에 존재하는 모든 근을 찾을 수 있는 일반적인 컴퓨터 알고리즘을 개발하기 어렵다. 그러나 다음에 기술된 방법들을 그래프를 이용하는 방법과 시행착오법과 더불어 사용하면 공학자, 과학자 또는 응용수학자가 일상적으로 접하는 여러 문제를 푸는 데 도움이 될 수 있다.

또한 우리가 해결하는 많은 문제는 그 해결책이 일반적으로 이해되고 상식적인 물리적 현상에 기초하고 있다. 두 개의 합리적인 경계 사이에 하나의 솔루션만 존재한다면, 기존의 방법이 잘 작동할 것이다.

5.3   구간법과 초기 가정

컴퓨터가 출현하기 이전에 근을 구하는 문제를 만났다면 근을 찾기 위해 시행착오법을 이용하라는 말을 들었을 것이다. 다시 말하면 함수의 값이 0에 충분히 가까워질 때까지 반복적으로 근을 가정한다. 이러한 과정은 스프레드시트와 같은 소프트웨어의 출현으로 매우 쉬워졌다. 이러한 도구는 많은 가정값을 신속하게 만들 수 있으므로 어떤 문제들에 대해서는 실제로 시행착오법을 매혹적인 것으로 만든다.

그러나 많은 다른 문제에서는 정확한 답을 자동적으로 찾아낼 수 있는 방법을 선호한다. 흥미

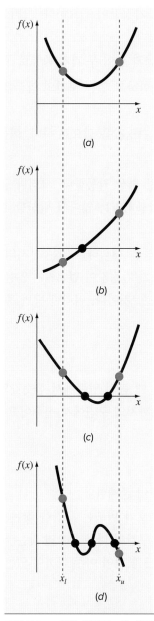

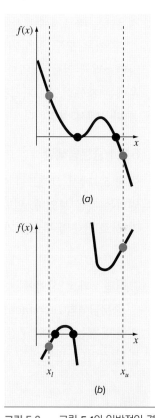

그림 5.1 하한 경곗값 x_l과 상한 경곗값 x_u 사이의 구간에서 근이 존재할 수 있는 몇 가지 경우를 나타낸 것이다. (a)와 (c)는 $f(x_l)$과 $f(x_u)$의 부호가 같으면 구간 내에 근이 존재하지 않거나 짝수 개의 근이 있음을 나타낸다. (b)와 (d)는 함수가 구간의 양 끝점에서 부호가 서로 다르면 구간 내에 홀수 개의 근이 존재함을 나타낸다.

그림 5.2 그림 5.1의 일반적인 경우에서 제외되는 몇 가지 예를 나타낸 것이다. (a) 함수가 x축에 접했을 때 발생하는 중근의 경우. 이 경우에는 구간의 양끝점의 부호가 서로 반대일지라도 구간 내에 짝수 개의 근이 존재한다. (b) 구간의 양끝점의 부호가 서로 반대인 불연속함수의 경우. 구간 내에서 짝수 개의 근이 존재한다. 이러한 경우에는 근을 구하기 위해서 특수한 방법을 사용하여야 한다.

롭게도 이러한 방법에서도 시행착오법처럼 초기 가정값이 필요하다. 그리고 이 방법들은 반복적인 방식으로 근이 있는 곳으로 체계적으로 접근한다.

이러한 방법은 초기 가정값의 유형에 따라 다음과 같이 두 가지 종류로 구분된다.

- **구간법** 이름이 의미하듯이 이 방법은 근을 포함하고 있는 구간의 양끝을 나타내는 두 개의 초기 가정값에 기초를 둔다.
- **개방법** 이 방법은 한 개 또는 그 이상의 초기 가정값을 필요로 하나, 이들이 근을 포함하고 있는 구간의 양끝 값이어야 할 필요는 없다.

잘 정립된 문제에서 구간법은 천천히 수렴하지만 항상 작동한다. 그러나 근에 접근하기 위해 더 많은 반복이 요구된다. 반면에 개방법은 항상 작동하지는 않아서 발산할 수도 있지만, 작동하는 경우에는 빠르게 수렴한다.

두 경우 모두 초기 가정값이 필요하다. 이 값들은 해석하고 있는 문제의 물리적 배경으로부터 자연스럽게 얻을 수 있다. 어떤 경우에는 좋은 초기 가정값이 얻어지지 않을 수도 있다. 이러한 경우에는 자동적으로 가정값을 구하는 방법이 유용할 것이다. 이러한 방법 중의 하나인 증분탐색법을 다음에서 설명한다.

5.3.1 증분탐색법

예제 5.1에서 그래프를 이용하는 방법을 적용할 때 근의 양쪽에서 함숫값의 부호가 서로 반대로 변하는 것을 보았다. 일반적으로 $f(x)$가 x_l에서 x_u까지의 구간에서 실수이고 연속이며, $f(x_l)$과 $f(x_u)$가 서로 반대의 부호를 가지면 즉,

$$f(x_l)f(x_u) < 0 \tag{5.3}$$

그러면 x_l과 x_u 사이에는 적어도 하나 이상의 실근이 존재한다.

증분탐색법(*Incremental search*)은 함수의 부호가 바뀌는 구간을 찾는 것이다. 증분탐색법의 현안 문제는 증분의 구간 길이에 대한 선택이다. 구간이 너무 좁으면 찾는 데 시간이 너무 많이 소비될 것이다. 반면에 구간이 너무 넓으면 그림 5.3과 같이 아주 가까이 있는 근들을 놓칠 수 있다.

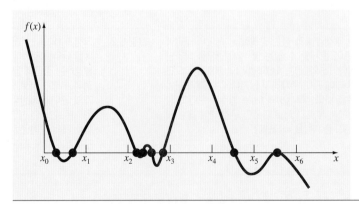

그림 5.3   탐색 과정의 증분량의 크기가 너무 크기 때문에 근을 찾을 수 없는 경우이다. 오른쪽 마지막 근은 중근이고 증분량의 크기에 관계없이 근을 찾을 수 없다.

```
import numpy as np

def incsearch(func,xmin,xmax,ns=50):
    """
    incsearch: incremental search locator
        incsearch(func,xmin,xmax,ns)
        finds brackets of x that contain sign changes in
        a function of x on an interval
    input:
        func = name of the function
        xmin, xmax = endpoints of the interval
        ns = number of subintervals, default value = 50
    output:  a tuple containing
        nb = number of bracket pairs found
        xb = list of bracket pair values
        or returns "no brackets found"
    """
    x = np.linspace(xmin,xmax,ns) # create array of x values
    f = []   # build array of corresponding function values
    for k in range(ns-1):
        f.append(func(x[k]))
    nb = 0
    xb = []
    for k in range(ns-2):  # check adjacent pairs of function values
        if func(x[k])*func(x[k+1])<0:  # for sign change
            nb = nb + 1  # increment the bracket counter
            xb.append((x[k],x[k+1]))  # save the bracketing pair
    if nb==0:
        return 'no brackets found'
    else:
        return nb,xb
```

그림 5.4   증분탐색법을 실행하기 위한 파이썬 함수.

이러한 문제는 중근이 있는 경우에는 더욱 심화된다.

함수의 근을 찾기 위해 xmin에서 xmax까지의 범위에서 증분탐색법을 실행하는 파이썬 함수가 개발되었다(그림 5.4). 옵션 인수 ns는 사용자로 하여금 주어진 범위에서 구간의 수를 결정할 수 있게 한다. 만약 ns가 생략되면 자동적으로 50으로 설정된다. 각 구간을 단계별로 거치기 위해 for 루프가 사용된다. 부호가 변하게 되는 경우 상한과 하한 경곗값이 배열 xb에 저장된다.

| 예제 5.3 | 증분탐색법 |

문제 정의 다음 함수에 대해 파이썬 incsearch 함수(그림 5.4)를 사용하여 구간 [3, 6] 사이에서 부호가 바뀌는 구간을 찾아라.

$$f(x) = \sin(10x) + \cos(3x) \tag{5.4}$$

풀이 기본 구간의 수 50을 사용한 파이썬 과정은 다음과 같다.

```
import numpy as np
(nb,xb) = incsearch(lambda x: np.sin(10*x)+np.cos(3*x),3,6)
nb
5
xb
[(3.2448979591836733, 3.306122448979592),
 (3.306122448979592, 3.36734693877551),
 (3.7346938775510203, 3.795918367346939),
 (4.653061224489796, 4.714285714285714),
 (5.63265306122449, 5.6938775510204085)]
```

근의 위치와 식 (5.4)의 그림은 다음과 같다.

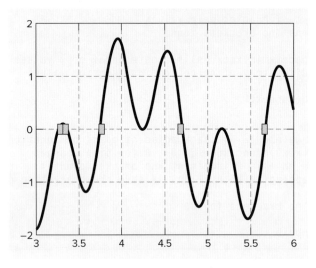

비록 5개의 부호 변화가 탐지되었지만 소구간이 너무 넓어서 이 함수는 $x \simeq 4.25$와 5.2의 근을 놓치고 있다. 겉으로 보기에 이들 근은 중근인 것처럼 보인다. 그러나 이 그림을 확대해서 보면, 각각의 놓친 근은 매우 가까이 있는 두 실근임을 알 수 있다. 이것은 다음 그림에서 볼 수 있다.

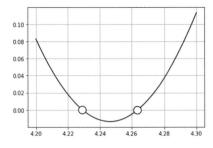
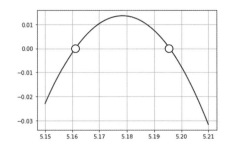

이 함수를 더 많은 구간으로 나누어 다시 계산하면 모두 9개의 부호 변화를 찾을 수 있다.

```
(nb,xb) = incsearch(lambda x: np.sin(10*x)+np.cos(3*x),3,6,100)
nb
9
xb
[(3.242424242424242, 3.2727272727272725),
 (3.3636363636363638, 3.393939393939394),
 (3.7272727272727275, 3.757575757575758),
 (4.212121212121212, 4.242424242424242),
 (4.242424242424242, 4.2727272727272725),
 (4.696969696969697, 4.7272727272727275),
 (5.151515151515151, 5.181818181818182),
 (5.181818181818182, 5.212121212121213),
 (5.666666666666667, 5.696969696969697)]
```

증분탐색법과 같은 완전탐색(brute-force) 방법도 완전하지 않다는 것을 예제에서 알 수 있다. 근의 위치에 대한 정보를 제공함으로써 이와 같은 자동적인 기법을 보완하는 것이 바람직할 것이다. 이러한 정보는 함수의 그래프를 그림으로써 그리고 방정식이 유래되는 물리적 문제에 대한 이해를 통하여 얻을 수 있다.

5.4 이분법

이분법(*bisection method*)은 증분탐색법의 하나로서 근이 포함된 구간을 항상 반으로 나눈다. 만일 함수의 부호가 구간 내에서 바뀐다면 구간의 중간점의 함숫값을 계산한다. 근의 위치는 반으

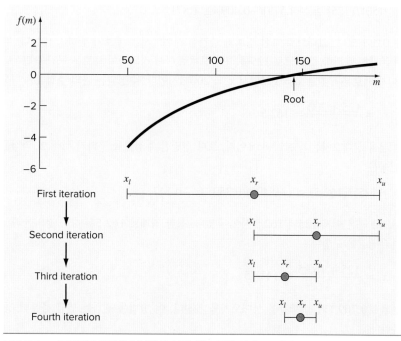

그림 5.5   그래프를 이용한 이분법의 설명. 이 그림은 예제 5.4에서 네 번 반복한 것을 나타낸다.

로 나뉜 두 소구간 중에서 부호가 바뀌는 소구간 내에 놓이게 된다. 이 소구간이 다음 반복을 위한 새 구간이 된다. 이 과정을 요구되는 정밀도만큼의 추정값을 얻을 때까지 반복한다. 이 방법을 그래프를 이용하여 설명하면 그림 5.5와 같다. 다음 예제에서 이분법을 사용하여 실제로 근을 구해 보자.

예제 5.4   **이분법**

문제 정의 예제 5.1에서 그래프를 사용하여 접근했던 문제를 이분법을 이용하여 풀어라.

풀이 이분법의 첫 단계는 $f(m)$이 서로 다른 부호를 갖도록 미지수(이 예제에서는 m)의 두 값을 가정하는 것이다. 예제 5.1의 그래프에서 m이 50과 200 kg에서 함수의 부호가 변하는 것을 알 수 있다. 물론 그래프로부터 보다 좋은 초기 가정값(예를 들면, 140과 150)을 얻을 수 있다. 그러나 설명을 위해 그래프에서 얻는 이점을 이용하지 않고 보수적인 가정값을 사용한다. 그러므로 근 x_r의 초기 추정값은 이 구간의 중간점이 된다.

$$x_r = \frac{50 + 200}{2} = 125$$

근의 참값은 142.7376이다. 지금 구한 125로부터 참 백분율 상대오차를 구하면 다음과 같다.

$$\varepsilon_t = \left| \frac{142.7376 - 125}{142.7376} \right| \times 100 \cong 12.43\%$$

다음으로 하한 경계에서의 함숫값과 중간점에서의 함숫값의 곱을 계산한다.

$$f(50)f(125) \cong (-4.579)(-0.409) \cong 1.871$$

이는 0보다 크다. 그러므로 하한 경계와 중간점 사이에서는 부호가 변하지 않는다. 따라서 125와 200 사이에 근이 존재하게 된다. 그러므로 125를 하한 경계로 다시 정의하여 새로운 구간을 만든다.

이제 새로운 구간은 $x_l = 125$에서 $x_u = 200$까지이다. 수정되는 근의 추정값은 다음과 같이 계산된다.

$$x_r = \frac{125 + 200}{2} = 162.5$$

참 백분율 상대오차는 $\varepsilon_t \cong 13.85\%$이다. 보다 정밀한 추정값을 구하기 위해 이 과정을 반복한다. 예를 들면 다음 반복은

$$f(125)f(162.5) \cong (-0.409)(0.359) \cong -0.147$$

그러므로 근은 이제 125와 162.5 사이에 있다. 상한 경계로 162.5를 다시 정의한 후, 세 번째 반복계산을 수행하여 추정값을 구한다.

$$x_r = \frac{125 + 162.5}{2} = 143.75$$

이는 $\varepsilon_t \cong 0.709\%$의 참 백분율 상대오차를 가진다. 이 방법을 원하는 만큼 충분히 정확한 값이 계산될 때까지 반복한다.

예제 5.4에서 근의 정확한 추정값을 얻기 위해서 이분법을 계속 반복시킬 수 있다고 하였다. 그러면 언제 이분법을 끝낼 것인가를 결정하기 위한 객관적인 판정기준에 대해 살펴보자.

우선 오차가 미리 지정한 수준 이하로 떨어지면 계산을 종료한다고 생각할 수 있다. 예를 들면 예제 5.4에서 참 상대오차가 계산 과정 중 12.43%에서 0.709%로 내려갔다. 오차가 0.5% 이하로 떨어지면 계산을 종료한다고 가정해 보자. 이 오차는 참근을 알고 있는 경우에 구할 수 있는 오차이므로 실제로 적용하는 데에는 한계가 있다. 미리 근을 안다면 이분법을 사용해서 근을 구할 필요가 없기 때문이다.

그러므로 근을 미리 알지 못해도 사용할 수 있는 오차 추정법이 필요하다. 한 가지 방법은 식 (4.5)에서와 같이 근사 백분율 상대오차를 계산하는 것이다.

$$\varepsilon_a = \left| \frac{x_r^{new} - x_r^{old}}{x_r^{new}} \right| 100\% \tag{5.5}$$

여기서 x_r^{new}는 현재의 반복계산으로부터 구한 근이며, x_r^{old}는 이전의 반복계산에서 구했던 근이다. ε_a가 미리 지정된 종료 판정기준 ε_s보다 작으면 계산을 종료시킨다.

예제 5.5 **이분법에 대한 오차 추정**

문제 정의 근사오차가 $\varepsilon_s = 0.5\%$의 종료 판정기준 이하가 될 때까지 예제 5.4의 계산을 계속하라. 오차를 계산하기 위해 식 (5.5)를 사용하라.

풀이 예제 5.4의 처음 두 번째 반복 결과는 125와 162.5 사이였다. 이 값을 식 (5.5)에 대입하면 다음과 같다.

$$|\varepsilon_a| = \left| \frac{162.5 - 125}{162.5} \right| 100\% \cong 23.08\%$$

근사 추정값 162.5에 대한 참 백분율 상대오차가 13.85%였으므로 ε_a는 ε_t보다 크다. 다른 반복횟수에서도 이와 같이 ε_a가 ε_t보다 크게 나타나는 것을 볼 수 있다.

Iteration	x_l	x_u	x_r	ε_a%	ε_t%
1	50	200	125		12.43
2	125	200	162.5	23.08	13.85
3	125	162.5	143.75	13.04	0.71
4	125	143.75	134.375	6.98	5.86
5	134.375	143.75	139.0625	3.37	2.57
6	139.0625	143.75	141.4063	1.66	0.93
7	141.4063	143.75	142.5781	0.82	0.11
8	142.5781	143.75	143.1641	0.41	0.30

결국 8번 반복 후에 ε_a가 $\varepsilon_s = 0.5\%$ 이하로 떨어져 계산은 종료될 수 있다.

이들 결과를 그림 5.6에 나타내었다. 이분법에서 참오차의 '들쭉날쭉'한 성질은 정의된 구간 내에서 어디든 참근이 있을 수 있기 때문이다. 반복 3에서와 같이 참근이 구간의 어느 한쪽 끝에 있을 때 참오차와 근사오차는 차이가 크나, 반복 4에서와 같이 참근이 구간의 중앙에 위치하면 참오차와 근사오차의 차이가 작아진다.

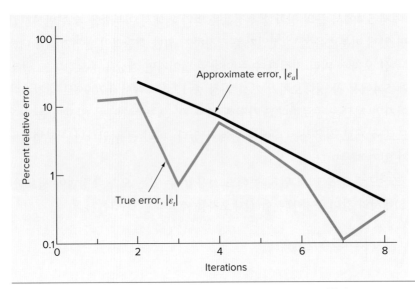

그림 5.6   이분법에서의 오차. 반복횟수에 대한 참오차와 근사오차를 도시한다.

　　비록 근사오차가 참오차에 대한 정확한 추정값을 제공할 수는 없지만, 그림 5.6은 반복계산이 진행됨에 따라 ε_a가 ε_t와 같이 줄어드는 경향을 가지고 있음을 보여 준다. 또한 ε_a가 ε_t보다 크다는 매력적인 특성을 보여 준다. 따라서 ε_a가 ε_s이하로 떨어지면 적어도 근이 미리 정한 정밀도 수준까지 정확하게 계산되었다는 확신을 가지고 계산을 종료할 수 있다.

　　하나의 예제로부터 일반적인 결론을 이끌어 내는 것은 위험하지만, 이분법에 대해서는 ε_a가 ε_t보다 항상 크다는 것을 증명할 수 있다. 이분법에서는 매번 근사 근이 $x_r = (x_l + x_u)/2$로 구해지는데, 참근은 $\Delta x = x_u - x_l$의 구간 내 어딘가에 있게 된다. 따라서 근은 추정값의 $\pm\ \Delta x/2$ 내에 존재해야 한다. 그러므로 예제 5.5가 종료될 때 다음과 같이 표현할 수 있다.

$$x_r = 143.1641 \pm \frac{143.7500 - 142.5781}{2} \cong 143.1641 \pm 0.5859$$

　　식 (5.5)는 참오차의 상한 경계를 정확하게 제공한다. 이 경계를 초과하게 되면 참근은 구간의 외부에 놓이게 되는데, 이는 이분법의 정의에 의하면 결코 일어날 수 없다. 비록 이분법이 다른 방법들보다 수렴하는 속도는 일반적으로 느리지만 오차해석이 간명하기 때문에 특정 분야의 공학과 과학적인 응용에서는 매력적일 수 있다. 추가적으로 이분법은 안정성에서 유리하다. 이분법은 구간 내에 있는 근에 대해서 항상 수렴한다.

　　이분법의 다른 이점은 반복계산을 수행하기 전에 주어진 절대오차를 만족하는 근을 구하기 위해 필요한 반복횟수를 미리 알 수 있다는 것이다. 초기 구간은 불확실성의 구간으로 간주할 수 있다. 근이 구간 내에 있다는 것은 알지만 어디에 있는지는 알 수 없다. 따라서 절대오차는

$$E_a^0 = x_u^0 - x_l^0 = \Delta x^0$$

사실상 이 구간은 너무 넓다. 그러나 이분법은 이 구간의 불확실성을 각 반복을 통해 2배까지 감소시킨다. 예를 들어 처음 반복 후에는,

$$E_a^1 = \frac{\Delta x^0}{2} \text{ 이고,}$$

n번의 반복 후에는,

$$E_a^n = \frac{\Delta x^0}{2^n} \text{ 이다.}$$

결과적으로 10번의 반복 후에는, 원래 구간의 불확실성은 2^{10} = 1024배만큼 줄어든다. 그리고 20번의 반복 후에는, 2^{20} = 1,048,576배만큼 줄어든다. 많은 실제 문제에서, 원래 구간의 100만분의 1내에서 근의 추정치를 얻는 것으로 충분하다. 이를 통해 구간 수를 20으로 설정할 수 있고 이는 알고리즘의 구현을 간단하게 한다.

만일 $E_{a,d}$가 우리가 원하는 오차라면, 앞의 방정식은 n에 대해 다음과 같이 로그를 사용해 풀 수 있다.

$$n \cong \log_2\left(\frac{\Delta x^0}{E_{a,d}}\right) \tag{5.6}$$

파이썬 NumPy 모듈은 log2 함수를 가지고 있다. 게다가 $\log_b(x) = \log(x)/\log(b)$를 이용해 임의의 로그도 결정할 수 있다.

질량 m에 대해, 만일 초기 구간 Δx^0 = 200 - 50 = 150에 대해 0.01 kg(10 grams)의 지정오차에 도달하려 한다면

$$n \cong \log_2\left(\frac{150}{0.01}\right) = \frac{\log_{10}\left(\frac{150}{0.01}\right)}{\log_{10}(2)} \cong 13.87 \Rightarrow 14$$

그러므로, 14번의 반복을 하면 지정오차에 도달할 수 있다.

이분법을 사용하기 위해 상대오차를 사용하는 것을 보여 주었지만, 주어진 반복횟수를 시행하여 지정오차에 도달하기 위한 절대오차를 사용하는 대안도 제시한다. 후자 방식은 위의 예시처럼 문제의 배경을 활용하여 결정해서 사용하고는 한다.

5.4.1 이분법 파이썬 함수

첫 번째 파이썬 함수는 bisect1은 그림 5.7과 같다. 함수에 전달된 인수는 세 가지이다. 하한 가정값 및 상한 가정값과 함께 해결할 함수의 이름. bisect1 함수는 초기 가정 구간의 경계에서 해를 갖는지 확인한다. 그렇지 않으면 에러 메시지를 출력하며 작업을 끝낸다. 초기 가정이 확인되고 나면, 20회 반복하여 원래 구간의 100만 분의 1에 대한 근의 추정값을 제공한다.

그림 5.7은 10줄의 코드로 이분법의 간단한 실행을 나타낸 것이다.

```
def bisect1(func,xl,xu,maxit=20):
    """
    Uses the bisection method to estimate a root of func(x).
    The method is iterated maxit (default = 20) times.
    Input:
        func = name of the function
        xl = lower guess
        xu = upper guess
    Output:
        xm = root estimate
        or
        error message if initial guesses do not bracket solution
    """
    if func(xl)*func(xu)>0:
        return 'initial estimates do not bracket solution'
    for i in range(maxit):
        xm = (xl+xu)/2
        if func(xm)*func(xl)>0:
            xl = xm
        else:
            xu = xm
    return xm
```

그림 5.7   20번의 고정 반복을 실행하는 이분법을 구현한 파이썬 함수.

```
import numpy as np

def f(m):
    g = 9.81
    cd = 0.25
    t = 4
    v = 36
    return np.sqrt(m*g/cd)*np.tanh(np.sqrt(g*cd/m)*t)-v

m = bisect1(f,50,200)
print('mass = {0:7.3f} kg'.format(m))

mass = 142.738 kg
```

그림 5.8은 상대오차 기준을 기반으로 너무 많은 반복을 막는 파이썬 함수를 작성한 것을 나타
낸 것이다.

예제에 대해 시행한 bisect 함수의 결과는 다음과 같다.

```
import numpy as np
def f(m):
    g = 9.81
    cd = 0.25
    t = 4
    v = 36
    return np.sqrt(m*g/cd)*np.tanh(np.sqrt(g*cd/m)*t)-v

(m,fm,ea,iter) = bisect(f,50,200)
print('mass = {0:10.6f} kg'.format(m))
print('function value = {0:7.3g}'.format(fm))
print('relative error = {0:7.3g}'.format(ea))
print('iterations = {0:5d}'.format(iter))
```

```
def bisect(func,xl,xu,es=1.e-7,maxit=30):
    """
    Uses the bisection method to estimate a root of func(x).
    The method is iterated until the relative error from
    one iteration to the next falls below the specified
    value or until the maximum number of iterations is
    reached first.
    Input:
        func = name of the function
        xl = lower guess
        xu = upper guess
        es = relative error specification  (default 1.e-7)
        maxit = maximum number of iterations allowed (default 30)
    Output:
        xm = root estimate
        fm = function value at the root estimate
        ea = actual relative error achieved
        i+1 = number of iterations required
        or
        error message if initial guesses do not bracket solution
    """
    if func(xl)*func(xu)>0:
        return 'initial estimates do not bracket solution'
    xmold = xl
    for i in range(maxit):
        xm = (xl+xu)/2
        ea = abs((xm-xmold)/xm)
        if ea < es:  break
        if func(xm)*func(xl)>0:
            xl = xm
        else:
            xu = xm
        xmold = xm
    return xm,func(xm),ea,i+1
```

그림 5.8   상대오차 및 반복종료 기준을 포함하는 이분법.

```
mass = 142.737636 kg
function value = 5.85e-08
relative error = 6.26e-08
iterations = 24
```

상대오차가 초기에 지정한 1×10^{-7}(또는 1×10^{-5} %)보다 작다. 이 기준을 만족하기 위해 24번의 반복이 시행되어야 한다. 만일 최대 20번의 반복을 지정했다면 코드의 결과는 다음과 같을 것이다.

```
(m,fm,ea,iter) = bisect(f,50,200,maxit=20)
```

```
mass = 142.737627 kg
function value = -1.24e-07
relative error =  1e-06
iterations = 20
```

이 경우에는, 상대오차가 지정된 1×10^{-7}에 도달하지 못한다. 그럼에도, 근의 추정은 소수점 네 번째까지 동일한 정도로 정확하다.

5.5 가위치법

가위치법(*false position*)은 선형보간법이라고도 부르는 잘 알려진 또 다른 구간법이다. 이는 이분법과 매우 비슷하나 근을 추적하는 방법이 다르다. 이 방법은 구간을 반으로 나누지 않고 $\{x_l, f(x_l)\}$과 $\{x_u, f(x_u)\}$ 사이의 선을 연결시키고 x축과 만나는 점을 찾는다. 이는 그림 5.9와 같다. 이 방법은 함수의 형상이 새로운 근을 추정하는 데 영향을 준다. 그림에서 두 개의 닮은꼴 삼각형을 이용해 우리는 동등한 직선 기울기인

$$\frac{0 - f(x_l)}{x_r - x_l} = \frac{f(x_u) - 0}{x_u - x_r}$$ 를 구할 수 있다.

이 식을 x에 대해 대수적으로 풀면 가위치법 공식을 얻을 수 있다.

$$x_r = \frac{f(x_u)x_l - f(x_l)x_u}{f(x_u) - f(x_l)} \tag{5.7}$$

식 (5.7)로 x_r값을 계산한 후, 두 개의 초기 가정값 x_l과 x_u중에서 함숫값 $f(x_r)$의 부호에 따라 가정값을 x_r로 대체한다. 그림 5.9에서는 x_r가 다음 x_l이 된다. 이렇게 하면 x_l과 x_u 사이에 항상 참근이 존재하게 된다. 이 과정을 지정한 오차에 도달할 때까지 반복한다.

가위치법의 파이썬 함수는 식 (5.7)을 사용하는 것을 제외하면 이분법과 같다.

```
xm = (func(xu)*xl-func(xl)*xu)/(func(xu)-func(xl))
```

가위치법을 사용하면, 이분법에서는 가능했던 절대오차의 최댓값 또는 반복을 해야 하는 구간의 불확실성을 예측할 수 없다.

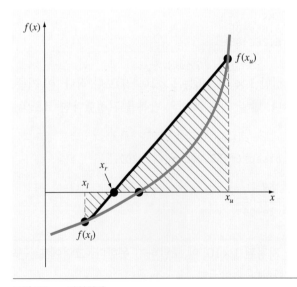

그림 5.9   가위치법.

| 예제 5.6 | 가위치법 |

문제 정의 예제 5.1과 5.4에서 그래프를 이용하는 방법과 이분법으로 접근한 문제를 가위치법을 사용해서 풀어라.

풀이 예제 5.4에서와 같이 양끝 점을 $x_l = 50$과 $x_u = 200$으로 가정해서 계산을 시작한다.
첫 번째 반복에 의해

$$x_l = 50 \qquad f(x_l) = -4.57939 \qquad x_u = 200 \qquad f(x_u) = 0.86029$$

$$x_r \cong \frac{(-4.57939)(50) - (0.86029)(200)}{(-4.57939)(0.86029)} \cong 176.2773 \qquad f(x_r) \cong 0.56617$$

여기서 참 백분율 상대오차는 23.5%이다. 첫 8번의 반복에 대한 결과는 다음 표와 같다.

Iteration	x_l	x_u	x_r	$\varepsilon_a\%$	$\varepsilon_t\%$
1	50	200	176.2773		23.50
2	50	176.2773	162.3828	8.56	13.76
3	50	162.3828	154.2446	5.28	8.06
4	50	154.2446	149.4777	3.19	4.72
5	50	149.4777	146.6856	1.90	2.77
6	50	146.6856	145.0501	1.13	1.62
7	50	145.0501	144.0922	0.66	0.95
8	50	144.0922	143.5311	0.39	0.56

표를 보면, 예제 5.5의 이분법과는 반대로 근사오차가 참오차에 비해 항상 작다. 이것은 항상 그런 것은 아니다. 또한 하한 가정값(x_l)은 변하지 않는다. 사실상, 이 방법은 위에서부터 근으로 접근하고 있다. 어떤 면에서는 '기어 들어가는' 것이다. 예제 5.5의 이분법 표와 비교해 보면, 위의 표에 따르면 근사오차가 0.39%로 이분법의 0.41%에 비해 약간 작다. 그러나 참오차는 0.56%로 0.30%인 이분법에 비해 크다.

만일 가위치법의 파이썬 함수(regfal이라는 이름을 가진)를 시행한다면 그 결과는 다음과 같다.

```
(m,fm,ea,iter) = regfal(f,50,200)

mass = 142.737651 kg
function value = 3.67e-07
relative error = 8.89e-08
iterations = 28
```

여기에 따르면 가위치법은 이분법이 24번의 반복횟수로 도달한 지정오차에 도달하기 위해 28번의 반복이 필요했다.

앞의 예제 5.4의 결과에 따르면 이분법이 가위치법에 비해 우수해 보인다. 그러나 이것은 사실이 아니다. 많은 경우에 가위치법은 수렴속도가 이분법에 비해 더 빠르다. 이는 이 장의 끝부분의 문제에서 확인할 수 있다.

예제 5.4를 풀기 위해 가위치법을 사용하는 것은 이 방법이 한 방향으로 진행된다는 주요 약점을 드러낸다. 많은 다른 경우에, 반복이 진행됨에 따라 구간의 끝점 중 하나가 고정되는 경향이 있다. 이것은 수렴을 느리게 하고 있으며, 특히 독특한 형상의 함수에서 더욱 그렇다. 이러한 결점을 해결하기 위한 방법은 다른 책에서 찾을 수 있다(Chapra and Canale, 2010 참조).

사례연구 5.6 **온실가스와 빗물**

배경 여러 가지 '온실(greenhouse)'가스가 대기 중에 지난 50년 동안 지속적으로 증가하였다는 사실이 잘 기록되어 있다. 예를 들어 1959년부터 2019년까지 Hawaii의 Mauna Loa에서 수집한 이산화탄소(CO_2)의 분압에 대한 자료는 그림 5.10과 같다. 이 자료의 경향은 직선에서 약간의 위쪽 곡률을 나타내며 2차 다항식과 잘 맞을 수 있다.

$$p_{CO_2} = 0.012772(t - 1983)^2 + 1.4272(t - 1983) + 342.35$$

여기서 P_{CO_2}는 이산화탄소의 분압(ppm)이다. 자료에서 이 기간 동안 수준이 316에서 411 ppm까지 30% 이상 증가하였다는 것을 알 수 있다.

여기서 한 가지 의문은 이러한 경향이 빗물의 산성도(pH)에 어떤 영향을 미치는가이다. 도시와 산업화된 지역 밖에서도 이산화탄소가 빗물의 pH를 결정하는 주요 원인이라는 것을 잘 알고 있다. pH는 수소 이온의 활동성 척도이며, 따라서 이것이 산성 또는 알칼리성을 결정한다. 희석 수용액의 경우 pH는 다음과 같이 계산될 수 있다.

$$pH = -\log_{10}[H^+] \tag{5.8}$$

여기서 $[H^+]$는 수소 이온의 몰농도이다.

다음의 다섯 개의 방정식이 빗물의 화학적 성질을 지배한다.

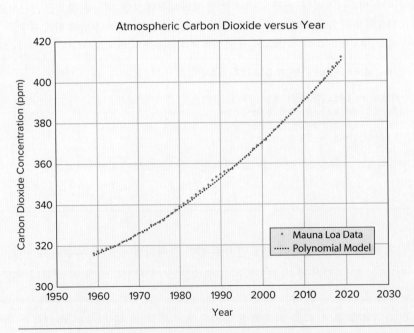

그림 5.10 Hawaii의 Mauna Loa에서 측정한 이산화탄소 (ppm)의 연간 평균 분압. 일반적으로 CO_2의 분압은 압력단위가 아닌 농도 단위에서 몰 단위로 백만분율 (ppm)로 표시된다. 즉, 이 경우에는 μmol/mol이다.

continued

$$K_1 = \frac{[\text{H}^+][\text{HCO}_3^-]}{K_H p_{\text{CO}_2}} \tag{5.9}$$

$$K_2 = \frac{[\text{H}^+][\text{CO}_3^{-2}]}{[\text{HCO}_3^-]} \tag{5.10}$$

$$K_w = [\text{H}^+][\text{OH}^-] \tag{5.11}$$

$$c_T = \frac{K_H p_{\text{CO}_2}}{10^6} \tag{5.12}$$

$$0 = [\text{HCO}_3^-] + 2[\text{CO}_3^{-2}] + [\text{OH}^-] - [\text{H}^+] \tag{5.13}$$

여기서 K_H는 Henry 상수 그리고 K_1, K_2, K_w는 평형상수이다. 다섯 개의 미지수로 c_T은 총 무기탄소, $[\text{HCO}_3^-]$는 이분 탄산염, $[\text{CO}_3^{-2}]$는 탄산염, $[\text{H}^+]$는 수소 이온 그리고 $[\text{OH}^-]$는 수산기 이온이다. CO_2의 분압이 식 (5.9)와 식 (5.12)에 어떻게 나타나는지 유의하라.

$K_H = 10^{-1.46}$, $K_1 = 10^{-6.3}$, $K_2 = 10^{-10.3}$, $K_w = 10^{-14}$의 값에 대해 이들 방정식을 사용하여 빗물의 pH를 구하라. P_{CO_2}가 316 ppm인 1959년과 411 ppm인 2019년의 pH를 비교하라. 수치방법을 선택할 때 다음을 고려하라.

- 청결한 지역의 빗물의 pH는 항상 2~12 사이에 있다.
- pH는 단지 소수점 이하 두 자리까지 측정된다.

풀이 다섯 개의 연립방정식을 푸는 데는 여러 가지 방법이 있다. 한 가지 방법은 단지 $[\text{H}^+]$에만 의존하는 단일 함수를 만들기 위해 이들을 결합하여 미지수를 소거하는 것이다. 이를 위해 먼저 식 (5.9)와 식 (5.10)을 풀어 다음을 얻는다.

$$[\text{HCO}_3^-] = \frac{K_1}{10^6 [\text{H}^+]} K_H p_{\text{CO}_2} \tag{5.14}$$

$$[\text{CO}_3^{-2}] = \frac{K_2 [\text{HCO}_3^-]}{[\text{H}^+]} \tag{5.15}$$

식 (5.14)를 식 (5.15)에 대입하면 다음과 같다.

$$[\text{CO}_3^{-2}] = \frac{K_2 K_1}{10^6 [\text{H}^+]^2} K_H p_{\text{CO}_2} \tag{5.16}$$

식 (5.14)와 식 (5.16) 그리고 식 (5.11)을 식 (5.13)에 대입하면 다음과 같다.

$$0 = \frac{K_1}{10^6 [\text{H}^+]} K_H p_{\text{CO}_2} + 2 \frac{K_2 K_1}{10^6 [\text{H}^+]^2} K_H p_{\text{CO}_2} + \frac{K_w}{[\text{H}^+]} - [\text{H}^+] \tag{5.17}$$

비록 명백해 보이지 않지만 식 (5.16)은 $[\text{H}^+]$의 3차 다항식이다. 따라서 이 방정식의 근을 식 (5.8)과 함께 이용하여 빗물의 pH를 구할 수 있다.

이제 해를 구하기 위해 적용하는 수치방법을 결정해야 한다. 이분법이 좋은 이유는 두 가지가 있다. 첫 번째로는 pH는 항상 2~12 사이에 있으므로 두 개의 좋은 초기 가정값을 제공한다. 두 번째는 pH는 소수점 이하 두 자리의 정밀도로 측정되기 때문에, 절대오차 $E_{a,d} = \pm 0.005$를 만족한다는 것이다. 초기 구간과 허용 오차가 주

사례연구 5.6   continued

어져 있으므로 반복 횟수를 미리 계산할 수 있다는 점을 상기하라. 이 값은 파이썬 콘솔로 계산할 수 있는데 이는 다음과 같다.

```python
import numpy as np
dx = 12 - 2
Ead = 0.005
n = np.log2(dx/Ead)

n
10.965784284662087
```

원하는 정밀도의 결과를 얻기 위해서는 11번의 반복을 시행해야 한다.

파이썬 편집기에서 식 (5.16)을 계산하는 함수를 생성한다.

```python
def f(pH,pCO2):
    K1 = 1e-6 ; K2 = 1e-10 ; Kw = 1e-14
    KH = 10**(-1.46)
    H = 10**(-pH)
    return K1/1e6/H*KH*pCO2 + 2*K2*K1/1e6/H**2 + Kw/H - H
```

그런 다음 반복 횟수를 지정하는 인수가 pH에 대해 풀 수 있도록 그림 5.7에서 나타낸 bisect1 함수를 사용한다.

```python
def bisect1(func,xl,xu,maxit=30):
    """
    Uses the bisection method to estimate a root of func(x).
    The method is iterated maxit times.
    Input:
        func = name of the function
        xl = lower guess
        xu = upper guess
        maxit = number of iterations
    Output:
        xm = root estimate
        or
        error message if initial guesses do not bracket solution
    """
    if func(xl)*func(xu)>0:
        return 'initial estimates do not bracket solution'
    for i in range(maxit):
        xm = (xl+xu)/2
        if func(xm)*func(xl)>0:
            xl = xm
        else:
            xu = xm
    return xm

pHsoln = bisect1(lambda pH: f(pH,316),2,12,11)
print('{0:5.2f}'.format(pHsoln))

5.48
```

2019년의 대하여 그 결과는 다음과 같다.

사례연구 5.6   continued

```
pHsoln = bisect1(lambda pH: f(pH,411),2,12,11)
print('{0:5.2f}'.format(pHsoln))
```

```
5.42
```

흥미롭게도 이 결과는 대기 중 CO_2 수준의 30% 증가가 pH를 단지 1.1%만 떨어뜨리고 있다는 것을 의미한다. 이것은 확실한 사실이지만 pH는 식 (5.8)에 정의된 것처럼 로그 스케일로 표현된다는 것을 기억하라. 결과적으로 pH가 1만큼 떨어진다는 것은 수소 이온이 10배 증가한다는 것을 나타낸다. 농도는 $[H^+] = 10^{-pH}$로 계산되며, 1959년부터 2019년까지의 백분율 변화는 다음과 같이 계산된다.

```
(10**(-5.42)-10**(-5.48))/10**(-5.42)*100
12.90364100439204
```

따라서 수소 이온의 농도는 61년간 13% 이상 증가했다.

이제 대기 중 CO_2 농도로부터 빗물의 pH를 결정하는 방법을 구했다. year,ppm 데이터만을 포함한 소스 데이터 파일로부터 MaunaLoaCO2Data.txt의 텍스트 파일을 준비한다. 그림 5.10과 유사하게 year 및 ppm 값을 읽어 낼 파이썬 코드를 배열에 추가하고, 각 연도의 pH에 대해 해결하고 연도에 대한 pH의 그래프를 그릴 수 있다. bisect1과 f 함수를 이용한 파이썬 스크립트는 다음과 같다.

```
import numpy as np
year,ppm = np.loadtxt('MaunaLoaCO2Data.txt',unpack=True)
n = len(year)
pHpred = []
for i in range(n):
    pHsoln = bisect1(lambda pH: f(pH,ppm[i]),2,12,20)
    pHpred.append(pHsoln)

import pylab
pylab.plot(year,pHpred,c='k',marker='o')
pylab.grid()
pylab.xlabel('Year')
pylab.ylabel('Rainwater pH')
pylab.title('Rainwater pH Prediction Based On Atmospheric CO2')
```

그리고 그 결과를 그래프로 그리면 다음과 같다.

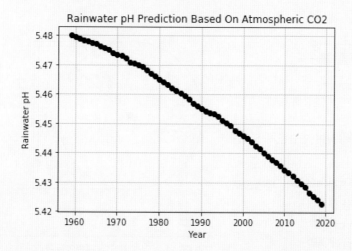

사례연구 5.6	continued

온실가스 경향의 의미에 대해서는 많은 논쟁이 있다. 이 논쟁의 대부분은 온실가스의 증가가 지구 온난화와 관련이 있느냐 하는 것이다. 그러나 궁극적인 영향에 관계없이 상대적으로 짧은 기간 동안에 대기가 크게 변화해 왔다는 사실은 과장이 아니다. 이 사례연구는 이러한 경향을 해석하고 이해하는 데 있어 어떻게 수치해석과 파이썬을 적용할 수 있는지를 보여 주고 있다. 오늘날에는 공학자와 과학자들이 이러한 도구를 사용하여 대기 현상에 대해 보다 잘 이해하고, 대기 현상의 영향에 대한 논쟁을 합리화하는 데 도움을 얻을 수 있을 것이다.

연습문제

* 짝수번호는 온라인 사이트에 있으며 본 책 '차례' 끝부분 xxi페이지에 사이트주소가 있음.

5.1 95 kg인 번지점프하는 사람이 자유낙하 9초 후에 속도가 46 m/s가 되기 위한 항력계수를 이분법으로 구하라. 중력가속도는 9.81 m/s²이다. $x_l = 0.2$, $x_u = 0.5$의 초기 가정값으로 시작하여 근사 상대오차가 5% 이하로 떨어질 때까지 반복하라.

5.3 그림 P5.3은 균일한 하중을 받는 핀 고정보이다. 굽힘에 대한 방정식은 다음과 같다.

$$y = -\frac{w}{48EI}(2x^4 - 3Lx^3 + L^3x)$$

다음의 문제들에 대한 파이썬 스크립트를 개발하라.

(a) x에 대한 dy/dx의 그래프(적절한 제목과 함께)를 그려라.

(b) Lastnamebisect 함수를 이용해 $dy/dx = 0$으로 만드는 x의 값인 최대 굽힘이 발생하는 지점을 결정하라. 그리고 그 값을 위의 식에 대입하여 최대 굽힘을 결정하라. 초기 가정값은 $x_l = 0$, $x_u = 0.9L$이다.

매개변수는 다음과 같다. $L = 400$ cm, $E = 52,000$ kN/cm², $I = 32,000$ cm⁴, $w = 4$ kN/cm, $E_{a,d} = 1 \times 10^{-7}$. (결과를 소수점 6자리까지 표기하라.)

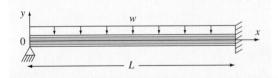

그림 P5.3 균일한 하중을 받는 핀 고정보.

5.5 LastNamebisection 함수를 사용하여 연습문제 5.1을 풀어라.

5.7 (a) 파이썬 스크립트를 사용해 그래프를 이용하는 방법으로 $f(x) = -12 - 21x + 18x^2 - 2.75x^3$의 근을 구하라.
(b) 이분법으로 방정식의 첫 번째 근을 구하라.
(c) 가위치법으로 방정식의 첫 번째 근을 구하라.

합리적인 초기 가정값을 고르고 허용 오차 0.1% 또는 반복 횟수 20번으로 구하라. 그 결과를 (b), (c)와 비교하라.

5.9 $\ln(x^2) = 0.7$의 양의 실근을 구하라.

(a) 그래프를 그려서 구하라.

(b) $x_l = 0.5$와 $x_u = 2$를 초기 가정값으로 하고 이분법을 이용해서 구하라.

(c) 가위치법을 이용하여 근을 구하라. 그리고 그 결과를 비교하라. 이 방정식을 간단한 계산을 통해 x에 대하여 해석적으로 구할 수 있는지 논의하라.

5.11 그림 P5.11과 같이 구체의 탱크에 액체가 일부 차 있다. 액체의 부피를 구하는 식은 다음과 같다.

$$V = \frac{\pi h^2(3R - h)}{3}$$

R은 탱크의 내부 반지름이고 h는 액체의 높이이다. 탱크의 밖에 h를 측정할 수 있는 관측계가 있다. 관측계 옆에 h가 아닌 부피 V로 직접 보정된 스케일의 관측계를 배치하라.

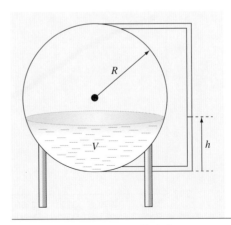

그림 P5.11 일부 차 있는 구형의 탱크.

(a) R = 5 m, V = 300 m³일 때, 이분법을 사용하여 h를 구하라. 힌트: 3차방정식의 경우 3개의 실근이 존재한다. 한 근은 탱크 위에 한 근은 탱크 아래에 있다. 그러므로 빈 탱크와 가득 찬 탱크의 경우를 초기 가정값으로 하는 것이 구하고자 하는 의미 있는 근을 구할 것이다. 또한 탱크의 꼭대기의 높이 h = 2R이다.

(b) 이분법을 다시 사용하여 빈 탱크에서부터 가득 찬 탱크까지 10 m³의 구간으로 V 대 h의 calibration table을 구하라.

5.13 Michaelis–Menten 모델은 효소전달 반응속도론을 설명한다.

$$\frac{dS}{dt} = -v_m \frac{S}{k_s + S}$$

여기서 S는 기질농도 (mol/L), v_m은 최대 흡수율 (mol/L/d) 그리고 k_s는 흡수가 최대의 절반일 때의 기질수준인 반포화상수 (mol/L)이다. t = 0에서 초기 기질수준이 S_0이면, 이 미분방정식은 다음과 같은 해를 갖는다.

$$S = S_0 - v_m t + k_s \ln\left(\frac{S_0}{S}\right)$$

S_0 = 8 mol/L, v_m = 0.7 mol/L/d 그리고 k_s = 2, 3 그리고 4 mol/L인 경우에, t에 대한 S의 그래프를 생성하는 파이썬 스크립트를 작성하라.

5.15 그림 P5.15a는 선형적으로 증가하는 하중을 받는 균일보를 나타낸 것이다. 탄성곡선(그림 P5.15b)에 대한 방정식은 다음과 같다.

$$y = \frac{w_0}{120EIL}\left(-x^5 + 2L^2x^3 - L^4x\right)$$

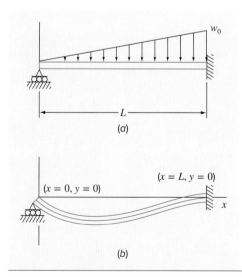

그림 P5.15 선형적으로 증가하는 하중을 받는 균일보.

이분법을 사용하여 최대 처짐의 위치(dy/dx = 0인 x값)를 구하라. 그 후 주어진 방정식을 이용하여 최대 처짐의 값을 구하라. 계산 시 다음 매개변수를 사용하라. L = 600 cm, E = 50,000 kN/cm², I = 30,000 cm⁴ 그리고 w_0 = 2,500 N/cm이다.

5.17 공학의 여러 분야에서는 정확한 인구의 추정을 필요로 한다. 예를 들어 교통공학자들은 도시와 인접한 근교의 인구 성장 추세를 분리하여 구할 필요가 있다. 도시 지역의 인구는 다음 식에 의해 시간이 지남에 따라 감소한다.

$$P_u(t) = P_{u,max} e^{-k_u t} + P_{u,min}$$

반면에 도시 근교의 인구는 다음과 같이 증가한다.

$$P_s(t) = \frac{P_{s,max}}{1 + [P_{s,max}/P_0 - 1]e^{-k_s t}}$$

여기서 $P_{u,max}$, $P_{u,min}$, $P_{s,max}$, P_0, k_u 그리고 k_s는 실험적으로 유도된 매개변수들이다. 근교의 인구가 도시의 인구보다 20% 많을 때의 시간과 그에 따른 $P_u(t)$ 그리고 $P_s(t)$를 구하라. 매개변수의 값은 $P_{u,max}$ = 110,000, $P_{u,min}$ = 80,000, $P_{s,max}$ = 320,000, P_0 = 10,000, k_u = 0.05/yr, k_s = 0.09/yr이다.

(a) 초기 가정값을 구하기 위해 그래프를 이용하라.

(b) 가위치법을 사용해 정밀한 해를 구하라.

5.19 총 전하 Q는 반지름 a의 반지 모양의 도체 주위에 균일하게 분포되어 있다. 그림 P5.19와 같이 전하 q가 반지 모양의 중심으로부터 x만큼 떨어진 곳에 위치하고 있다. 반지에 의해 전하에 가해지는 힘은 다음과 같다.

$$F = \frac{1}{4\pi e_0} \frac{qQx}{(x^2 + a^2)^{3/2}}$$

여기서 e_0 = 8.9 × 10⁻¹² C²/(N·m²)이다. q와 Q가 2 × 10⁻⁵ C이고 반지의 반지름이 0.85 m인 경우, 작용하는 힘이 1.25 N인 곳의 거리 x값을 구하라.

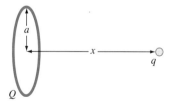

그림 P5.19 반지 전하와 점전하.

5.21 대부분의 다른 기술자처럼 기계공학 기술자도 열역학을 많이 사용한다. 다음과 같은 다항식은 건공기의 영압력(zero pressure) 비열 c_p[kJ/(kg·K)]를 온도 (K)의 함수로 구하기 위해 사용된다.

$$c_P = 0.99403 + 1.671 \times 10^{-4} T + 9.7215 \times 10^{-8} T^2$$
$$- 9.5838 \times 10^{-11} T^3 + 1.92520 \times 10^{-14} T^4$$

(a) $T = 0$에서 1200 K의 범위에 대한 c_p의 그래프를 그려라.

(b) 이분법을 사용하여 비열 1.1 kJ/(kg·K)에 해당하는 온도를 구하라.

5.23 비록 사례연구 5.6에서 언급하지 않았지만 식 (5.13)은 전기적중성을 나타내는 식이다. 즉, 양과 음의 전하가 평형을 이루어야 한다. 이는 식을 다음과 같이 쓰면 명확하게 알 수 있다.

$$[H^+] = [HCO_3^-] + 2[CO_3^{2-}] + [OH^-]$$

다시 말하면, 양전하는 음전하와 반드시 같아야 한다. 따라서 호수와 같은 자연수의 pH를 계산할 때 혹시 있을지도 모르는 다른 이온들도 고려하여야 한다. 이들 이온이 비반응 소금에서 나올 때, 이들 이온에 기인한 음전하와 양전하의 차이는 **알칼리도**라고 부르는 양으로 한꺼번에 나타낼 수 있으며, 따라서 위 식은 다음과 같이 다시 쓸 수 있다.

$$Alk + [H^+] = [HCO_3^-] + 2[CO_3^{2-}] + [OH^-] \qquad (P5.23)$$

여기서 Alk = 알칼리도 (eq/L)이다. 예를 들면 2008년에 측정한 Superior 호수의 알칼리도는 약 0.4×10^{-3} eq/L이다. Superior 호수의 pH를 구하기 위해 5.6절에서와 같은 계산을 수행하라. 빗

물과 같이 호수는 대기 중 CO_2와 평형상태에 있다고 가정하라. 그러나 식 (P5.23)의 알칼리도는 고려한다.

5.25 연습문제 5.24와 같은 계산을 그림 P5.25에 있는 원뿔의 절두체에 대해 수행하라. 절두체의 부피는 다음과 같다.

$$V = \frac{\pi h}{3}\left(r_1^2 + r_2^2 + r_1 r_2\right)$$

계산을 위해 다음의 값들을 사용하라. $r_1 = 0.5$ m, $r_2 = 1$ m, $h = 1$ m, $\rho_f = 300$ kg/m^3, $\rho_w = 1000$ kg/m^3.

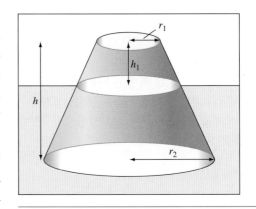

그림 P5.25   부분적으로 물에 잠긴 원뿔의 절두체.

근: 개방법

Roots: Open Methods

학습 목표

이 장의 주요 목표는 단일 비선형방정식의 근을 구하기 위한 개방법을 이해하는 것이다. 특정한 목표와 다루는 주제는 다음과 같다.

- 근을 구하기 위한 구간법과 개방법의 차이
- 고정점 반복법과 그 수렴특성
- 수렴성을 높이고 안정성을 제공하기 위한 고정점 반복법의 확장개념인 Wegstein법
- Newton-Raphson법으로 근을 구하는 것과 2차 수렴의 개념
- 할선법과 수정 할선법의 실행 방법
- 강건하고 효율적인 방법으로 근을 찾기 위해 신뢰성 있는 구간법과 수렴이 빠른 개방법을 조합하는 Brent법
- 근을 구하기 위한 파이썬 SciPy 모듈에 내장된 메소드의 사용법
- 파이썬의 내장 기능으로 다항식의 근을 조작하고 구하는 방법

5장에서 공부한 구간법에서는 미리 설정된 하한과 상한 경곗값으로 이루어지는 구간 내에서 근을 구하였다. 이와 같은 방법을 반복적으로 적용하면 근의 참값에 가까운 근의 추정값을 구할 수 있다. 이와 같은 방법은 계산이 진행됨에 따라 추정값이 참값에 접근하기 때문에 수렴한다고 말한다 (그림 6.1*a*).

반면에 이 장에서 기술되는 개방법(open method)은 한 개의 초깃값에서 시작하거나 구간 내에 근을 포함하지 않을 수도 있는 두 개의 초깃값으로부터 시작하는 방법이다. 개방법은 계산이 진행됨에 따라 종종 발산하거나 근에서 멀어지기도 한다(그림 6.1*b*). 그러나 개방법이 수렴할 경우에는 일반적으로 구간법보다 빠르게 수렴한다(그림 6.1*c*). 개방법의 일반적인 형태와 수렴의 개념을 쉽게 이해할 수 있도록 우선 간단한 개방법부터 살펴보자.

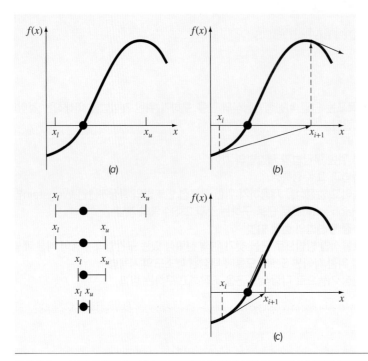

그림 6.1   근을 구하기 위한 (a)의 구간법과 (b)와 (c)의 개방법의 근본적인 차이를 그래프로 나타낸 것이다. 이분법을 사용하는 (a)에서는 x_l과 x_u로 설정된 구간 내에 근이 존재하나, 개방법(여기서는 Newton-Raphson법)을 사용하는 (b)와 (c)에서는 x_i로부터 x_{i+1}을 추정하는 공식을 반복적으로 사용한다. 따라서 이 방법은 함수의 형상이나 초깃값의 설정에 따라서 (b)처럼 발산하거나 (c)처럼 빠르게 수렴한다.

6.1   고정점 반복법

공학 및 과학적 계산을 수행할 때, 결과를 얻으려면 결과를 추정하는 것으로부터 시작해야 하는 일이 자주 그리고 자연스럽게 발생한다. 이는 일반적인 상황으로서 그림 6.2a에 묘사되어 있다. 계산이 단일식으로 표시되는 경우, 그림 6.2b가 적절한 설명이다.

그림 6.2의 계산이 유효하려면 입력값 x와 출력값 x가 서로 일치해야 한다. 이것은 답을 풀기 전에 답을 알아야 하는 고전적인 딜레마이며 "무엇을 해야 하는가?"라는 의문이 들게 한다. 그림 6.2b에 기반한 한 가지 접근 방식은 식을 다음과 같은 식으로 재배열하고 5장에서 다루었던 이분법이나 이번 장에서 다룰 방법들을 사용하여 답을 구하는 것이다.

$$f(x) = x - g(x)$$

그림 6.3에 묘사된 또 다른 방식은 **고정점 반복법** 혹은 **연속 대입법**이라 불리는 순환식을 세우는 것이다.

x_{i+1}을 결정하기 위해 x_i를 추정하는 것부터 시작한다. 전형적으로 $x_{i+1} \neq x_i$는 만족되지 않는다. 고정점 반복법은 $x_{i+1} \cong x_i$가 될 때까지 다음 식을 반복한다.

$$x_{i+1} = g(x_i) \tag{6.1}$$

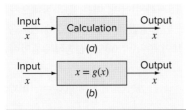

그림 6.2 (*a*) 출력값을 결정하는 데 입력값이 필요한 일반적인 상황, (*b*) 계산이 단일식인 특정 상황.

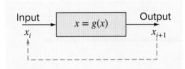

그림 6.3 고정점 반복법 혹은 연속 대입법이라 불리는 순환 계산.

$f(x) = 0$으로 자연스럽게 공식화되는 근 문제는 x에 대하여 푸는 $x = g(x)$ 형태를 얻기 위해 대수적 조작으로 재공식화될 수 있다. 예를 들어, $f(x) = x - e^{-x}$는 $x = g(x)$ 형태인

$$x = e^{-x} \qquad \text{or} \qquad x = -\ln(x),$$

로 고쳐질 수 있다. 우리는 위에서 반복 식이 수렴할 것이라는 암묵적인 가정을 세웠다. 이것은 항상 성립하지는 않으며 이는 고정점 반복법의 주요한 한계이다. 식은 종종 발산한다. 이를 다음 예제에서 더 다루어 보자.

이 책에 있는 다른 반복 공식들과 마찬가지로 근사오차는 다음의 오차 추정식을 사용하여 결정한다.

$$e_a = \left| \frac{x_{i+1} - x_1}{x_{i+1}} \right| 100\% \tag{6.2}$$

예제 6.1 | **단순 고정점 반복법**

문제 정의 단순 고정점 반복법을 사용하여 $f(x) = x - e^{-x}$의 근을 구하라.

풀이 초깃값을 $x_0 = 0$으로 가정하여 식 $x = g(x) = e^{-x}$을 사용한다. 계산은 아래 표와 같다.

Iteration	x_i	$g(x_i)$	ε_a	ε_t	$\varepsilon_{t,i}/\varepsilon_{t,i-1}$
0	0	1		100.00%	
1	1	0.3679	171.83%	76.32%	0.7632
2	0.3679	0.6922	46.85%	35.13%	0.4603
3	0.6922	0.5005	38.31%	22.05%	0.6276
4	0.5005	0.6062	17.45%	11.76%	0.5331
5	0.6062	0.5454	11.16%	6.89%	0.5865
6	0.5454	0.5796	5.90%	3.83%	0.5562
7	0.5796	0.5601	3.48%	2.20%	0.5734
8	0.5601	0.5711	1.93%	1.24%	0.5636
9	0.5711	0.5649	1.11%	0.71%	0.5692
10	0.5649	0.5684	0.62%	0.40%	0.5660

근의 참값은 0.567143140453502(유효숫자 15개까지)이며, 이는 표의 절대오차 ε_t와 마지막 열의 그에 대한 비율을 계산하기 위해 사용되었다. 마지막 열의 후자의 값들이 모두 0.57에 가까움에 주목하라. 이는 오차가 이전의 반복계산에서의 오차와 비례한다는 것을 보여 준다(약 60%). 선형적 수렴이라 부르는 이와 같은 성질은 고정점 반복법의 특징이다.

추가 설명으로, 참값에 가까운 초깃값 $x_0 = 0.5$을 가정하는 식 $x = g(x) = -\ln(x)$을 살펴보자. 아래의 표를 보라.

Iteration	x_i	$g(x_i)$	ε_a	ε_t	$\varepsilon_{t,i}/\varepsilon_{t,i-1}$
0	0.5	0.6931		11.84%	
1	0.6931	0.3665	27.87%	22.22%	1.8766
2	0.3665	1.0037	89.12%	35.38%	1.5923
3	1.0037	−0.0037	63.48%	76.98%	2.1760

이 고정점 반복 공식이 발산한다는 것은 자명하다.

예제 6.1의 경우, $f(x) = 0$ 및 $x = g(x)$ 공식의 비교가 그림 6.4에 나와있다. (b)에서 $x = g(x)$ 식은

$$f_1(x) = x \qquad \text{and} \qquad f_2(x) = e^{-x} \tag{6.3}$$

으로 분리되어 있다. 일반적으로 우리는 해가 $x = g(x)$ 곡선과 45° 선의 교차점에 있을 것이라는 것을 알고 있으며, 이는 해의 위치에서 $g(x)$가 x와 같다는 것을 나타낸다. 이 관계는 예제 6.1에서 밝혀진 것과 같이 수렴하는 공식과 발산하는 공식의 차이를 설명하는 데 사용될 수 있다. 그림 6.5에 이를 나타내었다. 식 $x = g(x) = e^{-x}$은 근에 수렴하고 식 $x = g(x) = -\ln(x)$은 발산하는 것을 명확히 볼 수 있다. 이 두 개의 패턴은 나선형이다. 이는 또한 단조형태의 수렴 또는 발산을 할 수 있으며 이를 그림 6.6에 나타내었다.

이론적인 유도를 통해 이 과정을 이해할 수 있다. Chapra and Canale(2021)이 언급한 것처럼, 반복계산에서 발생하는 오차는 이전 반복에서의 오차에 $g(x)$의 기울기의 절댓값을 곱한 것에 선형적으로 비례한다.

$$E_{i+1} = E_i |g'(\xi)| \tag{6.4}$$

이때 $x = \xi$이 근의 인근에 있는 경우를 말한다.

결과적으로 $|g'| < 1$이면 반복이 진행됨에 따라 오차는 감소한다. $|g'| > 1$이면 오차는 증가한다. 또한 $g' > 0$이면 오차는 양이 되어, 그림 6.6에 나타낸 것처럼 단조형태의 수렴 또는 발산이 될 것이다. 반면에 예제 6.1 같이 $g' < 0$이면 오차는 반복할 때마다 부호가 바뀔 것이다. 이는 그림 6.5에 나타낸 것처럼 나선형태를 만들어 낼 것이다.

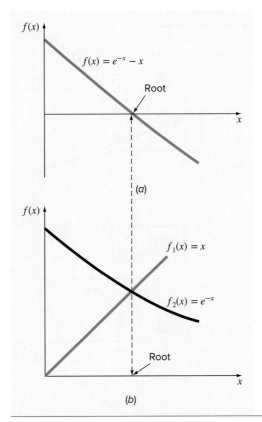

그림 6.4 $f(x) = 0$의 근을 찾는 방식 (*a*)와 $x = g(x)$ 고정점 반복법 (*b*)를 나타낸 그래프. (*a*) 함수 $f(x)$가 x축과 교차하는 점이 근, (*b*) 함수 $g(x)$가 45° 선과 교차하는 점이 근.

단순 고정점 반복법을 분석, 설명 및 이해한 후에 생긴 두 가지 질문:

- 5장에서 이분법의 가능한 개선사항으로서 가위치법이 개발된 것처럼, 고정점 반복법에도 비슷한 개선 가능성이 있는가?
- 고정점 반복법이 발산하는 경우에서 수렴하는 식을 제공할 수 있는 고정점 반복법의 변형이 있는가?

이는 다음 절에서 다룬다.

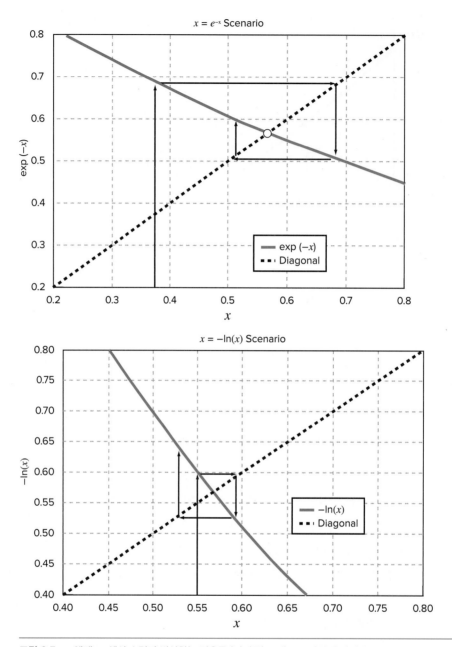

그림 6.5 예제 6.1에서 수렴과 발산하는 경우를 '거미줄' 그래프로 나타낸 것이다.

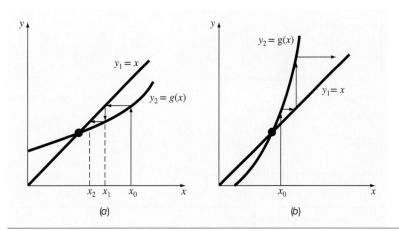

그림 6.6   고정점 반복법에서 단조형태의 수렴과 발산을 나타낸 것이다.

6.2   Wegstein법

가위치법에서 다음 추정값의 위치를 결정하기 위하여 두 개의 초기 가정값의 선형관계를 사용했다. 이는 추정값의 위치는 직선과 x축의 교점이라는 것과 해가 x축 위에 존재한다는 것을 알기 때문에 가능했다. 고정점 반복법에서 다루었던 $x = g(x)$의 경우, 근이 x축이 아닌 45° 선에 있다는 것을 알았다. 이는 근의 다음 추정값을 결정하기 위해 45° 선과의 교차점에 대한 두 개의 초기 가정값을 지나는 직선을 사용할 가능성을 높인다. 이것이 그림 6.7에서 설명하는 *Wegstein*법[1]의 기초이다.

    그림은 다음과 같이 해석할 수 있다. Wegstein법은 두 개의 초기 가정값 x_0과 x_1을 필요로 하지만, 이분법과는 다르게 구간이 근을 포함할 필요가 없다. 두 점 $[x_0, g(x_0)]$와 $[x_1, g(x_1)]$을 지나는 직선이 45° 선과의 교차점에 투영됐다. 이를 통해 x_2의 위치를 찾는다. 이 과정을 반복하여, 점 $[x_1, g(x_1)]$과 $[x_2, g(x_2)]$를 사용하여 x_3를 구한다. 각각의 반복에서, 마지막 두 근의 추정값 x_1와 x_{i-1}은 x_{i+1}을 구하는 데 사용된다. 근에 빠르게 수렴해 가는 것을 그림을 통해 볼 수 있다.

    Wegstein법을 어떻게 알고리즘으로 표현할 수 있는가? 이는 $[x_i, g(x_i)]$와 $[x_{i-1}, g(x_{i-1})]$을 지나는 직선에 대한 일반적인 형식을 작성하는 것부터 시작한다.

$$\frac{x - x_i}{g(x) - g(x_i)} = \frac{x - x_{i-1}}{g(x) - g(x_{i-1})}$$

그러나 45° 선에 투영해야 하므로 $x_{i+1} = g(x_{i+1})$을 고려하면 다음과 같다.

$$\frac{x_{i+1} - x_i}{g(x_{i+1}) - g(x_i)} = \frac{x_i - x_{i-1}}{g(x_i) - g(x_{i-1})}$$

이를 x_{i+1}에 대하여 대수적으로 풀면 다음과 같은 Wegstein 반복 공식을 얻을 수 있다.

---

1)   이 방법은 J. H. Wegstein에 의해 개발되었다, **Communications of the ACM, 1**: 9-13, 1958.

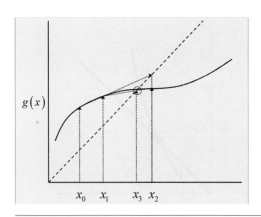

그림 6.7   Wegstein법을 나타내는 그래프.

$$x_{i+1} = \frac{x_i g(x_{i-1}) - x_{i-1}g(x_i)}{x_i - x_{i-1} - g(x_i) + g(x_{i-1})}$$ (6.5)

초기 가정값이 주어지면 식 (6.5)를 반복적으로 사용하여 새로운 추정값을 얻을 수 있다. 고정점 반복법과 마찬가지로, 식 (6.3)을 이용하여 상대오차를 추정할 수 있다.

| 예제 6.2 | **Wegstein법의 적용** |

문제 정의 주어진 두 $x = g(x)$ 형태의 함수에 Wegstein법을 적용하라.
예제 6.1: (a) $x = e^{-x}$, (b) $x = -\ln(x)$.

풀이 (a) 주어진 초기 가정값 $x_0 = 0$, $x_1 = 0.25$를 사용하면 $g(x_0) = 1$, $g(x_1) = 0.7780$을 구할 수 있다. 이후 식 (6.5)를 적용하여 계산하면 다음과 같다.

$$x_2 = \frac{0.25(1) - 0(0.7780)}{0.25 - 0 - 0.7780 + 1} = 0.53056$$

백분율 상대 오차는 다음과 같다.

$$\varepsilon_a = \left| \frac{0.53056 - 0.25}{0.53056} \right| = 52.88\%$$

이 방법은 다음의 표와 같이 정리될 수 있다.

i	x_{i-1}	x_i	x_{i+1}	$g(x_{i-1})$	$g(x_i)$	$g(x_{i+1})$	ε_a	ε_t	$\varepsilon_{t,i}/\varepsilon_{t,i-1}$
1	0	0.25	0.53056	1.00000	0.77880	0.58827	52.88%	6.45%	
2	0.25	0.53056	0.56493	0.77880	0.58827	0.56840	6.08%	0.39%	6.04%
3	0.53056	0.56493	0.56713	0.58827	0.56840	0.56715	0.39%	0.00%	0.66%
4	0.56493	0.56713	0.56714	0.56840	0.56715	0.56714	0.00%	0.00%	0.99%

예제 6.1의 고정점 반복법에 대한 표와 비교하면 Wegstein법의 수렴이 매우 빠른 것을 알 수 있다. 이는 반복이 진행될 때마다 1% 미만의 값에 도달하는 절대오차의 상대적 감소에 의해 확인된다.
(b) 다음으로 $x = -\ln(x)$에 Wegstein 공식을 적용하면 다음과 같다.

i	x_{i-1}	x_i	x_{i+1}	$g(x_{i-1})$	$g(x_i)$	$g(x_{i+1})$	ε_a	ε_t	$\varepsilon_{t,i}/\varepsilon_{t,i-1}$
1	0.45	0.5	0.56216	0.79851	0.69315	0.57597	11.06%	0.88%	
2	0.5	0.56216	0.56695	0.69315	0.57597	0.56749	0.84%	0.03%	3.95%
3	0.56216	0.56695	0.56714	0.57597	0.56749	0.56714	0.03%	0.00%	0.27%

이 식에 고정점 반복법을 적용하면 발산한다. Wegstein법은 자연적으로 불안정한 순환식이 수렴되도록 '강제' 한다.

예제 6.2에서 확인한 이유로, Wegstein법은 순환식과 자주 마주하는 상업 소프트웨어에서 자주 쓰인다.

예제 6.3 파이썬에서의 고정점 반복법과 Wegstein법

문제 정의 고정점 반복법과 Wegstein법에 대한 파이썬 함수를 개발하고 이를 예제 6.1과 예제 6.2를 통해 시험 하라.

풀이 고정점 반복법에 대한 파이썬 함수는 다음과 같다.

```
def fixpt(g,x0,Ea=1.e-7,maxit=30):
    """
    This function solves x=g(x) using fixed-point iteration.
    The method is repeated until either the relative error
    falls below Ea (default 1.e-7) or reaches maxit (default 30).
    Input:
        g = name of the function for g(x)
        x0 = initial guess for x
        Ea = relative error threshold
        maxit = maximum number of iterations
    Output:
        x1 = solution estimate
        ea = relative error
        i+1 = number of iterations
    """
    for i in range(maxit):
        x1 = g(x0)
        ea = abs((x1-x0)/x1)
        if ea < Ea:  break
        x0 = x1
    return x1,ea,i+1
```

7줄만으로 구성된 간단한 코드이다. 예제 6.1을 풀기 위해 필요한 함수인 fixpt 함수를 사용하기 위하여 다음의 코드를 추가한다.

```
import numpy as np
def g(x):
    return np.exp(-x)
x0 = 0
(xsoln,ea,n) = fixpt(g,x0,Ea=1.e-5)
print('Solution = {0:8.5g}'.format(xsoln))
print('Relative error = {0:8.3e}'.format(ea))
print('Number of iterations = {0:5d}'.format(n))
```

결과는 다음과 같다.

```
Solution = 0.56714
Relative error = 6.933e-06
Number of iterations =  23
```

Wegstein법을 사용하기 위하여, fixpt 코드를 두 개의 초기 가정값과 Wegstein 공식을 포함하도록 다음과 같이 수정하였다.

```
def wegstein(g,x0,x1,Ea=1.e-7,maxit=30):
    """
    This function solves x=g(x) using the Wegstein method.
    The method is repeated until either the relative error
    falls below Ea (default 1.e-7) or reaches maxit (default 30).
    Input:
        g = name of the function for g(x)
        x0 = first initial guess for x
        x1 = second initial guess for x
        Ea = relative error threshold
        maxit = maximum number of iterations
    Output:
        x2 = solution estimate
        ea = relative error
        i+1 = number of iterations
    """
    for i in range(maxit):
        x2 = (x1*g(x0)-x0*g(x1))/(x1-x0-g(x1)+g(x0))
        ea = abs((x1-x0)/x1)
        if ea < Ea:  break
        x0 = x1
        x1 = x2
    return x2,ea,i+1
```

이 함수를 $x = e^{-x}$에 적용하여 해를 구하는 코드는 다음과 같다.

```
x0 = 0.4
x1 = 0.45
(xsoln,ea,n) = wegstein(g,x0,x1,Ea=1.e-5)
print('Solution = {0:8.5g}'.format(xsoln))
print('Relative error = {0:8.3e}'.format(ea))
print('Number of iterations = {0:5d}'.format(n))
```

결과는 다음과 같다.

```
Solution = 0.56714
Relative error = 1.038e-08
Number of iterations =   6
```

23번의 반복을 했던 고정점 반복법에 비해 Wegstein법은 단 6번의 반복만으로 에러 조건을 만족했다는 것에 주목하라.

　wegstein 함수는 코드를 수정함으로써, $x = -\ln(x)$와 같은 자연적으로 발산하는 식을 푸는 데 사용되기도 한다.

```
import numpy as np

def g(x):
    return -np.log(x)
```

```
x0 = 0.4
x1 = 0.45
(xsoln,ea,n) = wegstein(g,x0,x1,Ea=1.e-5)
print('Solution = {0:8.5g}'.format(xsoln))
print('Relative error = {0:8.3e}'.format(ea))
print('Number of iterations = {0:5d}'.format(n))
```

이는 6번의 반복을 통해 성공적으로 해를 구했다.

```
Solution = 0.56714
Relative error = 6.805e-09
Number of iterations =    6
```

다음 절로 넘어가기 전에 언급해야 할 3가지가 있다.

- 이전에도 언급했듯이, 많은 공학 및 과학 문제가 자연적으로 $x = g(x)$ 형식을 띠며, 이는 종종 고정점 반복법을 통해 수렴하기도 한다. 이러한 경우에, 순환법을 사용하여 해를 구하는 것이 효과적일 수 있다. Wegstein법은 수렴을 가속하고 자연적으로 발산하는 식을 안정화한다.

- 그림 6.2a를 참조하면, 순환식은 10 ~ 100줄의 코드에 달하는 단일식보다 훨씬 더 많은 것을 포함할 수 있다. 이 절에서 다루었던 원리와 방법들이 위와 같은 상황에 적용된다. 그러나 시스템이 $f(x) = x - g(x) = 0$의 식으로 쉽게 변형되는 것이 아니며, 수치해법이 어려운 비선형 시스템도 존재한다. 이러한 비선형 시스템은 12장에서 다룰 것이다.

- $x = g(x)$ 또는 $f(x) = 0$ 방정식의 해는 종종 다른 반복계산에 포함되며 더 큰 문제를 해결하는 동안 수천 번 수행해야 할 수도 있다. 이 경우 효율성과 신속한 수렴의 중요성이 증가한다. 또한 방정식이 풀리는 마지막 반복에서 초기 가정값이 결정되고, 이는 다음 해에 매우 근접하므로 결국 수렴을 강화하는 이점이 생긴다.

6.3 Newton-Raphson법

근을 구하는 공식 중에서 가장 널리 사용되는 것이 *Newton-Raphson*법이다(그림 6.8). 근에 대한 초기 가정값이 x_i라면, 점 $[x_i, f(x_i)]$에 접하는 접선을 구할 수 있다. 이 접선이 x축과 만나는 점 x_{i+1}이 $f(x) = 0$의 근에 대한 개선된 추정값이 된다.

Newton-Raphson법은 기하학적으로 유도될 수 있다. 그림 6.8에서와 같이 x_i에서의 1차 도함수의 기울기는 다음과 같다.

$$f'(x_i) = \frac{f(x_i) - 0}{x_i - x_{i+1}}$$

위 식은 다음과 같이 정리될 수 있다.

$$x_{i+1} = x_i - \frac{f(x_i)}{f'(x_i)} \tag{6.6}$$

이 식을 *Newton-Raphson* 공식이라고 한다.

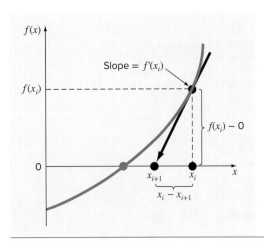

그림 6.8　Newton-Raphson법을 그래프로 나타냄. x_i에서의 함수의 접선[즉, $f'(x_i)$]은 x_{i+1}에서의 근의 추정값을 구하기 위해 x축까지 연장된다.

예제 6.4　**Newton-Raphson법**

문제 정의　Newton-Raphson법을 사용해서 $f(x) = x - e^{-x}$의 근을 추정하라. 초기 가정값은 $x_0 = 0$이다.

풀이　주어진 함수의 1차 도함수는 다음과 같다.

$$f'(x) = 1 + e^{-x}$$

1차 도함수와 본래의 함수를 식 (6.6)에 대입하면 다음과 같다.

$$x_{i+1} = x_i - \frac{x_i - e^{-x_i}}{1 + e^{-x_i}}$$

초기 가정을 $x_0 = 0$으로 놓고, 이 방정식을 반복계산 한다.

Iteration	x_i	$f(x_i)$	$f'(x_i)$	x_{i+1}	ε_t
0	0	−1.00000	2.000000	0.5	11.8%
1	0.500	−0.10653	1.606531	0.566311	0.147%
2	0.56631	−0.00130	1.567616	0.5671432	0.000022%
3	0.5671432	0.00000	1.567143	0.5671433	0.00000001%

이 방법은 빠르게 근에 수렴한다. 반복계산이 진행될 때마다 참 절대오차는 고정점 반복법보다 훨씬 빠르게 감소하고 심지어 Wegstein법보다도 다소 빠르게 감소한다(예제 6.1과 예제 6.2와 비교).

근을 구하는 다른 방법들과 마찬가지로 식 (6.2)는 종료 판정기준에 사용된다. 또한 이론적 해석 (Chapra and Canale, 2021)은 다음과 같은 수렴속도를 제시한다.

$$E_{t,i+1} = \frac{-f''(x_r)}{2f'(x_r)} E_{t,i}^2 \tag{6.7}$$

따라서 오차는 이전 단계에서의 오차의 제곱에 비례한다는 것을 알 수 있다. 이는 근사해의 정확한 유효자리 숫자가 각 반복단계마다 두 배로 늘어난다는 것을 의미한다. 이와 같은 성질을 **2차 수렴** (*quadratic convergence*)이라 하며 본 방법이 널리 사용되는 주된 이유 중의 하나다.

　Newton-Raphson법은 매우 효율적이지만 제대로 작동하지 못하는 경우도 있다. 중근과 같이 특수한 경우는 Chapra and Canale(2021) 등에서 다루고 있다. 또한 단순한 근을 구할 때도 다음 예제와 같이 종종 어려움이 발생한다.

예제 6.5	Newton-Raphson법의 사용 시 느리게 수렴하는 함수

문제 정의 Newton-Raphson법을 사용하여 $f(x) = x^{10}-1$의 양의 근을 구하라. 초기 가정값은 $x = 0.5$로 하라.

풀이 이 경우에 Newton-Raphson 공식은 다음과 같다.

$$x_{i+1} = x_i - \frac{x_i^{10} - 1}{10\,x_i^9}$$

이 공식을 사용하여 계산한 결과는 다음과 같다.

Iteration	x_i	$f(x_i)$	$f'(x_i)$	x_{i+1}	ε_a
0	0.5	−0.99902	0.019531	51.65	99.0%
1	51.7	1.351E+17	2.616E+16	46.49	11.111%
2	46.5	4.711E+16	1.013E+16	41.84	11.111%
3	41.8	1.643E+16	3.926E+15	37.65	11.111%
4	37.7	5.728E+15	1.521E+15	33.89	11.111%
		.			
		.			
		.			
38	1.08	1.227E+00	2.056E+01	1.024	5.831%
39	1.024	2.635E−01	1.234E+01	1.0023	2.130%
40	1.002	2.340E−02	1.021E+01	1.00002	0.229%
41	1.00002	2.394E−04	1.000E+01	1.000000003	0.0024%

이 방법은 첫 번째 반복계산에서 형편없는 근삿값을 계산한 후, 근의 참값 1에 수렴은 하지만 수렴속도가 매우 느리다. 분자 $f(x_i)$와 분모 $f'(x_i)$의 크기에 주의하라.

　왜 이러한 일이 일어나는가? 그림 6.9에서 보는 바와 같이 처음 몇 번의 반복에 대한 단순한 그림은 이를 이해하는 데 도움이 된다. 초기 가정값이 기울기가 거의 0인 영역에 있음에 주의하자. 따라서 첫 번째 반복에서 해는 초기 가정값으로부터 멀리 떨어져서 $f(x)$가 매우 큰 값을 갖는 새로운 값($x = 51.65$)이 된다. 적절한 정확도를 갖는 해에 수렴할 때까지 40번 이상 반복해야 할 것이다.

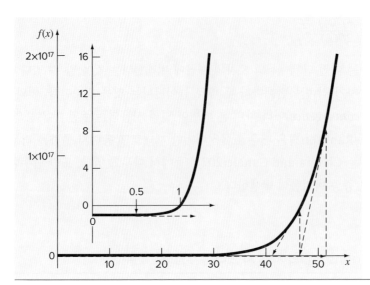

그림 6.9   느리게 수렴하는 Newton-Raphson법을 그래프로 나타냄. 삽입된 그림은 초기에 0에 가까운 기울기로 인해 해가 근으로부터 멀리 떨어지게 되는 것을 보여 준다. 그러므로 해는 매우 느리게 근에 수렴한다.

예제 6.3은 다소 드문 예이지만, 느린 수렴의 가능성과 초기 가정값에 대한 수렴의 민감도를 보여 준다. 초기 가정값을 0.9으로 하면 이 방법은 세 번의 반복 내에 수렴한다.

그림 6.10은 함수의 특성 때문에 느리게 수렴하는 경우 외에도 또 다른 어려움이 발생하는 경우를 보여 주고 있다. 예를 들어 그림 6.10a는 근 주위에 변곡점[즉, $f''(x) = 0$]이 존재하는 경우를 다룬 것이다. 그림 6.10b는 Newton-Raphson법이 국부적인 최댓값 또는 최솟값 부근에서 진동하는 것을 보여 준다. 이러한 진동은 계속 지속되거나, 그림 6.10b에서처럼 0에 가까운 기울기를 가지게 되면 그 추정값은 관심 영역에서부터 멀리 떨어지게 된다. 그림 6.10c는 한 근에 가까운 초기 가정값이 어떻게 해서 몇 개의 근을 뛰어넘게 되는지를 보여 준다. 관심 영역으로부터 추정값이 멀어지는 이런 현상은 0에 가까운 기울기를 만나기 때문이다. 분명히 0인 기울기 [$f'(x) = 0$]를 가지게 되면 Newton-Raphson 공식[식 (6.6)]은 0으로 나누는 것이 발생하기 때문에 실패한다. 그림 6.10d를 보면, 추정해를 예측하는 접선이 수평이 되며 x축과 절대로 만나지 못한다.

따라서 Newton-Raphson법을 위한 일반적인 수렴판정 기준은 없다. 수렴은 함수의 특성과 초기 가정값의 정확도에 의존한다. 유일한 해결책은 근에 충분히 가까운 초기 가정값을 사용하는 것이다. 어떤 함수에 대해서는 어떠한 초기 가정값도 소용이 없다. 훌륭한 초기 가정값은 문제에 대한 물리적 이해나 해의 형태에 대한 정보를 제공하는 그래프와 같은 기능에 기반하여 얻을 수 있다. 앞서 언급했듯이, Newton-Raphson법을 여러 번 사용하는 계산에서는 마지막 반복에서의 해가 다음 반복에서의 훌륭한 초기 가정값이 될 수 있다. 일반적인 수렴판정 기준이 없다는 것은 수렴이 늦거나 발산하는 경우를 인식할 수 있는 좋은 프로그램이 작성되어야 한다는 것을 뜻한다.

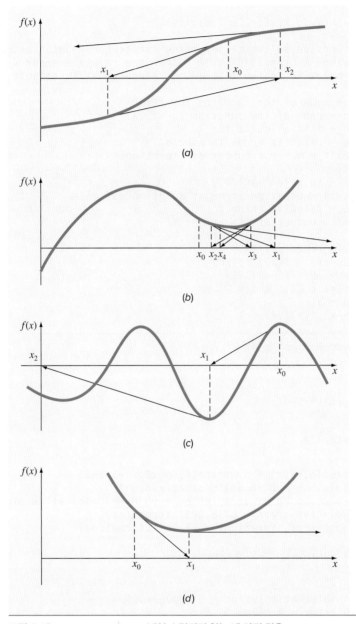

그림 6.10   Newton-Raphson법이 수렴되지 않는 네 가지 경우.

6.3.1 파이썬 함수: `newtraph`

Newton-Raphson법의 알고리즘은 파이썬 함수로 쉽게 개발될 수 있다(그림 6.11). `newtraph` 함수는 함수(f)와 1차 도함수(fp)를 사용해야 한다는 것에 주의하라. 이는 `def` 또는 `lambda` 함수로 개별적으로 정의할 수 있다. 예를 들어 초기 가정값으로 $x_0 = 5$를 가지며 $f(x) = x_2 - 9$의 근을 구하는 방법은 다음과 같다.

```
def newtraph(f,fp,x0,Ea=1.e-7,maxit=30):
    """
    This function solves f(x)=0 using the Newton-Raphson method.
    The method is repeated until either the relative error
    falls below Ea (default 1.e-7) or reaches maxit (default 30).
    Input:
        f = name of the function for f(x)
        fp = name of the function for f'(x)
        x0 = initial guess for x
        Ea = relative error threshold
        maxit = maximum number of iterations
    Output:
        x1 = solution estimate
        f(x1) = equation error at solution estimate
        ea = relative error
        i+1 = number of iterations
    """
    for i in range(maxit):
        x1 = x0 - f(x0)/fp(x0)
        ea = abs((x1-x0)/x1)
        if ea < Ea:  break
        x0 = x1
    return x1,f(x1),ea,i+1
```

그림 6.11   Newton-Raphson법을 실행하기 위한 파이썬 함수.

```
def f(x):
    return x**2-9

def fp(x):
    return 2*x

x0 = 5
(xsoln,fxsoln,ea,n) = newtraph(f,fp,x0,Ea=1.e-5)
print('Solution = {0:8.5g}'.format(xsoln))
print('Function value at solution = {0:8.5e}'.format(fxsoln))
print('Relative error = {0:8.3e}'.format(ea))
print('Number of iterations = {0:5d}'.format(n))
```

자명해(trivial solution)는 다음과 같다.

```
Solution =        3
Function value at solution = 0.00000e+00
Relative error = 4.657e-10
Number of iterations =      5
```

파이썬 코드 안에서 f와 fp 함수들은 간단하기 때문에 다음과 같이 lambda 함수를 사용하는 것이 편리할 수 있다.

```
(xsoln,fxsoln,ea,n) = newtraph(lambda x: x**2-9,lambda x: 2*x,x0,Ea=1.e-5)
```

예제 6.6	Newton-Raphson법과 번지점프 문제

문제 정의 항력계수가 0.25 kg/m일 때 자유낙하 4초 후의 속도가 36 m/s가 되는 번지점프하는 사람의 질량을 구하기 위해 그림 6.11의 파이썬 newtraph 함수를 사용하라.

풀이 계산되어야 할 함수는 다음과 같다.

$$f(m) = \sqrt{\frac{m\,g}{c_d}}\,\tanh\left(\sqrt{\frac{g\,c_d}{m}}\,t\right) - v \tag{E6.6.1}$$

Newton-Raphson법을 적용하기 위해 이 함수의 도함수를 미지수 m에 대하여 구해야 한다.

$$\frac{df(m)}{dm} = \frac{1}{2}\sqrt{\frac{g}{m\,c_d}}\,\tanh\left(\sqrt{\frac{g\,c_d}{m}}\,t\right) - \frac{g}{2m}t\,\mathrm{sech}^2\left(\sqrt{\frac{g\,c_d}{m}}\,t\right) \tag{E6.6.2}$$

두 식이 복잡하기 때문에 파이썬에서 함수를 분리하여 정의하는 것이 선호된다. 이는 다음과 같다.

```
def f(m,cd,t,v):
    return np.sqrt(m*g/cd)*np.tanh(np.sqrt(g*cd/m)*t)-v

def fp(m,cd,t,v):
    fp1 = 1/2*np.sqrt(g/m/cd)*np.tanh(np.sqrt(g*cd/m)*t)
    fp2 = g/2/m*t*sech(np.sqrt(g*cd/m)*t)**2
    return fp1-fp2
```

NumPy 모듈은 sech 함수가 내장되어 있지 않기 때문에 추가로 정의한다.

```
def sech(x):  # numpy doesn't have sech(x)
    return 1/np.cosh(x)
```

newtraph 함수를 불러오고 결과를 보여 주는 코드는 다음과 같다.

```
cd = 0.25  # kg/m
v = 36  # m/s
t = 4  # s
x0 = 140  # kg
(xsoln,fxsoln,ea,n) = newtraph(lambda m: f(m,cd,t,v),lambda m:
fp(m,cd,t,v),x0)
print('Solution = {0:8.5g}'.format(xsoln))
print('Function value at solution = {0:8.5e}'.format(fxsoln))
print('Relative error = {0:8.3e}'.format(ea))
print('Number of iterations = {0:5d}'.format(n))
```

결과는 다음과 같다.

```
Solution =   142.74
Function value at solution = -2.84217e-14
Relative error = 9.908e-08
Number of iterations =     3
```

초기 가정값을 해와 가깝게 설정했을지라도 빠르게 수렴한 것에 주의하자. 예를 들어 해에서 먼 $x_0 = 70$ kg을 초기 가정값으로 설정하였다면, 해를 구하려면 6번의 반복을 해야 한다. 초기 가정값을 280 kg으로 한다면 8번의 반복이 필요하다. Newton-Raphson법이 넓은 범위의 초기 가정값에 대하여 안정적이고 효율적인 방법이라는 것은 명백하다.

이 예제에서 $f'(x)$의 유도는 자명하지 않으며 분석 오류가 나올 가능성이 있다. 도함수를 구하는 것이 복잡하거나 실용적이지 못한 함수가 있는 것은 흔한 경우이다. 그러나 Newton-Raphson법은 해를 구하는 기술로서 여전히 매력적이다. 다음 절에서는 다른 접근 방식을 다룬다.

6.4 할선법

도함수를 계산하는 것이 매우 어려운 경우에 도함수는 후향 유한차분으로 근사시킬 수 있다.

$$f'(x_i) \cong \frac{f(x_i) - f(x_{i-1})}{x_i - x_{i-1}}$$

아래의 반복계산식을 만들기 위해서 위의 근사식을 Newton-Raphson 식 (6.6)에 대입시킨다.

$$x_{i+1} = x_i - \frac{f(x_i)(x_i - x_{i-1})}{f(x_i) - f(x_{i-1})} \tag{6.8}$$

식 (6.8)은 할선법(*secant method*)을 위한 공식이다. 할선법은 x의 두 개의 초기 추정값이 필요하다. 그러나 이러한 추정은 이분법과 다르게 근을 포함할 필요는 없다. 오히려 이는 Wegstein법과 유사하다.

만약 임의의 두 값들이 가깝지 않다면 도함수에 대한 후향 유한차분근사는 좋은 방법이 아닐 수 있다. 도함수를 계산하기 위해서 임의의 두 값을 사용하기보다 도함수를 추정하기 위해서 독립변수(x_i)에 약간의 변동을 주는 방법을 고려할 수 있다.

$$f'(x_i) \cong \frac{f(x_i + \delta x_i) - f(x_i)}{\delta x_i}$$

여기서 δ는 작은 변동율이다. 식 (6.6)에 위의 식을 대입하면 다음과 같은 반복계산식을 얻을 수 있다.

$$x_{i+1} = x_i - \frac{f(x_i)(\delta x_i)}{f(x_i + \delta x_i) - f(x_i)} \tag{6.9}$$

이것을 **수정 할선법**(*modified secant method*)이라 한다. 다음의 예제에서와 같이 이 방법은 도함수를 계산하지 않고도 Newton-Raphson법의 효율성을 얻을 수 있는 훌륭한 수단을 제공한다.

예제 6.7	수정 할선법

문제 정의 수정 할선법으로 항력계수가 0.25 kg/m일 때 자유낙하 4초 후의 속도가 36 m/s가 되는 번지점프하는 사람의 질량을 구하라. 질량의 초기 가정을 50 kg으로 놓고, 변동율을 1×10^{-6}의 값으로 하라.

풀이 식 (6.9)에 매개변수의 값을 대입하면 다음과 같다.

첫 번째 반복에 대해서

$$x_0 = 50 \qquad\qquad\qquad f(x_0) = -4.57938708$$

$$x_0 + \delta x_0 = 50.00005 \qquad\qquad f(x_0 + \delta x_0) = -4.57938112$$

$$x_1 = 50 - \frac{10^{-6} \times 50(-4.57938708)}{(-4.57938112) - (-4.57938708)} \cong 88.39931$$

$$\varepsilon_t = \left| \frac{142.7376 - 88.3993}{142.7376} \right| \cong 38\% \qquad\qquad \varepsilon_a = \left| \frac{88.3993 - 50}{88.3993} \right| \cong 43\%$$

두 번째 반복에 대해서

$$x_1 = 88.399311 \qquad\qquad\qquad f(x_1) = -1.69220770$$

$$x_1 + \delta x_1 \cong 88.399396 \qquad\qquad f(x_1 + \delta x_1) \cong -1.69220351$$

$$x_2 = 88.3993 - \frac{10^{-6} \times 88.3993(-1.69220770)}{(-1.69220351) - (-1.69220770)} \cong 124.09$$

$$\varepsilon_t = 13\% \qquad\qquad\qquad\qquad \varepsilon_a = 29\%$$

계산을 계속하면 다음과 같은 결과를 얻는다.

$$\delta = 1 \times 10^{-6}$$

Iteration	x_i	$f(x_i)$	$f((1 + \delta)x_i)$	x_{i+1}	ε_t	ε_a
1	50	−4.57938708	−4.57938112	88.399308	38.1%	43.4%
2	88.399308	−1.69220770	−1.69220351	124.089701	13.1%	28.8%
3	124.089701	−0.43236988	−0.43236662	140.541723	1.54%	11.7%
4	140.541723	−0.04555048	−0.04554753	142.707186	0.021%	1.52%
5	142.707186	−0.00062293	−0.00062001	142.737627	0.000004%	0.02%
6	142.737627	−1.1918E−07	2.80062E-06	142.737633	0.0000001%	0.000004%

δ의 값을 적절하게 선택하는 것은 자동적으로 되지 않는다. 만약 δ가 너무 작으면, 이 방법은 식 (6.9)의 분모에서 뺄셈의 무효화로 야기된 반올림오차로 인해 어려움에 빠질 수 있다. 만약 너무 크면 이 방법은 비효율적이고 심지어 발산한다. 그러나 올바르게 선택하면, 도함수를 계산하기 어렵고 두 개의 초기 가정값을 구하는 것이 불편할 경우에 훌륭한 대안을 제공해 준다.

더욱이 가장 일반적인 의미에서 단변량 함수는 그것에 전달되는 값의 답으로 단일값을 반환한다. 이러한 의미를 안다면, 함수는 이 장의 앞부분에서 풀이된 한 줄짜리 방정식과 같이 항상 간단한 공식은 아니다. 예를 들어 함수는 계산을 하기 위해 상당한 실행 시간이 요구되는 여러 줄의 코드로 구성될 수 있다. 어떤 경우에는 함수가 독립적인 컴퓨터 프로그램이 될 수 있다. 이러한 경우 할선법과 수정 할선법이 유용하다.

6.5   Brent법

신뢰성 있는 구간법과 빠른 수렴속도의 개방법을 조합한 혼합법을 가지면 좋지 않을까? Brent의 근 구하는 방법은 가능한 곳에는 빠른 수렴속도의 개방법을 적용하나, 필요하면 신뢰성 있는 구간법으로 돌아가는 영리한 알고리즘이다. 이 방법은 Theodorus Dekker(1969)의 알고리즘에 기초하여 Richard Brent(1973)에 의해 개발되었다.

구간법은 믿을 수 있는 이분법(5.4절)인 반면, 개방법은 두 가지 방법을 사용한다. 첫 번째는 6.4절에서 설명한 할선법이며, 두 번째는 다음에 설명할 역 2차 보간법이다.

6.5.1 역 2차 보간법

역 2차 보간법(*inverse quadratic interpolation*)은 본질적으로 할선법과 유사하다. 그림 6.12*a*에서와 같이 할선법은 두 개의 가정값을 통과하는 직선을 계산하는 데 기초한다. 이 직선과 x축의 교점은 새로운 근의 추정값을 나타낸다. 5장의 가위치법은 두 추정값이 근을 포함해야만 한다는 점을 제외하면 이 방법과 동일하다.

이제 세 개의 점이 있다고 가정하자. 이 경우 세 점을 통과하는 x의 2차 함수를 구할 수 있다(그림 6.12*b*의 검은 점). 선형 할선법과 마찬가지로 포물선과 x축의 교점은 새로운 근의 추정값을 나타낸다. 그림에서 볼 수 있듯이 직선 대신에 곡선을 사용하는 것이 종종 보다 나은 추정값을 산출한다.

이 방법은 크게 개선된 것처럼 보이지만 근본적인 결점을 가진다. 즉, 포물선이 x축과 교차하지 않을 수도 있다. 이러한 경우는 포물선이 복소수 근을 가질 때이며, 그림 6.13은 이러한 포물선을 보여 준다.

이러한 문제는 역 2차 보간법을 사용하여 극복할 수 있다. 즉, x에 대한 포물선을 사용하는 대신, 점들을 y에 대한 포물선으로 접합한다. 이는 축을 바꿔서 '옆으로 놓인' 포물선을 만드는 것과

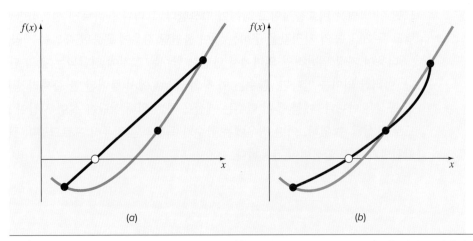

그림 6.12   (*a*) 할선법과 (*b*) 역 2차 보간법의 비교. (*b*) 방법은 2차 함수가 x 대신 y에 대한 것이므로 '역'이라고 한다. (*a*)의 경우, 두 가정값이 근을 포함하고 있으므로 가위치법과 동일하다.

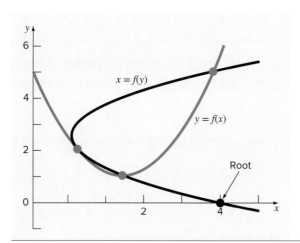

그림 6.13   세 점을 접합하는 두 개의 포물선. x에 대한 포물선 $y = f(x)$는 복소수 근을 가지므로 x축과 교차하지 않는다. 반면에 변수를 바꿔서 만든 포물선 $x = f(y)$는 x축과 교차한다.

같다[그림 6.13의 곡선, $x = f(y)$].

만약 세 점을 (x_{i-2}, y_{i-2}), (x_{i-1}, y_{i-1})와 (x_i, y_i)로 지정하면, 이들 점을 통과하는 y에 대한 2차 함수는 다음과 같이 쓸 수 있다.

$$g(y) = \frac{(y - y_{i-1})(y - y_i)}{(y_{i-2} - y_{i-1})(y_{i-2} - y_i)} x_{i-2} + \frac{(y - y_{i-2})(y - y_i)}{(y_{i-1} - y_{i-2})(y_{i-1} - y_i)} x_{i-1} + \frac{(y - y_{i-2})(y - y_{i-1})}{(y_i - y_{i-2})(y_i - y_{i-1})} x_i \qquad (6.10)$$

이 방정식은 일반적인 2차 다항식으로부터 얻을 수 있다.

$$x = ay^2 + by + c$$

계수 a, b와 c를 구하기 위해서 세 점을 위 다항식에 대입하면 다음과 같다.

$$x_{i-2} = ay_{i-2}^2 + by_{i-2} + c$$
$$x_{i-1} = ay_{i-1}^2 + by_{i-1} + c$$
$$x_i = ay_i^2 + by_i + c$$

위 세 선형방정식을 a, b와 c에 대하여 푼다.

18.2절에서 배우겠지만, 이 식은 Lagrange 다항식이라 불린다. 근 x_{i+1}은 $y = 0$에 해당하며, 이를 식 (6.10)에 대입하면 다음과 같게 된다.

$$x_{i+1} = \frac{y_{i-1} y_i}{(y_{i-2} - y_{i-1})(y_{i-2} - y_i)} x_{i-2} + \frac{y_{i-2} y_i}{(y_{i-1} - y_{i-2})(y_{i-1} - y_i)} x_{i-1} + \frac{y_{i-2} y_{i-1}}{(y_i - y_{i-2})(y_i - y_{i-1})} x_i \qquad (6.11)$$

그림 6.13에서 볼 수 있듯이, 이와 같이 '옆으로 놓인' 포물선은 항상 x축과 교차한다.

예제 6.8	역 2차 보간법

문제 정의 그림 6.13에 나타나는 데이터 점들 (1, 2), (2, 1), (4, 5)에 대해 x와 y에 대한 2차 함수를 개발한다. 먼저 $y = f(x)$에 대해 근이 복소수임을 보인다. 다음으로 $x = g(y)$에 대해 식 (6.11)의 역 2차 보간법을 사용하여 근의 추정값을 구하라.

풀이 이 첫 번째 문제에 접근하는 한 가지 방식은 x와 y를 바꾸고, 세 선형 연립 방정식을 세우는 것이다.

$$2 = a(1^2) + b(1) + c$$
$$1 = a(2^2) + b(2) + c$$
$$5 = a(4^2) + b(4) + c$$

이를 통해 $a = 1$, $b = -4$, $c = 5$를 얻는다. 또는

$$y = x^2 - 4x + 5$$

위 2차 방정식을 근의 공식을 사용하여 근이 복소수임을 결정한다.

$$x = \frac{4 \pm \sqrt{(-4)^2 - (4)(1)(5)}}{(2)(1)} = 2 \pm i$$

두 번째 문제를 풀기 위해 식 (6.10)을 사용하여 y에 대한 2차식을 만든다.

$$g(y) = \frac{(y - 1)(y - 5)}{(2 - 1)(2 - 5)}(1) + \frac{(y - 2)(y - 5)}{(1 - 2)(1 - 5)}(2) + \frac{(y - 2)(y - 1)}{(5 - 2)(5 - 1)}(4)$$

항들을 모으면,

$$g(y) = 0.5y^2 - 2.5y + 4$$

마지막으로 식 (6.11)을 이용하여 근을 구한다.

$$x_{i+1} = \frac{(-1)(-5)}{(2 - 1)(2 - 5)}(1) + \frac{(-2)(-5)}{(1 - 2)(1 - 5)}(2) + \frac{(-2)(-1)}{(5 - 2)(5 - 1)}(4) = 4$$

Brent 알고리즘을 설명하기 전에, 역 2차 보간법이 작동하지 않는 한 가지 경우를 더 언급할 필요가 있다. 세 개의 y값이 서로 다르지 않다면, 역 2차 함수는 존재하지 않는다. 그래서 여기서 할선법이 그 역할을 수행하게 된다. y값이 서로 다르지 않은 상황이 되면, 두 점을 사용하여 근을 구하기 위해 항상 덜 효율적인 할선법으로 돌아갈 수 있다. 예를 들어 $y_{i-2} = y_{i-1}$이면 x_i과 x_{i-1}를 이용한 할선법을 사용한다.

6.5.2 Brent법의 알고리즘

Brent[2]의 근 구하는 방법 뒤에 내재되어 있는 생각은 언제라도 가능하면 빠른 개방법을 사용하는 것이다. 만약 개방법이 수용할 수 없는 결과(즉, 구간 밖으로 벗어나는 근의 추정값)를 산출하면 알고리즘은 보다 보수적인 이분법으로 돌아간다. 이분법이 수렴은 느리지만 추정값은 반드시 구

```python
import numpy as np
eps = np.finfo(float).eps
def brentsimp(f,xl,xu):
    a = xl ; b = xu ; fa = f(a) ; fb = f(b)
    c = a ; fc = fa ; d = b - c ; e = d
    while True:
        if fb == 0: break
        if np.sign(fa) == np.sign(fb): # rearrange points as req'd
            a = c ; fa = fc ; d = b - c ; e = d
        if abs(fa) < abs(fb):
            c = b ; b = a ; a = c
            fc = fb ; fb = fa ; fa = fc
        m = (a-b)/2  # termination test and possible exit
        tol = 2 * eps * max(abs(b),1)
        if abs(m) < tol or fb == 0: break
        # choose open methods or bisection
        if abs(e) >= tol and abs(fc) > abs(fb):
            s = fb/fc
            if a == c:
                # secant method here
                p = 2*m*s
                q = 1 - s
            else:
                # inverse quadratic interpolation here
                q = fc/fa ; r = fb/fa
                p = s * (2*m*q*(q-r)-(b-c)*(r-1))
                q = (q-1)*(r-1)*(s-1)
            if p > 0:
                q = -q
            else:
                p = -p
            if 2*p < 3*m*q - abs(tol*q) and p < abs(0.5*e*q):
                e = d ; d = p/q
            else:
                d = m ; e = m
        else:
            # bisection here
            d = m; e = m
        c = b ; fc = fb
        if abs(d) > tol:
            b = b + d
        else:
            b = b - np.sign(b-a)*tol
        fb = f(b)
    return b
```

그림 6.14   Brent의 근을 구하는 알고리즘에 대한 함수.

---

2)   Richard Peirce Brent (born 1946, Melbourne)은 수학자이자 컴퓨터 과학자이다.

간 내에 존재하게 한다. 이 과정은 허용오차 내에서 근을 찾을 때까지 반복된다. 예상할 수 있듯이, 이 과정에서 먼저 이분법이 주로 사용되고, 근으로 다가감에 따라 수렴속도가 빠른 개방법으로 전환된다.

그림 6.14는 Cleve Moler(2004)에 의해 개발된 MATLAB m-파일에 기초한 파이썬 brentsimp 함수를 보여 준다. 이는 Brent법을 단순화한 버전이다. 파이썬 SciPy 모듈에서 사용 가능한 더 정교한 brentq 함수를 다음 절에서 다룰 것이다.

brentsimp 함수는 함수 이름인 f와 근을 반드시 포함하는 두 개의 초기 가정값 xl과 xu를 인수로 갖는다. 그리고 탐색 구간 a, b, c를 정의하는 세 변수가 초기화되고, f가 양 끝점에서 계산된다.

다음으로 주 루프가 실행된다. 필요하면, 알고리즘이 효과적으로 작동하는 데 필요한 조건을 만족시키기 위해 세 점은 재배열된다. 이때 만약 종료 판정기준이 만족되면, 루프는 종료된다. 그렇지 않으면 판정 구조는 세 가지 방법 중에서 선택하여, 결과가 맞는지를 확인한다. 마지막 부분은 새로운 점 b에서 f를 계산하고, 루프는 반복된다. 종료 판정기준을 만족하면 루프는 종료되며, 최종 근이 반환된다. 알고리즘에서 반복의 제한이 없다는 것에 주의하라.

6.6 파이썬 SciPy 함수: brentq

brentq 함수는 단일 방정식에서 실근을 구하도록 설계되어 있다. 이 함수의 구문은 다음과 같이 표현할 수 있다.

```
brentq(f,xl,xu)
```

이는 파이썬 SciPy에서 optimize라는 하위 모듈에서 사용할 수 있다.

```
from scipy.optimize import brentq
```

이제 단순한 2차식 $f(x) = x^2 - 9$의 근을 구해 보자. 두 근은 -3과 3이다. 다른 초기 가정값들을 사용하여 brentq를 테스트해 볼 수 있다.

```
xsoln = brentq(lambda x: x**2-9,0,4)
print('Solution is ',xsoln)
```

이에 대한 결과는 다음과 같다.

```
Solution is  3.000000000000002
```

음의 근은 다음과 같이 구한다.

```
xsoln = brentq(lambda x: x**2-9,-4,0)
print('Solution is ',xsoln)
```

이에 대한 결과는 다음과 같다.

```
Solution is  -3.000000000000002
```

아래와 같은 구문을 시도하면

```
xsoln = brentq(lambda x: x**2-9,-4,4)
```

다음과 같은 에러 메시지가 나타날 것이다.

```
ValueError: f(a) and f(b) must have different signs
```

먼저 brentq 함수는 두 개의 초기 가정값이 해를 포함하는지 시험한다. 만약 그렇지 않다면 위와 같은 에러 메시지를 내보낸다. 그런 후에 수용할 수 없는 결과가 나타나지 않는 한(예를 들면 추정된 근이 구간 밖으로 벗어남), 빠른 방법(할선법, 역 2차 보간법)이 사용된다.

brentq 함수 호출에서 인수를 추가하는 것이 가능하다. 이는 SciPy 모듈의 'Help' 문서에 묘사되어 있다. 또한 반복의 최대 횟수(기본 300회)와 수렴 허용오차(매우 엄격한 허용오차: 10^{-12}와 10^{-16})를 설정하는 것도 포함되어 있다. 이 알고리즘은 Brent(1973) 책과 Press(1992)의 Fortran 코드를 기반으로 한다.

예제 6.9	brentq 함수를 사용한 근 구하기

문제 정의 예제 6.3에서 $f(x) = x^{10} - 1$의 양의 근을 초기 가정값 0.5를 이용하여 Newton-Raphson법으로 구하였다. 같은 문제를 brentq 함수를 사용하여 풀고 그 값을 예제 6.3의 값과 비교하라. 또한 근을 찾기 위하여 이전의 brentsimp 함수를 사용하여 풀어라.

풀이 파이썬 코드는 다음과 같다.

```
from scipy.optimize import brentq
xsoln = brentq(lambda x: x**10-1,.01,1.1,
               rtol=1.e-7,xtol=1.e-7,maxiter = 20,full_output=True)
print('Solution is ',xsoln)
```

반복에 제한을 걸고 허용오차를 덜 엄격하게 해주는 선택적인 인수를 추가했다. 또한 full_output 인수를 True로 함으로써 더 많은 출력값이 요구된다. 출력은 다음과 같다.

```
        Solution is  (0.9999999983840661,        converged: True
          flag: 'converged'
function_calls: 11
    iterations: 10
          root: 0.9999999983840661)
```

예제 6.3에서 Newton-Raphson법을 40회 이상 반복하며 구했던 근 추정값보다, 더 정교한 값을 구하는 데 10회의 반복이 필요했다는 것에 주목하라.

아래는 더 넓은 간격의 초기 가정값을 사용하는 brentsimp 함수가 성공적으로 근을 찾는 것을 보여 준다.

```
[xsoln = brentsimp(lambda x: x**10-1,0.1,5)
print('Solution = ',xsoln)

Solution =  1.0
```

6.7   다항식

다항식은 비선형 대수방정식의 특수한 형태로 다음과 같다.

$$f_n(x) = a_1 x^n + a_2 x^{n-1} + \cdots + a_{n-1} x^2 + a_n x + a_{n+1} \tag{6.12}$$

여기서 n은 다항식의 차수이며, a는 상수 계수이다. 많은 경우에 상수는 실수이다. 이러한 경우는 근이 실수 또는 허수가 될 수 있다. 일반적으로 n차 다항식은 n개의 근을 갖는다.

다항식은 공학과 과학 분야의 많은 문제에 적용될 수 있다. 예를 들면 다항식은 곡선접합에서 광범위하게 사용된다. 그러나 이들의 가장 흥미롭고 강력한 응용 분야 중 하나는 동적 시스템, 특히 선형 시스템의 특성을 나타내는 것이다. 이러한 예로는 반응기, 기계장치, 구조물 및 전기회로 등이 있다.

다항식의 모든 근을 구하기 위한 수치해석법은 두 가지의 일반적인 범주로 분류된다.

1. 수축과 결합된 단일근 해
2. 고윳값 결정

첫 번째 범주에서, Muller법이라 불리는 기법은 수축법과 결합된다. Muller법은 2차 보간법(역이 아닌)을 기반으로 한다. 또한 이 방법은 거의 전역에서 수렴하며 실근과 허근을 구할 수 있다. 근이 찾아지면, '수축'법을 사용하여 다항식을 인수분해할 수 있다. 나머지 근을 구하기 위해 닫힌 형태의 기법을 적용할 때 다항식의 차수가 3차 또는 4차가 되면 수축은 멈춘다. 많은 알고리즘이 Newton-Raphson법(또는 수정된 할선법)을 사용하여 Muller법으로 결정된 해들을 다듬는다. 파이썬에는 Muller법을 활용하여 다항식의 근을 찾아 주는 PyPol[3]이라는 모듈이 있다.

두 번째 범주는 행렬의 고윳값을 찾기 위해 적용된 선형 대수학 방법을 활용한다. 이는 다항식의 근을 구하는 작업을 고윳값 문제로 바꾸어서 접근하는 것이 가능하다. 고윳값 문제는 이 책에서 나중에 설명하기 때문에 여기서는 단지 개략적으로만 소개한다.

다음과 같은 일반적인 다항식이 있다고 가정하자.

$$a_1 x^5 + a_2 x^4 + a_3 x^3 + a_4 x^2 + a_5 x + a_6 = 0 \tag{6.13}$$

양변을 a_1으로 나누고 다시 배열하면 다음과 같다.

$$x^5 = -\frac{a_2}{a_1} x^4 - \frac{a_3}{a_1} x^3 - \frac{a_4}{a_1} x^2 - \frac{a_5}{a_1} x - \frac{a_6}{a_1}$$

다음과 같이 우변의 계수를 사용한 첫 번째 행과 1과 0으로 된 나머지 행으로 구성된 특수 행렬을 만들 수 있다.

---

3)   https://pythonhosted.org/pypol_/

$$
\begin{bmatrix}
-\dfrac{a_2}{a_1} & -\dfrac{a_3}{a_1} & -\dfrac{a_4}{a_1} & -\dfrac{a_5}{a_1} & -\dfrac{a_6}{a_1} \\
1 & 0 & 0 & 0 & 0 \\
0 & 1 & 0 & 0 & 0 \\
0 & 0 & 1 & 0 & 0 \\
0 & 0 & 0 & 1 & 0
\end{bmatrix} \tag{6.14}
$$

식 (6.14)를 다항식의 **동반행렬**(*companion matrix*)이라 한다. 이 행렬의 고윳값은 다항식의 근이 되는 유용한 성질이 있다. NumPy 모듈에 있는 roots 함수의 알고리즘은 동반행렬의 고윳값을 결정하는 데 사용되는 수치해석법을 기반으로 한다. roots 함수는 다항식 계산에 유용한 두 개의 동반 함수를 갖는다.

- poly: 근의 값으로부터 다항식의 계수들을 반환한다.
- polyval: 주어진 x에 대하여 다항식을 계산한다.

또한 다음과 같은 함수도 있다.

- poly1d: 파이썬에서 다양한 다항식 연산을 캡슐화해 주는 편리한 클래스이다.

예제 6.10	**파이썬 NumPy를 사용하여 다항식을 조작하고 근을 구하는 방법**

문제 정의 다음의 방정식으로 파이썬 NumPy 모듈의 함수가 어떻게 다항식을 조작하고 푸는지를 살펴보자.

$$
f_5(x) = x^5 - 3.5x^4 + 2.75x^3 + 2.125x^2 - 3.875x + 1.25
$$

풀이 다항식의 계수들로 리스트를 정의한다. 리스트의 배열은 높은 차수의 계수부터 순서대로 나열한다.

```
import numpy as np
a = [ 1, -3.5, 2.75, 2.125, -3.875, 1.25 ]
```

이후, roots 함수를 사용하여 다항식의 근을 찾는다.

```
r = np.roots(a)
print(r)

[ 2. +0.j  -1. +0.j   1. +0.5j  1. -0.5j  0.5+0.j ]
```

출력값이 복소수 형식이지만 자세히 보면 근들은 2, -1, 0.5 그리고 $1 \pm 0.5j$이다.

이제 다항식에 $x = \pi$를 대입하여 계산해 보자. 이를 위해 polyval 함수를 사용할 수 있다.

```
x = np.pi
fx = np.polyval(a,x)
print(fx)
```

결과는 다음과 같다.

```
60.404364856751855
```

그리고 같은 함수를 사용하여 x에 대한 다항식의 그래프를 그릴 수 있다.

```
xp = np.linspace(-1.5,3,100)
n = len(xp)
fp = []
for i in range(n):
    fp.append(np.polyval(a,xp[i]))
import pylab
pylab.plot(xp,fp,c='k')
pylab.grid()
pylab.xlabel('x')
pylab.ylabel('f(x)')
```

결과는 다음과 같다.

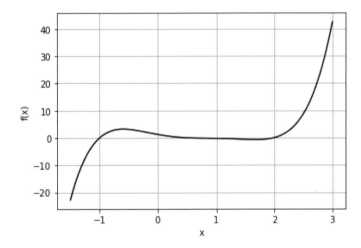

만약 한 쌍의 근으로부터 저차 다항식을 만들고자 한다면, poly 함수가 이에 사용된다.

```
b = np.poly([0.5,-1])
print(b)
```

결과는 다음과 같다.

```
[ 1.   0.5 -0.5]
```

이는 다음과 같은 다항식에 대응한다.

$$x^2 + 0.5x - 0.5$$

원래의 다항식을 후자의 다항식으로 나누고 싶다면 poly1d 클래스를 사용하면 된다. 이 클래스는 다항식의 덧셈, 뺄셈, 곱셈 그리고 나눗셈에 적용할 수 있다.

```
p1 = np.poly1d(a)
p2 = np.poly1d(b)
q,r = p1/p2
print('Numerator polynomial =',p1)
print('Denominator polynomial = ',p2)
print('Quotient =',q)
print('Remainder = ',r)
```

이에 대한 결과는 다음과 같다.

```
        Numerator polynomial =
              5       4       3       2       1
            x - 3.5 x + 2.75 x + 2.125 x - 3.875 x + 1.25
        Denominator polynomial =     2       1
                                   x + 0.5 x - 0.5
        Quotient =    3     2       1
                    x - 4 x + 5.25 x - 2.5
        Remainder =
        0
```

주의: 우항의 상단에 표시된 정수는 x의 차수를 의미한다.

원래의 다항식은 q를 b번 곱한 것으로 재구성된다.

```
    p1new = q*p2
    print('Reconstituted polynomial =',p1new)
```

이에 따라 다음과 같은 결과를 볼 수 있다.

```
    Reconstituted polynomial =
          5       4       3       2       1
        x - 3.5 x + 2.75 x + 2.125 x - 3.875 x + 1.25
```

poly1d로 다항식 변수가 주어지면 polyval을 사용하는 대신 간단히 다음과 같이 코드를 구성할 수 있다.

```
    print(p1(np.pi))
```

그리고 그 결과는 다음과 같다.

```
    60.404364856751855
```

이는 이전과 같은 값이다.

다항식을 풀고 조작하는 파이썬 NumPy 모듈은 공학 및 과학에서 유용하게 사용된다는 것을 알 수 있다.

| 사례연구 6.8 | **파이프 마찰** |

배경 물이 지나가는 직경 6피트의 파이프에서부터 혈류가 있는 작은 모세혈관까지, 파이프 내 유체유동을 알아내는 것은 공학과 과학의 많은 분야에서 중요하다. 유체는 녹은 폴리머에서 기체에 이르기까지 특성이 다양하다. 모든 유동은 관 내 벽과의 마찰에 의해 저항을 받는다. 유체는 일반적으로 뉴턴 유체와 비뉴턴 유체[4]로 분류되며 유동 영역은 층류 또는 난류[5]로 분류된다. 파이프, 튜브 그리고 다른 관들은 그것들의 크기, 단면 형태 그리고 표면의 거칠기 등이 설명되어 있다.

---

[4] 뉴턴 유체의 경우, 단위 면적당 전단력은 점성계수와 비례하며 속도 구배의 음수에 비례한다. 분자량이 5,000 미만인 기체나 액체는 일반적으로 뉴턴 유체이다. Polymeric liquids, solid suspension, pastes, slurries와 다른 복합 유체들은 이 비례성이 유지되지 않으며 이러한 것들을 비뉴턴 유체라고 부른다. Bird et al. (2007).

[5] 층류의 경우, 관 내 유체 속도는 한 위치에서 다른 위치로 부드럽게 변한다. 난류의 경우, 한 지점에서의 속도는 혼란스럽게 변동한다. 일반적으로, 레이놀즈 수가 2,100 미만인 뉴턴 유체는 층류이다. 그 이상은 난류 유동으로의 빠른 변화가 발생한다.

사례연구 6.8 | continued

이러한 관 내의 유동에 대한 저항을 매개변수로 나타내기 위하여 **마찰계수**(*friction factor*)라고 하는 무차원수를 이용한다. 마찰계수를 사용하는 두 가지의 흔한 형태는 Moody(또는 Darcy)와 Fanning이다. 그들의 비율은 4 : 1이다.

$$f_{\text{Moody}} = 4f_{\text{Fanning}}$$

기계공학자들은 Moody 마찰계수를 자주 사용하는 반면, 화학공학자들은 Fanning 마찰계수를 선호한다. 아래에서 문자 f는 Fanning 마찰계수를 상징한다.

튜브와 파이프 같은 원형의 관 내 유동에 대하여 유동 영역은 다음과 같은 레이놀즈 수로 특성화된다.

$$\text{Re} = \frac{\rho v D}{\mu}$$

여기서 ρ는 유체의 밀도 (kg/m^3), v는 평균 유체 속도 (m/s), D는 파이프 내경 (m) 그리고 μ는 점성계수 (Pa·s)[6]를 의미한다. 레이놀즈 수를 기반으로 한 Fanning 마찰계수를 나타내는 많은 표현이 있다. 이 이론에 따라 다음은 층류 유동을 의미한다.

$$f = \frac{16}{\text{Re}}$$

그리고 난류 유동에 대해서는 많은 경험적 상관 관계가 있다. Blasius 공식은 유리와 같은 표면이 거의 거칠지 않거나 아예 거칠지 않은 파이프에서 편리하게 사용된다.

$$f = \frac{0.0791}{\text{Re}^{1/4}}$$

거친 표면을 가지는 파이프에서는 *Colebrook* 방정식이 흔히 사용된다.

$$\frac{1}{\sqrt{f}} = -4\log_{10}\left(\frac{\varepsilon}{3.7D} + \frac{1.26}{\text{Re}\sqrt{f}}\right) \tag{6.15}$$

이러한 상관관계가 f에 내재되어 있음을 알 것이다. 대체 상관 관계인 *Haaland* 방정식은 다음과 같이 f에 명시되어 있다.

$$f_{\text{Moody}} = 4\,f_{\text{Fanning}} = \frac{1}{\left\{-1.8\,\log_{10}\left[\left(\frac{\varepsilon}{3.7D}\right)^{1.1} + \frac{6.9}{Re}\right]\right\}^2}$$

$$f_{\text{Moody}} = 4\,f_{\text{Fanning}} = \frac{1}{\left\{-1.8\,\log_{10}\left[\left(\frac{\varepsilon}{3.7D}\right)^{1.1} + \frac{6.9}{Re}\right]\right\}^2} \tag{6.16}$$

문제 정의 이 사례연구에서는 책에서 소개하는 수치해석법이 얇은 관을 통과하는 공기 유동에서 Fanning 마찰계수 f를 결정하는 데 어떻게 사용되는지 설명한다. 이 경우의 매개변수는 $\rho = 1.23$ kg/m^3, $\mu = 1.79 \times 10^{-5}$

---

6) 주의: 파스칼(Pa)은 압력에 대한 SI단위이며 이는 N/m^{2}에 해당한다. 뉴턴 힘은 kg·m/s^{2}이므로, 점성계수에 대한 다른 단위는 kg/(m·s)이다. 점성계수를 나타내는 영국 단위는 poise 또는 centipoise(cP)이다. 1 cP는 0.001 Pa·s와 같다. 물의 점성계수는 약 1cP이다.

사례연구 6.8 continued

Pa·s, D = 5 mm(또는 0.005 m), μ = 40 m/s 그리고 ε = 1.5 μm(또는 1.5×10^{-6} m)이다. 난류 유동에서 마찰계수는 일반적으로 0.1에서 0.001까지의 범위 내에 있다.

풀이 레이놀즈 수는 다음과 같이 계산된다.

$$\text{Re} = \frac{\rho v D}{\mu} = \frac{(1.23)(40)(0.005)}{1.79 \times 10^{-5}} \cong 13,743$$

그렇기 때문에 이 유동은 명백히 난류이다.

수치해법을 사용하여 근을 구하기 전에, f의 다른 값들에 대한 식 (6.15)의 경향을 살펴보는 것이 유용하다. 이에 대한 파이썬 스크립트는 다음과 같다.

```
import numpy as np
import pylab
rho = 1.23   # kg/m3
mu = 1.79e-5   # Pa*s
D = 0.005   # m
V = 40   # m/s
eps = 1.5e-6   # m
Re = rho*V*D/mu   # Reynolds number

f = np.logspace(-3,-1,100)
fs = 1/np.sqrt(f)
fr = -4*np.log10(eps/3.7/D+1.26/Re/np.sqrt(f))
pylab.plot(fs,fr,c='k')
pylab.plot(fs,fs,c='k',ls='--')
pylab.grid()
pylab.xlabel('1/sqrt(f)')
pylab.ylabel('right-hand side')
```

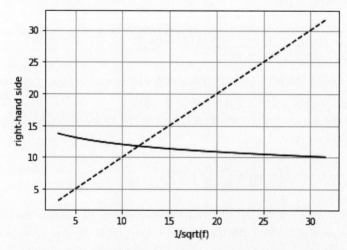

실선과 45°의 기울기를 가지는 점선의 교점에서는 식 (6.15)의 양변이 서로 같다. 이는 값이 약 12인 곳에서 일어난다. 이는 마찰계수가 약 0.007이라는 것을 암시한다. 또한 실선의 기울기는 1보다 작다. 이는 고정점 반복법 또는 Wegstein법과 같은 순환법에서 수렴한다는 것을 말한다. 또한 기울기가 매우 평평하기 때문에 이 방법들이 매우 빠르게 수렴할 것이라는 것을 알 수 있다.

continued

아래에서 f의 정확한 값을 얻기 위해 fixpt 함수를 사용했다.

```
import numpy as np
rho = 1.23   # kg/m3
mu = 1.79e-5   # Pa*s
D = 0.005   # m
V = 40   # m/s
eps = 1.5e-6   # m
Re = rho*V*D/mu   # Reynolds number

def g(f):
    fr = -4*np.log10(eps/3.7/D+1.26/Re/np.sqrt(f))
    return 1/fr**2

f0 = 0.001
fsoln,ea,n = fixpt(g,f0)
print('Fanning friction factor = ',fsoln)
print('Relative error = ',ea)
print('Number of iterations = ',n)
```

결과는 다음과 같다.

```
Fanning friction factor =  0.007248917198656729
Relative error =  4.330091759458145e-08
Number of iterations =  10
```

이 해는 이전의 그래프에서 추정했던 것과 동일하다.

아래는 wegstein 함수를 사용한 것을 나타내었다.

```
f0 = 0.001 ; f1 = 0.002
fsoln,ea,n = wegstein(g,f0,f1)
```

그리고 그 결과는 다음과 같다.

```
Fanning friction factor =  0.0072489144060813564
Relative error =  1.9428753830183448e-10
Number of iterations =  7
```

Wegstein법이 고정점 반복법보다 적은 수의 반복을 했으며, 마지막 상대오차 또한 100배 이상 작은 것에 주목하라. 예상했듯이 Wegstein법이 고정점 반복법을 능가했다.

순환법에서 Colebrook 방정식은 편리한 형태로 나타난다. 따라서 이 방법을 사용해 보자. 식 (6.16)을 다음과 같이 재배열할 수 있다.

$$g(f) = \frac{1}{\sqrt{f}} + 4\log_{10}\left(\frac{\varepsilon}{3.7D} + \frac{1.26}{\text{Re}\sqrt{f}}\right) = 0 \tag{6.17}$$

그리고 f를 구하기 위해 이분법, 가위치법, Newton-Raphson법, 수정 할선법 또는 Brent법을 사용해 보자. Newton-Raphson법을 사용하기 위해서는 $g'(f)$의 도함수를 구해야만 한다.

$$g'(f) = -\frac{1}{f^{3/2}}\left[\frac{1}{2} + \frac{2.52}{\ln(10)\text{Re}\left(\frac{\varepsilon}{3.7D} + \frac{1.26}{\text{Re}\sqrt{f}}\right)}\right]$$

만약 이 미분과 마주하는 것을 선호하지 않는다면, 할선법 또는 수정 할선법을 사용할 수 있다. newtraph

continued

함수를 사용하는 코드는 다음과 같다.

```
def g(f):
    return 1/np.sqrt(f)+4*np.log10(eps/3.7/D+1.26/Re/np.sqrt(f))

def gp(f):
    return -1/f**(3/2)*(1/2+2.52/(np.log(10)*Re*(eps/3.7/D+1.26/Re/np.
sqrt(f))))

f0 = 0.001
fsoln,gsoln,ea,n = newtraph(g,gp,f0)
print('Fanning friction factor = ',fsoln)
print('Function value = ',gsoln)
print('Relative error = ',ea)
print('Number of iterations = ',n)
```

이 결과는 다음과 같다.

```
Fanning friction factor =  0.0072489172366610398
Function value =  -1.7763568394002505e-15
Relative error =  7.631349518784342e-09
Number of iterations =  7
```

Newton-Raphson법의 성능이 Wegstein법과 유사함을 알 수 있다. 당연히 이후에 도함수를 찾을 필요가 없다.

마지막으로, 마찰계수에 대한 Colebrook 방정식을 푸는 몇 가지 방법이 있기 때문에 이를 레이놀즈 수의 범위에 대한 Haaland 방정식과 그래프로 비교할 수 있다. 만약 결과가 명확하다면 후자는 단순화된 버전이므로 근을 찾는 방법을 사용할 필요가 없다.

$D = 0.0605$ m, $\varepsilon = 45$ μm인 2인치의 일반적인 스틸 파이프에 대하여, 비교하는 파이썬 코드는 다음과 같다.

```
import numpy as np
D = 0.0605  # m
eps = 45e-6  # m

def g(f,Re):
    return 1/np.sqrt(f)+4*np.log10(eps/3.7/D+1.26/Re/np.sqrt(f))

def gp(f,Re):
    return -1/f**(3/2)*(1/2+2.52/(np.log(10)*Re*(eps/3.7/D+1.26/Re/np.
sqrt(f))))

def Haaland(Re):
    return 1/4*(1/(-1.8*np.log10((eps/3.7/D)**1.1+6.9/Re))**2)

def Colebrook(Re):
    f0 = 0.001
    fsoln,gsoln,ea,n = newtraph(lambda f: g(f,Re),
                                lambda f: gp(f,Re),f0)
    return fsoln

Re = np.logspace(3,7,100)
num = len(Re)
fC = []
fH = []
for i in range(num):
    fC.append(Colebrook(Re[i]))
    fH.append(Haaland(Re[i]))
```

사례연구 6.8 continued

```
import pylab
pylab.semilogx(Re,fC,c='k',label='Colebrook')
pylab.semilogx(Re,fH,c='k',ls='--',label='Haaland')
pylab.grid()
pylab.xlabel('Reynolds Number')
pylab.ylabel('Fanning Friction Factor')
pylab.legend()
```

이를 그래프로 나타내면 다음과 같다.

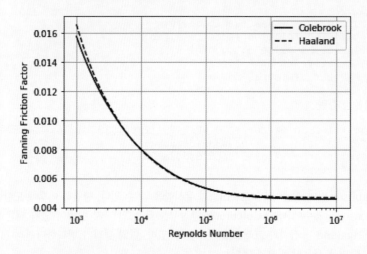

이를 통해 Haaland 방정식이 Colebrook 방정식과 견줄 만하다는 것이 밝혀졌다.

이 사례연구로부터 배워야 할 점은 방정식을 풀어야 하는 공학과 과학 문제에서 한 방법이 무조건 다른 방법보다 우수하지 않다는 것이며 대체할 수 있는 방법이 존재한다는 것이다. 문제를 평가하고 최선의 방법을 찾아내기 위해 한 가지 이상의 접근법을 시도하는 것이 중요하다. 또한 현상에 대한 대안적이고 명확한 접근을 탐구하며 해결법을 사용해야 할 것이다.

연습문제

* 짝수번호는 온라인 사이트에 있으며 본 책 '차례' 끝부분 xxi페이지에 사이트주소가 있음.

6.1 고정점 반복법을 사용하여 다음 함수의 근을 구하라.

$$f(x) = \sin(\sqrt{x}) - x$$

초기 가정값으로 $x_0 = 0.5$를 사용하고 $\varepsilon_a \leq 0.01\%$까지 반복하라. 이 과정이 6.1절의 마지막 부분에 기술한 대로 선형 수렴하는지를 증명하라.

6.3 다음 식의 가장 큰 실근을 구하라.

$$f(x) = x^3 - 6x^2 + 11x - 6.1$$

(a) 그래프를 사용하여 구하라.

(b) Newton-Raphson법을 사용하라(세 번 반복계산, $x_0 = 3.5$).

(c) 할선법을 사용하라(세 번 반복계산, $x_{-1} = 2.5$, $x_0 = 3.5$).

(d) 수정 할선법을 사용하라(다섯 번 반복계산, $x_0 = 3.5$, $\delta = 0.01$).

(e) 파이썬으로 모든 근을 구하라.

6.5 (a) Newton-Raphson법과 (b) 수정 할선법을 사용하여 다음 식의 근을 구하라.

$$f(x) = x^5 - 16.05x^4 + 88.75x^3 - 192.0375x^2 + 116.35x + 31.6875$$

초기 가정값은 $x_0 = 0.5825$이며 $\varepsilon_a \leq 0.01\%$이다. (c) 파이썬 NumPy roots 함수를 사용하여 모든 근을 구하라. (a)와 (b)에서 어떻게 근을 찾았는지 분석하라. 그래프가 도움이 될 것이다.

6.7 수정 할선법을 위한 파이썬 함수를 개발하라. 함수와 함께 초기 가정값, 변동율 δ, 상대 오차기준(기본: 1×10^{-7}) 그리고 최대 반복회수 제한(기본 30)을 인수로 전달하라. 연습문제 6.3을 풀어 이 함수를 시험하라.

6.9 Newton-Raphson법을 이용하여 다음 식의 한 개의 실근을 구하라.

$$f(x) = -2 + 6x - 4x^2 + 0.5x^3$$

초기 가정값은 (a) 4.5와 (b) 4.43이다. 결과의 특이성을 설명하기 위해 그래프를 이용하는 방법과 해석적인 방법을 이용하라.

6.11 (a) Newton-Raphson법을 사용하여 다음 식의 실근인 $x = 3$을 구하라.

$$f(x) = \tanh(x^2 - 9)$$

초기 가정값으로 $x_0 = 3.2$를 사용하고 최소한 세 번 반복계산하라. (b) 이 방법이 실제 근에 수렴하는가? 각 반복계산 횟수에 대하여 결과를 그려서 판단해 보라.

6.13 대부분의 다른 기술자처럼 기계공학 기술자는 열역학을 많이 사용한다. 다음 다항식은 건조한 공기의 영압력(zero pressure) 비열 c_P[kJ/(kg·K)]를 온도 T(K)의 함수로 구하기 위해 사용된다.

$$c_P = 0.99403 + 0.1671\left(\frac{T}{1000}\right) + 0.097215\left(\frac{T}{1000}\right)^2$$
$$- 0.095838\left(\frac{T}{1000}\right)^3 + 0.01952\left(\frac{T}{1000}\right)^4$$

(a) $T = 0$에서 1200 K의 범위에 대한 c_P의 그래프를 그리는 파이썬 스크립트를 작성하라.

(b) NumPy 다항식 `roots` 함수를 사용하여 비열 1.1 kJ/(kg·K)에 해당하는 온도를 구하라.

6.15 Soave-Redlich-Kwong(SRK)의 상태 방정식은 이상적이지 않은 압력과 온도 환경에서 임계점에서의 기체의 거동을 묘사하는데 사용된다. 이는 이상기체법을 수정한 것이다. 상태 방정식은 다음과 같다.

$$P = \frac{RT}{\hat{V} - b} - \frac{\alpha a}{\hat{V}(\hat{V} - b)}$$

이때 P = 압력 (atm), R = 기체 상수 (0.082057 L·atm/(mol·K), T = 온도 (K), $\hat{V}$ = 비체적 (L/mol)을 나타낸다. α, a 그리고 b는 경험적 상수들이며 그 값은 다음과 같다.

$$a = 0.42747\frac{(RT_c)^2}{P_c} \qquad b = 0.08664\frac{RT_c}{P_c}$$
$$\alpha = \left[1 + m\left(1 - \sqrt{\frac{T}{T_c}}\right)\right]^2$$

$$m = 0.48508 + 1.5517\omega - 0.1561\omega^2$$

T_c = 기체의 임계온도 (K)이며 P_c = 기체의 임계압력 (atm) 그리고 ω = 기체의 Pitzer 이심인자를 말한다. 이상기체법은 다음의 간단한 식으로 표현된다.

$$P = \frac{RT}{\hat{V}}$$

T_c = 190.7 K, P_c = 45.8 atm 그리고 ω = 0.008의 값을 가지는 메테인 기체가 있다고 가정하자. 메테인(CH_4)의 분자량은 16.04 g/mol이다. 부피가 3 m^3, 온도가 -40℃, 압력이 50기압인 탱크에 저장된 메테인의 질량을 구하라. 근을 찾는 방법 중 선택하여 $\hat{V}$를 구하라. $\hat{V}$로부터 메테인의 몰수를 구할 수 있고 이후 분자량을 통해 질량을 구할 수 있다.

6.17 같은 수직 위치에 있지 않은 두 점 사이에 걸려 있는 케이블이 있다. 그림 P6.17a와 같이 케이블 자체의 무게 외에는 아무런 하중을 받지 않는다. 따라서 케이블 자체의 무게가 케이블을

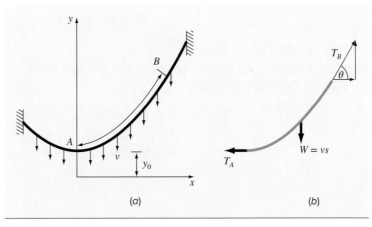

그림 P6.17

따라서 단위 길이당 일정한 하중 w (N/m)으로 작용한다. AB 부분에 대한 자유 물체도가 그림 P6.17b에 그려져 있다. 여기서 T_A와 T_B는 양끝에서의 인장력이다. 케이블 모델에 대해 수직 및 수평 방향으로의 힘의 평형에서 다음과 같은 미분방정식을 유도할 수 있다.

$$\frac{d^2y}{dx^2} = \frac{w}{T_A}\sqrt{1 + \left(\frac{dy}{dx}\right)^2}$$

미적분학을 사용하면 케이블의 높이 y를 거리 x의 함수로 다음과 같이 구할 수 있다.

$$y = \frac{T_A}{w}\cosh\left(\frac{w}{T_A}x\right) + y_0 - \frac{T_A}{w}$$

(a) $w = 10$과 $y_0 = 5$인 경우, $x = 50$에서의 높이 $y = 15$가 되도록 하는 T_A의 값을 수치해법을 사용해서 구하라.

(b) x가 $-150 \le x \le 100$일 때 x에 대한 y의 그래프를 그려라.

6.19 그림 P6.19는 저항기, 유도자, 콘덴서를 병렬로 연결한 회로를 나타낸 것이다. Kirchhoff의 법칙을 사용하면 시스템의 임피던스[7]는 다음과 같이 나타낼 수 있다.

$$\frac{1}{Z} = \sqrt{\frac{1}{R^2} + \left(\omega C - \frac{1}{\omega L}\right)^2}$$

여기서 Z = 임피던스 (Ω), ω = 각주파수 (1/s)이다. 초기 가정값을 1과 1000으로 하고, 임피던스가 100 Ω일 때 brentq 함수를 사용해서 ω를 구하라. $R = 225\ \Omega$, $C = 0.6 \times 10^{-6}$ F 그리고 $L = 0.5$ H이다.

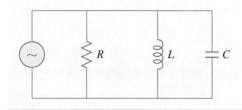

그림 P6.19

6.21 항공공학자는 종종 로켓과 같은 발사체의 궤도를 계산한다. 연관된 문제로 약 100 yards의 그린을 날아가는 골프공의 궤도를 들 수 있다. 공의 궤도를 $\{x, y\}$좌표로 그림 P6.21에 나타내었다. 공기 저항[8] 같은 인수들을 무시한다면 궤도의 방정식은 다음과 같다.

$$y = \tan(\theta_0)\,x - \frac{g}{2v_0^2\cos^2(\theta_0)}x^2 + y_0$$

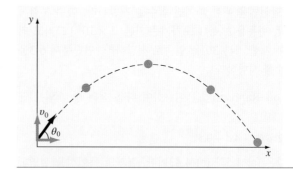

그림 P6.21

$v_0 = 125$ mph이고 거리는 100 yards일 때, 적절한 초기 각도 θ_0를 구하라. 지면으로부터 30 feet의 공이 날아갔다는 것을 고려하라. 단위에 주위하고 결과값을 radian과 degree로 나타내라.

6.23 예제 6.10과 동일한 파이썬 다항식 기능을 사용하여 다음 다항식의 모든 근을 구하라.

$$f_5(x) = (x + 2)(x + 5)(x - 6)(x - 4)(x - 8)$$

근이 -2, -5, 6, 4 그리고 8인 것을 확인하라.

6.25 사각형 개수로에 대한 Manning 방정식은 다음과 같다.

$$Q = \frac{\sqrt{S}\,(BH)^{5/3}}{n(B + 2H)^{2/3}}$$

여기서 Q = 유량 (m^3/s), S = 기울기 (m/m), B = 너비 (m), H = 깊이 (m) 그리고 n은 Manning 거칠기 계수이다. $Q = 5$, $S = 0.0002$, $B = 20$ 그리고 $n = 0.03$일 때, H를 구하기 위한 고정점 반복법을 개발하라. $\varepsilon_a < 0.05\%$가 될 때까지 계산을 수행하라. 0보다 크거나 같은 모든 초기 가정값에 대해 이 방법이 수렴함을 증명하라.

6.27 Newton-Raphson법으로 다음 식의 근을 구하라.

$$f(x) = e^{-0.5x}(4 - x) - 2$$

초기 가정값으로 (a) 2 (b) 6 그리고 (c) 8을 적용하라. 결과를 설명하라.

6.29 다음과 같이 쉽게 미분할 수 있는 함수의 근을 구한다.

$$e^{0.5x} = 5 - 5x$$

가장 좋은 수치해법을 선택하고, 그 선택의 정당성을 설명하라. 그리고 선택한 방법으로 해를 구하라. 양의 초기 가정값에 대하여 고정점 반복법을 제외한 모든 방법이 수렴한다는 것에 유의

---

7)   임피던스는 교류 회로의 유효 저항이다.

8)   공기 저항, 공의 회전 및 공 표면의 딤플 특성은 중요하지만 이러한 효과를 통합한 모델은 더 복잡하며 나중에 책에서 고려할 것이다.

하라. 근사 상대오차가 2% 이하로 떨어질 때까지 반복을 수행하라. 구간법을 사용한다면 초기 가정값을 0과 2로 하고, Newton-Raphson법이나 수정 할선법을 사용한다면 초기 가정값을 0.7로 하라. 할선법을 사용한다면 초기 가정값을 0과 1로 하라.

6.31 그림 P6.31은 광봉 위어(broad crested weir)의 측면도를 보여 준다. 그림에 표시된 기호는 다음과 같이 정의된다. H_w = 위어의 높이 (m), H_h = 위어 위의 수두 (m) 그리고 H = 위어 상류에 있는 강의 깊이 (m)이다. 위어를 지나는 유량, Q_w (m³/s)는 다음과 같이 계산할 수 있다(Munson et al., 2013).

$$Q_w = C_w B_w \sqrt{g} \left(\frac{2}{3} H_h\right)^{3/2}$$

여기서 C_w = 위어 계수(무차원), B_w = 위어 폭 (m)이다. C_w는 다음과 같이 계산할 수 있다.

$$C_w = 1.125 \sqrt{\frac{1 + H_h/H_w}{2 + H_h/H_w}}$$

H_w = 0.8 m, B_w = 8 m 그리고 Q_w = 1.3 m³/s일 때, 다음을 이용하여 상류 깊이 H를 구하라.
(a) $\delta = 10^{-5}$인 수정 할선법
(b) Wegstein법
(c) 파이썬 SciPy 모듈의 brentq 함수
(a)의 경우 초기 가정값으로 $1.5H_w$를 사용하고 (b)와 (c)의 경우 초기 가정값으로 $1.01H_w$와 $1.4H_w$를 사용하라. 이 문제에 고정점 반복법을 적용한다면 수렴하는가?

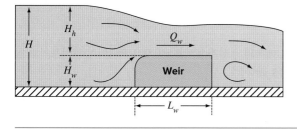

그림 P6.31 강의 깊이와 속도를 조절하는 데 사용하는 광봉 위어.

6.33 호수에서 세균 오염원의 농도 c는 다음 식에 따라 감소한다.

$$c = 77e^{-1.5t} + 20e^{-0.08t}$$

세균농도를 15로 줄이는 데 필요한 시간을 Newton-Raphson법으로 구하라. 초기 가정값은 $t = 1$이고 근사 상대 오차는 0.1% 미만이다. SciPy 모듈의 brentq 함수를 사용하여 결과를 검사하라. 이때 초기 가정값은 1과 10이다.

6.35 새 주철로 만든 파이프가 체적유량 $Q = 0.3$ m³/s로 물을 수송한다. 그리고 파이프 유동은 비압축성, 정상상태, 완전발달된

유동으로 가정한다. *Darcy-Weisbach* 방정식은 다음과 같이 수두손실, 마찰과 직경의 관계를 나타낸다.

$$h_L = f\frac{2Lv^2}{Dg}$$

여기서 f = Fanning 마찰계수(무차원), L = 파이프 길이 (m), D = 파이프 내경 (m) 그리고 v = 유체 평균 속도 (m/s)이다. 속도와 유량의 관계식은 다음과 같다.

$$Q = Av$$

여기서 A = 파이프의 단면적 = $\pi D^2/4$ (m²)이고, *Fanning* 마찰계수는 다음과 같은 *Colebrook*식에 의해 결정된다.

$$\frac{1}{\sqrt{f}} = -4\log_{10}\left(\frac{\varepsilon}{3.7D} + \frac{1.26}{\mathrm{Re}\sqrt{f}}\right)$$

만약 수두 손실이 파이프 단위 길이당 0.006 m보다 작기를 원한다면, 이를 위해 가장 작은 직경의 파이프를 구하는 파이썬 스크립트를 작성하라. 파이프 거칠기 $\varepsilon = 0.26$ mm이다. 레이놀즈 수는 다음과 같다.

$$\mathrm{Re} = \frac{\rho v D}{\mu}$$

이때 온도가 20 ℃일 때의 물의 점성계수 (μ)는 0.001 Pa·s이고 물의 밀도 (ρ)는 998 kg/m³이다.

6.37 1.4절에서 기술했듯이, 매우 낮은 속도로 유체 속에서 낙하하는 물체에 대해서는, 물체 주위의 유동장은 층류이고, 항력과 속도 사이의 관계식은 선형이 된다. 더욱이 이런 경우에는 부력도 작용한다. 따라서 힘의 평형에 대한 식은 다음과 같이 쓸 수 있다.

$$\frac{dv}{dt} = \underbrace{g}_{\text{gravity}} - \underbrace{\frac{\rho_f V}{m}g}_{\text{buoyancy}} - \underbrace{\frac{c_d}{m}v}_{\text{drag}} \tag{P6.37}$$

여기서 v = 속도 (m/s), t = 시간 (s), m = 입자의 질량 (kg), ρ_f = 유체 밀도 (kg/m³), V = 입자의 부피 (m³) 그리고 c_d = 선

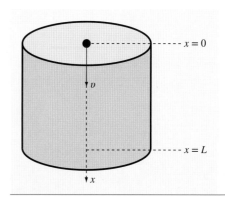

그림 P6.37

형 항력계수 (kg/m)이다. 입자의 질량은 입자의 부피 V와 밀도 ρ_s (kg/m³)으로 계산된다. Stokes는 구에 대한 항력계수의 식, $c_d = 6\pi\mu r$을 개발하였다. 여기서 μ = 유체의 점성계수 (Pa·s) 그리고 r = 구의 반경 (m)이다.

철구를 꿀로 채워진 용기의 표면($x = 0$)에 놓은 후(그림 P6.37 참조), 철구가 바닥($x = L$)으로 가라앉는 데 걸리는 시간을 측정한다. 이 정보와 다음 매개변수에 기초하여 꿀의 점성계수를 구하라. $\rho_f = 1420$ kg/m³, $\rho_s = 7850$ kg/m³, $r = 20$ mm, $L = 0.5$ m 그리고 $x = 0.5$ m, $t = 3.6$ s이다.

$$\mathrm{Re} = \frac{\rho_f \upsilon d}{\mu}$$

d = 구의 직경 (m)일 때, 주어진 레이놀즈 수식을 활용하여 실험이 층류조건에서 수행되는지를 확인하라. 이때 레이놀즈 수가 2000 미만이어야 한다.

(힌트: 먼저 이 문제는 식 (P6.37)의 1차 미분방정식을 풀어 v를 t에 대한 함수로 나타내어야 한다. 이후 $v = dx/dt$인 것에 유의하고, 결과를 적분하여 x를 t의 함수로 나타내는 식을 도출함으로써 푼다. 다음을 참고하라.)

$$a\frac{dy}{dt} + y = b \qquad \text{with} \qquad y(0) = y_0$$

이에 대한 해는 다음과 같다.

$$y(t) = y_0 + b\left(1 - e^{-t/a}\right)$$

6.39 그림 P6.39와 같이 저수탑(water tower)은 끝에 밸브가 부착된 파이프와 연결되어 있다. 몇 가지 단순화시키는 가정을 통해서 (예를 들면, 작은 마찰손실을 무시함) 다음의 에너지평형식을 유도할 수 있다.

$$gh - \frac{\upsilon^2}{2} = f_M\left(\frac{L+h}{d} + \frac{L_e}{d} + \frac{L_v}{d}\right)\frac{\upsilon^2}{2} + K\frac{\upsilon^2}{2}$$

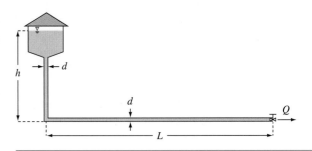

그림 P6.39   끝에 밸브가 부착된 파이프와 연결되어 있는 저수탑.

여기서 h = 수평 파이프에서 타워의 수위까지의 높이 (m), v = 파이프 내부의 평균 물 속도 (m/s), f_M = Moody 마찰계수 (4 × Fanning 마찰계수), L = 파이프의 수평 길이 (m), L_e = 엘보우의 등가길이 (m), L_v = 밸브의 등가길이 (m), K = 탱크 바닥에 있는 수축부에 대한 손실계수 그리고 d = 파이프의 내경 (m)이다.

밸브를 통해 나가는 유량, Q (m³/s)를 구하는 파이썬 스크립트를 작성하라. 다음 매개변수를 사용하라. $h = 24$ m, $L = 65$ m, $d = 154.2$ mm, $L_e = 30$ m, $L_v = 8$ m 그리고 $K = 0.5$이다. 20 ℃에서의 물의 밀도는 998 kg/m³이다. 유량은 $v \times A_c$로 계산한다. 여기서 A_c는 파이프의 단면적이다. Moody 마찰계수는 다음과 같은 Colebrook 방정식으로부터 구할 수 있다.

$$\frac{1}{\sqrt{f_M}} = -2.0 \log_{10}\left(\frac{\varepsilon}{3.7d} + \frac{2.51}{\mathrm{Re}\sqrt{f}}\right)$$

여기서 레이놀즈 수는 다음과 같다.

$$Re = \frac{\rho \upsilon d}{\mu}$$

이때 20 ℃에서의 점성계수는 $\mu = 0.001$ Pa·s이며 파이프의 거칠기는 $\varepsilon = 45$ μm이다.

최적화
Optimization

학습 목표

이 장의 주요 목표는 최솟값 및 최댓값을 결정하기 위해 최적화가 1차원과 다차원 함수에서 어떻게 사용되는지를 소개하는 것이다. 특정한 목표와 다루는 주제는 다음과 같다.

- 공학과 과학 문제 풀이에서 최적화가 필요한 이유와 경우
- 1차원과 다차원 최적화 사이의 차이
- 전체 최적값과 국부 최적값 사이의 차이
- 최소화 알고리즘으로 최대화 문제를 풀기 위한 수정
- 황금비의 정의와 이것이 1차원 최적화를 효율적으로 만드는 이유
- 황금분할탐색법으로 단일변수 함수의 최적값 지정
- 포물선 보간법으로 단일변수 함수의 최적값 지정
- 파이썬의 `minimize_scalar` 함수를 이용해 1차원 함수의 최솟값을 찾는 방법
- 등고선도와 표면도를 이용해 2차원 함수를 시각화하는 방법
- 파이썬의 `minimize` 함수를 이용해 다차원 함수의 최솟값을 찾는 방법

이런 문제를 만나면

번지점프하는 사람 같은 경우 특정한 속도로 위쪽으로 발사될 수 있다. 만약 선형항력을 받는다면 물체의 높이는 다음과 같은 시간의 함수로 계산될 수 있다.

$$z = z_0 + \frac{m}{c}\left(v_0 + \frac{mg}{c}\right)\left(1 - e^{-\frac{t}{m/c}}\right) - \frac{mg}{c}t \tag{7.1}$$

여기서 z는 지구표면($z = 0$) 위의 높이 (m), m은 질량 (kg), c는 선형항력계수 (kg/s), v_0는 초기속도 (m/s) 그리고 t는 시간 (s)이다. 이 공식에서 양의 속도는 위쪽 방향의 속도이다. 다음의 주어진 매개변수 값 $g = 9.81$ m/s^2, $z_0 = 100$ m, $v_0 = 55$ m/s, $m = 80$ kg 그리고 $c = 15$ kg/s를

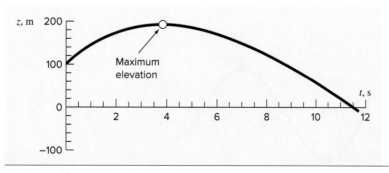

그림 7.1   어떤 초기 속도로 위쪽으로 발사된 물체의 높이를 시간의 함수로 나타냄.

사용하여, 식 (7.1)로 물체의 높이를 계산할 수 있다. 그림 7.1에서와 같이 물체는 $t = 4$ s에서 최고 높이인 약 190 m에 도달한다.

최고 높이에 도달하는 정확한 시간을 결정하도록 하자. 이러한 극한값의 결정은 최적화에 속하는 것이다. 이 장은 컴퓨터가 이러한 결정을 하는 데 어떻게 사용되는지를 소개한다.

7.1 소개 및 배경

일반적으로 최적화는 어떤 것을 가장 효과적으로 만드는 과정이다. 공학자는 최소 경비로 효율적인 방식을 통하여 작동하는 장치나 제품을 계속해서 설계해야 한다. 따라서 공학자는 항상 성능과 제약조건 사이에서 이해득실을 다루는 최적화 문제에 부딪치게 된다. 더욱이 과학자는 발사체의 최고 높이로부터 최소 자유에너지에 이르기까지 최적 현상에 관심을 가진다.

수학적으로 보면 최적화는 하나 또는 그 이상의 변수에 의존하는 함수의 최댓값과 최솟값을 찾는 것이다. 그 목적은 함수의 최댓값과 최솟값을 산출하는 변수들의 값을 결정하는 것이다. 그리고 이들 값을 함수에 다시 대입하여 그 함수의 최적값을 계산하게 된다.

이러한 해는 종종 해석적으로 구해지지만, 대부분의 실제 최적화 문제는 수치적 컴퓨터 풀이가 요구된다. 수치적인 관점에서 최적화는 우리가 5장과 6장에서 다룬 근 구하는 방법과 유사하다. 즉, 이 두 가지 방법은 함수상의 한 점을 찾기 위한 가정과 검색을 모두 포함하고 있다. 두 방법의 기본적인 차이점은 그림 7.2에서 설명된다. 근 구하기 방법은 함수가 0이 되는 위치를 찾는 것이며, 반면에 최적화는 함수의 극점을 찾는 것이다.

그림 7.2에서 보듯이 최적값은 곡선이 평탄하게 되는 점이 된다. 수학적 용어로 나타내면 도함수 $f'(x)$가 0이 되는 x값에 해당된다. 또한 2차 도함수인 $f''(x)$는 최적값이 최솟값인지 최댓값인지를 나타낸다. 만약 $f''(x) > 0$이면 최댓값, $f''(x) > 0$이면 최솟값을 나타낸다.

이제 근과 최적값 사이의 관계를 이해하면 최적값을 찾기 위한 전략이 떠오르게 될 것이다. 즉, 주어진 함수를 미분한 다음, 이 새로운 함수의 근을 구하는 것이다. 실제로, 어떤 최적화 방법은 $f'(x) = 0$의 근을 구해서 최적값을 찾게 된다.

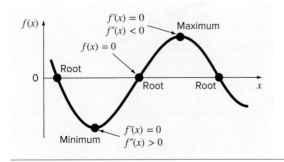

그림 7.2   근과 최적값 사이의 차이를 보여 주는 단일 변수의 함수.

예제 7.1 근의 위치를 통해 해석적으로 최적값을 구하는 법

문제 정의 식 (7.1)로 최고 높이에 대한 시간과 크기를 비교하라. 계산을 위해 사용하는 매개변수의 값은 $g = 9.81 \text{ m/s}^2$, $z_0 = 100 \text{ m}$, $v_0 = 55 \text{ m/s}$, $m = 80 \text{ kg}$, $c = 15 \text{ kg/s}$이다.

풀이 식 (7.1)을 미분하면 다음과 같다.

$$\frac{dz}{dt} = v_0 e^{-\frac{t}{m/c}} - \frac{mg}{c}\left(1 - e^{-\frac{t}{m/c}}\right) \tag{E7.1.1}$$

$v = dz/dt$이므로 위 식은 속도 방정식이다. 최대 높이는 이 방정식이 0이 되는 t값에서 발생한다. 따라서 이 문제는 근을 구하는 것으로 해결할 수 있다. 이를 위해 이 도함수를 0으로 놓고 식 (E7.1.1)을 해석적으로 풀면 다음과 같다.

$$t = \frac{m}{c}\ln\left(1 + \frac{cv_0}{mg}\right)$$

매개변수의 값을 대입하면 다음과 같다.

$$t = \frac{80}{15}\ln\left(1 + \frac{(15)(55)}{(80)(9.81)}\right) \cong 3.83166 \text{ s}$$

이 값을 매개변수의 값과 함께 식 (7.1)에 대입하면 최대 높이를 구할 수 있다.

$$z = 100 + \frac{80}{15}\left(50 + \frac{(80)(9.81)}{15}\right)\left(1 - e^{-\frac{15}{80/3.83166}}\right) - \frac{(80)(9.81)}{15}3.83166 = 192.8609 \text{ m}$$

이 결과가 최댓값이라는 것을 식 (E7.1.1)을 미분하여 2차 도함수를 구함으로써 확인할 수 있다.

$$\frac{d^2z}{dt^2} = \left(-\frac{c}{m}v_0 - g\right)e^{-\frac{t}{m/c}} = -9.81\frac{\text{m}}{\text{s}^2}$$

2차 도함수가 음의 값을 갖는 것은 최댓값이라는 것을 의미한다. 더욱이 최고 높이에 도달했을 때 속도가 0이기 때문에 항력도 0이 되고, 가속도는 중력과 같아야 하므로 이 결과는 물리적으로 타당하다.

비록 이 경우는 해석해가 가능하지만, 5장과 6장에서 설명한 근 구하는 방법을 사용하여도 같은 결과를 구할 수 있었을 것이다. 이것은 숙제로 남겨 둔다.

근 문제로 최적화에 접근하는 것도 가능하지만, 다양한 직접적인 수치 최적화 방법도 사용 가능하다. 이 방법은 1차원 문제와 다차원 문제에서 모두 적용이 가능하다. 이름이 의미하듯이 1차원 문제는 한 개의 종속변수에 의존하는 함수를 포함한다. 그림 7.3a에서처럼 이 탐색은 1차원의 정상들과 계곡들을 오르내리게 된다. 다차원 문제는 두 개 또는 그 이상의 종속변수에 의존하는 함수를 포함한다.

같은 관점에서 2차원 최적화도 정상과 계곡을 탐색하는 것으로 나타낼 수 있다(그림 7.3b). 그러나 실제 등산하는 것처럼 한 방향으로만 걸어가도록 구속되지 않고, 목적지에 효과적으로 도달하기 위해 지형을 탐사하게 된다.

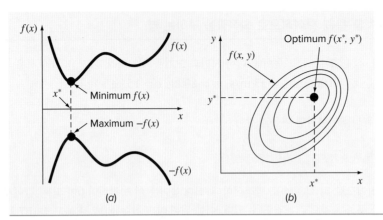

그림 7.3   (*a*) 1차원 최적화. 이 그림은 *f*(*x*)의 최소화가 −*f*(*x*)의 최대화와 같음을 보여 준다. (*b*) 2차원 최적화. 이 그림은 최댓값(함수의 등고선값이 산처럼 정상에서 최댓값) 혹은 최솟값(함수의 등고선값이 계곡에서 최솟값)을 나타낸다.

마지막으로 *f*(*x*)를 최소화하는 것과 −*f*(*x*)를 최대화하는 것은 동일한 *x**값이기 때문에, 최솟값을 찾는 과정은 최댓값을 찾는 과정과 동일하다. 이러한 동등성은 그림 7.3*a*의 1차원 함수에 대한 그래프로 설명된다.

다음 절에서는 1차원 최적화에 대한 보다 일반적인 접근법을 다룬다. 그리고 파이썬과 SciPy의 `optimize` 서브 모듈을 활용하여 1차원 함수의 최적값을 결정하는 방법에 대해 간단히 설명한다.

7.2   1차원 최적화

이 절에서는 단일변수 함수인 *f*(*x*)의 최댓값과 최솟값을 찾는 방법에 대해 설명한다. 이것과 관련된 유용한 형상은 그림 7.4에 묘사된 함수와 같은 1차원 궤도열차 모형이다. 어떤 단일함수는 여러 개의 근을 가지기 때문에, 근 구하는 방법이 매우 복잡해진다는 것을 5장과 6장을 통해 알 수 있었다. 마찬가지로, 최적화 문제에서도 국부 최적값과 전체 최적값이 모두 나타날 수 있다.

전체 최적값(*global optimum*)은 가장 좋은 해에 해당된다. **국부 최적값**(*local optimum*)은 가장 좋은 것은 아니지만 그것에 인접한 이웃값보다는 우수하다. 국부 최적값을 포함하는 경우를 **다모드**(*multimodal*) 문제라고 한다. 우리는 실현 가능한 해법이라면 전체 최적값을 찾는 데 관심이 있다. 더욱이 국부적 결과를 전체 최적값으로 여기는 실수를 범하지 않도록 주의해야 한다.

근 구하는 방법과 같이 1차원 최적화는 구간법과 개방법으로 나누어진다. 다음 절에서 설명하듯이 황금분할탐색법은 근을 구하는 이분법과 비슷한 개념인 구간법의 예가 된다. 이어서 이 방법보다 정교한 구간법인 포물선 보간법을 설명한다. 그런 다음 파이썬 SciPy `optimize` 모듈에서 `minimize_scalar` 함수의 적용을 설명할 것이다.

7.2.1 황금분할탐색법

여러 문명에서 어떤 수들은 마법적인 의미를 갖는다. 예를 들어, 서구 사람은 '행운의 숫자 7'이나

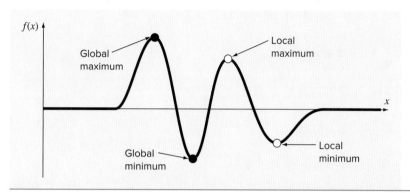

그림 7.4 ± ∞에서 점진적으로 0의 값에 근접하며, 원점 근처에서 2개의 최솟값과 최댓값을 갖는 함수가 있다. 오른쪽에 있는 두 개의 점은 국부적인 최적값에 해당하고 왼쪽에 있는 두 개의 점은 전체 최적값이 된다.

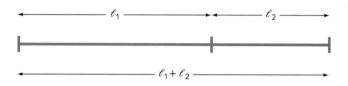

그림 7.5 황금비에 대한 Euclid 정의는 긴 선분에 대한 전체 선분의 비와 짧은 선분에 대한 긴 선분의 비가 같도록 직선을 두 선분으로 나누는 것에 기초한다. 이 비율을 황금비라고 한다.

'13일의 금요일'에서의 7과 13에 익숙해 있다. 이런 미신적인 것 이외에도 정말로 '마법적'이라 불릴 만한 흥미롭고 강력한 수학적 성질을 가지고 있는 수가 몇 가지 있다. 이들 중 가장 일반적인 것은 원의 지름과 둘레의 비인 π와 자연로그의 기저인 e가 있다.

널리 알려지지는 않았지만 **황금비**(*golden ratio*)도 놀라운 숫자 중에 반드시 포함될 것이다. 일반적으로 그리스 문자 ϕ로 표현되는 이 황금비는 Euclid(기원전 약 300년)가 최초로 정의하였는데, 오각형이나 오성별의 구조를 만드는 데 유용하기 때문이었다. 그림 7.5에 기술한 것처럼 Euclid 정의는 다음과 같다. '전체 선분에 대한 긴 선분의 비가 긴 선분에 대한 짧은 선분의 비와 같다면, 이 직선은 외중비(extreme and mean ratio, 황금비)로 나누어진다.'

황금비의 실제값은 그림 7.5에 대한 Euclid 정의를 다음과 같이 표현함으로써 나타낼 수 있다.

$$\frac{l_1 + l_2}{l_1} = \frac{l_1}{l_2} = \phi \tag{7.2}$$

항들을 정리하면 다음과 같다.

$$\phi^2 - \phi - 1 = 0 \tag{7.3}$$

이 방정식의 양의 근이 황금비이다.

$$\phi = \frac{1 + \sqrt{5}}{2} \cong 1.61803 \tag{7.4}$$

황금비에 대한 중요한 비례특성은 다음과 같다.

$$\frac{1}{\phi} = 1 - \phi \cong 0.61803$$

또한 다음과 같이 계산될 수 있다.

$$\frac{\sqrt{5} - 1}{2} \cong 0.61803$$

이는 황금비의 특성을 잘 보여 준다.

황금비는 오래전부터 서구 문명에서 미학적으로 보기 좋은 것으로 여겨졌다. 더욱이 이것은 생물학 등 다양한 분야에서도 나타난다.[1] 황금비는 단일변수 함수의 최적값을 구하기 위해 단순하고 일반적으로 적용 가능한 황금분할탐색법의 기초가 된다.

황금분할탐색법은 5장에서 근을 구하기 위해 사용한 이분법과 개념을 같이한다. 이분법은 근을 둘러싼 가정값의 하한(x_l)과 상한(x_u)에 의해 규정되는 구간을 정의하는 것에 기초한다. 두 경곗값 사이에 근이 존재하는지의 여부는 $f(x_l)$과 $f(x_u)$가 서로 다른 부호를 갖는지를 확인하여 결정한다. 그리고 근은 이 구간의 중간점으로 예측한다.

$$x_r = \frac{x_l + x_u}{2} \tag{7.5}$$

이분법 반복의 마지막 단계는 더 작은 새로운 구간을 설정하는 것이다. 이러한 과정은 $f(x_r)$과 같은 부호의 함숫값을 갖는 경곗값인 x_l 또는 x_u 중 하나를 치환함으로써 이루어진다. 이 방법의 주요 장점은 이전의 경곗값 중 하나를 새로운 값 x_r로 대체하는 것이다.

이제는 근 대신에 1차원 함수 $f(x)$의 최솟값을 구하는 데 관심을 가져 보자. 이분법에서와 같이 한 개의 답을 포함하고 있는 구간을 먼저 정의한다. 즉, 그 구간에서는 한 개의 최솟값이 포함되어야 한다. 이러한 경우를 단모드(*unimodal*)라고 한다. 이분법과 같은 기호를 사용하여, x_l과 x_u 각각을 그 구간의 하한과 상한으로 정의하자. 그러나 구간 내의 최솟값을 구하기 위해서는 이분법과는 다른 새로운 전략이 필요하다. 한 개의 중간값을 사용하는 대신(부호의 변화를 찾아내어 근을 찾음), 최솟값의 발생 여부를 알기 위해서는 두 개의 중간 함숫값이 필요하다. 중간 함숫값 중 하나가 다른 값보다 크면 그림 7.6과 같이 해당 점과 경계 사이의 간격을 제거할 수 있다.

이 방법이 효율적인 방법이 되기 위해서는 중간점들을 현명하게 선택해야 한다. 이분법에서처럼 이전 값을 새로운 값으로 치환함으로써 함수 계산을 최소화하는 것이 목적이다. 이분법에서는 중간점을 선택하여 수행되지만, 황금분할탐색법은 두 개의 중간점이 황금비에 따라 선택된다.

$$x_1 = x_l + d \tag{7.6}$$
$$x_2 = x_u - d \tag{7.7}$$

---

1) 또다른 흥미로운 관계는 피보나치 수열(0,1,1,2,3,5,8,…)에 기초한다. 수열의 길이가 증가함에 따라 수열의 숫자와 전자의 숫자의 비율은 황금 비율에 근접하여 황금 비율에 도달한다.

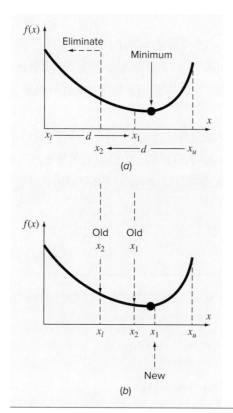

그림 7.6   (*a*) 황금분할탐색 알고리즘의 첫 단계는 황금비에 따라 두 개의 내부 점을 선택하는 것이다.
(*b*) 두 번째 단계는 최적값을 포함하는 새 구간을 정의하는 것이다.

여기서 *d*는 다음과 같다.

$$d = (1 - \phi)(x_u - x_l) \tag{7.8}$$

그림 7.6에서 나타난 바와 같이, 소영역이 중첩된다. 즉, x_2는 x_1보다 작다. 함수는 두 개의 내부 지점에서 평가된다. **단모드**(*unimodal*)에 대해 두 가지 결과가 발생할 수 있다.[2]

1. 그림 7.6*a*에서처럼 $f(x_1) < f(x_2)$이면, 최솟값은 (x_2, x_u) 영역 안에 포함되어 있고 (x_l, x_2) 영역은 제거할 수 있다. 이 경우 x_2는 다음 반복을 위한 새로운 x_1이 된다.

2. 만약 $f(x_2) < f(x_1)$이면, 최솟값은 (x_l, x_1)에 포함되어 있고 (x_1, x_u) 영역은 제거할 수 있다. 이 경우 x_1은 다음 반복을 위한 새로운 x_u가 된다.

그림처럼 영역이 겹친다면 0.5보다 큰 *d*값을 사용할 수 있지만, 황금 비율을 사용하면 중요한 장점이 생긴다. 최초의 x_1과 x_2가 황금비를 사용하여 선택되었기 때문에 그다음의 반복 수행 시 모든 함숫값을 다시 계산할 필요가 없다. 예를 들어 그림 7.6에 설명한 경우에서 이전 값 x_1은 새로운 x_u가 된다. 이것은 새로운 함숫값 $f(x_2)$값이 이전의 x_1에서의 함숫값과 같기 때문에 다시 계산할

---

[2] $f(x_1) = f(x_2)$의 경우 여기서 고려하지 않은 특이한 경우가 있다.

필요가 없음을 의미한다.

알고리즘을 완성하기 위해서는 우리는 새로운 x_1과 $f(x_1)$을 결정하는 것이 필요하다. 이것은 x_l 과 x_u의 새로운 값을 기반으로 식 (7.6)과 식 (7.8)로 결정된다. 이 방법은 최적값이 왼쪽의 소구간에서 발생하는 다른 경우에 대해서도 동일하게 적용한다. 이 경우 새로운 x_2는 식 (7.7)로 계산된다.

반복법이 진행됨에 따라 최적값을 포함하고 있는 구간은 급격히 줄어든다. 사실 각 반복마다 구간은 인자 $1/\phi$(약 61.8%)의 비율로 줄어든다. 즉, 10번을 반복하면, 구간은 원래 길이의 약 $(1/\phi)^{10} = 0.8\%$ 즉, 원래 길이의 1/125로 줄어든다. 이에 상응하여, 20번의 반복 후에는 원래 구간의 1/15000로 구간이 줄어든다.[3]

예제 7.2	황금분할탐색법

문제 정의 황금분할탐색법을 이용해서 $x_l = 0$, $x_u = 4$인 구간에서 다음 함수의 최솟값을 구하라.

$$f(x) = \frac{x^2}{10} - 2\sin(x)$$

풀이 먼저 황금비로 두 개의 내부 점을 구하면 다음과 같다.

$$d = 0.61803(4\text{-}0) = 2.4721$$
$$x_1 = 0+2.4721 = 2.4721$$
$$x_2 = 4\text{-}2.4721 = 1.5279$$

내부 점에서 함숫값을 구한다.

$$f(x_2) = \frac{1.5279^2}{10} - 2\sin(1.5279) = -1.7647$$
$$f(x_1) = \frac{2.4721^2}{10} - 2\sin(2.4721) = -0.6300$$

$f(x_2) < f(x_1)$이기 때문에 최솟값은 $(x_l, x_1) = (0, 2.4721)$으로 구간 내에 존재한다는 것을 알 수 있다. 이 구간은 다음 반복의 구간으로 정의되고 x_2는 새로운 x_1이 되어 반복된다.

남은 것은 식 (7.7)과 식 (7.8)을 이용하여 d와 새로운 x_2값을 계산하는 것이다.

$$d = 0.61708(2.4721\text{-}0) = 1.5279$$
$$x_2 = 2.4721\text{-}1.5279 = 0.9443$$

새로운 x_2의 함숫값을 구하면 $f(0.9443) = -1.5310$이다. 이 값이 x_1에서의 함숫값보다 작기 때문에 최솟값의 범위가 (0.9443, 2.4721)로 줄어든다. 알고리즘 아래 표와 같이 반복된다. 각 반복에 대해 최솟값이 음영 표시된다.

---

[3] 10번 반복 후 1000분의 1과 20회 이후 백만 분의 1의 값이 되는 이등분만큼 효율적이지 않다.

						Golden Ratio	1.61803
Iteration	x_l	x_2	$f(x_2)$	x_1	$f(x_1)$	x_u	d
1	0	1.52786	−1.76472	2.47214	−0.62997	4	2.47214
2	0	0.94427	−1.53098	1.52786	−1.76472	2.47214	1.52786
3	0.94427	1.52786	−1.76472	1.88854	−1.54322	2.47214	0.94427
4	0.94427	1.30495	−1.75945	1.52786	−1.76472	1.88854	0.58359
5	1.30495	1.52786	−1.76472	1.66563	−1.71358	1.88854	0.36068
6	1.30495	1.44272	−1.77547	1.52786	−1.76472	1.66563	0.22291
7	1.30495	1.39010	−1.77420	1.44272	−1.77547	1.52786	0.13777
8	1.39010	1.44272	−1.77547	1.47524	−1.77324	1.52786	0.08514
and, after 20 iterations,							
15	1.42555	1.42736	−1.77573	1.42848	−1.77572	1.43030	0.00293
16	1.42555	1.42667	−1.77572	1.42736	−1.77573	1.42848	0.00181
17	1.42667	1.42736	−1.77573	1.42779	−1.77573	1.42848	0.00112
18	1.42667	1.42710	−1.77573	1.42736	−1.77573	1.42779	0.00069
19	1.42710	1.42736	−1.77573	1.42753	−1.77573	1.42779	0.00043
20	1.42736	1.42753	−1.77573	1.42763	−1.77573	1.42779	0.00026

우리는 최솟값이 $x_2 = 1.42753$과 $x_1 = 1.42763$ 사이에 존재하는 것을 알고 있으며, 다음 구간 간격은 0.0001이다. 최솟값을 결정하는 데 이 정도의 정밀도는 대부분의 공학 및 과학적 목적에 충분할 것이다.

이분법(5.4절)에서는 각 반복 단계마다 오차의 정확한 상한값을 계산할 수 있었다. 비슷한 논리로 황금분할탐색법에 대한 오차의 상한값을 다음과 같이 유도할 수 있다.

반복이 한번 완료되면 최적값은 두 구간 중 하나에 들어온다. 만약 최적 함숫값이 x_2에 있다면 그 값은 하부구간 (x_l, x_2, x_1)에 있을 것이다. 그러나 최적 함숫값이 x_1에 있다면 그 값은 상부구간 (x_2, x_1, x_u)에 있을 것이다. 내부 점들은 대칭이기 때문에 두 구간 중 어느 경우든지 오차를 정의하는 데 사용할 수 있을 것이다.

상부구간 (x_2, x_1, x_u)을 살펴보면 참값이 왼쪽 끝에 위치한다면 추정값으로부터 최대 거리는 다음과 같다.

$$\Delta x_a = x_1 - x_2$$
$$= x_l + (\phi - 1)(x_u - x_l) - x_u + (\phi - 1)(x_u - x_l)$$
$$= -(x_u - x_l) + 2(\phi - 1)(x_u - x_l)$$
$$= (2\phi - 3)(x_u - x_l)$$

또는 $0.2361 \times (x_u - x_l)$이다. 만약 참값이 오른쪽 끝에 있다면 추정값으로부터 최대 거리는 다음과 같다.

$$\Delta x_b = x_u - x_1$$
$$= x_u - x_l - (\phi - 1)(x_u - x_l)$$
$$= (x_u - x_l) - (\phi - 1)(x_u - x_l)$$
$$= (2 - \phi)(x_u - x_l)$$

또는 $0.3820 \times (x_u - x_l)$이다. 그러므로 이 경우가 최대오차를 나타내게 된다. 그리고 이 최대오차는 다음과 같이 최적값 x_{opt}로 정규화할 수 있다.

$$\varepsilon_a = (2 - \phi)\left|\frac{x_u - x_l}{x_{opt}}\right| \tag{7.9}$$

오차 추정치는 반복을 종료하기 위한 근거가 된다.

그림 7.7에서 제공하는 goldmin 함수는 최솟값의 위치, 함숫값, 근사오차, 반복회수를 반환한다.

예제 7.1을 파이썬의 goldmin 함수를 사용하여 다음과 같이 풀 수 있다.

```
g = 9.81 # m/s2
v0 = 55 # m/s
m = 80 # kg
c = 15 # kg/s
z0 = 100 # m

def f(t):
    return -(z0+m/c*(v0+m*g/c)*(1-np.exp(-t/(m/c)))-m*g/c*t)

tl = 0
tu = 8
tmin,fmin,ea,n = goldmin(f,tl,tu,Ea=1.e-5)

print('Time at maximum altitude = {0:5.2f} s'.format(tmin))
print('Function value = {0:6.2g} '.format(fmin))
print('Relative error = {0:7.2e} '.format(ea))
print('Iterations required = {0:4.0f} '.format(n))

zmax = z0 + m/c*(v0+m*g/c)*(1-np.exp(-tmin/(m/c)))-m*g/c*tmin
print('Maximum altitude = {0:6.2f} m'.format(zmax))
```

결과는 다음과 같이 나온다.

```
Time at maximum altitude = 3.83 s
Function value = -1.9e+02
Relative error = 7.69e-06
Iterations required =   25
Maximum altitude = 192.86 m
```

예제 7.1은 최대화(최대 높이) 문제이기 때문에 우리는 식 (7.1)에 음의 부호를 추가한 것에 주의해야 한다. 따라서 fmin은 최대 높이 193 m에 해당된다.

왜 황금분할탐색법에서 함수 계산의 수를 줄이는 것에 대해 강조하는지 의아해할 수 있다. 물론 하나의 최적화문제 풀이에서는 계산시간의 절약이 미미할 수도 있다. 그러나 함수 계산의 수를 최소화시키고자 하는 데는 두 가지 중요한 이유가 있으며, 그들을 소개하면 다음과 같다.

1. 많은 계산량. 대형 계산의 최적화 문제에서 황금분할탐색법이 일부로 포함되는 경우가 있다. 이 탐색 방법은 수천 번씩 호출된다. 효율적인 관점에서 함수 계산의 수를 최소화하는 것이 매우 중요하다.

2. 시간이 많이 드는 대신, 교육적인 관점에서 대부분의 예제에서 간단한 함수를 사용하였다. 그러나 어떤 함수는 매우 복잡하여 함숫값을 구하는 데 시간이 오래 걸릴 수 있다. 이것은 몇백

```python
import numpy as np

def goldmin(f,xl,xu,Ea=1.e-7,maxit=30):
    """
    use the golden-section search to find the minimum of f(x)
    input:
        f = name of the function
        xl = lower initial guess
        xu = upper initial guess
        Ea = absolute relative error criterion (default = 1.e-7)
        maxit = maximum number of iterations (default = 30)
    output:
        xopt = location of the minimum
        f(xopt) = function value at the minimum
        ea = absolute relative error achieved
        i+1 = number of iterations required
    """
    phi = (1+np.sqrt(5))/2
    d = (phi - 1)*(xu-xl)
    x1 = xl + d ; f1 = f(x1)
    x2 = xu - d ; f2 = f(x2)
    for i in range(maxit):
        xint = xu - xl
        if f1 < f2:
            xopt = x1
            xl = x2
            x2 = x1
            f2 = f1
            x1 = xl + (phi-1)*(xu-xl)
            f1 = f(x1)
        else:
            xopt = x2
            xu = x1
            x1 = x2
            f1 = f2
            x2 = xu - (phi-1)*(xu-xl)
            f2 = f(x2)
        if xopt != 0:
            ea = (2-phi)*abs(xint/xopt)
            if ea <= Ea: break
    return xopt,f(xopt),ea,i+1
```

그림 7.7   황금분할탐색법으로 함수의 최솟값을 구하는 파이썬 파일.

줄 혹은 더 많은 코드를 필요로 할 수 있다. 예를 들어 최적화는 미분방정식 시스템으로 구성된 매개변수를 구하는 데 사용할 수 있다. 이 경우 '함수'는 많은 계산시간을 요구하는 모델의 적분을 수반한다. 따라서 이러한 함수 계산의 수를 줄이는 방법이 유리하다.

7.2.2 2차 보간법

2차 보간법은 2차 다항식이 종종 최적값 근처에서 $f(x)$의 형상을 잘 근사한다는 사실을 이용한다 (그림 7.8).

두 점을 연결하는 직선은 한 개뿐인 것처럼 세 점을 연결하는 포물선도 한 개이다. 따라서 최적

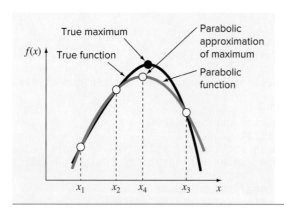

그림 7.8 그래프를 이용한 2차 보간법의 설명.

값을 둘러싸는 세 점이 주어지면, 세 점을 연결하는 포물선을 구할 수 있다. 그런 다음 그 포물선을 미분하여, 그 결과식을 0으로 만들고, 이를 만족하는 x값을 추정 최적값으로 구한다. 이 과정을 대수적으로 조작하면 다음과 같은 결과를 얻는다.

$$x_4 = x_2 - \frac{1}{2}\frac{(x_2-x_1)^2[f(x_2)-f(x_3)] - (x_2-x_3)^2[f(x_2)-f(x_1)]}{(x_2-x_1)[f(x_2)-f(x_3)] - (x_2-x_3)[f(x_2)-f(x_1)]} \tag{7.10}$$

여기서 x_1, x_2, x_3은 초기 가정값이며, x_4는 초기 가정값을 2차식으로 접합할 때 구해지는 최적값에 해당된다.

예제 7.3	**2차 보간법**

문제 정의 초기 가정값 $x_1 = 0$, $x_2 = 1$ 그리고 $x_3 = 4$를 사용하여 2차 보간법으로 다음 함수의 최솟값을 구하라.

$$f(x) = \frac{x^2}{10} - 2\sin(x)$$

풀이 세 개의 초기 가정값에서 함숫값은 다음과 같다.

$$x_1 = 0 \qquad f(x_1) = 0$$
$$x_2 = 1 \qquad f(x_2) \cong -1.5829$$
$$x_3 = 4 \qquad f(x_3) \cong 3.1136$$

그리고 이 값을 식 (7.10)에 대입한다.

$$x_4 = x_2 - \frac{1}{2}\frac{(1-0)^2[-1.5829 - 3.1136] - (1-4)^2[-1.5829 - 0]}{(1-0)[-1.5829 - 3.1136] - (1-4)[-1.5829 - 0]} \cong 1.5055$$

이 x값의 함숫값은 $f(1.5055) \cong -1.7691$이다.

다음으로 황금분할탐색법과 비슷한 전략으로 버릴 점을 결정한다. 이 방법은 그림 7.9에 설명되어 있다. 새 점 x_4의 함숫값이 중간점 x_2의 함숫값보다 낮고 중간점의 오른쪽에 있으므로 작은 가정값 x_1을 버린다. 그러므

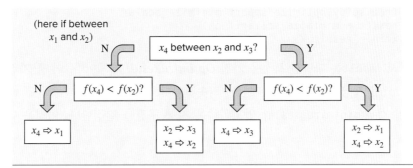

그림 7.9   다음 반복을 위해 새로운 X_1, X_2 그리고 X_3을 결정짓는 방법.

로 다음 반복은 아래와 같다.

$$x_1 = 1 \qquad f(x_1) \cong -1.5829$$
$$x_2 = 1.5055 \qquad f(x_2) \cong -1.7691$$
$$x_3 = 4 \qquad f(x_3) \cong 3.1136$$

이 값을 식 (7.10)에 대입하면 $x_4 \cong 1.4903$을 얻고 이 함숫값은 -1.7714이다. 이러한 과정을 8번 반복해 얻은 결과는 아래의 표에 기재된 것과 같다.

Iteration	x_1	$f(x_1)$	x_2	$f(x_2)$	x_3	$f(x_3)$	x_4	$f(x_4)$
1	0	0	1	−1.58294	4	3.11360	1.50553	−1.76908
2	1	−1.58294	1.50553	−1.76908	4	3.11360	1.49025	−1.77143
3	1	−1.58294	1.49025	−1.77143	1.50553	−1.76908	1.42564	−1.77572
4	1	−1.58294	1.42564	−1.77572	1.49025	−1.77143	1.42660	−1.77572
5	1.42564	−1.77572	1.42660	−1.77572	1.49025	−1.77143	1.42755	−1.77573
6	1.42660	−1.77572	1.42755	−1.77573	1.49025	−1.77143	1.42755	−1.77573
7	1.42755	−1.77573	1.42755	−1.77573	1.49025	−1.77143	1.42755	−1.77573
8	1.42755	−1.77573	1.42755	−1.77573	1.49025	−1.77143	1.42755	−1.77573

다섯 번의 반복 이내에 매우 빠르게 수렴하고 $x_4 \cong 1.42755$에 도달하는 것을 알 수 있다.

7.2.3 파이썬 SciPy 함수: `minimize_scalar`

6.5절에서 근 구하는 방법으로써 Brent법을 설명하였다. 이 방법은 3가지의 근 구하는 방법들을 신뢰성 있고 효율적인 단일 알고리즘으로 조합하고 있다. 이러한 우수한 특성으로 인해 Brent법은 NumPy 모듈 안의 `roots`의 기초가 된다.

또한 Brent는 파이썬 SciPy 모듈의 `optimize` 하위모델에서 `minimize_scalar` 함수가 기본으로 해결해야 하는 1차원 최소화를 위해 유사한 접근 방식을 개발했다. Brent 알고리즘은 느리지만 신뢰도가 높은 황금분할탐색법과 신뢰도가 낮으나 계산속도가 빠른 2차 보간법을 조합하고 있다. 먼저 2차 보간법을 시도하고, 수용할 수 있는 결과를 얻을 때까지 계속 적용한다. 그렇지 않으면 문제 해결을 위해 황금분할탐색법을 사용한다. 이것의 간단한 구문은 다음과 같다.

```
from scipy.optimize import minimize_scalar
result = minimize_scalar(funx)
xmin = result.x
```

여기서 result는 다양한 특성을 가진 *OptimizeResult* 개체이다. 이 중 가장 중요한 것은 x, 여기서 xmin을 제공하는 x에 대한 계산된 최솟값이다.

이 경우 minimize_scalar 알고리즘은 자체 구간을 결정한다. 이것은 다음과 같이 설명할 수 있다.

```
xmin = minimize_scalar(funx,bracket=(x1,x2,x3))
```

여기서 x1, x2, x3은 2차 보간법에 의해 결정되고 더욱 간단하게 표현하면 다음과 같다.

```
xmin = minimize_scalar(funx,bracket=(x1,x2))
```

여기서 중간점을 생략되고 x_1과 x_2의 중간점으로 계산된다. 함수를 황금분할탐색법으로 제한하려면 다음과 같다.

```
xmin = minimize_scalar(funx,bracket=(x1,x2),method='golden')
```

추가적으로 수렴 오차 tol=1.e-7이나 최대 반복 횟수 options={'maxiter':20}을 지정하는 등 추가 인수 설정이 가능하다.

예제 7.1을 풀기 위해 minimize_scalar를 사용하는 파이썬 코드는 다음과 같다.

```
import numpy as np
from scipy.optimize import minimize_scalar

g = 9.81 # m/s2
v0 = 55 # m/s
m = 80 # kg
c = 15 # kg/s
z0 = 100 # m

def f(t):
  return -(z0+m/c*(v0+m*g/c)*(1-np.exp(-t/(m/c)))-m*g/c*t)

result = minimize_scalar(f)
tmin = result.x

print('Time at maximum altitude = {0:5.2f} s'.format(tmin))
zmax = z0 + m/c*(v0+m*g/c)*(1-np.exp(-tmin/(m/c)))-m*g/c*tmin
print('Maximum altitude = {0:6.2f} m'.format(zmax))
```

이의 결과는 다음과 같다.

```
Time at maximum altitude = 3.83 s
Maximum altitude = 192.86 m
```

result에는 다음과 같은 특성들이 추가적으로 포함되어 있다.

- success: 솔루션의 성공 여부를 나타내는 Bool 플래그
- nit: 필요한 반복 수

추가적인 정보들을 얻기 위한 코드는 다음과 같다.

```
result = minimize_scalar(f,bracket=(0,8),
        tol=1.e-7,options={'maxiter':20})
tmin = result.x
flag = result.success
n = result.nit

print('Time at maximum altitude = {0:5.2f} s'.format(tmin))
zmax = z0 + m/c*(v0+m*g/c)*(1-np.exp(-tmin/(m/c)))-m*g/c*tmin
print('Maximum altitude = {0:6.2f} m'.format(zmax))
print('Success indicator:',flag)
print('Number of iterations required =',n)
```

콘솔에 출력은 다음과 같다.

```
Time at maximum altitude = 3.83 s
Maximum altitude = 192.86 m
Success indicator True
Number of iterations required = 11
```

minimize_scalar에 대한 자세한 특징과 옵션들은

***https://docs.scipy.org/doc/scipy/reference/generated/scipy.optimize.minimize_
scalar. html?highlight=minimize_scalar#scipy.optimize.minimize_scalar***

에서 알아볼 수 있다.

위의 minimize_scalar 호출에서 함수 이름만을 제공했다. 알고리즘이 초기 추정값들을 알아
내도록 하였고, 이는 성공했다.

7.3 다차원 최적화

최적화는 1차원 함수뿐만 아니라 다차원 함수도 다룬다. 그림 7.3a에서 1차원 탐색의 시각적 형
상은 궤도열차 모형과 같다는 것을 보았다. 2차원의 경우에 시각적 형상은 산이나 계곡과 같은 모
양이다(그림 7.3b). 세 가지 독립 변수로 진행할수록 상황을 시각화할 수 있는 능력을 상실한다.
이제는 파이썬을 활용하여 2차원 함수를 시각화하는 방법을 알아볼 것이다.

예제 7.4	2차원 함수의 시각화

문제 정의 파이썬의 그래픽 기능을 활용하여, $-2 \leq x_1 \leq 0, 0 \leq x_2 \leq 3$의 범위 내에서 다음의 함수와 그 최솟값
을 시각적으로 나타내라.

$$f(x_1, x_2) = 2 + x_1 - x_2 + 2x_1^2 + 2x_1x_2 + x_2^2$$

풀이 3D 및 등고선도를 만들려면 pylab 모듈에서 Matplotlib 모듈로 이동해야 한다. Matplotlib의 사용은 책
의 나머지 4장을 통해 점차적으로 소개할 것이다. 이 경우 pyplot이라는 하위 모듈을 사용한다. 다음은 그림
2.9의 그림을 생성하는 코드이다.

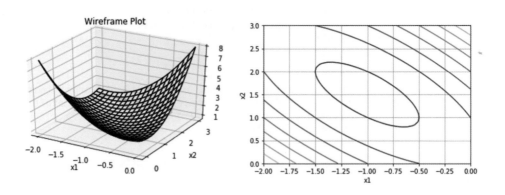

그림 7.10   2차원 함수의 망사 및 등고선도.

```python
import numpy as np
import matplotlib.pyplot as plt
from mpl_toolkits.mplot3d import Axes3D

x1 = np.linspace(-2,0,20)
x2 = np.linspace(0,3,20)
X,Y = np.meshgrid(x1,x2)
Z = 2 + X - Y + 2*X**2 + 2*X*Y + Y**2

fig = plt.figure()
ax = plt.subplot(111)
ax = fig.add_subplot(111,projection='3d')
ax.plot_wireframe(X,Y,Z,color='k')
ax.set_xticks([-2,-1.5,-1,-0.5,0])
ax.set_yticks([0,1,2,3])
ax.set_xlabel('x1')
ax.set_ylabel('x2')
ax.set_title('Wireframe Plot')
plt.show()

fig2 = plt.figure()
ax2 = fig2.add_subplot(111)
ax2.contour(X,Y,Z)
ax2.set_xlabel('x1')
ax2.set_ylabel('x2')
ax2.grid()
plt.show()
```

그림 7.10의 두 그래프에서 볼 수 있듯이 함수의 최솟값이 0과 1 사이 값이며 $x_1 = 1$, $x_2 = 1.5$에 위치하는 것을 알 수 있다.

다차원 비구속 최적화 기법은 여러 가지로 분류될 수 있다. 현재 논의에서 도함수 계산의 필요 여부에 따라 분류할 것이다. 도함수가 필요한 방법은 **구배법**(*gradient*) 또는 경사하강법(또는 상승법)이라고 한다. 이 접근은 도함수 계산이 필요하지 않기 때문에 **비구배법**(*nongradient*) 또는 **직접법**(*direct*)이라고 한다. 다음은 지정된 옵션에 따라 특성 중 하나를 고려할 수 있는 SciPy 모듈의 파이썬 `minimize` 함수에 대해 설명할 것이다. 추가적으로 문제 설명의 일부로서 부등호와 등호를 모두 사용하는 또다른 종류의 최적화 방법을 말한다. 이것이 따로 중요한 수업이지만, 여기에서 이것을 논의하지는 않는다.

7.3.1 파이썬 SciPy `minimize` 함수

`Minimize` 함수는 SciPy의 하위 모듈인 `optimize` 안에 있는 `minimize_scalar` 함수의 '맏형'이다. 함수를 사용하기 위한 간단한 구문은 다음과 같다.

```
from scipy.optimize import minimize
result = minimize(f,x0)
xmin = result.x
```

여기서 xmin은 $f(x)$ 함수인 f의 최솟값을 만드는 x값이다. 초기 추측은 x0이다. 다차원 최적화의 경우 x0은 초기 추측의 배열이고 xmin은 최솟값에 대한 독립 변수값의 배열이다. `result`에는 수많은 솔루션의 수많은 속성이 포함된다. 여기서는 x 속성 즉, 답을 보여 준다.

`minimize` 함수는 강력하고 다재다능하다. 추가적으로 `method='solvername'`를 인수로 추가하면 14가지 다른 풀이 방법 중에서 선택할 수 있다. 아래에서 Nelder-Mead 알고리즘을 사용하여 예제 7.4의 문제를 해결하는 방법을 설명한다. 이 알고리즘의 경우 함숫값만 사용하고(도함수를 사용하지 않음) 매끄럽지 않은 함수를 다루는 직접 검색 방법이다.

```
from scipy.optimize import minimize

def f(x):
  x1 = x[0]
  x2 = x[1]
  return 2+x1-x2+2*x1**2+2*x1*x2+x2**2

x0 = [-0.5,0.5]
result = minimize(f,x0,method='Nelder-Mead',options={'disp':False})
xval = result.x
print(xval)
```

이 결과는 다음과 같이 출력된다.

```
[-0.99996784 1.49997544]
```

해는 미적분을 사용하여 기하학적으로 얻을 수 있는 값인 $x_1 = -1$과 $x_2 = 1.5$에 수렴하고 있는 것이 분명하다. `disp` 옵션을 사전에 True로 입력했다면 추가적인 정보들을 알 수 있다.

```
Optimization terminated successfully.
    Current function value: 0.750000
    Iterations: 40
    Function evaluations: 76
```

`minimize` 함수에서 14가지 이용 가능한 증명된 다차원 최적화 문제 해결을 위한 알고리즘들은 수치해석 분야에 대한 관심을 나타낸다. 이 책 전체에서 이 주제를 이야기한다. 부득이하게 한가지 예시를 들었지만 이 분야에 대한 지식을 늘리기를 권장한다.

사례연구 7.4   평형과 최소 포텐셜 에너지

배경 그림 7.11a와 같이 하중이 걸리지 않은 스프링이 벽에 부착되어 있다. 수평 힘이 작용하면 스프링이 늘어난다. 이 변위는 Hooke의 법칙 $F = kx$를 따른다. 이 변형상태의 포텐셜 에너지는 스프링의 변형 에너지와 힘에 의한 일의 차이로 구성되어 있다.

$$PE(x) = 0.5kx^2 - Fx \tag{7.11}$$

식 (7.11)은 포물선을 정의한다. 포텐셜 에너지는 평형에서 최솟값이기 때문에, 변위에 대한 풀이는 1차원 최적화 문제로 간주할 수 있다. 이 방정식은 쉽게 미분되기 때문에, 변위를 $x = F/k$로 풀 수 있다. 예를 들어 $k = 2$ N/cm이고 $F = 5$ N이면, $x = 5$ N(2 N/cm) = 2.5 cm이다.

보다 흥미로운 2차원의 경우를 그림 7.12에서 볼 수 있다. 이 시스템은 수평과 수직으로 움직일 수 있는 두 개의 자유도가 있다. 1차원 시스템에 대한 접근법과 같은 방식으로 평행사변형은 다음의 포텐셜 에너지를 최소로 하는 x_1과 x_2의 값이다.

$$\begin{aligned}
PE(x_1, x_2) = 0.5\ k_a\left(\sqrt{x_1^2 + (L_a - x_2)^2} - L_a\right) \\
+ 0.5\ k_b\left(\sqrt{x_1^2 + (L_b + x_2)^2} - L_b\right) - F_1 x_1 - F_2 x_2
\end{aligned} \tag{7.12}$$

매개변수가 $k_a = 9$ N/cm, $k_b = 2$ N/cm, $L_a = 10$ cm, $L_b = 10$ cm, $F_1 = 2$ N 그리고 $F_2 = 4$ N일 때, 파이썬의 minimize 함수를 사용하여 변위와 포텐셜 에너지를 구한다.

풀이 다음의 함수는 포텐셜 에너지를 계산한다.

```
import numpy as np

def PE(x,ka,kb,La,Lb,F1,F2):
  x1 = x[0]
  x2 = x[1]
  PEa = 0.5*ka*(np.sqrt(x1**2+(La-x2)**2)-La)**2
  PEb = 0.5*kb*(np.sqrt(x1**2+(Lb+x2)**2)-Lb)**2
  W = F1*x1+F2*x2
  return PEa+PEb-W
```

이 문제의 답은 minimize 함수를 통해 얻을 수 있다.

```
from scipy.optimize import minimize
ka = 9 ; kb = 2 # N/cm
La = 10 ; Lb = 10 # cm
F1 = 2 ; F2 = 4 # N
x0 = [-0.5, 0.5] # cm
res = minimize(lambda x: PE(x,ka,kb,La,Lb,F1,F2),x0
       ,method='Nelder-Mead')
xmin = res.x
print('Displacements are x1 ={0:5.2f} and x2 ={1:5.2f} cm'
   .format(xmin[0],xmin[1]))
print('Minimum potential energy ={0:5.2f} N*cm'
   .format(PE(xmin,ka,kb,La,Lb,F1,F2)))
```

결과는 다음과 같다.

```
Displacements are x1 = 4.95 and x2 = 1.28 cm
Minimum potential energy =-9.64 N*cm
```

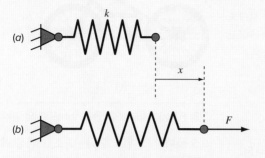

그림 7.11   (a) 벽에 부착되어 있는 하중이 걸리지 않은 스프링, (b) Hooke 법칙이 적용되는 수평 힘과 늘어난 스프링.

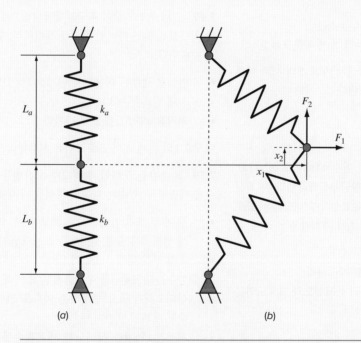

그림 7.12   (a) 하중이 작용하지 않는, (b) 하중이 작용하는 두 개의 스프링 시스템.

그림 7.11을 참고하면 연결점은 힘이 가해지지 않는 상태에서 원래 위치보다 오른쪽으로 4.95 cm, 위로 1.28 cm에 이동한 곳에 있다.

연습문제   * 짝수번호는 온라인 사이트에 있으며 본 책 '차례' 끝부분 xxi페이지에 사이트주소가 있음.

7.1 식 (E7.1.1)의 근을 구하기 위해 Newton-Rapshon법을 세 번 반복수행하라. 예제 7.1의 매개변수 값과 초기 가정값 $t = 3$초를 이용하라.

7.3 함수가 다음과 같이 주어진다.

$$f(x) = 3 + 6x + 5x^2 + 3x^3 + 4x^4$$

이 함수의 도함수의 근을 구함으로써 최솟값을 구하라. 초기 가정 값 $x_l = -2$, $x_u = 1$과 이분법을 사용하라.

7.5 황금분할탐색법을 이용하여 연습문제 7.4의 $f(x)$를 최대로 하는 x값을 구하라. 초기 가정값으로 $x_l = 0$, $x_u = 2$를 사용하고 반복을 세 번 수행하라.

7.7 다음 함수의 최댓값을 아래의 방법으로 구하라.

$$f(x) = 4x - 1.8x^2 + 1.2x^3 - 0.3x^4$$

(a) 황금분할탐색법($x_1 = -2$, $x_u = 4$, $\varepsilon_s = 1\%$)

(b) 2차 보간법($x_1 = 1.75$, $x_2 = 2$, $x_3 = 2.5$, 반복횟수 = 5)

7.9 연습문제 7.8에서 주어진 함수의 최솟값을 구하기 위하여 다음 방법을 적용하라.

(a) 황금분할탐색법($x_l = -2$, $x_u = 1$, $\varepsilon_s = 1\%$)

(b) 2차 보간법($x_1 = -2$, $x_2 = -1$, $x_3 = 1.5$, 반복횟수 = 5)

7.11 다음 함수는 $2 \le x \le 20$의 구간에서 여러 개의 서로 다른 최솟값(minima)을 가지는 곡선을 나타낸다.

$$f(x) = \sin(x) + \sin\left(\frac{2}{3}x\right)$$

다음을 수행할 파이썬 스크립트를 작성하라. (a) 주어진 구간에서 함수를 그린다. (b) SciPy optimize의 함수 minimum_scalar 함수를 이용하여 최솟값을 구한다. (c) 황금분할탐색법과 손 계산을 이용하여 최솟값을 구한다. 3자리 유효숫자에 해당하는 종료 판정기준을 적용한다. (b)와 (c)번에서 초기 가정값은 $x_l = 4$, $x_u = 8$을 사용한다.

7.13 다음을 수행할 파이썬 스크립트를 작성하라.

(a) 예제 7.4와 비슷한 방식으로 함수의 등고선도와 그물도면을 생성한다.

$$T(x, y) = 2x^2 + 3y^2 - 4xy - 3x - y$$

(b) SciPy optimize 모듈의 minimize 함수를 사용해 이 표면에서 최솟값을 구한다.

7.15 최근에 경주용과 여가용 사이클링에 대한 관심이 커짐에 따라 기술자들은 산악자전거의 설계와 시험에 대한 기술 개발에 집중하여 왔다(그림 P7.15a). 어떤 힘에 대한 반응으로 자전거의 버팀대(bracket) 시스템의 수평과 수직 변위를 예측하고자 한다. 해석해야 할 힘은 그림 P7.15b와 같이 단순화될 수 있다고 가정한다. 각도 θ로 지정되는 모든 방향에서 작용하는 힘에 대한 트러스와 응답을 시험하는 데 관심이 있다. 이 문제의 매개변수는 E = Young의 탄성계수 = 2×10^{11} Pa, A = 단면적 = 0.0001 m², w = 폭 = 0.44 m, l = 길이 = 0.56 m 그리고 h = 높이 =

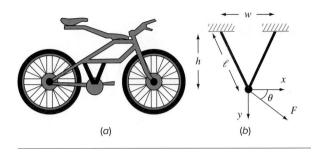

그림 P7.15　(a) 산악자전거, (b) 프레임의 일부에 대한 자유물체도.

0.5 m이다. 변위 x와 y는 최소 포텐셜 에너지를 산출하는 값을 결정함으로써 구할 수 있다. 10,000 N의 힘과 0°(수평)부터 90°(수직)까지의 θ의 범위에 대한 변위를 구하라.

7.17 그림 7.7과 같이 황금분할탐색법으로 최솟값이 아닌 함수의 최댓값을 찾는 파이썬 함수를 개발하라. 함수는 다음의 특성을 가져야 한다.

- 반복을 멈추는 허용오차 임계값(1×10^{-7})
- 최대 반복횟수(30)
- 최적값 x와 $f(x)$를 모두 반환하라.

예제 7.1의 문제로 이 프로그램을 시험하라.

7.19 최솟값을 구하기 위해 2차 보간법을 수행하는 파이썬 함수를 개발하라. 함수는 다음의 특성을 가져야 한다.

- 두 개의 초기 가정값을 기초로 하여, 이 구간의 중간값에서 세 번째 초깃값을 생성하는 프로그램이다.
- 추정 구간 내에 최솟값이 있는지 확인하라. 그렇지 않다면 이 함수는 알고리즘을 수행하지 않고 에러 메시지를 반환한다.
- 상대오차가 종료 판정기준 이하로 떨어지거나 최대 반복횟수를 초과할 때까지 반복한다.
- 최적값 x와 $f(x)$, 상대오차, 반복횟수를 반환하라.

예제 7.3의 문제로 이 프로그램을 시험하라.

7.21 공의 궤적은 다음과 같이 계산된다.

$$y = \tan(\theta_0)\,x - \frac{g}{2v_0^2 \cos^2(\theta_0)}x^2 + y_0$$

여기서 y는 높이 (m), θ_0는 초기각도 (라디안), v_0는 초기 속도 (m/s), g는 중력가속도 (9.81 m/s²) 그리고 y_0은 초기 높이 (m)이다. $y_0 = 2$ m, $v_0 = 20$ m/s, $\theta_0 = 45°$가 주어질 때 황금분할탐색법을 이용하여 최대높이를 구하라. 근사오차가 $\varepsilon_s = 10\%$ 이하로 떨어질 때까지 $x_l = 10$ m, $x_u = 30$ m의 초기 가정값을 사용하여 반복하라.

7.23 질량이 90 kg인 물체가 지표면에서 60 m/s의 속도로 위쪽 방향으로 발사되었다. 물체가 선형적인 항력(c = 15 kg/s)을 받고 있을 때, 황금분할탐색법을 이용하여 물체가 최고로 올라가는 높이를 구하라.

7.25 실험 설계 분야의 일반적인 방법은 2차 반응 표면 모형에 대해 두 요인을 다양한 실험 집합의 결과에 적합시키는 것이다. 예제는 다음과 같다.

$$f(x, y) = 2y^2 - 2.25xy - 1.75y + 1.5x^2$$

파이썬 SciPy optimize 모듈의 minimize 함수를 사용하여 $f(x, y)$를 최소화하는 x, y를 구하라. 또한 최적값 $f(x, y)$를 말하고 결과를 확인하기 위해 등고선도를 그려라.

7.27 다음과 같은 함수가 있다.

$$f(x, y) = -8x + x^2 + 12y + 4y^2 - 2xy$$

다음 방법으로 최솟값의 위치를 구하라. (a) 그래프를 이용하여 구하라. (b) SciPy optimize의 minimize 함수를 사용하라. (b)의 값으로 $f(x, y)$의 최솟값을 구하라.

7.29 혼합물 A는 교반탱크 반응기 안에서 B로 전환된다. 생성물 B와 반응되지 않은 A는 분리장치에서 정제된다. 반응되지 않은 A는 반응기로 재순환된다. 프로세스 엔지니어는 시스템의 초기 비용이 전환비 x_A의 함수임을 알아내었다. 최소비용 시스템이 되는 전환비를 찾아라. C는 비례상수이다.

$$\text{Cost} = C\left[\left(\frac{1}{(1-x_A)^2}\right)^{0.6} + 6\left(\frac{1}{x_A}\right)^{0.6}\right]$$

7.31 *Streeter-Phelps* 모델은 하수 오물이 방류되는 지점 밑의 강물에 용해된 산소의 농도를 계산하는 데 이용된다(그림 p7.31).

$$o = o_s - \frac{k_d L_o}{k_d + k_s - k_a}\left(e^{-k_a t} - e^{-(k_d + k_s)t}\right) - \frac{S_b}{k_a}\left(1 - e^{-k_a t}\right) \quad \text{(P7.31)}$$

O는 용해된 산소의 농도 (mg/L), o_s는 산소 포화농도 (mg/L), t는 이동시간 (d), L_o는 혼합 지점에서의 생화학적 산소요구량 (BOD), 농도 (mg/L), k_d는 BOD의 분해율 (d^{-1}), k_s는 BOD의

침전율 (d^{-1}), k_a는 재통기율 (d^{-1}) 그리고 S_b는 산소요구 침전물 (mg/(L·d))이다.

그림 P7.31에서 보듯이 식 (P7.31)은 방류 지점 아래쪽에서 어떤 이동시간 t_c에 산소의 임계 최소수준 o_c에 도달하는 산소 '하락 (sag)'을 발생시킨다. 이 지점은 산소에 의존하는 생물(물고기와 같은)들이 가장 큰 스트레스를 받는 위치이기 때문에 '임계'라고 부른다. 다음을 수행하는 파이썬 함수를 만들어라. (a) 함수 대 이동시간의 그림을 그린다. (b) minimize_scalar 함수와 다음을 이용하여 임계이동시간과 농도를 구한다.

7.33 총 전하 Q는 반경 a의 고리 모양의 전도체 주위에 균일하게 분포되어 있다. 전하 q는 고리의 중심으로부터 거리 x에 위치해 있다(그림 P7.33). 고리에 의해 전하에 미치는 힘은 다음 식으로 주어진다.

$$F = \frac{1}{4\pi e_0}\frac{qQx}{(x^2 + a^2)^{3/2}}$$

여기서 $e_0 = 8.85 \times 10^{-12}$ C^2/(N·m^2), $q = Q = 2 \times 10^{-5}$ C 그리고 $a = 0.9$ m이다. 힘이 최대가 되는 거리 x를 구하라.

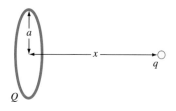

그림 P7.33

7.35 비행기 날개에 작용하는 총 항력은 다음 식으로 추정된다.

$$D = \underbrace{0.01\sigma v^2}_{\text{Friction}} + \underbrace{\frac{0.95}{\sigma}\left(\frac{W}{v}\right)^2}_{\text{Lift}}$$

여기서 D는 항력, σ는 비행고도와 해수면 사이의 공기 밀도의 비, W는 무게 그리고 v는 속도이다. 그림 P7.35에서 보듯이, 항력에 관련하는 두 인자는 속도가 증가함에 따라 다른 영향을 받는다. 마찰항력은 속도에 따라 증가하는 반면에 양력에 기인한 항력은

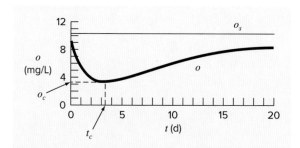

그림 P7.31　하수가 강으로 배출되는 지점 아래의 용존 산소 '저하'.

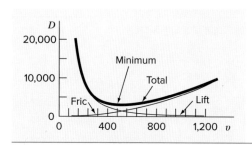

그림 P7.35　비행기 날개에서 속도에 대한 항력 그래프.

감소한다. 두 인자의 조합은 최소 항력에 이르게 한다.

(a) $\sigma = 0.6$, $W = 16,000$일 때, 최소 항력과 이것이 발생할 때의 속도를 구하라.

(b) 또한 $\sigma = 0.6$, $W = 12,000$부터 20,000의 범위에 대하여 이 최적값이 어떻게 변하는지를 구하는 민감도 해석을 수행하라.

7.37 7.4절에 기술한 사례연구와 비슷한 방식으로 그림 P7.37에 묘사된 시스템에 대한 포텐셜 에너지 함수를 개발하라. 파이썬의 Matplotlib 모듈을 사용해서 등고선도와 그물도면을 그려라. 주어진 강제함수 $F = 100$ N과 매개변수 $k_a = 20$과 $k_b = 15$ N/m로 평행변위 x_1, x_2를 구하기 위해 포텐셜 에너지 함수를 최소화하라.

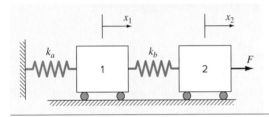

그림 P7.37   두 개의 마찰이 없는 질량이 한 쌍의 선형 탄성스프링에 의해 벽에 연결된다.

7.39 SciPy optimize 모듈의 minimize_scalar 함수를 사용하여 땅에서 담장 위를 거쳐 건물의 벽까지 다다르는 가장 짧은 사다리의 길이를 구하라(그림 P7.39). $h = d = 4$ m인 경우에 이것을 검증하라.

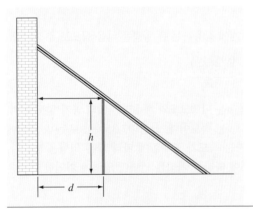

그림 P7.39   담장에 기대어 벽에 닿는 사다리.

7.41 그림 P7.41은 균일한 하중을 받는 핀접합 보(pinned fixed beam)를 보여 준다. 이와 같은 경우, 처짐에 대한 방정식은 다음과 같다.

$$y = -\frac{w}{48EI}(2x^4 - 3Lx^3 + L^3 x)$$

다음을 위해 파이썬 스크립트를 작성하라.

(a) 처짐 대 거리를 나타내는 그림을 제목과 함께 생성하라.

(b) 최대 처짐의 위치와 크기를 구하라. SciPy optimize 모듈의 minimum_scalar 함수를 사용하라. 계산에 다음의 매개변수 값을 적용하라. 일관된 단위를 사용하도록 한다. $L = 400$ cm, $E = 52,000$ kN/cm^2, $I = 32,000$ cm^4 그리고 $w = 4$ kN/cm이다.

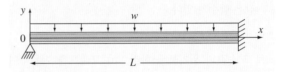

그림 P7.41

7.43 연습문제 7.42에 있는 제트 비행기의 최적의 순항속도 대 해수면 위의 고도에 대한 그래프를 만드는 파이썬 스크립트를 개발하라. 제트 비행기의 질량은 68,300 kg이다. 45° 위도에서의 중력가속도는 다음과 같이 고도의 함수로 계산할 수 있다.

$$g(h) = 9.8066 \left(\frac{r_e}{r_e + h}\right)^2$$

여기서 $g(h)$ = 해수면 위의 고도 h(m)에서의 중력가속도 (m/s^2) 그리고 r_e = 지구의 평균반경, 6.371×10^6 m이다. 또한 공기 밀도는 고도의 함수로 다음 식과 같이 계산된다.

$$\rho(h) = 1.22534 - 1.18951 \times 10^{-4} h + 4.71260 \times 10^{-9} h^2$$
$$- 9.57296 \times 10^{-14} h^3$$

연습문제 7.42로부터 나머지 매개변수 값을 사용하고, 해수면 위의 고도 $h = 0$에서 12 km까지의 범위에 대한 그래프가 되도록 스크립트를 설계하라.

3.1 개요

선행대수방정식이란 무엇인가?

2부에서 방정식 $f(x) = 0$을 만족하는 x값을 구했다. 이제는 다음과 같이 여러 방정식을 동시에 만족하는 미지수 $x_1, x_2, \ldots, x_n$을 구하는 문제를 다룬다.

$$f_1(x_1, x_2, \ldots, x_n) = 0$$
$$f_2(x_1, x_2, \ldots, x_n) = 0$$
$$\vdots \qquad \vdots$$
$$f_n(x_1, x_2, \ldots, x_n) = 0$$

이러한 시스템은 선형이거나 비선형 중의 하나에 속한다. 3부에서는 일반적으로 다음과 같이 표시되는 선형대수방정식을 다루기로 한다.

$$a_{11}x_1 + a_{12}x_2 + \cdots + a_{1n}x_n = b_1$$
$$a_{21}x_1 + a_{22}x_2 + \cdots + a_{2n}x_n = b_2$$
$$\vdots \qquad \vdots$$
$$a_{n1}x_1 + a_{n2}x_2 + \cdots + a_{nn}x_n) = b_n$$

(PT3.1)

여기서 a는 상수 계수, b는 상수, x는 미지수 그리고 n은 방정식의 개수이다. 이와 같은 경우를 제외한 방정식은 모두 비선형이다.

공학과 과학 분야에서의 선형대수방정식

공학과 과학 분야의 많은 기본방정식은 보존법칙에 기초를 두고 있다. 이러한 법칙을 따르는 물리량 중에서 친숙한 것으로는 질량, 에너지, 운동량 등이 있다. 이러한 원리는 수학적으로 평형방정식이나 연속방정식이 된다. 이러한 방정식은 모델링되는 양의 수준이나 응답으로 나타나는 시스템의 거동을 시스템의 성질이나 특성 그리고 시스템에 작용하는 외부 자극이나 강제 함수와 연계하는 수식이다.

　예를 들어 질량보존 원리는 일련의 화학반응기(그림 PT3.1a)에 대한 모델을 수식화하는 데 사용된다. 이 경우에 모델링되는 양은 각각의 반응기에 들어 있는 화학물질의 질량이다. 시스템의 성질은 화학물질의 반

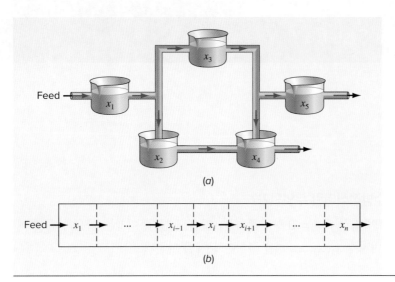

그림 PT3.1   선형대수방정식으로 모델링할 수 있는 두 종류의 시스템. (*a*) 연관되는 유한개의 요소로 구성된 집중변수 시스템과 (*b*) 연속체로 구성된 분포변수 시스템.

응 특성, 반응기의 크기, 유량 등이다. 강제 함수는 시스템으로 유입되는 화학물질의 공급률이다.

앞에서 방정식의 근에 대해 공부하면서 단일요소 시스템은 하나의 방정식으로 기술된다는 것을 알았다. 단일 방정식의 해는 근 구하기 방법을 이용하여 구할 수 있다. 많은 요소로 구성되는 다중요소 시스템은 수학방정식들이 결합된 형태로 기술되기 때문에 방정식들을 동시에 풀어야 한다. 결합된 방정식들은 시스템의 개별 파트가 다른 파트로부터 영향을 받고 있다는 것을 나타낸다. 예를 들어 그림 PT3.1*a*에서 반응기 4는 반응기 2와 3으로부터 화학물질을 공급받는다. 결과적으로 반응기 4의 응답은 다른 두 반응기의 화학물질에 의존될 수밖에 없다.

이러한 의존성을 수학적으로 표현할 때 결과적으로 얻어지는 방정식은 식 (PT3.1)과 같은 선형대수 형태를 보인다. x는 일반적으로 개개의 요소에 대한 응답 크기를 나타낸다. 예를 들어 그림 PT3.1*a*에서 x_1은 첫 번째 반응기에서의 화학물질의 양을, x_2는 두 번째 반응기에서의 화학물질의 양을 그리고 나머지도 마찬가지 방법으로 나타낸다. a는 전형적으로 요소 사이의 상호작용을 나타내는 성질과 특성을 표시한다. 예를 들어 그림 PT3.1*a*에 대해 a는 반응기 사이에서의 질량 유량을 반영한다고 볼 수 있다. 마지막으로 b는 일반적으로 시스템에 작용하는 강제 함수로 화학물질의 공급률에 해당한다.

다중요소 시스템에 관련된 문제는 집중변수 시스템 또는 분포변수 시스템 모두로부터 발생한다. 집중변수 시스템은 서로 관계가 있는 유한개의 요소로 구성되어 있다. 8장의 처음 부분에 소개되는 세 사람이 번지점프 줄에 매달려 있는 문제는 집중변수 시스템이다. 다른 예로 트러스, 반응기, 전자회로 등을 들 수 있다.

반면에 분포변수 시스템에서는 시스템의 공간적인 배치가 연속성에 근거하여 기술된다. 그림 PT3.1*b*에서와 같이 긴 사각형의 반응기의 길이 방향으로 화학물질이 놓여 있는 경우는 연속변수 모델의 한 예라고 볼 수 있다. 보존법칙에서의 유도된 미분방정식들이 이러한 시스템에 대한 종속변수의 분포를 규정짓는다. 미분방정식들의 해는 방정식들을 먼저 상응하는 연립 대수방정식으로 변환시킨 후에 수치적으로 구한다.

이러한 일련의 방정식들의 해는 이후에 소개될 방법의 주요 공학적 응용 분야를 나타낸다. 방정식들이 결합되어 있는 이유는 한 지점에서의 변수값이 인접한 지역에서의 변수값에 영향을 받기 때문이다. 예를 들어 그림 PT3.1*b*의 반응기에서 중간 기점의 농도는 인접한 지역의 농도와 밀접한 관계가 있다. 이것과 유사한 예를 온도, 운동량, 전기량 등의 공간적인 분포에서도 들 수 있다.

물리 현상 외에도 다양한 수학 문제에서 연립 선형대수방정식이 등장한다. 이는 수학적으로 표현되는 함수들이 여러 조건을 동시에 만족해야 한다는 것을 뜻한다. 하나의 조건이 알고 있는 계수와 모르는 변수를 포함하는 하나의 방정식을 만들게 된다. 3부에서 논의되는 기법들은 방정식이 선형이고 대수적일 때 미지수를 푸는 데 사용된다. 연립방정식을 광범위하게 다루는 수치기법으로 회귀분석과 스플라인 보간법이 있다.

3.2 구성

선형대수방정식을 세우고 풀 때 필요한 선형대수학을 8장에서 간단하게 소개한다. 행렬 표현과 조작의 기본 원리 외에도 파이썬에서 행렬을 다루는 방법을 기술한다.

9장에서는 선형대수방정식을 푸는 데 가장 기본이 되는 Gauss 소거법을 집중적으로 다룬다. 이 기법을 자세히 설명하기 전에 준비 과정으로 소형 시스템의 해를 구하는 간단한 방법들을 알아본다. 이러한 접근법은 시각적 직관력을 줄 수 있고, 미지수를 제거하는 방법을 통해 Gauss 소거법의 기본이 제시된다.

예비 학습 이후에 원래의 Gauss 소거법을 학습한다. 꾸밈이 없는 방식으로 시작하는 것은 복잡한 세부 사항을 배제하고 근본적인 기법에 집중하기 위해서다. 이후의 절에서는 원래의 방법이 지니고 있는 문제점을 논의하고 예상되는 문제를 최소화하거나 극복하기 위한 여러 가지 수정 방안을 다룬다. 이 논의의 초점은 부분 피봇팅이라고 일컫는 행을 바꾸는 절차이다. 9장은 삼중대각행렬을 푸는 효율적인 방법을 간략히 기술하는 것으로 마무리 짓는다.

10장은 Gauss 소거법을 *LU* 분해법으로 표현하는 방법을 알려 준다. 이 해법은 우변 벡터의 값이 여럿인 경우에 각각의 해를 구할 때 효율적이다. 이 장은 파이썬에서 선형 시스템의 해를 어떻게 구하는지를 간략히 소개하면서 맺는다.

11장은 *LU* 분해법으로 역행렬을 효율적으로 구하는 방법을 제시하는 것으로 시작한다. 역행렬은 물리계의 자극-응답 관계를 해석하는 데 매우 유용하게 사용된다. 후반부는 행렬 조건이라는 중요한 개념을 집중적으로 다룬다. 불량조건인 행렬에 대해 해를 구할 때 발생할 수 있는 반올림 오차의 척도를 나타내는 조건수가 소개된다.

12장은 연립방정식을 풀기 위해 사용되는 반복법을 다룬다. 이 기법들은 6장에서 논의되었던 방정식의 근을 근사적으로 구하는 방법들과 유사한 원리를 갖는다. 즉, 초기해를 가정한 후 그 해를 이용하여 더 정확한 추정값을 산출한다. 다른 접근법으로 Jacobi법에 대해서 다루겠지만 강조할 핵심 사항은 Gauss-Seidel법이다. 12장은 비선형연립방정식을 어떻게 풀 수 있는지를 간략히 소개하는 것으로 끝난다.

마지막으로 13장은 고윳값 문제를 집중적으로 다룬다. 이들은 공학과 과학 분야에 많이 응용될 뿐만 아니라 일반적인 수학 문제에도 널리 사용된다. 두 가지 간단한 방법과 더불어 고윳값과 고유벡터를 구하는 파이썬의 능력도 기술한다. 응용 분야로서 기계 시스템과 구조물의 진동을 연구하기 위해 이들을 어떻게 사용하는지에 초점을 맞춘다.

선형대수방정식과 행렬
Linear Algebraic Equations and Matrices

학습 목표

이 장의 주요 목표는 학생들을 선형대수방정식에 익숙하게 하고, 그 방정식과 행렬 및 행렬대수학 사이의 관계를 살펴보는 것이다. 특정한 목표와 다루는 주제는 다음과 같다.

- 행렬표기법의 이해
- 단위행렬, 대각행렬, 대칭행렬, 삼각행렬, 삼중대각행렬 등의 정의
- 행렬 곱셈의 수행과 그 곱셈의 가능성 여부
- 선형연립방정식을 행렬로 표시하는 방법
- 파이썬 NumPy 모듈로부터 `linalg.solve` 함수와 역행렬을 이용하여 선형연립방정식을 푸는 방법

이런 문제를 만나면

번지점프 줄에 세 사람이 매달려 있다고 가정하자. 그림 8.1a는 그 사람들이 줄에 매달려 수직선 상에 놓여 있는 것을 나타낸다. 이때 줄은 팽팽하지만 늘어나지는 않았다고 본다. 늘어나지 않은 각각의 위치에서 아래쪽으로 측정한 거리를 x_1, x_2, x_3 등으로 정의할 수 있다. 사람들의 체중으로 줄이 늘어나게 되고, 세 사람의 위치는 결국 그림 8.1b에서와 같이 평형위치에 도달하게 된다.

각 사람에 대한 변위를 계산한다고 하자. 각각의 줄을 Hooke의 법칙을 따르는 선형스프링으로 간주하고 각 사람에 대한 자유물체도를 그리면 그림 8.2와 같다.

뉴턴의 운동 제2법칙을 사용하면 각 사람에 대한 힘의 평형식은 다음과 같다.

$$m_1 \frac{d^2 x_1}{dt^2} = m_1 g + k_2(x_2 - x_1) - k_1 x_1$$

$$m_2 \frac{d^2 x_2}{dt^2} = m_2 g + k_3(x_3 - x_2) + k_2(x_1 - x_2)$$

$$m_3 \frac{d^2 x_3}{dt^2} = m_3 g + k_3(x_2 - x_3)$$

(8.1)

여기서 m_i는 사람 i의 질량 (kg), t는 시간 (s), k_j는 줄 j의 스프링상수 (N/m), x_i는 사람 i에 대해 평형 위치로부터 아래쪽으로 측정한 변위 (m), 그리고 g는 중력가속도 (9.81 m/s²)이다. 여기서 정상상태에 관심이 있으므로 2차 도함수는 0이 된다. 항들을 모아서 정리하면 다음과 같다.

$$\begin{aligned}
(k_1 + k_2)x_1 \quad - k_2 x_2 \quad &= m_1 g \\
-k_2 x_1 + (k_2 + k_3)x_2 - k_3 x_3 &= m_2 g \\
-k_3 x_2 + k_3 x_3 &= m_3 g
\end{aligned}$$

(8.2)

따라서 이 문제는 세 개의 미지 변위를 구하기 위해서 세 개의 연립방정식을 푸는 것으로 귀결

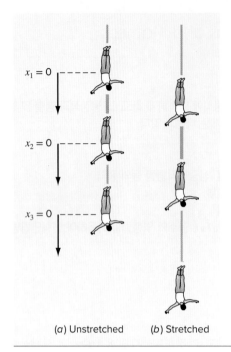

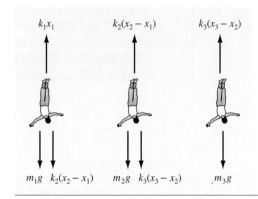

그림 8.1　　번지점프 줄에 매달린 세 사람.　　　　　그림 8.2　　자유물체도.

된다. 줄의 변형에 대해서 선형 법칙을 사용했기 때문에 이 문제는 선형대수방정식이 된다. 8장부터 12장까지는 이러한 연립방정식을 파이썬을 이용하여 푸는 방법에 대해 다룬다.

8.1   행렬대수학의 개요

행렬에 대한 지식은 선형대수방정식의 해를 이해하는 데 필수적이다. 다음 절에서는 행렬을 이용하면 선형대수방정식을 얼마나 간략하게 표시하고 다룰 수 있는가를 설명한다.

8.1.1 행렬의 표시

행렬은 하나의 기호로 표시되는 사각형 배열의 원소들로 구성된다. 그림 8.3에서와 같이 $[A]$는 행렬을 간단하게 표시한 것이고, a_{ij}는 행렬 개개의 **원소**를 나타낸 것이다.

수평으로 놓인 원소들의 모임을 **행**이라고 하며, 수직으로 놓인 것을 **열**이라고 한다. 아래첨자 중에서 첫째인 i는 원소가 놓인 행의 위치를 나타낸다. 두 번째 아래첨자 j는 열을 나타낸다. 예를 들어 a_{23}은 두 번째 행과 세 번째 열에 있는 원소이다.

그림 8.3의 행렬은 m개의 행과 n개의 열을 가지고 있으므로 차원은 m 곱하기 $n(m \times n)$이다. 이 행렬을 간단하게 m 곱하기 n 행렬이라고 한다.

행의 차원이 1인 다음과 같은 행렬$(m = 1)$을 행벡터라고 한다.

$$[b] = [b_1 \quad b_2 \quad \cdots \quad b_n]$$

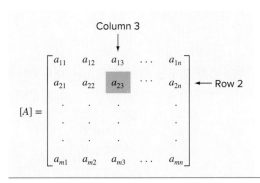

그림 8.3 행렬.

여기서 간략하게 표현하기 위해 각각의 원소에서 첫 번째 아래첨자는 생략하였다. 어떤 때에는 다른 종류의 행렬과 구별하여 행벡터를 특별하게 표시할 경우도 있는데, 그중의 한 방법은 $\lfloor b \rfloor$와 같이 위가 열린 브래킷으로 표시하는 것이다.[1]

열의 차원이 1인 다음과 같은 행렬$(n = 1)$을 **열벡터**라고 한다.

$$[c] = \begin{bmatrix} c_1 \\ c_2 \\ \vdots \\ c_m \end{bmatrix} \tag{8.3}$$

여기서도 간략하게 표현하기 위해 두 번째 아래첨자는 생략하였다. 행벡터에서와 마찬가지로 열벡터도 다른 종류의 행렬과 구별하여 특별하게 표시할 경우가 있는데, 그중의 한 방법은 $\{c\}$와 같이 특별한 브래킷으로 표시하는 것이다.

행의 수와 열의 수가 같은 경우$(m = n)$의 행렬을 **정방행렬**이라고 한다. 그 예로 3×3 행렬은 다음과 같다.

$$[A] = \begin{bmatrix} a_{11} & a_{12} & a_{13} \\ a_{21} & a_{22} & a_{23} \\ a_{31} & a_{32} & a_{33} \end{bmatrix}$$

원소 a_{11}, a_{22} 그리고 a_{33}으로 구성된 대각선을 행렬의 **기본대각선** 또는 **주대각선**이라고 한다.

정방행렬은 선형연립방정식의 해를 구하는 데 특히 중요하다. 이때 행에 해당하는 방정식의 수와 열에 해당하는 미지수의 수가 일치해야 유일한 해를 구할 수 있다. 결과적으로 선형연립방정식을 다룰 때에는 계수로 이루어진 정방행렬이 구성된다.

중요하기 때문에 꼭 알아야 할 몇 가지 정방행렬의 형태를 아래와 같이 소개한다.

대칭행렬은 행과 열이 일치하는 즉, 모든 i와 j에 대해 $a_{ij} = a_{ji}$의 관계가 성립하는 행렬이다. 그 예로 3×3 대칭행렬은 다음과 같다.

---

1) 특별한 브래킷을 사용하는 것 외에도 이 책에서는 행렬을 나타낼 때에는 대문자를, 그리고 벡터를 나타낼 때에는 소문자를 써서 구별한다. 종종 볼드체 폰트를 써서 벡터와 행렬은 나타내기도 했다.

$$[A] = \begin{bmatrix} 5 & 1 & 2 \\ 1 & 3 & 7 \\ 2 & 7 & 8 \end{bmatrix}$$

대각행렬은 대각선상에 있는 원소를 제외하고 나머지 원소는 모두 0인 정방행렬이며, 그 예는 다음과 같다.

$$[A] = \begin{bmatrix} a_{11} & & \\ & a_{22} & \\ & & a_{33} \end{bmatrix}$$

여기서 원소의 값이 0인 비대각원소를 모두 공백으로 처리하였음에 주의한다.

단위행렬은 주대각선상에 있는 원소의 값이 모두 1인 대각행렬로 그 예는 다음과 같다.

$$[I] = \begin{bmatrix} 1 & & \\ & 1 & \\ & & 1 \end{bmatrix}$$

단위행렬은 숫자 1과 유사한 성질을 가지고 있어 다음과 같은 관계를 만족한다.

$$[A][I] = [I][A] = [A]$$

상부삼각행렬은 주대각선 아래에 위치한 모든 원소가 0인 경우로 그 예는 다음과 같다.

$$[A] = \begin{bmatrix} a_{11} & a_{12} & a_{13} \\ & a_{22} & a_{23} \\ & & a_{33} \end{bmatrix}$$

하부삼각행렬은 주대각선 위에 위치한 모든 원소가 0인 경우로 그 예는 다음과 같다.

$$[A] = \begin{bmatrix} a_{11} & & \\ a_{21} & a_{22} & \\ a_{31} & a_{32} & a_{33} \end{bmatrix}$$

띠 행렬은 주대각선을 중심으로 한 띠를 제외한 모든 원소가 0인 행렬이다.

$$[A] = \begin{bmatrix} a_{11} & a_{12} & & \\ a_{21} & a_{22} & a_{23} & \\ & a_{32} & a_{33} & a_{34} \\ & & a_{43} & a_{44} \end{bmatrix}$$

위의 행렬은 띠의 폭이 3인 경우로 특별히 이러한 행렬을 **삼중대각행렬**이라고 한다.

8.1.2 행렬의 연산 법칙

행렬의 의미를 이해했으므로 행렬의 사용을 규정하는 행렬 연산 법칙을 정의해 보자. 두 $m \times n$ 행렬이 같기 위한 필요충분조건은 첫 번째 행렬의 모든 원소가 두 번째 행렬의 대응하는 원소와 일치할 때이다. 즉, 모든 i와 j에 대해 $a_{ij} = b_{ij}$의 관계가 성립할 때 $[A] = [B]$이다.

두 행렬 $[A]$와 $[B]$의 덧셈은 각 행렬에서 대응하는 원소를 더함으로써 성립된다. 결과적으로 얻어지는 행렬 $[C]$는 다음과 같이 계산된다.

$$c_{ij} = a_{ij} + b_{ij}$$

여기서 $i = 1, 2, ..., m$이고, $j = 1, 2, ..., n$이다. 마찬가지로 두 행렬 $[E]$와 $[F]$의 뺄셈은 각 행렬에서 대응하는 원소를 뺌으로써 이루어진다.

$$d_{ij} = e_{ij} - f_{ij}$$

여기서 $i = 1, 2, ..., m$이고, $j = 1, 2, ..., n$이다. 이와 같이 두 행렬 사이에서의 덧셈과 뺄셈은 차원이 같은 행렬일 때만 가능하다는 것을 알 수 있다.

덧셈과 뺄셈에서는 교환법칙이 성립한다.

$$[A] + [B] = [B] + [A]$$

그리고 결합법칙도 성립한다.

$$([A] + [B]) + [C] = [A] + ([B] + [C])$$

행렬 $[A]$에 스칼라 g를 곱하는 것은 $[A]$의 모든 원소에 g를 곱함으로써 얻어진다. 그 예로 3×3행렬은 다음과 같다.

$$[D] = g[A] = \begin{bmatrix} ga_{11} & ga_{12} & ga_{13} \\ ga_{21} & ga_{22} & ga_{23} \\ ga_{31} & ga_{32} & ga_{33} \end{bmatrix}$$

두 행렬의 곱은 $[C] = [A][B]$로 나타내며 $[C]$의 원소는 다음과 같이 정의된다.

$$c_{ij} = \sum_{k=1}^{n} a_{ik} b_{kj} \tag{8.4}$$

여기서 n은 $[A]$열의 차원인 동시에 $[B]$의 행의 차원이다. 다시 말하면 c_{ij} 원소는 첫 번째 행렬인 $[A]$의 i번째 행의 각각의 원소에 두 번째 행렬인 $[B]$의 j번째 열의 원소를 곱하고 더한 것으로 얻어진다. 그림 8.4는 행렬의 곱셈에서 행과 열이 어떻게 배치되는지를 보여 준다.

이러한 정의에 의하면 행렬의 곱은 첫 번째 행렬의 열의 수가 두 번째 행렬의 행의 수와 같을 때만 성립된다. 따라서 $[A]$가 $m \times n$ 행렬이라면, $[B]$는 $n \times l$ 행렬이어야 한다. 이 경우에 결과적으로 얻는 $[C]$는 $m \times l$의 차원을 갖는 행렬이 된다. 그러나 만약 $[B]$가 $m \times l$ 행렬이라면, 이 곱셈은 성립될 수가 없다. 그림 8.5는 두 행렬의 곱셈이 가능한지를 쉽게 확인할 수 있는 방법을 나타낸다.

만약 행렬의 차원이 합당하다면 행렬의 곱셈에서 **결합법칙**이 성립한다.

$$([A][B]) [C] = [A]([B][C])$$

그리고 **분배법칙**도 성립한다.

$$[A]([B] + [C]) = [A][B] + [A][C]$$

또는

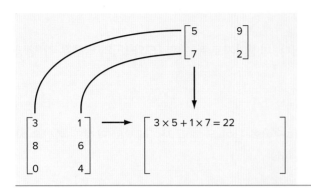

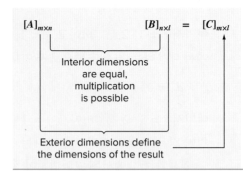

그림 8.4   행렬의 곱셈에서 행과 열의 배치에 대한 시각적 설명.   그림 8.5   행렬의 곱셈은 내부 차원이 같을 경우에만 가능하다.

$$([A] + [B])[C] = [A][C] + [B][C]$$

그러나 곱셈에서는 일반적으로 **교환법칙**이 성립하지 않는다.

$$[A][B] \neq [B][A]$$

즉, 행렬의 곱셈에서는 그 순서가 중요하다.

행렬에서 곱셈은 가능하지만 행렬의 나눗셈은 정의되지 않는다. 그러나 행렬 $[A]$가 정방행렬이고 특이행렬이 아니라면, 역행렬이라고 하는 $[A]^{-1}$가 존재하며 다음의 관계가 성립한다.

$$[A][A]^{-1} = [A]^{-1}[A] = [I]$$

어떤 수를 그 수 자체로 나누면 1이 된다는 관점에서 어떤 행렬에 그것의 역행렬을 곱하는 것은 나눗셈과 유사하다고 볼 수 있다. 즉, 행렬에 그 역행렬을 곱하면 결과는 단위행렬이 된다. $[A]$가 2×2 행렬일 때 역행렬은 다음과 같이 간단하게 표시될 수 있다.

$$[A]^{-1} = \frac{1}{a_{11}a_{22} - a_{12}a_{21}} \begin{bmatrix} a_{22} & -a_{12} \\ -a_{21} & a_{11} \end{bmatrix}$$

차원이 보다 큰 행렬에 대해서도 유사한 공식을 얻을 수 있는데 계산은 훨씬 더 복잡해진다. 11장에서는 이러한 경우에 대해 역행렬을 계산하는 수치적 방법에 대해 다룰 것이다.

행렬의 **전치**(*transpose*)란 그 행렬에서 행과 열을 서로 바꾸는 것을 의미한다. 예를 들어 $[A]$는 다음과 같은 3×3 행렬이다.

$$[A] = \begin{bmatrix} a_{11} & a_{12} & a_{13} \\ a_{21} & a_{22} & a_{23} \\ a_{31} & a_{32} & a_{33} \end{bmatrix}$$

이 행렬의 전치행렬은 $[A]^T$라고 표시하며, 다음과 같이 정의된다.

$$[A]^T = \begin{bmatrix} a_{11} & a_{21} & a_{31} \\ a_{12} & a_{22} & a_{32} \\ a_{13} & a_{23} & a_{33} \end{bmatrix}$$

즉, 전치행렬의 원소 a_{ij}는 본래 행렬의 a'_{ji}와 같다.

행렬대수학에서 전치는 광범위한 기능을 갖는다. 그중의 하나는 열벡터를 행벡터로 바꾸거나, 행벡터를 열벡터로 바꾸는 데 쓰인다는 것이다. 예를 들어 다음과 같은 열벡터를 고려하자.

$$\{c\} = \begin{Bmatrix} c_1 \\ c_1 \\ c_1 \end{Bmatrix}$$

이 벡터는 전치를 통해 다음과 같은 행벡터가 된다.

$$\{c\}^T = \lfloor c_1 \quad c_2 \quad c_3 \rfloor$$

더욱이 전치는 수학적으로 다양하게 응용된다.

치환행렬(*permutation matrix*)은 행과 열을 바꾸어 놓은 단위행렬이다. 예를 들면 다음은 3×3 단위행렬의 첫 번째와 세 번째 행과 열을 바꿈으로써 구성되는 치환행렬이다.

$$[P] = \begin{bmatrix} 0 & 0 & 1 \\ 0 & 1 & 0 \\ 1 & 0 & 0 \end{bmatrix}$$

$[P][A]$에서는 같이 치환행렬로 행렬 $[A]$에 왼쪽 곱셈을 하면 $[A]$의 행들이 교환되고, $[A][P]$에서와 같이 오른쪽 곱셈을 하면 $[A]$의 열들이 교환된다. 다음은 왼쪽 곱셈을 한 예이다.

$$[P]\,[A] = \begin{bmatrix} 0 & 0 & 1 \\ 0 & 1 & 0 \\ 1 & 0 & 0 \end{bmatrix} \begin{bmatrix} 2 & -7 & 4 \\ 8 & 3 & -6 \\ 5 & 1 & 9 \end{bmatrix} = \begin{bmatrix} 5 & 1 & 9 \\ 8 & 3 & -6 \\ 2 & -7 & 4 \end{bmatrix}$$

행렬의 조작에 대해 이 장에서 다룰 마지막 주제는 **확장**(*augmentation*)이다. 행렬은 본래 행렬에 열(또는 열들)을 추가함으로써 확장될 수 있다. 예를 들어 $[A]$가 3×3 행렬일 때, 이 $[A]$에 3×3 단위행렬을 추가하여 다음과 같은 3×6 행렬을 만들 수 있다.

$$\begin{bmatrix} a_{11} & a_{11} & a_{11} & 1 & 0 & 0 \\ a_{21} & a_{21} & a_{21} & 0 & 1 & 0 \\ a_{31} & a_{31} & a_{31} & 0 & 0 & 1 \end{bmatrix}$$

이러한 표현은 서로 다른 두 행렬의 행에 일련의 연산을 동일하게 수행하고자 할 때 매우 유용하게 사용된다. 그렇기 때문에 두 행렬에 대해 따로 연산을 취하기보다는 한 개의 확장행렬에 대해 연산을 취하게 된다.

예제 8.1	파이썬 배열과 행렬 조작

문제 정의 정보를 포함하는 파이썬의 다양한 데이터 구조를 검토하라. 특히 행렬연산에 적용하는 내용에 집중하라. 이 예제는 컴퓨터에서 직접 해볼 수 있는 최고의 접근법이다. 다음의 예제는 MATLAB에서 얼마나 다양한 행렬 조작이 가능한지를 보여 준다. 터득하기 가장 좋은 방법은 컴퓨터에서 직접 수행해 보는 것이다.

풀이 파이썬에서의 가장 단순한 데이터 구조는 항들의 집합인 리스트다. 여기서 우리가 관심 있는 항은 숫자들이다. 예로써

```
a = [ 4.3 , 6.5 , 1.9 , -0.4 ]
```

Name	Type	Size	
a	list	4	[4.3, 6.5, 1.9, -0.4]

우리는 리스트에 있는 각 항 및 각 항들의 부분집합을 참조할 수 있다.

```
a[2]        a[1:3]
1.9         [6.5, 1.9]
```

주의: [1:3]은 인덱스 1과 2를 포함하고 0은 첫 번째 인덱스다. 우리는 a의 두 번째와 세 번째 항을 추출하였다.

그러나, 리스트를 이용하여 수학을 할 수 있을까?

```
3*a
[4.3, 6.5, 1.9, -0.4, 4.3, 6.5, 1.9, -0.4, 4.3, 6.5, 1.9, -0.4]
```

이런, 우리가 생각했던 결과가 아니다. 여기, 3배를 한 리스트가 있다. 그리고

```
b = [ 12.5 , 33.6 , -129.1 , -11.4 ]
a*b
can't multiply sequence by non-int of type 'list'
```

유사한 결과가 튜플에 대한 조작이나 생성에도 발생한다.

```
a = ( 4.3, 6.5, 1.9, -0.4)
```

Name	Type	Size	
a	tuple	4	(4.3, 6.5, 1.9, -0.4)

```
3*a
(4.3, 6.5, 1.9, -0.4, 4.3, 6.5, 1.9, -0.4, 4.3, 6.5, 1.9, -0.4)
```

그래서, 이 데이터 구조는 배열 혹은 행렬의 연산에 적용하기에는 최상의 것이 아니다. NumPy 모듈을 통한, narray라는 클래스가 있다. 우리는 리스트 혹은 튜플로부터 **배열**을 생성할 수 있다.

```
c = np.array([ 12.5 , 33.6 , -129.1 , -11.4 ])
c
([  12.5,   33.6, -129.1,  -11.4])
a = np.array((4.3, 6.5, 1.9, -0.4))
a
([ 4.3,   6.5,   1.9,  -0.4])
```

이제 우리는 배열로 수학을 할 수 있을까?

```
3*c
([  37.5,  100.8, -387.3,  -34.2])
```

아하! 그렇다. 그리고,

```
a*c
array([  53.75,  218.4 , -245.29,    4.56])
```

여기서 a와 c의 각 항들이 곱해졌다. 즉, **배열 연산**.

이 배열들은 행들로 정렬되었다. 이를 열로 정렬할 수 있을까?

```
b = np.array([ [12.5] , [33.6] , [-129.1] , [-11.4] ])
b
array([[  12.5],
       [  33.6],
       [-129.1],
       [ -11.4]])
```

약간 어색하긴 하지만, 그렇다. 가능하다. 그리고 이제, a와 b를 곱하면 어떻게 될까?

```
a*b
array([[  53.75,   81.25,   23.75,   -5.  ],
       [ 144.48,  218.4 ,   63.84,  -13.44],
       [-555.13, -839.15, -245.29,   51.64],
       [ -49.02,  -74.1 ,  -21.66,    4.56]])
```

우리가 이 결과를 기대하지 않았다. 무슨 일이 벌어졌는지 알아맞혀 보기 바란다. 우리는 행벡터와 열벡터의 내적(도트 곱)을 기대했을 것이다. 연산들의 직접적으로 '배열 연산'이라고 불리는 배열 연산을 수행한다. 그러나, 만일 이렇게 한다면

```
a.dot(b)
array([31.42])
```

우리는 내적값을 얻을 수 있고, 결과는 여전히 배열 타입의 구조를 갖추고 있다. 우리는 또 내적과 외적을 위해 사용할 수 있다.

```
np.inner(c,a)
31.420000000000044      이 결과는 배열 타입이 아니다.

np.outer(c,a)
array([[  53.75,   81.25,   23.75,   -5.  ],
       [ 144.48,  218.4 ,   63.84,  -13.44],
       [-555.13, -839.15, -245.29,   51.64],
       [ -49.02,  -74.1 ,  -21.66,    4.56]])
```

그리고, 전치 연산과 행렬곱을 수행할 수 있다. 결과는 이와 같다.

```
A = np.array( [[ 3 , 2 ] , [ 6 , 8 ]] )
A
array([[3, 2],
       [6, 8]])

A.transpose()                         행들과 열들이 교환된다.
array([[3, 6],
       [2, 8]])

B = np.array( [ [ -6 , 20 ] , [ 7 , -11 ] ] )
B
array([[ -6,  20],
       [  7, -11]])

A.dot(B)                              행렬곱이 완수된다.
array([[-4, 38],
       [20, 32]])
```

세 가지 유용한 행렬은 NumPy 함수를 사용하여 생성할 수 있다. zeros, ones 그리고 eye. eye 함수의 경우 [ ]이 필요하지 않음에 주의하라.

```
np.zeros([3,4])
array([[0., 0., 0., 0.],
       [0., 0., 0., 0.],
       [0., 0., 0., 0.]])

np.ones([4,3])
array([[1., 1., 1.],
       [1., 1., 1.],
       [1., 1., 1.],
       [1., 1., 1.]])

np.eye(5,5)
array([[1., 0., 0., 0., 0.],
       [0., 1., 0., 0., 0.],
       [0., 0., 1., 0., 0.],
       [0., 0., 0., 1., 0.],
       [0., 0., 0., 0., 1.]])
```

배열 형태와 관련된 수학연산은 모두 항과 항으로 시도된다.

```
np.sqrt(A)
array([[1.73205081, 1.41421356],
       [2.44948974, 2.82842712]])
```

위의 내용을 살펴보았고, 우리는 행렬 수학을 위한 또 다른 데이터 구조를 소개할 텐데, 배열의 특별한 형태로 행렬구조이다.

```
A = np.matrix([[3.6,1.2,-5.7],[12.9,-9.8,0.4],[10.6,2.9,-4.7 ]])
A
matrix([[ 3.6,  1.2, -5.7],
        [12.9, -9.8,  0.4],
        [10.6,  2.9, -4.7]])
```

행렬 타입은 항상 2차원이다. 한 행 혹은 한 열(벡터)이라도 [1,m] 혹은 [n,1]을 각각 갖는다.

```
q
matrix([[23, 10, -5]])

q[0,1]
10
```

q[1]이라 만약 시도하면 에러가 발생할 것이다.

표준 수학 연산자 (+, -, *)를 사용하면, '행렬-같은' 연산들을 수행할 것이다.

```
q*A
matrix([[ 158.8,  -84.9, -103.6]])
```

행렬 A에 자기 자신을 곱하면

```
A*A
matrix([[-31.98, -23.97,   6.75],
        [-75.74, 112.68, -79.33],
        [ 25.75, -29.33, -37.17]])
```

그러나 / 연산식은 아니다.

```
1/A
matrix([[ 0.27777778,  0.83333333, -0.1754386 ],
        [ 0.07751938, -0.10204082,  2.5        ],
        [ 0.09433962,  0.34482759, -0.21276596]])
```

이는 역행렬이 아니라 A의 각 항의 역수이다.

우리는 MATLAB에서 사용한 것과 유사하게, 더 간편한 구문을 사용하여 행렬을 지정할 수 있다.

```
A = np.matrix(' 3.6 1.2 -5.7 ; 12.9 -9.8 0.4 ; 10.6 2.9 -4.7 ')

A
matrix([[ 3.6,  1.2, -5.7],
        [12.9, -9.8,  0.4],
        [10.6,  2.9, -4.7]])

r = np.matrix(' 2 4 6 ')

p = np.matrix(' 1 ; 3 ; 5 ')

r
matrix([[2, 4, 6]])


p
matrix([[1],
        [3],
        [5]])
```

역행렬은 `np.linalg.inv` 함수를 사용하여 얻을 수 있다.

```
Ainv = np.linalg.inv(A)

Ainv
matrix([[-0.07934699,  0.01924474,  0.09786717],
        [-0.11463784, -0.07687292,  0.13248649],
        [-0.24968676, -0.0040292 ,  0.08970274]])
```

그리고 우리는 Ainv에 A를 곱하여 역행렬임을 확인할 수 있다.

```
Ainv = np.linalg.inv(A)

Ainv*A
matrix([[ 1.00000000e+00,  3.29410122e-17,  2.42486610e-17],
        [-2.85766608e-16,  1.00000000e+00, -8.73721529e-17],
        [-1.01257754e-16, -4.26616733e-17,  1.00000000e+00]])
```

행렬곱은 대각요소가 1과 무시할 정도로 작은 숫자로 구성된 단위행렬이라 할 수 있다.

그리고 `np.linalg`의 일부로써 유동한 다른 함수들도 있다.

• A의 Frobenius 노름 – A의 모든 요소들의 제곱합의 제곱근

```
np.linalg.norm(A)

21.26875642815066
```

• A의 행렬식

```
np.linalg.det(A)

-565.8690000000003
```

- 행렬 A의 랭크(계수), 여기서 풀랭크는

```
np.linalg.matrix_rank(A)
```

```
3
```

- 행렬 A의 대각요소의 합은

```
np.trace(A)
```

```
-10.900000000000002
```

- 치환-행들과 열들의 교환

```
np.transpose(A)
```

```
matrix([[ 3.6, 12.9, 10.6],
        [ 1.2, -9.8,  2.9],
        [-5.7,  0.4, -4.7]])
```

그러나 우리는 또한 다음과 같이 사용할 수 있다.

```
A.trace()
```

```
matrix([[-10.9]])
```

이 경우 행렬의 형태가 반환된다.

```
A.transpose()
matrix([[ 3.6, 12.9, 10.6],
        [ 1.2, -9.8,  2.9],
        [-5.7,  0.4, -4.7]])
```

이는 일반적으로 배열에도 적용된다.

만약 배열들이나 행렬들을 결합하고 싶다면, 우리는 'stack' 함수들을 사용할 수 있다. 다음과 같이 정의하자.

```
x = np.array([8, 6, 9])
y = np.array([-5, 8, 1])
z = np.array([4, 8, 2])
```

- 각각의 행들이 다른 항의 위쪽으로 쌓인다.

```
B = np.vstack((x,y,z))
B
array([[ 8,  6,  9],
       [-5,  8,  1],
       [ 4,  8,  2]])
```

- 각각의 행들이 다른 항의 옆으로 쌓인다.

```
C = np.hstack((x,y,z))
C
array([ 8,  6,  9, -5,  8,  1,  4,  8,  2])
```

- 각각의 열들이 옆으로 쌓인다.

```
D = np.dstack((x,y,z))

D
array([[[ 8, -5,  4],
        [ 6,  8,  8],
        [ 9,  1,  2]]])
```

또한, 반대의 연산을 위한 'split' 함수들이 있다.

　행렬들에 있어, 우리는 전체 혹은 인덱스들의 범위 내에서 콜론(:) 인덱스를 사용할 수 있다.

```
B1 = B[1,:]
B1
array([-5,  8,  1])
```
　　　　　　　　　　　　　　　　　　　　두 번째 행, 모든 열들

```
B2 = B[0:2,:]
```
　　　　　　　　　　　　　　　　0:2 는 2를 포함하지 않는다. 단지 0, 1 (속임수처럼!)
```
B2
array([[ 8,  6,  9],
       [-5,  8,  1]])
```

마지막으로, 배열이나 행렬의 차원을 추출할 수 있다.

```
B2.shape
(2, 3)
```
　　　　　　　　　　　　　　　　2 rows, 3 columns

　이 예제의 목적은 파이썬과 NumPy 모듈을 이용하여 배열과 행렬을 정의하고 연산하는 다양한 방법을 (직접 해보고) 보여 주기 위함이다. 이 장의 후반부에 이와 같은 정의와 연산을 통해 어떻게 선형연립방정식의 풀이에 활용하는지 설명할 것이다. 그리고 계속 이어지는 장들을 통해 이들 모두와 더욱 친숙해질 것이니 조금 기다리기 바란다.

8.1.3 선형대수방정식의 행렬 형태 표현

선형연립방정식을 표현할 때 행렬을 사용하면 간략해지는 것은 자명하다. 예를 들어 세 개의 연립방정식을 고려해 보자.

$$a_{11}x_1 + a_{12}x_2 + a_{13}x_3 = b_1$$
$$a_{21}x_1 + a_{22}x_2 + a_{23}x_3 = b_2 \tag{8.5}$$
$$a_{31}x_1 + a_{32}x_2 + a_{33}x_3 = b_3$$

이 식은 다음과 같이 표현할 수 있다.

$$[A]\{x\} = \{b\} \tag{8.6}$$

여기서 $[A]$는 계수행렬이다.

$$[A] = \begin{bmatrix} a_{11} & a_{12} & a_{13} \\ a_{21} & a_{22} & a_{23} \\ a_{31} & a_{32} & a_{33} \end{bmatrix}$$

$\{b\}$는 상수를 원소로 가지는 열벡터이다.

$$\{b\}^T = \lfloor b_1 \quad b_2 \quad b_3 \rfloor$$

그리고 $\{x\}$는 미지수를 나타내는 열벡터이다.

$$\{x\}^T = \lfloor x_1 \quad x_2 \quad x_3 \rfloor$$

행렬의 곱셈을 정의하는 식 (8.4)를 기억하면 식 (8.5)와 식 (8.6)은 서로 같다는 것을 확신할 수 있다. 또한 식 (8.6)에서 행렬의 곱셈을 성립하는 것은 첫 번째 행렬 $[A]$의 열의 수 n과 두 번째 벡터 $\{x\}$의 행의 수 n이 일치하기 때문이다.

이 장에서는 $\{x\}$를 구하기 위해 식 (8.6)을 푸는 것을 다룬다. 행렬대수학을 이용하여 방정식의 해를 구하는 공식적인 방법은 다음과 같이 방정식의 양변에 $[A]$의 역행렬을 곱하는 것이다.

$$[A]^{-1}[A]\{x\} = [A]^{-1}\{b\}$$

$[A]^{-1}[A]$는 단위행렬이므로 이 방정식은 다음과 같이 된다.

$$\{x\} = [A]^{-1}\{b\} \tag{8.7}$$

따라서 방정식으로부터 $\{x\}$를 구하였다. 이는 나눗셈과 유사한 역행렬이 행렬대수학에서 어떠한 역할을 하는지를 잘 나타내는 예이다. 그러나 이 방법이 연립방정식의 해를 구하는 데 언제나 가장 효율적인 것은 아니라는 점을 유념해야 한다. 따라서 다른 접근법들이 수치 알고리즘에서 사용된다. 그러나 11.1.2절에서 논의되는 바와 같이, 역행렬 그 자체가 연립방정식으로 기술되는 공학적 해석에서 큰 가치를 지니고 있는 것은 분명하다.

미지수(열)보다 방정식(해)의 개수가 많은 경우인 $m > n$일 때 그 시스템을 **과결정시스템**(*overdetermined system*)이라고 한다. 이에 대한 대표적인 예는 m개의 데이터 점 (x, y)을 n개의 계수를 갖는 방정식으로 표시하고자 하는 최소제곱 회귀분석이다. 반대로 미지수보다 방정식의 개수가 작은 경우인 $m < n$일 때 그 시스템을 **부족결정시스템**(*underdetermined system*)이라고 한다. 이에 대한 대표적인 예는 수치적 최적화 문제이다.

8.2   파이썬을 이용한 선형대수방정식의 풀이

파이썬 NumPy 모듈은 선형대수방정식을 풀 수 있는 두 가지 직접적인 방법을 제공한다. 가장 효율적인 방법은 NumPy linalg 부모듈에서 활용가능한 solve 함수를 이용하는 것이다.

```
x = np.linalg.solve(A,b)
```

두 번째 방법은 다음과 같이 역행렬을 사용하는 것이다.

```
x = np.linalg.inv(A)*b
```

8.1.3절 끝 부분에서 기술하였듯이 역행렬을 사용하는 것이 solve 함수를 사용하는 것보다 비효율적이다. 이들 옵션은 다음의 예제를 통해 잘 이해될 수 있다.

<table>
<tr><td>예제 8.2</td><td>파이썬을 이용한 번지점프 문제의 풀이</td></tr>
</table>

문제 정의 파이썬을 이용하여 이 장의 처음에 기술한 번지점프 문제를 풀어 보도록 하자. 문제를 위한 매개변수의 값은 다음과 같이 주어진다.

Jumper	Mass (kg)	Spring Constant (N/m)	Unstretched Cord Length (m)
Top (1)	60	50	20
Middle (2)	70	100	20
Bottom (3)	80	50	20

풀이 주어진 매재변수의 값을 식 (8.2)에 대입하면 다음과 같다.

$$\begin{bmatrix} 150 & -100 & 0 \\ -100 & 150 & -50 \\ 0 & -50 & -50 \end{bmatrix} \begin{bmatrix} x_1 \\ x_2 \\ x_3 \end{bmatrix} = \begin{bmatrix} 588.6 \\ 686.7 \\ 784.8 \end{bmatrix}$$

파이썬을 시작하여 다음과 같이 계수행렬과 우변 벡터를 정의한다.

to b:

```
import numpy as np

A = np.matrix(' 150 -100 0 ; -100 150 -50 ; 0 -50 50 ')
b = np.matrix(' 588.6 ; 686.7 ; 784.8 ')
```

NumPy linalg 부모듈로부터 solve 함수를 사용하면 다음과 같다.

```
x = np.linalg.solve(A,b)
print('Solution is',x)

Solution is [[41.202]
             [55.917]
             [71.613]]
```

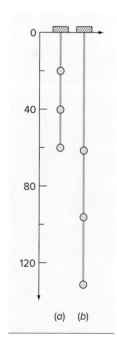

다른 방법으로 계수 행렬의 역행렬을 우변 벡터에 곱하면 다음과 같이 동일한 결과를 얻는다.

```
x = np.linalg.inv(A)*b
print ('2nd solution is',x)

2nd solution is [[41.202]
                 [55.917]
                 [71.613]]
```

세 사람이 20 m의 줄에 연결되어 있으므로 기준점에 대한 그들의 초기 위치를 다음과 같이 열벡터 xi로 입력한다.

```
xi = np.matrix(' 20 ; 40 ; 60' )
```

따라서 그들의 최종 위치는 다음과 같이 계산될 수 있다.

그림 8.6
번지 줄에 매달린 세 사람의 위치. (*a*) 초기 위치와 (*b*) 늘어난 위치.

```
xf = x + xi
print('Final positions:\n',xf)

Final positions:
 [[ 61.202]
 [ 95.917]
 [131.613]]
```

그 결과는 그림 8.6과 같이 나타나면 타당한 것으로 판단된다. 첫 번째 줄이 가장 길게 늘어나는데, 이는 그 중의 스프링 상수가 가장 작을 뿐 아니라 그 줄이 가장 큰 무게(세 사람 모두에 해당하는)를 받고 있기 때문이다. 두 번째 줄과 세 번째 줄이 늘어난 길이는 거의 비슷하다는 점에 주의한다. 두 번째 줄이 두 사람에 해당하는 무게를 받고 있어서 그 줄이 세 번째 줄에 비해 더 늘어날 것으로 예상할 수 있으나, 두 번째 줄에 해당하는 스프링 상수가 더 크기 때문에 예상보다 작게 늘어난다.

사례연구 8.3   **회로 내의 전류와 전압**

배경   우리는 1장(표 1.1)에서 공학에서 매우 중요한 몇 가지 모델과 그와 관련된 보존법칙을 요약하였다. 그림 8.7에서와 같이 각각의 모델은 서로 상호작용하는 요소들로 이루어진 시스템을 나타낸다. 보존 법칙에 의해 유도된 정상상태의 평형은 결국에는 연립방정식으로 귀결된다. 많은 경우에 이러한 연립방정식은 선형이므로 행렬 형태로 표현될 수 있다. 지금 다루는 사례연구는 회로 분석으로 행렬로 기술되는 것에 초점을 맞춘다.

전기공학에서 흔히 마주치는 문제는 저항 회로의 여러 곳에서 전류와 전압을 결정하는 것이다. 이런 문제는 *Kirchhoff*의 전류와 전압법칙을 이용하여 푼다. **전류법칙**은 절점에 들어오는 모든 전류의 합은 0이 되어야 한다는 것이다(그림 8.8). 즉

$$\sum i = 0$$

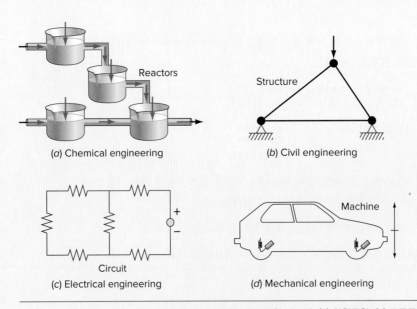

(a) Chemical engineering

Reactors

(b) Civil engineering

Structure

(c) Electrical engineering

Circuit

(d) Mechanical engineering

Machine

그림 8.7   정상상태에서 선형연립방정식으로 모델링되는 공학 시스템. (*a*) 화학공학, (*b*) 토목공학, (*c*) 전자공학, (*d*) 기계공학.

사례연구 8.3   continued

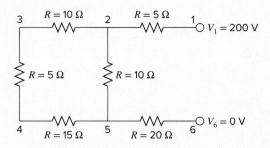

그림 8.8   선형연립방정식을 이용하여 풀어야 할 저항 회로.

여기서 i 변수들을 합한다. 이는 i값이 양수이거나 음수임을 의미하고, 절점에 들어오는 모든 전류는 양의 부호로 간주한다. 만약 음수이면 절점을 나가는 것이라고 할 수 있다. 전류 법칙은 **전하보존**의 원리를 응용한 경우이다.

옴의 법칙은 저항을 통한 직류전류와 포텐셜 즉, 저항에 걸칠 전압 사이의 관계를 말한다. 즉

$$\Delta V = iR$$

회로의 루프상에서 전압강하를 고려할 때 그 값들의 합은 0이어야 한다. (좀 더 쉽게 설명하면 시작점으로부터 출발해서 다시 돌아와야 한다.) Kirchhoff 전압 법칙은 다음과 같다.

$$\sum \Delta V_{\text{loop}} = 0$$

이는 에너지 **보존법칙**의 표현이다. 물론, 정적회로는 저항 이상의 것을 가진다. 예를 들어, 회로에 배터리나 파워서플라이가 있을 수 있다. 이들은 포텐셜 즉, 회로의 전위차에 기여하나, 루프 내 모든 요소의 합은 0이어야 한다.

풀이 회로 내의 여러 루프는 서로 연결되어 있기 때문에 이러한 법칙을 응용하면 결국 선형연립방정식이 만들어진다. 그 예로 그림 8.8과 같은 회로를 생각해 보자.

그림을 통해, 우리는 4개의 질점을 볼 수 있고 이 질점에서 전류들의 합은 0이어야 한다. 이들 질점은 2에서 5까지로 나타난다. 질점들 1과 6은 인가된 포텐셜을 즉, 질점 1은 배터리나 파워서플라이를 통해 공급되는 지점을 나타내고 6점은 접지와 연결된다.

결과적으로 각 질점에 대해 전류의 합이 0이라는 규칙을 적용하면 4개의 식을 얻을 수 있다.

Node 2: $i_{12} + i_{32} + i_{52} = 0$

Node 3: $i_{23} + i_{43} = 0$

Node 4: $i_{34} + i_{54} = 0$

Node 5: $i_{45} + i_{25} + i_{65} = 0$

아래첨자는 질점으로의 변수의 방향을 나타낸다. 전에 설명했듯이 전류값들은 전하량 보존법칙으로 양수 혹은 음수가 혼합되어 있다.

이제 옴의 법칙을 이용하여 회로 내 전압을 이용하여 위 식을 표현할 수 있다.

사례연구 8.3   continued

Node 2: $\dfrac{V_1 - V_2}{R_{12}} + \dfrac{V_3 - V_2}{R_{23}} + \dfrac{V_5 - V_2}{R_{25}} = 0$

Node 3: $\dfrac{V_2 - V_3}{R_{23}} + \dfrac{V_4 - V_3}{R_{34}} = 0$

Node 4: $\dfrac{V_3 - V_4}{R_{34}} + \dfrac{V_5 - V_4}{R_{45}} = 0$

Node 5: $\dfrac{V_4 - V_5}{R_{45}} + \dfrac{V_2 - V_5}{R_{25}} + \dfrac{V_6 - V_5}{R_{56}} = 0$

각 전류항으로 입력된 전압차는 질점 전압 항의 아래첨자 중 항상 두 번째가 음수가 되도록 한다. 이는 '전류가 질점으로'라는 규칙을 따른다. 저항의 첨자는 특별한 순서를 갖지 않는데 저항은 방향이 없기 때문이다.

대수연산을 통해 4개의 방정식은 다음의 행렬 형태로 정리될 수 있다.

$$\begin{bmatrix} \left(\dfrac{1}{R_{12}}+\dfrac{1}{R_{23}}+\dfrac{1}{R_{25}}\right) & -\left(\dfrac{1}{R_{23}}\right) & 0 & -\left(\dfrac{1}{R_{25}}\right) \\ -\left(\dfrac{1}{R_{23}}\right) & \left(\dfrac{1}{R_{23}}+\dfrac{1}{R_{34}}\right) & -\left(\dfrac{1}{R_{34}}\right) & 0 \\ 0 & -\left(\dfrac{1}{R_{34}}\right) & \left(\dfrac{1}{R_{34}}+\dfrac{1}{R_{45}}\right) & -\left(\dfrac{1}{R_{45}}\right) \\ -\left(\dfrac{1}{R_{25}}\right) & 0 & -\left(\dfrac{1}{R_{45}}\right) & \left(\dfrac{1}{R_{25}}+\dfrac{1}{R_{45}}+\dfrac{1}{R_{56}}\right) \end{bmatrix} \begin{Bmatrix} V_2 \\ V_3 \\ V_4 \\ V_5 \end{Bmatrix} = \begin{Bmatrix} \dfrac{1}{R_{12}}V_1 \\ 0 \\ 0 \\ \dfrac{1}{R_{56}}V_6 \end{Bmatrix}$$

일단 모든 전압값을 알면 우리는 옴의 법칙을 통해 모든 전류를 구할 수 있다.

손으로 풀이하는 것은 실제적이지 않고, 이 시스템은 파이썬 NumPy linalg.solve 함수를 통해 쉽게 구할 수 있다. 결과는 다음과 같다.

```
import numpy as np

# set the parameter values
R12 = 5   # ohms
R23 = 10
R25 = 10
R34 = 5
R45 = 15
R56 = 20

V1 = 200   # V
V6 = 0

# set up the coefficient matrix and the constant vector
A = np.matrix([[ 1/R12+1/R23+1/R25, -1/R23,          0,         -1/R25],
    [-1/R23,             1/R23+1/R34, -1/R34,        0],
    [ 0,                 -1/R34,       1/R34+1/R45, -1/R45],
    [-1/R25,             0,           -1/R45,        1/R25+1/R45+1/R56]])
b = np.matrix([[V1/R12],[0],[0],[V6/R56]])

# solve for the voltages
V = np.linalg.solve(A,b)
```

사례연구 8.3   continued

```
# assign voltages to familiar variables
V2 = V[0,0]
V3 = V[1,0]
V4 = V[2,0]
V5 = V[3,0]

# display voltages
print('\nV2 = {0:6.2f} volts'.format(V2))
print('V3 = {0:6.2f} volts'.format(V3))
print('V4 = {0:6.2f} volts'.format(V4))
print('V5 = {0:6.2f} volts'.format(V5))

# calculate currents
i12 = (V1-V2)/R12
i23 = (V2-V3)/R23
i25 = (V2-V5)/R25
i34 = (V3-V4)/R34
i45 = (V4-V5)/R45
i56 = (V5-V6)/R56

# display currents
print('\ni12 = {0:6.2f} amps'.format(i12))
print('i23 = {0:6.2f} amps'.format(i23))
print('i25 = {0:6.2f} amps'.format(i25))
print('i34 = {0:6.2f} amps'.format(i34))
print('i45 = {0:6.2f} amps'.format(i45))
print('i56 = {0:6.2f} amps'.format(i56))

V2 = 169.23 volts
V3 = 153.85 volts
V4 = 146.15 volts
V5 = 123.08 volts

i12 =    6.15 amps
i23 =    1.54 amps
i25 =    4.62 amps
i34 =    1.54 amps
i45 =    1.54 amps
i56 =    6.15 amps
```

회로의 전류와 전압은 그림 8.9에 나타난다. 위의 결과로부터 Kirchoff의 전류법칙이 만족함을 확인할 수 있다. 본질상 이와 같은 문제들은 파이썬 NumPy를 활용하는 이점이 확실하다.

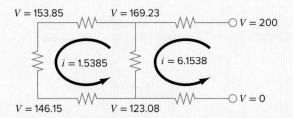

그림 8.9   파이썬을 이용한 전류와 전압의 해.

연습문제 * 짝수번호는 온라인 사이트에 있으며 본 책 '차례' 끝부분 xxi페이지에 사이트주소가 있음.

8.1 정방행렬 $[A]$가 주어질 때 그 행렬에 단위행렬 $[I]$가 추가되어 형성되는 확장행렬 $[Aug]$를 만드는 파이썬 명령어를 한 줄로 적어라.

8.3 다음의 방정식을 행렬 형태로 표시하라.

$$50 = 5x_3 - 7x_2$$
$$4x_2 + 7x_3 + 30 = 0$$
$$x_1 - 7x_3 = 40 - 3x_2 + 5x_1$$

파이썬을 사용하여 미지수를 계산하라. 또한 이 결과를 이용하여 계수행렬의 전치행렬과 역행렬을 계산하라.

8.5 파이썬으로 다음의 복소수 선형 방정식을 풀어라.

$$\begin{bmatrix} 3+2j & 4 \\ -j & 1 \end{bmatrix} \begin{bmatrix} z_1 \\ z_2 \end{bmatrix} = \begin{bmatrix} 2+j \\ 3 \end{bmatrix}$$

(힌트: NumPy의 linalg 부모듈로부터의 solve 함수는 복소수 선형 방정식에는 작동하지 않을 것이다. 그러나 linalg.inv 함수를 이용하여 역행렬을 구한 후 복소수 행렬을 곱하여 계산할 수있다. 또한 행렬의 정의에서 $3 + 2j$의 형태로 복소수 계수를 입력할 수 없다. 대신 complex(3,2)는 가능하다.)

8.7 전치행렬을 생성하는 파이썬 함수를 tranmat의 이름으로 개발하여 오류를 수정하고 시험하라. 전치를 실행하기 위해 *for* 루프를 사용하고, 작성된 프로그램을 연습문제 8.4의 행렬로 시험하라.

8.9 그림 P8.9와 같이 파이프로 연결된 5개의 반응기가 있다. 각각의 파이프를 통과하는 질량 유량은 유량 Q와 농도 c의 곱으로 계산된다. 정상상태에서 각각의 반응기에 유입하고 유출하는 질량유량은 같다. 예를 들어 첫 번째 반응기에 대한 **질량평형식**은 다음과 같이 표시된다.

$$Q_{01}c_{01} + Q_{31}c_3 = Q_{15}c_1 + Q_{12}c_1$$

그림 P8.9에 도시된 나머지 반응기에 대해서도 질량평형식을 유도하고, 그 방정식들을 행렬 형태로 표시하라. 그리고 파이썬를 이용하여 각 반응기에서의 농도를 구하라.

8.11 그림 P8.11과 같이 세 개의 질량과 네 개의 스프링으로 구성된 시스템을 생각하자. 각각의 질량에 대해 자유 물체도를 그려서 운동방정식 $\sum F_x = ma_x$를 적용하면 다음과 같은 미분방정식을 얻는다.

$$\ddot{x}_1 + \left(\frac{k_1 + k_2}{m_1}\right)x_1 - \left(\frac{k_2}{m_1}\right)x_2 = 0$$
$$\ddot{x}_2 - \left(\frac{k_2}{m_2}\right)x_1 + \left(\frac{k_2 + k_3}{m_2}\right)x_2 - \left(\frac{k_3}{m_2}\right)x_3 = 0$$
$$\ddot{x}_3 - \left(\frac{k_3}{m_3}\right)x_2 + \left(\frac{k_3 + k_4}{m_3}\right)x_3 = 0$$

여기서 $k_1 = k_4 = 10 \text{ N/m}$, $k_2 = k_3 = 30 \text{ N/m}$ 그리고 $m_1 = m_2$

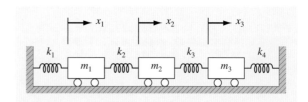

그림 P8.11

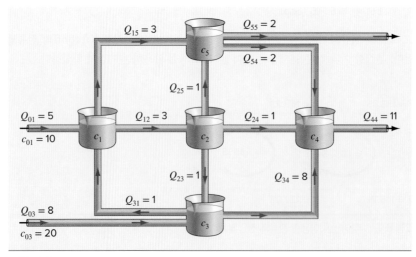

그림 P8.9

$= m_3 = 1$ kg이다. 이 세 방정식은 다음과 같이 행렬 형태로 표시된다.

$$0 = \begin{bmatrix} \text{acceleration} \\ \text{vector } \ddot{x} \end{bmatrix} + \begin{bmatrix} k/m \\ \text{matrix} \end{bmatrix} \begin{bmatrix} \text{displacement} \\ \text{vector } x \end{bmatrix}$$

특정한 시점에서 $x_1 = 0.05$ m, $x_2 = 0.04$ m 그리고 $x_3 = 0.03$ m이며, 행렬 형태는 **삼중대각행렬**이 된다. 이들 조건에서 각 질량의 가속도를 구하라.

8.13 수직으로 놓인 세 질량이 모두 동일한 스프링으로 연결되어 질량 1은 꼭대기에 있고 질량 3은 바닥에 있다. $m_1 = 2$ kg, $m_2 = 3$ kg, $m_3 = 2.5$ kg 그리고 $k's = 10$ N/m일 때 변위를 구하기 위한 파이썬 스크립트를 작성하라.

8.15 그림 P8.15와 같은 회로에 대해 8.3절에서와 같이 계산을 수행하라.

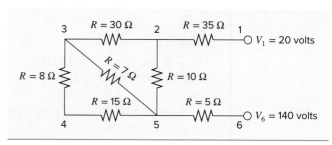

그림 P8.15

Gauss 소거법

Gauss Elimination

학습 목표

이 장의 주요 목표는 선형대수방정식을 풀기 위한 Gauss 소거법 알고리즘을 설명하는 것이다. 특정한 목표와 다루는 주제는 다음과 같다.

- 소규모의 선형연립방정식의 해를 그래프를 이용하는 방법과 Cramer 공식으로 구함
- Gauss 소거법에서 전진소거와 후진대입의 이해
- 알고리즘의 효율성을 평가하기 위해서 연산 횟수를 세는 법
- 행렬에서의 특이성과 불량조건의 개념
- 부분 피봇팅을 실행하는 방법과 완전 피봇팅과의 차이점의 이해
- 부분 피봇팅과 Gauss 소거법을 이용하여 행렬식을 계산하는 방법
- 삼중대각 시스템의 띠 구조를 활용하여 가장 효율적으로 근을 구하는 방법

8장의 끝 부분에서 파이썬 NumPy 모듈이 제공하는 간단하고 직접적인 두 가지 연립방정식을 푸는 방법에 대해 기술하였다.

```
np.linalg.solve(A,b)
```

그리고

```
np.linalg.inv(A)*b
```

9장과 10장은 이와 같은 해를 어떻게 구할 수 있는지에 대한 배경을 설명하고, 파이썬 NumPy 함수들이 어떻게 작동하는지에 대한 이해를 돕도록 하였다. 또한 파이썬 내장함수를 사용할 수 없는 계산 환경에서 자기 자신의 알고리즘을 작성할 수 있는 방법에 대해서도 알아본다.

이 장에서 다루는 방법은 Gauss 소거법이라 하는데 그 이유는 미지수를 소거하기 위해 방정식을 조합하는 것이 포함되기 때문이다. 비록 이 방법이 연립방정식을 푸는 가장 오래된 방법들 중의 하나이지만, 오늘날에도 사용되는 가장 중요한 알고리즘의 하나이며, 파이썬 NumPy를 포함하여 일반적으로 사용되는 많은 소프트웨어에서 선형방정식 해법의 기본이 된다.

9.1 소규모 방정식 풀기

Gauss 소거법을 다루기 전에 우선 컴퓨터 없이도 풀 수 있는 소규모($n \leq 3$)의 연립방정식에 적합한 몇 가지 방법을 알아보자. 그래프를 이용하는 방법, Cramer 공식, 미지수 소거법 등이 바로 그것들이다.

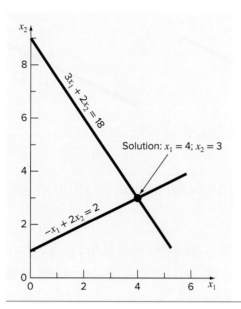

그림 9.1   그래프를 이용하여 구한 두 개의 연립 선형대수방정식의 해. 직선의 교점이 해를 나타낸다.

9.1.1 그래프를 이용하는 방법

하나의 축이 x_1이고 또 다른 축이 x_2인 직교좌표계에 두 선형방정식을 그려서 해를 얻을 수 있다. 방정식이 선형이기 때문에 각각의 방정식은 직선으로 나타낼 수 있다. 예를 들어 다음과 같은 방정식이 있다고 하자.

$$3x_1 + 2x_2 = 18$$
$$-x_1 + 2x_2 = 2$$

만약 x_1을 가로 좌표로 놓으면 각각의 방정식을 x_2에 대해 풀 수 있다.

$$x_2 = -\frac{3}{2} x_1 + 9$$
$$x_2 = \frac{1}{2} x_1 + 1$$

이제 두 방정식이 직선의 형태 즉, x_2 = (기울기) x_1 + (절편)으로 표시되었다. 이 방정식들을 그리면 그림 9.1에서와 같이 서로 교차하게 되는데, 그 교점에서의 x_1과 x_2의 값이 해가 된다. 이 경우의 해는 $x_1 = 4$와 $x_2 = 3$이다.

세 개의 연립방정식인 경우에는 각각의 방정식은 3차원 좌표계에서 면으로 표시된다. 따라서 세 면이 동시에 만나는 점이 해를 나타내게 된다. 방정식의 수가 세 개를 초과하면 그래프를 이용하는 방법으로는 풀기 어렵기 때문에 방정식을 푸는 방법으로서 실용적인 가치를 상실한다. 그러나 해를 시각화하는 면에서는 여전히 유용하다.

예를 들어 그림 9.2는 선형연립방정식을 풀 때 괴롭히는 세 가지 경우를 나타낸다. 그림 9.2a는 두 방정식이 서로 평행한 경우를 나타낸다. 이러한 경우에는 두 직선이 서로 만나지 않기 때문

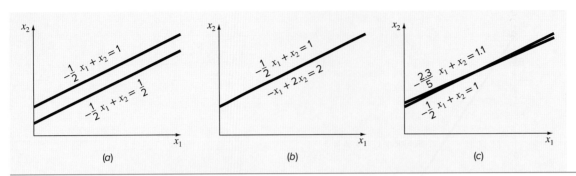

그림 9.2   특이 시스템과 불량조건 시스템을 그래프로 표현함. (*a*) 해가 없음, (*b*) 해가 무한히 많음, (*c*) 기울기가 너무 비슷하기 때문에 교정을 눈으로 식별하기 어려운 불량조건 시스템.

에 해가 존재하지 않는다. 그림 9.2*b*는 두 직선이 서로 일치하는 경우를 나타내며, 이러한 경우에는 해가 무수히 많이 존재한다. 시스템이 이와 같은 두 경우에 해당될 때 **특이**(*singular*) 시스템이라고 한다.

더욱이 시스템이 그림 9.2*c*와 같이 특이 시스템에 매우 가까울 때 곤란한 문제가 발생한다. 이러한 시스템을 **불량조건**에 있다고 한다. 그래프로 설명하면 이 경우는 직선들이 교차하는 정확한 점을 식별하기 어려운 경우에 해당된다. 불량조건 시스템은 선형방정식의 수치해를 구하기 어려우며, 그 이유는 해가 반올림오차에 극도로 민감하게 되기 때문이다.

9.1.2 행렬식과 Cramer 공식

Cramer 공식은 소규모의 연립방정식을 풀기에 적합한 또 다른 방법이다. 이 방법을 설명하기에 앞서 Cramer 공식에서 사용되는 행렬식(determinant)의 개념을 간단히 복습하기로 한다. 더욱이 행렬식은 행렬이 불량조건인가를 판단하는 데에도 유효하게 쓰인다.

행렬식. 다음과 같은 세 개의 방정식에 대해 행렬식을 고려해 보자.

$$[A]\{x\} = \{b\}$$

여기서 $[A]$는 다음과 같은 계수행렬이다.

$$[A] = \begin{bmatrix} a_{11} & a_{12} & a_{13} \\ a_{21} & a_{22} & a_{23} \\ a_{31} & a_{32} & a_{33} \end{bmatrix}$$

이 시스템의 **행렬식**은 $[A]$의 계수로부터 구성되는데 다음과 같이 표시된다.

$$D = \begin{vmatrix} a_{11} & a_{12} & a_{13} \\ a_{21} & a_{22} & a_{23} \\ a_{31} & a_{32} & a_{33} \end{vmatrix}$$

비록 행렬식 D는 계수행렬 $[A]$와 동일한 원소로 구성되지만, 이 둘은 수학적으로 개념이 완전히 다른 것이다. 그래서 행렬은 브래킷으로 그 원소들을 둘러싸고, 행렬식은 수직선으로 그 원소들을 둘러싸도록 시각적으로 구분한다. 행렬식은 행렬과는 대조적으로 하나의 수이다. 예를 들어 두 개의 연립방정식에 대한 행렬식의 값은 다음과 같이 표시한다.

$$D = \begin{vmatrix} a_{11} & a_{12} \\ a_{21} & a_{22} \end{vmatrix}$$

그리고 이는 다음과 같이 계산된다.

$$D = a_{11}a_{22} - a_{12}a_{21}$$

방정식이 세 개인 경우에는 행렬식은 다음과 같이 계산된다.

$$D = a_{11} \begin{vmatrix} a_{22} & a_{23} \\ a_{32} & a_{33} \end{vmatrix} - a_{12} \begin{vmatrix} a_{21} & a_{23} \\ a_{31} & a_{33} \end{vmatrix} + a_{13} \begin{vmatrix} a_{21} & a_{22} \\ a_{31} & a_{32} \end{vmatrix} \tag{9.1}$$

여기서 2×2 행렬들을 **소행렬식**(*minor*)이라고 한다.

예제 9.1	행렬식

문제 정의 그림 9.1과 그림 9.2에 나타난 시스템에 대한 행렬식을 계산하라.

풀이 그림 9.1의 경우에는

$$D = \begin{vmatrix} 3 & 2 \\ -1 & 2 \end{vmatrix} = 3(2) - 2(-1) = 8$$

그림 9.2a의 경우에는

$$D = \begin{vmatrix} -\frac{1}{2} & 1 \\ -\frac{1}{2} & 1 \end{vmatrix} = -\frac{1}{2}(1) - 1\left(\frac{-1}{2}\right) = 0$$

그림 9.2b의 경우에는

$$D = \begin{vmatrix} -\frac{1}{2} & 1 \\ -1 & 2 \end{vmatrix} = -\frac{1}{2}(2) - 1(-1) = 0$$

그림 9.2c의 경우에는

$$D = \begin{vmatrix} -\frac{1}{2} & 1 \\ -\frac{2.3}{5} & 1 \end{vmatrix} = -\frac{1}{2}(1) - 1\left(\frac{-2.3}{5}\right) = -0.04$$

앞서의 예제에서 특이 시스템의 행렬식은 0이었다. 더욱이 계산결과는 그림 9.2c에서와 같이 시스템이 특이 시스템과 거의 같으면 행렬식이 0에 가까워진다는 것을 시사한다. 이러한 특성에 관해서는 11장에서 불량조건에 대해 다룰 때 더 깊이 있게 논의될 것이다.

Cramer 공식. 이 공식은 연립 선형대수방정식에서 각각의 미지수는 분모 D와 D에서 풀고자 하는 미지수에 해당하는 열을 우변 상수로 구성되는 b_1, b_2, ..., b_n의 열로 대체한 분자에 의해 정의되는 분수로 표시될 수 있음을 말한다. 예를 들어 세 개의 방정식에서 미지수 x_1은 다음과 같이 계산된다.

$$x_1 = \frac{\begin{vmatrix} b_1 & a_{12} & a_{13} \\ b_2 & a_{22} & a_{23} \\ b_3 & a_{32} & a_{33} \end{vmatrix}}{D}$$

예제 9.2	Cramer 공식

문제 정의 Cramer 공식을 이용하여 다음의 연립방정식을 풀어라.

$$0.3x_1 + 0.52x_2 + \quad x_3 = -0.01$$
$$0.5x_1 + \quad x_2 + 1.9x_3 = \quad 0.67$$
$$0.1x_1 + 0.3 \ x_2 + 0.5x_3 = -0.44$$

풀이 식 (9.1)을 이용하여 행렬식 D를 다음과 같이 구할 수 있다.

$$D = 0.3 \begin{vmatrix} 1 & 1.9 \\ 0.3 & 0.5 \end{vmatrix} - 0.52 \begin{vmatrix} 0.5 & 1.9 \\ 0.1 & 0.5 \end{vmatrix} + 1 \begin{vmatrix} 0.5 & 1 \\ 0.1 & 0.3 \end{vmatrix} = -0.0022$$

각각의 해는 다음과 같이 계산된다.

$$x_1 = \frac{\begin{vmatrix} -0.01 & 0.52 & 1 \\ 0.67 & 1 & 1.9 \\ -0.44 & 0.3 & 0.5 \end{vmatrix}}{-0.0022} = \frac{0.03278}{-0.0022} = -14.9$$

$$x_2 = \frac{\begin{vmatrix} 0.3 & -0.01 & 1 \\ 0.5 & 0.67 & 1.9 \\ 0.1 & -0.44 & 0.5 \end{vmatrix}}{-0.0022} = \frac{0.0649}{-0.0022} = -29.5$$

$$x_3 = \frac{\begin{vmatrix} 0.3 & 0.52 & -0.01 \\ 0.5 & 1 & 0.67 \\ 0.1 & 0.3 & -0.44 \end{vmatrix}}{-0.0022} = \frac{-0.04356}{-0.0022} = 19.8$$

linalg.det 함수. 행렬식은 파이썬에서는 NumPy 모듈로부터 linalg.det 함수를 사용함으로써 직접 계산할 수 있다. 그 예로 예제 9.2에서 다룬 시스템에 대해 구하면 다음과 같다.

```
import numpy as np

A = np.matrix('0.3 0.52 1 ; 0.5 1 1.9 ; 0.1 0.3 0.5')
d = np.linalg.det(A)
print('determinant of A is {0:8.4f}'.format(d))

determinant of A is -0.0022
```

Cramer 공식을 적용하여 x_1을 다음과 같이 계산한다.

```
A[:,0]=[ [-0.01] , [ 0.67] , [-0.44]]
print(A)
x1 = np.linalg.det(A)/d
print('\nx1 = {0:6.2f}'.format(x1))

[[-0.01 0.52 1. ]
 [ 0.67 1.   1.9 ]
 [-0.44 0.3  0.5 ]]

x1 = -14.90
```

방정식의 수가 세 개를 초과하면 Cramer 공식은 비실용적인데, 그 이유는 방정식의 수가 늘어나면서 행렬식을 손이나 컴퓨터로 계산하는 데 시간이 많이 소요되기 때문이다. 결과적으로 이 방법보다 더 효율적인 대안을 찾아야 한다. 대안들 중의 몇몇은 9.1.3절에서 다룰 미지수 소거법이라는 컴퓨터 없이 풀 수 있는 마지막 방법에 기초를 두고 있다.

9.1.3 미지수 소거법

방정식을 조합하여 미지수를 소거하는 것은 대수적 접근법으로 다음의 두 방정식에 대해서 이 방법을 설명하기로 한다.

$$a_{11}x_1 + a_{12}x_2 = b_1 \tag{9.2}$$

$$a_{21}x_1 + a_{22}x_2 = b_2 \tag{9.3}$$

기본적인 전략은 각각의 방정식에 적절한 상수를 곱해서 얻은 두 방정식을 조합하여 미지수를 소거하는 것이다. 결과적으로 나머지 미지수에 대한 한 개의 방정식을 얻게 된다. 이 방정식에서 미지수를 구한 후, 최초의 두 방정식 중의 하나에 이 미지수의 값을 대입하면 나머지 미지수를 구할 수 있다.

그 예로 식 (9.2)에 a_{21}을 곱하고 식 (9.3)에 a_{11}을 곱하면 다음의 두 식을 얻는다.

$$a_{21}a_{11}x_1 + a_{21}a_{12}x_2 = a_{21}b_1 \tag{9.4}$$

$$a_{11}a_{21}x_1 + a_{11}a_{22}x_2 = a_{11}b_2 \tag{9.5}$$

식 (9.5)에서 식 (9.4)를 빼면 다음과 같이 항이 소거된 방정식을 얻는다.

$$a_{11}a_{22}x_2 - a_{21}a_{12}x_2 = a_{11}b_2 - a_{21}b_1$$

x_2를 다음과 같이 구한다.

$$x_2 = \frac{a_{11}b_2 - a_{21}b_1}{a_{11}a_{22} - a_{21}a_{12}} \tag{9.6}$$

식 (9.6)을 식 (9.2)에 대입하여 x_1을 구하면 다음과 같다.

$$x_1 = \frac{a_{22}b_1 - a_{12}b_2}{a_{11}a_{22} - a_{21}a_{12}} \tag{9.7}$$

식 (9.6)과 식 (9.7)은 Cramer 공식을 그대로 따른다는 것에 유의하자.

$$x_1 = \frac{\begin{vmatrix} b_1 & a_{12} \\ b_2 & a_{22} \end{vmatrix}}{\begin{vmatrix} a_{11} & a_{12} \\ b_{21} & a_{22} \end{vmatrix}} = \frac{a_{22}b_1 - a_{12}b_2}{a_{11}a_{22} - a_{21}a_{12}}$$

$$x_2 = \frac{\begin{vmatrix} a_{11} & b_1 \\ a_{21} & b_2 \end{vmatrix}}{\begin{vmatrix} a_{11} & a_{12} \\ a_{21} & a_{22} \end{vmatrix}} = \frac{a_{11}b_2 - a_{21}b_1}{a_{11}a_{22} - a_{21}a_{12}}$$

미지수 소거법은 방정식의 수가 두 개 또는 세 개 이상인 시스템에 대해서도 적용할 수 있다. 그러나 이 방법은 시스템이 커질수록 상당한 계산량을 요구하기 때문에 손으로 처리하려면 매우 많은 노력이 요구된다. 그렇지만 9.2절에서 논의된 것처럼 이 방법은 수식화될 수 있으므로 컴퓨터 계산을 위한 프로그램으로 쉽게 작성될 수 있다.

9.2 순수 Gauss 소거법

9.1.3절에 미지수 소거법으로 두 개의 연립방정식의 해를 구하였다. 이 절차는 그림 9.3에 나타난 것과 같이 두 단계로 구성되어 있다.

1. 방정식들에서 미지수 중 한 개를 소거하기 위해서 산술적 조작을 한다. 이 소거 단계의 결과는 한 개의 방정식에 한 개의 미지수만을 갖게 한다.
2. 결과적으로 이 방정식은 직접 풀 수 있으며, 그 결과를 원래의 방정식 중 한 개에 후진대입하여 나머지 미지수를 결정한다.

이와 같은 기본적인 접근법은 미지수를 소거하고 후진대입하는 체계적인 알고리즘을 개발함으로써 대규모의 연립방정식에 확대 적용할 수 있다. Gauss 소거법은 이러한 알고리즘 중에 가장 기본이 된다.

이 절에서는 Gauss 소거법을 구성하는 전진소거와 후진대입을 수행하기 위한 체계적인 방법을 다룬다. 이 방법이 이상적으로는 컴퓨터에서 사용하기에 알맞지만, 신뢰성 있는 알고리즘을 얻기 위해서는 약간의 수정이 요구된다. 특히 컴퓨터 프로그램에서는 0으로 나누는 것을 피해야 한다. 다음에 기술되는 방법은 '순수' Gauss 소거법이라고 일컫는데 그 이유는 이러한 문제를 피하지 못하기 때문이다. 9.3절은 효율적인 컴퓨터 프로그램을 위해 요구되는 추가 사항들을 다룬다. 이 접근법은 n개의 방정식을 풀기 위한 것이다.

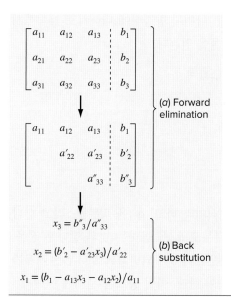

$$\begin{bmatrix} a_{11} & a_{12} & a_{13} & \vdots & b_1 \\ a_{21} & a_{22} & a_{23} & \vdots & b_2 \\ a_{31} & a_{32} & a_{33} & \vdots & b_3 \end{bmatrix} \Bigg\} \text{ (a) Forward elimination}$$

$$\begin{bmatrix} a_{11} & a_{12} & a_{13} & \vdots & b_1 \\ & a'_{22} & a'_{23} & \vdots & b'_2 \\ & & a''_{33} & \vdots & b''_3 \end{bmatrix}$$

$$\begin{aligned} x_3 &= b''_3 / a''_{33} \\ x_2 &= (b'_2 - a'_{23} x_3) / a'_{22} \\ x_1 &= (b_1 - a_{13} x_3 - a_{12} x_2) / a_{11} \end{aligned} \Bigg\} \text{ (b) Back substitution}$$

그림 9.3 Gauss 소거법의 두 단계. (*a*) 전진소거와 (*b*) 후진대입.

$$a_{11}x_1 + a_{12}x_2 + a_{13}x_3 + \cdots + a_{1n}x_n = b_1 \tag{9.8a}$$

$$a_{21}x_1 + a_{22}x_2 + a_{23}x_3 + \cdots + a_{2n}x_n = b_2 \tag{9.8b}$$

$$\vdots \qquad\qquad \vdots$$

$$a_{n1}x_1 + a_{n2}x_2 + a_{n3}x_3 + \cdots + a_{nn}x_n = b_n \tag{9.8c}$$

방정식의 개수가 두 개인 경우와 같이 n개의 방정식일 때도 접근법은 미지수를 소거하고 후진대입으로 해를 구하는 두 단계로 구성된다.

미지수의 전진소거. 첫 번째 단계는 일련의 방정식을 그림 9.3a에서와 같이 상삼각행렬의 형태로 변형시키는 것이다. 먼저 두 번째에서 n번째까지의 방정식들로부터 첫 번째 미지수인 x_1을 소거한다. 이를 수행하기 위해 식 (9.8a)에 a_{21}/a_{11}을 곱하면 다음의 결과를 얻는다.

$$a_{21}x_1 + \frac{a_{21}}{a_{11}}a_{12}x_2 + \frac{a_{21}}{a_{11}}a_{13}x_3 + \cdots + \frac{a_{21}}{a_{11}}a_{1n}x_n = \frac{a_{21}}{a_{11}}b_1 \tag{9.9}$$

식 (9.8b)에서 식 (9.9)를 빼면 다음과 같다.

$$\left(a_{22} - \frac{a_{21}}{a_{11}}a_{12}\right)x_2 + \cdots + \left(a_{2n} - \frac{a_{21}}{a_{11}}a_{1n}\right)x_n = b_2 - \frac{a_{21}}{a_{11}}b_1$$

또는

$$a'_{22}x_2 + \cdots + a'_{2n}x_n = b'_2$$

여기서 프라임을 붙인 것은 원소들의 값이 최초의 값에서 변화되었다는 것을 의미한다.

이 과정을 나머지 방정식들에 대해서도 반복해서 수행한다. 그 예로 식 (9.8a)에 a_{31}/a_{11}를 곱해 얻은 결과를 세 번째 방정식에서 뺀다. 나머지 방정식에 대해서도 계속해서 이 과정을 반복적으로 수행하면 다음과 같이 수정된 방정식들을 얻는다.

$$a_{11}x_1 + a_{12}x_2 + a_{13}x_3 + \cdots + a_{1n}x_n = b_1 \tag{9.10a}$$

$$a'_{22}x_2 + a'_{23}x_3 + \cdots + a'_{2n}x_n = b'_2 \tag{9.10b}$$

$$a'_{32}x_2 + a'_{33}x_3 + \cdots + a'_{3n}x_n = b'_3 \tag{9.10c}$$

$$\vdots \qquad \vdots$$

$$a'_{n2}x_2 + a'_{n3}x_3 + \cdots + a'_{nn}x_n = b'_n \tag{9.10d}$$

위 단계에서 식 (9.8a)를 **피봇방정식**이라 하고, a_{11}을 **피봇원소**라고 한다. 첫 번째 행에 a_{21}/a_{11}을 곱하는 것은 첫 번째 행을 a_{11}로 나누고 a_{21}을 곱하는 것과 같다는 점을 유의하라. 종종 이러한 나눗셈 연산을 **정규화**라고 한다. 피봇원소가 0이 되면 0으로 나누는 경우가 발생하기 때문에 정규화가 이루어질 수 없는 경우도 고려해야 한다. 이런 중요한 문제에 대해서는 순수 Gauss 소거법을 모두 설명한 후에 다시 논의하도록 한다.

두 번째 단계는 식 (9.10c)에서 식 (9.10d)까지 x_2를 소거하는 것이다. 이를 위해 식 (9.10b)에 a'_{32}/a'_{22}를 곱한 결과를 식 (9.10c)에서 뺀다. 이와 유사한 소거를 나머지 방정식들에 대해 수행하면 다음과 같은 결과를 얻는다.

$$a_{11}x_1 + a_{12}x_2 + a_{13}x_3 + \cdots + a_{1n}x_n = b_1$$

$$a'_{22}x_2 + a'_{23}x_3 + \cdots + a'_{2n}x_n = b'_2$$

$$a''_{33}x_3 + \cdots + a''_{3n}x_n = b''_3$$

$$\vdots \qquad \vdots$$

$$a''_{n3}x_3 + \cdots + a''_{nn}x_n = b''_n$$

여기서 프라임을 두 번 붙인 것은 원소들의 값이 두 번 수정되었다는 것을 의미한다.

이러한 과정을 나머지 피봇방정식들을 이용하여 계속 수행할 수 있다. 마지막 단계는 $(n-1)$번째 방정식을 이용하여 n번째 방정식에서 x_{n-1}항을 소거하는 것이다. 이제 연립방정식은 다음과 같은 상삼각행렬로 변형되었다.

$$a_{11}x_1 + a_{12}x_2 + a_{13}x_3 + \cdots + a_{1n}x_n = b_1 \tag{9.11a}$$

$$a'_{22}x_2 + a'_{23}x_3 + \cdots + a'_{2n}x_n = b'_2 \tag{9.11b}$$

$$a''_{33}x_3 + \cdots + a''_{3n}x_n = b''_3 \tag{9.11c}$$

$$\ddots \qquad \vdots$$

$$a_{nn}^{(n-1)}x_n = b_n^{(n-1)} \tag{9.11d}$$

후진대입. 이제 x_n은 식 (9.11d)로부터 다음과 같이 구할 수 있다.

$$x_n = \frac{b_n^{(n-1)}}{a_{nn}^{(n-1)}} \tag{9.12}$$

이 결과를 (n - 1)번째 방정식에 후진대입하면 x_{n-1}을 구할 수 있다. 나머지 x들을 구하는 데 반복해서 사용할 수 있는 절차는 다음 식과 같다.

$$x_i = \frac{b_i^{(i-1)} - \sum_{j=i+1}^{n} a_{ij}^{(i-1)} x_j}{a_{ii}^{(i-1)}} \quad \text{for } i = n - 1, n - 2, \ldots, 1 \tag{9.13}$$

예제 9.3	순수 Gauss 소거법

문제 정의 Gauss 소거법을 이용하여 다음의 방정식을 풀어라.

$$3x_1 - 0.1x_2 - 0.2x_3 = 7.85 \tag{E9.3.1}$$
$$0.1x_1 + 7x_2 - 0.3x_3 = -19.3 \tag{E9.3.2}$$
$$0.3x_1 - 0.2x_2 + 10x_3 = 71.4 \tag{E9.3.3}$$

풀이 첫 번째 단계는 전진소거이다. 식 (E9.3.1)에 0.1/3을 곱해서 나온 결과를 식 (E9.3.2)에서 뺀다.

$$7.00333x_2 - 0.293333x_3 = -19.5617$$

그리고 식 (E9.3.1)에서 0.3/3을 곱한 것을 식 (E9.3.3)에서 뺀다. 이러한 과정을 거치면 결과적으로 다음과 같은 방정식을 얻는다.

$$3x_1 - 0.1x_2 - 0.2x_3 = 7.85 \tag{E9.3.4}$$
$$7.00333x_2 - 0.293333x_3 = -19.5617 \tag{E9.3.5}$$
$$- 0.190000x_2 + 10.0200x_3 = 70.6150 \tag{E9.3.6}$$

전진소거를 완성하기 위해서는 식 (E9.3.6)에서 x_2를 소거해야 한다. 이를 위해 식 (E9.3.5)에 -0.190000/7.00333을 곱해서 나온 결과를 식 (E9.3.6)에서 뺀다. 이 과정에 의해 세 번째 방정식에서 x_2가 소거되어 연립방정식은 다음과 같이 상삼각행렬의 형태를 갖는다.

$$3x_1 - 0.1x_2 - 0.2x_3 = 7.85 \tag{E9.3.7}$$
$$7.00333x_2 - 0.293333x_3 = -19.5617 \tag{E9.3.8}$$
$$10.0120x_3 = 70.0843 \tag{E9.3.9}$$

이제 후진대입에 의해 방정식의 해를 구할 수 있다. 먼저 식 (E9.3.9)는 다음과 같이 x_3에 대해 풀 수 있다.

$$x_3 = \frac{70.0843}{10.0120} = 7.00003$$

여기서 얻은 결과를 식 (E9.3.8)에 후진대입하면 다음과 같이 x_2를 구할 수 있다.

$$x_2 = \frac{-19.5617 + 0.293333(7.00003)}{7.00333} = -2.50000$$

마지막으로 $x_3 = 7.00003$과 $x_2 = -2.50000$을 식 (E9.3.7)에 후진대입하면 다음과 같이 x_1을 구할 수 있다.

$$x_1 = \frac{7.85 + 0.1(-2.50000) + 0.2(7.00003)}{3} = 3.00000$$

약간의 반올림오차가 포함되어 있지만, 결과는 정해인 $x_1 = 3$, $x_2 = -2.5$ 그리고 $x_3 = 7$과 거의 같다. 이는 구한 결과를 원래의 방정식에 대입함으로써 다음과 같이 검증할 수 있다.

$$3(3) - 0.1(-2.5) - 0.2(7.00003) = 7.84999 \cong 7.85$$
$$0.1(3) + 7(-2.5) - 0.3(7.00003) = -19.30000 = -19.3$$
$$0.3(3) - 0.2(-2.5) + 10(7.00003) = 71.4003 \cong 71.4$$

9.2.1 파이썬 함수: `gaussnaive`

순수 Gauss 소거법을 실행하는 파이썬 함수는 그림 9.4에 작성된 것과 같다. 계수 행렬 A와 우변 벡터 b를 합쳐서 확장행렬 Aug를 구성하였다. 따라서 연산은 A와 b에 독립적으로 수행되지 않고 Aug에 수행되었다.

```python
def gaussnaive(A,b):
    """
    gaussnaive: naive Gauss elimination
    input:
    A = coefficient matrix
    b = constant vector
    output:
    x = solution vector
    """
    (n,m) = A.shape
    #n = nm[0]
    #m = nm[1]
    if n != m:
        return 'Coefficient matrix A must be square'
    nb = n+1
    # build augmented matrix
    Aug = np.hstack((A,b))
    # forward elimination
    for k in range(n-1):
        for i in range(k+1,n):
            factor = Aug[i,k]/Aug[k,k]
            Aug[i,k:nb]=Aug[i,k:nb]-factor*Aug[k,k:nb]
    # back substitution
    x = np.zeros([n,1]) # create empty x array
    x = np.matrix(x) # convert to matrix type
    x[n-1]=Aug[n-1,nb-1]/Aug[n-1,n-1]
    for i in range(n-2,-1,-1):
        x[i]=(Aug[i,nb-1]-Aug[i,i+1:n]*x[i+1:n,0])/Aug[i,i]
    return x
```

그림 9.4　순수 Gauss 소거법을 실행하는 파이썬 함수.

$$\begin{bmatrix} a_{11} & a_{12} & a_{13} & \cdots & a_{1n} \\ a_{21} & a_{22} & a_{23} & \cdots & a_{2n} \\ \vdots & \vdots & \ddots & \vdots & \vdots \\ a_{n-1,1} & a_{n-1,2} & \cdots & a_{n-1,n-1} & a_{n-1,n} \\ a_{n1} & a_{n2} & \cdots & a_{n,n-1} & a_{nn} \end{bmatrix} \cdot \begin{bmatrix} x_1 \\ x_2 \\ \vdots \\ x_{n-1} \\ x_n \end{bmatrix} = \begin{bmatrix} b_1 \\ b_2 \\ \vdots \\ b_{n-1} \\ b_n \end{bmatrix} \quad \text{typical mathematical representation}$$

$$\begin{bmatrix} a_{[0,0]} & a_{[0,1]} & a_{[0,2]} & \cdots & a_{[0,n-1]} \\ a_{[1,0]} & a_{[1,1]} & a_{[1,2]} & \cdots & a_{[1,n-1]} \\ \vdots & \vdots & \ddots & \vdots & \vdots \\ a_{[n-2,0]} & a_{[n-2,1]} & \cdots & a_{[n-2,n-2]} & a_{[n-2,n-1]} \\ a_{[n-1,0]} & a_{[n-1,1]} & \cdots & a_{[n-1,n-2]} & a_{[n-1,n-1]} \end{bmatrix} \cdot \begin{bmatrix} x_{[0]} \\ x_{[1]} \\ \vdots \\ x_{[n-2]} \\ x_{[n-1]} \end{bmatrix} = \begin{bmatrix} b_{[0]} \\ b_{[1]} \\ \vdots \\ b_{[n-2]} \\ b_{[n-1]} \end{bmatrix} \quad \text{equivalent representation with Python subscripts}$$

그림 9.5 파이썬의 0 기준 첨자표현방식과 일반적인 수학적 첨자표현방식의 비교.

두 개의 루프에 의해 전진소거 단계가 간략하게 표현된다. 외부 루프는 행렬의 첫 번째 행에서 부터 $(n-1)$번째까지 하나씩 내려가면서 피봇 행을 선정하고 있다. 내부 루프는 피봇 행 아래에 위치한 모든 행에서 소거가 이루어지도록 행을 하나씩 내린다. 결국 실제적인 소거는 파이썬 특유의 행렬 연산 능력을 이용하여 단 한 줄로 표현된다.

후진대입 단계는 식 (9.12)와 식 (9.13)을 그대로 따른다. 이 경우에도 식 (9.13)은 파이썬 특유의 행렬 연산 능력을 이용하여 단 한 줄로 표현된다.

파이썬 코드 내 첨자 사용은 다소 혼동스럽다. 파이썬은 여타 다른 컴퓨터 언어, C/C++처럼 기준 첨자로 0을 사용한다. 이에 반해, 수학적은 표현은 기준 첨자로 1을 사용한다. 다른 컴퓨터 언어나 패키지는 수학적인 표현을 그래도 사용하는데, 대표적으로 MATLAB, Fortran 그리고 Option BASE 1으로 Excel의 VBA를 들 수 있다. 0을 기준으로 하여 첨자번호를 매기는 방법은 기준으로부터 오프셋 혹은 위치변경을 통한 첨자 접근방법으로 컴퓨터 공학에서 개발되었다. 그래서 첨자 [3,2]는 기준 위치로부터 3행 아래, 오른쪽으로부터 2열의 의미를 갖게 된다. 수학적 표현과 파이썬의 표현 간의 차이를 그림 9.5에 나타냈다. 선형대수의 수학적 표현에서 파이썬의 첨자규칙으로 바꿀 때 우리는 주의를 기울여야 한다. 이와 같은 그림들은 일반적으로 도움을 주며, 그림 9.4의 코드를 이해하는 데도 도움을 줄 것이다.

또한, 우리는 일반적으로 for 루프에 사용되는 range 타입의 사용방법에도 주의를 해야 한다.

range(n)	0에서 $n-1$까지의 정수들의 순차적 범위 (모두 n개의 정수들)
range(1,n)	1에서 $n-1$까지 ($n-1$개의 정수들)
range(n,0,-1)	n에서 1까지 -1의 간격으로 (n개의 정수들)

그리고 첨자에서 콜론(:)을 사용할 때 마지막 값은 포함되지 않는다.

Aug[0:2,1:3]	2, 3의 첨자들은 포함하지 않는다.
	즉, 이것은 첫 번째와 두 번째 행 그리고 두 번째와 세 번째 열을 나타낸다.

9.2.2 연산 횟수

Gauss 소거법의 실행 시간은 알고리즘에 포함된 **부동소수점 연산**(*floating-point operations* 또는 *flops*) 횟수에 따라 달라진다. 최신 컴퓨터에서는 수치연산 보조프로세서(math coprocessors)를 사용하기 때문에 덧셈과 뺄셈을 실행하는 시간이나 곱셈과 나눗셈을 실행하는 시간이 거의 같다. 따라서 사칙연산을 하는 횟수를 모두 더하면 그 알고리즘이 어떤 부분에서 가장 시간을 많이 소비하는지, 그리고 시스템이 커질수록 얼마나 계산 시간이 증가하는지를 알 수 있다.

순수 Gauss 소거법을 해석하기에 앞서 연산 횟수를 산출하는 몇 개의 양들을 정의하자.

$$\sum_{i=1}^{m} cf(i) = c\sum_{i=1}^{m} f(i) \qquad \sum_{i=1}^{m} f(i) + g(i) = \sum_{i=1}^{m} f(i) + \sum_{i=1}^{m} g(i) \tag{9.14a,b}$$

$$\sum_{i=1}^{m} 1 = 1 + 1 + 1 + \cdots + 1 = m \qquad \sum_{i=k}^{m} 1 = m - k + 1 \tag{9.14c,d}$$

$$\sum_{i=1}^{m} i = 1 + 2 + 3 + \cdots + m = \frac{m(m+1)}{2} = \frac{m^2}{2} + O(m) \tag{9.14e}$$

$$\sum_{i=1}^{m} i^2 = 1^2 + 2^2 + 3^2 + \cdots + m^2 = \frac{m(m+1)(2m+1)}{6} = \frac{m^3}{3} + O(m^2) \tag{9.14f}$$

여기서 $O(m^n)$는 '크기가 m^n 차수와 그보다 낮은 차수의 항'인 것을 의미한다.

그림 9.4의 순수 Gauss 소거법 알고리즘을 자세히 살펴보자. 먼저 소거 단계에서 사용된 산술연산 횟수를 세어 보자. 외부 루프의 처음 과정은 $k = 1$이다. 이때 내부 루프의 하계는 $i = 2$에서 n까지다. 식 (9.14d)에 의해 내부 루프에서의 반복 횟수는 다음과 같다.

$$\sum_{i=2}^{n} 1 = n - 2 + 1 = n - 1 \tag{9.15}$$

프로그램에서 이렇게 반복될 때마다 factor를 계산하기 위하여 나눗셈이 한 번씩 들어간다. 그 다음 줄에서는 곱셈과 뺄셈이 수행되는데 이때 포함되는 열은 2에서부터 nb까지다. $nb = n + 1$이므로 2에서 nb까지는 모두 n번의 곱셈과 n번의 뺄셈이 행해진다. 한 번의 나눗셈까지 합하면 내부 루프를 매번 반복할 때마다 모두 $n + 1$번의 곱셈/나눗셈과 n번의 덧셈/뺄셈이 행해진다. 외부 루프의 처음 과정에서 수행되는 총 산술연산은 결국 $(n - 1)(n + 1)$번의 곱셈/나눗셈과 $(n - 1)(n)$번의 덧셈/뺄셈이다.

이와 같은 방법으로 계속되는 외부 루프에 대해 산술연산 횟수를 추정할 수 있다. 그 결과를 정리하면 다음의 표에 요약한 것과 같다.

Outer Loop k	Inner Loop i	Addition/Subtraction Flops	Multiplication/Division Flops
1	$2, n$	$(n-1)(n)$	$(n-1)(n+1)$
2	$3, n$	$(n-2)(n-1)$	$(n-2)(n)$
$\vdots$	$\vdots$		
k	$k+1, n$	$(n-k)(n+1-k)$	$(n-k)(n+2-k)$
$\vdots$	$\vdots$		
$n-1$	n, n	$(1)(2)$	$(1)(3)$

따라서 소거를 위해 행해지는 총 덧셈/뺄셈의 횟수는 다음과 같이 계산된다.

$$\sum_{k=1}^{n-1} (n-k)(n+1-k) = \sum_{k=1}^{n-1} \left[n(n+1) - k(2n+1) + k^2\right] \tag{9.16}$$

또는

$$n(n+1) \sum_{k=1}^{n-1} 1 - (2n+1) \sum_{k=1}^{n-1} k + \sum_{k=1}^{n-1} k^2 \tag{9.17}$$

식 (9.14)로부터의 관계식을 적용하면 다음의 식을 얻는다.

$$[n^3 + O(n)] - [n^3 + O(n^2)] + \left[\frac{1}{3} n^3 + O(n^2)\right] = \frac{n^3}{3} + O(n) \tag{9.18}$$

곱셈/나눗셈의 연산 횟수에 대해서도 유사한 방법으로 해석하면 다음과 같다.

$$[n^3 + O(n^2)] - [n^3 + O(n)] + \left[\frac{1}{3} n^3 + O(n^2)\right] = \frac{n^3}{3} + O(n^2) \tag{9.19}$$

이 모든 결과를 합하면 아래와 같다.

$$\frac{2n^3}{3} + O(n^2) \tag{9.20}$$

따라서 총 산술연산 횟수는 $2n^3/3$에 크기가 n^2인 차수와 그보다 낮은 차수의 항에 비례하는 값을 더한 것과 같다. 결과를 이러한 방식으로 표현하는 이유는 n이 커지면 첫 번째 항에 비해 $O(n^2)$ 이하의 항들을 무시할 수 있기 때문이다. 그러므로 n이 큰 경우, 전진소거에 들어가는 연산 횟수는 $2n^3/3$에 수렴한다고 결론지을 수 있다.

표 9.1 순수 Gauss 소거법에서의 연산 횟수.

n	Elimination	Back Substitution	Total Flops	$2n^3/3$	Percent Due to Elimination
10	705	100	805	667	87.58
100	671550	10000	681550	666667	98.53
1000	6.67×10^8	1×10^6	6.68×10^8	6.67×10^8	99.85

후진대입에는 단지 하나의 루프만 사용되기 때문에 연산 횟수를 추정하기가 한결 쉽다. 덧셈/뺄셈의 연산 횟수는 $n(n - 1)/2$가 된다. 루프에 들어가기 진전에 추가의 나눗셈이 있기 때문에 곱셈/나눗셈의 연산 횟수는 $n(n + 1)/2$가 된다. 이 둘을 합하면 총 연산 횟수는 다음과 같다.

$$n^2 + O(n) \tag{9.21}$$

따라서 순수 Gauss 소거를 위해 행해지는 연산 횟수는 다음과 같이 쓸 수 있다.

$$\underbrace{\frac{2n^3}{3} + O(n^2)}_{\substack{\text{Forward} \\ \text{elimination}}} + \underbrace{n^2 + O(n)}_{\substack{\text{Back} \\ \text{substitution}}} \xrightarrow{\text{as } n \text{ increases}} \frac{2n^3}{3} + O(n^2) \tag{9.22}$$

이상의 해석에서 두 가지의 유용하고 일반적인 결론을 내릴 수 있다.

1. 방정식 시스템이 커질수록 계산 시간이 급격하게 증가한다. 표 9.1에서 알 수 있듯이 방정식의 개수가 1차수 증가하면 연산 횟수는 대략 3차수가 증가하게 된다.
2. 대부분의 계산이 소거 단계에서 발생한다. 따라서 이 방법을 개선하려면 소거 단계에 초점을 맞춰야 한다.

9.3   피봇팅

바로 앞 절에서 다룬 방법을 '순수'라고 부르는 이유는 전진소거와 후진대입의 두 단계에서 0으로 나누는 나눗셈이 발생할 수 있기 때문이다. 그 예로 다음의 방정식들을 순수 Gauss 소거법을 이용하여 풀자.

$$\begin{aligned} 2x_2 + 3x_3 &= 8 \\ 4x_1 + 6x_2 + 7x_3 &= -3 \\ 2x_1 - 3x_2 + 6x_3 &= 5 \end{aligned}$$

첫 번째 행을 정규화하기 위해서는 $a_{11} = 0$으로 나누는 경우가 발생하게 된다. 이러한 문제는 피봇원소가 정확하게 0이 아니더라도 0에 가까울 때도 발생할 수가 있다. 이는 피봇원소가 다른 원소들에 비해 상대적으로 매우 작은 경우에 반올림오차가 개입되기 때문이다.

따라서 각각의 행을 정규화하기 전에 피봇원소가 속한 열에서 피봇원소 아래의 계수들 중에서 절댓값이 가장 큰 것을 찾는 것이 유리하다. 그리고 그 계수가 포함된 행의 위치를 바꾸어 가장 큰 원소가 피봇원소가 되도록 방정식의 순서를 조절한다. 이 방법을 **부분 피봇팅**(*partial pivoting*)이라 한다.

행뿐만 아니라 열까지도 고려하여 가장 큰 원소를 찾아서 행과 열을 바꾸는 경우, 이 절차를 **완전 피봇팅**(*complete pivoting*)이라고 한다. 완전 피봇팅은 거의 사용되지 않는다. 그 이유는 부분 피봇팅으로 대부분 개선되기 때문이며, 또한 열을 바꿀 때 미지수 x의 순서가 변해 결과적으로 컴퓨터 프로그램으로 작성하기가 매우 복잡해지기 때문이다.

아래의 예제는 부분 피봇팅의 이점을 설명하고 있다. 부분 피봇팅은 나눗셈에서 0으로 나누는 것을 피하게 하는 것 이외에도 반올림오차를 최소화한다. 이는 불량조건을 부분적으로 해소하는 역할도 하게 된다.

예제 9.4	**부분 피봇팅**

문제 정의 Gauss 소거법을 이용하여 다음 방정식을 풀어라.

$$0.0003x_1 + 3.0000x_2 = 2.0001$$
$$1.0000x_1 + 1.0000x_2 = 1.0000$$

이 형태에서 첫 번째 피봇원소 $a_{11} = 0.0003$은 0에 매우 가깝다는 것을 주의한다. 따라서 방정식의 순서를 바꾸는 부분 피봇팅을 취한다. 문제의 정해는 $x_1 = 1/3$과 $x_2 = 2/3$이다.

풀이 첫 번째 방정식의 양변에 $1/0.0003$을 곱하면 다음의 식을 얻는다.

$$x_1 + 10,000x_2 = 6667$$

이 식은 두 번째 방정식에서 x_1을 소거하는 데 사용할 수 있다.

$$-9999x_2 = -6666$$

이 식으로부터 $x_2 = 2/3$를 얻는다. 이 결과를 첫 번째 방정식에 후진대입하여 다음과 같이 x_1을 얻는다.

$$x_1 = \frac{2.0001 - 3(2/3)}{0.0003} \qquad \text{(E9.4.1)}$$

뺄셈의 무효화로 인해, 이 계산결과는 유효숫자의 개수에 매우 민감하다.

Significant Figures	x_2	x_1	Absolute Value of Percent Relative Error for x_1
3	0.667	-3.33	1099
4	0.6667	0.0000	100
5	0.66667	0.30000	10
6	0.666667	0.330000	1
7	0.6666667	0.3330000	0.1

주의할 것은 유효숫자의 개수가 x_1의 해에 영향을 크게 미친다는 점이다. 이 사실은 식 (E9.4.1)에서 거의 같은 두 수 사이의 뺄셈으로 인한 것이다.

방정식의 순서를 바꾸어서 다시 계산해 보자 큰 피봇원소를 지닌 행을 정규화하면 식은 다음과 같게 된다.

$$1.0000x_1 + 1.0000x_2 = 1.0000$$
$$0.0003x_1 + 3.0000x_2 = 2.0001$$

소거와 대입을 수행하면 $x_2 = 2/3$를 얻는다. 이 결과를 첫 번째 방정식에 대입하면 다음과 같이 x_1을 얻으며, 유효숫자의 개수를 변화시켰을 때 얻는 결과는 표에 기재된 것과 같다.

$$x_1 = \frac{1 - (2/3)}{1}$$

이 경우에는 x_1의 계산결과가 유효숫자의 개수에 덜 민감함을 알 수 있다.

Significant Figures	x_2	x_1	Absolute Value of Percent Relative Error for x_1
3	0.667	0.333	0.1
4	0.6667	0.3333	0.01
5	0.66667	0.33333	0.001
6	0.666667	0.333333	0.0001
7	0.6666667	0.3333333	0.0000

따라서 피봇 전략은 매우 만족할 만하다.

9.3.1 파이썬 함수: `gausspivot`

부분 피봇팅이 포함된 Gauss 소거법을 실행하는 파이썬 함수는 그림 9.6에 주어져 있다. 이 파일은 9.2.1절에 제시된 순수 Gauss 소거법의 `gaussnaive`와 동일하나, 단지 부분 피봇팅을 실행하는 부분만 굵게 표시하여 구별하였다.

`gausspivot` 함수는 피봇원소 아래의 열에서 가장 큰 계수를 결정하기 위해 `maxrow` 함수를 사용한다는 점에 유의한다. 주의: `maxrow` 함수는 `gausspivot` 함수에 포함되어 작성될 수 도 있었다. 그러나 전체 코드를 고유기능을 갖는 함수로 분해하는 것은 좋은 습관이다. 이는 보다 믿을 수 있고, 보다 디버깅이 쉬우며, 보다 이해하기 쉬운 코드라고 할 수 있다.

9.3.2 Gauss 소거법을 이용한 행렬식의 계산

9.1.2절의 끝 부분에 소행렬식의 전개에 의한 행렬식의 계산은 대규모 방정식에 대하여는 비현실적임을 시사하였다. 그러나 행렬식은 시스템의 조건을 평가하는 데 가치가 있으므로, 이 값을 계산할 수 있는 실용적인 방법이 있으면 유용할 것이다.

다행히도 Gauss 소거법은 이를 위한 간단한 방법을 제공한다. 이 방법은 삼각행렬의 행렬식이 대각 원소의 곱으로 간단히 계산될 수 있다는 사실에 기초한다.

$$D = a_{11}a_{22}a_{33} \cdots a_{nn}$$

이 수식의 타당성은 3×3 시스템에 대해 예시할 수 있다.

$$D = \begin{vmatrix} a_{11} & a_{12} & a_{13} \\ 0 & a_{22} & a_{23} \\ 0 & 0 & a_{33} \end{vmatrix}$$

여기서 행렬식은 다음과 같이 계산된다[식 (9.1) 참조].

$$D = a_{11} \begin{vmatrix} a_{22} & a_{23} \\ 0 & a_{33} \end{vmatrix} - a_{12} \begin{vmatrix} 0 & a_{23} \\ 0 & a_{33} \end{vmatrix} + a_{13} \begin{vmatrix} 0 & a_{22} \\ 0 & 0 \end{vmatrix}$$

또는 소행렬식을 계산함으로써,

```
def gausspivot(A,b):
    """
    gausspivot: Gauss elimination with partial pivoting
    input:
    A = coefficient matrix
    b = constant vector
    output:
    x = solution vector
    """
    (n,m) = A.shape
    if n != m:
        return 'Coefficient matrix A must be square'
    nb = n+1
    # build augmented matrix
    Aug = np.hstack((A,b))
        # forward elimination
    for k in range(n-1):

        # partial pivoting
        imax = maxrow(Aug[k:n,k])
        ipr = imax + k
        if ipr != k: # no row swap if pivot is max
            for j in range(k,nb): # swap rows k and ipr
                temp = Aug[k,j]
                Aug[k,j] = Aug[ipr,j]
                Aug[ipr,j] = temp

        for i in range(k+1,n):
            factor = Aug[i,k]/Aug[k,k]
            Aug[i,k:nb]=Aug[i,k:nb]-factor*Aug[k,k:nb]
    # back substitution
    x = np.zeros([n,1]) # create empty x array
    x = np.matrix(x) # convert to matrix type
    x[n-1]=Aug[n-1,nb-1]/Aug[n-1,n-1]
    for i in range(n-2,-1,-1):
        x[i]=(Aug[i,nb-1]-Aug[i,i+1:n]*x[i+1:n,0])/Aug[i,i]
    return x

def maxrow(avec):
    # function to determine the row index of the
    # maximum value in a vector
    maxrowind = 0
    n = len(avec)
    amax = abs(avec[0])
    for i in range(1,n):
        if abs(avec[i]) > amax:
            amax = avec[i]
            maxrowind = i
    return maxrowind
```

그림 9.6   부분 피봇팅이 포함된 Gauss 소거법을 실행하는 파이썬 함수.

$$D = a_{11}a_{22}a_{33} - a_{12}(0) + a_{13}(0) = a_{11}a_{22}a_{33}$$

Gauss 소거법의 전진소거 단계는 상부삼각 시스템을 만드는 것을 기억하라. 행렬식의 값은 전진소거 과정에서 변하지 않으므로, 행렬식은 전진소거 과정의 마지막에서 다음과 같이 간단히 계산된다.

$$D = a_{11}a'_{22}a''_{33} \cdots a_{nn}^{(n-1)}$$

여기서 윗첨자는 원소가 소거 절차에 따라 수정된 횟수를 의미한다. 따라서 시스템을 삼각 형태로 줄이는 데 드는 노력을 이용하면, 추가로 행렬식을 간단히 계산할 수 있다.

프로그램이 부분 피봇팅을 사용하는 경우, 위 방법을 약간 수정하면 된다. 이러한 경우 행렬식의 부호는 행이 바뀔 때마다 변한다. 이를 표현하는 한 가지 방법은 행렬식 계산을 다음과 같이 수정하는 것이다.

$$D = a_{11}a'_{22}a''_{33} \cdots a_{nn}^{(n-1)} (-1)^p$$

여기서 p는 행이 피봇되는 횟수를 나타낸다. 이와 같은 수정은 계산 과정에서 발생하는 피봇 횟수를 파악함으로써 프로그램에 쉽게 반영할 수 있다.

9.4   삼중대각 시스템

어떤 행렬은 특수한 구조를 갖는데 이때는 더욱 효율적인 해법을 사용할 수 있다. 예를 들면, 주대각선을 중심으로 하는 띠를 제외하고 모든 원소가 0인 정방행렬의 띠 행렬이 바로 그 경우에 해당한다.

삼중대각 시스템에서 띠의 폭은 3이며, 일반적으로 다음과 같이 표현된다.

$$
\begin{bmatrix}
f_1 & g_1 \\
e_2 & f_2 & g_2 \\
 & e_3 & f_3 & g_3 \\
 & & \cdot & \cdot & \cdot \\
 & & & \cdot & \cdot & \cdot \\
 & & & & \cdot & \cdot & \cdot \\
 & & & & & e_{n-1} & f_{n-1} & g_{n-1} \\
 & & & & & & e_n & f_n
\end{bmatrix}
\begin{bmatrix}
x_1 \\ x_2 \\ x_3 \\ \cdot \\ \cdot \\ \cdot \\ x_{n-1} \\ x_n
\end{bmatrix}
=
\begin{bmatrix}
r_1 \\ r_2 \\ r_3 \\ \cdot \\ \cdot \\ \cdot \\ r_{n-1} \\ r_n
\end{bmatrix}
\tag{9.23}
$$

주의할 것은 행렬 계수의 표기에서 a와 b를 e, f, g 그리고 r로 바꾸었다는 점이다. 이렇게 바꾼 것은 정방행렬 a에서 쓸모없는 많은 원소값 0의 저장을 피하기 위함이며, 결과적으로 알고리즘이 차지하는 기억용량을 줄이는 이점을 갖게 한다.

이러한 시스템의 해를 구하는 알고리즘은 Gauss 소거법을 그대로 따르게 되어 전진소거와 후진대입의 두 단계로 이루어진다. 그러나 대부분의 원소가 이미 0이므로 전체 행렬을 취급할 때보다 노력이 훨씬 적게 든다. 다음의 예제는 이러한 효율성을 잘 보여 준다.

예제 9.5	삼중대각 시스템의 해

문제 정의 다음 삼중대각 시스템의 해를 구하라.

$$\begin{bmatrix} 2.04 & -1 & & \\ -1 & 2.04 & -1 & \\ & -1 & 2.04 & -1 \\ & & -1 & 2.04 \end{bmatrix} \begin{Bmatrix} x_1 \\ x_2 \\ x_3 \\ x_4 \end{Bmatrix} = \begin{Bmatrix} 40.8 \\ 0.8 \\ 0.8 \\ 200.8 \end{Bmatrix}$$

풀이 Gauss 소거법에서와 같이 첫 번째 단계는 상삼각 형태로 행렬을 변형시키는 것이다. 이는 첫 번째 방정식에 e_2/f_1를 곱한 결과를 두 번째 방정식에서 빼면 된다. 결과적으로 e_2의 위치에는 0이 대신 들어가게 되고, 나머지 계수들도 새로운 값을 갖게 된다. 즉

$$f_2 = f_2 - \frac{e_2}{f_1} g_1 = 2.04 - \frac{-1}{2.04} (-1) = 1.550$$

$$r_2 = r_2 - \frac{e_2}{f_1} r_1 = 0.8 - \frac{-1}{2.04} (40.8) = 20.8$$

유의할 사항은 g_2는 변함이 없다는 점인데, 이는 첫 번째 행에 있는 g_2 위의 원소가 0이기 때문이다.

마찬가지 방법으로 계산을 세 번째와 네 번째 행에 대해서 수행하면 시스템은 다음과 같은 상부삼각 형태를 갖게 된다.

$$\begin{bmatrix} 2.04 & -1 & & \\ & 1.550 & -1 & \\ & & 1.395 & -1 \\ & & & 1.323 \end{bmatrix} \begin{Bmatrix} x_1 \\ x_2 \\ x_3 \\ x_4 \end{Bmatrix} = \begin{Bmatrix} 40.8 \\ 20.8 \\ 14.221 \\ 210.996 \end{Bmatrix}$$

이제 후진대입을 통해 최종해를 산출하게 된다.

$$x_4 = \frac{r_4}{f_4} = \frac{210.996}{1.323} = 159.480$$

$$x_3 = \frac{r_3 - g_3 x_4}{f_3} = \frac{14.221 - (-1)159.480}{1.395} = 124.538$$

$$x_2 = \frac{r_2 - g_2 x_3}{f_2} = \frac{20.800 - (-1)124.538}{1.550} = 93.778$$

$$x_1 = \frac{r_1 - g_1 x_2}{f_1} = \frac{40.800 - (-1)93.778}{2.040} = 65.970$$

9.4.1 파이썬 함수: `tridiag`

삼중대각 시스템으로 주어지는 방정식의 해를 구하기 위한 파이썬 함수는 그림 9.7과 같다. 이 알고리즘에 부분 피봇팅이 포함되어 있지 않다는 것에 유의한다. 피봇팅이 종종 필요할 때도 있지만, 공학이나 과학 분야에서 발생하는 대부분의 삼중대각 시스템은 피봇팅을 필요로 하지 않는다. 이 함수는 단순하며, 단지 11줄만을 갖고 있다.

Gauss 소거법에 요구되는 계산량이 n^3에 비례한다는 점을 기억하자. 삼중대각 시스템에는 0이

```
def tridiag(e,f,g,r):
    """
    tridiag: solves a set of n linear algebraic equations
            with a tridiagonal-banded coefficient matris
    input:
    e = subdiagonal vector of length n, first element = 0
    f = diagonal vector of length n
    g = superdiagonal vector of length n, last element = 0
    r = constant vector of length n
    output:
    x = solution vector of length n
    """
    n = len(f)
    # forward elimination
    x = np.zeros([[n]])
    for k in range(1,n):
        factor = e[k]/f[k-1]
        f[k] = f[k] - factor*g[k-1]
        r[k] = r[k] - factor*r[k-1]
    # back substitution
    x[n-1] = r[n-1]/f[n-1]
    for k in range(n-2,-1,-1):
        x[k] = ( r[k] - g[k]*x[k+1] )/f[k]
return x
```

그림 9.7   삼중대각 시스템의 해를 구하기 위한 파이썬 함수.

많이 포함되어 있기 때문에 이 시스템의 해를 구하는 데 요구되는 계산량은 n에 비례한다. 100개의 방정식을 가진 시스템과 10,000에서 1개까지의 방정식을 갖는 시스템과 비교하는 것을 상상해 보기 바란다. 결과적으로 그림 9.7의 알고리즘을 통해 Gauss 소거법보다 훨씬 빠르게 계산을 수행한다. 보다 넓은 대각구조를 가진, 예를 들어 오중대각, 시스템도 여기서 제시한 알고리즘을 확장하여 나타낼 수 있다.

사례연구 9.5   가열된 막대의 모델

배경 분포계를 모델링할 때 선형대수방정식이 나타난다. 그 예로 그림 9.8은 일정 온도로 유지되는 두 벽 사이에 가늘고 긴 막대가 놓여 있는 것을 보여 준다. 열은 막대와 주변 공기 사이뿐만 아니라 막대를 통해서도 흐른다. 정상상태의 경우 열량 보존에 기초한 이 시스템의 미분방정식은 다음과 같다.

$$\frac{d^2T}{dx^2} + h'(T_a - T) = 0 \tag{9.24}$$

여기서 T는 온도 (℃), x는 막대방향의 거리 (m), h'은 막대와 주변 공기 사이의 열전달 계수 (m^{-2}), T_a는 공기온도 (℃)이다.

매개변수, 외력함수 그리고 경계 조건에 대한 값이 주어지면 미적분학을 사용하여 해석해를 얻을 수 있다. 그 예로 만약 $h' = 0.01$, $T_a = 20$, $T(10) = 200$이면 해는 다음과 같다.

$$T = 73.4523e^{0.1x} - 53.4523e^{-0.1x} + 20 \tag{9.25}$$

| 사례연구 9.5 | continued |

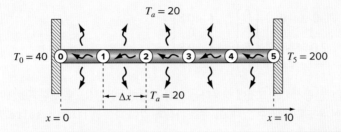

그림 9.8 서로 다른 일정 온도로 유지되는 두 벽 사이에 놓여 있는 비단열 균일 막대. 유한차분식은 네 개의 내부절점을 이용한다.

이 문제는 미적분학으로 해를 구할 수 있으나, 모든 문제에 대해 해석해를 구할 수 있는 것은 아니다. 해석해를 구할 수 없는 경우에 수치해석은 귀중한 대안이 된다. 이 사례역구에서는 유한차분을 사용하여 미분방정식을 선형대수방정식의 삼중대각 시스템으로 변형시킴으로써 이 장에서 다룬 수치방법으로 해를 쉽게 구하고자 한다.

풀이 막대를 일련의 절점으로 구성된 것으로 개념화하여 식 (9.24)를 연립 선형대수방정식으로 변형시킬 수 있다. 예를 들어 그림 9.8의 막대는 간격이 일정한 6개의 절점으로 나눌 수 있다. 막대의 길이가 10이므로 절점 사이의 간격은 $\Delta x = 2$이다.

식 (9.24)는 2차 도함수를 포함하므로 이를 풀기 위해서 미적분학이 필요했다. 4.3.4절에서 공부하였듯이 유한차분 근사를 이용하면 도함수를 대수 형태로 바꿀 수 있다. 그 예로 각 절점에서의 2차 도함수를 다음과 같이 근사할 수 있다.

$$\frac{d^2 T}{dx^2} = \frac{T_{i+1} - 2T_i + T_{i-1}}{\Delta x^2}$$

여기서 T_i는 절점 i에서의 온도를 나타낸다. 이 근사식을 식 (9.24)에 대입하면 다음의 식을 얻는다.

$$\frac{T_{i+1} - 2T_i + T_{i-1}}{\Delta x^2} + h'(T_a - T_i) = 0$$

항들을 정리하고 매개변수를 대입하면 다음과 같다.

$$-T_{i-1} + 2.04T_i - T_{i+1} = 0.8 \tag{9.26}$$

따라서 식 (9.24)는 미분방정식에서 대수방정식으로 변환되었다. 식 (9.26)을 각각의 내부 절점에 적용하면 다음의 연립방정식을 얻는다.

$$\begin{aligned} -T_0 + 2.04T_1 - T_2 &= 0.8 \\ -T_1 + 2.04T_2 - T_3 &= 0.8 \\ -T_2 + 2.04T_3 - T_4 &= 0.8 \\ -T_3 + 2.04T_4 - T_5 &= 0.8 \end{aligned} \tag{9.27}$$

끝단에서의 고정 온도 $T_0 = 40$과 $T_5 = 200$을 방정식에 대입한 후 우변으로 옮긴다. 결과적으로 네 개의 미지수를 갖는 네 개의 방정식은 다음과 같은 행렬 형태로 표현된다.

continued

$$\begin{bmatrix} 2.04 & -1 & 0 & 0 \\ -1 & 2.04 & -1 & 0 \\ 0 & -1 & 2.04 & -1 \\ 0 & 0 & -1 & 2.04 \end{bmatrix} \begin{Bmatrix} T_1 \\ T_2 \\ T_3 \\ T_4 \end{Bmatrix} = \begin{Bmatrix} 40.8 \\ 0.8 \\ 0.8 \\ 200.8 \end{Bmatrix}$$ (9.28)

이렇게 원래의 미분방정식은 그것에 상응하는 연립 선형대수방정식으로 변환되었으며, 따라서 이 장에서 다룬 방법을 이용하여 온도를 구할 수 있다. 그 예로 다음과 같이 파이썬 linalg.solve 함수를 이용한다.

```
A = np.matrix('2.04 -1 0 0 ; -1 2.04 -1 0 ; 0 -1 2.04 -1 ; 0 0 -1 2.04')
b = np.matrix(' 40.8 ; 0.8 ; 0.8 ; 200.8 ')
T = np.linalg.solve(A,b)
print('Temperatures in degC are:')
for i in range(4):
  print('  {0:6.2f}'.format(T[i,0]))

Temperatures in degC are:
   65.97
   93.78
  124.54
  159.48
```

식 (9.25)의 해석해를 수치해와 비교하기 위해 다음과 같이 그림을 그릴 수 있다.

```
import pylab
Tplot = np.zeros((6))
Tplot[0] = 40
Tplot[5] = 200
for i in range(1,5):
  Tplot[i] = T[i-1]
xplot = np.linspace(0,10,6)
xanlyt = np.linspace(0,10)
TT = lambda x: 73.4523*np.exp(0.1*x)-53.4523*np.exp(-0.1*x)+20
Tanlyt = TT(xanlyt)
pylab.plot(xplot,Tplot,c='k',marker='o')
pylab.plot(xanlyt,Tanlyt,c='k')
pylab.grid()
pylab.xlabel('x')
pylab.ylabel('T')
pylab.title('Analytical (line) and numerical (points) solutions')
```

그림 9.9에서 볼 수 있듯이 수치 결과는 미적분학으로 구한 해와 거의 같다.

식 (9.28)은 선형 시스템일 뿐만 아니라 삼중대각인 것에 유의한다. 해를 구하기 위해 그림 9.7의 tridiag 함수와 같은 효율적인 수치기법을 이용할 수 있다.

```
n = 4
e = np.zeros([n])
f = np.zeros([n])
g = np.zeros([n])
for i in range(n):
  f[i] = 2.04
  if i < n-1:
    g[i] = -1
  if i > 0 :
    e[i] = -1
r = np.array(([40.8],[0.8],[0.8],[200.8]))
```

continued

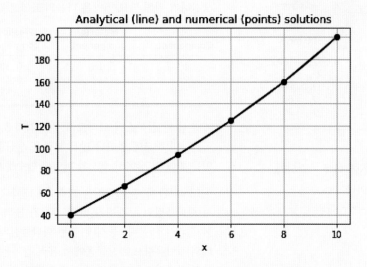

그림 9.9   가열된 막대의 길이를 따른 온도 그래프. 해석해(실선)와 수치해(점)를 모두 보여 준다.

```
T = tridiag(e,f,g,r)
print('Temperatures in degC are:')
for i in range(4):
  print('  {0:6.2f}'.format(T[i]))

Temperatures in degC are:
    65.97
    93.78
   124.54
   159.48
```

이 시스템은 각 절점이 그것과 이웃한 절점에만 의존하기 때문에 삼중대각이다. 절점의 번호를 순차적으로 매기기 때문에 연립방정식이 삼중대각이 된다. 이런 경우는 가열된 봉과 같은 1차원 시스템의 방정식들을 풀 때 종종 발생한다. 우리는 이 장의 마지막 연습문제를 통해 좀 더 탐구해 보기로 하자.

연습문제   * 짝수번호는 온라인 사이트에 있으며 본 책 '차례' 끝부분 xxi페이지에 사이트주소가 있음.

9.1   그림 9.7의 삼중대각 알고리즘에 대한 총 연산 횟수를 방정식의 수 n의 함수로 나타내라.

9.3   다음의 방정식에 대해 답하라.

$$-1.1x_1 + 10x_2 = 120$$
$$-2x_1 + 17.4x_2 = 174$$

(a)   그래프를 이용하는 방법으로 방정식을 풀고, 그 해를 방정식에 대입하여 검증하라.

(b)   그래프를 이용하는 방법을 기초로 하여 시스템의 조건에 대해 기술하라.

9.5   다음의 방정식에 대해 답하라.

$$0.5x_1 - x_2 = -9.5$$
$$1.02x_1 - 2x_2 = -18.8$$

(a)   그래프를 이용하는 방법으로 방정식을 풀어라.

(b)   행렬식을 구하라.

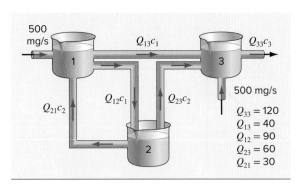

그림 P9.9 배관으로 연결된 세 반응기.

(c) (a)와 (b)를 근거로 시스템의 조건에 대해 기술하라.

(d) 미지수 소거법으로 방정식을 풀어라.

(e) 방정식에서 a_{11}을 0.52로 조금 바꿀 때의 해를 구하고, 그 결과를 분석하라.

9.7 다음 방정식에 대해 답하라.

$$2x_1 - 6x_2 - x_3 = -38$$
$$-3x_1 - x_2 + 7x_3 = -34$$
$$-8x_1 + x_2 - 2x_3 = -20$$

(a) 부분 피봇팅이 포함된 Gauss 소거법을 이용하여 방정식을 풀어라. 계산의 일부로서 대각 원소를 사용하여 행렬식을 계산하라. 계산의 모든 과정을 보여라.

(b) 해를 원래의 방정식에 대입하여 검증하라.

9.9 그림 P9.9는 배관으로 연결된 세 반응기로 구성된 시스템을 나타낸다. 각 관을 통과하는 질량 전달율은 유량 Q (L/s)와 유동이 시작하는 반응기의 농도 c (mg/L)의 곱과 같다. 탱크들은 잘 혼합되어 있기 때문에 배관 내 농도는 유동이 시작되는 탱크의 농도와 동일하다. 시스템이 정상 상태이면 각각의 반응기로 유입하고 유출하는 전달율은 서로 같다. 세 반응기에 대해 질량-평형 방정식을 세우고, 세 개의 선형연립방정식을 풀어서 그 농도를 구하라. 9장에 소개된 파이썬 함수를 사용하라. 탱크 1과 3에 공급되는 외부 유동의 체적유량은 얼마인가?

9.11 전기 엔지니어가 세 가지 전기 부품의 생산을 관리한다. 세 종류의 재료 즉, 금속, 플라스틱과 고무가 필요하다. 각 부품을 생산하기 위해 필요한 양은 다음의 표와 같다.

Component	Metal (g/component)	Plastic (g/component)	Rubber (g/component)
1	15	0.30	1.0
2	17	0.40	1.2
3	19	0.55	1.5

매일 금속, 플라스틱 그리고 고무를 각각 3.89, 0.095, 0.282 kg 얻는다면 하루에 얼마나 많은 부품을 생산할 수 있을까? 문제 풀이를 위해 이 장에서 소개된 파이썬 함수를 이용하라.

9.13 다단계 추출 공정은 그림 P9.13과 같다. 이러한 시스템에서 화학물질의 무게비가 y_{in}인 수류가 F_1의 질량유량으로 왼쪽에서 흘러 들어온다. 동시에 같은 화학물질의 무게비 x_{in}의 용매는 F_2의 질량유량으로 오른쪽에서 흘러 들어온다. 따라서 i번째 단계에서 질량평형은 다음과 같이 표시된다.

$$F_1 y_{i-1} + F_2 x_{i+1} = F_1 y_i + F_2 x_i \tag{P9.13a}$$

각 단계에서 y_i와 x_i 사이의 평형은 다음 식과 같이 이루어진다고 가정한다.

$$K = \frac{x_i}{y_i} \tag{P9.13b}$$

여기서 K를 분포계수라고 한다. 식 (P9.13b)를 x_i에 대해 풀고, 그것을 식 (P9.13a)에 대입하면 다음 식을 얻는다.

$$-y_{i-1} + \left(1 + \frac{F_2}{F_1}K\right) y_i - \left(\frac{F_2}{F_1}K\right) y_{i+1} = 0 \tag{P9.13c}$$

만약 $F_1 = 500$ kg/h, $y_{in} = 0.1$, $F_2 = 1000$ kg/h, $x_{in} = 0$, $K = 4$이고, 5단계 반응기가 사용될 때 y_{out}과 x_{out}을 구하라. 유의 사항은 처음과 마지막 단계에 적용할 때 식 (P9.13c)는 유입 무게비를 고려하도록 수정되어야 한다는 점이다. 풀이를 위해 파이썬 함수 tridiag를 활용하라. 단계를 축으로 하여 x와 y의 결과를 그래프로 나타내라.

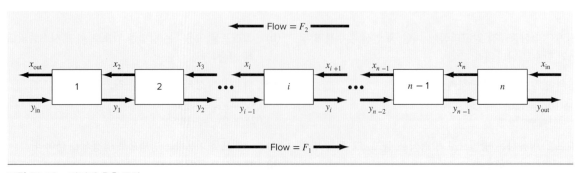

그림 P9.13 다단계 추출 공정.

9.15 트러스가 그림 P9.15에서와 같이 하중을 받고 있다. 다음 연립방정식을 이용하여 10개의 미지수, *AB*, *BC*, *AD*, *BD*, *CD*, *DE*, *CE*, A_x, A_y 그리고 E_y를 구하라. 풀이를 위해 gausspivot 함수를 이용하라.

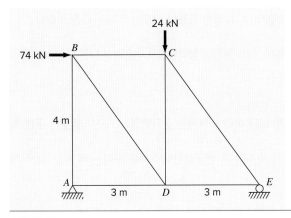

그림 P9.15

$$A_x + AD = 0 \qquad\qquad -24 - CD - \frac{4}{5}CE = 0$$

$$A_y + AB = 0 \qquad\qquad -AD + DE - \frac{3}{5}BD = 0$$

$$74 + BC + \frac{3}{5}BD = 0 \qquad\qquad CD + \frac{4}{5}BD = 0$$

$$-AB - \frac{4}{5}BD = 0 \qquad\qquad -DE - \frac{3}{5}CE = 0$$

$$-BC + \frac{3}{5}CE = 0 \qquad\qquad E_y + \frac{4}{5}CE = 0$$

9.17 부분 피봇팅을 포함하는 Gauss 소거법을 실행하기 위해 그림 9.6에 기초한 파이썬 함수 gausspivot2 함수를 개발하라.

행렬식(정확한 부호와 함께)을 계산하고 반환하며, 또한 0에 가까운 행렬식에 근거하여 시스템이 특이 행렬인지를 판별할 수 있도록 함수를 수정하라. '0에 가까움'은 행렬식의 절댓값이 기준 허용값 1×10^{-12}보다 작을 때로 정의하라. 이러한 경우가 발생할 때, 에러 메시지가 화면에 출력되고 함수가 종료되도록 함수를 설계하라. 개발한 프로그램을 허용값 1×10^{-5}을 이용하여 연습문제 9.5에 대해 시험하라.

9.19 다음의 미분방정식은 균일한 하중을 받는 보에 대한 힘의 평형으로부터 기인한다.

$$0 = EI \frac{d^2 y}{dx^2} - \frac{wL}{2}x + \frac{w}{2}x^2$$

여기서 *x*는 보를 따르는 방향의 거리 (m), *y*는 처짐 (m), *L*는 길이 (m), *E*는 탄성계수 (N/m²), *I*는 관성모멘트 (m⁴) 그리고 *w*는 균일하중 (N/m)이다.

(a) 2차 도함수의 중심차분 근사를 이용하여 이 미분방정식을 상응하는 연립 선형대수방정식으로 변환하라.

(b) *x*가 0부터 *L*까지 변할 때 이 방정식들을 풀 수 있는 파이썬 함수, YourLastName_BeamCalc를 개발하고, 거리와 처짐 결과를 반환하라. 함수는 *E*, *I*, *w*, y_0, y_L, *L* 그리고 *n*을 포함해야 한다. *n*은 내부 절점의 수이다.

(c) 이 함수를 호출하고 결과를 도시하는 스크립트를 작성하고, *x*와 *y*에 대한 그래프를 그려라.

(d) 다음의 매개변수에 대해 스크립트를 시험하라. *L* = 3m, Δx = 0.2 m, *E* = 250×10^9 N/m², *I* = 3×10^{-4} m⁴, *w* = 22,500 N/m, *y*(0) = 0 그리고 *y*(*L*) = 0이다.

LU 분해법
LU Factorization

학습 목표

이 장의 주요 목표는 *LU* 분해법을 친숙하게 다루기 위함이다. 특정한 목표와 다루는 주제는 다음과 같다.

- *LU* 분해법은 계수 행렬을 두 개의 삼각행렬로 분해하며, 이들 분해된 삼각행렬을 이용하여 다른 우변 벡터들을 효율적으로 계산하는 방법에 대한 이해
- Gauss 소거법을 *LU* 분해법으로 표현하는 방법
- 주어진 *LU* 분해법에 대해 여러 우변 벡터를 계산하는 방법
- Cholesky법이 대칭행렬을 분해하는 데 효율적이며, 이에 따라 구해지는 삼각행렬과 그 전치행렬이 우변 벡터를 계산하는 데 효율적이라는 것에 대한 인식
- 어떻게 파이썬의 NumPy 모듈로부터 `linalg.solve` 함수가 선형방정식의 해를 구하는 데 사용되는지에 대한 개략적인 이해

9장에서 기술한 바와 같이 Gauss 소거법은 선형대수방정식을 풀기 위해 고안되었다.

$$[A]\{x\} = \{b\} \tag{10.1}$$

Gauss 소거법이 그림 9.3과 같이 전진소거와 후진대입의 두 단계로 이루어졌음을 상기하자. 9.2.2절에서 배운 바와 같이 전진소거 단계는 많은 계산 노력을 필요로 하며, 특히 대규모 연립방정식을 풀 때 이 현상은 두드러진다.

LU 분해법은 시간이 많이 소요되는 행렬 [*A*]의 소거를 우변 항 {*b*}의 조작과 분리시킨다. 따라서 일단 [*A*]가 분해되면 여러 우변 벡터를 효율적으로 계산할 수 있게 된다.

흥미롭고도 다행스러운 것은 Gauss 소거법 자체를 *LU* 분해법으로 표시할 수 있다는 점이다. 이를 어떻게 수행하는지를 다루기에 앞서 수학적으로 분해 전략의 개요를 살펴보자.

10.1 *LU* 분해법의 개요

Gauss 소거법의 경우와 마찬가지로 *LU* 분해법에서도 0으로 나누는 것을 피하기 위해서 피봇팅이 필요하다. 그러나 간략하게 기술하기 위해 피봇팅을 생략하도록 한다. 또한 다음의 설명은 세 개의 연립방정식에 한정시킨다. 그 결과는 *n*차 시스템에 그대로 적용될 수 있다.

식 (10.1)은 다음과 같이 정리될 수 있다.

$$[A]\{x\} - \{b\} = 0 \tag{10.2}$$

식 (10.2)는 상부삼각 시스템으로 표시될 수 있다고 가정한다. 그 예로 다음의 3 × 3 시스템을 고려하자.

$$\begin{bmatrix} u_{11} & u_{12} & u_{13} \\ 0 & u_{22} & u_{23} \\ 0 & 0 & u_{33} \end{bmatrix} \begin{Bmatrix} x_1 \\ x_2 \\ x_3 \end{Bmatrix} = \begin{Bmatrix} d_1 \\ d_2 \\ d_3 \end{Bmatrix} \tag{10.3}$$

이는 Gauss 소거법의 첫 번째 단계에서 발행하는 조작과 유사하다는 것을 인식하자. 다시 말하면 소거는 시스템을 상부삼각 형태로 만드는 데 사용된다. 식 (10.3)은 행렬 형태로 표현될 수 있으며, 재정리하면 다음과 같다.

$$[U]\{x\} - \{d\} = 0 \tag{10.4}$$

이제 대각선상의 원소가 모두 1인 하삼각행렬을 다음과 같이 나타내자.

$$[L] = \begin{bmatrix} 1 & 0 & 0 \\ l_{21} & 1 & 0 \\ l_{31} & l_{32} & 1 \end{bmatrix} \tag{10.5}$$

이 행렬을 식 (10.4) 앞에 곱하면 그 결과는 식 (10.2)로 되는 성질을 갖는다. 즉,

$$[L]\{[U]\{x\} - \{d\}\} = [A]\{x\} - \{b\} \tag{10.6}$$

만약 이 식이 성립한다면 행렬의 곱셈 공식으로부터 다음의 관계를 얻는다.

$$[L][U] = [A] \tag{10.7}$$

그리고

$$[L]\{d\} = \{b\} \tag{10.8}$$

   그림 10.1에서와 같이 해를 구하기 위한 두 단계의 전략은 식 (10.3), 식 (10.7) 그리고 식 (10.8)에 기초를 둔다.

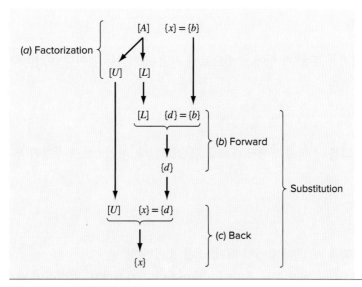

그림 10.1   *LU* 분해법의 단계.

1. *LU* 분해 단계. [A]를 하부삼각행렬 [L]과 상부삼각행렬 [U]의 곱으로 분해한다.
2. 대입 단계. [L]과 [U]를 사용하여 우변 벡터 {b}에 대해 해 {x}를 구한다. 이 단계는 그 자체가 두 단계로 이루어진다. 첫째로 식 (10.8)을 사용하여 전진대입을 통해 중간 결과 {d}를 구한다. 둘째로 구한 결과를 식 (10.3)에 대입함으로써 후진대입에 의해 {x}를 얻는다.

이제 Gauss 소거법이 어떻게 이러한 *LU* 분해에 적용되는지를 살펴보자.

10.2 *LU* 분해법으로서의 Gauss 소거법

언뜻 보기에는 Gauss 소거법과 *LU* 분해법이 무관한 것 같지만, Gauss 소거법은 [A]를 [L]과 [U]로 분해하는 데 유용하게 사용된다. 이것은 [U]를 보면 쉽게 알 수 있는데, [U]가 바로 전진소거의 산물이기 때문이다. 전진소거는 본래의 계수 행렬 [A]를 다음과 같은 형태로 만드는 과정임을 기억하자.

$$[U] = \begin{bmatrix} a_{11} & a_{12} & a_{13} \\ 0 & a'_{22} & a'_{23} \\ 0 & 0 & a''_{33} \end{bmatrix} \tag{10.9}$$

여기서 [U]는 우리가 원하는 상부삼각행렬의 형태이다.

명백하게 보이지는 않겠지만 행렬 [L]도 이 과정에서 생성되는 산물이다. 이것은 다음의 3개의 연립방정식을 통해 쉽게 설명된다.

$$\begin{bmatrix} a_{11} & a_{12} & a_{13} \\ a_{21} & a_{22} & a_{23} \\ a_{31} & a_{32} & a_{33} \end{bmatrix} \begin{Bmatrix} x_1 \\ x_2 \\ x_3 \end{Bmatrix} = \begin{Bmatrix} b_1 \\ b_2 \\ b_3 \end{Bmatrix}$$

Gauss 소거법의 첫 번째 단계는 첫 번째 행에 다음의 인자를 곱하는 것이다[식 (9.9) 참조].

$$f_{21} = \frac{a_{21}}{a_{11}}$$

그리고 그 결과를 두 번째 행에서 뺌으로써 a_{21}을 소거하는 것이다. 마찬가지로 첫 번째 행에 다음의 인자를 곱한다.

$$f_{31} = \frac{a_{31}}{a_{11}}$$

그리고 그 결과를 세 번째 행에서 빼서 a_{31}을 소거한다. 마지막으로 수정된 두 번째 행에 다음의 인자를 곱한다.

$$f_{32} = \frac{a'_{32}}{a'_{22}}$$

그리고 그 결과를 세 번째 행에서 빼서 a'_{32}를 소거한다.

이제 행렬 [A]에 위의 모든 조작이 이루어졌다고 가정하자. 방정식이 바뀌면 안 되므로 우변 항

$\{b\}$에도 동일한 조작이 이루어져야 한다. 그러나 이러한 조작이 반드시 동시에 행해져야 하는 것은 아니므로, f를 저장하고 $\{b\}$는 추후에 조작하도록 한다.

인자 f_{21}, f_{31} 그리고 f_{32}를 어디에 저장할 것인가? 기억할 것은 소거법 뒤에 있는 핵심 개념은 a_{21}, a_{31} 그리고 a_{32}를 0으로 만드는 것이었다. 그렇다면 f_{21}를 a_{21}에, f_{31}를 a_{31}에 그리고 f_{32}를 a_{32}에 저장할 수 있다. 소거를 마치면 행렬 $[A]$는 다음과 같이 표현될 수 있다.

$$\begin{bmatrix} a_{11} & a_{12} & a_{13} \\ f_{21} & a'_{22} & a'_{23} \\ f_{31} & f_{32} & a''_{33} \end{bmatrix} \tag{10.10}$$

실제로 이 행렬은 $[A]$의 LU 분해한 결과를 효율적으로 저장할 수 있다.

$$[A] \rightarrow [L][U] \tag{10.11}$$

여기서

$$[U] = \begin{bmatrix} a_{11} & a_{12} & a_{13} \\ 0 & a'_{22} & a'_{22} \\ 0 & 0 & a''_{33} \end{bmatrix} \tag{10.12}$$

그리고

$$[L] = \begin{bmatrix} 1 & 0 & 0 \\ f_{21} & 1 & 0 \\ f_{31} & f_{32} & 1 \end{bmatrix} \tag{10.13}$$

다음의 예는 $[A] = [L][U]$가 성립됨을 보여 준다.

예제 10.1 | **Gauss 소거법에 기초한 *LU* 분해법**

문제 정의 예제 9.3에서 수행한 Gauss 소거법을 기초로 하여 LU 분해를 수행하라.

풀이 예제 9.3에서 Gauss 소거법을 이용하여 다음과 같은 계수 행렬을 갖는 선형 연립방정식의 해를 구했다.

$$[A] = \begin{bmatrix} 3 & -0.1 & -0.2 \\ 0.1 & 7 & -0.3 \\ 0.3 & -0.2 & 10 \end{bmatrix}$$

전진소거 후에 얻은 상부삼각행렬은 다음과 같다.

$$[U] = \begin{bmatrix} 3 & -0.1 & -0.2 \\ 0 & 7.00333 & -0.293333 \\ 0 & 0 & 10.0120 \end{bmatrix}$$

상부삼각행렬을 얻기 위해 사용된 인자들이 포함된 하부삼각행렬을 구성할 수 있다. 원소 a_{21}과 a_{31}은 다음의 인자들을 사용하여 소거되었다.

$$f_{21} = \frac{0.1}{3} = 0.0333333 \qquad f_{31} = \frac{0.3}{3} = 0.1000000$$

그리고 원소 a_{32}는 다음의 인자를 사용하여 소거되었다.

$$f_{32} = \frac{-0.19}{7.00333} = -0.0271300$$

따라서 하부삼각행렬은 다음과 같다.

$$[L] = \begin{bmatrix} 1 & 0 & 0 \\ 0.0333333 & 1 & 0 \\ 0.100000 & -0.0271300 & 1 \end{bmatrix}$$

결과적으로 LU 분해는 다음과 같다.

$$[A] = [L][U] = \begin{bmatrix} 1 & 0 & 0 \\ 0.0333333 & 1 & 0 \\ 0.100000 & -0.0271300 & 1 \end{bmatrix} \begin{bmatrix} 3 & -0.1 & -0.2 \\ 0 & 7.00333 & -0.293333 \\ 0 & 0 & 10.0120 \end{bmatrix}$$

이 결과는 행렬 곱셈 $[L][U]$로 수행함으로써 아래와 같이 증명할 수 있다.

$$[L][U] = \begin{bmatrix} 3 & -0.1 & -0.2 \\ 0.0999999 & 7 & -0.3 \\ 0.3 & -0.2 & 9.99996 \end{bmatrix}$$

여기서 미세한 차이가 보이는 것은 반올림오차 때문이다.

행렬이 일단 분해되면 주어진 우변 벡터 $\{b\}$에 대해 해를 산출할 수 있다. 이 과정은 두 단계로 이루어진다. 첫 번째로 $\{d\}$에 대해 식 (10.8)을 푸는 전진대입 단계가 수행된다. 이로써 $\{b\}$에 대해 소거 조작이 이루어진다는 점을 인식하는 것이 중요하다. 이 단계의 마지막에서 우변 항의 상태는 마치 동시에 $[A]$와 $\{b\}$에 전진조작을 행한 것과 같게 된다.

전진대입 단계는 다음과 같이 간략하게 표현된다.

$$d_i = b_i - \sum_{j=1}^{i-1} l_{ij} d_j \qquad \text{for } i = 1, 2, \ldots, n$$

두 번째 단계는 식 (10.3)을 풀기 위해 후진대입을 실행하는 것이다. 이것은 전형적인 Gauss 소거법의 후진대입 과정[식 (9.12)와 식 (9.13) 참조]과 똑같다는 점을 다시 한번 인식하자.

$$x_n = d_n / u_{nn}$$

$$x_i = \frac{d_i - \sum_{j=i+1}^{n} u_{ij} x_j}{u_{ii}} \qquad \text{for } i = n - 1, n - 2, \ldots, 1$$

예제 10.2	대입 단계

문제 정의 예제 10.1에서 시작한 문제를 전진대입과 후진대입을 통해 최종해를 구하는 것으로 완성하라.

풀이 이미 기술하였듯이 전진대입의 의도는 [*A*]에 적용했던 것과 같이 소거조작을 우변 벡터 {*b*}에 부과하는 것이다. 해를 구해야 할 시스템은 다음과 같다.

$$\begin{bmatrix} 3 & -0.1 & -0.2 \\ 0.1 & 7 & -0.3 \\ 0.3 & -0.2 & 10 \end{bmatrix} \begin{Bmatrix} x_1 \\ x_2 \\ x_3 \end{Bmatrix} = \begin{Bmatrix} 7.85 \\ -19.3 \\ 71.4 \end{Bmatrix}$$

그리고 전형적인 Gauss 소거법으로 행한 전진소거 단계의 결과는 다음과 같다.

$$\begin{bmatrix} 3 & -0.1 & -0.2 \\ 0 & 7.00333 & -0.293333 \\ 0 & 0 & 10.0120 \end{bmatrix} \begin{Bmatrix} x_1 \\ x_2 \\ x_3 \end{Bmatrix} = \begin{Bmatrix} 7.85 \\ -19.5617 \\ 70.0843 \end{Bmatrix}$$

식 (10.8)을 적용하여 전진대입 단계를 다음과 같이 실행한다.

$$\begin{bmatrix} 1 & 0 & 0 \\ 0.0333333 & 1 & 0 \\ 0.100000 & -0.0271300 & 1 \end{bmatrix} \begin{Bmatrix} d_1 \\ d_2 \\ d_3 \end{Bmatrix} = \begin{Bmatrix} 7.85 \\ -19.3 \\ 71.4 \end{Bmatrix}$$

좌변을 풀어서 쓰면 다음과 같다.

$$\begin{aligned} d_1 &= 7.85 \\ 0.0333333d_1 + d_2 &= -19.3 \\ 0.100000d_1 - 0.0271300d_2 + d_3 &= 71.4 \end{aligned}$$

첫 번째 식에서 바로 $d_1 = 7.85$를 구할 수 있고, 이것을 두 번째 식에 대입하면 다음과 같이 d_2를 구할 수 있다.

$$d_2 = -19.3 - 0.0333333(7.85) = -19.5617$$

세 번째 식에 d_1과 d_2를 대입하면 다음과 같다.

$$d_3 = 71.4 - 0.1(7.85) + 0.02713(-19.5617) = 70.0843$$

따라서

$$\{d\} = \begin{Bmatrix} 7.85 \\ -19.5617 \\ 70.0843 \end{Bmatrix}$$

이 결과를 식 (10.3), 즉 [*U*] {*x*} = {*d*}에 대입하면 다음과 같다.

$$\begin{bmatrix} 3 & -0.1 & -0.2 \\ 0 & 7.00333 & -0.293333 \\ 0 & 0 & 10.0120 \end{bmatrix} \begin{Bmatrix} x_1 \\ x_2 \\ x_3 \end{Bmatrix} = \begin{Bmatrix} 7.85 \\ -19.5617 \\ 70.0843 \end{Bmatrix}$$

이 식을 후진대입으로 풀면(자세한 것은 예제 9.3 참조), 다음과 같은 최종해를 얻는다.

$$\{x\} = \begin{Bmatrix} 3 \\ -2.5 \\ 7.00003 \end{Bmatrix}$$

10.2.1 피봇팅을 이용한 *LU* 분해법

일반적인 Gauss 소거법과 마찬가지로, *LU* 분해법으로 신뢰성 있는 해를 구하기 위해서는 부분 피봇팅이 필요하다. 이를 위한 한 가지 방법은 치환행렬(permutation matrix)을 사용하는 것이다(8.1.2절을 상기하라). 이 방법은 다음 단계들로 구성된다.

1. 소거: 피봇팅을 이용한 *LU* 분해법을 행렬 [*A*]에 적용하면 다음과 같은 행렬 형태로 나타낼 수 있다.

$$[P][A] = [L][U]$$

여기서 상부삼각행렬 [*U*]는 피봇팅을 이용한 소거법으로 생성된다. 이때 곱셈 인자는 [*L*]에 저장하고 치환행렬 [*P*]를 사용하여 행 바꿈을 추적한다.

2. 전진대입: 행렬 [*L*]과 [*P*]를 이용하여 중간 단계의 우변 벡터 {*d*}를 생성하기 위해 {*b*}에 피봇팅을 이용한 소거 단계를 수행한다. 이 단계는 다음 행렬 수식의 해로써 간략하게 표현된다.

$$[L]\{d\} = [P]\{b\}$$

3. 후진대입: 최종해는 앞서의 Gauss 소거법에서와 같은 방법으로 구한다. 이 단계도 역시 다음 행렬 수식의 해로서 간략하게 표현된다.

$$[U]\{x\} = \{d\}$$

다음 예제에 이 방법을 설명한다.

예제 10.3	피봇팅을 이용한 *LU* 분해법

문제 정의 예제 9.4에서 해석한 시스템에 대해 *LU* 분해를 계산하고 그 해를 구하라.

$$\begin{bmatrix} 0.0003 & 3.0000 \\ 1.0000 & 1.0000 \end{bmatrix} \begin{Bmatrix} x_1 \\ x_2 \end{Bmatrix} = \begin{Bmatrix} 2.0001 \\ 1.0000 \end{Bmatrix}$$

풀이 소거 단계 전에 초기 치환행렬을 정한다.

$$[P] = \begin{bmatrix} 1.0000 & 0.0000 \\ 0.0000 & 1.0000 \end{bmatrix}$$

바로 피봇팅이 필요한지 알 수 있으므로 소거 전에 행을 바꾼다.

$$[A] = \begin{bmatrix} 1.0000 & 1.0000 \\ 0.0003 & 3.0000 \end{bmatrix}$$

동시에 치환행렬의 행을 바꿈으로써 피봇을 추적한다.

$$[P] = \begin{bmatrix} 0.0000 & 1.0000 \\ 1.0000 & 0.0000 \end{bmatrix}$$

다음으로 A의 두 번째 행으로부터 인자 $l_{21} = a_{21}/a_{11} = 0.0003/1 = 0.0003$을 뺌으로써 a_{21}을 소거하고, 새로운 값 $a'_{22} = 3 - 0.0003(1) = 2.9997$을 계산한다. 따라서 소거 단계에서 다음 결과를 얻는다.

$$[U] = \begin{bmatrix} 1 & 1 \\ 0 & 2.9997 \end{bmatrix} \qquad [L] = \begin{bmatrix} 1 & 0 \\ 0.0003 & 1 \end{bmatrix}$$

전진대입을 실행하기 전에 피봇을 반영하여 우변 벡터의 순서를 고치기 위해 치환행렬을 사용한다.

$$[P]\{b\} = \begin{bmatrix} 0.0000 & 1.0000 \\ 1.0000 & 0.0000 \end{bmatrix} \begin{Bmatrix} 2.0001 \\ 1 \end{Bmatrix} = \begin{Bmatrix} 1 \\ 2.0001 \end{Bmatrix}$$

다음으로 전진대입을 적용한다.

$$\begin{bmatrix} 1 & 0 \\ 0.0003 & 1 \end{bmatrix} \begin{Bmatrix} d_1 \\ d_2 \end{Bmatrix} = \begin{Bmatrix} 1 \\ 2.0001 \end{Bmatrix}$$

이 식을 풀면 $d_1 = 1$과 $d_2 = 2.0001 - 0.0003(1) = 1.9998$이 된다. 여기서 시스템은 다음과 같다.

$$\begin{bmatrix} 1 & 1 \\ 0 & 2.9997 \end{bmatrix} \begin{Bmatrix} x_1 \\ x_2 \end{Bmatrix} = \begin{Bmatrix} 1 \\ 1.9998 \end{Bmatrix}$$

후진대입을 적용하여 다음과 같은 최종 결과를 구한다.

$$x_2 = \frac{1.9998}{2.9997} = 0.66667$$

$$x_1 = \frac{1 - 1(0.66667)}{1} = 0.33333$$

LU 분해 알고리즘은 Gauss 소거법에서와 같은 총 연산 횟수를 필요로 한다. 유일한 차이점은 분해 단계에서 연산이 우변에 적용되지 않기 때문에 조금이나마 계산량이 줄어든다는 것이다. 대조적으로 대입 단계에서는 계산량이 약간 늘어난다.

10.2.2 파이썬에서의 *LU* 분해

파이썬에서 이용가능한 SciPy 모듈은 내장함수로써 linalg의 부모듈 내에 *LU* 분해를 할 수 있는 함수를 갖는다. 이 함수는 일반적으로 다음과 같은 구문으로 이용된다.[1]

```
from scipy.linalg import lu
P,L,U = lu(A)
```

여기서, P는 치환행렬, L은 하부삼각행렬, U는 상부삼각행렬을 나타낸다. 치환행렬은 행들 간의 교환을 나타내기 위해 행들이 열 기준으로 정리되었다. 이 함수는 0으로 나누어지는 것을 방지하기 위해 부분 피봇팅을 위해 사용되고 치환행렬 P는 교환된 행들을 나타낸다. 다음의 예제는 예제 10.1과 10.2에서 다룬 문제에서 이 함수를 어떻게 이용하여 *LU* 분해를 수행하고 해를 구하는지를 보여 준다.

---

[1] 파이썬 코드가 NumPy 모듈을 우선적으로 불러온다면 코드 내에서 SciPy linalg 모듈을 참조할 수 없는데 이는 NumPy의 linalg 모듈과 충돌하기 때문이다. 이런 이유로 lu 함수는 특별히 from문을 이용하여 불러오게 된다.

예제 10.4	**파이썬을 사용한 *LU* 분해법**

문제 정의　파이썬을 사용하여 예제 10.1과 10.2에서 다룬 선형 시스템에 대해 *LU* 분해를 계산하고 그 해를 구하라.

$$\begin{bmatrix} 3 & -0.1 & -0.2 \\ 0.1 & 7 & -0.3 \\ 0.3 & -0.2 & 10 \end{bmatrix} \begin{bmatrix} x_1 \\ x_2 \\ x_3 \end{bmatrix} = \begin{bmatrix} 7.85 \\ -19.3 \\ 71.4 \end{bmatrix}$$

풀이　우선 SciPy와 NumPy 모듈을 불러오고, 계수 행렬과 우변 벡터를 다음과 같이 표준 방식으로 입력한다.

```
import scipy as sc
import numpy as np

A = np.matrix(' 3 -0.1 -0.2 ; 0.1 7 -0.3 ; 0.3 -0.2 10 ')
b = np.matrix(' 7.85 ; -19.3 ; 71.4 ')
```

그 후에 다음과 같이 *LU* 분해를 계산한다.

```
P,L,U = sc.linalg.lu(A)
```

여기에서 P, L 그리고 U는 배열들(ndarray 클래스)이고 결과는 다음과 같이 보여진다.

```
print('L=\n',L)
print('U=\n',U)
print('P=\n',P)
```

이는 예제 10.1에서 손으로 계산한 결과와 같다. 두 행렬을 곱하여 본래의 행렬이 얻어지는지는 다음과 같이 확인할 수 있다.

```
L=
 [[ 1.          0.          0.        ]
  [ 0.03333333  1.          0.        ]
  [ 0.1        -0.02712994  1.        ]]
U=
 [[ 3.         -0.1        -0.2       ]
  [ 0.          7.00333333 -0.29333333]]
  [ 0.          0.         10.01204188]]

P=
 [[1. 0. 0.]
  [0. 1. 0.]
  [0. 0. 1.]]
```

치환행렬 P는 피봇팅을 위한 교환이 없음을 나타낸다. L과 U를 곱하여 A를 구해 봄으로써 LU 분해를 확인해 볼 수 있다.

```
print(L.dot(U))

[[ 3. -0.1 -0.2]
 [ 0.1 7. -0.3]
 [ 0.3 -0.2 10. ]]
```

주의: L*U를 통해서는 원하는 결과를 얻을 수 없는데, 이들은 모두 ndarray 클래스에 있어서 곱셈 기호는 항

과 항끼리의 배열 연산만을 수행한다.

결과를 얻기 위해서는 다음과 같이 10.2.1절의 단계를 따라야 한다.

```
d = np.linalg.solve(L,b)
x = np.linalg.solve(U,d)
print(x)

[[ 3. ]
 [-2.5]
 [ 7. ]]
```

이 결과는 예제 10.2에서 직접 계산한 결과와 잘 일치한다.

10.3 CHOLESKY 분해법

8장에서 설명하였듯이 대칭행렬은 모든 i와 j에 대해서 $a_{ij} = a_{ji}$의 관계가 성립하는 행렬이다. 다르게 표현하면 $[A] = [A]^T$이다. 이러한 시스템은 수학이나 공학 또는 과학 문제에서 종종 발생한다.

이러한 시스템에 대해서 특별한 해법들이 가능하다. 이 해법들은 저장 공간을 절반만 사용하고, 동시에 해를 구하는 시간도 절반으로 줄일 수 있는 계산상의 장점을 제공한다.

가장 보편적인 방법들 중의 하나가 바로 *Cholesky* 분해법이다. 이 알고리즘은 대칭행렬이 다음과 같이 분해될 수 있다는 사실에 기초하고 있다.

$$[A] = [U]^T [U] \tag{10.14}$$

즉, 결과적으로 얻어지는 삼각행렬이 서로의 전치행렬이라는 점이다.

식 (10.14)의 우변 행렬들을 곱한 결과는 좌변 행렬과 서로 같아야 된다. 분해는 순차적 관계를 이용하여 효율적으로 생성된다. i번째 행에 대한 식은 다음과 같다.

$$u_{ii} = \sqrt{a_{ii} - \sum_{k=1}^{i-1} u_{ki}^2} \tag{10.15}$$

$$u_{ij} = \frac{a_{ij} - \sum_{k=1}^{i-1} u_{ki}u_{kj}}{u_{ii}} \qquad \text{for } j = i+1, \ldots, n \tag{10.16}$$

예제 10.5	Cholesky 분해법

문제 정의 주어진 대칭행렬에 대해 Cholesky 분해를 수행하라.

$$[A] = \begin{bmatrix} 6 & 15 & 55 \\ 15 & 55 & 225 \\ 55 & 225 & 979 \end{bmatrix}$$

풀이 첫 번째 행 ($i = 1$)에 대해 식 (10.15)를 사용하여 계산하면 다음과 같다.

$$u_{11} = \sqrt{a_{11}} = \sqrt{6} = 2.44949$$

그리고 식 (10.16)을 이용하여 다음을 구한다.

$$u_{12} = \frac{a_{12}}{u_{11}} = \frac{15}{2.44949} = 6.123724$$

$$u_{13} = \frac{a_{13}}{u_{11}} = \frac{55}{2.44949} = 22.45366$$

두 번째 행 ($i = 2$)에 대해서 계산하면 다음과 같다.

$$u_{22} = \sqrt{a_{22} - u_{12}^2} = \sqrt{55 - (6.123724)^2} = 4.1833$$

$$u_{23} = \frac{a_{23} - u_{12}u_{13}}{u_{22}} = \frac{225 - 6.123724(22.45366)}{4.1833} = 20.9165$$

세 번째 행 ($i = 3$)에 대해서 계산하면 다음과 같다.

$$u_{33} = \sqrt{a_{33} - u_{13}^2 - u_{23}^2} = \sqrt{979 - (22.45366)^2 - (20.9165)^2} = 6.110101$$

따라서 다음과 같이 Cholesky 분해를 얻을 수 있다.

$$[U] = \begin{bmatrix} 2.44949 & 6.123724 & 22.45366 \\ & 4.1833 & 20.9165 \\ & & 6.110101 \end{bmatrix}$$

이 분해가 제대로 되었는지를 알아보기 위해서는 식 (10.14)에 이 행렬과 그 전치행렬을 대입하여 곱한 결과가 행렬 [A]와 같다는 것을 보이면 된다. 이것은 과제로 남겨 둔다.

분해를 얻은 후에는 LU 분해법에서와 마찬가지 방법으로 우변 벡터 {b}에 대해 해를 구할 수 있다. 우선, 중간 벡터 {d}를 생성하기 위해서 다음 식을 푼다.

$$[U]^T \{d\} = \{b\} \tag{10.17}$$

최종해를 구하기 위해 다음 식을 푼다.

$$[U]\{x\} = \{d\} \tag{10.18}$$

10.3.1 파이썬 함수: `scipy.linalg.cholesky`

파이썬의 SciPy 모듈에는 Cholesky 분해를 수행하는 `choleksy` 함수가 있다. 이 함수는 일반적으로 다음과 같은 구문으로 이용된다.

```
import scipy as sc
U = sc.linalg.cholesky(A)
```

여기서 U는 $U^TU = X$를 만족하는 상부삼각행렬이다. 다음의 예제는 앞서 다루었던 예제의 행렬에 대해 이 함수를 이용하여 분해를 수행하고 해를 구하는 방법을 보여 준다.

예제 10.6	파이썬을 사용한 Cholesky 분해법

문제 정의 파이썬을 사용하여 예제 10.5에서 다루었던 행렬에 대해 Cholesky 분해를 실시하라.

$$A = \begin{bmatrix} 6 & 15 & 55 \\ 15 & 55 & 225 \\ 55 & 225 & 979 \end{bmatrix}$$

그리고 우변 벡터의 각 행의 값이 행렬 [*A*]의 그 행에 해당하는 원소의 합으로 주어질 때의 해를 구하라. 이 경우의 해는 원소가 모두 1인 벡터가 될 것이다.

풀이 우선, SciPy와 NumPy 모듈을 불러오고, *A* 매트릭스와 *b* 벡터를 생성한다.

```
import numpy as np
from scipy.linalg import cholesky

A = np.matrix(' 6 15 55 ; 15 55 225 ; 55 225 979')
b = np.matrix([ [np.sum(A[0,:])],[np.sum(A[1,:])],[np.sum(A[2,:])]])
print(b)
```

결과는 다음과 같다.

```
[[ 76]
 [ 295]
 [1259]]
```

다음으로 Cholesky 분해를 수행하면 다음과 같다.

```
U = cholesky(A)
print(U)

[[ 2.44948974 6.12372436 22.45365598]
 [ 0.        4.18330013 20.91650066]
 [ 0.        0.        6.11010093]]
```

원래의 행렬을 계산함으로써 이 분해가 제대로 되었는지를 확인한다.

```
Ut = U.transpose()
Atest = Ut.dot(U)
print('Atest=\n',Atest)
```

결과는

```
Atest=
[[ 6. 15. 55.]
 [ 15. 55. 225.]
 [ 55. 225. 979.]]
```

해를 구하기 위해서 다음의 명령어를 수행한다.

```
d = np.linalg.solve(Ut,b)
x = np.linalg.solve(U,d)
print('Solution is\n',x)
```

예상된 것과 같이, 다음과 같은 결과가 나온다.

```
Solution is
[[1.]
 [1.]
 [1.]]
```

10.4 파이썬 np.linalg.solve 함수

앞서 NumPy의 linalg 서브모듈 내 solve 함수를 특별한 작동원리에 대한 설명 없이 사용하였다. 이제 행렬 풀이의 기술에 대한 일부 배경지식을 가졌고, 이들 연산에 대한 간단한 설명을 할 수 있다.

solve 함수는 또 LAPACK 라이브러리에 있는 다른 루틴으로부터 얻어진다. 이 함수는 이번 장에서 유도된 부분 피봇팅을 적용한 *LU* 분해 기법을 활용하는데 *P*, *L*, *U*의 세 가지 행렬을 만들어 낸다. 이들 세 행렬은 $P \times L \times U$의 곱으로 행렬 *A*의 계수를 만든다. LAPACK는 **L**inear **A**lgebra **Pack**age의 축약이고 수치 선형대수 소프트웨어 라이브러리이다. 이 라이브러리는 풍부하고 원래 Fortran 언어로 쓰여진 1970년대로 거슬러 올라가는 역사를 가지고 있다.

또한, SciPy linalg 서브모듈 중 lu_solve 함수가 있다. 이 함수는 *LU* 분해를 통한 연립선형 방정식 풀이에 있어 lu_factor 함수를 호출함으로써 우선할 수 있다.[2]

---

[2] 만약 *A*가 정방행렬이면 유니터리/직교행렬 그리고 상부삼각행렬로의 분해가 *QR*알고리즘을 통해 제공된다는 것에 유의하라. SciPy 모듈과 linalg 부모듈에서는 함수는 qr이다.

연습문제   * 짝수번호는 온라인 사이트에 있으며 본 책 '차례' 끝부분 xxi페이지에 사이트주소가 있음.

10.1 Gauss 소거법에 기초한 *LU* 분해법에서 (a) 분해, (b) 전진대입 그리고 (c) 후진대입의 각 단계에 해당하는 총 연산 횟수를 방정식의 개수 *n*의 함수로 나타내라.

10.3 순수 Gauss 소거법을 이용하여 다음의 시스템을 10.2절에 기술된 대로 분해하라.

$$10x_1 + 2x_2 - x_3 = 27$$
$$-3x_1 - 6x_2 + 2x_3 = -61.5$$
$$x_1 + x_2 + 5x_3 = -21.5$$

그리고 결과로 얻은 행렬 [*L*]과 [*U*]를 곱하면 [*A*]가 되는 것을 보여라.

10.5 부분 피봇팅을 고려한 *LU* 분해법으로 다음과 같은 시스템의 해를 구하라.

$$2x_1 - 6x_2 - x_3 = -38$$
$$-3x_1 - x_2 + 7x_3 = -34$$
$$-8x_1 + x_2 - 2x_3 = -40$$

10.7 예제 10.5의 Cholesky 분해가 맞다는 것을 그 계산 결과를 식 (10.14)에 대입하여 $[U]^T[U] = [A]$의 관계가 성립된다는 것을 보임으로써 확인하라.

10.9 피봇팅을 고려하지 않고 대칭행렬을 Cholesky 분해할 수 있는 파이썬 함수 chol을 작성하라. 즉, 대칭행렬이 전달되면 행렬 [*U*]를 반환하는 함수를 작성하라. 작성된 함수를 이용하여 연습문제 10.8에서 주어진 시스템의 해를 구하라. 작성된 함수가 제대로 작동하는지를 SciPy linalg 서브모듈로부터 cholesky 함수를 사용하여 확인하라.

10.11 (a) 손으로 계산하여 피봇팅을 고려하지 않고 다음과 같은 행렬을 *LU* 분해하고 그 결과를 통해 [*L*][*U*] = [*A*]가 성립되는 것을 보여라.

$$\begin{bmatrix} 8 & 2 & 1 \\ 3 & 7 & 2 \\ 2 & 3 & 9 \end{bmatrix}$$

(b) (a)의 결과를 이용하여 행렬식을 계산하라.
(c) 파이썬으로 (a)와 (b)를 반복하라.

10.13 Cholesky 분해를 이용하여 다음과 같은 [*U*]를 결정하라.

$$A = U^T U = \begin{bmatrix} 2 & -1 & 0 \\ -1 & 2 & -1 \\ 0 & -1 & 2 \end{bmatrix}$$

위의 곱을 통해 A행렬이 다시 얻어짐을 확인하라.

역행렬과 조건
Matrix Inverse and Condition

학습 목표

이 장의 주요 목표는 역행렬을 계산하는 방법과 공학과 과학에서 발행하는 복잡한 연립방정식의 해를 구하는 데 역행렬이 어떻게 이용되는지를 보여 주는 것이다. 아울러 반올림오차가 행렬의 해에 얼마나 민감한지를 진단하는 방법을 기술한다. 특정한 목표와 다루는 주제는 다음과 같다.

- *LU* 분해법에 기초하여 효율적으로 역행렬을 구하는 방법
- 공학 시스템에서 자극-반응 특성을 진단할 때 역행렬을 어떻게 사용하는지에 대한 이해
- 행렬과 벡터에 대한 놈(norm)의 의미와 그들을 계산하는 방법
- 행렬의 조건수를 계산하기 위해 놈을 사용하는 방법
- 선형대수방정식의 해의 정확성을 평가하기 위해 조건수의 크기를 사용하는 방법

11.1 역행렬

행렬 연산을 논의하면서(8.1.2절 참조), 정방행렬 [*A*]에 대해 [*A*]의 역행렬이라고 하는 $[A]^{-1}$가 있으며 다음의 관계가 성립된다는 것을 알았다.

$$[A][A]^{-1} = [A]^{-1}[A] = [I] \tag{11.1}$$

이제 역행렬을 수치적으로 어떻게 계산할 수 있는지에 대해서 초점을 맞춘다. 또한 그것이 공학해석에서 어떻게 이용되는지에 대해서 알아보도록 한다.

11.1.1 역행렬의 계산

역행렬은 우변에 단위벡터들을 놓고 각각의 단위벡터에 대한 해를 구함으로써 열 단위로 계산할수 있다. 그 예로 우변 벡터를 첫 번째 위치에만 1이고 나머지에 0인 상수로 놓으면 다음과 같다.

$$\{b\} = \begin{Bmatrix} 1 \\ 0 \\ 0 \end{Bmatrix} \tag{11.2}$$

이 벡터에 대해 얻어지는 해는 결과적으로 역행렬의 첫 번째 열이 된다. 마찬가지로 우변 벡터가 두번째만 1이고 나머지는 0인 상수인 경우는 다음과 같다.

$$\{b\} = \begin{Bmatrix} 0 \\ 1 \\ 0 \end{Bmatrix} \tag{11.3}$$

결과적으로 얻어지는 해는 역행렬의 두 번째 열이 된다.

이러한 계산을 수행하는 데 있어서 최적의 방법은 *LU* 분해법을 이용하는 것이다. *LU* 분해법의

최대 강점은 여러 개의 우변 벡터에 대해 해를 매우 효율적으로 계산한다는 것이다. 따라서 LU 분해법은 역행렬을 구하기 위해 여러 단위벡터에 해당하는 해를 계산하는 데 이상적이다.

예제 11.1 | **역행렬**

문제 정의 예제 10.1에서 다루었던 아래의 시스템에 대한 역행렬을 LU 분해법으로 계산하라.

$$[A] = \begin{bmatrix} 3 & -0.1 & -0.2 \\ 0.1 & 7 & -0.3 \\ 0.3 & -0.2 & 10 \end{bmatrix}$$

분해를 통해 다음과 같은 상부삼각행렬과 하부삼각행렬을 얻었음을 상기한다.

$$[U] = \begin{bmatrix} 3 & -0.1 & -0.2 \\ 0 & 7.00333 & -0.293333 \\ 0 & 0 & 10.0120 \end{bmatrix} \qquad [L] = \begin{bmatrix} 1 & 0 & 0 \\ 0.0333333 & 1 & 0 \\ 0.100000 & -0.0271300 & 1 \end{bmatrix}$$

풀이 역행렬의 첫 번째 열은 우변 벡터로 단위벡터(첫 번째 행은 1이고 나머지는 0)를 가지고 전진대입을 수행함으로써 결정할 수 있다. 따라서 하삼각 시스템을 다음과 같이 구성한다[식 (10.8) 참조].

$$\begin{bmatrix} 1 & 0 & 0 \\ 0.0333333 & 1 & 0 \\ 0.100000 & -0.0271300 & 1 \end{bmatrix} \begin{Bmatrix} d_1 \\ d_2 \\ d_3 \end{Bmatrix} = \begin{Bmatrix} 1 \\ 0 \\ 0 \end{Bmatrix}$$

전진대입을 수행함으로써 얻은 결과는 $\{d\}^T = \lfloor 1 \ -0.03333 \ -0.1009 \rfloor$이다. 이 벡터는 상삼각 시스템의 우변 벡터로 이용될 수 있다[식 (10.3) 참조].

$$\begin{bmatrix} 3 & -0.1 & -0.2 \\ 0 & 7.00333 & -0.293333 \\ 0 & 0 & 10.0120 \end{bmatrix} \begin{Bmatrix} x_1 \\ x_2 \\ x_3 \end{Bmatrix} = \begin{Bmatrix} 1 \\ -0.03333 \\ -0.1009 \end{Bmatrix}$$

후진대입을 수행하여 얻은 결과는 $\{x\}^T = \lfloor 0.33249 \ -0.00518 \ -0.01008 \rfloor$이므로, 역행렬의 첫 번째 열은 다음과 같게 된다.

$$[A]^{-1} = \begin{bmatrix} 0.33249 & 0 & 0 \\ -0.00518 & 0 & 0 \\ -0.01008 & 0 & 0 \end{bmatrix}$$

두 번째 열을 결정하기 위해서 식 (10.8)을 사용하면 다음과 같다.

$$\begin{bmatrix} 1 & 0 & 0 \\ 0.0333333 & 1 & 0 \\ 0.100000 & -0.0271300 & 1 \end{bmatrix} \begin{Bmatrix} d_1 \\ d_2 \\ d_3 \end{Bmatrix} = \begin{Bmatrix} 0 \\ 1 \\ 0 \end{Bmatrix}$$

이것으로 $\{d\}$를 구할 수 있으며, 식 (10.3)을 사용하여 역행렬의 두 번째 열에 들어갈 해인 $\{x\}^T = \lfloor 0.004944 \ \ 0.142903 \ \ 0.00271 \rfloor$를 구한다. 즉

$$[A]^{-1} = \begin{bmatrix} 0.33249 & 0.004944 & 0 \\ -0.00518 & 0.142903 & 0 \\ -0.01008 & 0.002710 & 0 \end{bmatrix}$$

최종적으로 동일한 절차를 통해 $\{b\}^T = \lfloor 0\ 0\ 1 \rfloor$를 사용하여 역행렬의 세 번째 열에 들어갈 $\{x\}^T = \lfloor 0.006798\ 0.004183\ 0.09988 \rfloor$를 얻는다. 즉

$$[A]^{-1} = \begin{bmatrix} 0.33249 & 0.004944 & 0.006798 \\ -0.00518 & 0.142903 & 0.004183 \\ -0.01008 & 0.002710 & 0.099880 \end{bmatrix}$$

이 결과의 타당성은 $[A][A]^{-1} = [I]$의 관계가 성립되는 것을 보임으로써 확인할 수 있다.

11.1.2 자극-응답 계산

PT3.1절에서와 같이 공학과 과학에서 접하는 많은 선형 연립방정식은 보존법칙으로부터 유도된다. 이러한 법칙의 수학적 표현은 질량, 힘, 열, 운동량 또는 정전기 포텐셜 등과 같은 특정한 성질이 보존된다는 평형방정식의 형태를 갖는다. 구조물에 가해지는 힘평형의 경우에는 구조물의 각 절점에 작용하는 힘의 수평과 수직 성분이 고려할 성질이 된다. 질량평형의 경우에는 화학 공정에서 각 반응기 속의 질량이 고려할 성질이 된다. 공학과 과학의 다른 분야에서도 유사한 예를 찾을 수 있다.

시스템의 각 부분에 대해서 하나의 평형방정식이 기술되며, 이러한 방정식들이 모여 전체 시스템의 거동을 정의하는 연립방정식을 이룬다. 방정식들은 서로 연계되어 있기 때문에 각각의 방정식이 다른 방정식에서 사용되는 하나 이상의 변수를 포함하고 있다. 많은 경우에 이러한 시스템은 선형이기 때문에 다음과 같은 엄밀한 형태를 갖는다.

$$[A]\{x\} = \{b\} \tag{11.4}$$

평형방정식이라는 점에서 식 (11.4)의 항은 분명한 물리적 의미를 지닌다. 그 예로 $\{x\}$의 원소들은 시스템의 각 부분에서 평형을 이룰 성질의 수준을 나타낸다. 구조물의 힘평형에서는 원소들은 각 부재에 작용하는 힘의 수평과 수직 성분을 나타내고, 질량의 평형에서는 각 반응기 속의 질량을 나타낸다. 어느 경우든지 $\{x\}$의 원소들은 우리가 구하고자 하는 시스템의 **상태** 또는 **응답**을 나타낸다.

우변 벡터 $\{b\}$는 시스템 거동에 무관한 평형 원소들인 상수를 포함한다. 많은 문제에서 이 원소들은 시스템을 구동하는 **힘 함수** 또는 **외부 자극**을 나타낸다.

마지막으로 계수행렬 $[A]$는 일반적으로 시스템의 부분들이 어떻게 서로 작용하는지 또는 연관되어 있는지를 나타내는 **매개변수**를 포함한다. 결과적으로 식 (11.4)는 다음과 같이 표현될 수 있다.

[상호작용] {응답} = {자극}

앞 장에서 살펴보았듯이 식 (11.4)의 해를 구하는 방법은 다양하다. 그러나 역행렬을 이용하면 특별히 흥미로운 결과를 얻는다. 수식적인 해는 다음과 같이 표시된다.

$$\{x\} = [A]^{-1}\{b\}$$

또는 (8.1.2절에서 다룬 행렬 곱셈의 정의 상기하면)

$$x_1 = a_{11}^{-1} b_1 + a_{12}^{-1} b_2 + a_{13}^{-1} b_3$$
$$x_2 = a_{21}^{-1} b_1 + a_{22}^{-1} b_2 + a_{23}^{-1} b_3$$
$$x_3 = a_{31}^{-1} b_1 + a_{32}^{-1} b_2 + a_{33}^{-1} b_3$$

따라서 해를 구하는 문제를 떠나 역행렬 그 자체가 매우 유용한 특성을 지닌다. 다시 말하면 역행렬의 각각의 원소는 시스템의 다른 부분에서의 단위 자극에 대한 그 해당 부분의 응답을 나타낸다.

이러한 수식은 선형이기 때문에 중첩성과 비례성이 성립한다는 점을 유의한다. **중첩성**이란 한 시스템이 여러 개의 다른 자극을 받을 때 전체 응답은 각각의 자극에 대한 개별적인 응답을 모두 합한 것과 같다는 것을 의미한다. **비례성**이란 자극이 본래의 몇 배가 되면 그 응답은 본래 자극에 대한 응답의 동일한 배가 된다는 것을 의미한다. 따라서 계수 a_{11}^{-1}은 b_1의 단위 수준에 대해 x_1의 값을 제공하는 비례상수이다. 그 결과는 b_2와 b_3가 각각 x_1에 미치는 영향 즉, 계수 a_{12}^{-1}와 a_{13}^{-1}의 영향과는 무관하다. 그러므로 역행렬에서의 원소 a_{ij}^{-1}는 b_j의 단위량에 의해 산출되는 x_i의 값을 나타낸다는 일반적인 결론을 내릴 수 있다.

구조물을 예로 들면, 역행렬의 원소 a_{ij}^{-1}는 절점 j에 작용하는 단위 외력에 의해 부재 i에 가해지는 힘을 나타낸다. 작은 시스템에 대한 이러한 개별적인 자극-응답 상호작용은 직관적으로 명백하게 보이지 않을 수도 있다. 이와 같이 역행렬은 복잡한 시스템의 구성 원소들 사이의 연관관계를 이해하는 데 유력한 기법을 제공한다.

예제 11.2 | **번지점프 문제의 해석**

문제 정의 8장의 처음 부분에서 세 사람이 번지 줄에 의해 수직으로 매달려 있는 문제를 다루었다. 각 사람에 대해 힘의 평형을 고려함으로써 다음과 같은 선형대수방정식 시스템을 유도하였다.

$$\begin{bmatrix} 150 & -100 & 0 \\ -100 & 150 & -50 \\ 0 & -50 & 50 \end{bmatrix} \begin{bmatrix} x_1 \\ x_2 \\ x_3 \end{bmatrix} = \begin{bmatrix} 588.6 \\ 686.7 \\ 784.8 \end{bmatrix}$$

예제 8.2에서 파이썬을 사용하여 번지점프하는 사람의 수직 위치에 관한 시스템의 해를 구하였다. 이번에는 파이썬을 이용하여 역행렬을 구하고 그 의미에 대해 알아본다.

풀이 여기 역행렬을 계산하기 위한 결과와 파이썬 코드를 나타낸다. 그리고 역행렬을 다음과 같이 계산한다.

```
import numpy as np

A = np.matrix(' 150. -100. 0. ; -100. 150. -50. ; 0. -50. 50. ')
Ainv = np.linalg.inv(A)
print(Ainv)

[[0.02 0.02 0.02]
 [0.02 0.03 0.03]
 [0.02 0.03 0.05]]
```

역행렬의 각각의 원소 $ainv_{iv}$는 사람 j에 작용하는 단위 힘(N)에 의해 사람 i의 수직위치의 변화 (m)를 나타낸다. 우선 첫 번째 열($j = 1$)에 있는 수를 통해 첫 번째 사람에게 작용하는 힘을 1 N 증가시키면 세 사람 모두의 위치가 0.02 m만큼 증가한다는 것을 알 수 있다. 이것은 추가적인 힘이 첫 번째 줄만 늘이기 때문에 얻게 되는 타당한 결과이다.

대조적으로 두 번째 열($j = 2$)에 있는 수는 두 번째 사람에게 작용하는 힘을 1 N 증가하면 첫 번째 사람은 0.02 m만큼 내려오지만 나머지 두 사람은 0.03 m씩 내려오는 것을 의미한다. 첫 번째 사람이 0.02 m만큼 내려오는 것은 타당한데, 이것은 첫 번째 줄이 1 N의 추가적인 힘을 받기 때문으로 힘이 누구에게 가해지는지 관계가 없기 때문이다. 그러나 두 번째 사람이 0.03 m 만큼 내려오는 것은 추가적인 힘에 의해서 첫 번째 줄뿐만 아니라 두 번째 줄도 늘어났기 때문이다. 그리고 세 번째 사람은 두 번째 사람과 같은 위치의 변화를 보이는데 그 이유는 두 사람을 연결하는 세 번째 줄에 추가적인 힘이 작용하지 않기 때문이다.

예상할 수 있듯이 세 번째 열($j = 3$)은 세 번째 사람에게 작용하는 힘이 1 N 증가할 때 첫 번째와 두 번째 사람이 내려오는 양은 두 번째 사람에게 작용하는 힘이 1 N 증가할 때와 같다.

첫 번째, 두 번째, 세 번째 사람에게 추가적인 힘이 각각 10, 50, 20 N만큼 작용할 때 세 번째 사람이 얼마나 더 아래로 내려오게 되는지를 역행렬을 이용하고 중첩성과 비례성을 통해 보여 줄 수 있다. 이것은 단지 계산된 역행렬이 세 번째 행에 있는 원소들을 다음과 같이 이용하기만 하면 된다.

$$\Delta x_3 = kinv_{31}\,\Delta F_1 + kinv_{32}\,\Delta F_2 + kinv_{33}\,\Delta F_3 = 0.02 \cdot 10 + 0.03 \cdot 50 + 0.05 \cdot 20 \cong 2.7\ \text{m}$$

11.2 오차 분석과 시스템 조건

공학과 과학에서의 응용 외에도 역행렬은 시스템이 얼마나 불량한지를 판별하는 수단을 제공한다. 이러한 목적을 위해 세 가지 직접적인 방법을 고안할 수 있다.

1. 행렬 [A]를 조정하여 각각의 행에서 최대 원소가 1이 되도록 한다. 조정된 행렬에 대한 역행렬의 원소들이 1에 비해 크기가 여러 차수(order of magnitude) 이상이면 그 시스템은 불량조건에 있기 쉽다.

2. 행렬 [A]에 그 역행렬을 곱해서 결과가 단위행렬에 근접한지를 확인한다. 단위행렬에 근접하지 않으면 행렬 [A]는 불량조건에 있다.

3. 계산한 역행렬의 역행렬을 구하여 그 결과가 행렬 [A]에 충분히 가까운지를 확인한다. 만약 그렇지 않으면 시스템이 불량조건에 있다는 것을 의미한다.

비록 이러한 방법들이 불량조건을 판단하는 데 사용될 수 있지만, 문제의 조건을 표시하는데 사용될 수 있는 어떤 수가 있다면 편리할 것이다. 이 수를 공식적으로 행렬의 조건수라고 하며, 조건수는 수학적인 개념인 놈(norm)에 기초를 두고 있다.

11.2.1 벡터와 행렬의 놈

놈은 벡터나 행렬과 같이 여러 개의 원소를 갖는 수학적 개념의 크기 또는 길이를 나타내는 척도이다.

간단한 예로 그림 11.1과 같은 3차원 Euclidean 공간에서 다음과 같이 표시되는 벡터를 고려하자.

$$[F] = \lfloor a \quad b \quad c \rfloor$$

여기서 a, b, c는 각각 x, y, z축 방향으로의 거리이다. 이 벡터의 길이 즉, 좌표 $(0, 0, 0)$에서 (a, b, c)까지의 거리는 다음과 같이 간단히 계산된다.

$$\|F\|_e = \sqrt{a^2 + b^2 + c^2}$$

여기서 기호 $\|F\|_e$는 이 길이가 $[F]$의 *Euclidean* 놈이라고 하는 것을 의미한다.

마찬가지로 n차원 벡터 $\lfloor X \rfloor = \lfloor x_1 \ x_2 \ \cdots \ x_n \rfloor$에 대해서 Euclidean 놈은 다음과 같이 계산된다.

$$\|X\|_e = \sqrt{\sum_{i=1}^{n} x_i^2}$$

이 개념은 행렬 $[A]$로 다음과 같이 확장될 수 있다.

$$\|A\|_f = \sqrt{\sum_{i=1}^{n} \sum_{j=1}^{n} a_{i,j}^2} \tag{11.5}$$

이 식은 특별히 *Frobenius* 놈이라는 이름을 갖고 있다. 다른 벡터의 놈에서와 마찬가지로 이것도 $[A]$의 크기를 하나의 값으로 나타낸다.

주의할 것은 Euclidean 놈과 Frobenius 놈 외에도 다른 놈들이 있다는 점이다. 벡터에 대해서는 p 놈이라고 하는 것이 있는데 이것은 일반적으로 다음과 같이 표시된다.

$$\|X\|_p = \left(\sum_{i=1}^{n} |x_i|^p \right)^{1/p}$$

벡터에서 Euclidean 놈이 바로 2 놈으로 $\|X\|_2$인 것을 알 수 있다.

다른 중요한 예로 $p = 1$인 경우는 다음과 같다.

$$\|X\|_1 = \sum_{i=1}^{n} |x_i|$$

이 식은 원소들의 값의 절댓값을 합한 것으로 놈을 정의한다. 그 외의 것으로는 최대-크기 또는 일정-벡터 놈이라는 것이 있는데 $p = \infty$인 경우로 다음과 같다.

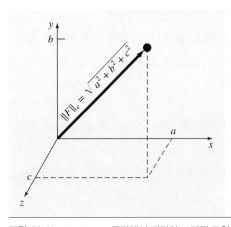

그림 11.1   Euclidean 공간에서 벡터의 그래픽 표현.

$$\|X\|_\infty = \max_{1 \le i \le n} |x_i|$$

이 식은 원소들 중에 절댓값이 가장 큰 것을 놈이라고 정의한다.

유사한 방법으로 놈은 행렬에 대해서도 정의될 수 있다. 그 예는 다음과 같다.

$$\|A\|_1 = \max_{1 \le j \le n} \sum_{i=1}^{n} |a_{ij}|$$

즉, 각 열에 대해서 계수들의 절댓값을 합하고, 그 합 중에서 가장 큰 것을 놈으로 취하는 것이다. 이것을 **열-합**(*column-sum*) **놈**이라고 한다.

위에서 정의한 것과 유사하게 행에 대해서 합을 계산할 수 있는데 이것을 일정-행렬(uniform-matrix) 또는 **행-합**(*row-sum*) **놈**이라고 한다.

$$\|A\|_\infty = \max_{1 \le i \le n} \sum_{j=1}^{n} |a_{ij}|$$

주의할 사항은 벡터의 경우와는 다르게 행렬의 Frobenius 놈은 2 놈과 같지 않다는 것이다. Frobenius 놈 $\|A\|_f$는 각 식 (11.5)로부터 쉽게 결정될 수 있는 반면에 행렬의 2 놈 $\|A\|_2$는 다음으로 계산된다.

$$\|A\|_2 = (\mu_{\max})^{1/2}$$

여기서 $\mu_{\max}$는 $[A]^T[A]$의 가장 큰 고윳값이다. 13장에서 우리는 고윳값에 대해서 더 학습할 예정이다. 당분간, 중요한 점은 $\|A\|_2$ 즉, 스펙트랄 놈이 최소 놈이며, 크기에 대해 가장 엄격한 척도를 제공한다는 점이다(Ortega, 1972).

11.2.2 행렬의 조건수

이제까지 놈을 정의하였으므로 놈을 사용하여 다음을 정의해 보자.

$$\mathrm{Cond}[A] = \|A\| \, \|A^{-1}\|$$

여기서 Cond는 [A] 행렬의 **조건수**라고 한다. [A]에 대해 조건수는 1 이상의 크기를 갖는다는 것에 주의한다. 다음과 같은 관계가 성립함을 증명할 수 있다(Ralston and Rabinowitz, 1978; Gerald and Wheatley, 1989).

$$\frac{\|\Delta X\|}{\|X\|} \le \mathrm{Cond}[A] \, \frac{\|\Delta A\|}{\|A\|}$$

달리 표현하면 계산된 해에 대한 놈의 상대오차는 계수행렬 [A]에 대한 놈의 상대오차에 조건수를 곱한 것보다 작거나 같다. 예를 들면 [A]의 계수가 t자릿수 정밀도(반올림오차가 10^{-t}의 크기)를 가지고, $\mathrm{Cond}[A] = 10^c$이라면, 해 [X]는 $t - c$자릿수까지만 정확하다고(반올림오차 $\approx 10^{c-t}$) 볼 수 있다.

| 예제 11.3 | 행렬 조건수의 계산 |

문제 정의 지극히 불량조건인 Hilbert 행렬은 일반적으로 다음과 같이 표시될 수 있다.

$$
\begin{bmatrix}
1 & \frac{1}{2} & \frac{1}{3} & \cdots & \frac{1}{n} \\
\frac{1}{2} & \frac{1}{3} & \frac{1}{4} & \cdots & \frac{1}{n+1} \\
\vdots & \vdots & \vdots & & \vdots \\
\frac{1}{n} & \frac{1}{n+1} & \frac{1}{n+2} & \cdots & \frac{1}{2n-1}
\end{bmatrix}
$$

다음과 같은 3×3 Hilbert 행렬에 대해 조건수를 계산하기 위해 행-합 놈을 사용해 보자.

$$
[A] = \begin{bmatrix}
1 & \frac{1}{2} & \frac{1}{3} \\
\frac{1}{2} & \frac{1}{3} & \frac{1}{4} \\
\frac{1}{3} & \frac{1}{4} & \frac{1}{5}
\end{bmatrix}
$$

풀이 우선 행렬의 각 행에서 원소의 최댓값을 1이 되도록 정규화하면 다음과 같다.

$$
[A] = \begin{bmatrix}
1 & \frac{1}{2} & \frac{1}{3} \\
1 & \frac{2}{3} & \frac{1}{2} \\
1 & \frac{3}{4} & \frac{3}{5}
\end{bmatrix}
$$

각각의 행에 대해 합을 구하면 1.833, 2.1667, 2.35이다. 이 결과에서 세 번째 행의 합이 가장 크므로 행-합 놈은 다음과 같다.

$$
\|A\|_\infty = 1 + \frac{3}{4} + \frac{3}{5} = 2.35
$$

정규화한 행렬의 역행렬을 구하면 다음과 같다.

$$
[A]^{-1} = \begin{bmatrix}
9 & -18 & 10 \\
-36 & 96 & -60 \\
30 & -90 & 60
\end{bmatrix}
$$

주목할 것은 이 행렬의 원소들은 본래의 행렬에 비해 크기가 크다는 점이다. 이 사실은 행-합 놈에서도 그대로 반영되는데 그 값을 계산하면 다음과 같다.

$$
\|A^{-1}\|_\infty = |-36| + |96| + |-60| = 192
$$

따라서 조건수는 다음과 같이 계산된다.

$$
\text{Cond}[A] = 2.35(192) = 451.2
$$

조건수가 1에 비해 많이 크다는 것은 그 시스템이 불량조건에 있다는 것을 시사한다. 불량조건의 정도는 $c = \log 451.2 = 2.65$를 계산함으로써 정량화할 수 있다. 따라서 해에서 마지막 세 유효자릿수는 반올림오차를 나타낸다. 이러한 추정은 거의 대부분 실제 오차보다 과다하게 나타나지만, 반올림오차가 심각할 수 있다는 가능성을 경고해 준다는 점에서 가치가 있다.

11.2.3 파이썬에서의 놈과 조건수

파이썬 NumPy 모듈은 놈과 조건수를 계산할 수 있는 두 가지 내장함수, linalg.norm과 linalg.cond를 갖고 있다. 사용을 위한 구문은 다음과 같다.

    norm(x)   or   norm(x,ord)

그리고

    cond(x)   or   cond(x,p)

여기서 x는 벡터나 행렬 그리고 ord, p는 놈이나 조건수의 종류(1, 2, inf, 또는 'fro')를 나타낸다. 기본값으로 행렬에 대해서는 Frobenius 놈('fro') 혹은 벡터에 대해서는 2-놈이 설정된다.

예제 11.4	파이썬에서 행렬 조건수의 계산

문제 정의 예제 11.3에서 다루었던 정규화된 Hilbert 행렬에 대해 파이썬을 이용하여 놈과 조건수를 계산해보자.

$$[A] = \begin{bmatrix} 1 & \frac{1}{2} & \frac{1}{3} \\ 1 & \frac{2}{3} & \frac{1}{2} \\ 1 & \frac{3}{4} & \frac{3}{5} \end{bmatrix}$$

(a) 예제 11.3에서와 같이 먼저 행-합 형태(np.inf 옵션)를 계산한다.
(b) 또한 Frobenius와 2-놈 조건수도 계산하라.

풀이 (a)

```
import numpy as np

A = np.matrix([ [1., 1/2, 1/3] , [1., 2/3, 1/2] , [1., 3/4, 3/5] ])
print('inf norm = ',np.linalg.norm(A,np.inf))
print('cond no. = ',np.linalg.cond(A,np.inf))

inf norm = 2.35
cond no. = 451.2000000000025
```

이 결과는 예제 11.3에서 손으로 계산했던 것과 일치한다.

(b)

```
print('Frobenius norm = ',np.linalg.norm(A,'fro'))
print('cond no. = ',np.linalg.cond(A,'fro'))

print(' 2-norm = ',np.linalg.norm(A,2))
print('cond no. = ',np.linalg.cond(A,2))

Frobenius norm = 2.231155654712498
cond no. = 368.08659043159537
 2-norm = 2.221599755938623
cond no. = 366.35032323670333
```

다음 식도 'fro'로 지정한 결과와 동일한 값을 보이는데, 'fro'가 기본값으로 지정되었기 때문이다.

```
print('Frobenius norm = ',np.linalg.norm(A))
print('cond no. = ',np.linalg.cond(A))

Frobenius norm = 2.231155654712498
cond no. = 366.35032323670333
```

사례연구 11.3   실내 공기 오염

배경 실내 공기 오염은 그 제목에서 알 수 있듯이 집, 사무실, 작업실 등 폐쇄된 공간에서의 공기 오염을 다룬다. 왕복 8차선 고속도로로 인접한 트럭 기사 식당의 환기 시스템에 대해 연구한다고 가정해 보자.

그림 11.2에 도시된 것과 같이 식당의 서비스 공간은 흡연석과 금연석을 위한 2개의 홀과 2개의 구역으로 나누어진 긴 주방으로 구성되어 있다. 흡연석 1과 조리실 3은 흡연과 음식 조리로 인해 일산화탄소가 발생하는 오염 공급원이다. 그 외에도 홀 1과 2는 고속도로 변에 위치하기 때문에 배기가스 중에 일산화탄소가 출입구를 통해 홀로 유입된다.

각 구역에 대해서 정상상태의 질량평형식을 세우고, 4개 구역의 일산화탄소 농도에 대한 선형대수방정식을 풀어라. 그리고 역행렬을 구해서 여러 오염 공급원이 금연석에 미치는 효과를 분석하라. 즉, (1) 흡연, (2) 불완전한 조리, (3) 출입구 유입 등에 의한 것이 각각 금연석 일산화탄소의 몇 퍼센트를 차지하는지를 결정하라. 또한 흡연을 금지하고 조리실을 개선하는 경우에 금연석의 일산화탄소 농도를 얼마나 줄일 수 있는지를 계산하라. 마지막으로 칸막이를 설치하여 구역 2와 4 사이에 혼합되는 유동량을 5 m³/hr로 줄인다면 금연석의 일산화탄소 농도는 어떻게 변하겠는가?

풀이 각 구역에 대해서 정상상태의 질량평형식을 세울 수 있다. 그 예로 흡연구역(홀 1)에 대한 평형식은 다음과 같다.

$$0 = W_{\text{smoker}} + Q_a c_a - Q_a c_1 + E_{13}(c_3 - c_1)$$

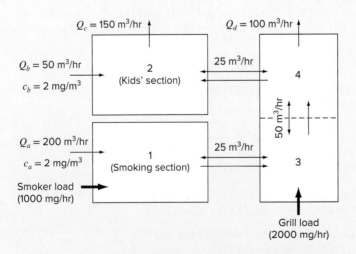

그림 11.2 식당 전체의 평면도. 한 방향 화살표는 공기 체적의 흐름을 나타내고, 양방향 화살표는 확산되어 혼합되는 것을 나타낸다. 흡연자와 조리실은 일산화탄소를 발생하나 그곳에서의 공기 유동은 무시할 정도다.

continued

동일한 평형식을 다른 세 개의 방에도 적용할 수 있다.

$$0 = Q_b c_b + (Q_a - Q_d)c_4 - Q_c c_2 + E_{24}(c_4 - c_2)$$
$$0 = W_{\text{grill}} + Q_a c_1 + E_{13}(c_1 - c_3) + E_{34}(c_4 - c_3) - Q_a c_3$$
$$0 = Q_a c_3 + E_{34}(c_3 - c_4) + E_{24}(c_2 - c_4) - Q_a c_4$$

마찬가지로 다른 구역에 대해서도 평형식을 세우면 다음과 같다.

$$\begin{bmatrix} Q_a + E_{13} & 0 & -E_{13} & 0 \\ 0 & Q_c + E_{24} & 0 & -(Q_a + E_{24}) \\ -(Q_a + E_{13}) & 0 & E_{13} + E_{34} + Q_a & -E_{34} \\ 0 & -E_{24} & -(Q_a + E_{34}) & E_{34} + E_{24} + Q_a \end{bmatrix} \begin{bmatrix} c_1 \\ c_2 \\ c_3 \\ c_4 \end{bmatrix} = \begin{bmatrix} W_{\text{smoker}} + Q_a c_a \\ Q_b c_b \\ W_{\text{grill}} \\ 0 \end{bmatrix}$$

그림 11.2의 매개변수 값을 대입하면 최종적으로 다음과 같은 연립방정식을 얻는다.

$$\begin{bmatrix} 225 & 0 & -25 & 0 \\ 0 & 175 & 0 & -125 \\ -225 & 0 & 275 & -50 \\ 0 & -25 & -250 & 275 \end{bmatrix} \begin{bmatrix} c_1 \\ c_2 \\ c_3 \\ c_4 \end{bmatrix} = \begin{bmatrix} 1400 \\ 100 \\ 2000 \\ 0 \end{bmatrix}$$

파이썬을 이용하여 해를 구할 수 있다. 우선 역행렬을 구한다.

```
import numpy as np

Qa = 200 ; Qb = 50 ; Qc = 150 ; Qd = 100 # m3/hr
E13 = 25 ; E24 =25 ; E34 = 50 # m3/hr
Wsm = 1000 ; Wgr = 2000 # m3/hr
ca = 2 ; cb = 2 # mg/m3

A = np.matrix([[Qa+E13, 0, -E13, 0],[0, Qc+E24, 0, -(Qa-Qd+E24)],
            [-(Qa+E13), 0, E13+E34+Qa, -E34],
            [0, - E24, -(Qa+E34), E34+E24+Qa]])
b = np.matrix([[Wsm+Qa*ca],
            [Qb*cb], [Wgr], [0]])

Ainv = np.linalg.inv(A)
np.set_printoptions(precision=4)
print('Inverse of A is\n',Ainv)

Inverse of A is
 [[4.9962e-03 1.5326e-05 5.5172e-04 1.0728e-04]
 [3.4483e-03 6.2069e-03 3.4483e-03 3.4483e-03]
 [4.9655e-03 1.3793e-04 4.9655e-03 9.6552e-04]
 [4.8276e-03 6.8966e-04 4.8276e-03 4.8276e-03]]
```

출력 결과의 유효숫자 설정을 위해 `set_printoptions` 함수를 사용한다는 점에 유의한다.
해를 다음과 같이 얻을 수 있다.

```
c = Ainv*b
print('Solution is\n',c)

Solution is
 [[ 8.0996]
 [12.3448]
 [16.8966]
 [16.4828]]
```

continued

우리는 놀라운 결과를 얻게 되는데 그것은 바로 흡연석에서 일산화탄소 농도가 제일 낮다는 점이다. 제일 높은 곳은 주방(구역 3과 4)이며 금연석은 중간 수준이다. 이러한 결과가 나타난 이유는 (1) 일산화탄소의 양이 보존되고, (2) 공기 배출은 구역 2와 4(Q_c와 Q_d)를 통해서만 일어나기 때문이다. 구역 3이 최악인데 그 이유는 불완전한 조리시설로 인해 일산화탄소가 발생할 뿐만 아니라 흡연석 1로부터 유입되기 때문이다.

앞에서 흥미로운 결과를 얻었지만 선형시스템이 갖는 진정한 위력은 역행렬의 원소를 이용하여 시스템 각 부분이 어떠한 상호작용을 하는지를 이해할 수 있다는 것이다. 그 예로 역행렬의 원소를 이용하여 각각의 오염 공급원이 금연석 일산화탄소의 몇 퍼센트를 차지하는지를 알아보자.

흡연자:

$$c_{2,\text{smoker}} = ainv_{21}\, W_{\text{smoker}} \cong 3.4483$$

$$\%_{\text{smoker}} \cong \frac{3.4483}{12.345}100 \cong 28\%$$

조리시설:

$$c_{2,\text{grill}} = ainv_{23}\, W_{\text{grill}} \cong 6.897$$

$$\%_{\text{smoker}} \cong \frac{6.897}{12.345}100 \cong 56\%$$

출입구:

$$\%_{\text{intakes}} = 100 - 28 - 56 = 16\%$$

불완전한 조리시설이 오염의 주원인이라는 것이 명백하게 나타났다.

더욱이 역행렬은 제안되는 개선책(흡연금지나 조리시설의 수리)의 영향을 알아보기 위해 사용할 수 있다. 선형 모델이기 때문에 중첩의 원리가 성립되어 결과는 각각의 영향을 더하기만 하면 된다.

$$\Delta c_2 = ainv_{21}\, W_{\text{smoker}} + ainv_{23}\, W_{\text{grill}} \cong -3.45 - 6.90 = -10.35 \text{ mg/m}^3$$

두 가지 모두를 개선하는 경우에 농도를 10.35 mg/m^{3}만큼 줄일 수 있다. 결과적으로 금연석의 농도는 2 mg/m^{3}이 된다. 이것은 타당성 있는 결과인데 그 이유는 흡연과 조리로 인한 유입은 완전히 제거되고 출입구 유입(2 mg/m^3)만이 유일한 오염원이기 때문이다.

지금까지의 모든 계산은 강제함수를 변화시킨 결과로 해를 재차 구할 필요가 없었다. 그러나 금연석과 구역 4 사이의 혼합량이 25에서 5 m^3/hr로 감소하면 행렬 자체가 다음과 같이 변하고 새로운 해를 얻는다.

```
import numpy as np

Qa = 200 ; Qb = 50 ; Qc = 150 ; Qd = 100 # m3/hr
E13 = 25 ; E24 = 5 ; E34 = 50 # m3/hr
Wsm = 1000 ; Wgr = 2000 # m3/hr
ca = 2 ; cb = 2 # mg/m3

A = np.matrix([[Qa+E13, 0, -E13, 0],[0, Qc+E24, 0, -(Qa-Qd+E24)],
              [-(Qa+E13), 0, E13+E34+Qa, -E34],
              [0, - E24, -(Qa+E34), E34+E24+Qa]])
b = np.matrix([[Wsm+Qa*ca], [Qb*cb], [Wgr], [0]])
```

사례연구 11.3	continued

```
Ainv = np.linalg.inv(A)
np.set_printoptions(precision=4)
print('Inverse of A is\n',Ainv)

c = Ainv*b
print('Solution is\n',c)

Solution is
 [[ 8.1084]
 [12.08  ]
 [16.976 ]
 [16.88  ]]
```

따라서 혼합량을 조절하는 것은 금연석의 농도를 단지 0.27 mg/m^3만 줄일 수 있을 뿐이다.

만일 단지 우리의 관심이 연립방정식의 풀이였다면 `np.linalg.solve` 함수를 사용하는 것이 역행렬을 구하고 일정한 값의 벡터를 곱하는 것보다 효과적일 것이다. 그러나, 우리는 강제 함수의 영향에 관심이 있으므로 역행렬을 사용하는 것은 의미가 있다.

연습문제

* 짝수번호는 온라인 사이트에 있으며 본 책 '차례' 끝부분 xxi페이지에 사이트주소가 있음.

11.1 다음의 시스템에 대해 역행렬을 구하라.

$$10x_1 + 2x_2 - x_3 = 27$$
$$-3x_1 - 6x_2 + 2x_3 = -61.5$$
$$x_1 + x_2 + 5x_3 = -21.5$$

계산결과를 이용하여 $[A][A]^{-1} = [I]$의 관계가 성립되는 것을 확인하라. 피봇팅은 사용하지 않는다.

11.3 다음의 시스템은 일련의 반응기에서 농도(c의 단위는 g/m^3)를 각각의 반응기에 들어가는 질량(우변의 단위는 g/day)의 함수로 결정하기 위해 고안되었다.

$$15c_1 - 3c_2 - c_3 = 4000$$
$$-3c_1 + 18c_2 - 6c_3 = 1200$$
$$-4c_1 - c_2 + 12c_3 = 2350$$

(a) 역행렬을 구하라.

(b) 역행렬을 이용하여 해를 구하라.

(c) 반응기 1의 농도를 10 g/m^3만큼 증가시키기 위해서 반응기 3의 입력 질량을 얼마로 해야 하는가?

(d) 반응기 1과 2의 입력 질량을 각각 500과 250 g/day만큼 줄일 때 반응기 3의 농도는 얼마나 줄어들겠는가?

11.5 연습문제 8.10에서 기술된 시스템의 역행렬을 구하라. 결점 1에 작용하는 수직 하중이 배로 증가하여 $F_{1,v}$ = -2000 N이 되고 절점 3에 작용하는 수평 하중이 $F_{3,h}$ = -500 N일 때 역행렬을 이용하여 세 부재에 작용하는 힘(F_1, F_2, F_3)을 구하라.

11.7 연습문제 11.2와 연습문제 11.3의 시스템에 대해 Frobenius 놈과 행-합 놈을 구하라.

11.9 Hilbert 행렬 외에도 본질적으로 불량조건에 있는 행렬이 있다. 그들 중의 하나가 다음과 같은 형태의 *Vandermonde* 행렬이다.

$$\begin{bmatrix} x_1^2 & x_1 & 1 \\ x_2^2 & x_2 & 1 \\ x_3^2 & x_3 & 1 \end{bmatrix}$$

(a) $x_1 = 4$, $x_2 = 2$ 그리고 $x_3 = 7$인 경우에 대해 행-합 놈에 근거한 조건수를 계산하라.

(b) 파이썬을 이용하여 스펙트랄 조건수와 Frobenius 조건수를 구하라.

11.11 6차원 Vandermonde 행렬에 대해 연습문제 11.10을 반복하라(연습문제 11.9 참조). 단, $x_1 = 4$, $x_2 = 2$, $x_3 = 7$, $x_4 = 10$, $x_5 = 3$ 그리고 $x_6 = 5$이다.

11.13 (a) 다음의 행렬에 대해 역행렬과 조건수를 구하라.
(b) a_{33}을 조금 바꾸어 9.1로 놓고 **(a)**를 반복하라.

$$\begin{bmatrix} 1 & 2 & 3 \\ 4 & 5 & 6 \\ 7 & 8 & 9 \end{bmatrix}$$

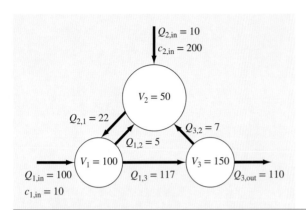

그림 P11.15

11.15 세 반응기 사이의 화학성분 흐름이 그림 P11.15에 나타나 있다. 1차 반응속도식으로 반응하는 물질에 대해 정상상태에서의 질량평형식을 쓸 수 있다. 예를 들어 반응기 1에 대한 질량평형은 다음과 같다.

$$Q_{1,in}\,c_{1,in} - Q_{1,2}\,c_1 - Q_{1,3}\,c_1 + Q_{2,1}\,c_2 - k\,V_1\,c_1 = 0 \qquad (P11.15)$$

여기서 $Q_{1,in}$ = 반응기 1로의 체적유량 (m^3/min)이며, $c_{1,in}$ = 반응기 1로 들어가는 유입 농도 (g/m^3), Q_{ij} = 반응기 i에서 j로 가는 체적유량 (m^3/min), c_i = 반응기 i에서의 농도 (g/m^3), k = 1차 감소율 (/min) 그리고 V_i = 반응기의 체적 (m^3)이다.

(a) 반응기 2와 3에 대하여 질량평형식을 기술하라.

(b) 만약 k = 0.1/min일 때, 선행대수방정식의 시스템으로 세 반응기의 질량평형식을 기술하라.

(c) 이 시스템에 대하여 LU 분해를 수행하라.

(d) LU 분해법을 이용하여 역행렬을 계산하라.

(e) 역행렬을 이용하여 다음의 질문에 답하라.

   (i) 세 반응기에 대하여 정상상태 농도를 구하라.

   (ii) 만약 두 번째 반응기로 들어오는 유입농도가 0이라고 한다면, 반응기 1의 농도는 최종적으로 얼마까지 저감 되는가?

   (iii) 만약 반응기 1의 유입농도가 두 배가 되고, 반응기 2의 유입농도가 절반이 된다고 하면, 반응기 3의 농도는 얼마가 되는가?

11.17 8.3절에서 수식화된 전기회로에 대한 역행렬을 구하라. 노드 6에 200 V의 전압이 가해지고 노드 1에 가해지는 전압이 절반이 되었다고 할 때, 역행렬을 이용하여 노드 3의 새로운 전압을 계산하라.

11.19 루프를 이용하여 $m \times n$ 행렬의 Frobenius 놈을 계산하는 Fronorm이라는 잘 구성된 파이썬 함수를 작성하라. 작성한 함수를 다음 행렬로 시험하라.

$$\begin{bmatrix} 5 & 7 & -9 \\ 1 & 8 & 4 \\ 7 & 6 & 2 \end{bmatrix}$$

11.21 연습문제 11.20과 같은 방법으로,

(a) 그림 P11.21에 묘사된 트러스에 대해 부재와 지지점에 작용하는 힘과 반력을 계산하라.

(b) 역행렬을 계산하라.

(c) 정점에서의 힘이 위쪽으로 작용한다면 두 지점의 수직 반력에 생기는 변화를 결정하라.

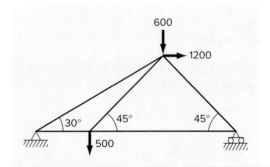

그림 P11.21

반복법
Iterative Methods

학습 목표

이 장의 주요 목표는 연립방정식을 풀기 위해 사용되는 반복법을 소개하는 것이다. 특정한 목표와 다루는 주제는 다음과 같다.

- Gauss-Seidel법과 Jacobi법의 차이점
- 대각 지배의 의미와 그것을 판단하는 방법
- 반복법의 수렴속도를 증가시키기 위해 사용되는 이완법
- 비선형 연립방정식을 풀기 위해 사용되는 연속대입법. Newton-Raphson법 그리고 파이썬 SciPy `optimize.root` 함수

반복법 또는 근사법은 지금까지 기술한 소거법의 대안을 제공한다. 이러한 접근법은 5장과 6장에서 다루었던 단일 방정식의 근을 구하기 위해 개발된 기법과 유사하다. 이 접근법은 값을 가정한 후에 더 좋은 근의 값을 추정하는 체계적인 방법을 이용하는 것이다. 현재 위와 유사한 문제 즉, 연립방정식을 동시에 만족하는 해를 구하는 문제를 다루고 있기 때문에 이러한 근사적 방법이 유용하리라고 생각된다. 이 장에서는 선형뿐만 아니라 비선형 연립방정식을 푸는 방법을 제시한다.

12.1 선형 시스템: Gauss-Seidel

*Gauss-Seidel*법은 선형대수방정식을 푸는 반복법 중에서 가장 보편적으로 사용된다. 다음과 같이 주어지는 n개의 방정식이 있다고 가정하자.

$$[A]\{x\} = \{b\}$$

간략하게 설명하기 위하여 3×3 연립방정식만으로 논의를 제한한다. 만약 대각 원소들이 모두 0이 아니라면, 첫 번째 방정식은 x_1을, 두 번째 방정식은 x_2를 그리고 세 번째 방정식은 x_3를 구하기 위해 다음과 같이 변형될 수 있다.

$$x_1^j = \frac{b_1 - a_{12}x_2^{j-1} - a_{13}x_3^{j-1}}{a_{11}} \tag{12.1a}$$

$$x_2^j = \frac{b_2 - a_{21}x_1^j - a_{23}x_3^{j-1}}{a_{22}} \tag{12.1b}$$

$$x_3^j = \frac{b_3 - a_{31}x_1^j - a_{32}x_2^j}{a_{33}} \tag{12.1c}$$

여기서 j와 $j - 1$은 현재와 직전의 반복단계를 나타낸다.

해를 구하는 절차를 시작하기 위해서는 x의 초깃값들을 가정해야 한다. 가장 간편한 방법 중에 하나는 모든 초깃값을 0으로 놓는 것이다. 이러한 0의 값을 식 (12.1a)에 대입하여 새로운 $x_1 = b_1/a_{11}$을 산출하게 된다. 그리고 식 (12.1b)의 x_1에 이 값과 x_3에 0을 대입하여 새로운 x_2값을 산출한다. 이러한 절차를 식 (12.1c)에 대해서도 반복하여 새로운 x_3값을 산출한다. 그리고 다시 첫 번째 방정식으로 되돌아가서 수치해가 정해에 수렴할 때까지 전체 과정을 반복한다. 해가 모든 i에 대해서 다음의 기준을 만족하면 수렴된 것으로 본다.

$$\varepsilon_{a,i} = \left| \frac{x_i^j - x_i^{j-1}}{x_i^j} \right| \times 100\% \leq \varepsilon_s \tag{12.2}$$

예제 12.1 **Gauss-Seidel법**

문제 정의 Gauss-Seidel법을 사용하여 다음 연립방정식의 해를 구하라.

$$3x_1 - 0.1x_2 - 0.2x_3 = 7.85$$
$$0.1x_1 + 7x_2 - 0.3x_3 = -19.3$$
$$0.3x_1 - 0.2x_2 + 10x_3 = 71.4$$

해는 $x_1 = 3$, $x_2 = -2.5$ 그리고 $x_3 = 7$임에 주목한다.

풀이 먼저 각각의 방정식을 대각선상에 있는 미지수에 대해서 다음과 같이 푼다.

$$x_1 = \frac{7.85 + 0.1x_2 + 0.2x_3}{3} \tag{E12.1.1}$$

$$x_2 = \frac{-19.3 - 0.1x_1 + 0.3x_3}{7} \tag{E12.1.2}$$

$$x_3 = \frac{71.4 - 0.3x_1 + 0.2x_2}{10} \tag{E12.1.3}$$

x_2와 x_3를 0으로 놓고 식 (E12.1.1)을 다음과 같이 계산한다.

$$x_1 = \frac{7.85 + 0.1(0) + 0.2(0)}{3} = 2.616667$$

이 값과 가정한 $x_3 = 0$을 식 (E12.1.2)에 대입하여 다음을 계산한다.

$$x_2 = \frac{-19.3 - 0.1(2.616667) + 0.3(0)}{7} = -2.794524$$

첫 번째 반복 절차는 앞에서 계산된 x_1과 x_2를 (E12.1.3)에 대입하여 다음을 계산함으로써 종료된다.

$$x_3 = \frac{71.4 - 0.3(2.616667) + 0.2(-2.794524)}{10} = 7.005610$$

두 번째 반복은 동일한 과정을 밟는데 그 결과는 다음과 같다.

$$x_1 = \frac{7.85 + 0.1(-2.794524) + 0.2(7.005610)}{3} = 2.990557$$

$$x_2 = \frac{-19.3 - 0.1(2.990557) + 0.3(7.005610)}{7} = -2.499625$$

$$x_3 = \frac{71.4 - 0.3(2.990557) + 0.2(-2.499625)}{10} = 7.000291$$

그러므로 이 방법을 통해 정해에 수렴하는 수치해를 얻게 된다. 더 정확한 해를 구하기 위해서 추가적으로 반복을 수행할 수 있다. 그러나 실제 문제에 있어서 우리는 사전에 정해를 알 수가 없다. 결과적으로 식 (12.2)는 오차를 추정할 수 있는 수단을 제공해 준다. 그 예로 x_1에 대해서 오차를 추정하면 다음과 같다.

$$\varepsilon_{a,1} = \left| \frac{2.990557 - 2.616667}{2.990557} \right| \times 100\% = 12.5\%$$

x_2와 x_3에 대해 추정한 오차의 값은 $\varepsilon_{a,2} = 11.8\%$와 $\varepsilon_{a,3} = 0.076\%$이다. 단일 방정식의 해를 결정하는 경우와 마찬가지로 식 (12.2)와 같은 공식은 보통 수렴여부를 판별하는 보수적인 기준이 된다. 따라서 이러한 기준이 만족되면 결과는 적어도 허용오차 ε_s의 범위 내에 있다는 것을 보장한다.

Gauss-Seidel법에서 각각의 새로운 x값이 계산되면, 그 값이 바로 다음 방정식에서 다른 x값 결정에 사용된다. 따라서 해가 수렴된다면, 가장 좋은 추정값을 사용하는 것이다. 이 방법 외에도 *Jacobi 반복법*이 있는데 이 방법은 조금 다른 전략을 사용한다. 식 (12.1)의 계산에서 직전에 산출된 x값을 사용하기보다는 이전의 x값을 사용하여 새로운 x값 계산하는 것이다. 따라서 계산된 새로운 값이 다음 반복단계에 곧바로 이용되는 것이 아니고 다음 단계를 위해 보류되는 것이다.

Gauss-Seidel법과 Jacobi법의 차이를 그림 12.1에 나타내었다. Jacobi법이 유용한 경우도 있지만, Gauss-Seidel법이 가장 좋은 추정값을 사용하기 때문에 대부분 경우에 선호되는 방법이다.

12.1.1 수렴과 대각지배

주목할 사항은 Gauss-Seidel법이 6.1절에서 다루었던 단일 방정식의 근을 구하는 고정점 반복법과 일맥상통한다는 점이다. 고정점 반복법에서 종종 해가 수렴하지 못했던 경우를 기억하자. 다르게 표현하면 반복이 진행될수록 수치해가 정해에서 점점 멀어졌던 경우이다.

비록 Gauss-Seidel법도 발산할 수 있지만, 선형방정식을 풀기 위해 고안되었기 때문에, 이 방법의 수렴성은 비선형방정식의 고정점 반복법보다 훨씬 더 예측하기가 용이하다. Gauss-Seidel법이 수렴하기 위한 조건은 다음과 같다고 증명할 수 있다.

$$|a_{ii}| > \sum_{\substack{j=1 \\ j \neq i}}^{n} |a_{ij}| \tag{12.3}$$

다시 말하면 각 방정식에서 대각 계수의 절댓값이 그 방정식에서 다른 계수의 절댓값의 합보다 커야 한다. 이러한 시스템을 **대각지배**(*diagonally dominant*)라고 한다. 이 기준은 수렴의 충분조건이지 필요조건은 아니다. 즉, 식 (12.3)이 만족하면 Gauss-Seidel법은 반드시 수렴하지만, 비록

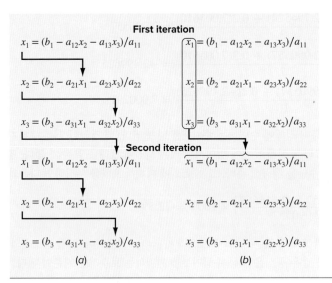

그림 12.1 연립방정식을 풀 때 사용되는 (a) Gauss-Seidel법과 (b) Jacobi법의 차이에 대한 그래픽 표현.

그 식이 만족하지 않더라도 어떤 경우에는 수렴한다. 다행히도 실제적으로 중요한 대부분의 공학과 과학 문제는 이 조건을 만족한다. 따라서 Gauss-Seidel법은 공학과 과학 문제를 해결하는 적절한 수단이라고 말할 수 있다.

12.1.2 파이썬 함수: `gaussseidel`

알고리즘을 개발하기에 앞서 파이썬에서 제공하는 행렬 연산능력을 충분히 활용할 수 있도록 Gauss-Seidel법을 정리해 보자 이를 위해 식 (12.1)을 다음과 같이 표시한다.

$$
\begin{aligned}
x_1^{\text{new}} &= \frac{b_1}{a_{11}} & & -\frac{a_{12}}{a_{11}}x_2^{\text{old}} & & -\frac{a_{13}}{a_{11}}x_3^{\text{old}} \\
x_2^{\text{new}} &= \frac{b_2}{a_{22}} & -\frac{a_{21}}{a_{22}}x_1^{\text{new}} & & & -\frac{a_{23}}{a_{22}}x_3^{\text{old}} \\
x_3^{\text{new}} &= \frac{b_3}{a_{33}} & -\frac{a_{31}}{a_{33}}x_1^{\text{new}} & -\frac{a_{32}}{a_{33}}x_2^{\text{new}}
\end{aligned}
$$

해를 행렬 형태로 표시하면 다음과 같이 간단히 나타낼 수 있다.

$$\mathbf{x} = \mathbf{d} - \mathbf{Cx} \tag{12.4}$$

여기서

$$
\mathbf{d} = \begin{bmatrix} b_1/a_{11} \\ b_2/a_{22} \\ b_3/a_{33} \end{bmatrix}
\quad \text{and} \quad
\mathbf{C} = \begin{bmatrix} 0 & a_{12}/a_{22} & a_{13}/a_{22} \\ a_{21}/a_{22} & 0 & a_{23}/a_{22} \\ a_{31}/a_{33} & a_{32}/a_{33} & 0 \end{bmatrix}
$$

식 (12.4)를 파이썬 파일로 작성한 프로그램은 그림 12.2와 같다.

```
def GaussSeidel(A,b,es=1.e-7,maxit=50):
    """
    Implements the Gauss-Seidel method
    to solve a set of linear algebraic equations
    without relaxation
    Input:
    A = coefficient matris
    b = constant vector
    es = stopping criterion (default = 1.e-7)
    maxit = maximum number of iterations (default=50)
    Output:
    x  = solution vector
    """
    n,m = np.shape(A)
    if n != m :
        return 'Coefficient matrix must be square'
    C = np.zeros((n,n))
    x = np.zeros((n,1))
    for i in range(n):  # set up C matrix with zeros on the diagonal
        for j in range(n):
            if i != j:
                C[i,j] = A[i,j]
    d = np.zeros((n,1))
    for i in range(n):  # divide C elements by A pivots
        C[i,0:n] = C[i,0:n]/A[i,i]
        d[i] = b[i]/A[i,i]
    ea = np.zeros((n,1))
    xold = np.zeros((n,1))
    for it in range(maxit):  # Gauss-Seidel method
        for i in range(n):
            xold[i] = x[i]  # save the x's for convergence test
        for i in range(n):
            x[i] = d[i] - C[i,:].dot(x)  # update the x's 1-by-1
            if x[i] != 0:
                ea[i] = abs((x[i]-xold[i])/x[i])  # compute change error
        if np.max(ea) < es:  # exit for loop if stopping criterion met
            break
    if it == maxit:  # check for maximum iteration exit
        return 'maximum iterations reached'
    else:
        return x
```

그림 12.2 Gauss–Seidel법으로 해를 구하는 파이썬 함수.

12.1.3 이완법

이완법(relaxation)은 수렴속도를 개선시키기 위해서 Gauss-Seidel법을 약간 수정한 것이다. 식 (12.1)을 이용하여 새로운 x값을 계산한 후, 그 값을 현재와 직전에 계산된 결과의 가중평균으로 다음과 같이 놓는다.

$$x_i^{\text{new}} = \lambda x_i^{\text{new}} + (1 - \lambda)x_i^{\text{old}} \tag{12.5}$$

여기서 λ는 가중인자로 0과 2 사이의 값을 갖는다.

만약 $\lambda = 1$이면 $(1 - \lambda)$는 0이 되어, 그 결과는 전혀 수정되지 않을 것이다. 그러나 만일 λ가 0

에서 1 사이의 값을 갖게 되면, 그 결과는 현재와 직전에 계산된 값들의 가중평균을 취한 것이 된다. 이러한 수정을 가한 것을 **하이완법**(*underrelaxation*)이라고 한다. 이 방법은 수렴하지 않는 시스템을 수렴하도록 만들거나, 진동을 감쇠시켜 수렴을 촉진시킬 목적으로 사용된다.

λ값이 1과 2 사이가 되면, 현재 계산된 값에 더 큰 비중을 두게 된다. 이 경우는 새로운 값이 정해를 향한 방향으로 가고 있지만 그 속도가 너무 느리다는 것을 암시한다. 따라서 λ값을 증가시키는 것은 수치해가 정해로 더 빨리 수렴하도록 밀어 주기 위함이다. 이렇게 수정을 가한 것을 **상이완법**(*overrelaxation*)이라고 한다. 이 방법은 수렴하는 것이 확정된 시스템에서 수렴을 가속시키기 위해 사용된다. 이 방법을 **연속상이완법**(*successive overrelaxation*, SOR)이라고도 한다.

적절한 λ값을 선정하는 것은 문제에 따라 달라지기 때문에 대체로 경험에 의해 결정된다. 연립방정식의 해를 한 번 구하기 위해서라면 이 방법이 반드시 필요한 것은 아니다. 그러나 시스템의 해를 반복적으로 구해야 할 경우에는 λ값을 현명하게 선택하는 것이 매우 중요하게 된다. 이러한 경우에 해당하는 좋은 예는 매우 큰 선형대수방정식을 마주칠 때인데, 이 방정식은 다양한 공학이나 과학 문제에서 편미분방정식을 풀 때 발생한다.

예제 12.2	이완법을 이용한 Gauss-Seidel법

문제 정의 다음 시스템을 상이완법 (λ = 1.2) 및 종료 판정기준 $\varepsilon_s = 10\%$을 이용하여 풀어라.

$$-3x_1 + 12x_2 = 9$$
$$10x_1 - 2x_2 = 8$$

풀이 먼저 대각지배를 만족하도록 방정식들을 재배치한 후, 첫 번째 방정식은 x_1에 대하여, 두 번째 방정식은 x_2에 대하여 해를 구한다.

$$x_1 = \frac{8 + 2x_2}{10} = 0.8 + 0.2x_2$$

$$x_2 = \frac{9 + 3x_1}{12} = 0.75 + 0.25x_1$$

첫 번째 반복: 초기 가정으로 $x_1 = x_2 = 0$이라 하면, x_1에 대하여 다음과 같이 해를 구할 수 있다.

$$x_1 = 0.8 + 0.2(0) = 0.8$$

x_2에 대하여 해를 구하기 전에 x_1의 결과에 대하여 이완법을 먼저 적용한다.

$$x_{1,r} = 1.2(0.8) - 0.2(0) = 0.96$$

아래첨자 r은 '이완된' 값을 나타낸다. 이 결과는 x_2를 계산하는 데 사용된다.

$$x_2 = 0.75 + 0.25(0.96) = 0.99$$

다음으로 이완법을 이 결과에 적용하면,

$$x_{2,r} = 1.2(0.99) - 0.2(0) = 1.188$$

여기서 식 (12.2)로부터 추정오차를 계산할 수 있다. 그러나 0을 기준으로 반복을 시작하였기 때문에 두 변수의 오차 추정값은 100%가 된다.

두 번째 반복: 첫 번째 반복과 같은 과정을 적용하면, 두 번째 반복은 다음과 같은 결과를 가진다.

$$x_1 = 0.8 + 0.2(1.188) = 1.0376$$

$$x_{1,r} = 1.2(1.0376) - 0.2(0.96) = 1.05312$$

$$\varepsilon_{a,1} = \left| \frac{1.05312 - 0.96}{1.05312} \right| \times 100\% = 8.84\%$$

$$x_2 = 0.75 + 0.25(1.05312) = 1.01328$$

$$x_{2,r} = 1.2(1.01328) - 0.2(1.188) = 0.978336$$

$$\varepsilon_{a,2} = \left| \frac{0.978336 - 1.188}{0.978336} \right| \times 100\% = 21.43\%$$

첫 번째 반복을 통하여 0이 아닌 값을 구했기 때문에 각각의 새로운 값을 구했을 때 근사오차 추정값을 구할 수 있다. 여기서 첫 번째 미지수에 대한 오차 추정값은 10%로 종료 판정기준 밑으로 떨어졌음에도 불구하고, 두 번째 변수는 종료 판정기준을 만족하지 않기 때문에 다음 반복을 수행한다.

세 번째 반복:

$$x_1 = 0.8 + 0.2(0.978336) = 0.995667$$

$$x_{1,r} = 1.2(0.995667) - 0.2(1.05312) = 0.984177$$

$$\varepsilon_{a,1} = \left| \frac{0.984177 - 1.05312}{0.984177} \right| \times 100\% = 7.01\%$$

$$x_2 = 0.75 + 0.25(0.984177) = 0.996044$$

$$x_{2,r} = 1.2(0.996044) - 0.2(0.978336) = 0.999586$$

$$\varepsilon_{a,2} = \left| \frac{0.999586 - 0.978336}{0.999586} \right| \times 100\% = 2.13\%$$

여기서 두 개의 오차 추정값이 10% 미만으로 떨어졌기 때문에 계산을 종료할 수 있다. 이 단계의 결과, $x_1 = 0.984177$과 $x_2 = 0.999586$은 엄밀해인 $x_1 = x_2 = 1$로 수렴하고 있다.

12.2   비선형 시스템

두 개의 미지수를 가진 비선형 연립방정식이 다음과 같이 주어진다.

$$x_1^2 + x_1 x_2 = 10 \tag{12.6a}$$

$$x_2 + 3x_1 x_2^2 = 57 \tag{12.6b}$$

직선으로 나타나는 선형 시스템(그림 9.1 참조)과는 대조적으로 이 방정식을 그리면 x_1에 대한 x_2의 그래프가 곡선으로 나타난다. 그림 12.3에서와 같이 해는 두 곡선의 교점이다.

단일 비선형방정식의 해를 구했을 때와 같이 연립방정식도 일반적으로 다음과 같이 표시될 수 있다.

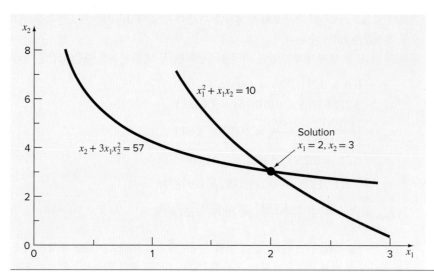

그림 12.3   두 비선형 연립방정식의 해의 그래픽 표현.

$$f_1(x_1, x_2, \ldots, x_n) = 0$$
$$f_2(x_1, x_2, \ldots, x_n) = 0$$
$$\vdots$$
$$f_n(x_1, x_2, \ldots, x_n) = 0$$

(12.7)

따라서 해는 모든 방정식을 동시에 0으로 만드는 x값이다.

12.2.1 연속대입법

식 (12.7)의 해를 구하는 간단한 방법은 고정점 반복법과 Gauss-Seidel법에서 사용했던 전략을 그대로 사용하는 것이다. 다시 말하면 각각의 비선형방정식을 하나의 미지수에 대해 푼다. 그리고 이 방정식들을 사용하여 정해에 수렴하는 새로운 해를 반복적으로 구한다. 이 방법을 **연속대입법** (*successive substitution*)이라 하며, 다음 예제에서 구체적으로 설명한다.

| 예제 12.3 | **비선형방정식에 대한 연속대입법** |

문제 정의 연속대입법을 이용하여 식 (12.6)의 근을 구하라. 참고로 이 방정식의 정해는 $x_1 = 2$와 $x_2 = 3$이다. 처음 계산은 해를 $x_1 = 1.5$와 $x_2 = 3.5$로 가정하고 시작한다.

풀이 식 (12.6a)를 다음과 같이 풀 수 있다.

$$x_1 = \frac{10 - x_1^2}{x_2}$$

(E12.3.1)

또한 식 (12.6b)를 다음과 같이 풀 수 있다.

$$x_2 = 57 - 3x_1 x_2^2$$

(E12.3.2)

초기 가정을 근거로 식 (E12.3.1)을 이용하여 x_1의 새로운 값을 구하면 다음과 같다.

$$x_1 = \frac{10 - (1.5)^2}{3.5} = 2.21429$$

이 결과와 초깃값 $x_2 = 3.5$를 식 (E12.3.2)에 대입하여 x_2의 새로운 값을 구한다.

$$x_2 = 57 - 3(2.21429)(3.5)^2 = -24.37516$$

이상의 결과에서 이 접근법은 발산할 것으로 보인다. 이 현상은 두 번째 반복에서 훨씬 두드러지게 나타난다.

$$x_1 = \frac{10 - (2.21429)^2}{-24.37516} = -0.20910$$
$$x_2 = 57 - 3(-0.20910)(-24.37516)^2 = 429.709$$

이 방법으로는 결과가 더 나빠지는 것이 명백하다.

그러면 똑같은 방정식을 다른 형태로 바꾸어 해를 계산해 보자. 그 예로 식 (12.6a)의 해를 다음과 같이 표시한다.

$$x_1 = \sqrt{10 - x_1 x_2}$$

그리고 식 (12.6b)도 다음과 같이 나타낸다.

$$x_2 = \sqrt{\frac{57 - x_2}{3x_1}}$$

이 두 식으로부터 산출되는 결과는 다음과 같이 더 만족스럽다.

$$x_1 = \sqrt{10 - 1.5(3.5)} = 2.17945$$
$$x_2 = \sqrt{\frac{57 - 3.5}{3(2.17945)}} = 2.86051$$
$$x_1 = \sqrt{10 - 2.17945(2.86051)} = 1.94053$$
$$x_2 = \sqrt{\frac{57 - 2.86051}{3(1.94053)}} = 3.04955$$

따라서 이 방법은 정해 $x_1 = 2$와 $x_2 = 3$에 수렴하는 결과를 제공한다.

앞의 예는 연속대입법을 사용할 때 발생할 수 있는 가장 심각한 결점을 보여 준다. 즉, 수렴의 여부가 방정식을 어떻게 수식화하는가에 달려 있다는 점이다. 더욱이 수렴되는 경우일지라도 초기 가정값이 정해에 충분히 가까이 있지 않으면 발산할 수도 있다. 이러한 기준은 너무나 제한적이기 때문에 고정점 반복법은 비선형방정식의 해를 구하는 데 있어 그 유용성에 한계가 있다.

12.2.2 Newton-Raphson법

비선형 연립방정식의 해를 구하는 데 고정점 반복법이 사용될 수 있듯이, 개방법의 또 다른 종류인 Newton-Raphson법도 동일한 목적으로 사용될 수 있다. Newton-Raphson법에서는 접선이 독립변수의 축과 만나는 교점인 근을 추정하기 위하여 도함수(기울기)를 계산해야 했던 것을 기억하자. 6장에서 이러한 추정값을 계산하기 위해 그래프를 이용하여 유도하였다. 다른 유도방법은 다음과 같이 1차 테일러 급수전개를 사용하는 것이다.

$$f(x_{i+1}) = f(x_i) + (x_{i+1} - x_i) f'(x_i) \tag{12.8}$$

여기서 x_i는 근의 초기 가정값이고, x_{i+1}는 접선이 x축과 만나는 교점이다. 근의 정의에 따라 이 교점에서 $f(x_{i+1})$값이 0이어야 하므로 식 (12.8)은 다음과 같이 정리될 수 있다.

$$x_{i+1} = x_i - \frac{f(x_i)}{f'(x_i)} \tag{12.9}$$

이 식은 Newton-Raphson법에서 단일 방정식에 해당하는 형태이다.

연립방정식에 해당하는 형태도 같은 방법으로 유도된다. 그러나 두 개 이상의 변수가 근의 값을 결정하는 데 관계되기 때문에 다변수에 대한 테일러 급수를 사용해야 한다. 두 변수의 경우에 비선형방정식의 1차 테일러 급수전개는 다음과 같이 표시된다.

$$f_{1,i+1} = f_{1,i} + (x_{1,i+1} - x_{1,i}) \frac{\partial f_{1,i}}{\partial x_1} + (x_{2,i+1} - x_{2,i}) \frac{\partial f_{1,i}}{\partial x_2} \tag{12.10a}$$

$$f_{2,i+1} = f_{2,i} + (x_{1,i+1} - x_{1,i}) \frac{\partial f_{2,i}}{\partial x_1} + (x_{2,i+1} - x_{2,i}) \frac{\partial f_{2,i}}{\partial x_2} \tag{12.10b}$$

단일 방정식의 경우와 같이 x_1과 x_2에 해당하는 근의 추정값에 대해 $f_{1,i+1}$과 $f_{2,i+1}$의 값을 0으로 놓는다. 이 상황에서 식 (12.10)을 재정리하면 다음과 같다.

$$\frac{\partial f_{1,i}}{\partial x_1} x_{1,i+1} + \frac{\partial f_{1,i}}{\partial x_2} x_{2,i+1} = -f_{1,i} + x_{1,i} \frac{\partial f_{1,i}}{\partial x_1} + x_{2,i} \frac{\partial f_{1,i}}{\partial x_2} \tag{12.11a}$$

$$\frac{\partial f_{2,i}}{\partial x_1} x_{1,i+1} + \frac{\partial f_{2,i}}{\partial x_2} x_{2,i+1} = -f_{2,i} + x_{1,i} \frac{\partial f_{2,i}}{\partial x_1} + x_{2,i} \frac{\partial f_{2,i}}{\partial x_2} \tag{12.11b}$$

아래첨자 i가 붙은 모든 값(직전의 가정이나 추정)은 이미 알려져 있기 때문에 유일한 미지수는 $x_{1,i+1}$과 $x_{2,i+1}$뿐이다. 따라서 식 (12.11)은 이 두 미지수에 대한 연립방정식이 된다. 결과적으로 Cramer 공식과 같은 대수 조작을 통해 다음과 같이 미지수를 구할 수 있다.

$$x_{1,i+1} = x_{1,i} - \frac{f_{1,i} \dfrac{\partial f_{2,i}}{\partial x_2} - f_{2,i} \dfrac{\partial f_{1,i}}{\partial x_2}}{\dfrac{\partial f_{1,i}}{\partial x_1} \dfrac{\partial f_{2,i}}{\partial x_2} - \dfrac{\partial f_{1,i}}{\partial x_2} \dfrac{\partial f_{2,i}}{\partial x_1}} \tag{12.12a}$$

$$x_{2,i+1} = x_{2,i} - \frac{f_{2,i} \dfrac{\partial f_{1,i}}{\partial x_1} - f_{1,i} \dfrac{\partial f_{2,i}}{\partial x_1}}{\dfrac{\partial f_{1,i}}{\partial x_1} \dfrac{\partial f_{2,i}}{\partial x_2} - \dfrac{\partial f_{1,i}}{\partial x_2} \dfrac{\partial f_{2,i}}{\partial x_1}} \tag{12.12b}$$

두 식에서 나타나는 분모를 시스템의 *Jacobian* 행렬식이라고 한다.

식 (12.12)는 Newton-Raphson법에서 두 개의 방정식에 해당하는 형태이다. 아래의 예제에서와 같이 이 방법을 사용하여 두 연립방정식의 근을 반복적으로 계산할 수 있다.

예제 12.4	비선형방정식에 대한 Newton-Raphson법

문제 정의 여러 방정식에 대한 Newton-Raphson법을 이용하여 식 (12.6)의 근을 구하라. 처음 계산은 해를 x_1 = 1.5와 x_2 = 3.5로 가정하고 시작한다.

풀이 먼저 초기 가정값 x_1과 x_2에서의 편도함수를 계산하면 다음과 같다.

$$\frac{\partial f_{1,0}}{\partial x_1} = 2x_1 + x_2 = 2(1.5) + 3.5 = 6.5 \qquad \frac{\partial f_{1,0}}{\partial x_2} = x_1 = 1.5$$

$$\frac{\partial f_{2,0}}{\partial x_1} = 3x_2^2 = 3(3.5)^2 = 36.75 \qquad \frac{\partial f_{2,0}}{\partial x_2} = 1 + 6x_1x_2 = 1 + 6(1.5)(3.5) = 32.5$$

따라서 첫 번째 반복을 위해 Jacobian 행렬식을 구하면 다음과 같다.

$$6.5(32.5) - 1.5(36.75) = 156.125$$

초기 가정값에서의 함숫값을 계산하면 다음과 같다.

$$f_{1,0} = (1.5)^2 + 1.5(3.5) - 10 = -2.5$$
$$f_{2,0} = 3.5 + 3(1.5)(3.5)^2 - 57 = 1.625$$

위에서 계산한 값들을 식 (12.12)에 대입하면 다음을 얻는다.

$$x_1 = 1.5 - \frac{-2.5(32.5) - 1.625(1.5)}{156.125} = 2.03603$$

$$x_2 = 3.5 - \frac{1.625(6.5) - (-2.5)(36.75)}{156.125} = 2.84388$$

따라서 결과는 정해 x_1 = 2와 x_2 = 3에 수렴하는 것을 알 수 있다. 이러한 계산을 허용정확도를 얻을 때까지 반복한다.

여러 개의 방정식에 대한 Newton-Raphson법도 단일 방정식의 경우와 마찬가지로 2차 수렴 특성을 보인다. 그러나 연속대입법에서와 같이 초기 가정값이 참값에 충분히 가깝게 선정하지 않으면 Newton-Raphson법도 발산할 수 있다. 단일 방정식의 경우에는 그래픽 방법이 좋은 해를 가정하는 데 사용될 수 있었지만, 연립방정식의 경우에는 그렇게 간단한 절차로 해를 가정할 수 없다. 초기 해를 가정하기 위해 고안된 몇몇 고급 방법이 있긴 하지만, 대체적으로 초기 가정값은 해석 대상인 물리계의 특성에 기초하여 시행착오 방법을 통하여 얻게 된다.

두 방정식에 대한 Newton-Raphson법은 n개의 연립방정식에 대해서도 일반화가 가능하다. 이를 위해 식 (12.11)을 k번째 방정식에 대해 기술하면 다음과 같다.

$$\frac{\partial f_{k,i}}{\partial x_1} x_{1,i+1} + \frac{\partial f_{k,i}}{\partial x_2} x_{2,i+1} + \cdots + \frac{\partial f_{k,i}}{\partial x_n} x_{n,i+1} = -f_{k,i} + x_{1,i} \frac{\partial f_{k,i}}{\partial x_1} + x_{2,i} \frac{\partial f_{k,i}}{\partial x_2}$$

$$+ \cdots + x_{n,i} \frac{\partial f_{k,i}}{\partial x_n} \tag{12.13}$$

여기서 첫 번째 아래첨자 k는 방정식이나 미지수를 나타내고, 두 번째 아래첨자는 미지수나 함숫값이 현재 (i) 또는 그다음 ($i + 1$)에 해당하는지를 나타낸다. 식 (12.13)에서 미지수는 단지 좌변에 있는 $x_{k,i+1}$항들뿐이라는 것에 유념한다. 그 외의 모든 것은 현재 값 (i)에 해당하는 것이기 때문에 어떤 반복계산 단계에서도 알려져 있다. 일반적으로 식 (12.13)으로 기술되는 일련의 방정식($k = 1, 2, \ldots, n$)은 결과적으로 선형 연립방정식을 이루게 되어, 앞의 여러 장에서 자세히 기술된 소거법을 이용하여 해를 수치적으로 계산할 수 있다.

행렬 표기법을 사용하여 식 (12.13)을 간단히 나타내면 다음과 같다.

$$[J]\{x_{i+1}\} = -\{f\} + [J]\{x_i\} \tag{12.14}$$

여기서 i에서 계산된 편도함수는 다음과 같은 *Jacobian* 행렬을 구성한다.

$$[J] = \begin{bmatrix} \dfrac{\partial f_{1,i}}{\partial x_1} & \dfrac{\partial f_{1,i}}{\partial x_2} & \cdots & \dfrac{\partial f_{1,i}}{\partial x_n} \\[2mm] \dfrac{\partial f_{2,i}}{\partial x_1} & \dfrac{\partial f_{2,i}}{\partial x_2} & \cdots & \dfrac{\partial f_{2,i}}{\partial x_n} \\[2mm] \vdots & \vdots & \vdots & \vdots \\[2mm] \dfrac{\partial f_{n,i}}{\partial x_1} & \dfrac{\partial f_{n,i}}{\partial x_2} & \cdots & \dfrac{\partial f_{n,i}}{\partial x_n} \end{bmatrix} \tag{12.15}$$

초깃값과 최종값을 벡터로 표시하면 다음과 같다.

$$\{x_i\}^T = \lfloor x_{1,i} \quad x_{2,i} \quad \cdots \quad x_{n,i} \rfloor$$

그리고

$$\{x_{i+1}\}^T = \lfloor x_{1,i+1} \quad x_{2,i+1} \quad \cdots \quad x_{n,i+1} \rfloor$$

최종적으로 i에서 계산된 함숫값은 다음과 같이 표시된다.

$$\{f\}^T = \lfloor f_{1,i} \quad f_{2,i} \quad \cdots \quad f_{n,i} \rfloor$$

식 (12.14)의 해는 Gauss 소거법과 같은 방법으로 구할 수 있다. 이 과정을 반복하면 예제 12.4에서 두 방정식에 대해 다룬 것처럼 더욱 정확한 추정값을 구할 수 있다.

역행렬을 이용하여 식 (12.14)의 해를 풀면서 해에 대한 통찰력을 얻을 수 있다. 단일 방정식에 대한 Newton–Raphson법을 상기하자.

$$x_{i+1} = x_i - \frac{f(x_i)}{f'(x_i)} \tag{12.16}$$

만약 Jacobian의 역행렬을 곱해서 식 (12.14)의 해를 구한다면 그 결과는 다음과 같다.

$$\{x_{i+1}\} = \{x_i\} - [J]^{-1}\{f\} \tag{12.17}$$

식 (12.16)과 식 (12.17)을 비교하면 두 방정식 사이의 유사성이 분명히 드러난다. 핵심을 지적한다면 Jacobian은 다변수 함수의 도함수에 상당한다는 것이다.

이러한 행렬 계산은 파이썬에서 매우 효율적으로 이루어질 수 있다. 파이썬을 사용하여 예제 12.4의 계산을 반복함으로써 이것을 증명해 보자. 초기 가정값을 정의한 후 Jacobian과 함숫값을 다음과 같이 계산할 수 있다.

```
import numpy as np

x = np.matrix([ [1.5 ] , [3.5] ])

f = np.matrix( [ [ x[0,0]**2+x[0,0]*x[1,0]-10 ] ,
                 [ x[1,0]+3*x[0,0]*x[1,0]**2-57 ] ] )
print('Function values are:\n',f)
J = np.matrix([ [ 2*x[0,0]+x[1,0], x[0,0] ] ,
                [ 3*x[1,0]**2,    1+6*x[0,0]*x[1,0] ] ])
print('Jacobian is:\n',J)
xnew = x-np.linalg.inv(J)*f
print('New values for x:\n',xnew)

Function values are:
 [[-2.5  ]
 [ 1.625]]
Jacobian is:
 [[ 6.5    1.5 ]
 [36.75 32.5 ]]
New values for x:
 [[2.03602882]
 [2.8438751 ]]
```

위의 기술들은 newtmult라고 불리는 함수와 함께 사용할 수 있다. 그림 12.4와 같이 이 함수의 인수로써 함숫값과 Jacobian을 계산하는 또 다른 함수, 초기 x 가정값, 수렴조건 그리고 최대 반복횟수를 옵션으로 포함하고 있다. newtmult 함수는 Newton-Raphson법을 규정된 반복횟수의 상한(maxit)이나 백분율 상대오차(es)에 도달할 때까지 지속한다.

지금까지 다룬 Newton-Raphson법에는 두 가지 단점이 있다는 것을 주지해야 한다. 첫째로 식 (12.15)를 계산한다는 것 자체가 종종 불편하다는 점이다. 이러한 어려움을 피하기 위해 Newton-Raphson법을 변형시킨 것이 개발되었다. 추측할 수 있듯이 대부분의 방법이 유한차분 근사에 기초하여 [J]를 구성하는 편도함수를 구한다. 둘째로 연립방정식에 대한 Newton-Raphson법의 단점은 수렴을 보장하기 위해서 우수한 초깃값을 가정해야 한다는 점이다. 이 점은 때로는 해결하기가 어려워 Newton-Raphson법을 그보다는 느리지만 수렴성이 좋은 방법으로 대체하고 있다. 이러한 접근법 중의 하나가 비선형 시스템을 다음과 같은 단일 함수로 정리하여 다시 수식화하는 것이다.

```
def newtmult(fandJ,x0,es=1.e-7,maxit=20):
    """
    Newton-Raphson solution of sets of nonlinear algebraic equations
    Input:
    fandJ = function name that supplies f and Jacobian values
    x0 = initial guesses for x
    es = convergence tolerance (default = 1.3-7)
    maxit = iteration limit (default = 20)
    Output:
    x = solution
    f = function values at the solution
    ea = relative error
    iter = number of iterations taken
    """
    n,m = np.shape(x0)  # get the number of equations in n
    x = np.zeros((n,m))
    for i in range(n):  # initialize x
        x[i] = x0[i]
    for i in range(maxit):
        f,J = fandJ(x)    # get the function values and the Jacobian
        dx = np.linalg.inv(J).dot(f)  # Newton-Raphson iteration
        x = x - dx
        ers = dx/x
        ea = max(abs(ers))
        if ea < es: break  # check for convergence
    if i == maxit:
        return 'iteration limit reached'
    else:
        return x,f,ea,i+1  # here if solution successful
```

그림 12.4   Newton-Raphson법으로 비선형 연립방정식의 해를 구하는 파이썬 함수.

$$F(\mathbf{x}) = \sum_{i=1}^{n} \left[f_i(\mathbf{x}) \right]^2$$

여기서 $f_1(x_1, x_2, \ldots , x_n)$는 식 (12.7)로 표시되는 본래 시스템의 i번째 방정식이다. 이 함수를 최소화하는 $\mathbf{x}$값이 비선형방정식의 해를 나타낸다. 따라서 비선형 최적화 기법을 사용하여 비선형방정식의 해를 구할 수 있다.

또 다른 접근법으로, 표준 Newton-Raphson 방법이 불안정하거나 수렴하지 않을 때, 다음과 같이 다변수 방법 식에서 디셀러레이터(decelerator)를 사용하는 것이다.

$$\mathbf{x}_{i+1} = \mathbf{x}_i - decel \, \mathbf{J}^{-1}(\mathbf{x}_i) \, \mathbf{f}(\mathbf{x}_i)$$

디셀러레이터의 값은 0부터 1 사이에 안정된 수렴값을 제공하는 값으로 맞춰진다. 이 방법이 Gauss-Seidel법의(12.1.3절) 하이완법의 적용과 비슷하다는 것은 아니다.

이들의 방법들은 함수나 Jacobian 계산을 불가능하게 하는 $\mathbf{x}$값으로 조정될 때 실패하게 됨을 이해하는 것은 중요하다. 한 예로써 제곱근의 x값이 음수의 영역으로 시도되는 경우이다. 이는 변수에 대해 타당한 값의 범위를 제한하는 일반적인 개념을 도입하게 되었고, 제한조건을 수용하도록 이러한 두 방법을 변형하게 된다.

12.2.3 파이썬 SciPy 함수: root

SciPy optimize의 root 함수는 여러 변수를 포함하는 비선형 연립방정식을 풀 수 있다. 구문의 일반적인 표현은 다음과 같다.

```
result = root(f,x0)
```

result 변수는 root 함수의 성능에 대한 다양한 정보를 가지고 있다. 해의 값은 다음과 같다.

```
result.x
```

몇 개의 옵션 항목은 다음과 같다. 일반적으로 사용되는 옵션은 다음과 같다.

method	10개의 수치적 방법의 하나를 선택할 수 있게 한다. 기본 설정은 'hybr'이고, 마지막 절에 설명된 단일 목적 함수, $F(\mathbf{x})$를 최소화하는 변형 Powell법을 사용한다.
jac	사용자가 Jacobian을 계산하는 별도의 함수를 제공하는 것을 허용하고, 그렇지 않으면 Jacobian은 수치적으로 예측된다.
tol	수렴 조건을 나타낸다.

예로 식 (12.6)의 시스템은 다음과 같이 풀 수 있다.

$$f_1(\mathbf{x}) = 2x_1 + x_1 x_2 - 10$$
$$f_2(\mathbf{x}) = x_2 + 3x_1 x_2^2 - 57$$

초기 가정값은 $x_1 = 1.5$이고 $x_2 = 3.5$이다. 파이썬 코드와 결과는 다음과 같다.

```
import numpy as np
from scipy.optimize import root

def f(x):
    x1 = x[0]
    x2 = x[1]
    f1 = x1**2+x1*x2-10
    f2 = x2+3*x1*x2**2-57
    return np.array([f1,f2])

x0 = np.matrix(' 1.5 ; 3.5 ')
result = root(f,x0)
xsoln = result.x
print('Solution is:\n',xsoln)

Solution is:
 [2. 3.]
```

| 사례연구 12.3 | 화학반응 |

배경 화학반응을 기술하는 데 종종 비선형 연립방정식이 나타난다. 그 예로 다음과 같은 화학반응이 밀폐된 배치식 반응기에서 일어난다.

$$2A + B \rightleftarrows C \tag{12.18}$$
$$A + D \rightleftarrows C$$

평형상태에서 두 반응의 특성을 다음과 같이 표현할 수 있다.

$$K_1 = \frac{c_c}{c_a^2 c_b}$$
$$K_2 = \frac{c_c}{c_a c_d} \tag{12.19}$$

여기서 c_i는 성분 i의 농도를 나타낸다.

문제 정의 만약 x_1과 x_2가 첫 번째와 두 번째 반응으로 인한 C의 몰(mole) 수를 각각 나타낸다면, 평형관계식은 한 쌍의 두 비선형방정식으로 수식화할 수 있다. $K_1 = 4 \times 10^{-4}$, $K_2 = 3.7 \times 10^{-2}$, $c_{a0} = 50$, $c_{b0} = 20$, $c_{c0} = 5$ 그리고 $c_{d0} = 10$인 경우에 대해 이 연립방정식의 해를 Newton-Raphson법으로 구하라. 여기서 $c_{i,0}$는 반응기가 충진되었을 때 i번째 초기농도이다.

풀이 식 (12.18)의 화학량론으로부터 각 성분의 농도는 x_1과 x_2를 사용하여 다음과 같이 표현된다.

$$c_a = c_{a0} - 2x_1 - x_2$$
$$c_b = c_{b0} - x_1$$
$$c_c = c_{c0} + x_1 + x_2 \tag{12.20}$$
$$c_d = c_{d0} - x_2$$

여기서 아래첨자 0은 각 성분의 초기 농도를 나타낸다. 이 값들을 식 (12.19)에 대입하면 다음은 x_1과 x_2의 두 개의 비선형방정식을 얻는다. x를 구하는 데 있어, 식 (12.20)의 식은 평형 농도를 계산하는 데 활용될 수 있다.

$$f_1(x_1, x_2) = \frac{c_{c0} + x_1 + x_2}{(c_{a0} - 2x_1 - x_2)^2(c_{b0} - x_1)} - K_1 = 0$$
$$f_2(x_1, x_2) = \frac{c_{c0} + x_1 + x_2}{(c_{a0} - 2x_1 - x_2)(c_{d0} - x_2)} - K_2 = 0 \tag{12.21}$$

우리는 `newtmult` 함수를 이용하여 이 방정식의 해를 구한다. 해석적으로 Jacobian 행렬을 구하는 대신, 유한차분법을 통한 Jacobian을 어림하는 방법을 설명한다. 이는 6.3절의 변형 할선법에 적용된 방법과 유사하다. 현재의 두 개의 비선형방정식에 대해서, 이 어림은 다음과 같다.

$$\mathbf{J} \cong \begin{bmatrix} \dfrac{f_1(x_1 + \delta x_1, x_2) - f_1(x_1, x_2)}{\delta x_1} & \dfrac{f_1(x_1, x_2 + \delta x_2) - f_1(x_1, x_2)}{\delta x_2} \\ \dfrac{f_2(x_1 + \delta x_1, x_2) - f_2(x_1, x_2)}{\delta x_1} & \dfrac{f_2(x_1, x_2 + \delta x_2) - f_2(x_1, x_2)}{\delta x_2} \end{bmatrix} \tag{12.22}$$

식 (12.21)과 식 (12.22)는 다음의 파이썬 함수와 관련 표현으로 다음과 같이 나타낼 수 있다.

continued

```
K1 = 4e-4
K2 = 3.7e-2
ca0 = 50
cb0 = 20
cc0 = 5
cd0 = 10

def f1(x1,x2):
    return (cc0+x1+x2)/(ca0-2*x1-x2)**2/(cb0-x1)-K1

def f2(x1,x2):
    return (cc0+x1+x2)/(ca0-2*x1-x2)/(cd0-x2)-K2

def my_fandJ(x):
    delta = 1.e-6
    x1 = x[0,0]
    x2 = x[1,0]
    f1t = f1(x1,x2)
    f2t = f2(x1,x2)
    f = np.matrix( [ [ f1t ] , [ f2t ] ] )
    J11 = (f1(x1+delta,x2)-f1(x1,x2))/delta
    J12 = (f1(x1,x2+delta)-f1(x1,x2))/delta
    J21 = (f2(x1+delta,x2)-f1(x1,x2))/delta
    J22 = (f2(x1,x2+delta)-f1(x1,x2))/delta
    J = np.matrix([ [ J11 , J12 ] , [ J21 , J22 ] ] )
    return f,J
```

함수 newtmult에 초깃값으로 $x_1 = x_2 = 3$을 대입하여 다음과 같이 근을 구할 수 있다.

```
x0 = np.matrix([[3.],[3.]])
xsoln,fsoln,esoln,itsoln = newtmult(my_fandJ,x0,es=1.e-6,maxit=50)
print('Solution is:\n',xsoln)
print('Function values are:\n',fsoln)
print('Relative error achieved =',esoln)
print('Iterations taken =',itsoln)

x1 = xsoln[0]
x2 = xsoln[1]
ca = ca0 - 2*x1 - x2
cb = cb0 - x1

cc = cc0 + x1 + x2
cd = cd0 - x2
print('\nConcentrations are:\n')
print('A: ',ca)
print('B: ',cb)
print('C: ',cc)
print('D: ',cd)
```

결과는

```
Solution is:
 [[3.35427349]
 [2.64572392]]
Function values are:
 [[ 2.21665134e-16]
 [-2.00839913e-04]]
Relative error achieved = [[8.62640718e-07]]
Iterations taken = 4
```

사례연구 12.3   continued

```
Concentrations are:

A: [[40.6457291]]
B: [[16.64572651]]
C: [[10.99999741]]
D: [[7.35427608]]
```

SciPy의 `optimize.root` 함수도 해를 구하는 데 사용될 수 있으며 다음과 같다.

```
from scipy.optimize import root

def my_func(x):
    x1 = x[0]
    x2 = x[1]
    f1t = f1(x1,x2)
    f2t = f2(x1,x2)
    f = np.array( [ f1t , f2t ] )
    return f

result = root(my_func,x0)
xsoln = result.x
print('Solution is:\n',xsoln)
```

이 코드의 결과는

```
Solution is:
 [3.33660129 2.67718089]
```

`newtmult` 함수에서 지정된 오차 기준보다 더 엄격한 기준을 만족하고 있다.

연습문제

* 짝수번호는 온라인 사이트에 있으며 본 책 '차례' 끝부분 xxi페이지에 사이트주소가 있음.

12.1 상이완법($\lambda = 1.25$)을 이용한 Gauss-Seidel법을 3회 반복하여 다음 시스템의 해를 구하라. 필요하다면 방정식들을 재배치하고 오차 추정을 포함하는 모든 과정을 보여라. 계산의 마지막 단계에서 최종결과의 참오차를 계산하라.

$$3x_1 + 8x_2 = 11$$
$$7x_1 - x_2 = 5$$

12.3 다음의 시스템에 대해 Gauss-Seidel법을 사용하여 백분율 상대오차가 $\varepsilon_s = 5\%$보다 작은 해를 구하라.

$$10x_1 + 2x_2 - x_3 = 27$$
$$-3x_1 - 6x_2 + 2x_3 = -61.5$$
$$x_1 + x_2 + 5x_3 = -21.5$$

12.5 다음의 시스템은 일련의 반응기에서의 농도(c의 단위는 g/m^3)를 각각의 반응기에 유입하는 질량 입력(우변의 단위는 g/day)의 함수로 나타내기 위해 고안되었다.

$$15c_1 - 3c_2 - c_3 = 3800$$
$$-3c_1 + 18c_2 - 6c_3 = 1200$$
$$-4c_1 - c_2 + 12c_3 = 2350$$

Gauss-Seidel법을 사용하여 백분율 상대오차가 $\varepsilon_s \leq 5\%$ 이하인 해를 구하라.

12.7 표에 주어진 3개의 선형 연립방정식 중에서 Gauss-Seidel법과 같은 반복법으로 풀 수 없는 것을 선택하라. 어떤 반복 횟수를 사용하더라도 수렴하는 해를 구할 수 없음을 보여라. 수렴하지 않는 것을 어떻게 아는지 그 수렴기준을 명확히 기술하라.

Set One	Set Two	Set Three
$8x + 3y + z = 13$	$x + y + 6z = 8$	$-3x + 4y + 5z = 6$
$-6x + 8z = 2$	$x + 5y - z = 5$	$-2x + 2y - 3z = -3$
$2x + 5y - z = 6$	$4x + 2y - 2z = 4$	$2y - z = 1$

12.9 다음 비선형 연립방정식의 해를 결정하라.

$$x^2 = 5 - y^2$$
$$y + 1 = x^2$$

(a) 그래프를 그려서 구하라.

(b) 초기 해를 $x = y = 1.5$로 가정하고 연속대입법을 사용하라.

12.11 가열된 판에서 정상상태의 온도 분포는 다음과 같은 *Laplace* 방정식으로 모델링될 수 있다.

$$0 = \frac{\partial^2 T}{\partial x^2} + \frac{\partial^2 T}{\partial y^2}$$

판이 그림 P12.11에서처럼 일련의 노드로 표현될 때 중심 유한차분으로 2차 도함수를 대신할 수 있어 결과적으로 선형 연립방정식을 얻게 된다. Gauss-Seidel법을 이용하여 그림 P12.11에 있는 노드에서의 온도를 구하라.

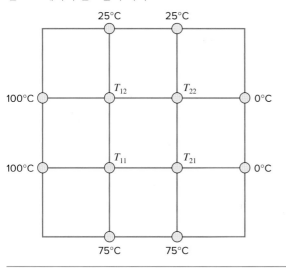

그림 P12.11

12.13 연습문제 12.12의 GaussSeidel2를 이완을 고려하여 개선하라. 이 새 함수의 이름을 GaussSeidelR이라 하고 함수의 입력인수로 lam(λ)를 고려하라. 사용자가 λ값을 입력하지 않는 경우에는 λ의 기본값을 1로 한다. 작성된 함수를 예제 12.2에 적용해 보고, 연습문제 12.2b의 해를 구하는 데 적용해 보라.

12.15 다음 각 방법으로 비선형 연립방정식의 근을 구하라.

(a) 고정점 반복법

(b) Newton-Raphson법

(c) SciPy의 `optimize.root` 함수

$$y = -x^2 + x + 0.75$$
$$y + 5xy = x^2$$

초기 해를 $x = y = 1.2$로 가정하고 결과를 논하라.

12.17 연습문제 12.16을 반복하되 양의 근을 구하라.

$$y = x^2 + 1$$
$$y = 2\cos(x)$$

12.19 앞서 5.6절에서 기술한 대로, 다음 다섯 개의 비선형 방정식이 빗물의 화학적 성질을 지배한다.

$$K_1 = \frac{[H^+][HCO_3^-]}{K_H p_{co_2}} \qquad K_2 = \frac{[H^+][CO_3^{-2}]}{[HCO_3^-]} \qquad K_w = [H^+][OH^-]$$

$$c_T = \frac{K_H p_{co_2}}{10^6} + [HCO_3^-] + [CO_3^{2-}]$$

$$0 = [HCO_3^-] + 2[CO_3^{2-}] + [OH^-] - [H^+]$$

여기서 K_H는 Henry 상수, K_1, K_2, K_w는 평형계수, c_T는 총 무기 탄소, $[HCO_3^-]$는 중탄산염, $[CO_3^{2-}]$는 탄산염, $[H^+]$는 수소 이온 그리고 $[OH^-]$는 수산기 이온이다. CO_2의 분압이 빗물의 산성도에 영향을 주는 온실가스 효과로 방정식에 어떻게 나타나는지 유의하라. $K_H = 10^{-1.46}$, $K_1 = 10^{-6.3}$, $K_2 = 10^{-10.3}$, $K_w = 10^{-14}$의 값에 대해 이들 방정식과 `root` 함수를 사용하여 빗물의 pH를 구하라. p_{CO_2}가 315 ppm인 1958년과 400 ppm인 2015년의 pH를 비교하라. 농도가 매우 낮고 여러 차수의 범위로 변화하는 경향이 있으므로 풀기 어려운 문제라는 점에 유의하라. 그러므로 미지수를 음의 로그 스케일 즉, $pK = -\log_{10}(K)$로 표현하는 트릭을 쓰는 것이 유용하다. 다섯 개의 미지수, $[H^+]$, $[OH^-]$, $[HCO_3^-]$, $[CO_3^{2-}]$ 그리고 c_T는 다음처럼 미지수 pH, pOH, pHCO3, pCO3 그리고 pc_T로 다시 표현될 수 있다.

$$pH = -\log_{10}([H^+]) \qquad\qquad pOH = -\log_{10}([OH^-])$$
$$pHCO_3 = -\log_{10}([HCO_3^-]) \qquad pCO_3 = -\log_{10}([CO_3^{2-}])$$
$$pc_T = -\log_{10}(c_T)$$

또한 에러의 허용한계를 10^{-12} 정도로 줄이는 것은 유용하다. 위에 제시된 순서대로 초기 가정값을 7, 7, 3, 7 그리고 3을 이용하라.

고윳값
Eigenvalues

학습 목표
이 장의 주요 목표는 고윳값을 소개하는 데 있다. 특정한 목표와 다루는 주제는 다음과 같다.

- 고윳값 및 고유벡터의 수학적 정의에 대한 이해
- 진동하는 공학시스템의 범주에서 고윳값 및 고유벡터의 물리적 해석에 대한 이해
- 다항식 방법의 적용에 대한 이해
- 최대와 최소 고윳값 및 그에 해당하는 고유벡터의 계산을 위한 멱 방법의 적용에 대한 이해
- 파이썬 NumPy eigvals와 eig 함수들의 사용방법 및 해석방법에 대한 이해

이런 문제를 만나면

8장의 서두에서 뉴턴의 운동 제2법칙 및 힘의 평형을 이용하여 한 줄에 매달린 세 명의 번지점프 하는 사람의 평형위치를 예측하였다. 번지점프 줄이 이상적인 스프링처럼 거동한다고 가정하였기 때문에(즉, Hooke의 법칙을 따라서) 정상상태의 해는 선형대수방정식 시스템의 해를 구하는 것으로 귀결된다[식 (8.1)과 예제 8.2 참조]. 역학에서는 이러한 문제를 정역학 문제라고 한다.

이제 같은 시스템에 대하여 **동역학** 문제를 살펴보자. 즉, 번지점프하는 사람의 운동을 시간에 대한 함수로 나타내 보도록 한다. 이를 위하여, 초기조건(즉, 번지점프하는 사람의 초기 위치 및 초기 속도)이 미리 정해져야 한다. 예를 들어 번지점프하는 사람들의 초기 위치들은 예제 8.2에서 계산한 평형상태값으로 정할 수 있다. 만약 이때 초기 속도들을 0으로 정한다면 시스템은 평형상 태에 있게 될 것이며 아무 일도 일어나지 않을 것이다.

시스템의 동역학을 고려하기 위해서는 운동을 야기하는 값으로 시스템의 초기조건을 정해야 한다. 예를 들어, 초기조건으로 번지점퍼하는 사람의 줄이 늘어나지 않은 조건으로 설정한다. 그 리고 갑작스런 하향운동과 상향운동의 반복을 기대할 것이다. 이는 여러분이 직접경험하거나 (용 기를 갖아라!) 비디오를 통해 볼 수 있다. 안심할 수 있는 것은 이 반복이 결국에는 공기의 저항에 의한 감쇄효과로 사라진다는 것이다. 만일 동역학 모델에 감쇄를 넣지 않으면, 일정한 진동이 무 한히 지속될 것이다. 이제 파이썬을 이용하여 미분방정식의 해를 구하면, 시간에 따른 함수로서의 위치와 속도를 구할 수 있다. 이미 1장에서 살펴보았고, 6부 상미분방정식의 풀이에서 이 주제를 심도 있게 다룰 예정이다.

그림 13.1에서 제시된 것처럼 결과적으로 번지점프하는 사람이 격하게 진동하는 것을 볼 수 있 다. 마찰력이 없기 때문에 즉, 공기 저항이나 스프링 감쇄가 없기 때문에, 줄에 매달린 사람들은 겉으로 보기에는 혼란스럽게 평형상태를 중심으로 계속적으로 아래위로 요동치게 된다. 각 사람 의 궤적을 자세히 살펴보면 각 진동에는 일정한 패턴이 있는 것을 알 수 있다. 예를 들어 각 고점

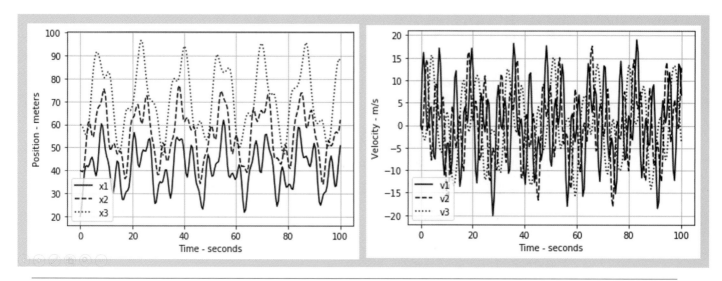

그림 13.1 예제 8.2에서 제시된, 하나의 줄에 연결되어 있는 세 명의 번지점프하는 사람들에 대하여 시간에 따른 (a) 위치, (b) 속도 그래프.

과 저점 사이의 거리는 일정하게 보인다. 그러나 시간에 따른 수치를 관찰하였을 때 체계적이고 예측 가능한 점이 있는지를 알아내기는 어렵다.

이 장에서는 이와 같이 혼돈적 현상에서 근본적인 어떤 것을 도출할 수 있는 한 가지 방법을 다룬다. 이는 시스템의 고윳값, 혹은 특성값을 구하는 것을 수반하게 된다. 앞으로 자세히 기술하겠지만, 이 방법은 현재까지 우리가 수행했던 방법과는 다른 방법으로 대상 시스템을 선형대수방정식으로 수식화하고 해를 구하는 것을 포함하고 있다. 이를 위하여, 먼저 수학적 관점에서 고윳값이 무엇을 의미하는지를 정확하게 기술해 보도록 하자.

서론 이후에 우리는 고윳값이 역할을 하는 서로 다른 시나리오들을 살펴볼 것이다. 그리고 공학과 과학 분야에서, 특히 기계 및 구조공학에서 매우 중요한 요동과 진동 시스템을 이해하는 데 초점을 맞출 예정이다.

13.1 고윳값과 고유벡터-기본

고윳값과 고유벡터는 정방행렬을 특징짓는 값들이다. 이 값들은 다양한 과학 및 공학 응용에서 중요한 값이고, 특히 미분방정식과 관련된 분야에서 중요하다. 만일 $\mathbf{A}$가 $n \times n$ 행렬이고 우리의 관심식은 다음과 같다면,[1]

$$\mathbf{Ax} = \lambda \mathbf{x} \tag{13.1}$$

여기서 λ는 실수 혹은 복소수의 스칼라 값이고, $\mathbf{x}$는 $n \times 1$ 벡터이다. 어떤 λ에 대해서도 식 (13.1)

---

1) 8.1절에서 언급한 것처럼 수학적 표현을 보다 간결하게 나타내기 위해 이번 장에서는 벡터와 행렬을 중괄호나 괄호 대신 볼드체 폰트를 사용한다.

은 $\mathbf{x} = \mathbf{0}$이라는 자명해를 갖는다. $\mathbf{x} \neq \mathbf{0}$인 벡터에 대해 방정식을 만족하는 λ에 대해서, $\mathbf{x}$는 고유벡터라고 하고 λ는 고윳값이라고 한다.

식 (13.1)을 정리하면 다음과 같다.

$$(\mathbf{A} - \lambda \mathbf{I})\mathbf{x} = \mathbf{0} \tag{13.2}$$

식 (13.2)로 표현되는 n개의 선형방정식에 대해서 비자명해를 가지기 위한 한 가지 방법은 행렬의 행렬식, $|\mathbf{A} - \lambda \mathbf{I}|$을 0으로 하는 것이다.

$n = 2$인 간단한 경우를 생각해 보면, 식 (13.2)는 다음과 같이 정리될 수 있다.

$$\begin{bmatrix} a_{11} - \lambda & a_{12} \\ a_{21} & a_{22} - \lambda \end{bmatrix} \begin{bmatrix} x_1 \\ x_2 \end{bmatrix} = \begin{bmatrix} 0 \\ 0 \end{bmatrix} \tag{13.3}$$

행렬식을 계산하고, 이를 0으로 놓으면

$$|\mathbf{A} - \lambda \mathbf{I}| = (a_{11} - \lambda)(a_{22} - \lambda) - a_{12} a_{21} = 0 \tag{13.4}$$

따라서, 고윳값은 아래 식의 해이고

$$\lambda^2 - (a_{11} + a_{22})\lambda - a_{12} a_{21} = 0$$

근의 공식을 적용하면, 다음을 얻는다.

$$\lambda = \frac{(a_{11} + a_{22})}{2} \pm \frac{\sqrt{(a_{11} + a_{22})^2 + 4 a_{12} a_{21}}}{2} \tag{13.5}$$

여기서 λ는 두 개의 실수이거나 복소수 켤레이다. 식 (13.5)의 각 값을 식 (13.3)에 대입하여 우리는 $\mathbf{x}$ 벡터를 구할 수 있다. 이 고유벡터의 원소 x_1과 x_2 사이의 관계를 이용하여 인자를 통해 축적화할 수 있다. 종종 $|\mathbf{x}| = \sqrt{x_1^2 + x_2^2} = 1$을 이용하여 축적화한다.

비교적 큰 행렬, $\mathbf{A}$에 대해서는 식 (13.4)로 표현되는 n차의 특성 다항식을 갖고, 해는 컴퓨터를 통한 풀이를 필요로 한다.

예제 13.1 | **행렬의 고윳값과 고유벡터**

문제 정의 정방행렬을 고려하라.

$$\mathbf{A} = \begin{bmatrix} 4 & 2 & 3 & 7 \\ 2 & 8 & 5 & 1 \\ 3 & 5 & 12 & 9 \\ 7 & 1 & 9 & 7 \end{bmatrix}$$

고윳값을 결정하고, 이에 해당하는 $\mathbf{A}$의 고유벡터를 구하라. 고유벡터는 그 크기가 1이 되도록 축적화하라.

풀이 행렬식에 의한 특성 방정식은

$$\begin{vmatrix} 4-\lambda & 2 & 3 & 7 \\ 2 & 8-\lambda & 5 & 1 \\ 3 & 5 & 12-\lambda & 9 \\ 7 & 1 & 9 & 7-\lambda \end{vmatrix} = \lambda^4 - 31\lambda^3 + 175\lambda^2 + 282\lambda - 2076$$

고윳값을 찾기 위해 다항식의 해를 결정하는 것이 필요하다. 우리는 파이썬 NumPy 모듈 내 roots 함수를 사용한다.

```
import numpy as np

coeff = np.array([1., -31., 175., 282., -2076.])
r = np.roots(coeff)
print('Roots are:\n',r)

Roots are:
 [23.04467254 -3.23389171  7.4501013   3.73911787]
```

따라서, 고윳값은 근사적으로 23.04, -3.234, 7.450 그리고 3.739이다.

첫 번째 고윳값에 해당하는 고유벡터를 찾아보자.

$$\begin{bmatrix} 4-23.04 & 2 & 3 & 7 \\ 2 & 8-23.04 & 5 & 1 \\ 3 & 5 & 12-23.04 & 9 \\ 7 & 1 & 9 & 7-23.04 \end{bmatrix} \begin{bmatrix} x_1 \\ x_2 \\ x_3 \\ x_4 \end{bmatrix} = \begin{bmatrix} 0 \\ 0 \\ 0 \\ 0 \end{bmatrix}$$

혹은

$$\begin{bmatrix} -19.04 & 2 & 3 & 7 \\ 2 & -15.04 & 5 & 1 \\ 3 & 5 & -11.04 & 9 \\ 7 & 1 & 9 & -16.04 \end{bmatrix} \begin{bmatrix} x_1 \\ x_2 \\ x_3 \\ x_4 \end{bmatrix} = \begin{bmatrix} 0 \\ 0 \\ 0 \\ 0 \end{bmatrix}$$

여기서, 첫 번째 방정식은 대수적으로 x_1에 대해서 풀 수 있다.

$$x_1 = \frac{2}{19.04}x_2 + \frac{3}{19.04}x_3 + \frac{7}{19.04}x_4 \cong 0.1050x_2 + 0.1576x_3 + 0.3677x_4$$

이 값은 두 번째 식에 대입하여

$$x_2 = \frac{2}{15.04}(0.1050x_2 + 0.1576x_3 + 0.3677x_4) + \frac{5}{15.04}x_3 + \frac{1}{15.04}x_4$$

그리고

$$x_2 = 0.3584x_3 + 0.1170x_4$$

이 값이 세 번째 식에 대입하고 x_3에 대해서 풀이하면

$$x_3 = 1.2381x_4$$

여기서 임의값으로 x_4에 1을 대입하면 다른 x값들은 다음과 같다.

$$x_3 = 1.238, \ x_2 = 0.561, \ x_1 = 0.622$$

그리고 첫 번째 고유벡터는

$$\mathbf{x} = \begin{bmatrix} 0.622 \\ 0.561 \\ 1.238 \\ 1 \end{bmatrix} \quad \text{크기가 1로 축적화되면} \quad \begin{bmatrix} 0.346 \\ 0.312 \\ 0.688 \\ 0.556 \end{bmatrix}$$

동일한 방법으로 다른 3개의 고윳값에 해당하는 고유벡터를 구할 수 있다.

이들을 열이 각 고윳값에 해당하는 고유벡터로 정리하면:

$$\begin{bmatrix} 0.346 & -0.581 & 0.679 & 0.287 \\ 0.312 & 0.204 & 0.375 & -0.849 \\ 0.688 & -0.365 & -0.617 & -0.108 \\ 0.516 & 0.698 & 0.132 & 0.430 \end{bmatrix}$$

우리는 고유벡터 간에 수직임을 알 수 있다. 첫 번째 두 열의 내적을 파이썬으로 계산하면

```
vtest = v[:,0].dot(v[:,1])
print('{0:7.5f}'.format(vtest))

-0.00000
```

우리는 고윳값과 고유벡터 그리고 이들이 정방행렬과 어떻게 관계되는지 소개하였다. 이제 공학 혹은 과학의 응용에서 이들 값들을 알아보도록 하자.

13.2 고윳값과 고유벡터의 응용

고윳값에 대한 공학과 과학의 응용에서 가장 빈번한 경우는 미분방정식에 관한 것이다. 그러나 엄밀하게는 대수방정식에 관련되는 다른 예제도 있으나 이번 장에서 다루지는 않을 것이다.

미분방정식 모델의 특성을 분석하기 위해 고윳값을 사용하는 것은 공학과 과학, 특히 장비의 설계, 공정, 구조의 응용에서 핵심이라 할 수 있다. 상미분방정식의(혹은 편미분방정식의 한 변수가) 독립변수가 시간일 때, 고윳값은 모델링된 시스템의 동적 거동에 관한 많은 정보를 알려 준다.

많은 실질적인 미분방정식은 1차 및 2차 미분을 포함한다. 이는 물리를 기반으로 한 모델이기 때문인데, 예를 들어, 뉴턴의 운동 제2법칙은 가해진 힘에 대해서 위치를 2번 미분한 상황에 해당한다. 우리는 2계 상미분방정식을 이에 상응하는 1계 미분방정식들로 분해할 수 있다. 이런 방법은 보다 고차의 미분방정식에도 적용할 수 있다. 우리는 1계 미분방정식들로 구성된 시스템의 고윳값을 먼저 학습하고, 특수한 경우로 1계 미분이 없는 2계 미분방정식을 소개하고자 한다.

13.2.1 2차 미분방정식에 상응하는 1차 시스템

간단한 예로, 독립변수가 시간인 1차 미분을 포함하는 단일 2계도 미분방정식을 고려하자. 이 방정식의 제차 형식을 살펴보자.

$$\frac{d^2 y}{dt^2} + a \frac{dy}{dt} + by = 0 \tag{13.6}$$

두 개의 새 변수를 정의하자.

$$x_1 = y \qquad \text{and} \qquad x_2 = \frac{dy}{dt} = \frac{dx_1}{dt}$$

그리고 원래 미분방정식을 다시 쓰면, 식 (13.6)은 두 개의 1계 미분방정식이 된다.

$$\frac{dx_1}{dt} = x_2$$

$$\frac{dx_2}{dt} = -ax_2 - bx_1 \tag{13.7}$$

마지막 두 방정식을 행렬 형태로 나타낼 수 있다.

$$\frac{d\mathbf{x}}{dt} = \begin{bmatrix} 0 & 1 \\ -b & -a \end{bmatrix} \begin{bmatrix} x_1 \\ x_2 \end{bmatrix} = \mathbf{Ax} \tag{13.8}$$

만약 1차 미분항이 없었다면 a_{22}항은 0이다.

13.2.2 미분방정식의 해에서 고윳값들과 고유벡터들의 역할

일반 형식의 1계도 상미분방정식들의 제차 해는

$$\mathbf{x} = \exp(\mathbf{A}t)\mathbf{x}_0 \tag{13.9}$$

여기서 $\exp(\mathbf{A}t)$는 지수행렬로 불리고, $\mathbf{U} \exp(\mathbf{D}t)\mathbf{U}^{-1}$로 표현된다. 여기서 $\mathbf{U}$는 고유벡터의 행렬이

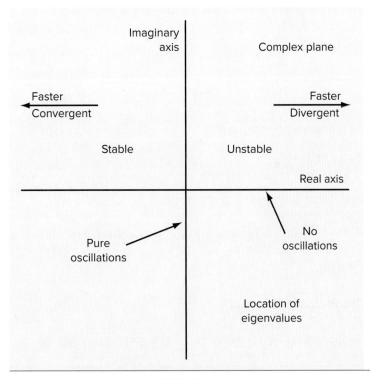

그림 13.2   고윳값의 위치와 복소평면에 나타낸 해의 거동.

고, **D**는 행렬식의 대각행렬이다. **x** 내의 각 해 x_i는 $\exp(\lambda_j t)$, $j = 1,...,n$의 선형 조합으로 나타낼 수 있다.

여기서, 우리는 고윳값이 특성 다항식의 해를 통해 얻을 수 있음을 알고 있다. 다항식이 실수계수들을 가지고 있기 때문에, 고윳값들은 양수 혹은 음수의 실수들과 실수부와 허수부를 켤레를 갖는 복소수라고 할 수 있다. 이를 바탕으로 다음의 중요한 고찰을 할 수 있다.

1. 양의 실수 고윳값들은 불안정하고 지수가 급격하게 커지게 한다.
2. 음의 실수 고윳값들은 소멸한다.
3. 0의 실수부와 유한한 허수부를 갖는 고윳값은 증폭이나 감쇄없이 진동하는데, 이를 조화 진동자라고 부른다.
4. 0의 고윳값은 상수 입력에 대해 선형 해의 특성을 나타낸다.
5. 복소수의 고윳값은 진동 특성을 갖는다.
6. 복소수의 고윳값을 다른 형태로 나타내면 사인항과 코사인항의 조합이다.
7. 고윳값의 실수부의 절댓값이 클수록 보다 빠르게 수렴하거나 발산한다.
8. 복소수 고윳값의 허수부의 값이 클수록 진동의 주파수가 커진다.

이와 같은 고찰이 그림 13.2에 설명된다.

예제 13.2 | **1계도 미분방정식 시스템의 고윳값**

문제 정의 다음의 1계도 미분방정식 시스템의 고윳값과 거동을 예측하라.

$$\frac{dx_1}{dt} = -3x_1 + x_2$$
$$\frac{dx_2}{dt} = x_1 - 3x_2$$

풀이 미분방정식을 행렬 형태로 나타낸다.

$$\frac{d\mathbf{x}}{dt} = \begin{bmatrix} -3 & 1 \\ 1 & -3 \end{bmatrix}\mathbf{x} = \mathbf{Ax}$$

고윳값을 결정하기 위해 특성 다항식을 유도할 수 있다.

$$\begin{vmatrix} -3-\lambda & 1 \\ 1 & -3-\lambda \end{vmatrix} = (\lambda+3)(\lambda+3) - 1 = \lambda^2 + 6\lambda + 8 = 0$$

그리고 해를 결정한다.

$$\lambda = -\frac{6}{2} \pm \frac{\sqrt{36-32}}{2} = -2, -4$$

고윳값이 모두 음수이기 때문에, x는 안정될 것이고 진동 없이 0으로 수렴할 것이다.

시스템의 거동에 대한 판단을 위해서는 예제 13.2의 미분방정식의 해를 굳이 구할 필요가 없다는 것을 주지하는 것은 중요하다.

13.2.3 순 진동 상미분방정식의 고윳값들

실제 시스템에서 자연 진동은 증폭하거나 소멸한다. 이들이 증폭하면 무언가 결국에는 손상된다. 진동을 유지하기 위해서는 주기적인 입력 혹은 강제함수를 필요로 한다. 그럼에도, 우리는 순수 진동이 유지되는 시스템에 대한 중요 특성을 학습할 수 있다. 여기 단일, 2계도, 상미분방정식이 있다.

$$\frac{d^2y}{dt^2} = -ay \tag{13.10}$$

13.2.1절의 접근법을 사용하여, 우리는 단일, 2계도, 상미분방정식을 2개의 1계도 방정식으로 바꿀 수 있다.

$$\frac{dx_1}{dt} = x_2$$
$$\frac{dx_2}{dt} = -ax_1 \tag{13.11}$$

그리고 행렬의 형태로 표현하면

$$\frac{d\mathbf{x}}{dt} = \begin{bmatrix} 0 & 1 \\ -a & 0 \end{bmatrix}\mathbf{x} = \mathbf{A}\mathbf{x} \tag{13.12}$$

다시, $\mathbf{A}$의 고윳값을 찾으면

$$\begin{vmatrix} -\lambda & 1 \\ -a & -\lambda \end{vmatrix} = \lambda^2 + a = 0 \qquad \lambda = \pm i\sqrt{a}$$

고윳값들이 허수축에 있으므로, 해는 순수 진동을 나타내고 진동주파수는 $\sqrt{a}$이다. 단위는 라디안/시간이고 사이클/시간이 아님에 주의하라. 한 사이클은 2π 라디안이고 사이클/시간은 주파수로 나타내면 $\sqrt{a}/(2\pi)$이다.

따라서, 이와 같은 단순한 시스템에 대해서 우리는 어떻게 계수 a가 고윳값에 관계되는지 알 수 있고, 어떻게 a가 진동의 주파수와 연계되는지 볼 수 있다. 이 시스템의 고유벡터는 복소수이다.

$$\mathbf{U} = \begin{bmatrix} -i\,0.4082 & i\,0.4082 \\ 0.9129 & 0.9129 \end{bmatrix}$$

보다 단순하게 고윳값을 결정하고 순수 진동의 주파수를 찾는 방법이 있다. 이 방법에 대해서 두 개의 2계도 미분방정식으로 설명하겠다.

$$\frac{d^2y_1}{dt^2} = -a_{11}y_1 + a_{12}y_2$$
$$\frac{d^2y_2}{dt^2} = a_{21}y_1 - a_{22}y_2 \tag{13.13}$$

이는 행렬 형태로 정리될 수 있다.

$$\frac{d^2\mathbf{y}}{dt^2} = \begin{bmatrix} -a_{11} & a_{12} \\ a_{21} & -a_{22} \end{bmatrix}\mathbf{y} \tag{13.14}$$

이들 시스템은 주기 해들을 갖기 때문에 우리는 다음 형태의 해를 제안할 수 있다.[2]

$$\mathbf{y} = \mathbf{x}e^{i\omega t} \tag{13.15}$$

여기서 ω는 주파수, $\mathbf{x}$는 계수 벡터이다. 이 값을 미분방정식에 대입하면, 다음을 얻는다.

$$-\omega^2\mathbf{x} = \mathbf{Ax} \tag{13.16}$$

고윳값 문제로서 $\lambda = -\omega^2$이고 $\mathbf{x}$는 상응하는 고유벡터이다.

우리는 고윳값들이 주파수의 제곱에 음수값이 될 것임을 알기 때문에, 이 시스템의 고윳값을 바로 결정할 수 있다.

$$\begin{vmatrix} -a_{11}-\lambda & a_{12} \\ a_{21} & -a_{22}-\lambda \end{vmatrix} = (\lambda+a_{11})(\lambda+a_{22}) - a_{12}a_{21} = \lambda^2 + (a_{11}+a_{22})\lambda + (a_{11}a_{22}-a_{12}a_{21}) \tag{13.17}$$

따라서, 고윳값은 다음과 같이 주어진다.

$$\lambda = -\frac{(a_{11}+a_{22})}{2} \pm \frac{\sqrt{(a_{11}+a_{22})^2 - 4(a_{11}a_{22}-a_{12}a_{21})}}{2}$$

그리고, 주파수들은 $\omega = \sqrt{-\lambda}$로 주어진다. 식 (13.17)은 다음과 같이 나타낼 수 있다.

$$\begin{vmatrix} -a_{11}+\omega^2 & a_{12} \\ a_{21} & -a_{22}+\omega^2 \end{vmatrix} = \begin{vmatrix} a_{11}-\omega^2 & -a_{12} \\ -a_{21} & a_{22}-\omega^2 \end{vmatrix}$$

여기에서 결정된 주파수들은 자연 혹은 공진 주파수들이고 종종 ω_n으로 표시되며 외부의 영향에 의존하지 않는 시스템으로부터 얻어진다.

예제 13.3   **순 진동 시스템의 고윳값**

문제 정의 다음 시스템의 특성을 학습하라.

$$\frac{d^2y_1}{dt^2} = -5y_1 + 2y_2$$

$$\frac{d^2y_2}{dt^2} = 2y_1 - 2y_2$$

---

2) 오일러의 항등식을 상기하라: $e^{\pm ix} \equiv \cos x \pm i\sin x$.

풀이 고윳값들은 다음 식으로 결정될 수 있다.

$$\begin{vmatrix} -5-\lambda & 2 \\ 2 & -2-\lambda \end{vmatrix} = (\lambda+5)(\lambda+2) - 4 = \lambda^2 + 7\lambda + 6 = 0$$

이 경우

$$\lambda = -\frac{7}{2} \pm \frac{\sqrt{49-24}}{2} = -1, \; -6$$

고유벡터를 구하면, 이 값은

$$\mathbf{x}_1 = \begin{bmatrix} 1 \\ 2 \end{bmatrix}, \mathbf{x}_2 = \begin{bmatrix} 2 \\ -1 \end{bmatrix} \qquad \text{이들은 적합하게 축적할 수 있다.}$$

고윳값으로부터 우리는 주파수가 $\omega = \pm 1, \pm\sqrt{6}$ 임을 확인할 수 있다.

특성을 파악하기 위해, 이 시스템의 일반해에 대입하자. 이들은 4개의 가능한 해를 구성한다.

$$\mathbf{x}_1 e^{\pm it} \qquad \text{and} \qquad \mathbf{x}_2 e^{\pm i\sqrt{6}t}$$

오일러의 항등식을 이용하면, $e^{\pm i\theta} \equiv \cos(\theta) \pm i\sin(\theta)$

$$\mathbf{x}_1 e^{\pm it} = \mathbf{x}_1(\cos(t) \pm i\sin(t))$$
$$\mathbf{x}_2 e^{\pm i\sqrt{6}t} = \mathbf{x}_2(\cos(\sqrt{6}t) \pm i\sin(\sqrt{6}t))$$

각 쌍의 해를 더하고 빼고 그리고 2로 나누면, 우리는 다음의 일반해를 얻는다.

$$\mathbf{y} = \mathbf{x}_1(a_1\cos(t) + b_1\sin(t)) + \mathbf{x}_2(a_2\cos(\sqrt{6}t) + b_2\sin(\sqrt{6}t))$$

여기서 a_1, b_1, a_2, b_2는 $\mathbf{y}$에 대한 초기조건과 미분에 의해 결정되는 상수이다. 고유벡터들을 고려하면 다음과 같다.

$$y_1 = a_1\cos(t) + b_1\sin(t) + 2a_2\cos(\sqrt{6}t) + 2b_2\sin(\sqrt{6}t)$$
$$y_2 = 2a_1\cos(t) + 2b_1\sin(t) - a_2\cos(\sqrt{6}t) - b_2\sin(\sqrt{6}t)$$

제차 해를 완벽히 나타내기 위해, 다음의 초기조건의 예를 사용하자.

$$y_1(0) = 1, \; y_2(0) = -1, \; \frac{dy_1}{dt}(0) = 0, \text{ and } \frac{dy_2}{dt}(0) = 0$$

이들 값으로 a_1, b_1, a_2, b_2를 결정하고 해는 다음과 같다.

$$y_1 = -\frac{1}{5}\cos(t) + \frac{6}{5}\cos(\sqrt{6}t)$$

$$y_2 = -\frac{2}{5}\cos(t) - \frac{3}{5}\cos(\sqrt{6}t)$$

이를 그림으로 나타내자.

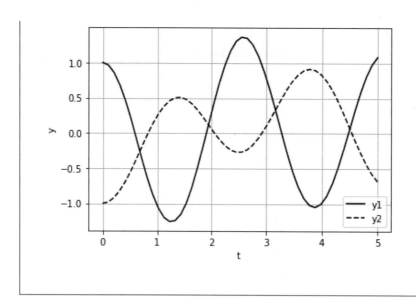

13.3 물리적 세팅 – 질량-스프링 시스템

13.1절과 13.2절의 배경지식을 바탕으로 우리는 진동에 더욱 초점을 맞춘 시스템을 탐색할 수 있다. 이를 위한 유용한 모델은 그림 13.3과 같다.

분석을 간단히 하기 위해서 각 질량에 외력이나 감쇄력은 없다고 가정하자. 또한, 각 스프링은 정지 시 동일한 길이, l이고 동일한 스프링 상수 k를 갖는다고 가정하자. 끝으로 각 스프링의 변위는 스프링의 평형 위치를 영점으로 한 각자의 지역 좌표를 이용하여 측정한다고 가정하자. 이런 가정으로 각 질량에 대해 뉴턴의 운동 제2법칙을 통해 동역학적 힘의 균형을 고려하자.

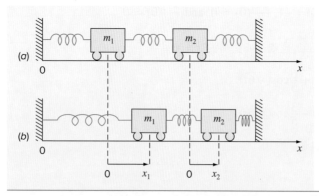

그림 13.3   마찰 없는 바퀴를 가진 두 개의 질량과 세 개의 스프링이 두 벽 사이에서 진동한다. 두 질량의 위치는 (a)와 같이 각각 평형위치를 원점으로 하는 로컬좌표로 참조할 수 있다. 평형 위치로부터 떨어진 질량의 위치는 스프링에 힘을 만들어서 놓았을 때 질량의 진동을 만든다.

$$m_1 \frac{d^2 x_1}{dt^2} = -kx_1 + k(x_2 - x_1)$$

$$m_2 \frac{d^2 x_2}{dt^2} = -kx_2 + k(x_1 - x_2)$$

(13.18)

식 (13.18) 모델을 행렬형태로 다시 정리하자.

$$\frac{d^2 \mathbf{x}}{dt^2} = \begin{bmatrix} -\dfrac{2k}{m_1} & \dfrac{k}{m_1} \\ \dfrac{k}{m_2} & -\dfrac{2k}{m_2} \end{bmatrix} \mathbf{x}$$

(13.19)

식 (13.17)을 참조하면, 우리는 다음을 얻는다.

$$\begin{vmatrix} -\dfrac{2k}{m_1} - \lambda & \dfrac{k}{m_1} \\ \dfrac{k}{m_2} & -\dfrac{2k}{m_2} - \lambda \end{vmatrix} = \lambda^2 + 2k\left(\frac{1}{m_1} + \frac{1}{m_2}\right)\lambda + \left(\frac{4k^2}{m_1 m_2} - \frac{k^2}{m_1 m_2}\right)$$

(13.20)

그리고 고윳값을 구하면

$$\lambda = -k\frac{m_1 + m_2 \pm \sqrt{m_1^2 - m_1 m_2 + m_2^2}}{m_1 m_2}$$

(13.21)

13.2.3절로부터 주파수를 결정하면 다음과 같다.

$$\omega = \sqrt{k\frac{m_1 + m_2 \pm \sqrt{m_1^2 - m_1 m_2 + m_2^2}}{m_1 m_2}}$$

(13.22)

예제 13.4	스프링 질량 시스템의 고윳값과 고유벡터의 물리적 해석

문제 정의 만약 $m_1 = m_2 = 40$ kg이고, $k = 200$ N/m라고 할 때, 두 질량, 세 개의 스프링 시스템을 해석하라.

풀이 식 (13.21)을 사용하면 고윳값은 −5와 −15를 얻는다. 이에 상응하는 각 주파수들은

$$\omega_1 = \sqrt{5} \text{ rad/s}, \ \omega_2 = \sqrt{15} \text{ rad/s}$$

그리고 사이클 주파수(여기서, Hz = 사이클/s)는

$$f_1 = \frac{\sqrt{5}}{2\pi} \cong 0.356 \text{ Hz}, \ f_2 = \frac{\sqrt{15}}{2\pi} \cong 0.616 \text{ Hz}$$

진동 주기는

$$P_1 = \frac{1}{f_1} \cong 2.81 \text{ s}, \ P_2 = \frac{1}{f_2} \cong 1.62 \text{ s}$$

이 시스템의 고유벡터는

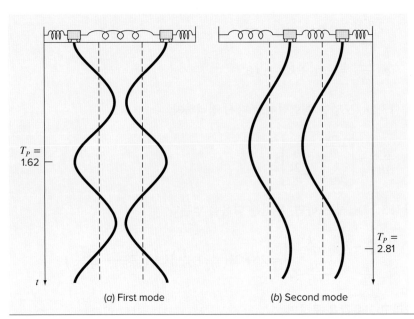

그림 13.4   고정된 두 벽 사이에 있는 세 개의 동일한 스프링에 연결된 두 개의 같은 질량의 진동의 주 모드.

$$\mathbf{U} = \begin{bmatrix} \sqrt{2}/2 & -\sqrt{2}/2 \\ \sqrt{2}/2 & \sqrt{2}/2 \end{bmatrix} \qquad \text{축적화하면} \qquad \begin{bmatrix} 1 & -1 \\ 1 & 1 \end{bmatrix}$$

예제 13.3의 패턴을 따르면, 일반해는 다음의 형식을 갖는다.

$$\mathbf{y} = \mathbf{x}_1(a_1\cos(\omega_1 t) + b_1\sin(\omega_2 t)) + \mathbf{x}_2(a_2\cos(\omega_1 t) + b_2\sin(\omega_2 t))$$

그리고 고유벡터를 적용하면, 두 식을 얻는다.

$$y_1 = (a_1\cos(\omega_1 t) + b_1\sin(\omega_1 t)) - (a_2\cos(\omega_2 t) + b_2\sin(\omega_2 t))$$
$$y_2 = (a_1\cos(\omega_1 t) + b_1\sin(\omega_1 t)) + (a_2\cos(\omega_2 t) + b_2\sin(\omega_2 t))$$

각 방정식의 첫 번째 항과 두 번째 항은 두 개의 서로 다른 주파수와 서로 다른 진동 모드를 가지고 있다. 초기조건과 독립적으로 첫 번째 모드는 서로 '동기화'되어 있고, 두 번째 모드는 반사이클, π, 180°로 상이 어긋나 있다. 이를 그림 13.4에 설명하였다. 만일 두 모드를 합성하고 초기조건을 신중하게 선택하면, 그림의 (a) 혹은 (b)의 반응만을 얻을 수 있다.

13.4   멱 방법

멱 방법은 가장 크거나 지배적인 고윳값을 구하기 위해 사용되는 반복법이다. 약간만 수정하면 가장 작은 고윳값을 구하는 데에도 적용할 수 있다. 이 방법의 부산물로 고윳값에 해당되는 고유벡터가 구해지는 추가적인 이점도 있다. 이 멱 방법을 해석 대상이 되는 시스템에 적용하기 위해서 다음과 같은 형태로 식을 정리한다.

$$\mathbf{A}\mathbf{x} = \lambda \mathbf{x} \tag{13.23}$$

다음의 예제에서 설명되겠지만, 식 (13.23)는 반복적으로 해를 구하는 데 기초가 되며, 궁극적으로 최대 고윳값과 그에 해당하는 고유벡터를 산출한다.

예제 13.5	**멱 방법을 이용한 최대 고윳값의 결정**

문제 정의 13.3절에서와 같은 방법으로 두 고정 벽 사이에 세 개의 질량과 네 개의 스프링으로 구성된 시스템에 대해 다음과 같은 동차 연립방정식을 유도할 수 있다.

$$
\begin{aligned}
\left(\frac{2k}{m_1} - \omega^2\right)X_1 \quad &- \frac{k}{m_1}X_2 &&= 0 \\
-\frac{k}{m_2}X_1 + \left(\frac{2k}{m_2} - \omega^2\right)X_2 \quad &- \frac{k}{m_2}X_3 &&= 0 \\
-\frac{k}{m_3}X_2 + \left(\frac{k}{m_3} - \omega^2\right)X_3 &&= 0
\end{aligned}
$$

모든 질량 m이 1 kg이고, 모든 스프링 상수 k가 20 N/m인 경우에 시스템을 식 (13.2)의 행렬 형태로 표현하면 다음과 같다.

$$
\begin{bmatrix}
40 & -20 & 0 \\
-20 & 40 & -20 \\
0 & -20 & 40
\end{bmatrix} - \lambda \mathbf{I} = 0
$$

여기서 고윳값 λ는 각 진동수의 제곱인 ω^2이다. 멱 방법을 사용하여 최대 고윳값과 그에 해당하는 고유벡터를 구하라.

풀이 우선 시스템을 식 (13.23)의 형태로 나타낸다.

$$
\begin{aligned}
40X_1 - 20X_2 \quad\quad &= \lambda X_1 \\
-20X_1 + 40X_2 - 20X_3 &= \lambda X_2 \\
-20X_2 + 40X_3 &= \lambda X_3
\end{aligned}
$$

이 시점에서 X의 초깃값들을 가정하고, 고윳값과 고유벡터를 계산하기 위하여 방정식의 좌변을 이용한다. 첫 번째 선택으로 좋은 방법은 방정식의 좌변에 있는 모든 X를 1로 놓는 것이다.

$$
\begin{aligned}
40(1) - 20(1) \quad\quad &= 20 \\
-20(1) + 40(1) - 20(1) &= 0 \\
-20(1) + 40(1) &= 20
\end{aligned}
$$

다음으로 우변의 최댓값 20을 1이 되도록 우변을 정규화한다.

$$
\begin{bmatrix} 20 \\ 0 \\ 20 \end{bmatrix} = 20 \begin{bmatrix} 1 \\ 0 \\ 1 \end{bmatrix}
$$

그러면 정규화에 사용된 값인 (20)이 첫 번째 고윳값이 되고, 그에 해당하는 벡터인 $[1\ 0\ 1]^T$가 고유벡터가 된다. 이러한 반복을 행렬 표시를 사용하여 간결하게 나타내면 다음과 같다.

$$\begin{bmatrix} 40 & -20 & 0 \\ -20 & 40 & -20 \\ 0 & -20 & 40 \end{bmatrix} \begin{bmatrix} 1 \\ 1 \\ 1 \end{bmatrix} = \begin{bmatrix} 20 \\ 0 \\ 20 \end{bmatrix} = 20 \begin{bmatrix} 1 \\ 0 \\ 1 \end{bmatrix}$$

두 번째 반복에서는 계수 행렬에 이전 반복으로부터의 고유벡터 $[1\ 0\ 1]^T$를 곱해 다음을 얻는다.

$$\begin{bmatrix} 40 & -20 & 0 \\ -20 & 40 & -20 \\ 0 & -20 & 40 \end{bmatrix} \begin{bmatrix} 1 \\ 0 \\ 1 \end{bmatrix} = \begin{bmatrix} 40 \\ -40 \\ 40 \end{bmatrix} = 40 \begin{bmatrix} 1 \\ -1 \\ 1 \end{bmatrix}$$

따라서 두 번째 고윳값은 40이며, 이 값을 사용하여 오차를 추정하면 그 상대오차는 다음과 같다.

$$\varepsilon_a = \left| \frac{40 - 20}{40} \right| \times 100\% = 50\%$$

이러한 과정을 계속해서 반복할 수 있다.
세 번째 반복의 결과는 다음과 같다.

$$\begin{bmatrix} 40 & -20 & 0 \\ -20 & 40 & -20 \\ 0 & -20 & 40 \end{bmatrix} \begin{bmatrix} 1 \\ -1 \\ 1 \end{bmatrix} = \begin{bmatrix} 60 \\ -80 \\ 60 \end{bmatrix} = -80 \begin{bmatrix} -0.75 \\ 1 \\ -0.75 \end{bmatrix}$$

여기서 부호 변화가 있어서 $\varepsilon_a = 150\%$로 크다.
네 번째 반복의 결과는 다음과 같다.

$$\begin{bmatrix} 40 & -20 & 0 \\ -20 & 40 & -20 \\ 0 & -20 & 40 \end{bmatrix} \begin{bmatrix} -0.75 \\ 1 \\ -0.75 \end{bmatrix} = \begin{bmatrix} -50 \\ 70 \\ -50 \end{bmatrix} = 70 \begin{bmatrix} -0.71429 \\ 1 \\ -0.71429 \end{bmatrix}$$

여기서 또 한 번의 부호 변화가 있어서 $\varepsilon_a = 214\%$로 크다.
다섯 번째로 반복하면 다음과 같다.

$$\begin{bmatrix} 40 & -20 & 0 \\ -20 & 40 & -20 \\ 0 & -20 & 40 \end{bmatrix} \begin{bmatrix} -0.71429 \\ 1 \\ -0.71429 \end{bmatrix} = \begin{bmatrix} -48.51714 \\ 68.51714 \\ -48.51714 \end{bmatrix} = 68.51714 \begin{bmatrix} -0.70833 \\ 1 \\ -0.70833 \end{bmatrix}$$

여기서 $\varepsilon_a = 2.08\%$이다.
따라서 고윳값이 수렴함을 알 수 있다. 몇 번 더 반복을 거친 후에 고윳값은 68.28427 그리고 고유벡터는 $[-0.707107\ 1\ -0.707107]^T$에 수렴한다.

주의할 사항은 멱 방법을 사용할 때 어떤 경유에는 최대 고윳값에 수렴하지 않고 오히려 두 번째로 큰 고윳값에 수렴하는 경우도 발생한다는 것이다. James, Smith and Wolford(1985)가 이러한 경우의 예를 제시하였다. Fadeev and Fadeeva(1963)는 또 다른 특수한 경우를 논의하였다.

종종 가장 작은 고윳값을 구해야 되는 경우도 발생한다. 이 문제는 멱 방법을 [A]의 역행렬에 적용하면 해결된다. 이러한 경우에는 멱 방법을 통해 얻는 결과는 $1/\lambda$의 가장 큰 값 즉, λ의 가장 작은 값에 수렴하게 된다. 가장 작은 고윳값을 구하는 문제는 연습문제로 남겨 놓는다.

마지막으로, 가장 큰 고윳값을 구한 후에는 본래의 행렬을 나머지 고윳값만 갖는 행렬로 대체함으로써 두 번째로 큰 고윳값을 결정할 수 있다. 가장 크다고 알려진 고윳값을 제외하는 이 과정을 감차(deflation)라고 한다.

멱 방법을 중간 크기의 고윳값을 구하는 데에도 사용할 수 있지만, 이 경우에는 다음 절에서 소개될 모든 고윳값들을 결정하는 더 좋은 방법을 이용한다. 따라서 멱 방법은 최대 고윳값이나 최소 고윳값을 구할 때 주로 사용된다.

13.5 파이썬 NumPy 함수: eig와 eigvals

예상할 수 있듯이 파이썬은 고윳값과 고유벡터를 구하기 위한 강력하고 건실한 프로그램을 가지고 있다. NumPy 모듈의 eigvals 함수는 고윳값의 배열을 얻기 위해서 다음 구문을 이용한다.

```
import numpy as np
e = linalg.eigvals(A)
```

여기서 A는 정방행렬이다. 다른 방법으로는 eig 함수를 사용할 수도 있다.

```
e,v = linalg.eig(A)
```

여기서 v는 고유벡터를 열로 갖는 정방 배열이다.

여기서 eig 함수는 각 고유벡터를 벡터의 Euclidean 길이로 나눔으로써 척도를 조정한다는 것에 반드시 주의해야 한다. 따라서 다음 예제에서 보듯이 각 벡터의 크기가 다항식 방법을 통하여 계산된 것과는 다르더라도 각 벡터의 원소 사이의 비는 일치한다.

예제 13.6 **파이썬을 이용한 고윳값과 고유벡터의 결정**

문제 정의 파이썬을 이용하여 예제 13.5에서 다룬 시스템의 고윳값과 고유벡터를 구하라.

풀이 해석 대상인 행렬은 다음과 같음을 상기하라.

$$\begin{bmatrix} 40 & -20 & 0 \\ -20 & 40 & -20 \\ 0 & -20 & 40 \end{bmatrix}$$

행렬을 파이썬에서 *ndarray*로 입력한다.

```
import numpy as np
A = np.array([[40.,-20.,0.],[-20.,40.,-20.],[0.,-20.,40.]])
```

단지 고윳값만을 원하는 경우에는 다음과 같이 입력하면 된다.

```
np.set_printoptions(precision=5)
print(np.linalg.eigvals(A))

[68.28427 40.      11.71573]
```

주목할 점은 최대 고윳값은 예제 13.5에서 멱 방법으로 구한 결과와 일치한다는 것이다.

고윳값과 고유벡터를 모두 원하면 다음과 같이 입력한다.

```
e,v = np.linalg.eig(A)
print('Eigenvalues are\n',e)
print('\nEigenvector matrix is\n',v)
```

그리고 결과는

```
Eigenvalues are
[68.28427 40.       11.71573]

Eigenvector matrix is
[[-5.00000e-01 -7.07107e-01  5.00000e-01]
 [ 7.07107e-01 -1.28296e-16  7.07107e-01]
 [-5.00000e-01  7.07107e-01  5.00000e-01]]
```

비록 고유벡터에 대한 결과가 다르게 정규화되어 있지만 최대 고윳값에 해당되는 고유벡터 $[-0.5\ \ 0.7071\ -0.5]^T$는 예제 13.3에서 멱 방법으로 구한 결과 $[-0.707107\ \ 1\ -0.707107]^T$와 일관함을 알 수 있다. 이는 멱 방법으로부터의 고유벡터를 Euclidean 놈으로 나눔으로써 보일 수 있다.

```
e_power = np.array([-np.sqrt(2)/2, 1., -np.sqrt(2)/2])
print(e_power)
e_power_norm = np.linalg.norm(e_power)
print(e_power/e_power_norm)

[-0.70711  1.      -0.70711]
[-0.5      0.70711 -0.5    ]
```

따라서 원소의 크기는 다르지만 그들의 비는 동일하다. 이를 설명하는 다른 방법은 3차원 공간에서 두 벡터의 동일한 방향을 가르키는 것이다.

사례연구 13.6   **고윳값과 지진**

배경 공학자나 과학자들이 지진과 같은 외란에 대한 구조물의 거동을 이해하기 위해 질량-스프링 모델을 이용한다. 그림 13.5는 3층 건물에 대한 이런 모델을 나타낸다. 각 층의 질량과 강성은 각각 m_i와 $k_i(i = 1, 2, 3)$로 표시된다.

이 경우에 수평운동만 해석하는데 그 이유는 지진으로 인해 기초가 수평방향으로만 움직인다고 가정하기 때문이다. 13.3절에서 기술된 방법을 사용하면 이 시스템에 대한 동적 힘의 평형은 다음과 같이 표현될 수 있다.

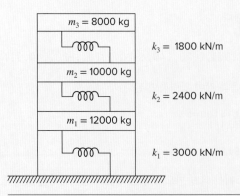

그림 13.5   질량-스프링 시스템으로 모델링한 3층 건물.

continued

$$m_1 \frac{d^2 x_1}{dt^2} = -k_1 x_1 + k_2(x_2 - x_1)$$

$$m_2 \frac{d^2 x_2}{dt^2} = -k_2(x_2 - x_1) + k_3(x_3 - x_2)$$

$$m_3 \frac{d^2 x_3}{dt^2} = -k_3(x_3 - x_2)$$

이 시스템은 13.3절과 동일하게 공진주파수의 제곱의 항으로, ω_n^2 고윳값 문제를 풀이함으로써 분석할 수 있다.

$$\begin{bmatrix} \frac{k_1 + k_2}{m_1} - \omega_n^2 & -\frac{k_2}{m_1} & 0 \\ -\frac{k_2}{m_2} & \frac{k_2 + k_3}{m_2} - \omega_n^2 & -\frac{k_3}{m_2} \\ 0 & -\frac{k_3}{m_3} & \frac{k_3}{m_3} - \omega_n^2 \end{bmatrix} \begin{bmatrix} x_1 \\ x_2 \\ x_3 \end{bmatrix} = 0$$

여기서 x_i는 바닥의 수평 이동 (m), ω_n은 고유 진동수 또는 공진 진동수 (radians/s)를 나타낸다. 공진 진동수를 2π (radians/cycle)로 나누면 Hertz (cycles/s)로 표시할 수 있다.

문제 정의 파이썬을 사용하여 이 시스템의 고윳값과 고유벡터를 구하라. 각 고유벡터에 대해 높이에 따라 진폭을 표시함으로써 구조물의 진동 모드를 그래프로 나타내라. 병진운동의 진폭을 정규화하여 3층의 진폭을 1이 되도록 하라.

풀이 힘의 평형식에 매개변수들을 대입하면 다음과 같다.

$$\begin{bmatrix} 450 - \omega_n^2 & -200 & 0 \\ -240 & 420 - \omega_n^2 & -180 \\ 0 & -225 & 225 - \omega_n^2 \end{bmatrix} \begin{bmatrix} x_1 \\ x_2 \\ x_3 \end{bmatrix} = 0$$

파이썬을 사용하여 다음과 같이 고윳값과 고유벡터를 구할 수 있다.

```
import numpy as np

A = np.array([[450.,-200.,0.],[-240.,420.,-180.],[0.,-225.,225.]])
e,v = np.linalg.eig(A)
print('\nEigenvalues are:\n',e)
print('\nEigenvectors are:\n',v)
```

결과는 다음과 같다.

```
Eigenvalues are:
 [698.59819 339.47789  56.92392]

Eigenvectors are:
 [[-0.58785 -0.63436  0.2913 ]
 [ 0.7307  -0.35055  0.57251]
 [-0.34714  0.68899  0.76641]]
```

고윳값에 따른 공진 진동수는 Hz 단위로 다음과 같다.

사례연구 13.6   continued

```
wn = np.sqrt(e)/2/np.pi
print('\nResonant frequencies in Hz:\n',wn)
Resonant frequencies in Hz:
 [4.20663 2.93242 1.20079]
```

각각의 고윳값에 해당하는 정규화한(3층의 진폭을 1로 만든) 고유벡터는 다음과 같다.

```
vt = np.zeros((3,3))
for i in range(3):
    vt[:,i] = v[:,i]/v[2,i]

print('\nScaled eigenvectors are:\n',vt)

Scaled eigenvectors are:
[[ 1.6934  -0.9207   0.38008]
 [-2.10488 -0.50879  0.747  ]
 [ 1.       1.       1.     ]]
```

예제 13.5와 같이, 일반해는 다음과 같이 쓸 수 있다.

$$\mathbf{x} = \mathbf{u}_1(a_1\cos(\omega_1 t) + b_1\sin(\omega_1 t))$$
$$+\mathbf{u}_2(a_2\cos(\omega_2 t) + b_2\sin(\omega_2 t))$$
$$+\mathbf{u}_3(a_3\cos(\omega_3 t) + b_3\sin(\omega_3 t))$$

여기서, $\mathbf{u}$는 고유벡터이다. $\mathbf{x}$와 $d\mathbf{x}/dt$의 초기조건을 통해 6개의 a와 b값을 결정할 수 있고, 특수해를 찾을 수 있다. 한편, 한 가지 주파수 혹은 모드를 고찰하고자 한다면 a_2, b_2, a_3, b_3를 0으로 하는 초기조건을 이용할 수 있다. 이는 다음과 같다.

$$\mathbf{x} = \mathbf{u}_1(a_1\cos(\omega_1 t) + b_1\sin(\omega_1 t))$$

a_1과 b_1는 임의의 값 1로 설정할 수 있다. x_1, x_2, x_3에 대한 진동의 상대 진폭은 ω_1에 해당하는 고유벡터의 값으로 결정된다. 시간이 $0 \le t \le 1$인 구간에서 해를 나타내면 그림 13.6과 같다.

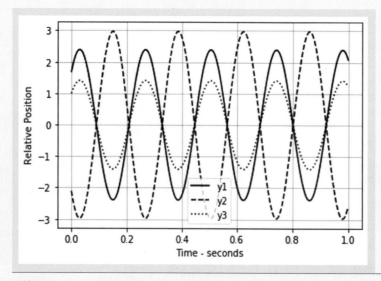

그림 13.6

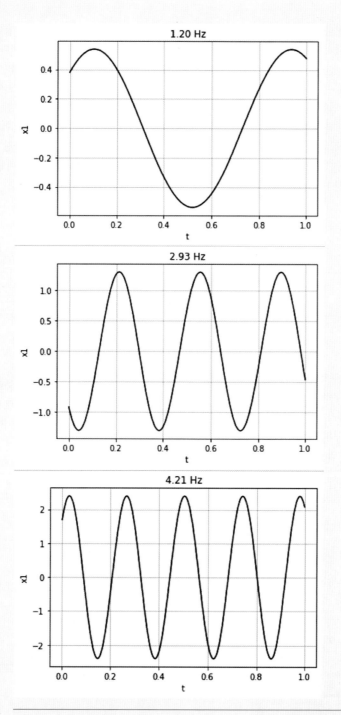

그림 13.7   3층 건물의 세 가지 주 진동 모드.

사례연구 13.6   continued

세 가지 모드를 나타내는 그래프는 그림 13.7과 같다. 구조공학에서 관례적으로 사용하는 방식에 따라 제일 낮은 고유 진동수에서 제일 높은 것까지의 순서로 배열하였다. 이 그래프는 x_1을 나타낸다.

고유 진동수와 진동 모드는 이러한 진동수에서 공진하는 경향을 나타내는 구조물의 특성이다. 전형적으로 지진의 진동수 성분은 대부분의 에너지가 0에서 20 Hz 사이에 있고, 그것은 지진의 크기, 진앙까지의 거리 그리고 다른 요소의 영향을 받는다. 지진은 하나의 진동수가 아닌, 모든 진동수에서 다양한 진폭을 갖는 스펙트럼을 가진다. 건물은 특유의 단순한 변형 형태로 인해, 변형시키는 데 더 작은 스트레인 에너지가 요구되는 낮은 진동 모드에서 더 잘 떨린다. 이러한 진폭이 건물의 고유 진동수와 일치하게 되면 커다란 동적 응답이 발생하여 구조물의 보, 기둥, 기초 등에 큰 응력과 변형이 발생하게 된다. 이 사례연구의 해석을 바탕으로 하여, 구조 공학자는 안전율을 충분히 고려하여 지진에 잘 견디도록 건물을 현명하게 설계할 수 있다.

연습문제
* 짝수번호는 온라인 사이트에 있으며 본 책 '차례' 끝부분 xxi페이지에 사이트주소가 있음.

13.1 다음 대칭행렬에 대해서

$$\begin{bmatrix} 20 & 3 & 2 \\ 3 & 9 & 4 \\ 2 & 4 & 12 \end{bmatrix}$$

(a) 특성 다항식을 이용하여 고윳값들을 구하라.
(b) 멱 방법을 사용하여 최대 고윳값을 구하고 이를 (a)의 결과와 비교하라. 직접 손으로 3번 반복하라.
(c) 멱 방법을 사용하여 최소 고윳값을 구하고 이를 (a)의 결과와 비교하라. 직접 손으로 3번 반복하라.

13.3 멱 방법을 사용하여 다음 행렬에 대한 최대 고윳값과 그에 해당하는 고유벡터를 구하라.

$$\begin{bmatrix} 2 - \lambda & 8 & 10 \\ 8 & 4 - \lambda & 5 \\ 10 & 5 & 7 - \lambda \end{bmatrix}$$

13.5 그림 P13.5에서 제시된 3질량-4스프링 시스템에 대하여 시간에 따른 운동을 나타내는 미분방정식들을 유도하라. 세 개의 미분방정식을 다음의 행렬 형태로 기술하라.

{가속도 벡터} + [k/m 행렬]{변위 벡터 x} = 0

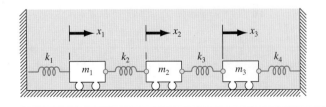

그림 P13.5

각 방정식은 질량으로 나누어져 있음에 주의한다. 다음의 질량값과 스프링 강성값을 기준으로 고윳값들과 고유 진동수를 구하라. $k_1 = k_4 = 15$ N/m, $k_2 = k_3 = 35$ N/m 그리고 $m_1 = m_2 = m_3 = 1.5$ kg.

13.7 점성유체가 그림 P13.7과 같이 중력에 의해 3개의 표준 55 gal의 드럼통을 따라 흐른다. 각 통으로부터의 유량과 수위 사이의 관계는 선형이고 비례상수는 K이다. 3개의 체적균형과 미분방정식은 다음과 같다.

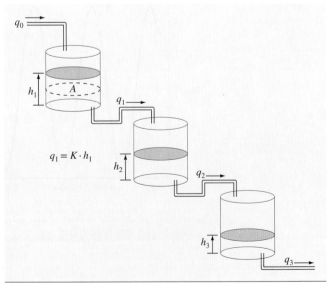

그림 P13.7   세 개의 드럼통을 지나는 점성 유체.

$$A\frac{dh_1}{dt} = q_0 - q_1 \qquad q_1 = Kh_1$$

$$A\frac{dh_2}{dt} = q_1 - q_2 \qquad q_2 = Kh_2$$

$$A\frac{dh_2}{dt} = q_2 - q_3 \qquad q_3 = Kh_3$$

(a) 유량과 수위 사이의 관계를 미분방정식에 도입하여 이 식들을 행렬 형태로 정리하면

$$\frac{d\mathbf{h}}{dt} = \mathbf{Bh} + \mathbf{b}$$

여기서 $\mathbf{b}$벡터는 입구유량 q_0를 포함한다. 미분항을 0으로 하고 $q_0 = 20$ L/min으로 설정할 때 정상상태 유량과 수위를 구하라.

(b) 다음의 변수값에 대해서 이 시스템의 고윳값을 결정하고 시스템의 동적거동에 대해 물리적으로 설명하라.

$$A = 0.21 \text{ m}^2, K = 42\frac{\text{L/min}}{\text{m}}$$

13.9 연습문제 13.8에서 두 개의 루프만 있다고 가정하고 문제를 풀어라. 즉, i_3 루프를 생략하라. 주 모드에서 전류가 어떻게 진동하는지를 보이는 회로망을 그려라.

13.11 3층을 없앤 상태에서 13.6절의 문제를 반복하라.

13.13 상수계수를 가지는 두 동차 선형 상미분방정식 시스템이 다음과 같이 주어진다.

$$\frac{dy_1}{dt} = -5y_1 + 3y_2 \qquad y_1(0) = 50$$

$$\frac{dy_2}{dt} = 100y_1 - 301y_2 \qquad y_2(0) = 100$$

미분방정식에 관한 수업을 들었다면, 이러한 미분방정식의 해는 다음과 같은 형식임을 알고 있을 것이다.

$$\mathbf{y} = c_1\mathbf{v}_1 e^{\lambda_1 t} + c_2\mathbf{v}_2 e^{\lambda_2 t}$$

여기서 c와 λ는 결정해야 하는 상수이다. 이 해와 해의 미분을 위 방정식에 대입하면 위 시스템은 고윳값 문제로 바뀌게 된다. 결과적으로 얻는 고윳값과 고유벡터는 미분방정식의 일반해를 구하는 데 사용할 수 있다. 예를 들어 두 개의 미분방정식의 경우에 일반해는 다음과 같은 벡터 형태의 식으로 나타낼 수 있다.

여기서 $\{\mathbf{v}_i\}$는 i번째 고윳값(λ_i)에 해당하는 고유벡터이다. c값들은 미지계수이며, 주어진 초기조건을 이용하여 구할 수 있다.

(a) 이 시스템을 고윳값 문제로 변환하라.

(b) 파이썬을 사용하여 고윳값과 고유벡터를 구하라.

(c) (b)의 결과와 초기조건을 이용하여 일반해를 구하라.

(d) $t = 0$에서 1초까지의 해를 파이썬을 이용하여 그려라.

13.15 멱 방법을 이용하여 최대 고윳값과 그에 해당하는 고유벡터를 구하는 파이썬 함수를 작성하라. 작성한 프로그램을 예제 13.5에 적용하여 검증하고, 이 프로그램을 이용하여 연습문제 13.3을 풀어라.

커브 피팅
Curve Fitting

4.1 개요

커브 피팅이란 무엇인가?

데이터는 연속적인 상황에 대한 이산적인 값으로 제공되는 경우가 많다. 그러므로 경우에 따라서는 이러한 이산적인 값들 사이의 값들을 추정할 필요가 있다. 이에 이러한 중간 추정치를 얻기 위한 커브 피팅 기법에 대해서 14장부터 18장까지 기술하고자 한다. 경우에 따라서는 복잡한 함수에 대한 단순화 과정이 요구되기도 하는데 관심 범위 내의 여러 값들에 대해서 함숫값을 계산하거나 이러한 값들에 대한 적합한 단순 형태의 함수를 구하는 것들이 주요 방법이 될 수 있다. 이와 같은 두 가지 접근법 모두를 **커브 피팅**(*Curve Fitting*)이라고 한다.

커브 피팅에는 주어진 데이터가 포함하고 있는 오차의 크기에 따라 서로 구별되는 두 가지 일반적인 접근 방식이 있다. 첫 번째로 데이터가 상당한 수준의 오차 또는 '분산'을 나타내는 경우, 데이터의 일반적인 추세를 나타내는 단일 곡선을 도출하는 것이다. 이는 개별 데이터 요소가 항상 정확하지 않을 수 있기 때문에 모든 데이터를 지나는 곡선을 구하지 않아도 되기 때문이다. 오히려 이렇게 구해진 곡선은 데이터 그룹에 대한 경향성을 표현할 수 있도록 설계된다. 대표적으로 **최소자승법**(*Least-squares regression*)이 있다(그림 PT4.1*a*).

두 번째로 데이터가 매우 정확한 것으로 알려진 경우에 각 점들을 직접 통과하는 곡선 또는 곡선 집합들로 표현하는 방법이다. 이러한 데이터의 예로 속성표의 데이터들이 있다. 예를 들어, 온도에 따른 물의 밀도 변화 또는 가스의 열 용량 변화 데이터 등이 있다. 이렇게 잘 알려진 이산 데이터 사이의 값을 추정하는 기법을 **보간법**(*Interpolation*)이라고 한다(그림 PT4.1*b*와 *c*).

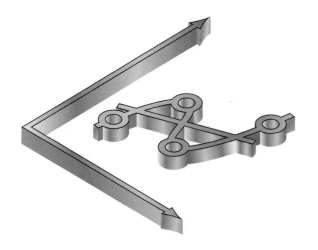

이공계열에서의 커브 피팅. 커브 피팅을 이공계열에서 처음 접해볼 수 있는 경우로는 경제성 공학의 이자 산출표 또는 열역학 테이블과 같이 표로 정리된 데이터의 중간값을 찾을 때일 것이다. 이러한 일들은 이공계열 관련 분야에 종사할 경우 종종 접하게 된다.

공학 및 과학 분야에서는 이와 같이 테이블 형식의 데이터가 널리 사용되지만 그렇지 못한 경우도 많이 접하게 된다. 새로운 문제가 주어지거나 혹은 특별한 경우에는 이를 위한 별도의 데이터를 새로 측정하고 이를 바탕으로 예측할 수 있어야 한다. 실험 데이터를 피팅할 때 일반적으로 두 가지 유형의 응용 프로그램, 즉 추세 분석과 가설 테스트의 경우가 있다.

추세 분석은 종속변수의 값을 예측하는 데 사용될 수 있다. 여기에는 관측된 데이터의 한계를 넘어서는 외삽 또는 데이터 범위 내의 보간이 포함될 수 있다. 공학 및 과학의 모든 분야는 이러한 유형의 문제를 포함한다.

실험 곡선 피팅의 두 번째 적용은 **가설 테스트**이다. 이때 기존의 수학적 모델은 측정된 데이터와 비교된다. 모형 계수를 알 수 없는 경우 가장 적합한 값을 결정해야 할 수 있다.

반면에 모형 계수의 추정치가 이미 사용 가능한 경우 모형의 예측된 값과 관측된 값을 비교하여 모형의 적절성을 테스트하는 것이 적절할 수 있다. 종종 대체 모델이 비교되고 경험적 관찰을 기반으로 '최적의' 모델이 선택된다.

앞에서 언급한 공학 및 과학적 응용 분야 외에도 커브 피팅은 미분방정식의 적분해 및 근사해와 같은 다른 수치해석 기법에서 중요하게 적용된다. 마지막으로 커브 피팅 기술을 사용하여 복잡한 함수를 근사화하는 간단한 함수를 파생시킬 수 있다.

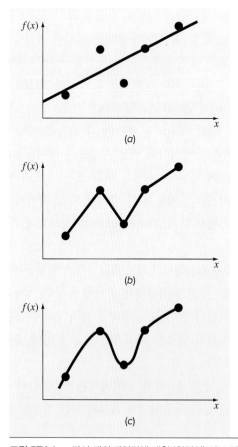

그림 PT4.1   다섯 개의 데이터에 대한 '최적의' 커브 피팅을 위한 세 가지 방법. (*a*) 최소자승법, (*b*) 선형 보간법, (*c*) 곡선 보간법.

4.2 구성

14장에서는 직선 선형회귀에 중점을 두었다. 이는 불확실한 데이터들을 통해 '최적의' 직선을 결정하는 방법이다. 또한 직선의 기울기와 절편을 계산하는 방법을 논의하는 것 외에도 결과의 유효성을 평가하기 위한 양적 및 시각적 방법을 제시하였다. 또한 난수 생성과 비선형방정식의 선형화를 위한 몇 가지 접근 방식을 설명하였다.

15장은 다항식 및 다중 선형회귀에 대한 간략한 논의로 시작한다. 다항식 회귀는 포물선, 입방체 또는 고차 다항식의 가장 적합한 계수를 계산하는 과정을 다룬다. 그다음에는 종속변수 y가 둘 이상의 독립변수 x_1, x_2, ..., x_m의 선형함수인 경우에 대한 다중 선형회귀에 대해 기술한다. 이 접근법은 관심 변수가 여러 가지 요인에 의존하는 실험 데이터를 평가하는 데 특별한 유용성을 가지고 있다.

다중 회귀에 대한 논의 후, 다항식 및 다중 회귀가 모두 일반 선형 최소제곱 모델의 하위 집합인 점에 대해 설명한다. 무엇보다도 이것은 회귀분석의 간결한 행렬 표현을 소개하고 일반적인 통계 특성을 논의할 수 있게 해 주는 특징이 있다. 마지막으로, 15장의 마지막 부분에서는 비선형 회귀에 대해 다룬다. 이 접근법은 데이터에 대한 매개변수에서 비선형방정식의 최소제곱 적합도를 계산하도록 설계되었다.

16장에서는 주기적 기능을 데이터에 맞추는 푸리에 분석을 다루었다. 우리가 주로 살펴볼 점은 빠른 푸리에 변환 또는 FFT에 있다. 파이썬으로 쉽게 구현되는 이 방법은 구조물의 진동 분석에서 신호 처리에 이르기까지 많은 엔지니어링 애플리케이션을 가지고 있다.

17장에서는 보간법이라는 대체 커브 피팅 기술이 설명되어 있다. 앞에서 설명한 것처럼 보간법은 정확한 데이터 요소 간의 중간값을 추정하는 데 사용된다. 17장에서는 이러한 목적을 위해 다항식들을 소개하고 있다. 우리는 점을 연결하기 위해 직선과 포물선을 사용하여 다항식 보간법의 기본 개념을 소개하고, 이후 n차 다항식에 맞게 커브 피팅하기 위한 일반화된 절차를 소개하고자 한다. 이러한 다항식을 방정식 형식으로 표현하기 위해 두 가지 형식이 제공된다. 먼저 뉴턴 보간 다항식은 다항식의 차수가 결정되지 않은 상황에 적절한 방법이다. 두 번째는 라그랑지 보간 다항식이라고 불리며, 다항식의 차수가 미리 결정된 상황에서 장점을 가진다.

마지막으로, 18장에서는 정확한 데이터 포인트를 피팅하기 위한 다른 방법을 제시한다. 스플라인 보간법이라고 불리는 이 기술은 다항식을 데이터에 피팅하지만 매우 단편적인 소구간 영역에서 이를 맞춘다. 따라서 일반적으로 매끄럽지만 국부적으로 급격한 변화를 갖는 데이터에 대해 특히 적합하다. 단편적인 보간법이 파이썬에서 어떻게 구현되는지에 대한 개요이다. 이 장에서는 두 가지 중요한 데이터 보간 기술, 즉 입방 스플라인 보간법과 LOESS에 대한 소개로 마무리된다. 그리고 파이썬 함수를 통한 구현이 제시된다.

선형회귀분석
Straight-Line Linear Regression

학습 목표

이 장의 주요 목적은 데이터에 대한 직선 형태의 함수에 맞추기 위해 최소자승법을 어떻게 적용하는지 소개하는 것이다.

- 기본적인 통계 및 정규분포에 대한 지식
- 가장 적합한 직선의 기울기와 절편의 계산 방법
- 계산 없이 데이터를 통해 직선의 방정식을 찾는 방법
- 파이썬으로 난수를 생성하는 방법과 이것이 몬테카를로 시뮬레이션에 사용되는 방법
- 결정계수의 의미와 추정치의 표준오차를 계산하고 이해하는 방법
- 모델 적합성에 대한 잔차에 대한 초기 평가 수행 방법
- 기울기와 절편에서 신뢰 구간을 추정하는 방법 및 이를 사용한 모델 유효성 판별
- 일부 비선형 모델을 직선 형태로 변환하고 모델에 맞게 회귀분석을 적용하는 방법
- 파이썬으로 직선 선형회귀를 구현하는 방법

다음과 같은 문제가 주어졌을 때

1장에서 우리는 번지점퍼와 같은 공기 중 자유낙하 물체가 공기저항에 의해 상향 힘이 작용하는 점을 주목했다. 첫 번째로 우리는 이 힘이 다음과 같이 속도의 제곱에 비례한다고 가정했다.

$$F_U = c_d v^2 \tag{14.1}$$

여기서 F_U = 공기저항 또는 항력의 상향 힘 (N = kg·m/s^2), c_d = 항력계수 (kg/m), v = 속도 (m/s)를 나타낸다.

식 (14.1)과 같은 표현은 유체역학 분야에서 비롯되었다. 이러한 관계는 부분적으로는 이론을 바탕으로 유도되었지만, 실험을 통한 데이터들은 이를 공식화하는 데 중요한 역할을 하였다. 이러한 실험 중 하나가 그림 14.1에 묘사되어 있다. 해당 실험은 사람이 풍동에 매달려 있을 때, 풍속의 변화에 따라 사람에게 작용하는 힘을 측정하는 것이다. 이에 대한 전형적인 결과는 표 14.1에 열거되어 있다.

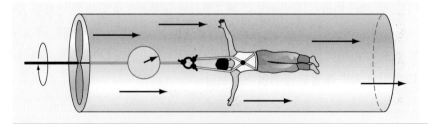

그림 14.1   속도와 항력 사이의 상관관계를 측정하기 위한 풍동 시험.

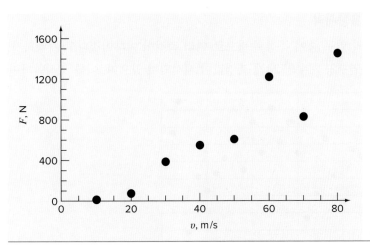

그림 14.2   풍동에 매달린 물체의 항력과 풍속 사이의 관계 그래프.

표 14.1   풍동 실험에서 항력 (N)과 속도 (m/s)에 대한 실험 데이터.

v, m/s	10	20	30	40	50	60	70	80
F, N	25	70	380	550	610	1220	830	1450

작용 힘과 속도 사이의 관계는 그래프를 통해 시각화할 수 있다. 그림 14.2에 표시된 바와 같이, 상관관계의 몇 가지 특징을 알 수 있다. 첫째, 관측 데이터들은 속도가 증가함에 따라 힘이 증가하는 것을 나타낸다. 둘째, 관측 데이터들은 부드럽게 증가하지 않고 흩어져 있으며 관측 잡음은 속도에 따라 증가하는 것처럼 보인다. 마지막으로, 분명하지 않을 수도 있지만, 힘과 속도 사이의 관계가 선형이 아닐 수도 있다.

물론 식 (14.1)을 살펴보면 이러한 결과는 자연스럽게 예측이 가능하다. 그리고 항력이 풍속이 0일 때 0에서 시작한다고 가정한다면 이러한 결론은 좀 더 분명해진다.

14장과 15장에서, 우리는 이러한 데이터에 '최적의' 직선이나 곡선을 맞추는 방법을 탐구할 것이다. 이를 통해서 식 (14.1)과 같은 관계가 실험 데이터에서 어떻게 도출되었는지 설명할 것이다.

14.1 통계 복습

최소자승법을 설명하기 전에 먼저 통계 분야의 몇 가지 기본 개념에 대해 복습하고자 한다. 여기에는 히스토그램 차트를 통해 데이터 집합의 분포를 관찰하고 평균, 표준편차 및 잔차 제곱합에 대한 샘플 통계를 계산하는 것이 포함된다. 또한 데이터 변동성을 설명하는 데 가장 일반적으로 사용되는 정규분포도 학습해 보고자 한다. 또한 파이썬을 사용하여 이러한 통계를 계산하고 도식화하는 방법을 설명할 것이다. 이러한 주제에 대해 잘 알고 있다면 14.2절로 건너 뛸 수 있지만 여기에 사용된 파이썬 코드에 주의를 기울이는 것이 좋다.

14.1.1 기술통계학

공학 분야의 연구 중에 특정 수량으로 여러 측정이 이루어졌다고 가정하자. 예를 들어, 표 14.2에는 측정된 열팽창 계수의 24개 측정값이 제시되어 있으며, 이를 도식화하면 다음과 같다.

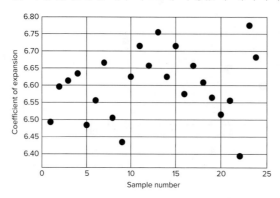

해당 데이터는 6.395에서 6.775까지의 범위에서 제한적인 정보를 제공해 준다. 따라서 이에 대한 적절한 통계법을 통해 데이터의 특성을 요약하는 것이 필요하다. 일례로 해당 데이터로 막대형 차트를 만들면 다음과 같은 **히스토그램**으로 표현하는 것이 가능하다.

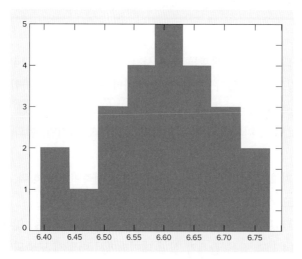

여기서 우리는 데이터가 중심에 모이면서 다소 대칭적인 분포를 나타낸다는 것을 주목하여야 한다. 이를 통해 측정값들의 중심 위치가 무엇인지 추정하고 데이터의 확산을 정량화할 수 있다. 수천 개의 측정을 수행하고 히스토그램에서 작은 간격을 사용할 수 있다면 거의 연속적인 곡선을 볼 수 있으며, 중심점과 분포량에 대한 특성을 정확하게 확인할 수 있다.

표 14.2   구조용 강철의 열팽창 계수에 대한 측정치.

6.495	6.595	6.615	6.635	6.485	6.555
6.665	6.505	6.435	6.625	6.715	6.655
6.755	6.625	6.715	6.575	6.655	6.605
6.565	6.515	6.555	6.395	6.775	6.685

위치의 척도. 이러한 중심점에 대한 대표적인 추정방식으로는 '표본평균(sample mean)'이 가장 일반적으로 사용되며, 통계에서는 이를 '표본평균(sample average)'이라고도 부른다. 이에 대한 정의는 다음과 같다.

$$\bar{y} = \frac{\sum y_i}{n} \tag{14.2}$$

여기서 합계(이 절에서 모든 후속 합계)는 $i = 1$에서 n까지의 데이터에 대한 값이다.

중심점에 대한 평균 이외의 다른 방법들도 있다. 일반적으로 하나 이상의 데이터 요소가 **이상값**(*outliers*)일 경우 표본평균은 이러한 이상값의 영향을 많이 받게 된다. 이는 **중앙값**(*median*)에 좀 더 영향이 적은 특성이 있다. 중앙값은 데이터 중간점의 값을 의미하며, 이는 데이터를 정렬하여 찾을 수 있다. 표 14.2의 데이터와 같이 데이터 수가 짝수이면 중앙값에 대한 두 중간점의 평균을 취한다. 중앙값은 50번째 백분위수라고도 한다.

최빈값(*mode*)은 가장 자주 발생하는 값을 말한다. 이는 히스토그램에서 최대치에 해당한다. 위의 차트에서는 약 6.62가 이 값에 해당한다. 최빈값은 작은 데이터 집합에는 유용하지 않은데, 상기 표에서 6.555, 6.625, 6.655 및 6.715의 네 가지 측정값이 2회씩 관측이 되기 때문이다.

중심에서 멀리 떨어진 측정의 영향을 저감하기 위한 평균에 대한 다른 추정 요인이 있다. 이 중하나를 **m추정값**(*m-estimate*)라고 부르며, 여기서는 이를 소개하지 않는다.

분산의 척도. 데이터의 분산이 클수록 평균을 정확하게 추정하는 것이 더 어렵다는 것은 직관적이다. 가장 간단한 분산 척도는 범위(*range*), 즉 가장 큰 데이터 요소와 가장 작은 데이터 요소의 차이이다. 그러나 이 범위는 표본 크기에 매우 민감하고 두 데이터 요소만 크게 영향을 받기 때문에 신뢰할 수 있는 추정치로 간주되지 않는다. 때로는 매우 작은 데이터 집합(예: 두 개에서 다섯 개)에 사용되며 데이터 요소 수의 제곱근으로 나누어 적용한다.

분산의 가장 일반적인 척도는 **표본 표준편차**(*sample standard deviation, s_y*)이며, 이는 다음과 같이 계산된다.

$$s_y = \sqrt{\frac{SS_T}{n-1}} \tag{14.3}$$

여기서 SS_T는 데이터 점과 평균의 추정치 간의 차이의 제곱의 총합으로, 보정된 총 제곱합이라고도 하며 다음과 같이 계산된다.

$$SS_T = \sum(y_i - \bar{y})^2 \tag{14.4}$$

제곱의 총합은 데이터의 변동성에 대한 유용한 척도로 간주된다. 평균과 거리가 먼 데이터는 SS_T를 크게 증가시킨다. 따라서 SS_T는 데이터의 이상값에 매우 민감하다.

데이터 분산의 또 다른 일반적인 척도는 **표본분산**(*sample variance*)이며, 이는 다음과 같이 정의된다.

$$s_y^2 = \frac{\sum (y_i - \bar{y})^2}{n - 1} \tag{14.5}$$

식 (14.3)과 식 (14.5)의 분모가 $n - 1$인 점에 주목하자. 일반적으로 n이어야 한다고 생각할 수도 있다. 이와 같은 분모 $n - 1$을 **자유도**(*degree of freedom*)라고 한다. n개의 측정을 반복해서 수행하고 각 측정 세트에 대해 $\bar{y}$와 s_y를 계산한다고 가정하면, 이러한 추정치는 평균의 실제값(μ) 및 표준편차의 실제값(σ)과 같아질 것이라고 기대된다. 이것은 평균에 대해 유효하다는 것이 밝혀졌다. 그러나 식 (14.3)의 분모에서 n을 사용한다면, s_y 추정치가 $(n - 1)/n$의 요인에 의해 실제값에서 왼쪽으로 이동되거나 편향된다는 것을 알 수 있다. $n - 1$을 분모로 사용하면 이러한 추정치가 정상적으로 정렬된다. 주어진 데이터로부터 $\bar{y}$를 계산하고 식 (14.3)에 적용함으로써 데이터로부터 어느 정도의 자유도를 제거할 수 있으며, 이로 인해 $n - 1$ 분모를 제거할 수 있다. 이와 같은 것은 기댓값(expectation)을 통해 수학적으로 증명할 수 있으나 여기서는 다루지 않겠다.

분산을 계산하는 데는 다음과 같은 공식이 더 편리하다.

$$s_y^2 = \frac{\sum y_i^2 - n\bar{y}^2}{n - 1} \tag{14.6}$$

이 수식은 $(y_i - \bar{y})$를 개별적으로 계산할 필요가 없으므로 계산 노력을 절약할 수 있다. 그러나 분자가 매우 큰 두 숫자 사이의 작은 차이를 나타낼 수 있으므로 반올림오차가 발생할 수 있다는 경고를 상기할 필요가 있다[4장의 감산 취소(subtractive cancellation)를 참조]. 식 (14.6)은 일반적으로 컴퓨터 코드에서 사용되지 않으며, 오히려 이전 공식이 사용된다.

데이터의 분산을 정량화하는 데 유용한 최종 통계는 변동 계수 *c.v.*(coefficient of variation)이다. 이 통계량은 표본평균 추정치에 대한 표본 표준편차의 비율을 의미하며 종종 다음과 같이 백분율로 표현된다.

$$c.v. = \frac{s_y}{\bar{y}} 100\% \tag{14.7}$$

14.1.2 정규분포(Normal Distribution)

이전 절에서 히스토그램을 사용하여 데이터를 묘사하는 방법을 간략하게 설명하였다. 수치적 추정기법을 적용하기 전에 데이터를 그래프로 확인해 보는 것은 상당히 유용하다.

하지만 히스토그램에 대해서 "얼마나 많은 간격을 사용해야 하는가?"라는 질문이 있을 수 있다. 이것은 간단한 질문처럼 들리지만 간격 선택은 히스토그램을 구성하는 과정에서 종종 잘못 설정되는 경우가 많다. 너무 많거나 너무 적은 간격을 사용하면 전체 패턴을 식별할 수 없다. 다음 히스토그램은 이전 절의 데이터 집합에 대해 4, 8 및 15개의 간격(이를 일반적으로 *bins*라 표현함)으로 그려 본 결과이다.

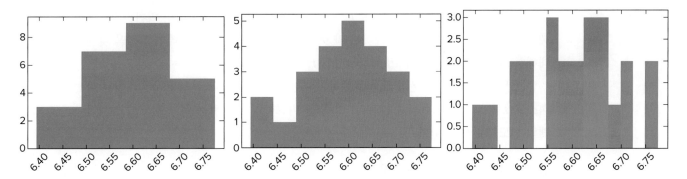

중간 그래프에 나타난 분포의 모양이 좀더 명확하게 표현되는 것을 볼 수 있다.

분포함수는 일반적으로 수학적 함수를 사용하여 히스토그램을 모델링하려는 방법이다. 가장 자주 사용되는 함수는 고전적인 '종형(Bell curve)'으로 표현되는 정규 또는 가우스 분포이다. 전부는 아니지만 많은 현상들이 정규분포에 의해 적절하게 기술되며, 제일 중요한 점은 n개의 데이터의 샘플을 반복적으로 수집한다면 히스토그램의 **중심 한계 정리**(*Central limit theory*)로 알려진 원리에 따라 평균($\bar{y}$)이 항상 정규분포를 갖는 경향이 있다.

정규분포는 수학적으로 확률밀도 함수 f로 정의된다.

$$f(y) = \frac{1}{\sigma\sqrt{2\pi}}e^{-\frac{(y-\mu)^2}{2\sigma^2}} \qquad -\infty \leq y \leq \infty \qquad (14.8)$$

여기서 μ는 평균, σ는 표준편차를 나타낸다. 확률밀도 함수 아래의 면적은 확률이므로 전체 면적은 1과 같고 $y = \mu$에서의 곡선의 높이는 $1/(\sigma\sqrt{2\pi})$가 된다. $z \triangleq (y - \mu)/\sigma$를 정의하여 정규분포를 표준화하면 확률밀도 함수가 훨씬 간단해진다.

$$f(z) = \frac{1}{\sqrt{2\pi}}e^{-z^2} \qquad -\infty \leq z \leq \infty \qquad (14.9)$$

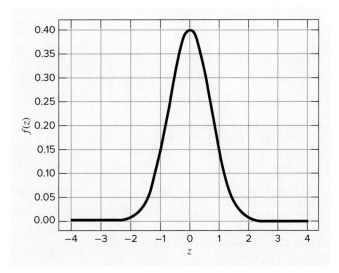

곡선 아래의 대부분의 면적이 $-3 \leq z \leq 3$ 범위 내에 있으며 이는 $y = \mu$에 대한 $\pm 3\sigma$값과 같다.

$z = -1$과 $z = 1$(또는 $\mu - \sigma \leq y \leq \mu + \sigma$) 사이의 면적은 약 68%이며, 마찬가지로 $z = \pm 2$에 대해서는 약 95 %, $z = \pm 3$에 대해서는 약 99.7%의 면적을 가진다. 이러한 특성을 갖는 관측치들에 대해서 정규 확률 규칙(*Normal probability rule*)이라고 한다.

히스토그램의 세로축은 빈도를 표현하기 때문에 식 (14.8)과 식 (14.9)에 기술된 곡선은 이러한 히스토그램에서 잘 표현되지 않는다. 이 둘을 비교하기 위해서는 정규 밀도를 높이거나 히스토그램의 빈도를 줄여야 한다.

14.1.3 파이썬을 사용한 기술통계

파이썬은 기술통계의 계산을 용이하게 하기 위해 NumPy 및 SciPy 모듈에 일련의 함수를 제공한다. 다음 코드는 사용법을 보여 주는 예시이다.

```python
import numpy as np
from scipy import stats

ce = np.array([6.495, 6.595, 6.615, 6.635, 6.485, 6.555,
               6.665, 6.505, 6.435, 6.625, 6.715, 6.655,
               6.755, 6.625, 6.715, 6.575, 6.655, 6.605,
               6.565, 6.515, 6.555, 6.395, 6.775, 6.685])

cebar = np.mean(ce)
print('mean estimate = {0:5.3f} '.format(cebar))
cemed = np.median(ce)
print('sample median = {0:5.3f} '.format(cemed))
cemode = stats.mode(ce,axis=None)
print('sample mode = ',cemode)
cevar = np.var(ce)
print('sample variance = {0:5.3e} '.format(cevar))
ces = np.std(ce)
print('sample standard deviation = {0:7.5f}  '.format(ces))

def S(a):
    abar = np.mean(a)
    adev = a - abar
    return np.sum(adev**2)

cv = ces/cebar
print('coefficient of variation = {0:5.3f} %'.format(cv))

Sce = S(ce)
print('total corrected sum of squares = {0:5.3f} '.format(Sce))

MADce = stats.median_absolute_deviation(ce)
print('MAD = {0:5.3e}'.format(MADce))

mean estimate = 6.600
sample median = 6.610
sample mode =  ModeResult(mode=array([6.555]), count=array([2]))
sample variance = 9.042e-03
sample standard deviation = 0.09509
coefficient of variation = 0.014 %
total corrected sum of squares = 0.217
MAD = 8.154e-02
```

SciPy 모듈의 `stats.mode` 함수에서 결과의 형식을 확인해 보자. 두 개의 동일한 값의 첫 번째 결과만 기록된다. 또한 함수 S는 `np.var(ce)*(n-1)`를 통해 파이썬에서 간접적으로 계산할 수 있지만 모듈에서는 사용할 수 없기 때문에 총 수정된 제곱합을 계산하도록 프로그래밍되었음을 알 수 있다.

파이썬은 히스토그램 데이터와 그래프를 생성하는 데에도 사용할 수 있다. NumPy 모듈의 히스토그램 함수에는 다음 구문이 있다.

```
hist, bin_edges = np.histogram(data_array,bins=10,range)
```

상기 코드에는 추가 인수가 있는데, `bins` 및 `range` 인수는 선택 사항이다. 상기 데이터에 대해 적용해 보면 다음과 같다.

```
import numpy as np
#from scipy import stats

ce = np.array([6.495, 6.595, 6.615, 6.635, 6.485, 6.555,
               6.665, 6.505, 6.435, 6.625, 6.715, 6.655,
               6.755, 6.625, 6.715, 6.575, 6.655, 6.605,
               6.565, 6.515, 6.555, 6.395, 6.775, 6.685])

hist, bin_edges = np.histogram(ce,bins=8,range=[6.39,6.79])
print('\nHistogram data:\n',hist)
print('\nBin boundaries:\n',bin_edges)

Histogram data:
 [2 1 3 4 6 4 2 2]

Bin boundaries:
 [6.39 6.44 6.49 6.54 6.59 6.64 6.69 6.74 6.79]
```

이러한 데이터에 대해 MatplotLib의 pyplot 모듈의 막대 함수를 사용한 막대형 그래프를 만들어서 해당 그래프의 모양을 어느 정도 제어할 수 있다.

```
bin_width = bin_edges[1]-bin_edges[0]
n = len(hist)
bin_centers = np.zeros((n))
for i in range(n):
    bin_centers[i] = (bin_edges[i]+bin_edges[i+1])/2

import matplotlib.pyplot as plt
plt.bar(bin_centers,hist,width=bin_width,color='w',edgecolor='k')
```

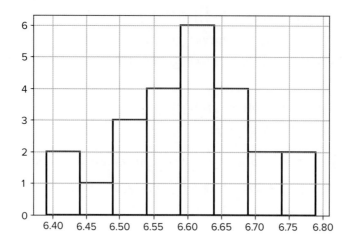

SciPy stats 모듈의 norm.pdf 함수를 활용하여 다음 명령을 입력하면 상기 그래프에 정규분포 곡선을 추가할 수 있다.

```
from scipy import stats
cebar = np.mean(ce)
ces = np.std(ce)
x = np.linspace(6.39,6.79)
y = stats.norm.pdf(x,cebar,ces)
plt.plot(x,24*0.05*y,color='k')
```

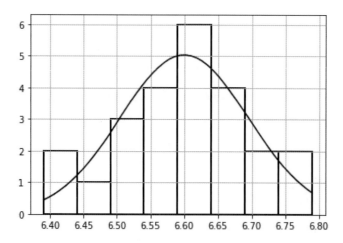

정규분포 곡선의 크기를 막대형 그래프에 맞게 조정하기 위해 데이터 수(24)와 빈 너비(0.05)를 곱하였다.

편의를 위해 파이썬의 pylab 모듈은 히스토그램 데이터를 계산하고 막대형 그래프를 생성하는 hist 함수를 제공한다. 여기서 정규분포 곡선을 추가할 수도 있다.

```
import pylab
pylab.figure()
pylab.hist(ce,bins=8,range=[6.39,6.79])
pylab.grid()
pylab.plot(x,1.2*y,color='r')
```

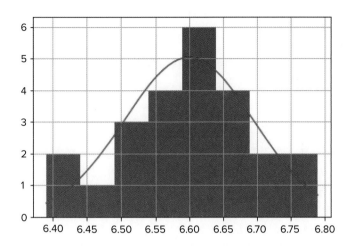

hist 함수를 사용하면 그래프를 많이 제어할 수는 없지만 종종 사용하는 방법이다.

14.2   난수와 시뮬레이션

이 절에서는 주어진 통계 분포에 대한 난수를 생성하는 데 사용할 수 있는 파이썬 NumPy의 random 서브 모듈의 함수에 대해 설명하고자 한다. 균일하고 정상적인 분포에 대해 주로 다룰 예정이지만, 이 외의 다양한 옵션들을 사용할 수도 있다.

14.2.1 균일 분포의 난수

일반적으로 균일한 분포를 위한 밀도 함수는 다음과 같다.

$$f(x) = \frac{1}{b-a} \qquad a \leq x \leq b$$

이 식은 x의 값이 a와 b 사이에 있을 때의 균일한 분포 확률을 의미한다.

<u>참고</u>: 실제 무작위 변수의 분포의 경우 x의 특정 값에 대한 확률은 0이며, x축의 단일 점에 대한 f 아래 영역에 해당한다.

파이썬 내장함수 중 ndarray로 n개의 균일 분포(Uniform distribution)의 난수를 제공하는 함수의 구문은 다음과 같다.

```
xvals = numpy.random.uniform(a,b,n)
```

예제 14.1	항력의 균일 분포 난수 생성

문제 정의 초기 속도가 0인 경우, 자유낙하하는 번지점퍼의 하향 속도는 다음의 수식[식 (1.9)]에 의해 예측될 수 있다.

$$v = \sqrt{\frac{mg}{c_d}} \tanh\left(\sqrt{\frac{gc_d}{m}}\, t\right)$$

m은 68.1 kg로 가정하고 c_d가 정확하게 알려지지 않았다고 가정한다. 예를 들어 0.225와 0.275 사이의 임의의 값, 즉 0.25 kg/m의 평균값 주위에 약 ±10%의 임의 값이 있다고 가정할 수 있다. 파이썬 NumPy의 random.uniform 함수를 사용하여 주어진 범위에서 c_d에 대해 1,000개의 난수값을 생성한 다음 이 값을 사용하여 $t = 4$ s에서 1,000개의 속도값을 계산하라. 또한 이를 c_d 및 v에 대한 히스토그램으로 그려 보라.

풀이 c_d에 대한 난수를 생성하기 전에 먼저 평균속도를 다음과 같이 계산하라.

$$v_{\text{mean}} = \sqrt{\frac{9.81 \cdot 68.1}{0.25}} \tanh\left(\sqrt{\frac{9.81 \cdot 0.25}{68.1}}\, 4\right) \cong 33.1118\, \frac{\text{m}}{\text{s}}$$

이에 대해 속도의 범위를 산정할 수 있다.

$$v_{\text{low}} = \sqrt{\frac{9.81 \cdot 68.1}{0.275}} \tanh\left(\sqrt{\frac{9.81 \cdot 0.275}{68.1}}\, 4\right) \cong 32.6223\, \frac{\text{m}}{\text{s}}$$

$$v_{\text{high}} = \sqrt{\frac{9.81 \cdot 68.1}{0.225}} \tanh\left(\sqrt{\frac{9.81 \cdot 0.225}{68.1}}\, 4\right) \cong 33.6198\, \frac{\text{m}}{\text{s}}$$

이러한 결과를 통해 항력 계수의 20% 변화에 대해 속도는 다음과 같이 변한다는 것을 알 수 있다.

$$\Delta v = \frac{33.6198 - 32.6223}{33.1118} \cong 3.01\%$$

이는 속도가 항력 계수의 변화에 매우 민감하지 않다는 것을 보여 준다.

아래의 파이썬 스크립트는 표본평균 및 표준편차와 함께 c_d에 대한 임의의 값을 생성하고 있다. 이후 히스토그램 그래프를 생성하고 이를 그림 14.3a에 도식화하였다. 비교를 위해 실제 평균은 $\mu = (a + b)/2 = 0.25$로 계산되고 표준편차는 $\sigma = \sqrt{(b - a)^2/12} \cong 0.0144$임을 알 수 있다.

```python
import numpy as np

n = 1000
a = 0.225
b = 0.275

mu_cd = (a+b)/2
sigma_cd = np.sqrt((b-a)**2/12)

cdrand = np.random.uniform(a,b,n)

avg_cd = np.mean(cdrand)
s_cd = np.std(cdrand)

print('\nMean = {0:7.4f}'.format(mu_cd))
print('Sigma = {0:7.4f}'.format(sigma_cd))
print('Sample mean = {0:7.4f}'.format(avg_cd))
print('Sample std dev = {0:7.4f}'.format(s_cd))
```

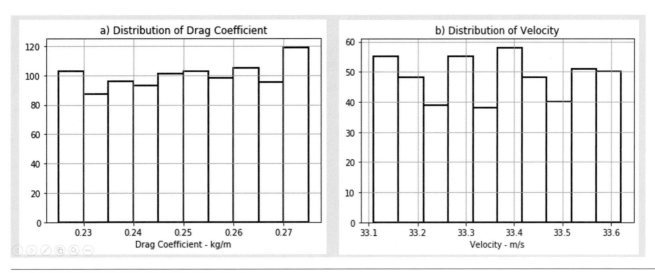

그림 14.3   (*a*) 균일하게 분포된 항력 계수에 대한 히스토그램 및 (*b*) 속도에 대한 히스토그램.

```
import pylab
pylab.figure()

pylab.hist(cdrand,bins=10,range=[a,b],color='w',edgecolor='k',linewidth=2.)
pylab.grid()

Mean  =  0.2500
Sigma  =  0.0144
Sample mean  =  0.2509
Sample std dev  =  0.0144
```

평균 및 표준편차에 대한 '실험적' 추정치가 이론적 값에 매우 가까운지를 살펴보자. 표본 크기가 훨씬 작으면 히스토그램에 편차가 더 많을 것이며 추정치가 그렇게 가깝지 않을 것이다.

c_d의 1,000개의 데이터는 $t = 4\ s$에서 속도의 분포를 해석적으로 계산하는 데 사용할 수 있다.

```
g = 9.81  # m/s2
m = 68.1  # kg
t = 4  # s
vrand = np.sqrt(m*g/cdrand)*np.tanh(np.sqrt(g*cdrand/m)*t)

pylab.figure()
pylab.hist(vrand,bins=10,range=[33.11,33.62],color='w',edgecolor='k',line
width=2.)
pylab.grid()
pylab.xlabel('Velocity - m/s')
pylab.title('b) Distribution of Velocity')

avg_v = np.mean(vrand)
range_v = np.max(vrand)-np.min(vrand)
print('Average velocity = {0:7.4f} m/s'.format(avg_v))
print('% Variation of velocity = {0:7.2f}'.format(range_v/avg_v*100))

Average velocity = 33.1084 m/s
% Variation of velocity =     3.01
```

속도의 분포는 그림 14.3*b*의 히스토그램에 나와있다. 표본에서 계산된 평균 및 %변화는 이전에 계산된 값과 비교된다.

앞의 예는 일반적으로 **몬테카를로 시뮬레이션**(*Monte Carlo Simulation*)이라고 불린다. 모나코의 몬테카를로 카지노에서부터 유래한 이 방법은 1940년대 핵무기 프로젝트에서 물리학자들이 처음 사용하였다. 이 방법은 상기 예제와 같은 간단한 문제에 대해 직관적인 결과를 도출하고 있다. 이러한 컴퓨터 시뮬레이션은 놀라운 결과를 가져오며 다른 방법으로는 확인할 수 없는 통찰력을 제공한다. 이 접근 방식은 지루하고 반복적인 계산을 효율적인 방식으로 구현할 수 있는 컴퓨터의 능력 때문에 가능하다.

14.2.2 정규분포의 난수

파이썬 내장함수 중 ndarray로 n개의 정규분포(Normal distribution)의 난수를 제공하는 함수의 구문은 다음과 같다.

```
xvals = numpy.random.normal(mu,sigma,n)
```

여기서 mu는 평균이고 sigma는 표준편차이다. 상기 구문의 세 번째 입력값인 ...,n) 대신 ...,n,m)와 같은 형태를 통해 이차원 $n \times m$ 배열을 반환 할 수 있다.

예제 14.2	항력의 정규분포 난수 생성

문제 정의 평균 0.25와 표준편차 0.0144인 1,000개의 정규분포 항력계수 값을 생성하고 이에 대한 속력분포를 계산하여 히스토그램으로 각각 비교하여라.

풀이 다음 파이썬 스크립트는 표본평균, 표준편차를 계산하고 데이터의 히스토그램을 도식화하는 것과 함께 c_d에 대한 임의의 값을 생성한다. 해당 속도와 표본평균 및 표준편차를 계산하기 위한 코드도 추가되었다.

```python
import numpy as np

n = 1000

mu_cd = 0.25
sigma_cd = 0.0144
lowlim = mu_cd - 3.5*sigma_cd
hilim = mu_cd + 3.5*sigma_cd

cdnorm = np.random.normal(mu_cd,sigma_cd,n)

avg_cd = np.mean(cdnorm)
s_cd = np.std(cdnorm)

print('\nMean = {0:7.4f}'.format(mu_cd))
print('Sigma = {0:7.4f}'.format(sigma_cd))
print('Sample mean = {0:7.4f}'.format(avg_cd))
print('Sample std dev = {0:7.4f}'.format(s_cd))

import pylab
pylab.figure()
pylab.hist(cdnorm,bins=10,range=[lowlim,hilim],color='w', \
           edgecolor='k',linewidth=2.)
pylab.grid()
pylab.xlabel('Drag Coefficient - kg/m')
pylab.title('a) Distribution of Drag Coefficient')
```

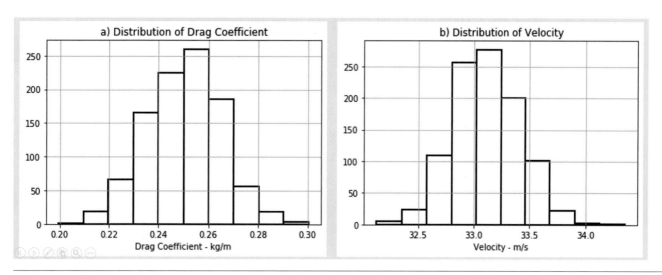

그림 14.4 (a) 정규분포를 갖는 항력 계수에 대한 히스토그램 및 (b) 속도에 대한 히스토그램.

```
g = 9.81  # m/s2
m = 68.1  # kg
t = 4  # s
vnorm = np.sqrt(m*g/cdnorm)*np.tanh(np.sqrt(g*cdnorm/m)*t)
vmin = np.min(vnorm)
vmax = np.max(vnorm)

pylab.figure()
pylab.hist(vnorm,bins=10,range=[vmin,vmax],color='w', \
              edgecolor='k',linewidth=2.)
pylab.grid()
pylab.xlabel('Velocity - m/s')
pylab.title('b) Distribution of Velocity')

avg_v = np.mean(vnorm)
range_v = np.max(vnorm)-np.min(vnorm)
print('Average velocity = {0:7.4f} m/s'.format(avg_v))
print('% Variation of velocity = {0:7.2f} %'.format(range_v/avg_v*100))

Mean =  0.2500
Sigma =  0.0144
Sample mean =  0.2495

Sample std dev =  0.0145
Average velocity = 33.1251 m/s
% Variation of velocity =    3.01 %
```

그림 14.4a에 표시된 히스토그램은 일반적인 정규분포를 나타내며, 표본평균 및 표준편차는 난수를 생성하는 데 사용되는 이상적인 값과 유사한 값을 갖는다.

속도에 대한 결과를 그림 14.4b에 나타내었으며 여기서도 정규분포와 유사한 특성을 보인다.

간단하지만 앞의 두 가지 예는 파이썬으로 난수를 쉽게 만들 수 있는 방법을 보여 준다. 이 장의 끝에 있는 연습문제에서 추가적인 응용사례에 대해 살펴볼 예정이다.

14.3 　최소자승법을 이용한 직선 회귀분석

데이터에 상당한 오차가 포함되어 있는 경우 가장 좋은 커브 피팅 전략은 각 데이터 요소를 일치시키려고 시도하지 않고 데이터의 모양이나 일반 추세에 맞는 근사 함수를 지정하는 것이다. 이를 수행하는 한 가지 방법은 관심 요인 또는 독립변수에 대해 데이터를 도식화하고 도식화된 데이터를 시각적으로 검사한 다음 최상의 판단을 통해 적합한 곡선의 형태를 찾는 것이다. 이러한 시각적 접근법은 상식적으로 그럴듯하며 대략적인 계산에 유효하지만 임의적이고 주관적이기 때문에 적용하기에는 부족한 부분이 많다. 즉 점들이 완벽한 직선을 정의하지 않는 한(이 경우 보간법이 적절할 것이다), 다른 분석가들은 다른 선을 그릴 것이다. 잠시 후 더 안정적이고 반복 가능한 데이터를 통해 직선을 스케치하는 더 자세한 방법을 설명할 것이다.

인간의 눈은 패턴에 대한 아주 좋은 판단자라는 것이 밝혀졌다. 관측에서 측정치와 요인 또는 독립변수 사이에 패턴이나 상관관계가 없다고 말하면 통계적 계산을 통해 이를 확인할 수 있다. 패턴이 보이고 선형으로 보이면 직선 맞춤이 적절하다. 그러나 패턴이 보이고 곡률이 확실히 존재한다면 데이터를 직선에 맞추기 위해 시간을 낭비하게 될 것이다.

데이터에 직선을 맞추는 것에서 주관성을 제거하려면 적합도의 기초로 기준을 설정해야 한다. 논리적인 진행 방법은 데이터들과 직선 사이의 불일치를 최소화하는 직선을 도출하는 것이다. 이를 위해서는 먼저 불일치라는 용어를 정량화해야 한다. 가장 간단한 예로 쌍을 이룬 관측치 집합($\{x_1, y_1\}, \{x_2, y_2\}, ..., \{x_n, y_n\}$)에 직선을 맞추는 것이다. 직선에 대한 수학적 표현은 다음과 같다.

$$y_i = a_0 + a_1 x_i + e_i$$

여기서 a_0 및 a_1은 절편 및 기울기에 대해 각각 선택된 계수이고, e_i는 실제 측정치 y_i와 동일하도록 직선 예측을 수정하는 데 필요한 오차 또는 잔차를 의미한다. 혹은 직선의 방정식이 측정의 예측값인 $\hat{y}_i$를 나타낸다는 것이다.

$$\hat{y}_i = a_0 + a_1 x_i$$

따라서 잔차는 실제 측정값과 예측값의 차이로서 다음과 같이 계산할 수 있다.

$$e_i = y_i - \hat{y}_i \tag{14.10}$$

따라서 a_0과 a_1에 대한 값을 사용하여 잔차 집합인 e_i, $i = 1, ..., n$을 계산할 수 있다.

14.3.1 '최적' 피팅에 대한 기준

데이터를 통해 '최적의' 직선의 방정식을 구하기 위한 한 가지 전략은 다음과 같이 잔차의 합을 최소화하는 것이다.

$$\min_{a_0, a_1} \sum e_i \quad \text{or} \quad \min_{a_0, a_1} \sum (y_i - a_0 - a_1 x_i) \tag{14.11}$$

그러나 이 기준은 그림 14.5a에 예시된 바와 같이 두 지점에 대한 직선의 적합성을 판단하기에는 부적절하다. 가장 적합한 방법은 두 점을 연결하는 선이다. 그러나 수직으로 중앙점을 지나는

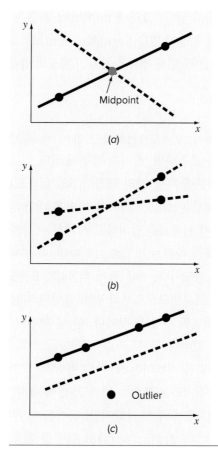

그림 14.5   '최적 피팅'에 대한 부적절한 판단 기준의 예시.
(a) 잔차의 합계에 대한 최소화.
(b) 잔차의 절댓값에 대한 합계의 최소화.
(c) 잔차의 최댓값에 대한 최소화.

경우를 제외하면 직선은 양수 및 음수의 잔차가 서로 상쇄되기 때문에 식 (14.11)에서 동일하게 0이라는 최솟값을 갖게 된다.

잔차의 부호에 대한 영향을 제거하는 한 가지 방법은 다음과 같이 잔차의 절댓값에 대한 합계를 최소화하는 것이다.

$$\min_{a_0, a_1} \sum |e_i| \quad \text{or} \quad \min_{a_0, a_1} \sum |y_i - a_0 - a_1 x_i| \tag{14.12}$$

그림 14.5b는 이 기준 역시 부적절하다는 것을 보여 준다. 표시된 네 점의 경우 점선 내에 속하는 직선이 잔차의 절댓값의 합을 최소화하고 있다. 따라서 이 기준 역시 고유한 최상의 적합성을 산출하지 않는다.

직선에 대한 최적의 피팅을 위한 세 번째 전략은 *minimax*라고 불리는 방법이다. 이 기술에서는 잔차의 최대 절댓값, 즉 개별 점이 선에서 떨어지는 최대 거리를 최소화하는 선으로 피팅하는 방법이다. 그림 14.5c에 묘사된 바와 같이 이 전략은 큰 오차를 갖는 단일 점인 이상치에 과도한 영향을 주기 때문에 회귀분석에 적합하지 않다. 그러나 minimax 기준은 간단한 함수를 복잡한 분석 함수에 맞추는데 적합할 수 있다는 특징이 있다(Carnahan, Luther, and Wilkes, 1969).

앞서 언급한 접근법의 단점을 극복하는 네 번째 전략은 잔차의 제곱의 합을 최소화하는 것이다.

$$\min_{a_0, a_1} \sum e_i^2 \qquad \min_{a_0, a_1} \sum (y_i - a_0 - a_1 x_i)^2 \tag{14.13}$$

편의를 위해 $SS_E \equiv \sum e_i^2$으로 정의하자. **최소자승법**이라고 하는 이 최소화 기준에는 데이터 집합에 대해 고유한 선을 생성한다는 점을 포함하여 몇 가지 장점이 있다.

그러나 특이치의 잔차 값이 크기 때문에 해당 값의 제곱이 SS_E에 과도하게 영향을 미치고 직선의 방정식에 영향을 줄 수 있다. 이러한 이상값은 최적의 피팅에 대한 강력한 **영향력**(*leverage*)를 가지고 있다고 한다. 데이터 집합에서 이상값을 감지하고 제거하는 것은 중요한 주제이며 까다로운 작업이다. 잔차 데이터가 정규분포를 따르는 것으로 보인다면, 특이치를 식별하기 위한 좋은 기준은 표본평균으로부터 멀리 떨어진 정도이다. 예를 들어 **추정치의 표준오차**(*Standard error of the estimate, s_e*)의 4~5배인 곳과 같이 표본평균으로부터 멀리 떨어진 지점의 데이터는 굉장히 드물게 발생할 것이기 때문에 특이치로 식별할 수 있을 것이다. 곧 설명할 이 수량은 가장 적합한 직선 주위의 측정값의 표준편차를 측정한 값이다.

상자 그림(*boxplot*)이라고 하는 이상값을 식별하는 또 다른 일반적인 그래픽적 접근 방식이 있다. 이는 표본 표준편차가 아닌 평균 추정치와 사분위수 범위(25번째 내지 75번째 백분위수)의 사용을 기반으로 한다. 이 책에서는 이 내용을 다루지 않았지만, 독자는 이 부분에 대해 인지하고 있어야 할 것이다. 파이썬에서는 `matplotlib.pyplot.boxplot` 함수를 활용하여 상자 그림을 간편하게 그려 볼 수 있다.

앞에서 언급했듯이 측정 장비의 고장이나 작업자 오류와 같이 오차 원인이 명확한 경우를 제외하고는 데이터에서 이상값을 제거하는 것은 권장되지 않는다. 만약 이상값을 제거했다면 이를 항상 문서화하고 이에 대한 영향성을 항상 고려해야 한다. 극단적인 이상값은 최소자승법에 영향을 미친다는 것을 명심하라.

14.3.2 최소자승법을 적용한 직선 회귀분석

앞에서 소개한 직선의 방정식의 a_0 및 a_1에 대한 값을 결정하기 위해 이들 계수에 대한 SS_E의 편미분을 다음과 같이 수행한다.

$$\frac{\partial SS_E}{\partial a_0} = -2 \sum (y_i - a_0 - a_1 x_i)$$

$$\frac{\partial SS_E}{\partial a_1} = -2 \sum (y_i - a_0 - a_1 x_i) x_i$$

편의를 위해 합계 기호를 단순화했으며, 달리 명시되지 않는 한 모든 합산은 $i = 1$에서 n까지이다. 이러한 편미분이 0이 되도록 하면 SS_E의 최솟값이 된다. 따라서 상기 식을 정리하면 다음과 같이 표현할 수 있다.

$$0 = \sum y_i - \sum a_0 - \sum a_1 x_i$$
$$0 = \sum x_i y_i - \sum a_0 x_i - \sum a_i x_i^2$$

여기서 $\sum a_0 = na_0$이기 때문에 이를 이용하여 두 개의 미지수 a_0과 a_1에 대한 선형방정식의 행렬식을 다음과 같이 표현할 수 있다.

$$\begin{bmatrix} n & \sum x_i \\ \sum x_i & \sum x_i^2 \end{bmatrix} \begin{bmatrix} a_0 \\ a_1 \end{bmatrix} = \begin{bmatrix} \sum y_i \\ \sum x_i y_i \end{bmatrix} \tag{14.14}$$

이를 정규 방정식($Normal\ equation$)이라고 한다. 상기 식을 풀면 다음과 같은 해를 얻을 수 있다.

$$a_1 = \frac{n \sum x_i y_i - \sum x_i \sum y_i}{n \sum x_i^2 - \left(\sum x_i\right)^2} \tag{14.15}$$

이 결과는 식 (14.14)의 첫 번째 행으로 표현된 방정식과 함께 사용하면 다음과 같이 다른 계수를 구할 수 있다.

$$a_0 = \bar{y} - a_1 \bar{x} \tag{14.16}$$

여기서 $\bar{y}$와 $\bar{x}$는 각각 y와 x의 표본 평균을 나타낸다.

예제 14.3	직선 선형회귀

문제 정의 표 14.1의 데이터에 대한 직선 선형회귀를 수행하라.

풀이 이 예제에서 힘은 종속변수(y)이고 속도는 독립변수(x)이다. 데이터는 테이블 형식으로 설정되고 필요한 합계를 계산하여 표 14.3에 기재하였다.
　　표본평균은 다음과 같이 계산된다.

$$\bar{x} = \frac{360}{8} = 45 \qquad \bar{y} = \frac{5135}{8} = 641.875$$

다음으로 기울기와 절편을 식 (14.15)와 식 (14.16)을 이용하여 다음과 같이 계산할 수 있다.

표 14.3　　표 14.1의 데이터에 가장 적합한 직선회귀 모델을 계산하기 위해 필요한 데이터 및 합계.

i	x_i	y_i	x_i^2	$x_i y_i$
1	10	25	100	250
2	20	70	400	1,400
3	30	380	900	11,400
4	40	550	1,600	22,000
5	50	610	2,500	30,500
6	60	1,220	3,600	73,200
7	70	830	4,900	58,100
8	80	1,450	6,400	116,000
$\sum$	360	5,135	20,400	312,850

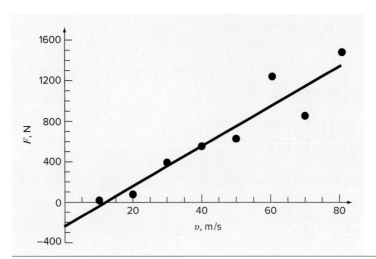

그림 14.6   표 14.1의 데이터에 대해 최소자승법을 적용한 직선회귀 모델.

$$a_1 = \frac{8 \cdot 312850 - 360 \cdot 5135}{8 \cdot 20400 - 360^2} \cong 19.47$$
$$a_0 \cong 641.875 - 19.47 \cdot 45 \cong -234.29$$

y와 x 대신 힘과 속도의 기호를 사용하여 최소자승법을 적용한 직선회귀 모델은 다음과 같다.

$$F = -234.29 + 19.47v$$

해당 결과에 대한 데이터 및 직선회귀 모델은 그림 14.6에 도시하였다.

해당 직선이 데이터의 추세에 잘 맞는 것처럼 보이지만 속도가 0일 때의 절편은 음의 힘을 예측하므로 비현실적이다. 14.4절에서는 독립변수에서 비선형이지만 적합 매개변수에서 선형인 모델을 사용하여 물리적으로 더 현실적인 대체 최적 피팅 곡선을 개발하는 방법을 소개할 예정이다.

14.3.3 선형회귀 모델에 대한 오차의 정량화

예제 14.2에서 계산된 직선을 제외한 모든 직선은 잔차의 제곱합이 더 커진다. 따라서 이러한 직선회귀 모델은 고유하게 결정되며 선택한 기준의 관점에서 '최적의' 직선이다. 이 적합치의 몇 가지 추가 속성은 잔차가 계산되는 방식과 총 수정된 제곱합과 어떻게 관련되는지를 보다 면밀히 조사하여 설명할 수 있다.

식 (14.13)에서 제곱의 오차 합계(*Error sum of squares*)인 SS_E를 다음과 같이 정의할 수 있다.

$$SS_E = \sum(y_i - \hat{y}_i)^2 \tag{14.17}$$

또한, 식 (14.4)를 상기하였을 때 상기 식은 다음과 같이 두 개의 항으로 분리할 수 있다.

$$SS_T = \sum(y_i - \bar{y})^2 = \sum(\hat{y}_i - \bar{y})^2 + \sum(y_i - \bar{y})^2$$
$$= \quad SS_R \quad + \quad SS_E \tag{14.18}$$

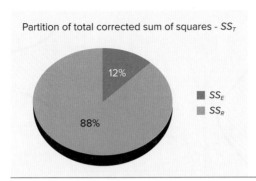

Partition of total corrected sum of squares - SS_T

■	SS_E
■	SS_R

12%

88%

그림 14.7　SS_T의 SS_E와 SS_R로의 분할.

이를 **제곱합 분할**(*Partition of the sum of squares*)이라고 하며 그림 14.7과 같이 원형 그래프로 표현할 수 있다. SS_R항을 **제곱의 회귀합**(*regression sum of squares*)이라고 하며 모델에서 설명하는 총 제곱합 부분을 나타낸다.

이러한 분할 기법은 여러 가지 해석의 대상이 된다. 첫째, SS_R이 원형 그래프에서 매우 작은 부분을 차지한다면 해당 모델이 유효하지 않을 가능성이 높다. 반면에 SS_E가 상대적으로 큰 경우 측정 잡음이 크다는 것을 의미한다. 그래서 이러한 것은 해당 모델의 효율성을 고려하기 위한 판단의 잣대에 대한 의문을 남기게 된다. 더 나아가서 만약 다른 회귀 모델이 존재한다면, 어느 것이 최선의 선택인지 어떻게 판단할 수 있을까?

회귀와 관련된 중요한 개념으로 **모델 적절성**(*model adequacy*)이 있다. 이는 모형이 데이터의 모든 체계적인 동작을 설명하고, 잔차가 무작위이며 주어진 분산 σ_e^2을 갖는 정규분포에 의해 설명된다는 가정에 대한 적절성을 의미한다. 또한 분산은 일관성이 있어야 하며 독립변수 x와 함께 변하지 않아야 한다. 적절성에 대한 이러한 요구 사항은 점검되어야 하며 엔지니어와 과학자가 종종 간과하는 부분이기도 하다. 이를 수행하는 질적 방법은 잔차의 히스토그램과 잔차 대 x의 그래프 또는 더 일반적으로 y의 예측값과 비교하여 두 개의 그래프를 만드는 것이다. 히스토그램은 정규분포처럼 보여야 하며, 그래프는 독립변수 대 잔차의 체계적인 동작을 보여 주지 않아야 하며, x축을 따라 잔차가 확산되는 극적인 변화를 보여 주어서는 안 된다.

모델 적합성에 대한 평가는 "모델이 부적절하면 어떻게 해야 하는가?"라는 질문을 야기한다. 다음은 이에 대한 전형적인 해결책이다.

1. 잔차에 중요하고 체계적인 동작이 있는 경우 직선회귀 모델이 적절하지 않으며 더 복잡한 모델을 사용해야 한다. 이것은 일반적으로 직선과 데이터의 그래프에서 확인이 가능하며, 15장에서 다루고자 한다.

2. 오차 분산이 x에 따라 크게 변경되면 y 데이터를 변환해야 하며, 일반적으로 로그함수 또는 멱함수를 사용하여 이러한 문제가 발생하지 않도록 해야 한다.

3. 오류의 분포가 정규분포와 일치하지 않으면 y의 변환이 적절하지 않을 수 있다. 이 문제를 해결할 수 없는 경우 선형회귀를 사용해서는 안 된다.

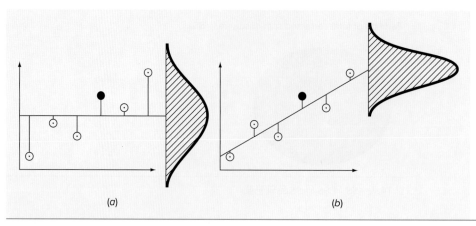

그림 14.8   회귀 데이터는 (*a*) 종속변수의 평균 주위의 데이터의 분포 및 (*b*) 최적 적합선 주위의 데이터의 분포를 보여 준다. (*a*)에서 (*b*)로 가는 분포의 감소는 우측의 종형 곡선에서 나타낸 바와 같이 선형회귀에 의한 개선을 나타낸다.

적절성 검사와 관련된 정량적 통계 테스트가 있지만, 여기에서 소개하는 것은 이 책의 범위를 벗어난다. 일반적으로 정량적 판단만으로도 충분하다.

적절성 외에도 직선회귀 모델이 데이터를 얼마나 잘 피팅했는지 분석해 보고자한다. 일반적인 의미에서 SS_R이 크고 SS_E가 작으면 모델이 가치가 있음을 나타낸다. 적절성에 대한 요구 사항이 충족되면 최소자승법 회귀분석이 a_0 및 a_1에 대한 추정치, 즉 가장 가능성 있는 추정치를 제공하는 것임을 증명할 수 있다(Draper and Smith, 1981). 이를 통계에서 **최대 가능성 원칙**(*maximum likelihood principle*)이라고 한다. 또한 이러한 기준이 충족되면 직선회귀 모델로부터 표준편차를 다음과 같이 계산할 수 있다.

$$s_e = \sqrt{\frac{SS_E}{n-2}} \tag{14.19}$$

여기서 s_e는 추정치의 표준오차라고 한다. 아래 첨자 e는 이것이 모형에서 실제 오차 항(σ_e)의 표준편차에 대한 추정치임을 나타낸다. 두 개의 매개변수인 a_0와 a_1이 데이터를 사용하여 추정되었으므로 n이 아닌 $n - 2$로 나누어 준다. 이러한 계산은 $n = 2$에 대해 의미가 없으며, 두 데이터 점에서는 잔차 없이 고유한 직선을 찾을 수 있다.

표본 표준편차[식 (14.3)]의 경우와 마찬가지로 추정치의 표준오차는 데이터의 확산을 정량화할 수 있다. 그러나, s_e는 그림 14.8*b*에 도시된 바와 같이 회귀선 주위의 분포를 설명하고, 그림 14.8*a*에 도시된 바와 같이 샘플 평균 주위의 분포를 정량화한 샘플 표준편차와는 대조적이다.

이러한 개념은 직선회귀 모델의 '적합성의 우수성(Goodness of fit)'을 설명하는 데 도움이 될 수 있다. 이것은 여러 후보 모델의 성능을 비교하는 데 특히 유용할 것이며 이에 대해서는 15장에서 다루고자 한다. 회귀 모델 성능을 정량화하는 데 사용되는 일반적인 항목으로 **결정계수**(*coefficient of determination*, R^2)가 있으며, 이는 모델에 의해 설명되는 총 보정된 제곱합의 비율을 나타낸다.

$$R^2 = \frac{SS_R}{SS_T} = 1 - \frac{SS_E}{SS_T} \tag{14.20}$$

일반적인 통계 언어에서 이것을 'R-제곱(R-squared)'이라고 한다. 결정계수의 제곱근인 R을 피어슨 상관계수(Pearson correlation coefficient)라고 한다. 직선 케이스에 대한 R을 계산하는 데 사용할 수 있는 대체 수식은 다음과 같다.

$$R = \frac{n\sum(x_i y_i) - \sum x_i \sum y_i}{\sqrt{n\sum x_i^2 - (\sum x_i)^2}\sqrt{n\sum y_i^2 - (\sum y_i)^2}} \tag{14.21}$$

| 예제 14.4 | 최소자승법에 의한 선형 회귀분석의 오차 추정 |

문제 정의 예제 14.2의 회귀분석 예시에 대해 보정된 총 제곱합, 표본 표준편차, 제곱의 오차 합, 회귀 제곱합 및 R^2값을 계산하라. 또한 잔차 대 x값의 그래프를 그리고 이 결과에 대한 관찰 사항을 서술하라.

풀이 먼저 데이터는 테이블 형식으로 정리하여 필요한 합계를 계산한 후 표 14.4와 같이 나타내었다.
보정된 총 제곱합은 테이블에서 직접 계산할 수 있다.

$$SS_T = 1,808,296.9$$

표본 표준편차는 다음과 같다.

$$s_y = \sqrt{\frac{SS_T}{n-1}} = \sqrt{\frac{1808297}{7}} \cong 508.26$$

표본 표준편차는 다음과 같다.

$$SS_E = 216118.2 \qquad SS_R = 1,592,178.7$$

마지막으로 결정계수는 다음과 같다.

$$R^2 = \frac{SS_R}{SS_T} = \frac{1,592,178.7}{1,808,296.9} \cong 0.88 \text{ or } 88\%$$

표 14.4 표 14.1의 데이터에 대한 적합도 통계를 계산하는 데 필요한 데이터 및 합계.

i	x_i	y_i	$\hat{y}_i$	e_i	e_i^2	$(y_i - \bar{y})^2$	$(\hat{y}_i - \bar{y})^2$
1	10	25	−39.58	64.58	4171.0	380534.8	464385.5
2	20	70	155.12	−85.12	7245.3	327041.0	236931.4
3	30	380	349.82	30.18	910.7	68578.5	85295.3
4	40	550	544.52	5.48	30.0	8441.0	9477.3
5	50	610	739.23	−129.23	16699.4	1016.0	9477.3
6	60	1220	933.93	286.07	81836.9	334228.5	85295.3
7	70	830	1128.63	−298.63	89180.4	35391.0	236931.4
8	80	1450	1323.33	126.67	16044.4	653066.0	464385.5
					216118.2	1808296.9	1592178.7

다음은 잔차 대 x값의 그래프이다.

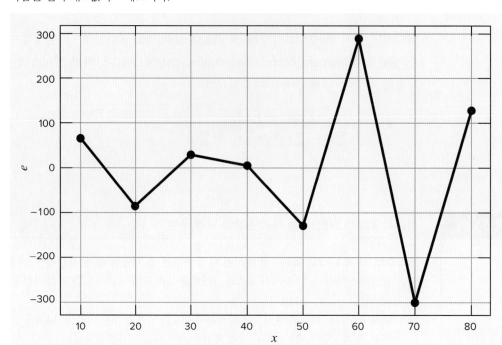

먼저 R^2값을 통해 해당 모델이 데이터의 변동성의 88%를 설명하고 있는 것을 확인할 수 있었다. 이는 그림 14.6을 통해서도 확인할 수 있다.

여기서 우려되는 점은 그래프에서 관찰된 바와 같이 잔차의 변동성이 x의 더 높은 값에서 오른쪽으로 더 높은 것으로 보인다는 것이다. 데이터 수가 적기 때문에 이 관찰을 통계적으로 뒷받침하는 것은 어렵지만 이것이 물리적으로 의미가 있는지 확인해 볼 수 있다. 즉 더 높은 체중에서 속도가 더 가변적이라는 것을 알 수 있다.

이와 관련된 논의를 더 진행하기 전에 주의할 점이 있다. 결정계수인 R^2는 적합도에 대한 편리한 척도를 제공하지만 보증되는 것보다 더 많은 의미를 부여하지 않도록 주의해야 한다. 'R-squared'가 1에 가깝다고 해서 피팅 결과가 반드시 좋다는 것을 의미하지는 않는다. 예를 들어, x와 y 사이의 근본적인 관계가 선형이 아닐 때 비교적 높은 R^2의 값을 얻을 수 있다. 그러나 이러한 경우 회귀된 모델은 분명히 적합성 테스트에 실패할 것이다. 그리고 나중에 살펴보겠지만, 서로 다른 회귀 모델을 비교할 때 R^2를 최상의 모델을 선택하는 기준으로 사용하는 것은 바람직하지 않다.

좋은 예는 Anscombe(1973)에 의해 개발되었다. 그림 14.9에서 볼 수 있듯이 그는 각각 11개의 데이터 포인트로 구성된 4개의 데이터 집합을 생각해 냈다. 그래프는 매우 다르지만 모두 동일한 최적 적합 방정식 (y = 3 + 0.5x)와 동일한 결정 계수인 R^2 = 67%를 가지고 있다. 그러나 관찰을 통해 왼쪽 상단 모서리에 있는 그래프만이 적절성 요구 사항을 충족할 가능성이 높다. 이 그림은 또한 데이터 및 회귀 모델을 그래픽으로 연구하는 것이 중요한 이유를 보여 준다.

R^2의 기본 정의를 항상 명심하라. 이는 모델에 의해 설명되는 데이터에서 변동성의 부분을 설명하고 있다. 측정값의 잡음이 높은 상황에 직면한 경우 R^2의 값은 상대적으로 낮을 수 있지만 개발하는 모델이 적절하고 가치가 있을 수도 있다.

마지막으로 회귀와 관련된 중요한 개념을 소개할 때 곡선 피팅 계산에서 발생하는 매개변수 추정치(직선회귀 모델의 절편 및 기울기)의 확실성(또는 불확실성)을 고려하고자 한다. 우리는 우리의 데이터와 관련된 불확실성이나 측정 잡음이 있음을 분명히 알 수 있다. 상황에 따라 데이터는 측정 잡음이 더 많거나 적은 정도로

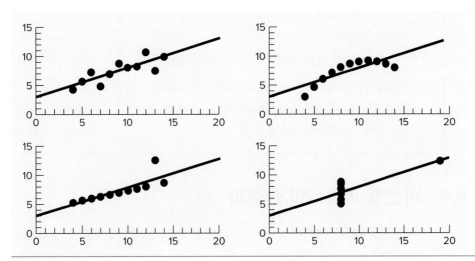

그림 14.9   Anscombe의 네 가지 데이터 집합과 함께 가장 적합한 직선회귀 모델(y = 3 + 0.5x).

'오염(polluted)'될 수 있다. 우리의 모델이 적절하다면 이 불확실성은 잔차의 분산 추정(s_e^2)에 구체화된다. 그림 14.10은 이러한 불확실성이 파라미터 추정치에 전파된다는 개념을 보여 준다. 문제는 우리가 이 전파를 어떻게 정량화할 것인가이다.

지금까지 설명한 통계 기법과 너무 동떨어지지 않은 방식으로 이 전파를 계산하는 데 사용되는 공식을 여기에서 설명하고자 한다. 먼저 x에 대한 수정된 제곱합을 다음과 같이 계산하자.

$$S_{xx} = \sum(x_i - \bar{x})^2$$

기울기(a_1) 및 절편(a_{22})에 대한 분산 추정치는 다음과 같다.

$$s_{a1}^2 = \frac{s_e^2}{S_{xx}} \qquad\qquad s_{a0}^2 = s_e^2\left(\frac{1}{n} + \frac{\bar{x}^2}{S_{xx}}\right)$$

이들 각각의 제곱근은 추정된 매개변수 값에 대한 표준오차이다.

이러한 표준오차를 어떻게 사용할 수 있을까? 다시 말하지만 세부 사항을 소개하지 않고도 매개변수의 실제 값이 추정값의 ± 3σ안에 있다고 확신할 수 있다.

이것이 예제 14.3의 결과에 어떻게 적용되는지 살펴보도록 하겠다.

$$S_{xx} = \sum(x_i - \bar{x})^2 = 6225$$

$$s_{a1}^2 = \frac{s_e^2}{S_{xx}} = \frac{36020}{6225} \cong 5.79 \qquad\qquad\qquad s_{a1} \cong 2.41$$

$$s_{a0}^2 = s_e^2\left(\frac{1}{n} + \frac{\bar{x}^2}{S_{xx}}\right) = 36020\left(\frac{1}{8} + \frac{2025}{6225}\right) \cong 16220 \qquad s_{a0} \cong 127$$

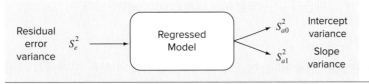

그림 14.10   잔차 분산으로부터 파라미터 분산으로의 불확실성의 전파.

a_0과 a_1에 대해 우리가 적용한 회귀 모델 결과는 항상 $\pm\ 3\sigma$안에 있고, 이와 같은 결과부터 다음과 같은 값의 범위를 얻을 수 있다.

$$-615 \leq a_0 \leq 147 \qquad\qquad 12.24 \leq a_1 \leq 26.7$$

이러한 간격은 매우 넓으며 특히 교차점의 간격이 매우 넓다는 것을 알 수 있다. 이것은 직선 모델의 부적절성과 측정 잡음과 관련이 있다. 따라서 더 좋고 정확한 측정값(그리고 아마도 더 나은 모델)을 사용하면 이러한 간격이 훨씬 더 촘촘해질 것이다.

14.4 비선형 관계식의 선형화

선형 회귀분석은 데이터에 최적의 직선을 맞추기 위한 강력한 도구로 사용된다. 그러나 해당 방법은 종속(또는 반응)변수와 독립변수 사이의 관계가 선형일 경우에만 사용이 가능하다. 그러나 이러한 선형 관계가 항상 보장되는 것이 아니기 때문에 모든 회귀분석의 첫 단계는 데이터를 그래프로 그려봄으로써 선형 회귀분석이 적절한지 육안으로 확인하는 것이다. 경우에 따라서는 선형 회귀분석보다 다항 회귀분석이 좀 더 적합할 수도 있을 것이며, 이에 대해서는 다음 장에서 설명하고자 한다. 일부 경우에는 선형 회귀 모델과 호환되는 형태의 데이터로 표현하기 위해 변환(transformation)을 사용할 수도 있다.

회귀 모델링에서 중요한 차이점은 고려 중인 모델이 기본 지식을 기반으로 하는지 아니면 순전히 경험적 기반인지에 대한 여부이다. 예를 들면, 번지점프의 경우에서 힘과 속도 사이의 관계를 설명하기 위해 물리학에서는 다음의 관계식을 이용한다.

$$F \propto v^2 \qquad F = c_d v^2$$

이것은 이론에 입각한 기본 모델인 반면, 이 장의 앞부분에서 데이터를 바탕으로 한 직선회귀 모델은 경험적인 모델이 된다. 일반적으로 기본 모델을 사용할 수 있을 때는 이를 사용하려고 한다. 때로는 기본 모델이 복잡할 경우 이를 실증적 근사 모델로 대체하는 것이 중요하다.

직선 형태로 변환할 수 있는 모델의 예로 다음과 같은 지수 모델이 있다.

$$y = \alpha_1 e^{\beta_1 x} \tag{14.22}$$

여기서 α_1과 β_1은 상수이다. 이 모델은 크기에 정비례하는 비율로 증가(양수 β_1) 또는 감소(음수 β_1)하는 특성을 바탕으로 공학 및 과학의 많은 분야에서 사용된다. 예를 들어, 인구 증가 또는 방사성 붕괴와 같은 현상에 적용될 수 있다. 그림 **14.11a**와 같이 방정식은 y와 x 사이의 비선형 관계($\beta_1 \neq 0$)로 표현된다.

또 다른 예로 다음과 같은 **멱함수**(*Power Equation*)가 있다.

$$y = \alpha_2 x^{\beta_2} \tag{14.23}$$

여기서 α_2와 β_2는 상수이다. 이 모델은 공학 및 과학의 모든 분야에서 폭넓게 적용할 수 있으며, 주로 기본 모델을 모를 때 실험 데이터를 바탕으로 회귀 모델을 구하는 데 자주 사용된다. 그림

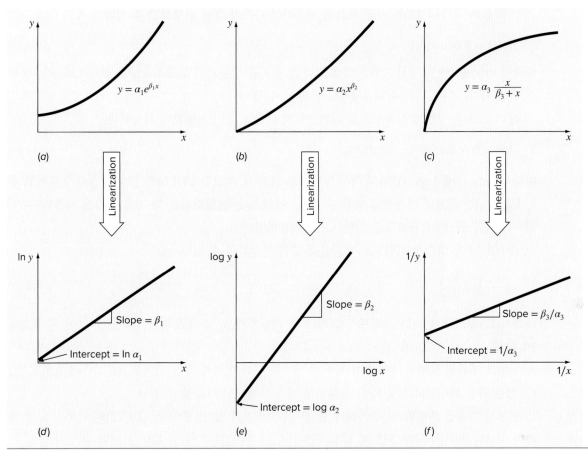

그림 14.11   (a) 지수 방정식, (b) 멱함수 방정식, (c) 포화 성장률 방정식. (d), (e), (f) 부분은 단순 변환의 결과로 해당 방정식의 선형화 형태이다.

14.11b와 같이 방정식($\beta_2 \neq 0$에 대한)은 비선형이며 절편이 0이다. 이것은 지수가 2로 고정된다는 점을 제외하고는 번지점프 문제에서 힘 대 속도에 대한 기본 방정식의 형태를 가진다.

비선형 모델의 세 번째 예는 **포화 성장률 방정식**이다.

$$y = \frac{\alpha_3 x}{\beta_3 + x} \tag{14.24}$$

여기서 α_2와 β_2는 상수 계수이다. 제한된 조건에서 인구 성장률을 특성화하는 데 특히 적합한 이 모델은 y와 x 사이의 비선형 관계를 나타낸다. 이 관계는 x가 증가함에 따라 평평해지거나 '포화(Saturates)'되는 특성이 있다(그림 14.11c). 특히 공학 및 과학의 생물학적 관련 분야에서 많이 응용되고 있다.

이 외에도 데이터 거동의 관찰을 기반으로 자주 선택되는 다른 많은 비선형 모델이 있다. 위에 표시된 세 가지 모델은 언급한 대로 α 및 β 매개변수에 대해 비선형 관계를 갖는다. 이러한 모델은 본 절에 나와 있는 비선형회귀를 사용하여 데이터에 피팅할 수 있다. 15장에서는 이러한 방정식을 매개변수에서 선형 형태로 변환한 다음 직선회귀를 적용하는 것을 다루고 있다.

예를 들어, 식 (14.22)는 자연 로그를 사용하여 다음과 같이 선형화할 수 있다.

$$\ln(y) = \ln(\alpha_1) + \beta_1 x \tag{14.25}$$

따라서 $\ln(y)$를 x에 대해서 그래프로 표현해 보면 β_1을 기울기로 갖고 $\ln(\alpha_1)$을 절편으로 갖는 직선이 될 것이며, 이는 그림 14.11d에서 확인해 볼 수 있다.

식 (14.23)은 양변에 상용로그를 취함으로써 다음과 같이 선형화가 가능하다.

$$\log_{10}(y) = \log_{10}(\alpha_2) + \beta_2 \log_{10}(x) \tag{14.26}$$

따라서 $\log_{10}(y)$를 $\log_{10}(x)$에 대해서 그래프로 그려 보면 그림 14.11e와 같이 기울기가 β_2이고 절편 $\log_{10}(\alpha_2)$인 직선의 방정식을 만들 수 있다. 이 모델을 선형화하는 데 기본 로그를 사용할 수 있었으나 여기에서는 상용로그를 일반적으로 적용하였다.

식 (14.24)는 역수를 취함으로써 다음과 같이 선형화할 수 있다.

$$\frac{1}{y} = \frac{1}{\alpha_3} + \frac{\beta_3}{\alpha_3}\frac{1}{x} \tag{14.27}$$

따라서 $1/y$을 $1/x$에 대해 그래프로 그려 보면 기울기가 β_3/α_3이고 절편 $1/\alpha_3$인 직선이 된다(그림 14.11f).

이렇게 변환된 모델에서 적절한 각각의 계수를 구하기 위해 직선 선형회귀분석을 적용할 수 있다. 그런 다음 원래 형식으로 다시 변환하고 예측 목적으로 사용할 수 있다.

변형된 모델을 피팅할 때 주의해야 할 한 가지 측면이 있다. 만약 식 (14.22)의 왼쪽이 모델 예측이 아니라 y의 실제값이 되도록 작성되었다면, 이 관측값은 다음과 같이 표현할 수 있다.

$$y = \alpha_1 e^{\beta_1 x} + \varepsilon \tag{14.28}$$

여기서 ε은 실제 측정된 y를 얻기 위해 모델에 추가해야 하는 오차 항을 나타낸다. 이 모델이 적절하다면 ε은 측정 과정에서 잡음을 나타내는 난수가 될 수 있다. 이때 평균은 0이고 분산은 σ_e^2이다. 식 (14.28)이 데이터 집합 $\{x_i, y_i, i = 1, ..., n\}$에 적용되면, 잔차 집합 $\{e_i, i = 1, ..., n\}$에 대해 α_1 및 β_1의 값이 결정된다. 이러한 잔차는 모델 적합성을 위해 분석되고 σ_e^2를 추정하는 데 사용할 수 있다.

이러한 변환이 식 (14.22)와 같은 모델에 적용될 때 결과 모델의 오차 항은 식 (14.28)의 ε이 아닌점을 분명히 해야 한다. 이 부분은 다르며, 예를 들어 더 이상 측정 과정에서 잡음이 나타나지 않는다. 따라서 원래 모델의 오차항을 특성화하고 추정하려는 경우 해당 모델에 직접 비선형회귀를 적용하고 변환을 수행하지 않는 것이 더 일반적이다. 또한, 적절하다고 간주되는 변형된 모델이 원래 모델이 적절하다는 것을 보증하지 못하고 그 반대의 경우도 마찬가지이다.

다시 변환으로 돌아와서 다음 예는 멱함수 모델에 대한 상기 절차를 보여 준다.

| 예제 14.5 | 멱함수에 대한 데이터 피팅 |

문제 정의 식 (14.23)에 대해 로그 변환을 이용하여 표 14.1의 데이터에 대한 회귀분석을 수행하시오.

풀이 데이터는 표 형식으로 설정할 수 있으며 필요한 합계는 표 14.5와 같이 계산하였다. 로그 항의 표본평균(평균)은 다음과 같이 표의 합계에서 계산된다.

$$\overline{\log_{10}(x_i)} = \frac{12.6055}{8} \cong 1.5757 \qquad \overline{\log_{10}(y_i)} = \frac{20.5153}{8} \cong 2.5644$$

기울기와 절편은 식 (14.15)와 식 (14.16)을 사용하여 계산할 수 있다.

$$\beta_2 = \frac{8 \cdot 33.6219 - 12.6055 \cdot 20.5153}{8 \cdot 20.5156 - 12.6055^2} \cong 1.9842$$

그리고

$$\log_{10}(\alpha_2) = 2.5644 - 1.9842 \cdot 1.5757 \cong -0.5620$$

변환된 모델의 최소자승법 회귀 모델은 다음과 같다.

$$\log_{10}(y) = -0.5620 + 1.9842\log_{10}(x)$$

로그 변환된 데이터와 함께 이 선형회귀 모델은 그림 14.12a에 도시하였다. 원래 좌표를 사용하여 맞춤을 표시할 수도 있는데, 이를 위해 α_2의 값은 $10^{-0.5620} \cong 0.2741$로 계산된다. y와 x 대신에 힘과 속도를 사용하여 피팅된 모델은 다음과 같이 된다.

$$F = 0.2741v^{1.9842}$$

원본 데이터와 함께 이 방정식의 그래프를 그림 14.12b에 도시하였다. 여기서 우리는 물리학에 기초하여 지수가 2일 것으로 예상했으며 통계적으로 1.9842는 2.0000과 유사하다. 결과적으로, 우리가 수행한 커브 피팅은 이론을 확인하고 항력계수 $c_d = 0.2741$ kg/m에 대한 추정치를 제공하는 역할을 했다. 나중에 다룰 문제는 이 추정치가 얼마나 확실한가에 대한 부분이다.

또한 예측된 y값에 대한 잔차를 그림 14.13a에 표시하였다. 통계 용어로 이를 잔차 대 적합도라고 하며 일반적으로 적절성을 분석하기 위해 표시한다. 관찰된 체계적인 변동은 없지만 y값이 높을수록 변동성이 증가한다는 우려가 남아 있으나 해당 우려는 예측된 $\log_{10}(y)$값에 대한 변환된 모델의 잔차 그래프에 의해 감소됨을 알

표 14.5 표 14.1의 데이터에 가장 적합한 멱함수 회귀 모델을 계산하기 위해 필요한 데이터 및 합계.

i	x_i	y_i	$\log_{10}(x_i)$	$\log_{10}(y_i)$	$(\log_{10}(x_i)^2)$	$\log_{10}(x_i)\log_{10}(y_i)$	$\log_{10}(\hat{y}_i)$	$\hat{y}_i$	e_i
1	10	25	1.0000	1.3979	1.0000	1.3979	1.4221	26.43	-1.4
2	20	70	1.3010	1.8451	1.6927	2.4005	2.0194	104.58	-34.6
3	30	380	1.4771	2.5798	2.1819	3.8107	2.3688	233.80	146.2
4	40	550	1.6021	2.7404	2.5666	4.3902	2.6167	413.75	136.3
5	50	610	1.6990	2.7853	2.8865	4.7322	2.8090	644.21	-34.2
6	60	1220	1.7782	3.0864	3.1618	5.4880	2.9661	924.98	295.0
7	70	830	1.8451	2.9191	3.4044	5.3860	3.0990	1255.94	-425.9
8	80	1450	1.9031	3.1614	3.6218	6.0164	3.2140	1636.95	-186.9
			12.6055	20.5153	20.5156	33.6219			

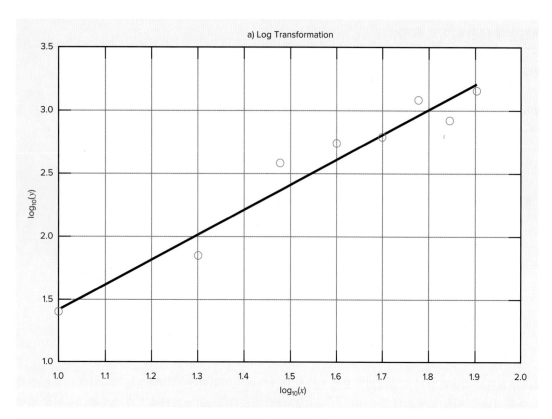

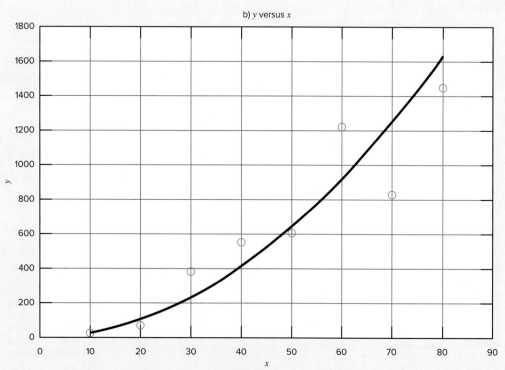

그림 14.12   표 14.1의 데이터에 대한 멱함수 모델의 최소자승법 회귀분석. 왼쪽에는 변환된 데이터가 적합하고 오른쪽에는 원본 데이터와 함께 피팅된 멱함수 방정식이 있다.

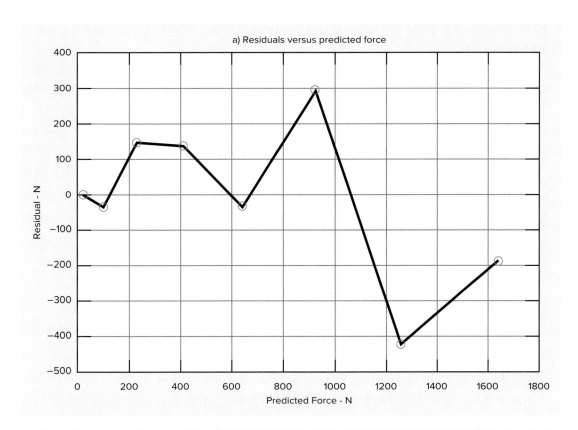

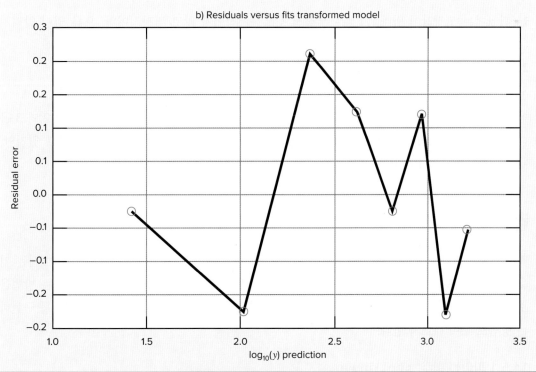

그림 14.13   (a) 잔차 대 예측된 힘 및 (b) 변환된 모델의 잔차 대 예측된 $\log_{10}(y)$값.

수 있다. 여기에서 변동성은 더 일관적이다. 이는 행운의 부산물인 변형 모델을 피팅함으로써 적정성을 높일 수 있었음을 보여 준다.

여기서 생각해 볼 수 있는 질문은 '왜 잔차의 히스토그램을 제시하지 않았냐'는 것이다. 여기에 대한 대답은 아주 간단하다. 히스토그램이 의미를 가질 만큼 데이터가 충분하지 않기 때문이다. 잔차가 정규분포를 따르는 지 확인하는 다른 방법이 있지만 여기서는 이에 대해 언급하지 않겠다.

예제 14.4의 결과를 예제 14.2의 결과와 비교할 수 있다. 예제 14.4에서 R^2값은 95%이고 예제 14.2에서는 88%였다. 이는 멱함수 방정식이 원래 선형 모델보다 수정된 총 제곱합의 더 많은 부분을 설명한다는 것을 나타낸다. 멱함수 모델이 물리학의 기본 방정식과 일치하기 때문에 이를 예상할 수 있었다. 15장에서 다시 확인해 보겠지만. 주어진 지수 2의 멱함수 모델을 맞추는 것은 간단하다.

14.4.1 직선 선형회귀에 대한 일반 설명

곡선 및 다변수 모델을 포함한 선형회귀에 대한 보다 일반적인 접근을 진행하기 전에 직선회귀에 대한 앞의 설명은 개론적인 특성임을 강조한다. 그동안 우리는 데이터를 맞추기 위한 직선 공식의 간단한 유도와 실제 사용에 중점을 두었다. 실제적으로 중요하지만 이 책의 범위를 벗어나는 회귀의 이론적 측면이 있음을 인식해야 한다. 예를 들어, 우리가 도입한 최소자승법에 내재된 몇 가지 통계적 가정은 다음과 같다.

1. 각 x에는 고정값이 있다. 그것은 본질적으로 통계적이지 않고 결정적이며, 오류 없이 알려져 있다.
2. y값은 독립변수이며 분산이 일관적이다.
3. 주어진 x에 대한 y값은 정규분포를 따른다.

이러한 가정은 회귀의 적절한 적용과 관련이 있다. 우리는 모델 적합성에 대한 논의에서 2.와 3.을 다루었다. 물론 우리는 학생들이 응용 통계에 대한 전체 과정을 수강할 것을 권장하고 있지만, Montgomery and Runger(2014)와 같은 다른 참고문헌을 참조하는 것도 좋다.

14.5 컴퓨터 애플리케이션

직선회귀는 너무나 일상적이어서 대부분의 휴대용 계산기에서도 구현할 수 있다. 이 절에서는 기울기와 절편, R^2값, 추정값의 표준오차를 결정하기 위해 간단한 파이썬 함수를 개발하는 방법을 보여 주고자 한다. 또한 NumPy stats 하위 모듈의 polyfit 함수를 사용하여 직선회귀를 구현하는 방법도 보여 주고자 한다.

14.5.1 파이썬 함수: strlinregr

직선 선형회귀를 위한 파이썬 함수는 쉽게 개발할 수 있다(그림 14.14). 필요한 합계는 NumPy

```
def strlinregr(x,y):
    n = len(x)
    if len(y) != n: return 'x and y must be of same length'
    sumx = np.sum(x)
    xbar = sumx/n
    sumy = np.sum(y)
    ybar = sumy/n
    sumsqx = 0
    sumxy = 0
    for i in range(n):
        sumsqx = sumsqx + x[i]**2
        sumxy = sumxy + x[i]*y[i]
    a1 = (n*sumxy-sumx*sumy)/(n*sumsqx-sumx**2)
    a0 = ybar - a1*xbar
    e = np.zeros((n))
    SST = 0
    SSE = 0
    for i in range(n):
        e[i] = y[i] - (a0+a1*x[i])
        SST = SST + (y[i]-ybar)**2
        SSE = SSE + e[i]**2
    SSR = SST - SSE
    Rsq = SSR/SST
    SE = np.sqrt(SSE/(n-2))
    return a0,a1,Rsq,SE
```

그림 14.14   직선 선형 회귀를 구현하는 파이썬 함수 strlinregr.

합계 함수 또는 for 루프를 사용하여 계산할 수 있다. 이후 식 (14.15)와 식 (14.16)을 이용하여 기울기와 절편을 계산한다. 잔차는 내부적으로 계산되어 SS_E를 계산하는 데 사용된다. 수정된 총 제곱합 SS_T가 계산된 다음 회귀 제곱합 SS_R이 계산된다. 이들은 R^2와 추정치의 표준오차 SE를 계산하는 데 사용된다. 이 함수는 절편, 기울기, R^2 및 SE를 최종적으로 반환한다.

strlinregr 함수의 성능을 확인하기 위해 다음과 같은 파이썬 코드가 추가되었다.

```
x = np.array([10., 20., 30., 40., 50., 60., 70., 80.])
y = np.array([25.,70., 380., 550., 610., 1220., 830., 1450.])
a0,a1,Rsq,SE = strlinregr(x,y)
print('Intercept = {0:7.2f}'.format(a0))
print('Slope = {0:7.3f}'.format(a1))
print('R-squared = {0:5.3f}'.format(Rsq))
print('Standard error = {0:7.2f}'.format(SE))
```

결과는 다음과 같이 출력된다.

```
Intercept = -234.29
Slope =  19.470
R-squared = 0.880
Standard error =  189.79
```

선형회귀 모델 및 데이터의 그래픽 표시, 잔차의 히스토그램(낮은 n 때문에 여기에서는 그다지 유익하지 않음) 및 적합성 대 잔차의 그래프를 그리기 위한 코드를 다음과 같이 추가할 수 있다.

```
xline = np.linspace(0,90,10)
yline = a0 + a1*xline
yhat = a0 + a1*x
e = y - yhat
import pylab
pylab.scatter(x,y,c='k',marker='s')
pylab.plot(xline,yline,c='k')
pylab.grid()
pylab.xlabel('x')
pylab.ylabel('y')
pylab.figure()
pylab.hist(e,bins=3,color='w',edgecolor='k',linewidth=2.)
pylab.grid()
pylab.xlabel('Residual')
pylab.figure()
pylab.plot(yhat,e,c='k',marker='o')
pylab.grid()
pylab.xlabel('Predicted y')
pylab.ylabel('Residual')
pylab.title('Residuals vs. Fits')
```

해당 결과는 예제 14.2와 예제 14.3의 결과와 동일하다.

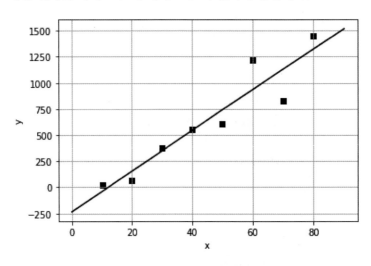

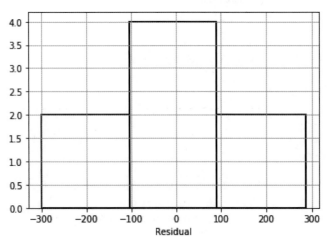

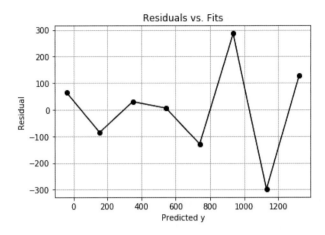

멱함수 방정식 모델과 변환된 x 및 y 데이터와 함께 strlinregr 함수를 적용할 수도 있다.

```
logx = np.log10(x)
logy = np.log10(y)
a0,a1,Rsq,SE = strlinregr(logx,logy)
print('Intercept = {0:7.2f}'.format(a0))
print('Slope = {0:7.3f}'.format(a1))
print('R-squared = {0:5.3f}'.format(Rsq))
print('Standard error = {0:7.2f}'.format(SE))
logxline = np.linspace(0.9,2,10)
logyline = a0 + a1*logxline
logyhat = a0 + a1*logx
loge = logy - logyhat
pylab.figure()
pylab.scatter(logx,logy,c='k',marker='s')
pylab.plot(logxline,logyline,c='k')
pylab.grid()
pylab.xlabel('log10(x)')
pylab.ylabel('log10(y)')
```

프로그래밍 결과와 그래프는 다음과 같다.

```
Intercept =   -0.56
Slope =   1.984
R-squared = 0.948
Standard error =    0.15
```

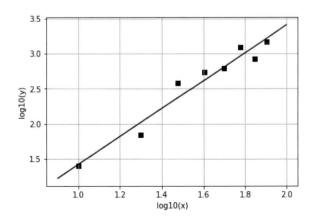

14.5.2 파이썬 NumPy 함수: `polyfit` 및 `polyval`

파이썬 NumPy 모듈에는 선형 최소자승법을 사용하여 n차 다항식을 데이터에 피팅하는 내장 함수인 polyfit이 있다. 이는 다음과 같이 적용할 수 있다.

```
p = np.polyfit(x,y,n)
```

여기서 x와 y는 각각 독립변수와 종속변수에 대한 값을 포함하는 배열이고 n은 다항식의 차수이다. 이 함수는 가장 높은 차수에서 가장 낮은 차수 항으로 배열 p의 다항식 계수를 반환한다. 다음과 같이 x의 거듭제곱에 대한 내림차순 형태의 다항식을 나타낸다.

$$f(x) = p[0]x^n + p[1]x^{n-1} + \cdots + p[n-1]x + p[n]$$

직선은 1차 다항식이므로 polyfit(x,y,1)은 최적의 직선의 기울기와 절편을 반환한다. 다음은 이전 예제에 적용된 파이썬 코드이다.

```
import numpy as np

x = np.array([10., 20., 30., 40., 50., 60., 70., 80.])
y = np.array([25.,70., 380., 550., 610., 1220., 830., 1450.])

p = np.polyfit(x,y,1)
print('Straight-line coefficients are:\n',p)
```

프로그램 결과는 다음과 같다.

```
Straight-line coefficients are:
 [  19.4702381  -234.28571429]
```

따라서 기울기는 약 19.47이고 절편은 −234.3이다.

다른 함수인 polyval은 x값이 주어진 경우 y의 예측 값을 계산하는 데 사용할 수 있다. 따라서 그래프를 그릴 때 사용할 수 있다.

```
x = np.linspace(0,100,2)
import pylab
pylab.plot(x,np.polyval(p,x),c='k')
pylab.grid()
pylab.xlabel('x')
pylab.ylabel('y')
```

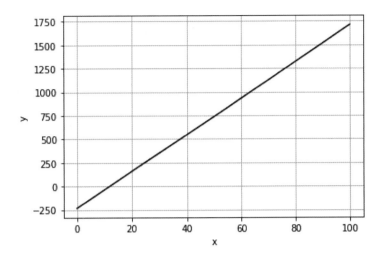

효소 동역학

배경 효소는 살아 있는 세포에서 일어나는 화학 반응의 속도를 높이는 촉매 역할을 한다. 대부분의 경우 기질인 한 화학물질을 다른 화학물질인 제품으로 전환한다.

Michaelis-Menten 모델은 일반적으로 다음과 같은 반응을 설명하는 데 사용된다.

$$v = \frac{v_m S}{k_s + S} \tag{14.29}$$

여기서 v는 반응 속도, v_m은 최대 반응 속도, S는 기질 농도, k_s는 반포화 상수를 나타낸다. 그림 14.15에서 볼 수 있듯이 상기 방정식은 S가 증가함에 따라 평평해지는 포화 관계를 설명하고 있다. 그림은 또한 반포화 상수가 반응 속도가 최댓값의 1/2인 기질 농도에 해당함을 보여 준다.

　　Michaelis-Menten 모델은 좋은 출발점을 제공하지만 효소 동역학의 추가 기능을 통합하도록 개선되고 확장되었다. 하나의 간단한 확장은 소위 **알로스테릭 효소**(*allosteric enzymes*)를 포함하는데, 여기서 한 부위에서 기질 분자의 결합이 다른 부위에서 후속 분자의 향상된 결합으로 이어진다. 두 개의 상호 작용하는 결합 사이트

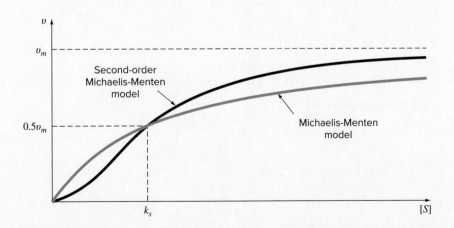

그림 14.15　효소 역학의 Michaelis–Menten 모델의 두 가지 버전.

사례연구 14.6   continued

가 있는 경우 다음 2차 형태의 방정식이 더 잘 맞는 경우가 많다.

$$v = \frac{v_m S^2}{k_s^2 + S^2}$$

(14.30)

이 모델 또한 포화 곡선을 설명하지만 그림 14.15와 같이 제곱 농도는 초기 기울기가 0이고 $S = k_s$에서 변곡점이 있는 곡선을 생성한다. 곡선은 S자형 또는 *sigmoidal* 형태이다.

문제 정의 다음과 같은 데이터가 주어졌다고 가정하자.

S	1.3	1.8	3.0	4.5	6.0	8.0	9.0
v	0.070	0.130	0.220	0.275	0.335	0.350	0.360

식 (14.29)와 식 (14.30)에 대한 선형화 함수에 대해 상기 데이터를 선형 회귀분석하라. 모델 매개변수를 추정하는 것 외에도 모델의 비교 성능과 적절성을 평가하라.

해설 식 (14.24)의 포화 성장률 모델 형식인 식 (14.29)는 선형화가 가능하며 이는 식 (14.27)에서 다음과 같이 수행되었다.

$$\frac{1}{v} = \frac{1}{v_m} + \frac{k_s}{v_m}\frac{1}{S}$$

그림 14.14와 같이 `strlinregr` 함수를 사용하여 모델에 적합한 최소자승법을 적용할 수 있다.

```
S = np.array([1.3, 1.8, 3., 4.5, 6., 8., 9.])
v = np.array([0.07, 0.13, 0.22, 0.275, 0.335, 0.35, 0.36])
x = 1./S
y = 1./v

a0,a1,Rsq,SE = strlinregr(x,y)
print('Intercept = {0:7.4f}'.format(a0))
print('Slope = {0:7.3f}'.format(a1))
print('R-squared = {0:5.3f}'.format(Rsq))
print('Standard error = {0:7.3f}'.format(SE))

vm = 1/a0
ks = a1*vm

print('Estimated maximum rate = {0:5.3f}'.format(vm))
print('Estimated half-saturation constant = {0:6.3f}'.format(ks))
```

결과는 다음과 같다.

```
Intercept =  0.1902
Slope =  16.402
R-squared = 0.934
Standard error =    1.185
Estimated maximum rate = 5.257
Estimated half-saturation constant = 86.226
```

가장 적합한 모델은 다음과 같다.

사례연구 14.6	continued

$$v = \frac{5.257S}{86.226 + S}$$

R^2값은 모델에 의해 설명되는 $1/v$의 변동성 비율 측면에서 고무적이지만 추정된 계수를 검사하면 의구심이 생길 수 있다. 예를 들어, 최대 비율인 5.257은 가장 높은 관찰 비율인 0.36보다 훨씬 높다. 또한 반포화율 (86.226)은 최대 기질 농도(9)보다 훨씬 크다.

이 문제는 그림 14.16a의 데이터와 함께 적합선을 그릴 때 두드러진다. 적합선의 상승 추세를 확인할 수 있지만, 데이터에 표시된 곡률 및 포화 관계에 대해서는 일치하지 않는다. 또한 그림 14.16b의 잔차 그래프에서 체계적인 거동이 있음을 알 수 있다. 이는 상대적으로 높은 R^2값에도 불구하고 모형이 부적절함을 나타내고 있다.

1차 모델의 결과는 변환되지 않은 모델을 반전하여 직선회귀로 변환할 수 있는 2차 모델을 고려하게 한다.

$$\frac{1}{v} = \frac{1}{v_m} + \frac{k_s^2}{v_m}\frac{1}{S^2}$$

이 형식의 모델에 `strlinregr` 함수를 적용하면 다음과 같은 결과가 나타난다.

```
Intercept =   2.4492
Slope =   19.376
R-squared = 0.993
Standard error =    0.389
Estimated maximum rate = 0.408
Estimated half-saturation constant =   2.813
```

R^2 및 표준오차 값의 개선사항을 즉시 확인할 수 있다. 이것은 고무적인 일이다. 또한, 그림 14.17의 그래프에서 이러한 현상이 확인된다. 모델은 그림 14.17a에서 훨씬 더 밀접하게 데이터의 곡률과 포화 관계에 대해서 일치하게 되고, 그림 14.17b의 잔차 대 적합 그래프에서는 14.16b에서 관찰된 체계적인 동작이 없음을 알 수 있다. 이는 모델이 적절성 요구 사항을 충족하였다는 의미이다.

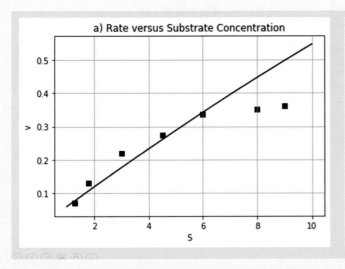

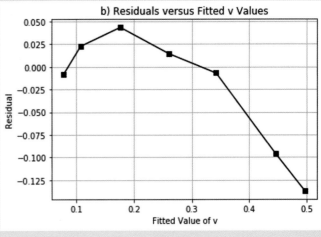

그림 14.16 변환된 1차 Michaelis-Menten 모델의 회귀 결과. (a) 비율 대 기질 농도 – 데이터 및 모델 함수 및 (b) 잔차 대 적합 v 값.

사례연구 14.6   continued

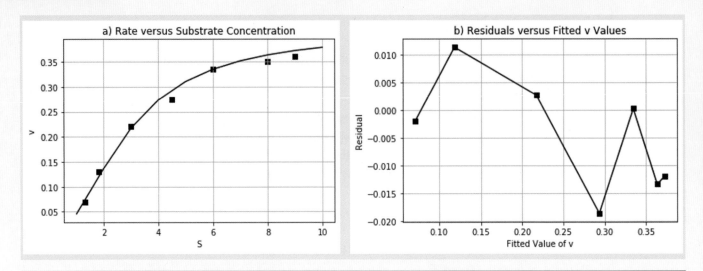

그림 14.17   변환된 2차 Michaelis–Menten 모델의 회귀 결과. (*a*) 비율 대 기질 농도 – 데이터 및 모델 함수 및 (*b*) 잔차 대 적합 v 값.

적합된 2차 Michaelis–Menten 모델은 다음과 같다.

$$v = \frac{0.408S^2}{2.813^2 + S^2}$$

또한 파라미터 추정치가 1차 모델보다 여기에서 더 합리적이라는 것을 관찰했다. 우리는 2차 모델이 데이터 집합에 훨씬 더 잘 맞는다는 결론을 내렸다. 이것은 우리가 알로스테릭 효소를 다루고 있음을 시사한다.

이 결과 외에도 이 사례 연구에서 도출할 수 있는 다른 일반적인 결론이 있다. 첫째, 단일 모델의 적합도를 평가하기 위한 유일한 근거로 R^2와 같은 성능 통계에 의존해서는 안 된다는 것이다. 둘째, 모델의 적합성을 평가하기 위해 항상 잔차를 분석해야 한다. 셋째, 우리의 분석은 항상 결과의 그래프를 동반해야 한다. 더 큰 데이터 집합의 경우 10개 또는 100개의 데이터에 대한 잔차의 히스토그램도 포함해야 된다.

마지막으로 이 장의 앞부분에서 언급했듯이 변환된 모델의 잔차가 원본 모델의 잔차와 같지 않다는 점을 알아야 한다. 두 가지 모두에 대해 적절성을 확인해야 하며, 특히 변형된 모델에 대한 잔차 분산의 일관성을 확인해야 한다. 원본 모델과 변환된 모델에 대한 잔차 분석 간의 충돌은 매개변수에서 비선형인 원본 모델을 적합하거나 다항식 함수와 같이 곡률을 수용하는 매개변수에서 선형인 경험적 모델을 사용하는 것이 더 나은 경우가 있음을 시사한다. 이것이 어떻게 수행되는지는 15장에서 설명할 것이다.

연습문제

* 짝수번호는 온라인 사이트에 있으며 본 책 '차례' 끝부분 xxi페이지에 사이트주소가 있음.

14.1 다음과 같은 데이터가 주어졌을 때,

0.90	1.42	1.30	1.55	1.63
1.32	1.35	1.47	1.95	1.66
1.96	1.47	1.92	1.35	1.05
1.85	1.74	1.65	1.78	1.71
2.29	1.82	2.06	2.14	1.27

(a) 표본평균, (b) 중앙값, (c) 모드, (d) 범위, (e) 표본 표준편차, (f) 표본분산, (g) 분산계수를 구하라. 아울러 해당 데이터에서 이상치를 찾을 수 있는가? 그렇다면 이상치라 판단한 근거를 작성하라.

14.3 다음과 같이 데이터가 주어졌을 때,

29.65	28.55	28.65	30.15	29.35	29.75	29.25
30.65	28.15	29.85	29.05	30.25	30.85	28.75
29.65	30.45	29.15	30.45	34.65	29.35	29.75
31.25	29.45	30.15	29.65	30.55	29.65	29.25

(a) 평균, 중앙값, 모드, 분산, 표준편차 및 분산 계수와 같은 샘플 통계를 계산하라. 이상값으로 보이는 의심스러운 값이 있으면 이를 찾아보고, 해당 이상값을 제거한 후 상기 계산을 반복하여 중요한 차이점을 기술하라. 해당 결과값은 이 문제의 다음 항목에서 사용하기 위해 잘 보관하라.

(b) 데이터의 히스토그램을 그려라.

(c) 표본 평균과 표준편차를 바탕으로 (b)항목에서 작성한 히스토그램 그래프 위에 정규분포곡선을 그린 후 이를 서로 비교하라. 이때 정규분포 곡선의 크기를 히스토그램에 맞춰라(Scaled Normal Distribution).

(d) 이 데이터에 대한 68% 정규 확률 규칙을 적용하라. 결과가 적절한가?

이 문제에는 파이썬을 사용하라.

14.5 최소자승법을 이용하여 아래의 데이터에 대한 선형 회귀분석을 수행하라.

x	0	2	4	6	9	11	12	15	17	19
y	5	6	7	6	9	8	8	10	12	12

기울기 및 절편과 함께 추정치의 표준오차 s_e와 결정계수 R^2를 계산하라. 그런 다음 두 변수를 전환하여 계산을 반복한 후 이에 대한 결과에 대해 논하라.

14.7 다음 데이터는 400 K에서 10 kg의 이산화황(SO₂) 가스에 대한 압력과 부피 사이의 관계를 조사하기 위해 수집된 데이터이다.

V (m³)	0.156	0.234	0.312	0.390	0.468	0.546	0.624	0.702	0.780
P (MPa)	3.326	2.217	1.663	1.330	1.109	0.950	0.831	0.739	0.665

먼저 이상기체 상태 방정식이 측정된 조건 범위에 걸쳐 유효한지 조사하는 것이 바람직하다. 그렇게 하려면 데이터에 직선회귀 모델이 적합하지만 P과 $1/V$, 잔차와 $1/V$ 그래프를 포함하여 적합성을 평가하고 모델을 이상기체 상태 방정식에 의해 예측된 압력과 비교한다.

$$PV = nRT$$

여기서 P는 압력 (MPa), V는 부피 (m³), n은 기체의 kmol 수, R은 기체 법칙 상수로 8.3145×10^{-3} (MPa·m³/(kmol·K)), 및 T는 켈빈 단위의 온도 (K)를 나타낸다. 참고로 SO₂의 분자량은 64.07 kg/kmol이고, MPa는 메가파스칼 또는 10^6 Pa, 1 Pa는 1 N/m² 이다. kmol은 1000 mol이다.

14.9 야외 수영장의 E. coli(Escherichia coli) 박테리아의 농도가 폭풍우 후에 다음과 같이 측정되었다.

t (hr)	4	8	12	16	20	24
c (CFU/100 mL)	1600	1320	1000	890	650	560

시간은 폭풍우가 끝난 후부터 시간 (hr)단위로 측정되었으며, 단위 CFU는 박테리아의 '집락형성단위(colony-forming unit)'를 나타낸다. 상기 데이터를 사용하여 (a) 폭풍이 끝난 직후의 농도($t = 0$) 및 (b) 농도가 200 CFU/mL에 도달하는 시간을 추정하시오. 참고로 회귀모델은 박테리아의 농도는 음(negative)의 값을 가질 수 없고 항상 시간이 지남에 따라 감소한다는 사실과 일치해야 한다.

14.11 다음 데이터에 기초하여 질량의 함수로서 대사율을 예측하는 방정식을 구하라. 이를 이용해서 200 kg 호랑이의 신진대사율을 예측하라.

Animal	Mass (kg)	Metabolism (watts)
Cow	400	270
Human	70	82
Sheep	45	50
Hen	2	4.8
Rat	0.3	1.45
Dove	0.16	0.97

14.13 다음의 데이터에 대한 지수함수 모델의 회귀분석을 수행하라.

x	0.4	0.8	1.2	1.6	2	2.3
y	800	985	1490	1950	2850	3600

파이썬을 사용하여 회귀분석을 수행한 후 해당 결과를 그려라. 이때 해당 지수함수 모델에 대한 일반 그래프와 Semi-Log 그래프 (y축에 대해서만 Log 함수를 적용한 그래프)를 그려서 확인하라.

14.15 수치 데이터 배열에 대한 기술 통계를 계산하고 반환하는 파이썬 함수를 작성하라. 해당 함수는 데이터의 수, 표본평균, 중앙값, 모드, 범위, 표본 표준편차, 표본분산 및 분산계수를 반환해야 한다. 또한 해당 함수는 데이터의 히스토그램을 표시해야 한다. 이때 데이터는 가장 가까운 정수로 내림한 데이터 수의 제곱근을 빈(bins) 수로 사용한다. 화학 제품의 점도를 나타내는 다음 데이터로 해당 함수를 테스트하라.

8.2	8.6	8.9	8.2	9.3
8.2	8.6	9.1	8.1	9.3
8.2	8.6	9.5	8.3	9.5
8.4	8.6	8.5	8.4	9.3
8.4	8.6	8.4	8.7	9.5
8.4	8.8	8.3	8.8	9.5

14.17 `power_regr`이라는 파이썬 함수를 작성하고, 이를 이용하여 멱함수 모델에 대한 회귀분석을 수행하라. 해당 함수는 회귀모델에 대한 R^2와 함께 가장 적합한 계수 α_2 및 β_2를 반환하도록 한다. 직선회귀 모델의 계수에 대한 표준오차에서 역변환된 계수에 대한 표준오차도 반환한다. 이를 확인하기 위해 연습문제 14.11의 데이터로 기능을 테스트하라.

14.19 가스의 다양한 온도 T (℃)에서 열용량 c_P (J/(kg·℃))에 대한 상관관계를 연구하기 위해 실험을 통해 다음과 같은 데이터를 얻었다.

T	−50	−30	0	60	90	110
c	1250	1280	1350	1480	1580	1700

회귀분석을 사용하여 주어진 온도에서 열용량을 예측하는 모델을 작성한 후, 30 ℃의 온도에서 해당 모델의 결과를 비교하라.

14.21 다음 데이터는 교반 탱크 화학 반응기 작동 중에 측정된 일반 반응 A → B에 대한 데이터이다. 데이터를 사용하여 다음 화학 동역학 모델에 대한 k_0 및 E에 대한 최적의 추정치를 계산하라.

$$-\frac{dA}{dt} = k_0 e^{-\frac{E}{RT}} A$$

여기서 R은 기체 법칙 상수로 8.3145 J/(mol·K)이다. 해당 파라미터의 추정값을 중심으로 2σ의 표준오차 한계를 계산하고, 해당

결과에 대해 논하라.

−dA/dt [mol/(L·s)]	460	960	2485	1600	1245
A (mol/L)	200	150	50	20	10
T (K)	280	320	450	500	550

14.23 다음 데이터는 지연 단계가 끝난 후 박테리아 성장에 대한 배치 반응기에서 시험 데이터이다. 박테리아가 처음 2.5시간 동안 가능한 한 빨리 성장할 수 있도록 한 다음 재조합 단백질을 생성하도록 유도하였으며, 이 단백질의 생산은 박테리아 성장을 상당히 느리게 하였다. 박테리아의 이론적 성장은 다음과 같이 설명할 수 있다.

$$\frac{dX}{dt} = \mu X$$

여기서 X는 박테리아의 수이고 μ는 지수 성장 기간 동안 박테리아의 특정 성장률을 의미한다. 다음 표의 데이터를 기반으로 처음 2시간 동안과 그 이후의 4시간 동안의 성장률을 추정하고 데이터와 두 모델의 그래프를 나타내라.

Time, h	0	1	2	3	4	5	6
[Cells], g/L	0.100	0.335	1.102	1.655	2.453	3.702	5.460

14.25 수자원 공학에서 저수지의 크기는 저류되는 강물의 유량에 정확한 추정치를 바탕으로 설계한다. 일부 강의 경우 이러한 유량 데이터에 대한 장기간의 역사적 기록을 얻기가 어려운 경우가 많다. 대조적으로, 강수에 대한 기상 데이터는 종종 지난 몇 년 동안 이용 가능한 특성이 있다. 따라서 강의 유량과 강수 사이의 관계를 결정하는 것은 이러한 저수지 설계에 유용하게 쓰일 수 있다. 따라서 강수량 및 강물의 유량 데이터 사이의 관계는 유량 데이터가 없는 해의 추정치에 결정에 유용하다. 저수지를 만들기 위해 댐을 만들 강에 대해 다음 데이터를 사용하라.

Precip., cm/yr	88.9	108.5	104.1	139.7	127	94	116.8	99.1
Flow, m³/s	14.6	16.7	15.3	23.2	19.5	16.1	18.1	16.6

(a) 데이터를 그래프로 도시하고 이에 대해 논하라.

(b) 데이터에 대해 직선 선형회귀를 수행하기 상기 그래프에 해당 모델의 데이터 선을 추가하라.

(c) 예측된 흐름에 대한 잔차를 표시하고 모델의 적절성에 대해 설명하라.

(d) 강수량이 120 cm인 경우 연간 유량을 예측하기 위해 가장 적합한 직선을 사용하라.

(e) (d)의 강수량을 감안할 때 배수 면적이 1,100 m^{2}이면 증발, 깊은 지하수 침투 및 강수 사용과 같은 과정을 통해 손실되는 강수량의 비율을 추정하라.

14.27 다양한 인가 전압에 대해 전선의 전류를 측정한 실험의 데이터를 다음과 같이 정리하였다.

V, V	2	3	4	5	7	10
i, A	5.2	7.8	10.7	13	19.3	27.5

(a) 데이터의 직선 선형회귀에 기초하여 3.5 V의 전압에 대한 전류를 예측하라. 상기 데이터와 회귀 모델에 대한 직선을 함께 그래프화하고, 잔차 대 예측된 전류 값에 대한 그래프도 추가한 후 적합성을 평가하라.

(b) 절편이 0이 되게 직선 선형 회귀분석을 다시 시행하라.

14.29 도시 외곽에 있는 작은 커뮤니티의 인구 (p)는 다음의 표와 같이 20년 동안 빠르게 증가하였다.

t	0	5	10	15	20
p	100	200	450	950	2000

전력 회사에서 일하는 엔지니어는 전력 수요를 예측하기 위해 5년 후의 인구를 예측해야 한다. 이를 위해 지수 모델과 직선 모델을 사용하여 회귀분석을 수행하라.

14.31 *Andrade* 방정식은 온도가 점도에 미치는 영향에 대해 다음과 같은 관계식으로 표현하고 있다.

$$\mu = De^{B/T}$$

여기서 μ는 점도 (Pa·s), T는 절대 온도 (K), D 및 B는 매개변수이다. 상기 방정식을 확인해 보기 위해 물에 대해 다음 표와 같이 데이터를 수집하였다.

Temperature (°C)	Viscosity (cP)
0.0	1.794
4.4	1.546
10.0	1.310
15.6	1.129
21.1	0.982
26.7	0.862
32.2	0.764
37.8	0.682
48.9	0.559
60.0	0.470
71.1	0.401
82.2	0.347
93.3	0.305

이 데이터에 대해 Andrade 방정식에 대한 매개변수를 계산해 보고 모델의 적합성을 평가하라.

[참고: cP = 센티푸아즈(centipoise), 1 cP = 0.001 Pa·s. 또한, $T(K) = T(°C) + 273.15$]

14.33 예제 14.1에서와 동일한 계산을 수행하되, 항력계수 외에 5.7887%의 변동계수로 평균 주위의 정규분포에 따라 질량도 변경하여 수행하라.

14.35 몬테카를로(Monte Carlo) 분석은 최적화에 사용할 수 있다. 예를 들어, 상당한 항력의 영향을 받지 않는 발사체의 궤적은 다음과 같이 모델링할 수 있다.

$$y = \tan(\theta_0)x - \frac{g}{2v_0^2 \cos^2(\theta_0)}x^2 + y_0$$

여기서 y는 궤적의 고도 (m), θ_0는 발사 각도 (radian), v_0는 발사 속도 (m/s), y_0는 초기 고도를 나타낸다.

예를 들어, 로리 매킬로이(Rory McIlroy)와 같은 프로 골퍼가 2.5 m 높이의 티 박스에서 170 mph의 속도로 20° 방향으로 드라이브를 친다고 가정하였을 때, 드라이브의 최대 높이와 이것이 발생하는 거리를 계산하라. 물론 공기저항을 무시하면 이 경우 중요한 효과가 사라진다.

(a) 미적분학을 사용하여 계산한다.

(b) 몬테카를로 시뮬레이션을 사용하여 계산한다.

(제안: $y = 0$으로 설정하고 x를 계산하면 드라이브가 페어웨이로 되돌아오는 거리를 결정할 수 있다. 그런 다음 0과 이 x거리 사이에 x값 10,000개를 만든 후, 각각의 x에 대해 y를 계산한 다음 최대 y의 값을 찾으면 최적의 x값을 찾을 수 있다. 이 과정에서 파이썬 NumPy where 함수를 활용할 수 있다.)

14.37 그림 14.11의 예시 이외에도 직선 선형회귀를 위해 재구성할 수 있는 다른 많은 모델이 있다. 예를 들어, 다음 모델은 배치 반응기의 3차 화학 반응에 적용할 수 있다.

$$c = c_0 \frac{1}{\sqrt{1 + 2kc_0^2 t}}$$

여기서 c는 농도 (mol/L), c_0는 초기 농도 (mol/L), k는 반응 속도 $((L/mol)^2/d)$ 및 t는 시간 (d)을 의미한다. 이 모델을 직선 선형회귀 모델로 변환하고 아래 표의 데이터를 기반으로 k와 c_0를 추정하는 데 사용할 수 있다. 이때 직선 매개변수에 대한 표준오차가 주어질 경우에 대한 k 및 c_0값의 불확실성을 추정하라. 변환된 모델과 원래 모델 모두에 대한 그래프와 적합 모델을 명기하라.

t	0	0.5	1	1.5	2	3	4	5
c	3.26	2.09	1.62	1.48	1.17	1.06	0.9	0.85

14.39 연습문제 14.38에서 설명한 것과 동일한 접근 방식을 사

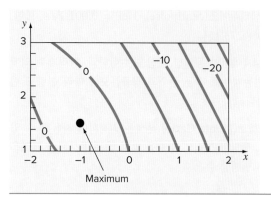

그림 P14.39 $x = -1$ 및 $y = 1.5$에서 최댓값이 1.25인 2차원 함수.

용하여 난수를 이용한 다음 2차원 함수의 최댓값과 해당 x 및 y값을 구하는 함수를 작성하라.

$$f(x, y) = y - x - 2x^2 - 2xy - y^2$$

이때 $-2 \leq x \leq 2$ 및 $1 \leq y \leq 3$이다. 해당 영역에 대한 함수의 등고선 그래프는 그림 P14.39에 나와 있다. 미적분학을 사용하면 최댓값 $y = 1.5$ 및 $x = -1$의 해를 쉽게 찾을 수 있다. 다음은 해당 함수를 테스트하는 데 사용할 수 있는 파이썬 스크립트이다.

```
xint = np.array([-2.,2.])
yint = np.array([1.,3.])
n = 10000
xopt,yopt,fopt = RandOpt2D(fxy,n,xint,yint)
print('xopt =',xopt)
print('yopt = ',yopt)
print('fopt = ',fopt)
```

14.41 연습문제 14.40의 알고리즘을 2차원 랜덤 워크에 대해 적용하라. 이때 그림 P14.41에서와 같이 각 입자가 0에서 2π범위의 임의 각도 θ에서 길이 Δ의 임의 단계를 취하도록 한다. 이후, 하나의 입자 위치와 다른 하나의 x좌표 애니메이션 히스토그램을 그려라.

(도전 과제: 시뮬레이션의 최종 상태를 위해 Matplotlib모듈의 bar3D 함수 및 NumPy 모듈의 histogram2D 함수를 사용하여 2D 히스토그램을 만든다.)

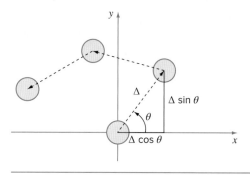

그림 P14.41 2차원 랜덤 워크(Random Walk)의 단계에 대한 묘사.

일반적인 선형 및 비선형 회귀분석

General Linear and Nonlinear Regression

학습 목표

이 장에서는 직선을 이용한 적합의 개념을 (a) 한 인수 또는 독립변수의 다항식을 이용한 적합과 (b) 두 개 이상의 인수나 독립변수들로 이루어진 모델(이러한 경우, 적절한 매개변수를 이용하여 선형적이게 된다)을 이용한 적합으로 확장한다. 그리고 이들 방법이 어떻게 일반화되어 보다 광범위한 문제에 적용될 수 있는지와, 마지막으로 최적화기법이 비선형 모델의 매개변수 적합에 어떻게 사용되는지를 설명한다. 특정한 목표와 다루는 주제는 다음과 같다

- 다항식 회귀분석을 구현하는 방법을 알고, 공선성(collinearity)이 내재된 데이터에 적합하기 위해 다항식의 가장 적절한 차수와 구조를 결정하는 방법 이해
- 여러 인수나 독립변수들을 포함하는 회귀분석을 구현하는 방법 이해
- 일반적으로 선형회귀에 사용되는 벡터 행렬 수식 학습 및 일반 수식을 풀기 위한 파이썬 프로그래밍 방법 학습
- 일반적인 선형회귀분석에서 매개변수 신뢰구간을 계산하는 방법 이해
- 선형회귀분석과 비선형회귀분석의 차이점 이해
- 비선형회귀분석 문제의 솔루션에 대한 최적화기법 적용 학습
- 비선형회귀분석에서 매개변수 신뢰구간을 추정하는 방법 학습

15.1 다항식 회귀분석

14장에서는 최소제곱 기준을 사용하여 직선 방정식을 유도하는 절차를 소개하였다. 그러나 일부 데이터들은 그림 15.1에서 보는 것처럼 직선으로는 잘 맞지 않는 양상을 보인다. 이러한 상황에서는 곡률 모델이 더 적합할 것이다. 14장에서 다뤘듯이 비선형 모델을 선형적 형태로 변환하는 방법이 있다. 일반적으로 쓰이는 또 다른 방법은 다항식으로 데이터를 적합하는 것. 즉, 다항식 회귀분석이 있다.

최소제곱 절차를 확장하면 쉽게 고차 다항식으로 데이터를 적합할 수 있다. 첫 번째 예로, 데이터를 다음과 같은 2차 다항식으로 적합한다고 가정하자.

$$y = \beta_0 + \beta_1 x + \beta_2 x^2 + \varepsilon \tag{15.1}$$

여기서 y는 실제 측정된 변수를 나타내고, β는 미지변수이다. ε는 0- 평균과 랜덤으로 가정되는 모형오차이며, 분산 σ_e^2의 정규분포로 설명된다. 데이터 집합 $\{x_i, y_i, i = 1, \cdots, n\}$이 주어졌을 때, b's로 지정할 β's에 대한 구체적인 추정치를 생성하고자 한다. 그리고 이것은 ε와 관련된 가정에 대해 테스트할 수 있는 특정 잔차오차 e's를 발생시킬 것이다. 따라서, n쌍의 데이터들 각각에 대해 다음과 같이 쓸 수 있다.

$$y_i = \beta_0 + \beta_1 x_i + \beta_2 x_i^2 + \varepsilon_i \tag{15.2}$$

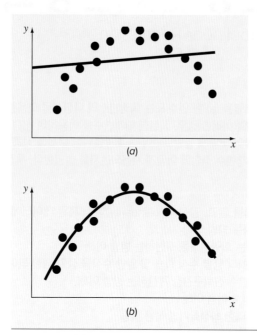

그림 15.1   (a) 선형최소제곱에 부적절한 데이터, (b) 포물선이 적합함을 보이고 있다.

이러한 식을 **모델 실현**(*model realizations*)이라고 한다. 이를 통해 잔차 오차의 제곱합을 다음과 같이 공식화할 수 있다.

$$SS_E = \sum \left[y_i - \left(\beta_0 + \beta_1 x_i + \beta_2 x_i^2 \right) \right]^2 \tag{15.3}$$

그러면 최소제곱 문제는 SS_E를 최소화하는 $b's$를 찾는 것이 된다. 이것은 3개의 $\beta's$ 각각에 대한 SS_E의 편도함수를 형성하고, 이러한 도함숫값이 0을 가질 때, 3개의 $b's$를 미지수로 하여 3개의 방정식을 산출함으로써 미적분을 사용하여 쉽게 풀 수 있다.

$$\frac{\partial SS_E}{\partial \beta_0} = -2 \sum \left[y_i - \left(\beta_0 + \beta_1 x_i + \beta_2 x_i^2 \right) \right]$$

$$\frac{\partial SS_E}{\partial \beta_1} = -2 \sum x_i \left[y_i - \left(\beta_0 + \beta_1 x_i + \beta_2 x_i^2 \right) \right]$$

$$\frac{\partial SS_E}{\partial \beta_2} = -2 \sum x_i^2 \left[y_i - \left(\beta_0 + \beta_1 x_i + \beta_2 x_i^2 \right) \right]$$

위 식은 아래와 같이 나타내어진다.

$$[n]b_0 + \left[\sum x_i \right] b_1 + \left[\sum x_i^2 \right] b_2 = \sum y_i$$

$$\left[\sum x_i \right] b_0 + \left[\sum x_i^2 \right] b_1 + \left[\sum x_i^3 \right] b_2 = \sum x_i y_i \tag{15.4}$$

$$\left[\sum x_i^2 \right] b_0 + \left[\sum x_i^3 \right] b_1 + \left[\sum x_i^4 \right] b_2 = \sum x_i^2 y_i$$

직선회귀분석에서처럼 식 (15.4)를 **정규 방정식**(*normal equations*)이라고 한다. 9장에서 배운 기법으로 b's를 쉽게 구할 수 있다. 그러면 다음 형태의 예측 모델을 산출할 수 있다.

$$\hat{y} = b_0 + b_1 x + b_2 x^2 \qquad (15.5)$$

잔차와 잔차 제곱합은 다음과 같이 계산할 수 있다.

$$e_i = y_i - \hat{y}_i \qquad SS_E = \sum e_i^2$$

표준오차의 추정은 다음과 같다.

$$s_e = \sqrt{\frac{SS_E}{n-3}} \qquad (15.6)$$

두 개의 추정 매개변수를 사용한 직선회귀분석의 분모 (n − 2)와 식 (15.6)의 분모가 다른 것에 주목하라. 여기서는 세 개의 매개변수를 사용하였기 때문이다.

앞서 설명한 방법은 고차 다항식으로 확장될 수 있지만, 개별 선형 방정식의 도출이 번거롭다. 벡터와 행렬을 사용하여 모든 차수의 다항식의 회귀를 어떻게 쉽게 공식화할 수 있는지 이 장의 뒷부분에서 알게 될 것이다. 또한 거기서 매개변수 표준오차(the parameter standard errors)도 소개할 것이다.

| 예제 15.1 | 다항식 회귀분석 |

문제 정의 표 15.1의 처음 두 열의 데이터에 2차 다항식을 적합하라.

표 15.1   2차 최소제곱 적합의 오차분석에 대한 계산.

	x	y	x^2	x^3	x^4	xy	x^2y
	0	2.1	0	0	0	0	0
	1	7.7	1	1	1	7.7	7.7
	2	13.6	4	8	16	27.2	54.4
	3	27.2	9	27	81	81.6	244.8
	4	40.9	16	64	256	163.6	654.4
	5	61.1	25	125	625	305.5	1527.5
Sums	15	152.6	55	225	979	585.6	2488.8

풀이 표 15.1의 합계를 사용하여 식 (15.4)를 정량적으로 계산할 수 있다.

$$[6]\,b_0 + [15]\,b_1 + [55]\,b_2 = 152.6$$
$$[15]\,b_0 + [55]\,b_1 + [225]\,b_2 = 585.6$$
$$[55]\,b_0 + [225]\,b_1 + [979]\,b_2 = 2488.8$$

아래의 파이썬 코드를 이용해 변수 추정치를 구할 수 있다.

```
import numpy as np

X = np.matrix('6., 15., 55. ; 15., 55., 225. ; 55., 225., 979.')
const = np.matrix('152.6 ; 585.6 ; 2488.8')
```

```
b = np.linalg.solve(X,const)
np.set_printoptions(precision=4)
print('Estimated parameters are\n',b)
```

아래와 같은 결과를 나타낸다.

```
Estimated parameters are
[[2.4786]
 [2.3593]
 [1.8607]]
```

위에서 구한 변수를 대입하면, 모델은 아래와 같다.

$$\hat{y} = 2.4786 + 2.3593x + 1.8607x^2$$

이 모델을 사용하여 이러한 회귀분석을 수행할 수 있다.

$\hat{y}$	e
2.479	−0.379
6.699	1.001
14.640	−1.040
26.303	0.897
41.687	−0.787
60.793	0.307
3.75	SS_E
2513.4	SS_T
2509.6	SS_R
1.118	S_e
0.9985	R^2

이러한 결과는 y의 변동성의 99.8%가 이 모델에 의해 설명된다는 것을 나타낸다. 잔차가 작다는 것은 이 모형이 적절하다는 것을 보여 준다. 그림 15.2에서 모델의 적합성을 확인할 수 있다.

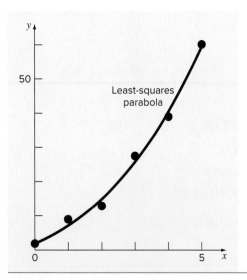

그림 15.2　2차 다항식의 적합.

다항식 적합에서 다뤄야 하는 몇 가지 문제가 남아 있다. 주된 문제 중 하나는 적절한 다항식 차수를 선택하는 것이다. 5개의 변수를 가지는 4차 다항식은 5개의 데이터 점을 완벽하게 적합하지만, 일반적으로는 데이터 점들 사이의 예측에 결함이 있어 적합하지 않은 모델이 될 수 있다. 두 번째 문제는 다항식 모델의 모든 항이 중요한지를 결정하는 것으로, 적절하게 단순화된 모델로 만드는 것이다. 이것은 **절감**(*parsimony*)의 개념을 강조하는데, 회귀에 적용되었을 때 현상을 나타내는 작업을 하는 최상의 모델은 가장 단순하거나 간결한 것임을 시사한다.[1] 반면 **과적합**(*overfitting*)은 수행하는 작업에 너무 많은 항으로 복잡한 모델을 사용하는 것이다. 우리는 이 장의 후반부에서 절감과 과적합에 대해 알아볼 것이다.

15.2 다중 선형회귀분석

선형 회귀분석을 유용하게 사용할 수 있는 또 다른 경우는 y가 두 개 이상의 독립변수에 대해 선형 함수인 경우이다. 예를 들면 y가 다음 식과 같이 x_1과 x_2의 선형함수인 경우이다.

$$y = \beta_0 + \beta_1 x_1 + \beta_2 x_2 + \varepsilon$$

이 식은 x_1 - x_2 - y 3차원 공간에서 평면으로 그려지는 모델을 두 개의 독립변수를 가진 데이터에 적합한다(그림 15.3).

앞서의 경우와 같이 매개변수들의 '최적'값은 다음과 같이 잔차의 제곱합을 수식화함으로써 결정된다.

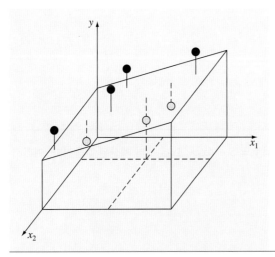

그림 15.3 y가 x_1과 x_2의 선형함수인 다중 선형회귀분석에 대한 3차원의 시각적 표현.

---

1) 여기서 표현된 정서는 일반적으로 *Occam*(또는 *Ockham*)의 면도날이라고 한다. 이것은 14세기 영국 수사이자 논리학자인 William of Ockham(ca. 1285-1349)의 철학적 발견으로 여러 형태로 바뀌어 표현되었지만 가장 좋은 표현은 '정확히 동일한 결과 예측을 하는 상충되는 가설이 있을 때, 더 간결한 것이 좋다'이다.

$$SS_E = \sum e_i^2 = \sum_{i=1}^{n} \left[y_i - (b_0 + b_1 x_{1,i} + b_2 x_{2,i}) \right]^2 \tag{15.7}$$

그리고 각각의 미지 매개변수에 대하여 편도함수를 취한다.

$$\frac{\partial SS_E}{\partial b_0} = -2 \sum \left[y_i - (b_0 + b_1 x_{1,i} + b_2 x_{2,i}) \right]$$

$$\frac{\partial SS_E}{\partial b_1} = -2 \sum x_{1,i} \left[y_i - (b_0 + b_1 x_{1,i} + b_2 x_{2,i}) \right]$$

$$\frac{\partial SS_E}{\partial b_2} = -2 \sum x_{2,i} \left[y_i - (b_0 + b_1 x_{1,i} + b_2 x_{2,i}) \right]$$

이전과 같이, 잔차의 제곱합을 최소로 하는 매개변수들은 각 도함숫값이 0일 때 얻어지며 결과는 b's의 세 개의 선형 방정식으로 재배열된다. 그 결과를 행렬식으로 표현하면 다음과 같다.

$$\begin{bmatrix} n & \sum x_{1,i} & \sum x_{2,i} \\ \sum x_{1,i} & \sum x_{1,i}^2 & \sum x_{1,i} x_{2,i} \\ \sum x_{2,i} & \sum x_{1,i} x_{2,i} & \sum x_{2,i}^2 \end{bmatrix} \begin{bmatrix} b_0 \\ b_1 \\ b_2 \end{bmatrix} = \begin{bmatrix} \sum y_i \\ \sum x_{1,i} y_i \\ \sum x_{2,i} y_i \end{bmatrix} \tag{15.8}$$

위 식에 대한 해는 매개변수 추정값을 나타낸다.

다항식 회귀로 다음 식과 같이 m차원 다변수 모델로 확장할 수 있다.

$$y = \beta_0 + \beta_1 x_1 + \beta_2 x_2 + \cdots + \beta_m x_m + \varepsilon$$

수정된 총 제곱의 합인 SS_T는 잔차 제곱의 합인 SS_E와 회귀 제곱 합인 SS_R로 분할할 수 있다. 이 분할은 직선회귀분석과 마찬가지로 결정계수 $R^2 = SS_R/SS_T$ 및 다음과 같은 추정치의 표준오차 계산을 제공한다.

$$s_e = \sqrt{\frac{SS_E}{n - (m + 1)}}$$

예제 15.2	다중 선형회귀분석

문제 정의 다음 데이터는 방정식 $y = 5 + 4x_1 - 3x_2$로부터 계산된 값들이다. 여기서 랜덤 오차가 모형 예측에 추가되었다.

x_1	x_2	y
0	0	5.16
2	1	9.91
2.5	2	8.91
1	3	0.27
4	6	3.07
7	2	27.04

다중 선형회귀분석을 사용하여 이 데이터를 적합시켜라. 적합도가 '참' 모델에 얼마나 가까운지 평가하라.

풀이 정규 방정식을 공식화하는 데 필요한 합들은 표 15.2에 계산되어 있다.

표 15.2   예제 15.2의 정규 방정식을 구하는 데 필요한 계산.

i	x_1	x_2	y	x_1^2	x_2^2	$x_1 x_2$	$x_1 y$	$x_2 y$
1	0	0	5.16	0	0	0	0	0
2	2	1	9.91	4	1	2	19.81	9.905
3	2.5	2	8.91	6.25	4	5	22.28	17.82
4	1	3	0.27	1	9	3	0.2728	0.8183
5	4	6	3.07	16	36	24	12.27	18.41
6	7	2	27.04	49	4	14	189.3	54.08
n	16.5	14	54.36	76.25	54	48	243.91	101.03

책정된 합을 식 (15.8)에 대입하면 다음과 같다.

$$\begin{bmatrix} 6 & 16.5 & 14 \\ 16.5 & 76.25 & 48 \\ 14 & 48 & 54 \end{bmatrix} \begin{bmatrix} b_0 \\ b_1 \\ b_2 \end{bmatrix} = \begin{bmatrix} 54.36 \\ 243.91 \\ 101.03 \end{bmatrix}$$

위 세 개의 선형 방정식을 풀어 $b_0 \cong 5.081$, $b_1 \cong 3.975$ 그리고 $b_2 \cong 2.98$을 구할 수 있다. 이러한 추정치는 데이터를 생성하는 데 사용된 원래 모델과 일치한다.

선형 모델이 충분하고 적절한 경우가 많지만, 다중 선형회귀는 다음과 같은 다변수 검정력 (power) 모델로 확장할 수 있다.

$$y = \beta_0 x_1^{\beta_1} x_2^{\beta_2} \cdots x_m^{\beta_m} + \varepsilon$$

로그변환을 통해 아래와 같이 나타낼 수 있다.

$$\log(y) = \log(\beta_0) + \beta_1 \log(x_1) + \beta_2 \log(x_2) + \cdots + \beta_m \log(x_m) + \varepsilon'$$

이전 장에서 언급했듯이[식 (14.28)에서의 논의를 상기하라], 원래의 모델과 변환된 모델의 잔차 오차 항의 차이를 인식해야 한다.

절감 대 과적합에 대한 다항식 회귀에서와 마찬가지로 다중 선형회귀에서도 유사한 상황이 발생한다. 그러나 모델 항이 포함되어야 하는지 여부를 결정할 때, 입력 변수가 중요한지를 결정한다. 또한 SS_R을 각 입력 변수와 관련된 제곱합으로 분할할 수 있음을 언급해야 한다. 이는 분산 분석이라는 기술을 통해 모델을 결정하는 데 도움을 준다.

이제 보게 되겠지만, 추정할 모델 매개변수가 모델에 선형으로 입력되어야 한다는 조건과 함께 다양한 모델 구조를 수용할 수 있는 하나의 일관된 프레임워크로 모든 선형회귀 사례를 일반화하는 것은 유용하다.

15.3　일반적인 선형최소제곱

앞에서 단순 선형회귀분석, 다항식 회귀분석 그리고 다중 선형회귀분석의 세 가지 회귀분석을 소개하였다. 사실 이 세 가지 회귀분석은 모두 다음과 같은 일반적인 선형최소제곱 모델에 속한다.

$$y = \beta_0 f_0(x_1, x_2, ..., x_p) + \beta_1 f_1(x_1, x_2, ..., x_p) + \cdots + \beta_m f_m(x_1, x_2, ..., x_p) + \varepsilon \tag{15.9}$$

여기서 $f_0, f_1, ..., f_m$은 $m + 1$개의 기저함수들이다. 직선 및 다항식 회귀의 경우 x 변수는 하나만 있지만, 다중 선형회귀에서는 x 변수가 둘 이상 존재한다. 앞서 언급했듯이, 선형회귀의 조건은 식 (15.9)에서처럼 추정한 매개변수에서 선형이어야 한다. 많은 모델에 절편이라는 선행 변수가 있다. 이 경우에는 $f_0 \equiv 1$이다.

　독립변수 x_k에 대하여, 모델 항들은 매우 비선형적일 수 있다. 예를 들어 아래 식은 **푸리에 분석**의 기본 모델로 선형회귀에 적합하다.

$$y = \beta_0 + \beta_1 \cos(\omega x) + \beta_2 \sin(\omega x) + \varepsilon$$

반면에, 온도 T의 함수로서 증기압 P에 대한 **앙투안**(*Antoine*) 방정식은 다음과 같다.

$$P = 10^{A - \frac{B}{C+T}} + \varepsilon$$

위 식에서 A, B 및 C는 추정할 모델 변수이다. 이 모델은 해당 변수에서 비선형적이며, 로그 변환을 사용하더라도 여전히 비선형적이다. 이러한 모델을 적합하려면 비선형회귀 방법이 필요하며 이는 이 장의 뒷부분에서 소개될 것이다.

$$\log_{10}(P) = A - \frac{B}{C + T} + \varepsilon'$$

　식 (15.9)로 돌아가서, n개의 데이터 포인트를 수집한 상황을 고려해 보자.

$$\{y_i, x_{1,i}, x_{2,i}, ..., x_{p,i}, i = 1, ..., n\}$$

위에서 y_i는 i번째 데이터 포인트에 대한 종속 변수값이고, $x_{j,i}$는 i번째 데이터 포인트에 대한 j번째 독립변수값($i = 1, ..., n$, $j = 1, ..., p$)을 나타낸다. 이러한 각 데이터 포인트들은 n개의 모델 구현을 생성하기 위해 모델에 도입될 수 있고, $n \times (m + 1)$ 행렬 $\mathbf{X}$에 p개의 각각의 독립변수로부터 계산된 m개의 기저 함수들을 저장할 수 있다.

$$\mathbf{X} \equiv \begin{bmatrix} f_0(x_{1,1}, x_{2,1}, ..., x_{p,1}) & f_1(x_{1,1}, x_{2,1}, ..., x_{p,1}) & \cdots & f_m(x_{1,1}, x_{2,1}, ..., x_{p,1}) \\ f_0(x_{1,2}, x_{2,2}, ..., x_{p,2}) & f_1(x_{1,2}, x_{2,2}, ..., x_{p,2}) & \cdots & f_m(x_{1,2}, x_{2,2}, ..., x_{p,2}) \\ \vdots & \vdots & \ddots & \vdots \\ f_0(x_{1,n}, x_{2,n}, ..., x_{p,n}) & f(x_{1,n}, x_{2,n}, ..., x_{p,n}) & \cdots & f_m(x_{1,n}, x_{2,n}, ..., x_{p,n}) \end{bmatrix} \tag{15.10}$$

　행렬 $\mathbf{X}$가 변수 x와 구별된다는 점을 기억하라. 행렬 $\mathbf{X}$는 x 변수를 포함하는 함수의 집합으로 가장 단순한 형태로 x 변수만 포함될 수 있지만, 비선형 조합 혹은 x 변수의 함수가 포함될 수 있다. 이 행렬은 응용 통계에서도 마찬가지로 $\mathbf{X}$라 표시한다. 또한 아래의 꼴로 정의할 수 있다.

$$\mathbf{y} \equiv \begin{bmatrix} y_1 \\ y_2 \\ \vdots \\ y_n \end{bmatrix}, \quad \boldsymbol{\beta} = \begin{bmatrix} \beta_0 \\ \beta_1 \\ \vdots \\ \beta_m \end{bmatrix} \quad \text{and} \quad \mathbf{e} = \begin{bmatrix} e_1 \\ e_2 \\ \vdots \\ e_n \end{bmatrix},$$

$$\mathbf{y} = \mathbf{X}\boldsymbol{\beta} + \mathbf{e} \tag{15.11}$$

위 식에서 $\mathbf{y}$는 n개의 실제 측정된 응답에 대한 벡터이다. 행렬 $\mathbf{X}$에서 데이터 셋의 해당 요소에 대한 독립변수 값을 n개의 행에 대입하였다. 그런 다음 주어진 $m + 1$개의 변수값에 대해 모델 예측은 $\mathbf{X}\boldsymbol{\beta}$로 계산되고, 잔차 벡터 $\mathbf{e}$에는 실제 응답 $\mathbf{y}$를 산출하기 위해 모델 예측에 추가해야 하는 오류가 포함된다.

$$SS_E = \sum_{i=1}^{n} e_i^2 = \mathbf{e}'\mathbf{e}$$

최소제곱 유도를 진행하려면, 아래과 같이 잔차 제곱의 합이 필요하다. 후자는 제곱합을 산출하는 자체 오류 벡터의 내적이다. 식 (15.11), $\mathbf{e} = \mathbf{y} - \mathbf{X}\boldsymbol{\beta}$으로부터, 편도함수의 관점에서 최소제곱 최소화를 공식화할 수 있다.

$$\frac{\partial SS_E}{\partial \boldsymbol{\beta}} = \frac{\partial}{\partial \boldsymbol{\beta}}(\mathbf{e}'\mathbf{e}) = \frac{\partial}{\partial \boldsymbol{\beta}}((\mathbf{y} - \mathbf{X}\boldsymbol{\beta})'(\mathbf{y} - \mathbf{X}\boldsymbol{\beta})) = -2\mathbf{X}'(\mathbf{y} - \mathbf{X}\boldsymbol{\beta})$$

후자의 식을 0으로 설정하여 선형회귀에 대한 정규 방정식 집합을 도출하는데, 이는 매개변수 추정치, $\mathbf{b}$를 포함한다.

$$[\mathbf{X}'\mathbf{X}]\,\mathbf{b} = \mathbf{X}'\mathbf{y} \tag{15.12}$$

그리고, 매개변수 추정에 대한 분석 해를 아래와 같이 쓸 수 있다.

$$\mathbf{b} = [\mathbf{X}'\mathbf{X}]^{-1}\mathbf{X}'\mathbf{y} \tag{15.13}$$

$\mathbf{b}$값을 구하기 위해, 확립된 수치적 기술을 이용하여 m개의 선형 정규 방정식을 푼다. 특정 $\mathbf{b}$값을 사용하여 적합과 관련된 통계치를 계산할 수 있다.

$$\mathbf{e} = \mathbf{y} - \mathbf{X}\mathbf{b}, \qquad SS_E = \sum_{i=1}^{n} e_i^2 = \mathbf{e}'\mathbf{e}, \qquad \hat{\mathbf{y}} = \mathbf{X}\mathbf{b}$$

$$SS_T = \sum_{i=1}^{n}(y_i - \bar{y})^2, \qquad SS_R = \sum_{i=1}^{n}(y_i - \hat{y}_i)^2, \qquad R^2 = \frac{SS_R}{SS_T}$$

또한, 위에서 총 보정 제곱합인 SS_T에서 $SS_R = SS_T - SS_X$는 정의되지 않은 값임을 주목하라. 회귀 제곱합인 SS_R을 계산하는 대신 우리는 이 차이를 계산한다. 이전과 마찬가지로 추정치의 표준오차는 아래와 같다.

$$s_e = \sqrt{\frac{SS_E}{n - (m + 1)}}$$

이 시점에서, 모델 변수에 대한 표준오차 추정치를 소개한다. 우리가 14장에서 논의했듯이, 이것은 오차 분산 σ_e^2로 표현되는 불확실성이 모델을 통해 매개변수 추정치의 불확실성으로 전파되는 방법과 관련이 있다. 벡터-행렬 형식에서, 이것은 매개변수 추정치의 공분산 행렬 $\text{cov}(\hat{\boldsymbol{\beta}})$을 기반으로 한다.

$$\text{cov}(\hat{\boldsymbol{\beta}}) = \sigma_e^2 [\mathbf{X}'\mathbf{X}]^{-1} \tag{15.14}$$

특정 회귀에서, $\hat{\boldsymbol{\beta}}$는 $\mathbf{b}$가 되고, σ_e^2는 다음과 같이 추정된다.

$$s_e^2 = \frac{SS_E}{n - (m + 1)}$$

각 매개변수에 대한 표준오차 추정치는 식 (15.13)에서 역행렬 $[\mathbf{X}'\mathbf{X}]^{-1}$의 해당 대각선 요소의 제곱근으로 간주되며, s_e^2를 곱한다. 이 계산은 모델에서 개발 항의 중요성을 판단하고 절감된 모델 구조를 개발할 수 있는 기반을 제공하기 때문에 중요하다.

이 시점에서, 위에서 설명한 일반적인 선형최소제곱의 행렬 공식의 강력함과 우아함을 이해할 수 있기를 바란다. 다항식 및 다중 회귀에 대한 초기 유도에는 편미분을 사용하여 수많은 합으로 구성된 정규 방정식을 생성하는 것이 포함되었다는 것을 기억하라. 대조적으로, 매트릭스 접근 방식은 동일한 결과를 내지만 훨씬 간단하고 간결한 방식이다. 이 접근법의 강력함은 광학에 일반적으로 사용되는 모델의 매개변수를 추정하는 데 응용되는 다음 예제로 설명된다.

예제 15.3　일반 선형회귀분석 - 붕규산 유리의 굴절률

문제 정의　코시 방정식(*Cauchy's equation*)은 반투명 물질의 굴절률 n과 입사광의 파장 λ를 관련짓는 좋은 모델로 알려져 있으며 다음과 같은 형식을 갖는다.

$$n = \beta_0 + \beta_1 \frac{1}{\lambda^2} + \beta_2 \frac{1}{\lambda^4}$$

표 15.3의 데이터는 붕규산 유리 샘플에 대한 굴절률의 실험실 측정 결과를 나타낸 것이다. 일반 선형회귀분석을 사용하여 이러한 데이터에 코시 방정식을 적합하고 적합 관련 통계치를 나타내라.

표 15.3　서로 다른 파장에서의 붕규산 유리의 굴절률 측정값.

Wavelength (μm)	Refractive Index
0.6563	1.50883
0.6439	1.50917
0.5890	1.51124
0.5338	1.51386
0.5086	1.51534
0.4861	1.51690
0.4340	1.52136
0.3988	1.52546

풀이 이 경우, 모델 실현 행렬은 아래와 같다.

$$\mathbf{X} = \begin{bmatrix} f_0(x_1) & f_1(x_1) & \cdots & f_k(x_1) \\ f_0(x_2) & f_1(x_2) & \cdots & f_k(x_2) \\ \vdots & \vdots & \ddots & \vdots \\ f_0(x_n) & f_1(x_n) & \cdots & f_k(x_n) \end{bmatrix} = \begin{bmatrix} 1 & \dfrac{1}{\lambda_1^2} & \dfrac{1}{\lambda_1^4} \\ 1 & \dfrac{1}{\lambda_2^2} & \dfrac{1}{\lambda_2^4} \\ \vdots & \vdots & \vdots \\ 1 & \dfrac{1}{\lambda_8^2} & \dfrac{1}{\lambda_8^4} \end{bmatrix}$$

표 15.3의 데이터는 아래와 같이 표현할 수 있고,

$$\mathbf{X} = \begin{bmatrix} 1 & 2.322 & 5.590 \\ 1 & 2.412 & 5.817 \\ 1 & 2.883 & 8.309 \\ 1 & 3.509 & 12.316 \\ 1 & 3.866 & 14.945 \\ 1 & 4.232 & 17.910 \\ 1 & 5.309 & 28.186 \\ 1 & 6.288 & 39.535 \end{bmatrix}$$

응답 벡터는 아래와 같다.

$$\mathbf{y} = \mathbf{n} = \begin{Bmatrix} 1.50883 \\ 1.50917 \\ 1.51124 \\ 1.51386 \\ 1.51534 \\ 1.51690 \\ 1.52136 \\ 1.52546 \end{Bmatrix}$$

정규 방정식은 아래와 같이 주어진다.

$$\begin{bmatrix} 8 & 30.82 & 132.41 \\ 30.82 & 132.41 & 625.52 \\ 132.41 & 625.52 & 3185.2 \end{bmatrix} \mathbf{b} = \begin{bmatrix} 12.122 \\ 46.758 \\ 201.12 \end{bmatrix}$$

이 모델의 매개변수를 구하면 아래와 같다.

$$\mathbf{b} = \begin{bmatrix} 1.499 \\ 4.321 \times 10^{-3} \\ -1.509 \times 10^{-5} \end{bmatrix}$$

결과적으로 코시 방정식 모델은 아래와 같이 나타낼 수 있다.

$$n = 1.499 + 4.321 \times 10^{-3} \frac{1}{\lambda^2} - 1.509 \times 10^{-5} \frac{1}{\lambda^4}$$

이 모델이 데이터에 얼마나 잘 적합되었는지 그림 15.4에서 확인할 수 있고, 모델 적합도는 매우 좋은 것으로 나타났다. 잔차는 작고, 파장에 대해서는 랜덤인 것을 알 수 있다.

추가 통계의 경우, $SS_T = 2.405 \times 10^{-4}$, $SS_E = 4.133 \times 10^{-9}$, $R^2 = 0.999983$ 및 $s_e = 2.875 \times 10^{-5}$이고, 공분산 행렬 추정값은 다음과 같다.

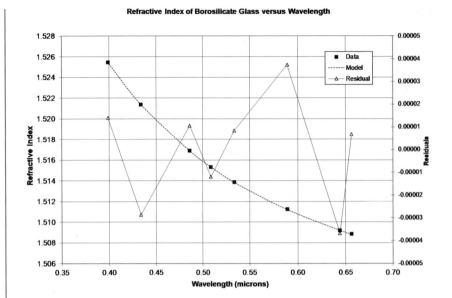

그림 15.4   코시 방정식 모델 수행 결과.

$$\text{cov}\left(\hat{\boldsymbol{\beta}}\right) = \sigma_e^2[\mathbf{X}'\mathbf{X}]^{-1} = 8.267 \times 10^{-10} \begin{bmatrix} 14.20 & -7.150 & 0.8137 \\ -7.150 & 3.704 & -0.4302 \\ 0.8137 & -0.4302 & 0.05096 \end{bmatrix}$$

각 매개변수에 대한 표준오차는 다음과 같이 계산된다.

$$s_{b_0} = \sqrt{8.267 \times 10^{-10} \cdot 14.20} \cong 1.083 \times 10^{-4}$$

$$s_{b_1} = \sqrt{8.267 \times 10^{-10} \cdot 3.704} \cong 5.534 \times 10^{-5}$$

$$s_{b_2} = \sqrt{8.267 \times 10^{-10} \cdot 0.05096} \cong 6.491 \times 10^{-6}$$

표준오차는 작다. 예를 들어, b_2에 대해 $\pm 3s_{b_2}$의 간격을 취하면, $-3.456 \times 10^{-5} \leq \beta_2 \leq 4.382 \times 10^{-6}$이 된다. 오차구간에는 0이 포함되어 있어 β_2가 0과 다르다고 주장하기 어렵다. 다시 말해, 모델에서 세 번째 항을 제외하고 다시 적합할 수 있음을 시사한다. 그러나 오차구간이 매개변수 값에 비해 매우 작은 다른 두 매개변수의 경우에는 그렇지 않다.

15.4   회귀분석에서의 모델 구축 및 선택

선형최소제곱 회귀분석을 사용하여 데이터에 적합할 수 있는 다양한 모델을 도입해 왔다. 하지만 도입 시 경쟁 모델들 사이에서 어떤 모델을 선택할 것인가에 대한 의문이 생긴다. 가장 좋은 예 중 하나는 적합 다항식에 대한 것이다. 가장 적합한 다항식의 항은 몇 개이고 또 어느 것인가? 대답하기 쉬운, 단도직입적인 질문이 아니며, 또한 이 섹션에서 다루는 주제이다.

모델 적합에는 일반적인 고려 기준이 두 개 있다. 하나는 성능(performance)이다. 결정계수와 같은 기준에 의해 증명된 바와 같이 R^2과 추정치의 표준오차 s_e가 그 범주에 속한다. 다른 하나는 적절성이다. 즉, '모델이 데이터의 모든 체계적 동작을 모사하는가?'이다. 이를 분석하기 위해, 잔차 히스토그램 관리도와 적합치 및 독립변수에 대한 잔차의 그래프를 살펴본다. 또한 R^2과 같은 기준은 매개변수의 수가 데이터 수와 같을 때 모델이 각 데이터 포인트를 정확하게 통과할 때까지 모형에 항을 추가함으로써, 통일성(완벽한 적합)을 향한다. 그러나 데이터 점 사이에서는 매우 빈약한 모델일 가능성이 높다.

모델 구축이 잘 검증된 접근법을 **단계적 회귀**(*stepwise regression*)라 한다. 여기에는 **전진 선정**(*forward selection*)과 **후진 제거법**(*backward elimination*)이 있다. 전진 선정에서는 간단한 모델로 시작하여 각 단계의 성능과 적절성을 모두 평가하여 항을 하나씩 추가한다. 최적의 성능과 적절성 충족이 서로 다른 단계에서 발생할 가능성이 가장 높다. 그러면, 선택을 해야 한다. 후진 제거법에서 항이 많은 모델로 시작하여 제거할 후보 항을 찾는다. 이 과정은 나머지 모든 조건이 충족될 때까지 반복되며, 적절성이 충족되길 기대하며 반복된다. 이 과정은 전진 선정과는 달리, 전체 모델에서 중간 항을 추출할 수 있다. 통계 소프트웨어가 제공하는 핵심적 기능은 전체 모델의 가능한 모든 하위 모델을 회귀하고 평가하여 가장 높은 성능을 가진 모델을 선택하는 것이다.

회귀분석을 통해 모델을 구축할 때 성능 기준을 다루는 것이 중요하다. 이와 관련하여, 이미 R^2과 관련된 단점에 대해 언급했다. 본질적으로, 모델에 항을 추가해도 불이익이 없다. 일반적 대안은 **수정된 R^2**(*adjusted R^2*)이라고 하며 다음과 같이 정의된다.

$$R_{\text{adj}}^2 = 1 - \frac{SS_E/(n-(m+1))}{SS_T/(n-1)} = 1 - (1-R^2)\frac{n-1}{n-(m+1)}$$

이 기준을 사용하면, 모델의 항 개수를 늘릴수록 R^2부터 1까지의 접근법이 분모인 $n-(m+1)$만큼 지연되고 R_{adj}^2는 최적값인 최댓값을 통과할 수 있다. 또 다른 관심 측도는 추정치의 표준오차이다.

$$s_e = \sqrt{\frac{SS_E}{n-(m+1)}}$$

모델의 항 개수가 증가함에 따라 SS_E는 일반적으로 감소하지만, m이 증가하므로 분모도 감소한다. 그러면 우리는 최소 s_e를 찾을 수 있다.

이 두 가지 성능 기준인 R_{adj}^2와 s_e는 데이터 집합이 너무 크지 않은 한 유용하다. $n \gg m$이면 모델 항 추가에 대한 보상이 미미하므로 다른 조치가 필요하다.

회귀분석에는 많은 성능 기준이 있으며, 여기에 너무 많은 것을 소개할 수는 없지만, 한 가지 관심사는 예측 오차 제곱합 즉, *PRESS* 통계량 및 관련 **예측 R^2**(*predicted R^2*)이다. 이는 (1) 더 큰 데이터 집합에 효과적이고 (2) 과적합(너무 많은 모델 항)을 감지하여 방지한다는 두 가지 이유로 유용하다. *PRESS*의 개념은 구어체 용어로 '회귀분석을 공정하게 경쟁하게 한다'고 말할 수 있다. 기법의 단계는 다음과 같다.

1. 데이터 집합에서 첫 번째 데이터 점을 제거한다.
2. 남은 점만 사용하여 회귀분석을 수행한다.
3. 결과 모델을 사용하여 남은 데이터 점에 대한 반응 $\hat{y}$를 예측한다.

4. 이 예측과 관련된 잔차, $e_{(i)}$를 계산한다.

5. 1~4단계를 반복하여 후속 데이터 점을 제거한다.

그러면

$$PRESS = \sum_{i=1}^{n} e_{(i)}^2$$

그리고 예측 R^2는 다음과 같다.

$$R_{\text{pred}}^2 = 1 - \frac{PRESS}{SS_T}$$

과적합 모델은 결측점(left-out points)을 예측하는 데 좋지 않다. 결과적으로, R_{pred}^2의 최댓값은 건전한 모델을 선택하는 경향이 있다. 그러나, 그 모델은 여전히 적절성을 만족시켜야 한다.

　　$PRESS$ 통계를 계산하는 절차는 끔찍하게 노동집약적으로 들리지만(n회귀분석 계산), '모자' 행렬을 포함하는 깔끔한 단축키 **H**는 다음과 같다.

$$\mathbf{H} = \mathbf{X(X'X)X'}$$

그리고

$$PRESS = \sum_{i=1}^{n} \left(\frac{e_i}{1 - h_{ii}} \right)^2$$

여기서 e_i는 전체 데이터 집합이 있는 단일 회귀분석의 잔차이고 h_{ii}는 **H**의 해당 대각 원소이다.

　　다음으로는 다항식 모델의 적합을 포함하는 예시의 개념을 다룰 것이다.

예제 15.4　　　**온도에 따른 물의 점도에 대한 다항식 모델의 회귀분석**

문제 정의　서로 다른 온도 (°C)에서 물의 점도 (중심점, cP)에 대한 데이터는 표 15.4에 제시되어 있다. 이러한

표 15.4　　서로 다른 온도에서 측정된 물의 점도.

Temperature (°C)	Viscosity (cP)
0.00	1.794
4.44	1.546
10.00	1.310
15.56	1.129
21.11	0.982
26.67	0.862
32.22	0.764
37.78	0.682
48.89	0.559
60.00	0.470
71.11	0.401
82.22	0.347
93.33	0.305

데이터를 잘 적합시키고 적절한 요구 사항을 충족하는 다항식 모형을 만들어라. 전진적 선정과 함께 단계적 회귀분석을 사용하라.

풀이 첫째, 표의 온도를 기준으로 한 8차 다항식을 살펴보면 표에서 두 번째와 마지막 온도에 대한 8차 항을 각각 비교하여, 다음을 얻을 수 있다.

$$1.52 \times 10^5 \quad \text{그리고} \quad 5.76 \times 10^{15}$$

그리고 10차 항의 크기 차이를 알 수 있는데, 이건 **스케일링**(*scaling*) 문제이다. 이것은 잘못된 조건의 **X** 행렬인 정규 방정식을 푸는 데 어려움을 초래할 수 있는 다항식 모델의 문제를 드러낸다.

다항식 모델에 대한 추가적인 문제가 있다. 다항식의 항들은 자연스럽게 다른 항과 높은 상관관계가 있다. 이것은 **공선성**(*collinearity*)이라고 불린다.

낮은 스케일링과 공선성을 모두 퇴치하기 위한 일반적인 전략은 변환을 통해 독립변수를 표준화하는 것이다.

$$z = \frac{x - \bar{x}}{s_x}$$

이 값은 0을 중심으로 ±3 범위에 있는 값의 벡터를 생성한다. 표 15.4의 온도 데이터에 이 변환을 적용하면 다음과 같은 값이 생성된다.

−1.28	−1.13	−0.95	−0.76	−0.58	−0.40	−0.21	−0.03	0.34	0.70	1.07	1.44	1.80	

모델 구축을 위해 이 값을 사용할 것이다. 이때, 불이익은 점도를 예측하기 위해 모델을 사용하기 전에 먼저 온도를 변환해야 한다는 것이다.

그림 15.5의 파이썬 코드는 회귀분석과 관련 성능 통계를 계산하는 데 사용된다.

그림 15.5의 코드는 데이터에 2차 다항식을 적합시킨다. 다음은 양적인 결과와 시각적인 결과이다.

```
Estimated model parameters are:
[ 0.66898204 −0.50752418  0.18878719]
SSE =  0.043877200062491488
SST =  2.4905652071005924
SSR =  2.4466880064756773
R-squared =  0.982382633267412
Standard error of the estimate =  0.06623986762133124
Adjusted R-squared =  0.9788591599208946
Standard errors of the parameter estimates:
[0.00184482 0.00137498 0.00138652]
PRESS =  0.11329036057233799
Predicted R-squared =  0.9545121885388315
```

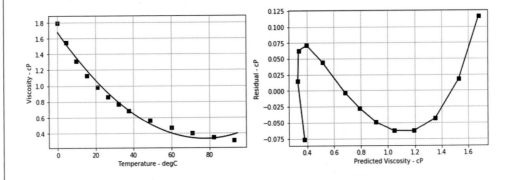

```
import numpy as np
import pylab
# set table date
x = np.array([0., 4.44, 10., 15.56, 21.11, 26.67, 32.22,
               37.78, 48.89, 60., 71.11, 82.22, 93.33])
y = np.array([1.794, 1.546, 1.31, 1.129, 0.982, 0.862,
               0.764, 0.682, 0.559, 0.47, 0.401, 0.347, 0.305])
# standardize x to z
xbar = np.mean(x)
sx = np.std(x)
z = (x-xbar)/sx
n = len(x)
m = 9
  # order of polynomial
# calculate the X matrix
X = np.zeros((n,m+1))
for i in range(n):
    for j in range(m+1):
        X[i,j] = z[i]**j
# formulate and solve the normal equations
Xt = np.transpose(X)
A = np.dot(Xt,X)
const = np.dot(Xt,np.transpose(y))
b = np.linalg.solve(A,const)
print('Estimated model parameters are:\n',b)
#compute model predictions and residuals
yhat = np.zeros((n))
e = np.zeros((n))
for i in range(n):
    for j in range(m+1):
        yhat[i] = yhat[i] + b[j]*z[i]**j
    e[i] = y[i] - yhat[i]
#compute the sum of squares
SSE = np.dot(e,e)  # residuals
SST = np.var(y)*(n-1)  # total corrected
SSR = SST - SSE    # regression
print('SSE = ',SSE)
print('SST = ',SST)
print('SSR = ',SSR)
# R2 and the standard error of the estimate
R2 = SSR/SST
se2 = SSE/(n-(m+1))
se = np.sqrt(se2)
print('R-squared = ',R2)
print('Standard error of the estimate = ',se)
# adjusted R2
R2adj = 1 - (SSE/(n-(m+1)))/(SST/(n-1))
print('Adjusted R-squared = ',R2adj)
# covariance matrix and parameter standard errors
XtXinv = np.linalg.inv(np.dot(Xt,X))
covb = XtXinv*se2
seb = np.zeros((m+1))
for j in range(m+1):
    seb[j] = np.sqrt(se2*covb[j,j])
print('Standard errors of the parameter estimates:\n',seb)
# hat matrix, PRESS statistic and predicted R2
H = np.dot(np.dot(X,XtXinv),Xt)
PRESS = 0
```

그림 15.5 물 데이터의 점도의 완전한 다항식 회귀를 위한 파이썬 코드.

```
for i in range(n):
    PRESS = PRESS + (e[i]/(1-H[i,i]))**2
R2pred = 1 - PRESS/SST
print('PRESS = ',PRESS)

print('Predicted R-squared = ',R2pred)
# plots
def ypred(x,xavg,xstd,b,m):
    yp = 0
    zvar = (x-xavg)/xstd
    for j in range(m+1):
        yp = yp + b[j]*zvar**j
    return yp

xplot = np.linspace(0,95.)
npt = len(xplot)
yplot = np.zeros((npt))
for k in range(npt):
    yplot[k] = ypred(xplot[k],xbar,sx,b,m)
pylab.scatter(x,y,c='k',marker='s')
pylab.plot(xplot,yplot,c='k')
pylab.grid()
pylab.xlabel('Temperature - degC')
pylab.ylabel('Viscosity - cP')
pylab.figure()
pylab.plot(yhat,e,c='k',ls='-',marker='s')
pylab.grid()
pylab.xlabel('Predicted Viscosity - cP')
pylab.ylabel('Residual - cP')
```

그림 15.5   *(continued)*

그림에서 세 개의 R^2값이 상당히 높음에도 불구하고, 2차 다항식이 적절하지 않다는 것을 알 수 있다. 이 모델은 데이터의 패턴을 적합시킬 수 없으며, 이것은 적합 그래프에 따른 잔차에서 쉽게 알 수 있다. R^2값이 R^2_{pred}보다 큰 R^2_{adj}값보다 크다는 것에 주목하라.

전진적 선정 과정에 대한 자세한 결과를 보여 주는 것으로 많은 공간을 차지하는 대신, 아래의 각 다항식 차수에 대한 요약 결과를 제시하고, 다양한 기준에 대한 최적의 선정을 강조한다.

Order	R^2	adjR^2	predR^2	s_e
2	0.98238	0.97886	0.95451	0.066240
3	0.99840	0.99787	0.99171	0.021040
4	0.99982	0.99973	0.99803	0.007493
5	0.99996	0.99992	0.99843	0.004000
6	0.99999	0.99998	0.99707	0.002065
7	0.999999	0.999998	0.99898	0.000601
8	0.999999	0.999999	0.99995	0.000474
9	0.999999	0.999999	0.97529	0.000547

R^2_{pred} 측정은 5차 다항식과 8차 다항식에 대해 각각 두 가지 최댓값을 거친다. 추정치의 표준오차인 s_e는 8차 모델에 대한 최솟값을 가진다. R_2와 R^2_{adj}는 모두 가장 높은 차수의 다항식을 가리킨다. 5차 적합도에 대한 그래프로 성능 및 적절성을 확인하면 다음과 같다.

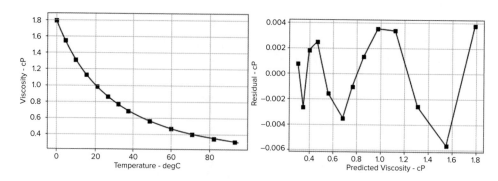

적합성이 우수하고 잔차 패턴이 일부 진동하지만 상당히 랜덤하다. 또한 잔차는 통일성 주변의 점도 값에 대해 10^{-3}의 차수로 표시된다. 5차 다항식이 좋은 선택인 반면, 8차 모델은 아마도 과잉일 것이다. 5차 모델의 전체 결과는 다음과 같다.

```
Estimated model parameters are:
[ 0.67339962 -0.37086365  0.15887252 -0.07404558  0.04001281 -0.01029659]
SSE =  0.0001119464027988233
SST =  2.4905652071005924
SSR =  2.4904532606977936
R-squared =  0.9999550518081279
Standard error of the estimate =  0.003999042792591091
Adjusted R-squared =  0.9999229459567907
Standard errors of the parameter estimates:
[8.85397093e-06 1.90877863e-05 2.53260683e-05 2.50813895e-05
 1.34210643e-05 8.96731652e-06]
PRESS =  0.00391224304370201
Predicted R-squared =  0.9984291746176538
```

$$\mu = 0.6734 - 0.3709\,z + 0.1589\,z^2 - 0.07405\,z^3 + 0.04001\,z^4 - 0.01030\,z^5$$

모델 구축과 선정에 관한 세부 사항을 제시했지만, 이 주제에 대한 표면만 건드렸다고 말하는 것이 타당하다. 독자적 연구 또는 엔지니어 및 과학자를 위한 응용 통계 과정에 등록함으로써 더 많은 것을 배울 수 있을 것이다.

15.5 비선형회귀분석

일반적인 공학과 과학 분야에서는 비선형모델로 데이터를 적합시켜야만 할 때가 많다.

$$\log_{10}(P_V) = A - \frac{B}{C+T} \tag{15.15}$$

여기서 P_V는 증기 압력, T는 온도, A, B, C는 각각 mmHg 및 ℃와 같이 압력 및 온도에 사용되는 단위에 따라 값이 달라지는 조정 가능한 매개변수다. 이 공식은 매개변수에서 선형으로 조작할 수 없다.

비선형회귀분석이 유용한 또다른 시나리오 중 하나는 반응변수 y를 예측하는 다단계 수치계산법에 대한 매개변수 추정이 있다. 미분방정식의 매개변수 수치해는 이러한 유형의 시나리오의 일반적인 예시다. 그러한 적용은 6부에서 다루었다.

선형최소제곱법과 마찬가지로 비선형회귀분석은 잔차 오차의 제곱합을 최소화하는 매개변수 값을 결정하는 데 기반을 둔다. 그러나 여기서 이전에 발견한 선형회귀를 위한 정규 방정식과는 다르게, 닫힌 형태의 해를 제공하기 위해 미적분을 호출할 수 없다. 최솟값을 찾기 위해서 반복적인 방식을 진행해야 한다. 비선형회귀분석에 적합한 최솟값을 찾는 수치기법이 있다. 그중 하나는 기존 비선형 방정식의 테일러 급수 선형화를 기반으로 하는 Gauss-Newton 방법이다. 그런 다음 방정식이 실제로 선형이었다면 최적의 매개변수를 한 단계에서 결정하는데 쓰였을 최소제곱이론을 사용하여 새로운 추정치를 얻는다.

물론 비선형 모델에서는 이러한 현상이 발생하지 않으며, 반복적인 방법이 필요하다.

또 다른 방법은 제곱합 함수의 기울기를 따라 최솟값으로 천천히 이동하는 것이다. 잘 알려져 있는 이 기법은 저자의 이름을 따서 Marquardt 방법으로 불리며, Gauss-Newton 방법과 경사 접근법을 결합한 것이다. 이러한 기법에 대한 자세한 내용은 다음에서 확인할 수 있다(Chapra and Canale, 2010).

실질적 대안은 7장에서 제시된 바와 같이 파이썬 SciPy 최적화 모듈의 최소화 기능처럼 기존 소프트웨어에 내장된 최적화 기술을 사용하는 것이다. 여기서, 잔여 제곱합을 최소화하여 최소제곱 비선형회귀결과 달성을 가능하게 한 9개의 잘 개발된 알고리즘이 있다. 최소화 함수는 매개변수 추정치에 대한 제약 가능성을 포함한다. 이는 수치상 절차가 물리적으로 불가능하거나 문제를 일으킬 매개변수 값으로 벗어나지 않도록 한다.

비선형회귀분석의 한 가지 다른 측면은 매개변수의 초기 추정치를 제공해야 한다는 것이다. 이 값은 합리적인 값이어야 한다. 그렇지 않으면, 최적화 기법이 해를 찾지 못할 수 있다.

연습문제

* 짝수번호는 온라인 사이트에 있으며 본 책 '차례' 끝부분 xxi페이지에 사이트주소가 있음.

15.1 표 14.1의 데이터에 포물선을 적합시켜라. 이 적합에 대한 R^2을 구하고, 그 적정성을 평가하라.

15.3 다음 데이터에 적합한 다항식 모델을 찾아라. R^2_{adj}와 s_e를 선택한 다항식 차수를 결정 기준으로 사용하라. 선택한 곡선 모델로 데이터들을 그래프로 나타내고, 예측된 y값에 대한 잔차를 나타내라.

x	3	4	5	7	8	9	11	12
y	1.6	3.6	4.4	3.4	2.2	2.8	3.8	4.6

15.5 표 P15.5의 데이터에 대해, 다항식 회귀분석을 사용하여 염소농도가 0인 경우에 대하여 용존산소농도의 예측 방정식을 온도의 함수로 유도하라. 예측값이 표에 나타난 유효숫자 개수와 일치할 수 있도록 충분히 높은 차수의 다항식을 사용하라.

표 P15.5 온도 (℃)와 염소농도 (mg/L)의 함수로 나타낸 물속의 용존산소 농도.

	Dissolved Oxygen (mg/L) for Temperature (℃) and Concentration of Chloride (g/L)		
T, ℃	$c = 0$ g/L	$c = 10$ g/L	$c = 20$ g/L
0	14.6	12.9	11.4
5	12.8	11.3	10.3
10	11.3	10.1	8.96
15	10.1	9.03	8.08
20	9.09	8.17	7.35
25	8.26	7.46	6.73
30	7.56	6.85	6.20

15.7 연습문제 15.5와 연습문제 15.6의 모델을 기반으로, 용존 산소의 포화상태에 미치는 온도와 염소의 영향을 고려하는 다소 더 복잡한 모델을 다음과 같은 식으로 가정할 수 있다.

$$DO = \beta_0 + \beta_1 T + \beta_2 c + \beta_3 T^2 + \beta_4 T^3 + \varepsilon$$

하나 이상의 입력변수에 더 높은 차수가 포함되기 때문에, 이를 응답 표면(response surface) 모델이라 한다. 일반적인 선형회귀 분석을 사용하여 표 P15.5의 데이터로 이 모형의 매개변수를 추정한다. 결과로 나타난 모델 식을 사용하여 T는 12 ℃에서 염소 농도가 15 g/L일 때의 용존산소농도를 추정한다. 여기서 표에 보고되지 않은 측정값은 9.09 mg/L임에 유의한다. 연습문제 15.6 과 오차를 비교한다.

15.9 다음 데이터는 원형 단면을 갖는 콘크리트 관내를 정상상 태로 흐르는 물로부터 수집되었다.

Experiment	Diameter, m	Slope, m/m	Flow, m³/s
1	0.3	0.001	0.04
2	0.6	0.001	0.24
3	0.9	0.001	0.69
4	0.3	0.01	0.13
5	0.6	0.01	0.82
6	0.9	0.01	2.38
7	0.3	0.05	0.31
8	0.6	0.05	1.95
9	0.9	0.05	5.66

이들 데이터에 다음 모델을 적합하기 위하여 다중 선형회귀분석 을 사용한다.

$$Q = \beta_0 D^{\beta_1} S^{\beta_2} + \varepsilon'$$

여기서 Q는 유량, D는 직경 그리고 S는 기울기이다.

15.11 다음 모델은 태양 복사가 수초의 광합성률에 미치는 영향 을 나타내는 데 사용된다.

$$P = P_m \frac{I}{I_{sat}} e^{-\frac{I}{I_{sat}}+1}$$

여기서 P는 광합성률 (mg/(m³·d)), P_m은 최대 광합성률, I는 태양복사량 ($\mu E/(m^2 \cdot s)$) 그리고 I_{sat}는 최적 태양복사량이다. 다음 데이터에 기초하여 비선형회귀분석을 사용하여 P_m과 I_{sat}을 계산 하라.

I	50	80	130	200	250	350	450	550	700
P	99	177	202	248	229	219	173	142	72

데이터와 모델 선을 도시하고, P값 예측치에 대한 잔차를 나타내 라. 모델의 성능과 적절성에 대해 언급하라.

15.13 연습문제 14.8에서 다음 모델을 선형화하고 적합하기 위

해 변환을 사용하였다.

$$y = a_4 x\, e^{\beta_4 x}$$

다음 데이터에 기초하여 비선형회귀분석을 사용하여 a_4와 β_4를 계산하라. 데이터와 함께 적합식을 그림으로 나타내라. 데이터를 적합한 것을 그래프로 나타내고, 모델 예측치 대한 잔차 오차 또 한 그래프로 나타내라.

x	0.1	0.2	0.4	0.6	0.9	1.3	1.5	1.7	1.8
y	0.75	1.25	1.45	1.25	0.85	0.55	0.35	0.28	0.18

15.15 다음 데이터에 대하여 최소제곱 회귀분석을 이용하여 다음 방법으로 적합하라.

x	5	10	15	20	25	30	35	40	45	50
y	17	24	31	33	37	37	40	40	42	41

(a) 직선, (b) 멱방정식, (c) 포화성장률 방정식, (d) 포물선. (b)와 (c)에 대하여는 모델 형태를 매개변수를 통해 선형적으로 얻어 내기 위해 변환을 사용한다. 곡선을 따라 데이터를 표시하라. 각각의 R^2_{adj}를 계산하여 최적의 모델을 선택하는 기준으로 사용하라. 최적의 모델을 만들기 위해 잔차 대 y의 예측값을 표시하고 적합성을 판단하라.

15.17 황산 용액의 열용량은 H_2SO_4 농도와 관련 있으며, 이 특성은 아래 표에 제시된 데이터로 실험실에서 주의 깊게 측정되었다.

wt% H₂SO₄	C_P kJ/(kg·K)	wt% H₂SO₄	C_P kJ/(kg·K)
0.34	4.173	35.25	3.030
0.68	4.160	37.69	2.940
1.34	4.135	40.49	2.834
2.65	4.087	43.75	2.711
3.50	4.056	47.57	2.576
5.16	3.998	52.13	2.429
9.82	3.842	57.65	2.269
15.36	3.671	64.47	2.098
21.40	3.491	73.13	1.938
22.27	3.465	77.91	1.892
23.22	3.435	81.33	1.876
24.25	3.403	82.49	1.870
25.39	3.367	84.48	1.846
26.63	3.326	85.48	1.820
28.00	3.281	89.36	1.681
29.52	3.231	91.81	1.586
30.34	3.202	94.82	1.488
31.20	3.173	97.44	1.425
33.11	3.107	100.00	1.403

파이썬을 사용하여 이 관계에 대한 다항식 모델을 만들어라. 예제

15.4에서와 같이, 다항식을 구성하기 전에 wt% 값을 표준화하는 것이 적절하다. 데이터를 도시하는 것부터 시작하고, 쉼표로 구분된 텍스트 파일(.csv)에서 표 값을 읽는 것을 권장한다. R^2_{pred}를 모델 채택 기준으로 사용하라. 모델의 적절성을 평가하고, 관찰되는 문제에 대해 논의하라.

(참고: 이 문제는 18장에서 다시 살펴볼 것이다.)

15.19 산성비의 영향을 연구하는 환경 과학자와 공학자들은 물의 이온적(ion product) K_w를 온도의 함수로 결정해야 한다. 이 관계식을 모델링하기 위하여 과학자들은 다음 식을 제시하였다.

$$-\log_{10}(K_w) = \frac{a}{T} + b\log_{10}(T) + cT + d$$

여기서 T는 절대온도 (K) 그리고 a, b, c, d는 매개변수들이다. 다음 데이터와 회귀분석 그리고 파이썬을 사용하여 매개변수들을 구하라. 또한 데이터에 대한 예측값 K_w의 그림을 그려라.

T (°C)	K_w
0	1.164×10^{-15}
10	2.950×10^{-15}
20	6.846×10^{-15}
30	1.467×10^{-14}
40	2.929×10^{-14}

15.21 아래 데이터가 수집되었으며, 다음과 같은 모델이 제안되었다.

$$y = a + be^{cx}$$

비선형회귀분석을 이용하여 모델에 데이터를 적합하고, 모델의 적절성을 확인하라. 데이터와 모델 선 그리고 y값 예측치에 대한 잔차를 그래프로 나타내라.

x	0.4	1.4	5.4	19.5	48.2	95.9
y	51.6	53.4	20.0	-4.2	-3.0	-4.8

15.23 연구자가 박테리아의 성장률 k (per d)를 산소 농도 c (mg/L)의 함수로 구하기 위한 실험을 수행하고, 다음 표로 제시된 데이터를 보고하였다. 이 데이터들은 다음 수식을 통해서 모델링할 수 있다고 알려져 있다.

$$k = \frac{k_{max} c^2}{c_s + c^2}$$

비선형회귀분석을 이용하여 c_s와 k_{max}의 값을 구하고, $c = 2$ mg/L일 때의 성장률을 예측하라.

c	0.5	0.8	1.5	2.5	4
k	1.1	2.4	5.3	7.6	8.9

데이터와 모델의 선을 그래프로 나타내고, k값 예측치에 대한 잔차 또한 나타내라.

15.25 아래의 데이터는 SAE 70 오일의 점도와 온도 사이의 관계를 나타낸 것이다. 이를 나타내기 위해 사용되는 일반적인 모델은 다음과 같다.

$$\mu = b_0 e^{b_1/T}$$

여기서 μ는 점도 (Pa·s), T는 절대 온도 (K)이다. 비선형회귀분석을 사용하여 매개변수 b_0, b_1을 추정할 수 있다. R^2값과 s_e값을 계산하고, 매개변수에 대한 표준오차 추정치를 계산하라. 매개변수 추정치의 불확실성에 대해 설명하라. 데이터와 모델 선을 그래프로 나타내고 μ값 예측치에 대한 잔차를 나타내라.

Temperature (°C)	26.67	93.33	148.89	315.56
Viscosity (Pa·s)	1.35	0.085	0.012	0.00075

15.27 일산화질소(NO)는 반응 용액에 흡수되어 생성물을 만들어 낸다. 아래의 데이터는 이러한 공정에서 얻은 측정값이다. 비선형회귀분석을 사용하여 다음 모델의 매개변수 b_1, b_2, b_3를 추정하라.

$$y = b_0 e^{b_1 x} x^{b_2}$$

여기서 y는 생성물 농도 (g/L), x는 흡수된 NO (g/L)이다.

x	0.09	0.32	0.69	1.51	2.29	3.06	3.39	3.63	3.77
y	15.1	57.3	103.3	174.6	191.5	193.2	178.7	172.3	167.5

모델을 사용하여 가장 높은 생성물 농도를 나타낼 때의 흡수된 NO의 양을 예측하라. 데이터와 모델의 선을 그래프로 나타내고, y값 예측치에 대한 잔차를 나타내라. 모델의 적합성과 적절성에 대해 언급하라.

푸리에 분석
Fourier Analysis

학습 목표

이 장의 주요 목적은 푸리에 분석에 대해 소개하는 것이다. Joseph Fourie[1])에 의해 명명된 이 방법은 시계열 데이터에 대한 주기 및 패턴 분석 기법이다. 구체적인 목표와 주제는 다음과 같다.

- 정현파에 대한 이해와 커브 피팅에서 정현파가 어떻게 사용될 수 있는지에 대한 이해
- 최소자승법을 이용한 정현파 커브 피팅 방법
- 오일러의 공식을 바탕으로 정현파와 복소 지수함수 사이의 관계에 대한 이해
- 주파수 영역에서 수학적 함수 또는 신호 분석의 이점을 인식
- 비주기적 함수와 신호에 대해 푸리에 적분과 변환을 통한 푸리에 분석의 확장 방법
- 이산 푸리에 변환(DFT)을 통한 푸리에 분석의 샘플링된 신호로의 확장
- 이산 샘플링이 주파수를 구별하는 DFT의 능력을 어떻게 제한하는지에 대한 인식[특히 나이퀴스트 주파수(Nyquist Frequency)를 계산하고 해석하는 방법]
- 데이터 레코드의 길이가 2의 거듭제곱인 경우들에 대해 상기 DFT를 계산하는 과정에서 고속 푸리에 변환(FFT)이 얼마나 효율적인지에 대한 이해
- 파이썬을 사용하여 DFT와 FFT를 계산하는 방법을 알고 결과를 해석하는 방법을 이해
- 파워 스펙트럼을 계산하고 해석하는 방법

다음과 같은 문제가 주어졌을 때

8장의 시작 부분에서, 우리는 뉴턴의 운동 제2법칙과 힘의 균형을 이용하여 한 줄로 연결된 세 명의 번지점퍼에 대한 평형 위치를 예측했다. 그런 다음 13장에서 이들에 대한 공진주파수와 진동의 주 모드를 찾기 위해 시스템의 고윳값과 고유벡터를 계산하였다. 이 분석은 분명 유용한 결과를 제공했지만, 기본 모델 및 파라미터(즉, 사람의 질량 및 줄의 스프링 상수)에 대한 지식 등의 상세한 시스템 정보를 요구하고 있다.

반면 점퍼의 위치나 속도를 동일한 간격으로 측정했다고 가정해 보자(그림 13.1 참고). 이러한 정보를 **시계열**(*time series*) 정보라고 한다. 이때, 기본 모델이나 고윳값을 계산하는 데 필요한 매개변수를 모른다고 가정할 경우 이러한 시계열 정보를 사용하여 시스템의 역학에 대해 재미있는 것을 배울 수 있는 방법이 있지 않을까?

이 장에서는 이러한 목적을 달성하기 위해 **푸리에 분석**과 같은 접근 방식을 설명하고 있다. 이 접근 방식은 복잡한 함수(예: 시계열)를 간단한 삼각함수의 합으로 표현할 수 있다는 전제에 기반한다. 상세한 내용을 설명하기에 앞서, 정현파(sinusoidal) 함수에 대한 커브 피팅 방법을 소개하도록 하겠다.

---

1) 장 밥티스트 조셉 푸리에(Jean–Baptiste Joseph Fourier, 1768–1830). 수학에서의 그의 업적과는 별개로 온실 효과를 발견한 인물로 유명하다.

16.1 정현파 함수에 대한 커브 피팅

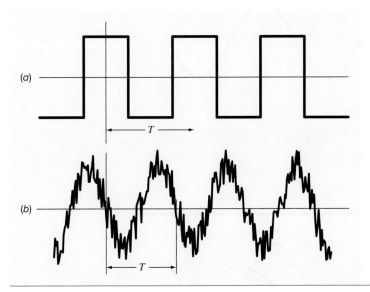

그림 16.1 사인(sin) 및 코사인(cos)과 같은 삼각함수 외에도 주기함수에는 (a)에 표시된 구형파와 같은 이상적인 파형도 있다. 이러한 인공적인 형태를 넘어 자연의 주기적인 신호는 (b)와 같은 측정잡음을 포함한 대기 온도 데이터 같은 것이 있다.

주기 함수 $f(t)$는 다음과 같이 표현된다.

$$f(t) = f(t + T) \tag{16.1}$$

여기서 T는 식 (16.1)을 만족하는 가장 작은 시간 상수를 의미하며 **주기**라고 한다. 일반적인 예로 인공 신호와 자연 신호가 모두 포함된다(그림 16.1a).

주기함수에는 가장 대표적으로 **정현파**(*Sinusoidal*) 함수가 있다. 이 절에서는 사인(sin) 또는 코사인(cos) 함수로 설명할 수 있는 모든 파형을 나타내기 위해 정현파라는 용어를 사용한다. 또한, 두 함수 모두 시간상 $\pi/2$만큼 이격되기 때문에 두 함수 중 하나를 선택하는 명확한 규칙은 없으며 어떤 경우에도 결과는 동일하다. 따라서 이 장에서는 코사인을 사용하겠다.

코사인 함수를 이용하면 정현파 함수를 일반적으로 다음과 같이 표현할 수 있다.

$$f(t) = A_0 + C_1\cos(\omega_0 t + \theta) \tag{16.2}$$

식 (16.2)을 살펴보면 4개의 매개변수가 정현파 곡선을 특정하는 역할을 한다(그림 16.2a).

- **평균값** A_0는 가로축의 평균 높이를 설정한다.
- **진폭** C_1은 진동의 높이를 지정한다.
- **각주파수**(*angular frequency*) ω_0는 주기가 발생하는 빈도를 나타낸다.
- **위상각**(또는 위상 변이) θ는 정현파가 수평으로 이동하는 정도를 매개변수화한다.

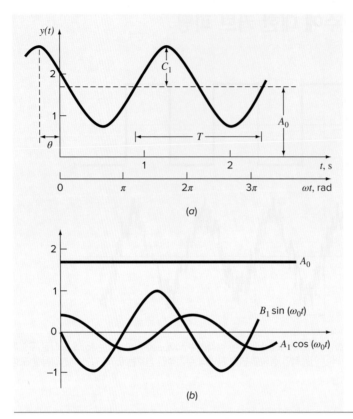

그림 16.2 (a) 정현파 함수 $y(t) = A_0 + C_1 \cos(\omega_0 t + \theta)$의 그래프. 이 경우 $A_0 = 1.7$, $C_1 = 1$, $\omega_0 = 2\pi/T = 2\pi/(1.5 \text{ s})$, $\theta = \pi/3$ radian $= 1.0472 (= 0.25 \text{ s})$이다. 곡선을 설명하는 데 사용되는 다른 매개변수는 주파수 $f = \omega_0/(2\pi)$가 있으며, 이 경우 1 cycle/(1.5 s) = 0.6667 Hz 및 주기 $T = 1.5$ s이다. (b) 같은 곡선의 다른 표현은 $y(t) = A_0 + A_1 \cos(\omega_0 t) + B_1 \sin(\omega_0 t)$가 있다. 이 함수의 세 가지 구성 요소는 (b)에 표시되어 있다. 여기서 $A_1 = 0.5$ 및 $B_1 = -0.866$이다. (b)의 세 곡선을 합하면 (a)의 단일 곡선이 생성된다.

각주파수(radian/time)는 다음 식에 의해 일반 **주파수**(*ordinary frequency*) f (cycles/time)[2]와 관련된다.

$$\omega_0 = 2\pi f \tag{16.3}$$

일반 주파수는 주기 T와 관련이 있다.

$$f = \frac{1}{T} \tag{16.4}$$

또한 위상각은 $t = 0$에서 코사인 함수가 새로운 주기를 시작하는 지점까지의 거리를 radian 단위로 나타낸다. 그림 16.3a에 도시된 바와 같이, 곡선 $\cos(\omega_0 t - \theta)$가 $\cos(\omega_0 t)$의 θ rad 이후에 새로운 주기를 시작하기 때문에 음의 값을 **지연 위상각**(*lagging phase angle*)이라고 한다. 따라서 $\cos(\omega_0 t - \theta)$는 $\cos(\omega_0 t)$보다 지연된다고 표현한다. 반대로 그림 16.3b에서와 같이 양의 값에 대해

---

2) 시간 단위가 초일 때 일반 주파수의 단위는 cycles/sec 또는 헤르츠 (Hz)이다.

서 선행 위상각(*leading phase angle*)이라고 한다.

식 (16.2)는 수학적으로 정현파 곡선을 표현하는 적절한 방법이지만, 위상각이 코사인 함수의 인수에 포함되어 있기 때문에 커브 피팅의 관점에서 작업하는 것이 어렵다. 이러한 부분을 해소하기 위해 삼각함수의 변환식을 활용할 수 있다.

$$C_1\cos(\omega_0 t + \theta) = C_1[\cos(\omega_0 t)\cos(\theta) - \sin(\omega_0 t)\sin(\theta)] \tag{16.5}$$

식 (16.5)를 식 (16.2)에 대입하고 항을 모으면 다음과 같다(그림 16.2b).

$$f(t) = A_0 + A_1\cos(\omega_0 t) + B_1\sin(\omega_0 t) \tag{16.6}$$

여기서

$$A_1 = C_1\cos(\theta) \qquad\qquad B_1 = -C_1\sin(\theta) \tag{16.7}$$

또한, 식 (16.7)의 두 부분을 나누면

$$\theta = \arctan\left(-\frac{B_1}{A_1}\right) \tag{16.8}$$

여기서 $A_1 < 0$이면 π를 θ에 더해 준다. 식 (16.7)을 더해서 제곱근을 취하면

$$C_1 = \sqrt{A_1^2 + B_1^2} \tag{16.9}$$

따라서 식 (16.2)의 변형공식인 식 (16.6)은 여전히 4개의 매개변수가 필요하지만 일반 선형 모델의 형식으로 표현되었다. 다음 절에서 논의하겠지만, 최소자승법을 적용하기 위한 기초가 되었다

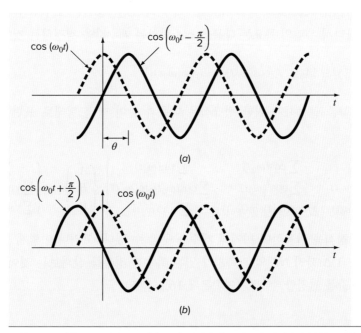

그림 16.3 (*a*) 지연 위상각 및 (*b*) 선행 위상각의 그래픽 묘사. (*a*)의 지연 곡선은 대안적으로 cos($\omega_0 t + 3\pi/2$)로 설명될 수 있다. 즉, 곡선이 α 각도만큼 지연되면 $2\pi - \alpha$만큼 앞서는 곡선으로도 나타낼 수 있다.

고 할 수 있다.

다음 절로 넘어가기 전에 좀 더 이야기하자면, 식 (16.2)의 기본 모델로 코사인 대신 사인 함수를 사용할 수도 있다. 예를 들어,

$$f(t) = A_0 + C_1\sin(\omega_0 t + \delta)$$

와 같이 사용할 수도 있다. 아래와 같이 간단한 관계를 통해 두 형식 사이의 변환이 가능하다.

$$\sin(\omega_0 t + \delta) = \cos\left(\omega_0 t + \delta - \frac{\pi}{2}\right)$$

혹은

$$\cos(\omega_0 t + \delta) = \sin\left(\omega_0 t + \delta + \frac{\pi}{2}\right) \tag{16.10}$$

즉, $\theta = \delta - \pi/2$인 관계이다. 중요한 점은 상기 형식과 관련해서 하나의 형식으로 일관되게 사용해야 한다는 것이다. 따라서 이 장에서는 코사인 함수를 사용토록 하겠다.

16.1.1 정현파의 최소자승법

식 (16.6)은 선형 최소자승법의 모델로 다음과 같이 고려할 수 있다.

$$y = A_0 + A_1\cos(\omega_0 t) + B_1\sin(\omega_0 t) + e \tag{16.11}$$

이는 다음과 같은 일반 모델의 또 다른 예시일 뿐이다[식 (15.9) 참고].

$$y = \beta_0 f_0(x_1, x_2, ..., x_p) + \beta_1 f_1(x_1, x_2, ..., x_p) + \cdots + \beta_m f_m(x_1, x_2, ..., x_p) + \varepsilon$$

여기서 $f_0 = 1$, $f_1 = \cos(\omega_0 t)$, $f_2 = \sin(\omega_0 t)$ 및 기타 모든 f항들은 모두 0인 경우 상기 식 (16.11)과 같이 된다. 따라서 우리의 목표는 다음을 최소화하는 계수값을 결정하는 것이다.

$$S_r = \sum_{i=1}^{N} \{y_i - [A_0 + A_1\cos(\omega_0 t) + B_1\sin(\omega_0 t)]\}^2$$

이러한 최소화를 달성하기 위한 정규식은 다음과 같이 행렬 형태로 표현될 수 있다[식 (15.10) 참고].

$$\begin{bmatrix} N & \sum\cos(\omega_0 t) & \sum\sin(\omega_0 t) \\ \sum\cos(\omega_0 t) & \sum\cos^2(\omega_0 t) & \sum\cos(\omega_0 t)\sin(\omega_0 t) \\ \sum\sin(\omega_0 t) & \sum\cos(\omega_0 t)\sin(\omega_0 t) & \sum\sin^2(\omega_0 t) \end{bmatrix} \begin{Bmatrix} A_0 \\ B_1 \\ B_1 \end{Bmatrix} = \begin{Bmatrix} \sum y \\ \sum y\cos(\omega_0 t) \\ \sum y\sin(\omega_0 t) \end{Bmatrix} \tag{16.12}$$

이러한 방정식을 사용하여 미지의 계수를 구할 수 있다. 그러나 이렇게 하는 것보다 Δt가 균일한 $T = (N-1)\Delta t$까지 N개의 관측치가 있는 특수한 경우를 살펴보는 것이 좋다. 이 경우에 다음과 같이 평균값을 결정할 수 있다(연습문제 16.5 참조).

$$\frac{\sum \sin(\omega_0 t)}{N} = 0 \qquad \frac{\sum \cos(\omega_0 t)}{N} = 0$$

$$\frac{\sum \sin^2(\omega_0 t)}{N} = \frac{1}{2} \qquad \frac{\sum \cos^2(\omega_0 t)}{N} = \frac{1}{2} \qquad (16.13)$$

$$\frac{\sum \cos(\omega_0 t)\,\sin(\omega_0 t)}{N} = 0$$

따라서 등간격 점에 대해 정규 방정식은 다음과 같다.

$$\begin{bmatrix} N & 0 & 0 \\ 0 & N/2 & 0 \\ 0 & 0 & N/2 \end{bmatrix} \begin{Bmatrix} A_0 \\ B_1 \\ B_2 \end{Bmatrix} = \begin{Bmatrix} \sum y \\ \sum y \cos(\omega_0 t) \\ \sum y \sin(\omega_0 t) \end{Bmatrix}$$

대각 행렬의 역행렬은 요소가 원본의 역수인 또 다른 대각 행렬일 뿐이다. 따라서 계수는 다음과 같이 계산할 수 있다.

$$\begin{Bmatrix} A_0 \\ B_1 \\ B_2 \end{Bmatrix} = \begin{bmatrix} 1/N & 0 & 0 \\ 0 & 2/N & 0 \\ 0 & 0 & 2/N \end{bmatrix} \begin{Bmatrix} \sum y \\ \sum y \cos(\omega_0 t) \\ \sum y \sin(\omega_0 t) \end{Bmatrix}$$

또는

$$A_0 = \frac{\sum y}{N} \qquad (16.14)$$

$$A_1 = \frac{2}{N} \sum y \cos(\omega_0 t) \qquad (16.15)$$

$$B_1 = \frac{2}{N} \sum y \sin(\omega_0 t) \qquad (16.16)$$

첫 번째 계수는 함수의 평균값을 나타낸다.

예제 16.1   **정현파의 최소자승법**

문제 정의 그림 16.2a의 곡선은 $y = 1.7 + \cos(4.189t + 1.0472)$로 표현된다. $t = 0 \sim 1.35$ 범위에 대해 $\Delta t = 0.15$ 간격으로 이 곡선에 대해 10개의 이산값을 생성한다. 이 정보를 사용하여 식 (16.11)의 계수를 최소자승법으로 구하라.

풀이 $\omega = 4.189$인 함수에 대해서 최소자승법을 적용하기 위해 필요한 데이터는 다음과 같다. 식 (16.14) ~ 식 (16.16)을 이용하여 미정계수를 다음과 같이 구할 수 있다.

$$A_0 = \frac{17.000}{10} = 1.7 \qquad A_1 = \frac{2}{10}\,2.502 = 0.500 \qquad B_1 = \frac{2}{10}\,(-4.330) = -0.866$$

따라서 최소자승법 결과는 다음과 같다.

$$y = 1.7 + 0.500 \cos(\omega_0 t) - 0.866 \sin(\omega_0 t)$$

t	y	$y\cos(\omega_0 t)$	$y\sin(\omega_0 t)$
0	2.200	2.200	0.000
0.15	1.595	1.291	0.938
0.30	1.031	0.319	0.980
0.45	0.722	−0.223	0.687
0.60	0.786	−0.636	0.462
0.75	1.200	−1.200	0.000
0.90	1.805	−1.460	−1.061
1.05	2.369	−0.732	−2.253
1.20	2.678	0.829	−2.547
1.35	2.614	2.114	−1.536
$\sum =$	17.000	2.502	−4.330

상기 식을 식 (16.2)의 형태로 표현하기 위해 식 (16.8)을 적용하면,

$$\theta = \arctan\left(\frac{-0.866}{0.500}\right) = 1.0472$$

또한, 식 (16.9)에 따라

$$C_1 = \sqrt{0.5^2 + (-0.866)^2} = 1.00$$

따라서 최종적으로

$$y = 1.7 + \cos(\omega_0 t + 1.0472)$$

또는 식 (16.10)을 사용하여 사인함수 형태로 표현하면

$$y = 1.7 + \sin(\omega_0 t + 2.618)$$

위의 분석은 일반 모델로 확장될 수 있다.

$$f(t) = A_0 + A_1\cos(\omega_0 t) + B_1\sin(\omega_0 t) + A_2\cos(2\omega_0 t) + B_2\sin(2\omega_0 t)$$
$$+ \cdots + A_m\cos(m\omega_0 t) + B_m\sin(m\omega_0 t)$$

여기서 동일한 간격의 데이터에 대해 계수는 다음과 같이 계산할 수 있다.

$$A_0 = \frac{\sum y}{N}$$
$$\left.\begin{array}{l} A_j = \dfrac{2}{N}\sum y\cos(j\omega_0)t \\[2mm] B_j = \dfrac{2}{N}\sum y\sin(j\omega_0)t \end{array}\right\} \quad j = 1, 2, \ldots, m$$

이러한 관계식은 데이터에 대한 회귀분석에 사용할 수 있지만(즉, $N > 2m + 1$), 보간법이나 배치(collocation) 문제에도 적용될 수 있다. 즉, $2m + 1$개의 미지수에 대한 N개의 데이터 문제에서 사용된다. 이것은 다음 절에서 설명하는 연속 푸리에 급수에서 사용되는 접근 방식이다.

16.2 연속 푸리에 시리즈

열유동(heat-flow) 문제를 연구하는 과정에서 푸리에(Fourier)는 임의의 주기 함수를 조화 관계의 주파수(harmonically related frequency)를 가지는 사인함수들의 무한급수 형태로 표현할 수 있음을 보였다. 주기가 T인 함수에 대해 연속 푸리에 급수를 다음과 같이 표현할 수 있다.

$$f(t) = a_0 + a_1\cos(\omega_0 t) + b_1\sin(\omega_0 t) + a_2\cos(2\omega_0 t) + b_2\sin(2\omega_0 t) + \cdots$$

또는 더 간결하게,

$$f(t) = a_0 + \sum_{k=1}^{\infty} [a_k\cos(k\omega_0 t) + b_k\sin(k\omega_0 t)] \tag{16.17}$$

여기서 첫 번째 모드의 각 주파수($\omega_0 = 2\pi/T$)를 기본 **주파수**(*fundamental frequency*)라고 하고, 그 정수배인 $2\omega_0$, $3\omega_0$ 등을 **고조파**(*harmonics*)라고 한다. 따라서 식 (16.17)은 $f(t)$를 기저함수(1, $\cos(\omega_0 t)$, $\sin(\omega_0 t)$, $\cos(2\omega_0 t)$, $\sin(2\omega_0 t)$, $\cdots$)의 선형 조합으로 표현하고 있다.

이때 식 (16.17)의 계수는 다음을 통해 계산할 수 있다.

$$a_k = \frac{2}{T}\int_0^T f(t)\cos(k\omega_0 t)\,dt \tag{16.18}$$

$$b_k = \frac{2}{T}\int_0^T f(t)\sin(k\omega_0 t)\,dt \tag{16.19}$$

$$a_0 = \frac{1}{T}\int_0^T f(t)\,dt \tag{16.20}$$

for $k = 1, 2, \ldots$

예제 16.2 | **연속 푸리에 급수 근사**

문제 정의 연속 푸리에 급수를 사용하여 높이가 2이고 주기가 $T = 2\pi/\omega_0$인 사각형 또는 구형파(Rectangular wave) 함수(그림 16.1a)를 근사화하라.

$$f(t) = \begin{cases} -1 & -T/2 < t < -T/4 \\ 1 & -T/4 < t < T/4 \\ -1 & T/4 < t < T/2 \end{cases}$$

풀이 주기함수의 크기에 대한 평균 높이는 0이므로 $a_0 = 0$의 값을 직접 얻을 수 있다. 나머지 계수는 식 (16.18)로부터 다음과 같이 구할 수 있다.

$$a_k = \frac{2}{T}\int_{-T/2}^{T/2} f(t)\cos(k\omega_0 t)\,dt$$

$$= \frac{2}{T}\left[-\int_{-T/2}^{-T/4}\cos(k\omega_0 t)\,dt + \int_{-T/4}^{T/4}\cos(k\omega_0 t)\,dt - \int_{T/4}^{T/2}\cos(k\omega_0 t)\,dt \right]$$

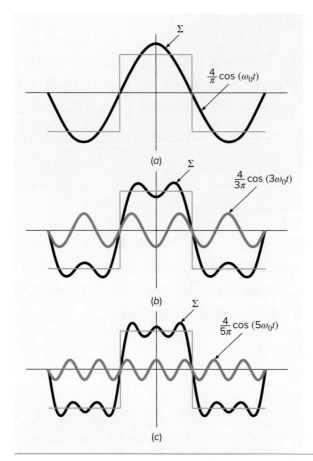

그림 16.4 구형파의 푸리에 급수 근사. 일련의 플롯은 (a) 첫 번째, (b) 두 번째 및 (c) 세 번째 항까지 포함하여 합계를 보여준다. 각 단계에서 더하거나 뺀 개별 항도 표시하였다.

적분은 다음 값들을 활용하여 계산할 수 있다.

$$a_k = \begin{cases} 4/(k\pi) & \text{for } k = 1, 5, 9, \ldots \\ -4/(k\pi) & \text{for } k = 3, 7, 11, \ldots \\ 0 & \text{for } k = \text{짝수} \end{cases}$$

유사하게, 모든 b's = 0이라고 결정할 수 있다. 따라서 푸리에 급수 근사는 다음과 같다.

$$f(t) = \frac{4}{\pi}\cos(\omega_0 t) - \frac{4}{3\pi}\cos(3\omega_0 t) + \frac{4}{5\pi}\cos(5\omega_0 t) - \frac{4}{7\pi}\cos(7\omega_0 t) + \cdots$$

처음 세 항까지의 결과는 그림 16.4에 표시하였다.

논의를 진행하기 전에 푸리에 급수는 복잡한 표기법을 사용하여 보다 간결한 형태로 표현할 수도 있다. 이것은 다음의 **오일러 공식**(*Euler's formula*)을 기반으로 한다(그림 16.5).

$$e^{\pm ix} = \cos x \pm i \sin x \tag{16.21}$$

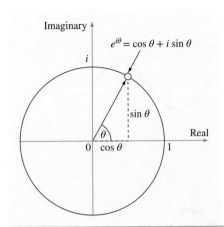

그림 16.5 오일러 공식(Euler's formula)의 그래픽적 묘사. 회전 벡터를 페이저(Phasor)라고 한다.

여기서 $i = \sqrt{-1}$ 고 x는 radian 단위이다. 식 (16.21)은 푸리에 급수를 다음과 같이 간결하게 표현하는 데 사용할 수 있다(Chapra and Canale, 2021).

$$f(t) = \sum_{k=-\infty}^{\infty} \tilde{c}_k e^{ik\omega_0 t} \tag{16.22}$$

여기서 계수는

$$\tilde{c}_k = \frac{1}{T} \int_{-T/2}^{T/2} f(t) e^{-ik\omega_0 t} \, dt \tag{16.23}$$

물결표(~)는 계수가 복소수임을 강조하기 위해 사용되었다. 해당 형태가 더 간결하기 때문에 이 장의 나머지 부분에서 주로 이와 같은 복소수 형식을 사용하였다. 해당 표현이 정현파 표현과 동일하다는 것만 기억하면 된다.

16.3 주파수와 시간 영역

지금까지 푸리에 분석에 대한 논의는 **시간 영역**(*time domain*)으로 제한하였다. 우리는 대부분 이러한 시간 영역에서 함수의 동작을 개념화하는 데 상당히 익숙하기 때문에 지금까지 이와 같은 작업을 수행해 왔다. 반면, 익숙하지는 않지만 **주파수 영역**(*frequency domain*)은 진동 기능의 동작을 특성화하기 위한 대안적인 관점을 제공하는 장점이 있다.

진폭을 시간에 대해 표시할 수 있는 것처럼 주파수에 대해서도 표시할 수 있다. 두 가지 유형의 표현이 모두 그림 16.6*a*에 나와 있다. 여기에서는 다음의 정현파 함수의 3차원 그래프를 그려 보았다.

$$f(t) = C_1 \cos \left(t + \frac{\pi}{2} \right)$$

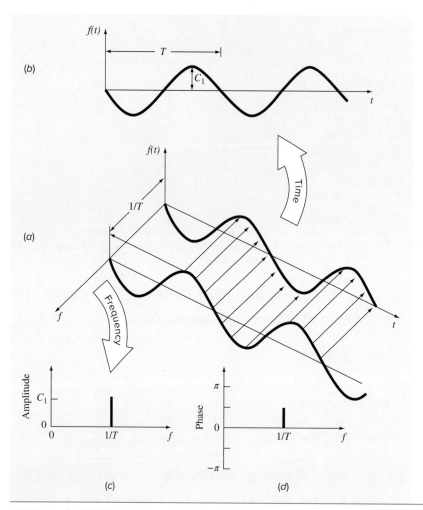

그림 16.6 (*a*) 정현파가 시간 및 주파수 영역에서 어떻게 묘사될 수 있는지에 대한 묘사. 시간 투영은 (*b*)에서 표현되는 반면 진폭–주파수 투영은 (*c*)에서 표현된다. 위상 주파수 투영은 (*d*)에 표시하였다.

이 그림에서 곡선 $f(t)$의 크기 또는 진폭은 종속변수이고 시간 t와 주파수 $f = \omega_0/2\pi$는 독립변수이다. 따라서 진폭과 시간 축은 **시간 평면**(*time plane*)을 형성하고 진폭과 주파수 축은 **주파수 평면** (*frequency plane*)을 형성한다. 따라서 정현파는 주파수 축을 따라 $1/T$ 거리에 존재하고 시간 축과 평행하게 진행되는 것으로 생각할 수 있다. 결과적으로 우리가 시간 영역에서 정현파의 거동에 대해 말할 때 그것은 시간 평면에 대한 곡선의 투영을 의미하는 것이다(그림 16.6*b*). 유사하게 주파수 영역에서의 행동은 주파수 평면에 대한 투영일 뿐이다.

그림 16.6*c*에서와 같이 이 투영은 정현파의 최대 양의 진폭 C_1을 측정한 것이다. 대칭성으로 인해 정현파의 최솟값과 최댓값 사이의 전체 거리는 필요치 않다. 주파수 축을 따라 $1/T$위치와 함께 그림 16.6*c*는 정현파 곡선의 진폭과 주파수를 정의하고 있다. 이것은 시간 영역에서 곡선의 모양과 크기를 표현하기에 충분한 정보이다. 그러나 $t = 0$을 기준으로 곡선의 위치를 지정하려면 위상각이라는 매개변수가 하나 더 필요하다. 결과적으로 그림 16.6*d*와 같은 위상 다이어그램도 포

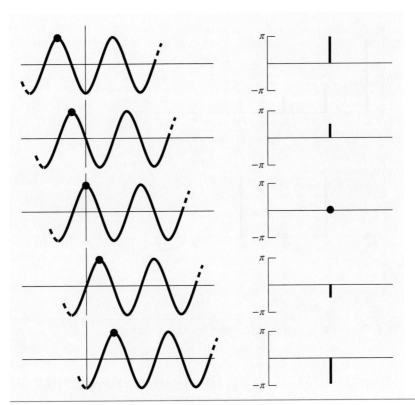

그림 16.7   연관된 위상 선스펙트럼을 보여 주는 정현파의 다양한 위상.

함되어야 한다. 위상각은 0에서 양의 피크가 발생하는 지점까지의 거리(radian 단위)로 결정된다. 만약 최댓값이 $t = 0$ 이후에 발생하면 지연(Lag)된다고 하며(16.1절에서 지연 및 선행에 대한 논의를 떠올려 보라) 관례에 따라 위상각에는 음의 부호가 부여된다. 반대로, $t = 0$ 이전의 최댓값에 대해서는 선행(lead)되었다 하며 위상각은 양수이다. 따라서 그림 16.6의 경우 최댓값이 영점보다 선행하고 있기에 위상각은 $+\pi/2$로 표시된다. 그림 16.7은 다른 가능성을 보여 준다.

    우리는 이제 그림 16.6c와 16.6d가 그림 16.6a에서 정현파 곡선의 관련 특징을 제시하거나 요약하는 대안적인 방법을 제공한다는 것을 알 수 있으며, 이를 **선스펙트럼**(*line spectra*)이라고 한다. 이를 단일 정현파 곡선에 적용할 경우 그다지 흥미롭지 않지만 더 복잡한 상황(예: 푸리에 급수)에 적용하면 그 진정한 가치가 드러난다. 예를 들어, 그림 16.8은 예제 16.2의 구형파 함수에 대한 진폭 및 위상 선스펙트럼을 보여 준다.

    이러한 스펙트럼은 시간 영역에서는 분명하지 않았던 정보를 제공해 준다. 이것은 그림 16.4와 그림 16.8을 비교해 보면 알 수 있다. 그림 16.4는 두 가지 대체 시간 영역 관점을 나타낸다. 첫 번째로, 원래 구형파는 그것을 구성하는 정현파에 대해 아무것도 알려주지 않는다. 대안은 이러한 정현파, 즉 $(4/\pi)\cos(\omega_0 t)$, $-(4/3\pi)\cos(3\omega_0 t)$, $(4/5\pi)\cos(5\omega_0 t)$ 등을 표시하는 것이다. 이 대안은 이러한 고조파 구조에 대한 적절한 시각화를 제공하지는 않는다. 반면, 그림 16.8a와 b는 이 구조를 보여 준다. 따라서 선스펙트럼은 복잡한 파형을 특성화하고 이해하는 데 도움이 될 수 있는

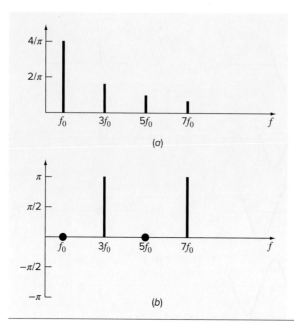

그림 16.8   (a) 진폭 및 (b) 그림 16.4의 구형파에 대한 위상 선스펙트럼.

'지문(fingerprints)'과 같은 역할을 한다. 이러한 선스펙트럼은 때때로 모호한 신호의 구조를 식별할 수 있게 해 주기 때문에 비이상적인 경우에 특히 유용하다. 다음 절에서는 이러한 분석을 비주기적 파형으로 확장할 수 있는 푸리에 변환에 대해 설명한다.

16.4   푸리에 적분 및 변환

푸리에 급수는 주기적 함수를 조사하는 데 유용한 도구이지만 현실에서는 정기적으로 반복되지 않는 파형이 많이 있다. 예를 들어, 번개는 한 번만 발생하지만(또는 적어도 다시 발생할 때까지 오랜 시간이 소요된다.) 광범위한 주파수에서 작동하는 수신기(예: TV, 라디오 및 단파 수신기)에 간섭을 일으킨다. 이러한 예시들은 번개에 의해 생성된 것과 같은 비반복적인 신호가 연속적인 주파수 스펙트럼을 나타낸다는 것을 시사한다. 이러한 현상은 엔지니어에게 큰 관심을 끌기 때문에 푸리에 시리즈의 대안은 이러한 주기적인 파형을 분석하는 데 유용할 것이다.

푸리에 적분(Fourier integral)은 이 목적에 사용할 수 있는 기본 도구이다. 이는 푸리에 급수 [식 (16.22) 및 식 (16.23)]의 지수함수 형태로부터 유도가 가능하다. 주기함수에서 비주기함수로의 전환은 주기가 무한대에 접근하도록 함으로써 변환할 수 있다. 즉, T가 무한대가 되면 함수는 절대 반복되지 않으므로 비주기적이 된다. 이것이 허용된다면, 푸리에 급수가 다음과 같이 표현된다.

$$f(t) = \frac{1}{2\pi} \int_{-\infty}^{\infty} F(\omega)e^{i\omega t}\, d\omega \tag{16.24}$$

여기서 계수는 다음과 같이 주파수 변수 ω의 연속 함수가 된다.

$$F(\omega) = \int_{-\infty}^{\infty} f(t)e^{-i\omega t}\, dt \tag{16.25}$$

식 (16.25)의 함수 $F(\omega)$를 $f(t)$의 **푸리에 적분**이라고 한다. 또한 식 (16.24) 및 식 (16.25)를 일괄하여 **푸리에 변환 쌍**이라고 한다. 따라서 $F(\omega)$는 푸리에 적분이라고도 함과 동시에 $f(t)$의 푸리에 변환이라고도 한다. 같은 방식으로 식 (16.24)에 정의한 $f(t)$는 $F(\omega)$의 **역 푸리에 변환**이라고 한다. 따라서 이 쌍을 사용하면 주기적인 신호에 대한 시간과 주파수 영역 사이를 자유롭게 변환할 수 있다.

이제 푸리에 급수와 변환 간의 구분이 매우 명확해졌을 것이다. 주요 차이점은 각각이 서로 다른 종류의 함수(주기적 파형에 대한 계열 및 비주기적 파형에 대한 변환)에 적용된다는 것이다. 이 주요한 차이점 외에도 두 가지 접근 방식은 시간 영역과 주파수 영역 사이를 이동하는 방식이 다르다. 푸리에 급수는 연속적이고 주기적인 시간 영역 함수를 이산 주파수에서 주파수 영역 크기로 변환한다. 대조적으로, 푸리에 변환은 연속 시간 영역 함수를 연속 주파수 영역 함수로 변환한다. 따라서 푸리에 급수에 의해 생성된 이산 주파수 스펙트럼은 푸리에 변환에 의해 생성된 연속 주파수 스펙트럼과 유사하다.

지금까지 주기적 신호를 분석하는 방법을 소개했으므로 이제 마지막 단계를 밟을 차례이다. 다음 절에서는 신호가 식 (16.25)를 구현하는 데 필요한 연속 함수로 표현되는 경우가 드물다는 점에 대해 논의할 것이다. 오히려 데이터는 항상 불연속적인 형태로 존재한다. 따라서 이제 이러한 이산 측정에 대한 푸리에 변환을 계산하는 방법을 보여 주고자 한다.

16.5 이산 푸리에 변환(DFT)

공학에서 함수는 종종 이산값의 유한 집합으로 표현된다. 또한 데이터는 종종 이러한 개별 형식으로 수집되거나 변환된다. 그림 16.9에서 볼 수 있듯이 0부터 T까지의 구간은 $\Delta t = T/n$의 너비를 갖는 n개의 등간격으로 나눌 수 있다. 아래 첨자 j는 표본을 취하는 이산 시간을 지정하는 데 사용된다. 따라서 f_j는 t_j에서 획득한 연속 함수 $f(t)$의 값을 말한다. 따라서 데이터 $j = 0, 1, 2, \cdots, n - 1$에서 정의되며, $j = n$에서 값은 포함되지 않는다(f_n을 제외하는 근거는 Ramirez, 1985 참조).

그림 16.9의 시스템에서 이산 푸리에 변환은 다음과 같이 쓸 수 있다.

$$F_k = \sum_{j=0}^{n-1} f_j e^{-ik\omega_0 j} \qquad \text{for } k = 0 \text{ to } n - 1 \tag{16.26}$$

또한 역 푸리에 변환은 다음과 같다.

$$f_j = \frac{1}{n}\sum_{k=0}^{n-1} F_k e^{ik\omega_0 j} \qquad \text{for } j = 0 \text{ to } n - 1 \tag{16.27}$$

여기서 $\omega_0 = 2\pi/n$이다.

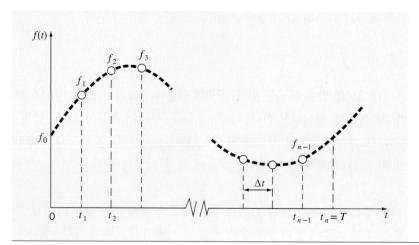

그림 16.9   이산 푸리에 급수의 샘플링 포인트.

식 (16.26) 및 식 (16.27)은 식 (16.25) 및 식 (16.24)을 각각 이산화한 방정식이다. 따라서 이산 데이터에 대한 직접 및 역 푸리에 변환을 모두 계산하는 데 사용할 수 있다. 식 (16.27)에서 인수 $1/n$은 식 (16.26) 또는 식 (16.27) 중 하나에 포함될 수 있지만, 양쪽 모두에는 포함될 수 없는 인자임을 유의해야 한다. 예를 들어, 식 (16.26)에서 첫 번째 계수 F_0(상수 a_0와 유사한)는 표본의 산술 평균과 같다.

논의를 계속하기 전에 DFT의 몇 가지 다른 측면을 언급할 필요가 있다. **나이퀴스트 주파수**(*Nyquist frequency*)라고 하는 신호에서 측정할 수 있는 가장 높은 주파수는 샘플링 주파수의 절반을 의미한다. 가장 짧은 샘플링 시간 간격보다 빠르게 발생하는 주기적인 변화는 감지할 수 없으며, 감지할 수 있는 가장 낮은 주파수는 전체 샘플 길이의 역수이다.

예를 들어 f_s = 1000 Hz(즉, 초당 1000샘플)의 샘플 주파수에서 100개의 데이터 표본(n = 100)을 취한다고 가정하자. 이것의 표본 간 간격은 아래와 같다.

$$\Delta t = \frac{1}{f_s} = \frac{1}{1000 \text{ samples/s}} = 0.001 \text{ s/sample}$$

총 샘플 길이는

$$t_n = \frac{n}{f_s} = \frac{100 \text{ samples}}{1000 \text{ samples/s}} = 0.1 \text{ s}$$

주파수 증분은

$$\Delta f = \frac{f_s}{n} = \frac{1000 \text{ samples/s}}{100 \text{ samples}} = 10 \text{ Hz}$$

나이퀴스트 주파수는

$$f_{\max} = 0.5 f_s = 0.5(1000 \text{ Hz}) = 500 \text{ Hz}$$

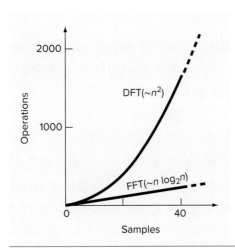

그림 16.10   표준 DFT 및 FFT에 대한 작업 수 대 표본 크기의 도표.

그리고 가장 낮은 감지 주파수는

$$f_{min} = \frac{1}{0.1 \text{ s}} = 10 \text{ Hz}$$

따라서 이 예에서 DFT는 1/500 = 0.002초에서 최대 1/10 = 0.1초 사이의 신호를 감지할 수 있다.

16.5.1 고속 푸리에 변환(FFT)

식 (16.26)을 기반으로 DFT를 계산하는 알고리즘을 만들어 사용할 수 있지만 n^2번의 연산이 필요하기 때문에 계산적으로 부담이 된다. 결과적으로 중간 크기의 데이터 샘플에 대해서도 DFT를 직접 결정하는 데 시간이 많이 소요될 수 있다.

고속 푸리에 변환(*FFT, Fast Fourier Transform*)은 매우 경제적인 방식으로 DFT를 계산하기 위해 개발된 알고리즘이다. 이는 이전 연산의 결과를 활용하여 연산 횟수를 줄이기 때문이다. 특히, 삼각 함수의 주기성과 대칭성을 활용하여 대략 $n \, log_2 n$번의 연산으로 변환하여 계산한다(그림 16.10). 따라서 $n = 50$개인 표본의 경우 FFT는 표준 DFT보다 약 10배 빠르다. $n = 1000$의 경우 약 100배 빠르다.

최초의 FFT 알고리즘은 19세기 초 Gauss에 의해 개발되었다(Heideman et al., 1984). 20세기 초에 Runge, Danielson, Lanczos 및 기타 많은 사람들이 이를 발전시켰으나 이산 변환은 손으로 계산하는 데 며칠에서 몇 주가 걸리는 경우가 많았기 때문에 현대 디지털 컴퓨터가 개발되기 전에는 큰 관심을 끌지 못했다.

1965년 J. W. Cooley와 J. W. Tukey는 FFT를 계산하기 위한 알고리즘을 설명하는 핵심 논문을 발표했다. Gauss 및 다른 초기 연구자들과 유사한 이 방식을 Cooley-Tukey 알고리즘이라고 한다. 오늘날 이 방법의 파생물인 다른 접근 방식이 많이 존재한다. 다음에 설명하는 것처럼 파이썬 SciPy 모듈은 DFT를 계산하기 위해 이러한 효율적인 알고리즘을 사용하는 fft라는 함수를 제공한다.

16.5.2 파이썬 SciPy 함수: fft

파이썬 SciPy 모듈은 DFT를 계산하는 효율적인 방법을 제공하고 있다. 푸리에 변환을 위한 다양한 기능들은 fft 하위 모듈에 있다. 여기에서 우리는 1차원 이산 푸리에 변환 함수 fft에 초점을 맞출 것이다. 이에 대한 구문은 다음과 같다.

```
from scipy.fft import fft
F = fft(f)
```

여기서 F는 DFT가 포함된 배열이고 f는 입력 표본 정보가 포함된 배열이다. 이 외에도 n은 출력 F의 길이를 지정하는 선택적 인수로 존재한다. n을 지정하지 않으면 입력의 길이가 출력에 사용된다. n이 f의 길이보다 작으면 그에 따라 입력이 잘리며, n이 f의 길이보다 크면 입력이 0으로 채워진다.

F의 요소는 **역방향 둘러싸기**(*reverse-wraparound*) 순서로 배열된다. 값의 첫 번째 절반은 양의 빈도(상수로 시작)이고 두 번째 절반은 음의 빈도이다. 따라서 n = 8이면 차수는 [0, 1, 2, 3, −4, −3, −2, −1]이 된다. 다음 예제는 단순 정현파 곡선의 DFT를 계산하기 위해 함수를 사용하는 방법을 보여 준다.

예제 16.3	파이썬으로 단순 정현파의 DFT 계산하기

문제 정의 파이썬의 fft 함수를 적용하여 다음의 단순 정현파에 대한 이산 푸리에 변환을 구하라.

$$f(t) = 5 + \cos(2\pi 12.5t) + \sin(2\pi 18.75t)$$

여기서 $\Delta t = 0.02$초인 8개의 등간격 점을 생성하고 주파수에 따른 결과 그래프를 그려라.

풀이 DFT를 생성하기 전에 몇 가지 관련 항목을 계산할 수 있다. 샘플링 주파수는

$$f_s = \frac{1}{\Delta t} = \frac{1}{0.02 \text{ s}} = 50 \text{ Hz}$$

총 샘플 길이는

$$t_n = \frac{n}{f_s} = \frac{8}{50} = 0.16 \text{ s}$$

나이퀴스트 주파수는

$$f_{max} = \frac{f_s}{2} = 25 \text{ Hz}$$

그리고 가장 낮은 감지 주파수는

$$f_{min} = \frac{1}{t_n} = \frac{1}{0.16 \text{ s}} = 6.25 \text{ Hz}$$

따라서 분석은 1/25 = 0.04초에서 최대 1/6.25 = 0.16초 사이의 신호를 감지할 수 있다. 따라서 12.5 Hz 및 18.75 Hz 신호를 모두 측정할 수 있다.

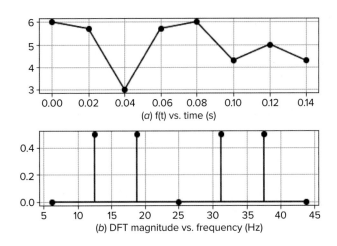

그림 16.11   파이썬 SciPy fft 함수로 DFT를 계산한 결과: (a) 시간 영역에서의 표본 및 (b) DFT 크기 대 주파수 그래프.

다음의 파이썬 스크립트는 시간 영역 표본을 생성하고 그래프를 출력하는 데 사용된다(그림 16.11a).
참고: 동일한 프레임에 여러 서브플롯을 제공하기 위해 Pylab 대신 Matplotlib 모듈을 사용하였다.

```
import numpy as np
import matplotlib.pyplot as plt
from scipy.fft import fft

# compute the time series
n = 8 ; dt = 0.02 ; fs = 1/dt ; T = 0.16
tspan = np.arange(0,n)/fs
y = 5 + np.cos(2*np.pi*12.5*tspan) + np.sin(2*np.pi*18.75*tspan)

# create a frame for 2 subplots
# and plot the time samples
# as the first subplot
fig=plt.figure()
ax1 = fig.add_subplot(211)
fig.subplots_adjust(hspace=0.5)
ax1.plot(tspan,y,c='k',marker='o')
ax1.grid()
ax1.set_xlabel('a)  f(t) vs. time (s)')
```

16.5절의 시작 부분에서 언급했듯이 tspan에서 마지막 데이터를 생략한 것에 주목하라.
    fft 함수를 사용하여 DFT를 계산하고 결과를 표시할 수 있다.

```
# compute and print the DFT
np.set_printoptions(precision=3,suppress=True)
Y = fft(y)/n
print(Y)

[ 5.-0.j  0.+0.j  0.5-0.j  -0.-0.5j  0.-0.j  -0.+0.5j  0.5+0.j  0.-0.j ]
```

결과는 다음 표에 요약할 수 있다.

Index	Frequency	Period	Real	Imaginary
0	0	constant	5	0
1	6.25	0.16	0	0
2	12.5	0.08	0.5	0
3	18.75	0.0533	0	−0.5
4	25	0.04	0	0
5	31.25	0.032	0	0.5
6	37.5	0.0267	0.5	0
7	43.75	0.0229	0	0

fft는 12.5 Hz 및 18.75 Hz 신호를 측정했다. 또한 표에서는 나이퀴스트 주파수를 강조 표시하였으며, 이는 표에서 이 값보다 아래에 있는 값은 중복되는 값임을 나타내는 것이다. 즉 나이퀴스트 주파수 아래의 데이터는 단순한 결과를 반사(Reflection)한 것뿐이다.

Matplotlib 모듈의 stem 함수를 사용하여 주파수 대 DFT 값의 크기 그래프를 생성하였다.

```
# plot the magnitude of the DFT
# as the second subplot
Ymag = abs(Y[1:])
freq = np.arange(1,n)/T
ax2 = fig.add_subplot(212)
ax2.stem(freq,Ymag,basefmt='k-',linefmt='k-',markerfmt='ko',
            use_line_collection=True)
ax2.set_xlabel('b)  DFT magnitude vs. frequency (Hz)')
ax2.grid()
```

나이퀴스트 주파수 전반에 걸친 반사는 그래프에서 분명하게 나타난다(그림 16.11b). 이러한 이유로 종종 DFT의 전반부만 그래프로 그리기도 한다.

16.6 파워 스펙트럼(Power Spectrum)

복잡한 DFT, 크기(진폭) 및 위상 스펙트럼 외에 기본 주파수 내용을 나타내는 또 다른 일반적인 방법은 파워 스펙트럼이다. 이름에서 알 수 있듯이 전기공학에서 전력은 일반적으로 전압 또는 전류의 제곱에 비례한다는 전기 시스템의 전력 출력 분석에서 파생되었다. DFT 측면에서 파워 스펙트럼은 파워 대 주파수의 그래프로 구성된다. 비주기적 신호의 경우 이것은 연속 곡선인 반면에 주기적 신호의 경우 예제 16.3에서와 같이 이산적인 곡선을 갖는다. 파워는 푸리에 계수의 제곱의 합(또는 적분)으로 계산할 수 있다.

$$P_k = |\tilde{c}_k|^2 \quad \text{or} \quad P(\omega) = |F(\omega)|^2$$

여기서 P_k는 이산 주파수($k\omega_0$)와 관련된 전력을 의미하고 $P(\omega)$는 푸리에 적분 변환의 경우 연속 주파수 ω와 관련된 전력을 의미한다.

| 예제 16.4 | 파이썬으로 파워 스펙트럼 계산하기 |

문제 정의 예제 16.3에서 DFT가 계산된 정현파 함수의 스펙트럼을 계산하라.

풀이 다음 파이썬 스크립트는 파워 스펙트럼을 계산하고 표시하고 있다.

```python
import numpy as np
import matplotlib.pyplot as plt
from scipy.fft import fft

# compute the DFT
n = 8 ; dt = 0.02 ; fs = 1/dt ; T = 0.16
tspan = np.arange(0,n)/fs
y = 5 + np.cos(2*np.pi*12.5*tspan) + np.sin(2*np.pi*18.75*tspan)
Y = fft(y)/n
freq = np.arange(1,n)/T
# compute and plot the power spectrum
nyquist = fs/2
n2 = int(n/2)
fP = freq[0:n2]
Pyy = abs(Y[1:n2+1])**2
fig=plt.figure()
plt.stem(fP,Pyy,basefmt='k-',linefmt='k-',markerfmt='ko',
         use_line_collection=True)
plt.xlabel('Frequency (Hz)')
plt.title('Power Spectrum')
plt.grid()
```

표시된 대로, 첫 번째 섹션은 예제 16.3의 DFT를 반복 계산하고 있다. 그런 다음 두 번째 섹션에서는 파워 스펙트럼을 계산하고 이를 도식화하고 있다. 파워 스펙트럼은 DFT의 전반부에 대해서만 계산되는데, 후반부는 반사이기 때문이다. 그림 16.12에서 볼 수 있듯이 결과 그래프는 예상대로 12.5 Hz와 18.75 Hz에서 피크가 발생하고 다른 주파수에서는 발생하지 않음을 알 수 있다.

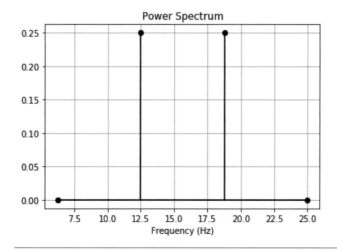

그림 16.12   주파수가 12.5 Hz 및 18.75 Hz인 정현파 함수에 대한 파워 스펙트럼.

흑점

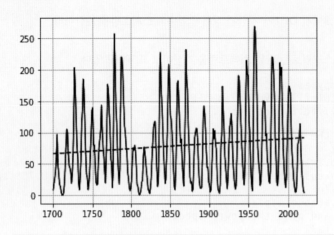

그림 16.13   1700년부터 2019년까지 연도별 Wolf 흑점 수 그래프. 점선은 데이터의 직선 선형회귀 모델 그래프이며 상승 추
세를 나타낸다.

1848년에 요한 루돌프 볼프(Johann Rudolph Wolf)는 태양 표면에 있는 개별적인 검은 반점 또는 반점 그룹
의 수를 세어 태양 활동을 정량화하는 방법을 고안하였다. 그는 그룹의 수에 1년의 개별 반점의 총 수를 10배
더하여 현재 Wolf 흑점 수[3]라고 하는 양을 계산했다. 그림 16.13에서 볼 수 있듯이 연간 집계에 대한 데이터는
1700년까지 거슬러 올라간다. 초기 기록을 기반으로 Wolf는 주기의 길이를 11.1년으로 결정했다. 푸리에 분석
을 사용하여 데이터에 FFT를 적용하여 이 결과를 확인해 보자.

풀이 데이터는 ***http://www.sidc.be/silso/datafiles***에서 .csv 형식으로 다운로드할 수 있으며 파일 이름은
SN_y_tot_V2.0.csv이다. 먼저 파이썬 스크립트를 작성하여 파일에서 데이터를 읽어오면 그림 16.13에 표시
된 그래프를 생성할 수 있다. 데이터가 약간의 상승 추세를 나타내고 있기 때문에 직선 선형회귀를 수행하고 그
결과를 해당 그래프에 포함하였다. 이는 데이터가 안정적(Stationary, 평균이 일정함)이지 않다는 의미이다. 결
과적으로 직선 값을 빼서 데이터를 변환하였다.

```
import numpy as np
import pylab

yr,numspots,sd,n1,n1 =
np.loadtxt(fname='SN_y_tot_V2.0.csv',delimiter=';',unpack=True)
pylab.plot(yr,numspots,c='k')
pylab.grid()

coef = np.polyfit(yr,numspots,1)
pylab.plot(yr,np.polyval(coef,yr),c='k',ls='--')
```

다음으로 고정 데이터 계열에 fft 함수를 적용하고 그림 16.14와 같이 파워 스펙트럼을 계산하고 그래프를
그릴 수 있었다.

---

3) 독일 소유의 *Wölfer Sunspot Numbers*로 참조되는 경우를 볼 수도 있으나, 오늘날에는 국제 흑점 수(*international sunspot numbers*)라
고 부르는 것이 더 일반적이다.

사례연구 16.7   **continued**

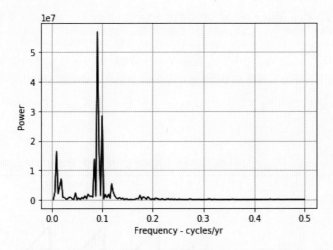

그림 16.14   1700년부터 2019년에 대한 Wolf 흑점 수의 파워 스펙트럼.

```
y = numspots - np.polyval(coef,yr)
pylab.figure()
pylab.plot(yr,y,c='k')
pylab.grid()
pylab.xlabel('Year')
pylab.ylabel('Sunspot Number')

from scipy.fft import fft
Y = fft(y)
fs = 1  # 1/yr
n = len(yr)
f = np.arange(1,n)*fs/n
n2 = int(n/2)
f2 = f[0:n2]
Y2 = Y[1:n2+1]
Pyy = abs(Y2)**2
pylab.figure()

pylab.plot(f2,Pyy,c='k')
pylab.grid()
pylab.xlabel('Frequency - cycles/yr')
pylab.ylabel('Power')
```

그림 16.14에서와 같이 최대 파워는 주파수가 0.1주기/년일 때이며, 이는 스크립트와 출력을 통해 더 정확하게 찾을 수 있다.

```
pmax = np.max(Pyy)
for i in range(n2):
    if Pyy[i] >= pmax:
        imax = i
        fmax = f2[i]
        break

print('Frequency at max power = ',fmax,' 1/yr')
print('Period at max power = ',1/fmax,' years')
```

사례연구 16.7	continued

```
Frequency at max power =  0.090625  1/yr
Period at max power  =  11.03448275862069  years
```

그리고 우리는 11.03년이라는 기간이 170년 전에 Wolf가 관찰한 11.1년의 값에 가깝다는 것을 알 수 있다. 이것은 푸리에 변환을 사용하여 시계열 데이터에서 기본적인 정현파 주파수를 감지하고 추정하는 훌륭한 예시가 된다.

연습문제

* 짝수번호는 온라인 사이트에 있으며 본 책 '차례' 끝부분 xxi페이지에 사이트주소가 있음.

16.1 다음 방정식은 열대 호수에서 시간에 따른 온도 변화 (°C 단위)를 설명하고 있다.

$$T(t) = 12.8 + 4\cos\left(\frac{2\pi}{365}t\right) + 3\sin\left(\frac{2\pi}{365}t\right)$$

(a) 평균 온도, (b) 진폭, (c) 주기는 얼마인가?

16.3 폐기물 흐름의 pH는 하루 동안 정현파로 변한다. 식 (16.11)을 사용하여 아래의 데이터에 적합한 회귀분석을 수행하라. 해당 회귀모델을 사용하여 최대 pH의 평균, 진폭, 시간 및 값을 사출하라. 참고로 주기는 24시간이다.

Time, hr	0	2	4	5	7	9
pH	7.6	7.2	7	6.5	7.5	7.2
Time, hr	12	15	20	22	24	
pH	8.9	9.1	8.9	7.9	7	

16.5 다음 시계열 데이터는 합산에 약간의 노이즈가 추가된 여러 정현파를 합산하여 생성되었다. 이 정현파의 주파수 (Hz)와 사인파인지 코사인파인지 결정하라.

t	f(t)	t	f(t)	t	f(t)	t	f(t)
0.00	21.497	0.08	10.002	0.16	2.499	0.24	13.999
0.01	11.887	0.09	10.223	0.17	12.120	0.25	13.774
0.02	16.405	0.10	22.630	0.18	7.601	0.26	1.374
0.03	10.826	0.11	10.655	0.19	13.178	0.27	13.337
0.04	3.865	0.12	17.299	0.20	20.132	0.28	6.692
0.05	15.567	0.13	9.853	0.21	8.439	0.29	14.148
0.06	5.075	0.14	9.128	0.22	18.929	0.30	14.865
0.07	12.998	0.15	16.045	0.23	11.000	0.31	7.961

16.7 연속 푸리에 급수를 사용하여 그림 P16.7의 톱니파를 근사화하라. 합과 함께 급수의 처음 4개 항을 개별적으로 도시하라. 이때, −T에서 T까지의 그래프를 만들고 T = 1을 사용한다. 항의 갯수에 대한 고조파 진폭의 또 다른 그래프를 그려라.

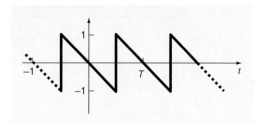

그림 P16.7   톱니파(Sawtooth wave).

16.9 e^x, $\cos(x)$ 및 $\sin(x)$에 대한 맥클로린 급수 전개를 사용하여 식 (16.21)의 오일러 공식을 증명하라.

16.11 $\Delta t = 0.01$초의 비율로 샘플링된 64개 점에 대해 예제 16.3을 다시 수행하라. 이때 기반 함수는 다음과 같다.

$$f(t) = \cos(2\pi 12.5t) + \cos(2\pi 25t)$$

파이썬 SciPy fft 함수를 사용하여 이러한 값의 DFT를 생성하고 결과를 파워 스펙트럼으로 표시하라.

16.13 $t = 0$에서 6까지에 대해 그림 16.2의 정현파에 대한 32개의 데이터를 생성하는 파이썬 스크립트를 만들어라. DFT와 비교를 수행하고 (a) 원래 신호, (b) 실수부, (c) DFT 대 주파수의 허수부의 3개의 서브 그래프를 그려라.

16.15 fft 함수를 사용하여 파워 스펙트럼 그래프를 생성하고 함수 이름, 기간 및 샘플 포인트 수를 인수로 제공하는 파이썬 함수를 작성하라. 함수 정의의 선행 문은 다음과 같아야 한다.

```
def powerspec(f,T,n):
```

당신의 파이썬 함수를 연습문제 16.11에 적용하라.

16.17 총 표본 길이가 $t_n = 0.4$초인 128개의 데이터 표본($n = 128$)을 취하는 경우 다음을 계산하라. (a) 샘플 빈도 (f_s, sample/s), (b) 샘플 간격 (Δt, s/sample), (c) Nyquist 주파수 (f_{max}, Hz), (d) 최소 주파수 (f_{min}, Hz)

다항식보간법

Polynomial Interpolation

학습 목표

이 장의 주요 목표는 다항식보간법을 소개하는 것이다. 구체적인 목표와 주제는 다음과 같다.

- 연립방정식을 이용하여 다항식의 계수를 계산하는 것이 불량조건 문제임을 인식
- 파이썬 NumPy 모듈에 내장된 polyfit과 polyval 함수를 이용하여 다항식의 계수를 계산하고 보간하는 방법
- Newton 다항식을 활용하여 보간을 수행하는 방법
- Lagrange 다항식을 활용하여 보간을 수행하는 방법
- 역보간 문제를 근을 구하는 문제로 재해석하여 해를 구하는 방법
- 외삽법의 위험성을 인식함
- 고차 다항식은 큰 진동을 나타내어 보간에 악영향을 줄 수 있음을 인식함

이런 문제를 만나면

번지점프하는 사람의 문제에서 자유낙하 속도에 대한 예측을 개선하기 위해서는, 모델을 확장하여 질량과 항력계수 외의 다른 인자들을 고려할 수 있도록 해야 할 것이다. 이미 1.4절에서 언급하였던 바와 같이, 항력계수 그 자체도 사람의 단면적 그리고 공기의 밀도 및 점성과 같은 물성값들과 같은 다른 인자들의 함수로 수식화될 수 있다.

공기의 밀도와 점성은 보통 온도의 함수로 도표화되어 있다. 예를 들어, 표 17.1은 유명한 유체역학 교재(White, 2015)에서 인용한 것이다.

구하고자 하는 온도에서의 밀도가 표에 나타나 있지 않다고 가정해 보자. 이런 경우에 보간

표 17.1   White(2015)에 언급된 다양한 온도 (T)의 공기에서의 밀도 (ρ)와 점성계수 (μ).

T(°C)	ρ (kg/m^3)	μ (Pa · s) × 10^5
−40	1.52	1.51
0	1.29	1.71
20	1.20	1.80
50	1.09	1.95
100	0.95	2.17
150	0.84	2.38
200	0.75	2.57
250	0.68	2.75
300	0.62	2.93
400	0.53	3.25
500	0.46	3.55

법을 사용하여야 한다. 이는, 두 개의 근접한 값을 연결하는 직선의 방정식을 구하고, 이 식을 사용하여 구하고자 하는 온도에서의 밀도를 추정하는 것이다. 많은 경우에 이와 같은 **선형보간법**(*linear interpolation*)이 매우 적절하지만, 큰 곡률을 가진 데이터에서는 오차가 발생할 수 있다. 이 장에서는 이러한 경우에 대하여 적절한 추정값을 얻을 수 있는 몇 가지 접근법을 알아볼 것이다.

17.1 보간법의 소개

여러분은 정확한 데이터 점들 사이에 있는 중간값을 추정해야 하는 경우를 자주 접할 것이다. 우리는 14장과 15장에서 회귀분석을 논한 바 있으며, 이는 모델을 데이터에 맞추며 예측값을 제공한다. 이 목적을 달성하기 위하여 자주 사용되는 또 다른 방법은 **다항식보간법**(*polynomial interpolation*)이다. $(n-1)$차 다항식에 대한 일반적인 식은 다음과 같다.

$$f(x) = a_0 + a_1 x + a_2 x^2 + \cdots + a_{n-1} x^{n-1} \tag{17.1}$$

데이터 점 n개에 대하여, 모든 점을 지나는 $(n-1)$차 다항식은 유일하다. 예를 들어, 2개의 점을 잇는 1차 다항식은 직선 하나뿐이다(그림 17.1a). 비슷하게, 하나의 포물선만이 3개의 점을 모두 연결할 수 있다(그림 17.1b). 다항식보간법은 n개의 데이터 점을 접합시키는 유일한 $(n-1)$차 다항식을 결정하는 것이다. 이 다항식은 중간값을 계산할 공식을 제공하게 된다.

논의를 계속하기에 앞서, 우리는 파이썬 NumPy의 polynomial 함수는 아래와 같이 x에 대한 내림차순으로 계수를 표현한다는 점을 알아 두어야 한다.

$$f(x) = p_0 x^{n-1} + p_1 x^{n-2} + \cdots + p_{n-2} x + p_{n-1} \tag{17.2}$$

다음 절부터는 파이썬의 표현에 맞추기 위하여 식 (17.2) 형태의 식을 사용할 것이다.

17.1.1 다항식 계수의 결정

식 (17.2)의 계수를 계산하는 간단한 방법은 n개의 계수를 결정하기 위해서 n개의 데이터 점들이 필요하다는 사실에 기초한다. 다음 예제와 같이 n개의 선형대수 방정식을 구성할 수 있으며, 이 식들을 연립하여 풀어 계수를 구할 수 있다.

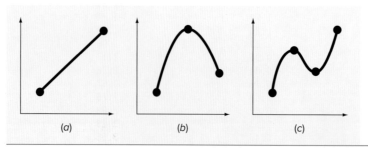

그림 17.1 보간다항식들의 예. (a) 두 개의 점을 연결하는 1차(선형), (b) 3개의 점을 연결하는 2차(이차식 혹은 포물선) 그리고 (c) 4개의 점을 연결하는 3차(삼차식).

예제 17.1	연립방정식을 이용한 다항식 계수의 결정

문제 정의 표 17.1의 아래쪽 세 개의 밀도 값을 지나는 포물선 $f(x) = p_0 x^2 + p_1 x + p_2$의 계수를 구하고자 한다.

$$x_1 = 300 \qquad f(x_1) = 0.616$$
$$x_2 = 400 \qquad f(x_2) = 0.525$$
$$x_3 = 500 \qquad f(x_3) = 0.457$$

풀이 이 값들을 식 (17.2)에 대입하면 다음과 같은 세 개의 연립방정식을 얻는다.

$$0.616 = p_0 \, 300^2 + p_1 \, 300 + p_2$$
$$0.525 = p_0 \, 400^2 + p_1 \, 400 + p_2$$
$$0.457 = p_0 \, 500^2 + p_1 \, 500 + p_2$$

혹은, 이를 벡터/행렬 형태로 표현할 수도 있다.

$$\begin{bmatrix} 90000 & 300 & 1 \\ 160000 & 400 & 1 \\ 250000 & 500 & 1 \end{bmatrix} \begin{bmatrix} p_0 \\ p_1 \\ p_2 \end{bmatrix} = \begin{bmatrix} 0.616 \\ 0.525 \\ 0.457 \end{bmatrix}$$

따라서 이 문제는 세 개의 미정계수에 대하여 세 개의 연립 선형대수방정식을 푸는 것과 같이 된다. 이 계수들을 구하는 데는 간단한 파이썬 명령어가 사용될 수 있다.

```
import numpy as np
A = np.matrix('90000., 300., 1. ; 160000., 400., 1. ; 250000., 500., 1.')
b = np.matrix('0.616 ; 0.525 ; 0.457')
p = np.linalg.solve(A,b)
print(p)
```

그 결과는 다음과 같다.

```
[[ 1.150e-06]
 [-1.715e-03]
 [ 1.027e+00]]
```

결론적으로, 세 개의 점을 정확하게 지나는 포물선의 식은 다음과 같이 결정된다.

$$f(x) = (1.150 \times 10^{-6}) x^2 - (1.715 \times 10^3) x + 1.027$$

이 다항식은 구하고자 하는 중간값을 제공한다. 예를 들어, 350 ℃에서의 밀도는 다음과 같다.

$$f(350) = (1.150 \times 10^{-6}) \, 350^2 - (1.715 \times 10^3) \, 350 + 1.027 \cong 0.568$$

예제 17.1에서 사용한 방법은 보간을 수행함에 있어 간단하기는 하지만 심각한 문제점을 가지고 있다. 이 문제점을 이해하기 위해서는, 예제 17.1의 계수 행렬이 특정한 구조를 가지고 있음에 주목하여야 한다. 이는 계수 행렬을 다음과 같이 일반적인 형태로 표현하면 더욱 명백하게 나타난다.

$$\begin{bmatrix} x_1^2 & x_1 & 1 \\ x_2^2 & x_2 & 1 \\ x_3^2 & x_3 & 1 \end{bmatrix} \begin{bmatrix} p_0 \\ p_1 \\ p_2 \end{bmatrix} = \begin{bmatrix} f(x_1) \\ f(x_2) \\ f(x_3) \end{bmatrix} \tag{17.3}$$

이러한 형태의 계수 행렬을 *Vandermonde* 행렬이라고 부른다. 이러한 행렬들은 매우 불량(ill-conditioned)하다. 이 경우에는 해가 반올림 오차의 영향을 크게 받게 된다. 이는 다음과 같이 파이썬을 통해 예제 17.1의 행렬에 대한 조건수를 계산함으로써 설명할 수 있다.

```
print('{0:7.5g}'.format(np.linalg.cond(A)))
```

```
5.8932e+06
```

11.2.2절에서 조건수에 대하여 논하였던 바에 따르면, 이는 3×3 행렬에서는 매우 큰 값이며 10^{6-t}(6자릿수) 차원에서의 반올림오차가 있었을 것임을 암시한다. 이때 t는 계수의 정확도이다. 우리는 15장의 다항식 회귀에서도 이러한 문제를 만났던 바 있으며, 이에 대한 대책으로써 스케일링 방법을 논하였다. 스케일링 방법을 통하여, 우리는 아래와 같이 새로운 변수를 정의하였다.

$$z \equiv \frac{x - 400}{100}$$

그리고 예제 17.1에서의 계수 행렬은 조건수가 3.26인 행렬 $\begin{bmatrix} 1 & -1 & 1 \\ 0 & 0 & 1 \\ 1 & 1 & 1 \end{bmatrix}$로 표현된다.

우리는 이러한 방법으로 문제를 해결할 수 있지만, 보간다항식을 사용하기 위해서는 온도를 상기한 z 형태로 변환하여야 한다. 또한, 보간다항식의 차수가 증가할수록 우리의 불량조건 대책이 더욱 불리한 상황에 놓인다는 점에서 무의미하다.

이러한 스케일링 방법이 아닌, 이러한 결점이 나타나지 않는 몇 가지 다른 방법이 있다. 이 장에서는 컴퓨터 실행에 적합한 두 가지 방법인 Newton과 Lagrange 다항식을 논하고자 한다. 이에 앞서, 우리는 파이썬의 내장함수를 활용하여 보간다항식의 계수를 구하는 방법을 간단하게 논하고자 한다.

17.1.2 파이썬 NumPy 함수: `polyfit`과 `polyval`

14.5.2절에서 polyfit 함수는 다항식 회귀분석을 위하여 사용되었음을 기억하라. 이와 같은 응용에서는 데이터 점의 수가 구하고자 하는 계수의 수보다 많다. 결론적으로, 최소제곱접합선은 모든 점을 지나지 않고 데이터의 일반적인 경향을 따르기만 한다.

데이터 점의 수가 계수의 수와 동일한 경우, polyfit은 보간다항식의 계수를 결정할 것이며, 이는 다항식이 모든 데이터 점을 지남을 의미한다. 예를 들어, polyfit은 표 17.1의 마지막 3개의 밀도값을 통과하는 포물선의 계수를 결정하는 데 사용될 수 있다.

```
T = np.array([300., 400., 500.])
rho = np.array([0.616, 0.525, 0.457])
coef = np.polyfit(T,rho,2)
print(coef)

[ 1.150e-06 -1.715e-03  1.027e+00]
```

그리고 polyval 함수는 다음과 같이 보간을 위하여 사용될 수 있다.

```
dens = np.polyval(coef,350.)
print('{0:7.5g}'.format(dens))

0.56762
```

이는 예제 17.1에서 연립방정식을 통하여 얻은 것과 동일하다.

17.2 Newton 보간다항식

보간다항식을 표현하는 방법은 식 (17.2)와 같이 익숙한 형태 이외에도 여러 가지가 있다. *Newton 보간다항식*(*Newton's interpolating polynomial*)은 가장 보편적이고 유용한 형태이다. 일반적인 형태의 식을 제시하기에 앞서 시각적으로 이해하기 쉬운 1차식과 2차식을 소개한다.

17.2.1 선형보간법

가장 간단한 보간법은 두 데이터 점을 직선으로 연결하는 것이다. 이는 선형보간법이라 불리며, 그림 17.2에 그래프로 나타나 있다. 닮은꼴 삼각형을 이용하면 다음과 같은 식을 구할 수 있다.

$$\frac{f_1(x) - f(x_1)}{x - x_1} = \frac{f(x_2) - f(x_1)}{x_2 - x_1} \tag{17.4}$$

이를 다시 정리하면 다음과 같다.

$$f_1(x) = f(x_1) + \frac{f(x_2) - f(x_1)}{x_2 - x_1}(x - x_1) \tag{17.5}$$

이는 *Newton 선형보간공식*(*Newton linear-interpolation formula*)이라 불린다. 기호 $f_1(x)$는 1차 보간다항식임을 나타낸다. $[f(x_2) - f(x_1)]/(x_2 - x_1)$ 항은 점들을 연결하는 직선의 기울기를 나타내는 것 이외에도, 1차 도함수의 유한제차분 근삿값임에 유의하라[식 (4.20-1) 참조]. 일반적으로 데이터 점들 사이의 간격이 작아질수록 보다 나은 근삿값을 얻게 된다. 이는 간격이 작아짐에 따라 연속함수는 직선에 의하여 보다 잘 근사될 수 있기 때문이다. 다음 예제는 이러한 특성을 보여준다.

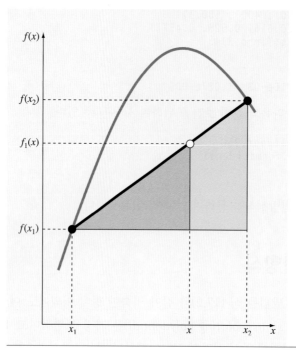

그림 17.2   선형보간법에 대한 도식적 표현. 음영 부분은 Newton 선형보간공식[식 (17.5)]을 유도하는 데 사용된 닮은꼴 삼각형이다.

예제 17.2	선형보간법

문제 정의   선형보간법을 이용하여 자연로그 2를 계산하라. 우선 $\ln 1 = 0$과 $\ln 6 = 1.791759$를 이용하여 보간법으로 계산하라. 그리고 같은 방법을 사용하되 더 좁은 간격인 $\ln 1$부터 $\ln 4$ (1.386294)에 대하여 진행하라. $\ln 2$의 참값은 0.6931472임을 참조하라.

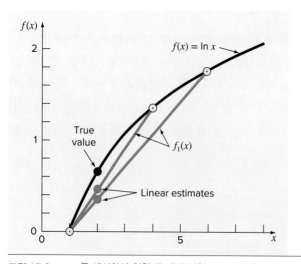

그림 17.3   ln 2를 계산하기 위한 두 개의 선형보간법. 작은 간격이 보다 나은 추정값을 주는 것에 주목하라.

풀이 $x_1 = 1$과 $x_2 = 6$에 대하여 식 (17.5)를 적용한다.

$$f_1(2) = 0 + \frac{1.791759 - 0}{6 - 1}(2 - 1) = 0.3583519$$

이때 오차 $\varepsilon_t = 48.3\%$이다. 더 좁은 간격인 $x_1 = 1$과 $x_2 = 4$를 사용하면 다음과 같은 결과를 얻는다.

$$f_1(2) = 0 + \frac{1.386294 - 0}{4 - 1}(2 - 1) = 0.4620981$$

따라서 간격을 작게 하는 것은 백분율 상대오차를 $\varepsilon_t = 33.3\%$로 감소시킨다. 그림 17.3은 실제 함수와 함께 두 가지 보간법의 결과를 보여 주고 있다.

17.2.2 2차 보간법

예제 17.2에서 나타나는 오차는 곡선을 직선으로 근사시킴으로써 발생하였다. 따라서 추정값의 정확도를 향상시키는 방법은 데이터를 잇는 직선에 곡률을 도입하는 것이다. 만약 세 개의 데이터 점이 있다면, 이는 2차 다항식(포물선이라고도 한다)을 사용함으로써 적용할 수 있다. 다음 형태의 방정식은 이 목적을 충족하기에 유리하다.

$$f_2(x) = b_1 + b_2(x - x_1) + b_3(x - x_1)(x - x_2) \tag{17.6}$$

이 식에 나타나는 계수값을 구하기 위한 절차는 간단하다. 계수 b_1을 얻기 위하여, 식 (17.6)에 $x = x_1$을 대입하여 계산하면 다음과 같다.

$$b_1 = f(x_1) \tag{17.7}$$

식 (17.7)을 식 (17.6)에 대입하고 $x = x_2$에서 계산하면 다음과 같이 계수 b_2의 값이 구해진다.

$$b_2 = \frac{f(x_2) - f(x_1)}{x_2 - x_1} \tag{17.8}$$

마지막으로 식 (17.7)과 식 (17.8)을 식 (17.6)에 대입하고 $x = x_3$에서 계산하면, 약간의 조작 후 다음과 같이 계수 b_3의 값이 구해진다.

$$b_3 = \frac{\dfrac{f(x_3) - f(x_2)}{x_3 - x_2} - \dfrac{f(x_2) - f(x_1)}{x_2 - x_1}}{x_3 - x_1} \tag{17.9}$$

여기서 b_2는 선형보간법에서와 같이 x_1과 x_2를 잇는 직선의 기울기를 나타내고 있음에 유의하라. 따라서 식 (17.6)의 처음 두 항은 식 (17.5)에서 이미 기술하였듯이 x_1과 x_2 사이의 선형보간과 동일하다. 그리고 마지막 항 $b_3(x - x_1)(x - x_2)$는 2차 곡률을 수식에 부여하게 된다.

식 (17.6)의 사용법을 설명하기 전에 계수 b_3의 형식을 살펴보아야 한다. 식 (17.6)은 테일러 급수전개와 매우 유사한 구조를 가지게 된다. 즉, 더욱 고차가 되는 곡률을 파악하기 위하여 항을 연속적으로 추가하는 것이다.

예제 17.3   **2차 보간법**

문제 정의 예제 17.2에서 사용된 세 점과 2차의 Newton 다항식을 이용하여 ln 2를 계산하라.

$$x_1 = 1 \qquad f(x_1) = 0$$
$$x_2 = 4 \qquad f(x_2) = 1.386294$$
$$x_3 = 6 \qquad f(x_3) = 1.791759$$

풀이 식 (17.7)을 적용하면 다음과 같다.

$$b_1 = 0$$

식 (17.8)을 계산하면 다음과 같이 b_2의 값이 구해진다.

$$b_2 = \frac{1.386294 - 0}{4 - 1} = 0.4620981$$

그리고 식 (17.9)를 계산하면 다음과 같다.

$$b_3 = \frac{\dfrac{1.791759 - 1.386294}{6 - 4} - 0.4620981}{6 - 1} = -0.0518731$$

이 값들을 식 (17.6)에 대입하면 다음과 같은 2차식을 얻는다.

$$f_2(x) = 0 + 0.4620981(x - 1) - 0.0518731(x - 1)(x - 4)$$

위 식을 $x = 2$에서 계산하면 $f_2(2) = 0.5658444$가 되며, 상대오차 $\varepsilon_t = 18.4\%$이다. 따라서 2차식(그림 17.4)에 의해 도입된 곡률은 예제 17.2과 그림 17.3의 직선을 사용하여 얻은 결과에 비해 개선된 결과를 준다.

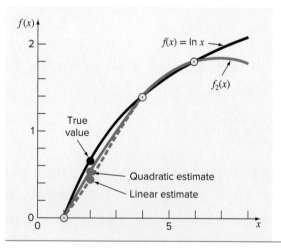

그림 17.4   2차 보간법을 이용한 ln 2의 계산. 비교를 위하여 $x = 1$부터 4까지의 선형보간법을 같이 보여 준다.

17.3 Lagrange 보간다항식

직선으로 연결하고자 하는 두 값의 가중평균으로 선형보간 다항식을 만든다고 가정하자.

$$f(x) = L_1 f(x_1) + L_2 f(x_2) \tag{17.10}$$

여기서 L은 가중계수이다. 첫 번째 가중계수를 다음과 같이 x_1에서는 1이며, x_2에서는 0으로 두어 직선이 되게 하는 것이 논리적이다.

$$L_1 = \frac{x - x_2}{x_1 - x_2}$$

비슷하게, 두 번째 계수는 x_2에서는 1이며 x_1에서는 0인 직선이 된다.

$$L_2 = \frac{x - x_1}{x_2 - x_1}$$

이 계수를 식 (17.10)에 대입하면 두 점을 연결하는 직선이 된다(그림 17.5).

$$f_1(x) = \frac{x - x_2}{x_1 - x_2} f(x_1) + \frac{x - x_1}{x_2 - x_1} f(x_2) \tag{17.11}$$

여기서 기호 $f_1(x)$는 이 식이 1차 다항식임을 의미한다. 식 (17.11)은 **선형 *Lagrange* 보간다항식** (*linear Lagrange interpolating polynomial*)이라 한다.

이 방법은 세 점을 지나는 포물선을 접합시키는 데에도 사용될 수 있다. 이 경우에는 세 개의 포물선이 사용되며, 각 포물선은 세 점 중 한 점을 지나고 나머지 두 점에서는 0이다. 이 세 포물선의 합이 세 점을 연결하는 유일한 포물선이 된다. 이러한 2차 Lagrange 보간다항식은 다음과 같이 쓸 수 있다.

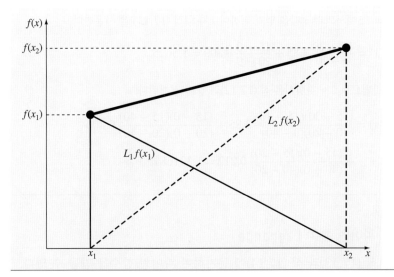

그림 17.5 Lagrange 보간다항식의 기본 원리에 대한 시각적 설명. 그림은 1차의 경우를 보여 준다. 식 (17.11)의 두 항은 각각 한 개의 점을 통과하고 나머지 점에서는 0이다. 따라서 두 항의 합은 반드시 두 개의 점을 연결하는 유일한 직선이 된다.

$$f_2(x) = \frac{(x - x_2)(x - x_3)}{(x_1 - x_2)(x_1 - x_3)} f(x_1) + \frac{(x - x_1)(x - x_3)}{(x_2 - x_1)(x_2 - x_3)} f(x_2) + \frac{(x - x_1)(x - x_2)}{(x_3 - x_1)(x_3 - x_2)} f(x_3) \tag{17.12}$$

여기서 첫 번째 항은 x_1에서 $f(x_1)$과 같고, x_2와 x_3에서는 0이 됨에 유의하라. 나머지 항들도 유사한 특성을 가진다.

1차와 2차 Lagrange 다항식뿐만 아니라, 고차 Lagrange 다항식도 다음과 같이 간략하게 표현할 수 있다.

$$f_{n-1}(x) = \sum_{i=1}^{n} L_i(x)\, f(x_i) \tag{17.13}$$

여기서

$$L_i(x) = \prod_{\substack{j=1 \\ j \neq i}}^{n} \frac{x - x_j}{x_i - x_j} \tag{17.14}$$

여기서 n은 데이터 점의 개수이며, Π는 '곱' 연산자이다.

예제 17.4　　**Lagrange 보간다항식**

문제 정의 다음 데이터와 1차 및 2차 Lagrange 보간다항식을 사용하여, $T = 15\ ^{\circ}\mathrm{C}$에서의 새 모터오일의 밀도를 계산하라.

$$\begin{aligned}
x_1 &= 0 & f(x_1) &= 3.85 \\
x_2 &= 20 & f(x_2) &= 0.800 \\
x_3 &= 40 & f(x_3) &= 0.212
\end{aligned}$$

풀이 $x = 15$에서의 추정값을 얻기 위하여 1차식[식 (17.11)]을 사용한다.

$$f_1(x) = \frac{15 - 20}{0 - 20}\, 3.85 + \frac{15 - 0}{20 - 0}\, 0.800 = 1.5625$$

비슷한 방법으로 2차 다항식은 식 (17.12)와 같이 전개된다.

$$f_2(x) = \frac{(15 - 20)(15 - 40)}{(0 - 20)(0 - 40)}\, 3.85 + \frac{(15 - 0)(15 - 40)}{(20 - 0)(20 - 40)}\, 0.800$$
$$+ \frac{(15 - 0)(15 - 20)}{(40 - 0)(40 - 20)}\, 0.212 = 1.3316875$$

17.3.1 파이썬 함수: Lagrange

우리는 식 (17.13)과 식 (17.14)에 근거하여 파이썬 함수를 만들 수 있다. 그림 17.6에 제시된 바와 같이 함수는 세 개의 인자를 가지고 있으며, 이는 앞서 논한 Newtint 함수와 동일하다. 이 함수는 독립변수 x, 종속변수 y 그리고 보간하고자 하는 변수 xx의 배열을 전달받는다. 다항식의 차수

```
def Lagrange(x,y,xx):
    """
    Lagrange interpolating polynomial
    Uses an (n-1)th-order Lagrange interpolating polynomial
    based on n data pairs to return a value of the
    dependent variable, yint, at a given value of the
    independent variable, xx.
    Input:
        x = array of independent variable values
        y = array of dependent variable values
        xx = value of independent variable at which
            the interpolation is calculated
    Output:
        yint = interpolated value of the dependent variable
    """
    n = len(x)
    if len(y) != n:
        return 'x and y must be of same length'
    s = 0
    for i in range(n):
        product = y[i]
        for j in range(n):
            if i != j:
                product = product * (xx - x[j])/(x[i]-x[j])
        s = s + product
    yint = s
    return yint
```

그림 17.6   Lagrange 보간을 수행하기 위한 파이썬 함수.

는 x의 배열의 길이에 의하여 정해진다. 만약 n개의 값이 있다면, $(n-1)$차 다항식이 만들어진다.

이 함수를 사용한 예제로써 표 17.1의 처음 네 개의 값을 이용하여 1기압 15 °C에서의 공기의 밀도를 예측하는 것을 다뤄 볼 수 있다. 네 개의 값이 독립변수와 종속변수의 배열에 사용될 것이기 때문에, 이하의 **Lagrange** 함수가 사용된 명령어를 실행함에 따라 3차 다항식이 생성될 것이다.

```
T = np.array([-40., 0., 20., 50.])
rho = np.array([1.52, 1.29, 1.2, 1.09])
rhoint = Lagrange(T,rho,15.)
print(rhoint)
```

그 결과는 다음과 같다.

```
1.2211284722222222
```

17.4   역보간법

$f(x)$와 x의 값은 기호가 의미하듯이 대부분의 보간법에서 각각 종속변수와 독립변수이다. 결과적으로 x의 값은 일반적으로 등간격으로 분포한다. 간단한 예시로 $f(x) = 1/x$ 함수로부터 얻은 값들의 표가 제시되어 있다.

x	1	2	3	4	5	6	7
f(x)	1	0.5	0.3333	0.25	0.2	0.1667	0.1429

여기서 위와 같은 데이터를 사용하지만, 함수 $f(x)$의 값이 주어지고 이에 해당하는 x의 값을 결정해야 하는 경우를 가정해 보자. 예를 들어 앞의 데이터에 대하여 $f(x) = 0.3$에 해당하는 x값을 결정하는 문제가 있다고 가정하자. 이 경우에는 함수가 주어져 있고 간단하므로 정확한 답은 $x = 1/0.3 = 3.3333$으로 바로 결정된다.

이러한 문제를 **역보간법**(*inverse interpolation*)이라 한다. 더 복잡한 경우에는, $f(x)$와 x의 값을 교환한[즉, $f(x)$에 대한 x의 그림] 후, 결과를 얻기 위하여 Newton이나 Lagrange 보간법과 같은 방법을 사용하고자 할 것이다. 그러나 유감스럽게도 변수를 바꿀 때는 수평축을 따르는 새로운 값[$f(x)$의 값]이 등간격으로 분포되리라는 보장이 없다. 사실 많은 경우에 값들 사이의 간격은 짧아질 수도 있고 길어질 수도 있는 분포를 가지게 된다. 즉, 일부는 가깝게 모인 점들과 나머지는 넓게 분포된 점들로 이루어진 로그 스케일과 유사한 모양을 가질 것이다. 예를 들어 $f(x) = 1/x$에 대한 결과는 다음과 같다.

f(x)	0.1429	0.1667	0.2	0.25	0.3333	0.5	1
x	7	6	5	4	3	2	1

위와 같이 수평축에서 발생하는 부등간격은 보간다항식의 진동을 야기하는 경우가 종종 있으며, 이는 저차의 다항식에서도 발생한다. 이를 극복하는 한 가지 방법은 n차의 보간다항식 $f_n(x)$을 원래의 데이터에 접합시키는 것이다[즉, x에 대한 $f(x)$]. 대부분의 경우, x가 등간격으로 분포함에 따라 이 다항식은 불량조건을 가지지 않는다. 해결하고자 하는 문제의 답은 이 다항식의 값과 주어진 $f(x)$가 같아지도록 하는 x의 값을 찾는 것으로 귀결된다. 따라서 보간법 문제가 근을 구하는 문제로 단순화된다.

예를 들어, 방금 설명한 문제에 대하여 세 점 (2, 0.5), (3, 0.3333)과 (4, 0.25)에 대하여 2차 다항식을 접합시키는 것이다. 그 결과는 다음과 같다.

$$f_2(x) = 0.041667x^2 - 0.375x + 1.08333$$

그러므로 $f(x) = 0.3$에 대응하는 x의 값을 찾는 역보간법 문제의 답은 다음 식의 근을 구하는 것과 같다.

$$0.3 = 0.041667x^2 - 0.375x + 1.08333$$

이와 같이 간단한 경우에는 근의 공식을 이용하여 다음과 같이 계산할 수 있다.

$$x = \frac{0.375 \pm \sqrt{(-0.375)^2 - 4(0.041667)0.78333}}{2(0.041667)} = \begin{matrix} 5.704158 \\ 3.295842 \end{matrix}$$

따라서, 두 번째 근 3.296은 참값 3.3333에 대한 좋은 근삿값이다. 만약 보다 좋은 정확도가 필요하다면, 5장과 6장에 기술된 근을 구하는 방법들 중 한 가지와 함께 3차 또는 4차 다항식을 사용할 수 있다.

17.5   외삽법과 진동

이 장을 끝내기 전에 다항식보간법과 관련하여 반드시 언급해야 할 두 가지 주제가 있는데, 이들은 **외삽법**(*Extrapolation*)과 진동이다.

17.5.1 외삽법

외삽법이란 주어진 기본 점들 x_1, x_2, $\cdots$, x_n의 범위 밖에 놓여 있는 $f(x)$의 값을 계산하는 과정이다. 그림 17.7에 나타난 바와 같이, 끝단이 개방되어 있는 외삽법의 특성은 곡선을 알려진 범위 밖으로 확장함으로써 미지수를 예측할 수 있게 한다. 따라서 실제 곡선은 예측값으로부터 쉽게 발산할 수 있기 때문에 외삽법을 적용할 때는 항상 매우 주의해야 한다.

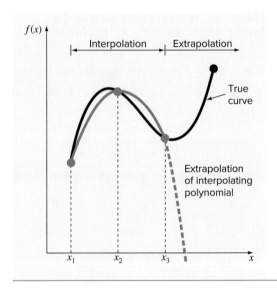

그림 17.7   외삽법을 이용한 예측이 발생하는 경우의 예시. 현재의 외삽법은 앞부분의 세 개의 점을 지나는 포물선을 접합시키는 것에 기초한다.

예제 17.5	외삽법의 위험성

문제 정의 이 예제는 Forsythe, Malcom과 Moler(1977)가 개발한 문제를 모방한 것이다. 다음 표는 1920년에서 2020[1]년까지의 미국 인구를 백만 명 단위로 나타낸 것이다.

Year	1920	1930	1940	1950	1960	1970	1980	1990	2000	2010	2020
Population (10^6)	106.02	123.2	132.17	151.33	179.32	203.21	226.55	248.71	281.42	308.75	332.64

---

1)   2020년의 값은 미국 인구조사국의 예측임.

1920년부터 2010년까지 처음 10개 점에 대하여 9차 다항식을 이용하여 보간하라. 2020년의 값을 해당 다항식으로 예측하고, 표에 제시된 예측값과 비교하라.

풀이 첫째로, 7차 다항식을 사용한 보간을 시도하기 위한 파이썬 코드가 제시되어 있다.

```
import numpy as np

yr = np.arange(1920.,2020.,10.)
pop = np.array([106.02,123.2,132.17,151.33,179.32,203.21,226.55,248.71,
                281.42,308.75])

coef = np.polyfit(yr,pop,7)
np.set_printoptions(precision=5)
print(coef)
```

하지만, 이를 실행하면 다음과 같은 경고문구가 출력된다.

```
[-2.62750e-19  1.89237e-15 -3.36857e-12 -4.03934e-09  1.04524e-05
  2.07940e-02 -3.03478e+01 -1.00419e+05  2.16510e+08 -1.15968e+11]
RankWarning: Polyfit may be poorly conditioned
```

이 경고문구는 다항식이 연도에 따라 고차항으로 설정되었기 때문이다. 우리는 이를 이전에도 마주하였던 바 있으며, 이를 위하여 독립변수의 스케일을 조정하는 것을 제안하였다. 15장에서 우리는 다음의 스케일 변환을 사용하였다.

$$z = \frac{x - \bar{x}}{s_x}$$

이를 본 예제에 적용하면 $z = (yr - 1965)/30$이 된다. 이를 9차 다항식에 대한 파이썬 코드에 적용한다면, 수정된 코드는 다음과 같이 된다.

```
z = (yr-1965.)/30.
coef = np.polyfit(z,pop,9)
np.set_printoptions(precision=5)
print(coef)
```

이를 실행한 결과는 경고문구가 출력되지 않으며, 다음과 같다.

```
[ -18.12465    -2.0495     79.56966   -1.04477 -105.68631    23.29964
   40.06379  -16.82524    70.63697  191.71441]
```

우리는 2020년의 인구를 예측하기 위하여 Polyval 함수를 사용할 수 있다.

```
z20 = (2020.-1965.)/30.
pop20 = np.polyval(coef,z20)
print('{0:7.2f}'.format(pop20))
```

그리고 그 예측은 다음과 같다.

```
-417.05
```

이는 표에 제시된 332.64에 비하여 현저히 낮으며, 명백히 잘못되었다. 데이터와 다항식을 그래프로 그려 봄으로써 문제점을 이해할 수 있다.

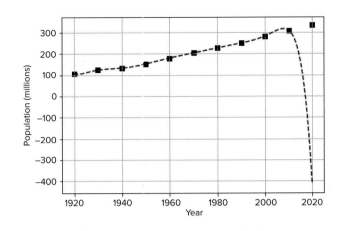

그림 17.8   1920년부터 2010년까지의 데이터를 기반으로 2020년의 미국 인구를 예측하는 데 사용된 9차 다항식.

```
import pylab
yr2 = np.append(yr,[2020.])
pop2 = np.append(pop,[332.64])
yrplot = np.linspace(1920.,2020.,200)
zplot = (yrplot-1965.)/30.
pop2plot = np.polyval(coef,zplot)
pylab.scatter(yr2,pop2,c='k',marker='s')
pylab.plot(yrplot,pop2plot,c='k',ls='--')
pylab.grid()
pylab.xlabel('Year')
pylab.ylabel('Population (millions)')
```

그림 17.8을 통하여 문제점을 확인할 수 있다. 다항식은 2010년까지의 데이터와는 정확하게 부합한다. 하지만 이를 벗어난 2020년의 데이터는 외삽법이 적용된 영역이며, 상승세는 급격한 하락세로 표현되어 예측 오류가 발생하였다. 보다 자세히 들여다보면 1920년과 1940년 사이의 데이터는 미묘하게 진동하고 있음을 확인할 수 있다. 이는 다음 장에서 다룰 주제이다.

17.5.2 진동

우리는 회귀분석에서 다항식을 과도하게 피팅하였을 때 모델의 선이 데이터 점 사이에서 진동하여 불량한 예측을 내놓는 것을 보았던 바 있다. 이는 다항식보간에서도 적용되며, '많을수록 반드시 좋은 것만은 아니다'. 보간을 위한 데이터 점을 모두 통과하기 위하여 설정된 고차 다항식은 이들 점 사이에서 상당한 진동을 보일 수 있다. 다음 예제는 우리가 회귀분석에서 논하였던 **간소화**(*parsimony*)의 개념을 잘 보여 주며, 이는 보간에 있어 가능한 간단한 모델이나 다항식을 사용하는 것이 좋다는 것이다.

예제 17.6	고차 다항식보간법의 위험성

문제 정의 1901년, Carl Runge[2]는 고차 다항식보간법의 위험성에 대한 연구결과를 발표하였다. 그는 다음의 간단한 함수를 고려하였다.

$$f(x) = \frac{1}{1 + 25\,x^2} \tag{17.15}$$

이 식은 현재 Runge 함수로 불린다. Runge는 이 함수를 이용하여 구간 [-1, 1]에서 등간격으로 분포된 데이터 점들을 취하였다. 그리고 오름차순의 보간다항식을 사용하였을 때, 더 많은 점을 사용할수록 보간다항식과 원래 곡선이 크게 달라짐을 확인하였다. 게다가, 이 현상은 차수가 증가할수록 더 커졌다. 이는 *Runge 현상* (*Runge's phenomenon*)이라 불린다. 파이썬 NumPy의 polyfit과 polyval 함수를 사용하여 등간격으로 배열된 11개의 점에 대한 4차와 10차 다항식을 만든 뒤 이를 식 (17.15)와 비교함으로써 Runge의 결과를 재현하라. 생성한 결과와 샘플값들 그리고 Runge의 함수를 그림으로 나타내라.

풀이 첫째로, 이하의 파이썬 코드는 5개의 x값과 그에 대한 $f(x)$의 값을 생성하며, 4차 다항식에 맞는 50개의 값을 보간하며, Runge 함수를 포함하는 그래프를 그린다.

```
import numpy as np
import pylab
# generate 5 equally-spaced points and function values
x = np.linspace(-1.,1.,5)
y = 1./(1.+25.*x**2)
# 50 interpolation poings
xx = np.linspace(-1.,1.)
# fit 4th-order polynomial
coef = np.polyfit(x,y,4)
# use polynomial to interpolate
y4 = np.polyval(coef,xx)
# Runge's function values
yr = 1./(1.+25.*xx**2)
# generate plot
pylab.scatter(x,y,c='k',marker='o')
pylab.plot(xx,y4,c='k',ls='--',label='4th-order')
pylab.plot(xx,yr,c='k',label='Runge')
pylab.grid()
pylab.xlabel('x')
pylab.ylabel('y')
pylab.legend()
```

그래프는 그림 17.9에 나타나 있으며 우리는 이 다항식이 Runge의 함수를 표현하고 보간을 수행하는 데 적합하지 못함을 확인할 수 있다.

파이썬 코드를 수정함으로써 두 번째 경우에 대한 그래프를 그릴 수 있다. 결과는 그림 17.10에 나타나 있다.

그림 17.10에서의 진동이 더 크며, 특히 구간 끝에서 더욱 그렇다.

---

2) Carl David Tolmé Runge(1856-1927)는 독일의 수학자, 물리학자 그리고 분광학자이다.

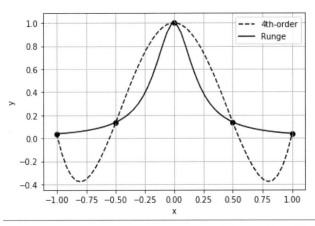

그림 17.9   Runge 함수로부터 취한 5개의 점에 대한 4차 다항식 접합과 Runge 함수(점선)의 비교.

```
import numpy as np
import pylab
# generate 11 equally-spaced points and function values
x = np.linspace(-1.,1.,11)
y = 1./(1.+25.*x**2)
# 100 interpolation poings
xx = np.linspace(-1.,1.,100)
# fit 10th-order polynomial
coef = np.polyfit(x,y,10)
# use polynomial to interpolate
y10 = np.polyval(coef,xx)
# Runge's function values
yr = 1./(1.+25.*xx**2)
# generate plot
pylab.scatter(x,y,c='k',marker='o')
pylab.plot(xx,y10,c='k',ls='--',label='10th-order')

pylab.plot(xx,yr,c='k',label='Runge')
pylab.grid()
pylab.xlabel('x')
pylab.ylabel('y')
pylab.legend()
```

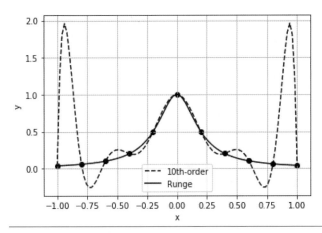

그림 17.10   Runge 함수로부터 취한 11개의 점에 대한 10차 다항식 접합과 Runge 함수(점선)의 비교.

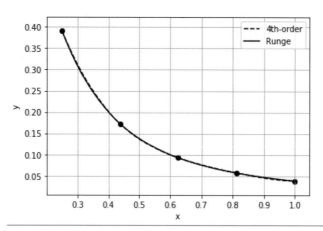

그림 17.11   [0.25, 1.0] 구간에 대한 Runge 함수의 4차 다항식보간.

고차 다항식이 필요한 경우가 있지만, 일반적으로는 고차 다항식의 사용을 피해야 한다. 대부분의 공학과 과학 문제에서, 이 장에서 설명한 형태의 저차 다항식은 데이터의 곡선 형상을 진동 없이 표현하는 데 효과적으로 사용할 수 있다.

구간 [0.25, 1.0]에서 Runge 함수의 5개의 점을 사용한 4차 다항식보간에 주목할 필요가 있다. 그 결과는 그림 17.11에 나타난 바와 같이 압도적으로 좋다. 여기서 우리는 다항식을 접합시킬 때 −1부터 1의 구간이 아닌 원래 구간의 비율을 고려하였다는 점을 명심하여야 한다. 우리는 하위구간이나 부분보간에 대하여 다음 장에서 논할 것이다.

연습문제

* 짝수번호는 온라인 사이트에 있으며 본 책 '차례' 끝부분 xxi페이지에 사이트주소가 있음.

17.1   다음과 같은 데이터가 높은 정밀도를 가지고 측정되었다. 이 문제에 가장 적합한 수치적 방법을 사용하여 $x = 3.5$에서의 y값을 추정하라. 다항식은 정확한 값을 준다는 것에 유의하라. 그리고 그 결과는 정확함을 증명하라.

x	0	1.8	5	6	8.2	9.2	12
y	26	16.415	5.375	3.5	2.015	2.54	8

17.3   제시된 표에 있는 데이터를 활용하여 Newton 보간법으로 $x = 8$에서의 y값을 추정하라. 그림 P17.3과 같이 유한제차분을 계산하고, 최적의 정확도로 수렴하도록 점들을 배열하라. 즉, 점들은 미지수를 중심으로 그 근처에 있거나 가능한 가깝게 배열되어야 한다. 그리고 표에 제시된 데이터의 차수를 사용하여 같은 과정을 반복하라. 그 결과에서의 차이에 대하여 논하라.

x	0	1	2	5.5	11	13	16	18
y	0.5	3.134	5.3	9.9	10.2	9.35	7.2	6.2

x_i	$f(x_i)$	First	Second	Third
x_1	$f(x_1)$	$f[x_2, x_1]$	$f[x_3, x_2, x_1]$	$f[x_4, x_3, x_2, x_1]$
x_2	$f(x_2)$	$f[x_3, x_2]$	$f[x_4, x_3, x_2]$	
x_3	$f(x_3)$	$f[x_4, x_3]$		
x_4	$f(x_4)$			

그림 P17.3   유한제차분의 순환적 특성에 대한 도식. 이를 제차분표(divided difference table)라고 한다.

17.5 제시된 표에 있는 데이터를 활용하여, 1차부터 4차까지의 Newton 보간다항식을 활용하여 $f(4)$의 값을 유추하라. 기준점들을 미지수를 중심으로 그 근처에 있거나 가능한 가깝게 배열하라. 이 결과는 표의 데이터를 생성하기 위하여 사용한 다항식의 차수와 관련하여 무엇을 의미하는가?

x	1	2	3	5	6
$f(x)$	4.75	4	5.25	19.75	36

17.7 표 P15.5는 물 속의 용존산소농도의 값을 온도와 염소농도의 함수로 나타내고 있다.

(a) $T = 12$ °C, $c = 10$ g/L일 때의 용존산소농도를 2차와 3차 보간법을 사용하여 구하라.

(b) $T = 12$ °C, $c = 15$ g/L일 때의 용존산소농도를 선형보간법으로 구하라.

(c) 2차 보간법을 사용하여 문제 (b)를 풀어라.

17.9 아래 표에서 $f(x) = 0.93$에서의 x값을 유추하기 위한 역보간법을 수행하라.

x	0	1	2	3	4	5
$f(x)$	0	0.5	0.8	0.9	0.941176	0.961538

위의 표는 함수 $f(x) = x^2/(1 + x^2)$로부터 작성되었음을 고려하라.

(a) 해석적으로 정확한 값을 계산하라.

(b) 2차 보간법과 근의 공식을 사용하여 수치적으로 값을 결정하라.

(c) 3차 보간법과 이분법을 사용하여 수치적으로 값을 결정하라.

17.11 다음의 질소가스의 온도에 대한 밀도의 데이터는 매우 정밀하게 측정한 값으로 이루어진 표로부터 도출하였다. 1차부터 5차까지의 다항식을 사용하여 온도 330 K에서의 밀도를 추정하라. 이 중 가장 나은 추정값은 무엇인가? 가장 나은 추정값과 역보간법을 사용하여 대응하는 온도를 구하라.

T, K	200	250	300	350	400	450
Density, kg/m³	1.708	1.367	1.139	0.967	0.854	0.759

17.13 Bessel 함수는 전기장에 대한 연구와 같은 고급공학 해석 문제에서 종종 나타난다. 다음 표에 1종의 0차 Bessel 함수의 일부 값을 기술하였다.

x	1.8	2.0	2.2	2.4	2.6
$J_1(x)$	0.5815	0.5767	0.5560	0.5202	0.4708

3차와 4차 보간다항식을 이용하여 $J_1(2.1)$을 계산하라. 참값에 기초하여 각각의 경우의 백분율 상대오차를 계산하라. 참값은 파이썬 SciPy에서 `special.jv` 함수를 통하여 얻어라.

17.15 아래의 표는 증기표에서 과열증기의 비체적에 대한 수치를 일부 나타낸 것이다.

T, °C	370	382	394	406	418
v, L/kg	5.9313	7.5838	8.8428	9.796	10.5311

$T = 400$ °C에서의 비체적 v를 다항식보간으로 구하라.

17.17 온도에 대한 물의 밀도는 아래의 표에 기재되어 있다.

Temperature (°C)	Density (kg/m³)
0	999.87
2	999.97
6	999.97
10	999.73

물은 0 °C와 10 °C 사이에서 최대의 밀도를 가지는 흥미로운 특성이 있다. 이는 물이 얼 때 비체적이 증가하기 때문이며, 수도관의 동파 원인으로 잘 알려져 있다. 최댓값과 그 위치를 추정하기 위한 3차 다항식보간을 수행하라. 그 값은 1000 kg/m³으로 알려져 있음을 참고하라.

17.19 고도가 높아질수록 중력가속도는 작아진다. 아래의 표에 기초하여 높이 55,000 m에서의 중력가속도 g의 값을 추정하라.

y, m	0	30,000	60,000	90,000	120,000
g, m/s²	9.8100	9.7487	9.6879	9.6278	9.5682

17.21 빛의 다양한 파장에 대한 붕규산 유리의 굴절률은 아래의 표와 같다. 굴절률이 1.520일 때의 파장을 구하기 위한 역보간법을 수행하라.

Wavelength λ (Å)	Refractive Index − n
6563	1.50883
6439	1.50917
5890	1.51124
5338	1.51386
5086	1.51534
4861	1.51690
4340	1.52136
3988	1.52546

17.23 다음 데이터는 높은 정밀도로 측정된 표에서 가져온 것이다. Newton 보간다항식을 사용하여 $x = 3.5$에서 y를 구하라. 모든 점들을 적절한 순서로 배열한 다음, 미분값들을 계산하기 위한 제차분표를 만들라. 어떤 다항식은 정확한 값을 산출할 것이다. 구한 값이 정확한지 증명하라.

x	0	1	2.5	3	4.5	5	6
y	26	15.5	5.375	3.5	2.375	3.5	8

스플라인과 소구간별 보간법

Splines and Piecewise Interpolation

학습 목표

이 장의 주요 목적은 스플라인과 소구간별 보간법 및 평활화 방법을 소개하는 것이다. 여기서 다루는 구체적인 목표와 주제는 다음과 같다.

- 스플라인은 저차 다항식을 소구간별 접합시킴으로써 진동을 최소화한다는 점을 이해
- 테이블 조회를 수행하는 코드를 개발하는 방법
- 2차 및 고차 스플라인보다 3차 다항식이 선호되는 이유 이해하기
- 3차 스플라인 보간의 기초가 되는 연속성 조건 이해
- 자연, 고정 및 비절점 끝단 조건의 차이점 이해
- 파이썬 SciPy 모듈에서 `interpolate` 함수를 사용하여 스플라인 보간을 하는 방법
- 파이썬으로 2차원 보간을 구현하는 방법
- 잡음이 있는 데이터에 대한 평활화 메커니즘으로 스플라인을 확장하는 방법
- 잡음이 있는 데이터의 평활화를 위한 대체 LOESS 방법 이해

18.1 스플라인(Splines)이란?

17장에서는 (n − 1)차 다항식을 사용하여 n개의 데이터에 대한 보간법을 알아보았다. 예를 들어, 8개의 점에 대해 완전한 7차 다항식을 도출할 수 있었으며, 이 곡선은 모든 데이터 점을 지나는 구불구불한 곡선(최소한 7차 도함수까지 포함)이었다. 그러나 이러한 함수가 반올림 오류 및 진동으로 인해 잘못된 결과를 초래할 수 있는 경우가 있다. 이에 제안되는 다른 접근 방식은 데이터 들 사이에 소구간별 저차 다항식을 이용한 보간법을 적용하는 것이다. 이러한 연결 다항식을 **스플라인**(*spline*) 함수라고 한다.

예를 들어, 각 데이터 점들을 연결하는 데 사용되는 3차 곡선을 **3차 스플라인 곡선**(*cubic splines*)이라고 하는데, 이러한 함수는 인접한 3차 방정식 간의 연결이 시각적으로 매끄럽도록 구성할 수 있다. 표면적으로는 스플라인의 3차 근사가 7차 식보다 부족한 것처럼 보이겠지만, 왜 스플라인이 선호되는지 궁금할 것이다.

그림 18.1은 스플라인이 고차 다항식보다 더 나은 성능을 보이는 상황을 보여 준다. 이것은 함수가 일반적으로 매끄럽지만 관심 영역을 따라 어딘가에서 급격한 변화를 겪는 경우이다. 그림 18.1에 묘사된 단계 증가는 그러한 변화의 극단적인 예이지만, 이는 핵심을 설명하기에 좋은 그래프이다.

그림 18.1*a* ~ *c*는 고차 다항식이 급격한 변화 부근에서 심하게 진동하는 경향이 있음을 보여 준다. 대조적으로 스플라인은 점을 연결하기도 하지만 저차 다항식으로 제한되기 때문에 진동이 최소화

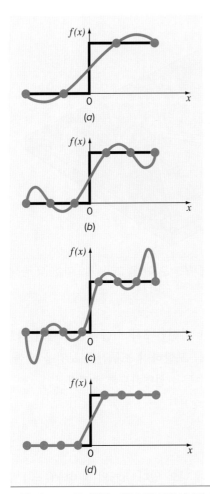

그림 18.1   스플라인이 고차 보간 다항식보다 우수한 상황을 시각적으로 표현한 것이다. 주어진 데이터들의 원래 함수는 $x = 0$에서 급격한 증가를 겪게 된다. (a)에서 (c) 부분은 급격한 변화가 다항식을 보간할 때 진동을 유발함을 나타내는 반면, (d)에서는 대조적으로 직선 연결로 제한되기 때문에 선형 스플라인이 훨씬 더 수용 가능한 근사치를 제공하는 것을 알 수 있다.

된다. 이와 같이 스플라인은 일반적으로 국부적이고 급격한 변화가 있는 함수에 대한 우수한 근사치를 제공한다.

스플라인의 개념은 얇고 유연한 스트립[스플라인(*spline*)이라고 함]을 사용하여 점 집합을 통해 부드러운 곡선을 그리는 제도 기술에서 시작되었다. 일련의 5개 핀(데이터 포인트)에 대한 프로세스는 그림 18.2에 나와 있다. 이 기술에서 제도자는 나무 판자 위에 종이를 놓고 데이터 위치에서 종이(및 판자)에 못이나 핀을 고정해 둔다. 이러한 핀 사이에 스트립을 엮으면 부드러운 입방체 곡선이 생성된다. 따라서 이러한 유형의 다항식에 대해 '3차 스플라인(cubic spline)'이라는 이름이 채택되었다.

이 장에서는 먼저 간단한 선형 함수를 사용하여 스플라인 보간과 관련된 몇 가지 기본 개념과 문제를 소개한다. 그런 다음 데이터에 2차 스플라인을 맞추는 알고리즘을 도출한 후, 공학 및

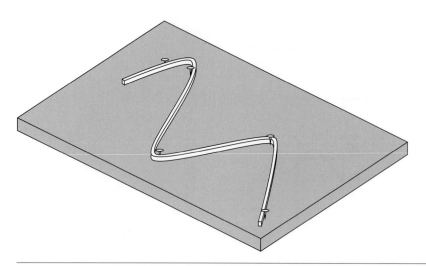

그림 18.2   스플라인을 사용하여 일련의 점을 통해 부드러운 곡선을 그리는 제도 기술이다. 끝점에서 스플라인이 어떻게 곧게 펴지는지 확인해 보자. 이것을 '자연(natural)' 스플라인이라고 한다.

과학 분야에서 가장 일반적이고 유용한 버전인 3차 스플라인에 대한 자료를 제시하고자 한다. 마지막으로 스플라인을 생성하는 기능을 포함하여 소구간별 보간을 위한 파이썬 SciPy 모듈의 interpolate 서브모듈에 대한 하위 함수들을 설명하도록 하겠다.

18.2 선형 스플라인

스플라인에 사용된 표기법은 그림 18.3에 나와 있다. n개의 데이터 ($i = 1, 2, ..., n$)에 대해 $n - 1$개의 간격으로 구간을 나눌 수 있다. 이들 각 구간 i에는 고유한 스플라인 함수 $s_i(x)$가 있다. 선형 스플라인의 경우 각 함수는 구간의 각 끝에서 두 점을 연결하는 직선일 뿐이며 다음과 같이 공식화된다.

$$s_i(x) = a_i + b_i(x - x_i) \tag{18.1}$$

여기서 a_i는 다음과 같이 정의되는 절편이다.

$$a_i = f_i \tag{18.2}$$

b_i는 점을 연결하는 직선의 기울기이다.

$$b_i = \frac{f_{i+1} - f_i}{x_{i+1} - x_i} \tag{18.3}$$

여기서 f_i는 $f(x_i)$의 약어를 의미한다. 식 (18.2)와 식 (18.3)을 이용해서 식 (18.1)에 대입하면 다음과 같다.

$$s_i(x) = f_i + \frac{f_{i+1} - f_i}{x_{i+1} - x_i}(x - x_i) \tag{18.4}$$

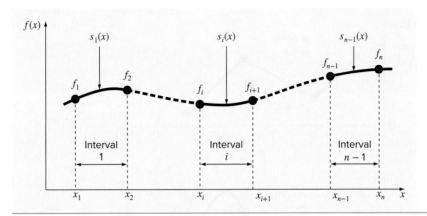

그림 18.3   스플라인을 유도하는 데 사용되는 표기법이다. $n - 1$개의 소구간과 n개의 데이터가 있다.

이 방정식은 평가하고자 하는 점이 있는 구간을 찾아 x_1과 x_n 사이의 임의의 점에서 함수를 평가하는 데 사용할 수 있다. 그런 다음 적절한 방정식을 사용하여 구간 내에서 함숫값을 계산한다. 식 (18.4)을 살펴보면 선형 스플라인은 Newton의 1차 다항식[식 (17.5)]을 각 소구간별로 보간한 것과 동일한 것을 알 수 있다.

예제 18.1	**1차 스플라인**

문제 정의   표 18.1의 데이터를 1차 스플라인 함수로 표현하고, $x = 5$에서 함수를 평가하라.

표 18.1   스플라인 함수에 맞는 데이터.

i	x_i	f_i
1	3.0	2.5
2	4.5	1.0
3	7.0	2.5
4	9.0	0.5

풀이   선형 스플라인 함수를 생성하기 위해 데이터를 식 (18.4)에 대입할 수 있다. 예를 들어, $x = 4.5$에서 $x = 7$ 사이의 두 번째 구간에 대한 함수는 다음과 같다.

$$s_2(x) = 1.0 + \frac{2.5 - 1.0}{7.0 - 4.5}(x - 4.5)$$

다른 간격에 대한 방정식을 계산할 수 있으며 결과로 얻은 1차 스플라인을 그림 18.4a에 표시하였다. 이때 $x = 5$의 값은 1.3이 된다.

$$s_2(x) = 1.0 + \frac{2.5 - 1.0}{7.0 - 4.5}(5 - 4.5) = 1.3$$

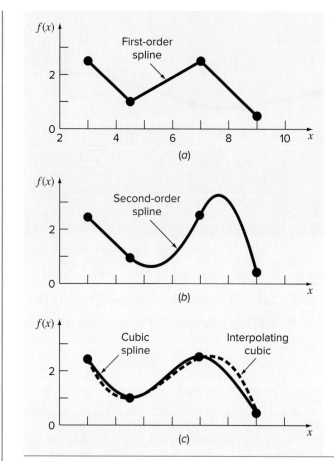

그림 18.4   4개의 데이터에 대한 스플라인 커브 피팅. (*a*) 선형 스플라인, (*b*) 2차 스플라인, (*c*) 3차 스플라인(3차 보간 다항식도 표시하였다).

그림 18.4*a*의 그래프를 살펴보면 1차 스플라인의 주요 단점으로 매끄럽지 않다는 것을 알 수 있다. 본질적으로 두 스플라인이 만나는 데이터 포인트[매듭(*knot*)이라고 함]에서 기울기가 갑자기 변경되며, 공식적으로 함수의 1차 도함수는 이 지점에서 불연속적이다. 이 결함은 이후에 논의되는 바와 같이 이러한 점에서 도함수를 동일시하여 매듭점에서 부드러움을 보장하는 고차 다항식 스플라인을 사용하여 극복된다. 그전에 다음 절에서는 선형 스플라인이 유용하게 적용되는 응용 분야에 대해 살펴보도록 하겠다.

18.2.1 테이블 조회

테이블 조회는 공학 및 컴퓨터 과학 응용 문제에서 자주 접하게 되는 일반적인 작업이다. 테이블 조회에는 두 가지 유형이 있는데, 하나는 개별 개체와 관련된 **이산 테이블**(*discrete table*)이다. 예를 들어, 미립자 물질의 안식각(angle of repose) 표와 같이 이름별로 나열된 특정 물질의 속성이 있다. **연속 표**(*continuous table*)라고 부르는 다른 하나는 표 17.1에 표시된 다양한 온도에서 공기

밀도와 같은 연속 속성의 이산 추상화 테이블이다. 테이블 조회에 대한 접근 방식은 유형마다 다르다.

먼저, 연속 테이블의 경우 독립 변수에 대해 일반적으로 오름차순으로 정렬해서 표기하는 반면, 이산 테이블의 항목은 임의의 순서일 수 있으며, 인덱스 또는 독립 변수는 숫자 또는 이름(문자열)일 수 있다. 따라서 이산 테이블의 경우 항목이 존재하지 않는 경우 등도 있기 때문에 보간을 하지 않는다. 또한, 경우에 따라서는 항목이 두 번 이상 발생할 가능성이 있기에 이 경우에 대한 전략이 마련되어야 한다. 이산 테이블의 경우 본질적으로 반드시 숫자가 아니더라도 해당 테이블에서 정보를 추출하는 것이 일반적이기 때문에 아래의 파이썬 예제와 같이 사용하는 것이 좋다.

예제 18.2 이산 테이블에서 정보 추출

문제 정의 표 18.2는 다양한 입상 재료에 대한 속성 집합을 나타내고 있다. 재료 이름과 속성 이름의 인수를 가지고 적절한 값을 반환하는 파이썬 함수를 작성하라.

표 18.2 다양한 입상 재료의 특성.

Bed Material	Absolute Density (kg/m³)	Bulk Density (kg/m³)	Percent Void	Particle Diameter (mm)	Shape Factor
Wheat	1400	865	39.2	3.61	1.07
Rice	1457	905	37.9	2.72	1.04
Millet	1180	727	38.4	1.99	1.07
Polyethylene	922	592	35.8	3.43	1.02
Corn	1342	743	44.6	7.26	1.50
Polystyrene	1058	641	39.4	1.56	1.14
Barley	1279	725	43.4	3.70	1.14
Flaxseeds	1129	703	37.8	2.09	1.05

풀이 파이썬을 사용하여 이 문제에 접근하는 다양한 방법이 있다. 여기서의 접근 방식은 연속 테이블에 대한 방법과 관련되어 있다. 먼저 재료 및 속성 이름을 정의한 후 테이블 항목을 정의한다.

```
import numpy as np

Matl = np.array(['Wheat' , 'Rice' , 'Millet', 'Polyethylene',
                'Corn', 'Polystyrene', 'Barley', 'Flaxseeds'])
Prop = np.array(['Absolute Density', 'Bulk Density', 'Percent Void',
                'Particle Diameter', 'Shape Factor'])
TableData = np.array([[1400., 865., 39.2, 3.61, 1.07],
                     [1457., 905., 37.9, 2.72, 1.04],
                     [1180., 727., 38.4, 1.99, 1.07],
                     [ 922., 592., 35.8, 3.43, 1.02],
                     [1342., 743., 44.6, 7.26, 1.50],
                     [1058., 641., 39.4, 1.56, 1.14],
                     [1279., 725., 43.4, 3.70, 1.14],
                     [1129., 703., 37.8, 2.09, 1.05]])
```

참고: 더 긴 테이블의 경우 외부 텍스트 파일에서 데이터 테이블 정보를 읽는 것이 유용할 수 있다.

다음으로 조회 기능을 프로그래밍한다.

```python
def TableLookup2(Row,Col,RowNames,ColNames,TableData):
    """
    Function for lookup in a two-dimensional table.
    Input:
        Row = name in row array
        Col = name in column array
        RowNames = row array
        ColNames = column array
        TableData = two-dimensional array of data in table
    Output:
        TableValue = value extracted from table
    """
    n = len(RowNames) ; m = len(ColNames)
    nt = np.size(TableData,0)
    mt = np.size(TableData,1)
    if n != nt or m != mt:
        return 'table information does not conform in size'
    ifind = False
    for i in range(n):
        if Row == RowNames[i]:
            isel = i
            ifind = True
            break
    if not ifind: return 'row name not found in table'
    jfind = False
    for j in range(m):
        if Col == ColNames[j]:
            jsel = j
            jfind = True
            break
    if not jfind: return 'column name not found in table'
    return TableData[isel,jsel]
```

다음은 함수의 적용 예시이다.

```python
MatlName = 'Corn'
PropName = 'Bulk Density'
TableValue = TableLookup2(MatlName,PropName,Matl,Prop,TableData)
if type(TableValue) == type(str()):
    print(TableValue)
else:
    print('{0:1} of {1:11} is
{2:7.5g}'.format(PropName,MatlName,TableValue))

Bulk Density     of Corn        is     743
```

그리고 잘못된 이름이 사용된 경우에 대한 결과는 다음과 같다.

```python
MatlName = 'Corn'
PropName = 'BulkDensity'
TableValue = TableLookup2(MatlName,PropName,Matl,Prop,TableData)
if type(TableValue) == type(str()):
    print(TableValue)
else:
    print('{0:1} of {1:11} is
{2:7.5g}'.format(PropName,MatlName,TableValue))
```

```
column name not found in table
```

이 예제를 마치기 전에 어떤 이유로든 테이블에 여러 항목이 있는 경우 이 함수는 첫 번째 항목을 반환한다는 것을 명심하기를 바란다.

이제 이 장의 더 관련성 높은 주제인 연속 테이블에 대해 논의하도록 하겠다. 단일 독립 변수와 종속 변수가 있는 단방향 테이블을 먼저 살펴보자. 표 17.1의 데이터를 다시 고려하면, 테이블 조회에 접근하는 한 가지 방법은 원하는 독립변수 값(예: 75 °C)과 테이블 값에서 두 쌍(50 °C 및 100 °C)의 온도 및 밀도를 제공하는 파이썬 함수를 사용하는 것이다. 그러면 함수는 간단한 선형 보간을 계산하고 추정치를 반환하게 된다. 이 방법은 각 보간 전에 수동으로 테이블을 읽는 문제를 가지고 있다. 예제 18.2의 TableLookup2 함수와 유사한 보다 일반적인 접근 방식은 독립변수 값과 독립 및 종속 값의 배열을 제공하고 함수가 독립변수 값이 포함된 테이블에서 소구간을 찾도록 하는 것이다.

따라서 파이썬 함수는 두 가지 작업을 수행하게 된다. 먼저 테이블에서 검색하여 제공된 값을 괄호로 묶는 독립변수의 두 값을 찾는다. 둘째, 선형보간 계산을 수행하고 결과를 반환한다. 물론 함수는 제공된 값이 테이블 범위 내에 있는지 여부를 확인하여 그렇지 않은 경우 오류 메시지를 반환하고 테이블 값과 일치하는 경우 보간이 필요하지 않은지 여부를 확인해야 한다.

이 접근 방식을 사용하려면 테이블의 데이터가 독립변수 또는 인덱스 변수가 일반적으로 오름차순으로 정렬되도록 하여야 하는데, 일반적으로 대부분의 경우 이와 같은 배열이다. 테이블에서 적절한 소구간을 찾는 일반적인 방법에는 순차 검색(sequential search)과 이진 검색(binary search)이 있다. 이름에서 알 수 있듯이 에는 적절한 소구간을 찾을 때까지 독립변수의 원하는 값과 입력 배열의 값을 비교하는 작업이 포함된다. 가장 일반적인 오름차순 데이터의 경우 입력 배열을 통한 검색은 제공된 값보다 큰 값을 찾을 때까지 진행된다. 그런 다음 찾은 큰 값과 해당 큰 값의 이전 값을 이용한 소구간을 구할 수 있다. 정확히 일치하는 항목이 발견되면 보간 계산을 피할 수 있다.

다음은 순차 검색 및 선형보간을 수행하는 파이썬 함수이다.

```python
import numpy as np

def TableLookup(x,y,xx):
    n = len(x)
    if n != len(y): return 'input arrays must be the same length'
    if xx < x[0] or xx > x[n-1]:
        return 'input value out of range of table'
    for i in range(n):
        if xx == x[i]:  # check for an exact match
            return y[i]
        elif x[i] > xx:  # check for upper interval
            i2 = i
            break
    xint = (xx-x[i2-1])/(x[i2]-x[i2-1])*(y[i2]-y[i2-1])+y[i2-1]
    return xint
```

표 17.1의 데이터로 이 기능을 여러 번 테스트할 수 있다.

```
T = np.array([-40, 0., 20., 50., 100., 150., 200., 250.,
              300., 400., 500.])
rho = np.array([1.52, 1.29, 1.20, 1.09, 0.946, 0.935,
                0.746, 0.675, 0.616, 0.525, 0.457])
Tx = 350.
rhox = TableLookup(T,rho,Tx)
print(rhox)

0.5705
```

정확한 일치에 대한 결과는 다음과 같다.

```
Tx = -40.
rhox = TableLookup(T,rho,Tx)
print(rhox)

1.52
```

잘못된 입력의 경우에 대한 결과는 다음과 같다.

```
Tx = -501.
rhox = TableLookup(T,rho,Tx)
print(rhox)

input value out of range of table
```

데이터 테이블이 긴 상황(아마도 수천 개의 항목)에 대해 대괄호 쌍에 도달하기 전에 모든 선행 지점을 검색해야 하기 때문에 순차 정렬은 비효율적이다. 일회성 계산의 경우 순차 기법이 여전히 적합할 수 있지만 테이블 조회 작업이 수천 번 반복되는 다른 루틴에 포함되어 있다고 상상해 보라. 이러한 경우에 좋은 대안은 **이진 검색**이다. 다음은 선형보간이 뒤따르는 이진 검색을 수행하는 파이썬 함수이다.

```
def TableLookupBin(x,y,xx):
    n = len(x)
    if n != len(y): return 'input arrays must be the same length'
    if xx < x[0] or xx > x[n-1]:
        return 'input value out of range of table'
    iL = 0  ;  iU = n-1
    while True:
        if iU - iL <= 1: break  # exit when the subscript index is 1
        iM = int((iL+iU)/2)  # compute the midpoint index
        if x[iM] == xx:   # check for a match
            return y[iM]
        elif x[iM] < xx:   # adjust upper or lower index
            iL = iM
        else:
            iU = iM
    xint = (xx-x[iL])/(x[iU]-x[iL])*(y[iU]-y[iL])+y[iL]
    return xint
```

여기서의 접근 방식은 방정식의 해를 찾는 이분법(bisection)의 접근 방식과 유사하다. 중간점의 인덱스 iM은 첫 번째 또는 하위 인덱스 iL = 0과 마지막 또는 상위 인덱스 iU = n-1의 평균으로 계산된다. 그런 다음 xx값을 중간점 xM에서 x배열의 값과 비교하여 일치하는지 또는 배열의 위쪽 또는 아래쪽 절반에 있는지 평가한다. 위치에 따라 상위 또는 하위 인덱스는 중간점 인덱스의 값을 취한다. 이 과정은 상위 지수와 하위 지수의 차이가 0보다 작거나 같을 때까지 반복된다. 이때 하한 인덱스는 xx를 포함하는 구간의 하한에 있고 상한 인덱스는 구간의 상한으로 한 후, 선형 보간을 계산하게 된다.

이전과 유사한 코드는 동일한 보간 결과를 산출한다.

```
T = np.array([-40, 0., 20., 50., 100., 150., 200., 250.,
              300., 400., 500.])
rho = np.array([1.52, 1.29, 1.20, 1.09, 0.946, 0.935,
                0.746, 0.675, 0.616, 0.525, 0.457])

Tx = 350.
rhox = TableLookupBin(T,rho,Tx)
print(rhox)

0.5705
```

이 결과는 아래와 같이 수기로 계산하여 확인할 수 있다.

$$f(350) = \frac{350 - 300}{400 - 300}(0.525 - 0.616) + 0.616 \cong 0.5705 \quad \checkmark$$

18.3 2차 스플라인(Quadratic Splines)

n차 도함수가 매듭점에서 연속되도록 하려면 적어도 $(n + 1)$차 스플라인을 사용해야 한다. 연속적인 1차 및 2차 도함수를 보장하는 3차 다항식 또는 3차 스플라인이 실제로 가장 자주 사용된다. 3차 이상의 도함수는 3차 스플라인을 사용할 때 불연속적일 수 있지만 일반적으로 시각적으로 감지할 수 없으므로 무시된다.

3차 스플라인 보간법의 유도방식과 상당부분 연관이 있기 때문에 먼저 2차 스플라인 보간법의 개념을 설명하고자 한다. 이러한 '2차 스플라인(quadratic splines)'은 매듭점에서 연속적인 1차 도함수를 갖는다. 2차 스플라인은 실제적으로 중요하지 않지만 고차 스플라인을 개발하기 위한 일반적인 접근 방식을 보여 주는 데 유용하다.

2차 스플라인의 목적은 데이터 포인트 사이의 각 간격에 대한 2차 다항식을 유도하는 것이다. 각 구간에 대한 다항식은 일반적으로 다음과 같이 나타낼 수 있다.

$$s_i(x) = a_i + b_i(x - x_i) + c_i(x - x_i)^2 \tag{18.5}$$

여기서 표기법은 그림 18.3과 같다. n개의 데이터($i = 1, 2, ..., n$)에 대해 $n - 1$개의 소구간이 있고 결과적으로 $3(n - 1)$개의 미정계수(a, b, c)를 구해야 된다. 따라서 미정계수를 도출하기 위해서는 $3(n - 1)$개의 방정식이나 조건이 필요하다. 이들은 다음과 같이 구할 수 있다.

1. 함수는 모든 점을 통과해야 한다. 이것을 **연속성 조건**이라고 한다.

수학적으로 다음과 같이 표현된다.

$$f_i = a_i + b_i(x_i - x_i) + c_i(x_i - x_i)^2$$

단순화하면,

$$a_i = f_i \tag{18.6}$$

따라서 각 2차 함수의 상수는 구간 시작 부분의 종속변수 값과 같아야 한다. 이 결과는 식 (18.5)에 대입하면 다음과 같다.

$$s_i(x) = f_i + b_i(x - x_i) + c_i(x - x_i)^2$$

미정계수 중 하나를 결정했기 때문에 평가할 조건의 수는 이제 $2(n - 1)$로 감소했다.

2. 인접한 다항식의 함숫값은 매듭점에서 같아야 한다. 이 조건은 매듭 $i + 1$에 대해 다음과 같이 쓸 수 있다.

$$f_i + b_i(x_{i+1} - x_i) + c_i(x_{i+1} - x_i)^2 = f_{i+1} + b_{i+1}(x_{i+1} - x_{i+1}) + c_{i+1}(x_{i+1} - x_{i+1})^2 \tag{18.7}$$

이 방정식은 i번째 구간의 너비를 다음과 같이 정의하여 수학적으로 단순화할 수 있다.

$$h_i = x_{i+1} - x_i$$

따라서 식 (18.7)을 다시 쓰면,

$$f_i + b_i h_i + c_i h_i^2 = f_{i+1} \tag{18.8}$$

이 방정식은 매듭 $i = 1, ..., n - 1$에 대해 쓸 수 있다. 이는 $n - 1$ 개의 조건에 해당하므로 $2(n - 1) - (n - 1) = n - 1$개의 조건이 남아 있음을 의미한다.

3. 내부 매듭의 1차 도함수는 같아야 한다. 이것은 선형 스플라인에서 본 들쭉날쭉한 방식이 아니라 인접한 스플라인이 부드럽게 결합된다는 것을 의미하기 때문에 중요한 조건이다. 식 (18.5)는 다음과 같이 미분할 수 있다.

$$s_i'(x) = b_i + 2c_i(x - x_i)$$

따라서 내부 매듭$(i + 1)$에서 도함수의 등가조건은 다음과 같이 쓸 수 있다.

$$b_i + 2c_i h_i = b_{i+1} \tag{18.9}$$

모든 내부 매듭에 대해 이 방정식을 작성하면 $n - 2$ 조건이 된다. 이것은 $n - 1 - (n - 2) = 1$ 개의 나머지 조건이 있음을 의미한다. 함수나 그 파생물에 대한 추가 정보가 없는 한 상수를 성공적으로 계산하려면 임의의 선택을 해야 한다. 다양한 선택이 가능하지만, 여기서는 다음 조건을 선택하였다.

4. 첫 번째 점에서 2차 도함수가 0이라고 가정한다. 식 (18.5)의 2차 도함수는 $2c_i$이기에 이 조건은 수학적으로 다음과 같이 표현될 수 있다.

$$c_1 = 0$$

이 조건의 시각적 해석은 처음 두 점이 직선으로 연결된다는 것이다.

예제 18.3	2차 스플라인(Quadratic Splines)

문제 정의 예제 18.1(표 18.1)에서 사용된 동일한 데이터에 대해 2차 스플라인을 적용해 보라. 해당 결과를 사용하여 $x = 5$에서 값을 추정하라.

풀이 현재 문제의 경우 4개의 데이터 점과 $n = 3$개의 소구간이 있다. 따라서 연속성 조건과 초기의 2차 미분이 0인 조건($c_1 = 0$)을 적용하면, $2(4 - 1) - 1 = 5$개의 조건이 필요함을 의미한다. $i = 1$에서 3에 대해 식 (18.8)은 다음과 같이 기술할 수 있다.

$$f_1 + b_1 h_1 = f_2$$
$$f_2 + b_2 h_2 + c_2 h_2^2 = f_3$$
$$f_3 + b_3 h_3 + c_3 h_3^2 = f_4$$

식 (18.9)의 미분의 연속성 조건에 따라 추가로 $3 - 1 = 2$ 조건을 생성한다($c_1 = 0$임을 상기하라).

$$b_1 = b_2$$
$$b_2 + 2c_2 h_2 = b_3$$

필요한 함수 및 소구간 너비 값은 다음과 같다.

$$f_1 = 2.5 \qquad h_1 = 4.5 - 3.0 = 1.5$$
$$f_2 = 1.0 \qquad h_2 = 7.0 - 4.5 = 2.5$$
$$f_3 = 2.5 \qquad h_3 = 9.0 - 7.0 = 2.0$$
$$f_4 = 0.5$$

이러한 값은 다음과 같이 행렬 형식으로 표현될 수 있다.

$$\begin{bmatrix} 1.5 & 0 & 0 & 0 & 0 \\ 0 & 2.5 & 6.25 & 0 & 0 \\ 0 & 0 & 0 & 2 & 4 \\ 1 & -1 & 0 & 0 & 0 \\ 0 & 1 & 5 & -1 & 0 \end{bmatrix} \begin{Bmatrix} b_1 \\ b_2 \\ c_2 \\ b_3 \\ c_3 \end{Bmatrix} = \begin{Bmatrix} -1.5 \\ 1.5 \\ -2 \\ 0 \\ 0 \end{Bmatrix}$$

이 방정식은 파이썬을 사용하여 아래와 같이 풀 수 있다.

$$b_1 = -1$$
$$b_2 = -1 \qquad c_2 = 0.64$$
$$b_3 = 2.2 \qquad c_3 = -1.6$$

이러한 결과는 식 (18.6)을 통한 미정계수 a들의 값과 함께 적용되어 각 소구간에 대해 다음과 같은 2차 스플라인을 함수로 정리할 수 있다.

$$s_1(x) = 2.5 - (x - 3)$$
$$s_2(x) = 1.0 - (x - 4.5) + 0.64(x - 4.5)^2$$
$$s_3(x) = 2.5 + 2.2(x - 7.0) - 1.6(x - 7.0)^2$$

$x = 5$가 두 번째 소구간에 있기 때문에 s_2를 사용하여 추정을 하면,

$$s_2(5) = 1.0 - (5 - 4.5) + 0.64(5 - 4.5)^2 = 0.66$$

전체 2차 스플라인 그래프는 그림 18.4b에 나타내었다. 2차 스플라인의 경우 적합성을 떨어뜨리는 두 가지 단점이 있다. (1) 처음 두 점을 연결하는 직선과 (2) 마지막 소구간의 스플라인이 너무 크게 흔들리는 것이다. 다음 절의 3차 스플라인(Cubic Splines)은 이러한 단점들이 나타나지 않으므로 결과적으로 스플라인 보간을 위한 더 나은 방법으로 여겨진다.

18.4 3차 스플라인(Cubic Splines)

이전 절의 시작 부분에서 언급했듯이 3차 스플라인(Cubic Splines)은 실제로 가장 자주 사용되는 방식이다. 선형 및 2차 스플라인의 단점은 이미 앞에서 논의하였다. 4차 또는 고차 스플라인은 고차 다항식특유의 불안정성을 나타내는 경향이 있기 때문에 사용되지 않는다. 반면, 3차 스플라인은 원하는 부드러운 모양을 나타내는 가장 간단한 표현을 제공하기 때문에 선호된다.

3차 스플라인의 목적은 일반적으로 다음과 같이 매듭 사이의 각 소구간에 대한 3차 다항식을 유도하는 것이다.

$$s_i(x) = a_i + b_i(x - x_i) + c_i(x - x_i)^2 + d_i(x - x_i)^3 \tag{18.10}$$

따라서 n개의 데이터($i = 1, 2, ..., n$)에 대해 $n - 1$개의 소구간과 $4(n - 1)$개의 미정계수를 가지고 있다. 결과적으로 $4(n - 1)$ 조건이 요구된다.

첫 번째 조건은 2차 스플라인의 경우에 사용된 조건과 동일하다. 즉, 함수가 모든 데이터 점을 통과하고 매듭점에서 1차 도함수가 동일하도록 설정한다. 이 외에도 매듭점에서 2차 도함수도 동일하도록 하는 조건이 추가되었다. 이것은 최종적으로 곡선의 부드러움을 크게 향상시키게 된다.

이 조건 외에도 해를 얻기 위해 두 가지 추가 조건이 필요하다. 이것은 단일 조건을 지정해야 하는 2차 스플라인보다 훨씬 유리한 조건이다. 2차 스플라인의 경우 첫 번째 소구간에 대해 0의 2차 도함수를 임의로 지정해야 하므로 결과가 비대칭이 되었으나, 3차 스플라인의 경우 두 가지 추가 조건이 필요한 유리한 위치에 있으므로 양쪽 끝에 균등하게 적용할 수 있다.

3차 스플라인의 경우 이 마지막 두 조건은 여러 가지 방법으로 공식화할 수 있다. 매우 일반적인 접근 방식은 첫 번째 절점과 마지막 절점에서 2차 도함수가 0이 된다고 가정하는 것이다. 이러한 조건의 시각적 해석은 함수가 끝 절점에서 직선이 된다는 것입니다. 이러한 끝 조건을 지정하면 '자연(natural)' 스플라인이 생성된다. 제도용 스플라인이 자연스럽게 이러한 방식으로 동작하기 때문에 이렇게 불린다(그림 18.2).

지정할 수 있는 다양한 다른 종료 조건이 있다. 더 인기 있는 두 가지 조건은 고정 및 매듭이 없는(비절점) 조건이다. 이러한 옵션은 18.4.2절에서 설명할 예정이며, 이 절에서는 3차 스플라인 함수의 유도를 위해 자연 스플라인으로 제한하여 설명하고자 한다.

추가 종료 조건이 지정되면 $4(n - 1)$개의 미정계수를 산출하는 데 필요한 $4(n - 1)$ 조건을 갖

게 된다. 이러한 방식으로 3차 스플라인을 구성하는 것이 확실히 가능하지만 $n - 1$개의 방정식에 대한 해가 필요한 대안적인 접근 방식을 제시할 것이다. 또한 연립방정식은 삼중 대각행렬 (tridiagonal) 형태이기 때문에 충분히 풀 수 있다. 이 접근 방식의 유도는 2차 스플라인의 경우보다 간단하지 않지만 효율성의 향상 측면에서 살펴볼 필요가 있다.

18.4.1 3차 스플라인의 유도

2차 스플라인의 경우와 마찬가지로 첫 번째 조건은 스플라인 함수가 모든 데이터 점을 통과해야 한다는 것이다.

$$f_i = a_i + b_i(x_i - x_i) + c_i(x_i - x_i)^2 + d_i(x_i - x_i)^3$$

모든 데이터를 통과해야 하기 때문에,

$$a_i = f_i \tag{18.11}$$

따라서 각 함수의 상수는 해당 구간의 시작 부분의 종속변수 값과 같아야 한다. 이 결과를 식 (18.10)에 대입하면 다음과 같이 쓸 수 있다.

$$s_i(x) = f_i + b_i(x - x_i) + c_i(x - x_i)^2 + d_i(x - x_i)^3 \tag{18.12}$$

다음으로 각 3차 스플라인 함수가 매듭점에서 결합되어야 한다는 조건을 적용할 것이다. 매듭점 $i + 1$의 경우 다음과 같이 나타낼 수 있다.

$$f_i + b_i h_i + c_i h_i^2 + d_i h_i^3 = f_{i+1} \tag{18.13}$$

여기서

$$h_i = x_{i+1} - x_i$$

또한 내부 매듭점의 1차 도함수는 같아야 한다. 이를 위해 식 (18.12)를 다음과 같이 미분하였다.

$$s_i'(x) = b_i + 2c_i(x - x_i) + 3d_i(x - x_i)^2 \tag{18.14}$$

따라서 내부 매듭점($i + 1$)에서 도함수의 등가조건은 다음과 같이 쓸 수 있다.

$$b_i + 2c_i h_i + 3d_i h_i^2 = b_{i+1} \tag{18.15}$$

내부 매듭점의 2차 도함수도 동일해야 한다. 식 (18.14)는 다음과 같이 미분할 수 있다.

$$s_i''(x) = 2c_i + 6d_i(x - x_i) \tag{18.16}$$

따라서 내부 매듭점($i + 1$)에서 2차 도함수의 등가조건은 다음과 같이 쓸 수 있다.

$$c_i + 3d_i h_i = c_{i+1} \tag{18.17}$$

다음으로 식 (18.17)을 미정계수 d에 대해 풀 수 있다.

$$d_i = \frac{c_{i+1} - c_i}{3h_i} \tag{18.18}$$

이것을 식 (18.13)에 대입하면 다음과 같다.

$$f_i + b_i h_i + \frac{h_i^2}{3}(2c_i + c_{i+1}) = f_{i+1} \tag{18.19}$$

식 (18.18)을 식 (18.15)에 대입하면 다음과 같다.

$$b_{i+1} = b_i + h_i(c_i + c_{i+1}) \tag{18.20}$$

식 (18.19)는 다음과 같이 풀 수 있다.

$$b_i = \frac{f_{i+1} - f_i}{h_i} - \frac{h_i}{3}(2c_i + c_{i+1}) \tag{18.21}$$

이 방정식의 인덱스를 1만큼 줄이면 다음과 같은 식을 얻을 수 있다.

$$b_{i-1} = \frac{f_i - f_{i-1}}{h_{i-1}} - \frac{h_{i-1}}{3}(2c_{i-1} + c_i) \tag{18.22}$$

식 (18.20)의 인덱스 또한 1만큼 줄일 수 있다.

$$b_i = b_{i-1} + h_{i-1}(c_{i-1} + c_i) \tag{18.23}$$

식 (18.21) 및 식 (18.22)를 식 (18.23)에 대입하면 다음과 같이 정리할 수 있다.

$$h_{i-1}c_{i-1} + 2(h_{i-1} + h_i)c_i + h_i c_{i+1} = 3\frac{f_{i+1} - f_i}{h_i} - 3\frac{f_i - f_{i-1}}{h_{i-1}} \tag{18.24}$$

이 방정식은 우변의 항이 유한차분임을 인식함으로써 조금 더 간결하게 만들 수 있다.

$$f[x_i, x_j] = \frac{f_i - f_j}{x_i - x_j}$$

따라서, 식 (18.24)는 다음과 같이 쓸 수 있다.

$$h_{i-1}c_{i-1} + 2(h_{i-1} + h_i)c_i + h_i c_{i+1} = 3(f[x_{i+1}, x_i] - f[x_i, x_{i-1}]) \tag{18.25}$$

식 (18.25)는 내부 매듭($i = 2, 3, ..., n - 2$)에 대해 쓸 수 있으므로 $n - 1$개의 미정계수($c_1, c_2,$ ..., c_{n-1})를 포함하는 $n - 3$개의 삼중대각행렬 방정식을 구성할 수 있다. 따라서 두 가지 추가 조건이 있으면 미정계수 c를 구할 수 있다. 이 작업이 완료되면 식 (18.21) 및 식 (18.18)을 이용하여 나머지 미정계수 b 및 d를 구할 수 있다.

이전에 언급했듯이 두 가지 추가 종료 조건은 여러 가지 방법으로 공식화될 수 있다. 하나의 일반적인 접근 방식인 자연 스플라인은 끝 절점에서 2차 도함수가 0과 같다고 가정한다. 이것이 어떻게 솔루션 체계에 통합될 수 있는지 보기 위해 첫 번째 절점에서 두 번째 도함수[식 (18.16)]를 다음과 같이 0으로 설정할 수 있다.

$$s_1''(x_1) = 0 = 2c_1 + 6d_1(x_1 - x_1)$$

따라서 이 조건은 c_1을 0으로 설정하는 것과 같다.

마지막 절점에서 동일한 평가를 수행할 수 있다.

$$s_{n-1}''(x_n) = 0 = 2c_{n-1} + 6d_{n-1}h_{n-1} \tag{18.26}$$

식 (18.17)을 상기해 보면, 우리는 관계없는 매개변수 c_n을 편리하게 정의할 수 있다. 이 경우 식 (18.26)은

$$c_{n-1} + 3d_{n-1}h_{n-1} = c_n = 0$$

따라서 마지막 절점에서 2차 도함수를 0으로 두기 위해 $c_n = 0$으로 설정한다.

최종 방정식은 이제 다음과 같은 행렬 형식으로 작성할 수 있다.

$$\begin{bmatrix} 1 & & & & \\ h_1 & 2(h_1 + h_2) & h_2 & & \\ & \ddots & \ddots & \ddots & \\ & & h_{n-2} & 2(h_{n-2} + h_{n-1}) & h_{n-1} \\ & & & & 1 \end{bmatrix} \begin{Bmatrix} c_1 \\ c_2 \\ \vdots \\ c_{n-1} \\ c_n \end{Bmatrix} = \begin{Bmatrix} 0 \\ 3(f[x_3, x_2] - f[x_2, x_1]) \\ \vdots \\ 3(f[x_n, x_{n-1}] - f[x_{n-1}, x_{n-2}]) \\ 0 \end{Bmatrix} \tag{18.27}$$

상기 식에서 확인할 수 있듯이 전체 연립방정식이 삼중대각행렬로 표현됨에 따라 풀이가 용이하다.

예제 18.4	자연 3차 스플라인(Natural Cubic Splines)

문제 정의 3차 스플라인을 예제 18.1과 예제 18.3에서 사용된 것과 동일한 데이터(표 18.1)에 적용하고, 그 결과를 활용하여 $x = 5$에서 값을 추정하라.

풀이 첫 번째 단계는 식 (18.27)을 사용하여 미정계수 c를 찾는 데 사용할 연립방정식 행렬을 구성한다.

$$\begin{bmatrix} 1 & & & \\ h_1 & 2(h_1 + h_2) & h_2 & \\ & h_2 & 2(h_2 + h_3) & h_3 \\ & & & 1 \end{bmatrix} \begin{Bmatrix} c_1 \\ c_2 \\ c_3 \\ c_4 \end{Bmatrix} = \begin{Bmatrix} 0 \\ 3(f[x_3, x_2] - f[x_2, x_1]) \\ 3(f[x_4, x_3] - f[x_3, x_2]) \\ 0 \end{Bmatrix}$$

필요한 함수 및 소구간 너비 값은 다음과 같다.

$$\begin{aligned} f_1 &= 2.5 & h_1 &= 4.5 - 3.0 = 1.5 \\ f_2 &= 1.0 & h_2 &= 7.0 - 4.5 = 2.5 \\ f_3 &= 2.5 & h_3 &= 9.0 - 7.0 = 2.0 \\ f_4 &= 0.5 \end{aligned}$$

이들을 대입하면 다음과 같이 표현할 수 있다.

$$\begin{bmatrix} 1 & & & \\ 1.5 & 8 & 2.5 & \\ & 2.5 & 9 & 2 \\ & & & 1 \end{bmatrix} \begin{Bmatrix} c_1 \\ c_2 \\ c_3 \\ c_4 \end{Bmatrix} = \begin{Bmatrix} 0 \\ 4.8 \\ -4.8 \\ 0 \end{Bmatrix}$$

이 방정식은 파이썬을 사용하여 다음과 같이 풀 수 있다.

$c_1 = 0$ $\qquad\qquad$ $c_2 = 0.839543726$

$c_3 = -0.766539924$ $\qquad$ $c_4 = 0$

식 (18.21)과 식 (18.18)을 사용하여 b와 d를 계산할 수 있다.

$b_1 = -1.419771863$ $\qquad$ $d_1 = 0.186565272$

$b_2 = -0.160456274$ $\qquad$ $d_2 = -0.214144487$

$b_3 = 0.022053232$ $\qquad$ $d_3 = 0.127756654$

이러한 결과는 식 (18.11)을 통한 미정계수 a들의 값과 함께 적용되어 각 소구간에 대해 다음과 같은 3차 스플라인을 함수로 정리할 수 있다.

$s_1(x) = 2.5 - 1.419771863(x - 3) + 0.186565272(x - 3)^3$

$s_2(x) = 1.0 - 0.160456274(x - 4.5) + 0.839543726(x - 4.5)^2 - 0.214144487(x - 4.5)^3$

$s_3(x) = 2.5 + 0.022053232(x - 7.0) - 0.766539924(x - 7.0)^2 + 0.127756654(x - 7.0)^3$

그런 다음 세 가지 방정식을 사용하여 각 소구간 내의 값을 계산할 수 있다. 예를 들어, 두 번째 구간에 속하는 $x = 5$의 값은 다음과 같이 계산된다.

$s_2(5) = 1.0 - 0.160456274(5 - 4.5) + 0.839543726(5 - 4.5)^2 - 0.214144487(5 - 4.5)^3$

$\qquad = 1.102889734.$

전체 3차 스플라인 곡선은 그림 18.4c에 나타내었다.

예제 18.1에서 예제 18.4의 결과는 그림 18.4에 요약되어 있다. 선형에서 2차, 3차 스플라인으로 이동함에 따라 커브 피팅이 점진적으로 개선되는 것을 확인할 수 있다. 또한 그림 18.4c에는 3차 보간 다항식을 중첩하였다. 3차 스플라인은 일련의 3차 곡선으로 구성되지만 결과 곡선은 3차 다항식을 사용하여 얻은 것과 다르다. 이것은 자연 스플라인이 끝 절점에서 0의 2차 도함수를 필요로 하는 반면, 3차 다항식은 그러한 제약이 없다는 사실 때문이다.

18.4.2 끝단 조건

그래픽 기반이 매력적이지만 자연 스플라인은 스플라인에 대해 지정할 수 있는 여러 끝단 조건 중 하나일 뿐이다. 가장 인기 있는 두 가지는 다음과 같다.

- **고정 끝단 조건**(*clamped end condition*). 이 조건은 첫 번째 및 마지막 절점에서 1차 도함수를 지정하는 것을 포함한다. 이것은 원하는 경사를 갖도록 제도 스플라인의 끝을 고정할 때 발생하기 때문에 '고정된(Clamped)' 스플라인이라고도 한다. 예를 들어, 0인 1차 도함수가 지정되

표 18.3 3차 스플라인에 일반적으로 사용되는 끝단 조건을 지정하는 데 필요한 첫 번째 및 마지막 방정식.

Condition	First and Last Equations
Natural	$c_1 = 0$, $c_n = 0$
Clamped (where f_1' and f_n' are the specified first derivatives at the first and last nodes, respectively)	$2h_1 c_1 + h_1 c_2 = 3f[x_2, x_1] - 3f_1'$ $h_{n-1} c_{n-1} + 2h_{n-1} c_n = 3f_n' - 3f[x_n, x_{n-1}]$
Not-a-knot	$h_2 c_1 - (h_1 + h_2) c_2 + h_1 c_3 = 0$ $h_{n-1} c_{n-2} - (h_{n-2} + h_{n-1}) c_{n-1} + h_{n-2} c_n = 0$

면 스플라인은 평평해지거나 끝에서 수평이 된다.

- 비절점 끝단 조건('*Not-a-Knot' end condition*). 세 번째 대안은 두 번째 매듭점과 마지막 매듭점에서 세 번째 도함수의 연속성을 강제하는 것이다. 스플라인은 이러한 매듭점에서 함수 값과 해당 1차 및 2차 도함수가 동일하다고 이미 지정했기 때문에 연속 3차 도함수를 지정하면 동일한 3차 함수가 첫 번째 및 마지막 두 인접 구간에 각각 적용된다. 첫 번째 내부 매듭은 더 이상 두 개의 서로 다른 3차 함수의 접합을 나타내지 않으므로 더 이상 참 매듭이 아니게 된다. 따라서 이 경우를 '비절점(*not-a-knot*)' 상태라고 한다. 4개의 점에 대해 17장에서 설명한 종류의 일반 3차 보간 다항식을 사용하여 얻은 것과 같은 결과를 얻을 수 있다는 추가 속성이 있다.

이러한 조건은 식 (18.25)를 내부 매듭점($i = 2, 3, ..., n - 2$)에 사용하고 표 18.3에 작성된 것과 같이 첫 번째(1) 및 마지막 방정식($n - 1$)을 사용하여 쉽게 적용할 수 있다.

그림 18.5는 표 18.1의 데이터를 커브 피팅하기 위해 적용된 세 가지 끝단 조건의 비교를 보여준다. 고정 끝단(clamped)의 경우 끝의 도함수가 0과 같도록 설정된다.

예상대로 고정 끝단의 경우 스플라인 보간은 끝에서 수평을 이루며, 대조적으로 자연 끝단의 경우와 비절점의 경우는 데이터 점들의 추세를 더 가깝게 따른다. 2차 도함수가 끝에서 0이 되기 때문에 자연 스플라인이 예상대로 곧게 펴지는 경향이 있고, 끝부분에 0이 아닌 2차 도함수가 있기 때문에 비절점 끝단 조건의 경우 더 많은 곡률을 나타낸다.

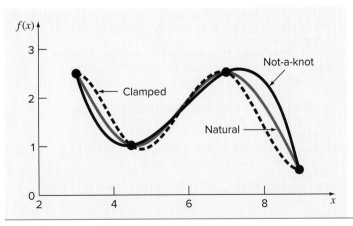

그림 18.5 표 18.1의 데이터에 대한 고정 끝단(1차 도함수가 0인), 비절점 끝단 및 자연 스플라인의 비교.

18.5   파이썬에서의 소구간 보간

이전 절의 유도식이 주어지면 파이썬에서 함수를 구성하여 자연 스플라인을 계산하고 보간을 수행할 수 있다. 코드는 그림 18.6에 나와 있으며 9장의 tridiag 함수를 사용하였다.

예시로 먼저 $T = 350\ °C$의 값에 대해 보간한 다음 표 17.1의 밀도 대 온도 데이터에서 100개의 온도 값의 배열에 대한 보간 곡선을 그려서 cspline 함수를 테스트하였다.

```python
import numpy as np

def cspline(x,y,xx):
    """
    Cubic Spline Interpolation with Natural End Conditions
    input:
        x = array of independent variable values
        y = array of dependent variable values
        xx = input value for interpolation
    output:
        yy = interpolated value of y
    """
    n = len(x)
    if len(y) != n: return 'input arrays must be the same length'
    if xx < x[0] or xx > x[n-1]: return 'input value out of range of table'
    h = np.zeros((n-1))  # x interval widths
    for i in range(n-1):
        h[i] = x[i+1] - x[i]
    df = np.zeros((n-1))  # y over h finite differences
    for i in range(n-1):
        df[i] = (y[i+1]-y[i])/h[i]
    e = np.zeros((n))  # diagonals of coefficient matrix
    f = np.zeros((n))
    f[0] = 1 ; f[n-1] = 1
    g = np.zeros((n))
    for i in range(1,n-1):
        e[i] = h[i-1]
        f[i] = 2*(h[i-1] + h[i])
        g[i] = h[i]
    const = np.zeros((n))  # constant vector
    for i in range(1,n-1):
        const[i] = 3*(df[i]-df[i-1])
    c = tridiag(e,f,g,const)   # solve tridiagonal system
    b = np.zeros((n-1))  # calculate b coefficients from c
    for i in range(n-1):
        b[i] = (y[i+1]-y[i])/h[i]-h[i]/3*(2*c[i]+c[i+1])
    d = np.zeros((n-1))  # calculate d coefficients from c
    for i in range(n-1):
        d[i] = (c[i+1]-c[i])/3/h[i]
    for i in range(n):   # calculate interpolation
        if xx == x[i]:  # check for an exact match
            return y[i]
        elif x[i] > xx:  # check for upper interval
            i2 = i-1
            break
    yy = y[i2] + b[i2]*(xx-x[i2]) + c[i2]*(xx-x[i2])**2 + d[i2]*(xx-x[i2])**3
    return yy
```

그림 18.6   자연 종료 조건으로 3차 스플라인 보간을 구현하는 파이썬 함수 cspline.

```
Tx = 350.
rhox = cspline(T,rho,Tx)
print(rhox)

import pylab

Tplot = np.linspace(-40.,500.,100)
k = len(Tplot)
rhoplot = np.zeros((k))
for i in range(k):
    rhoplot[i] = cspline(T,rho,Tplot[i])
pylab.scatter(T,rho,c='k',marker='s')
pylab.plot(Tplot,rhoplot,c='k',ls = ':')
pylab.grid()
```

보간 결과는 다음과 같다.

0.5665375927793199

그래프는 다음에 표시하였다.

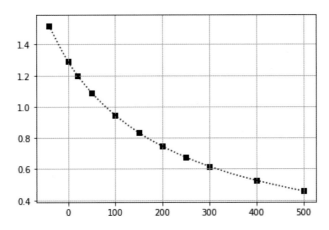

18.5.1 파이썬 SciPy `interpolate` 함수: `CubicSpline`

3차 스플라인 보간은 파이썬 SciPy 모듈에 있는 `interpolate` 하위 모듈의 내장함수를 사용하여 계산할 수도 있다. 이 다재다능한 함수를 사용하면 자연, 고정 및 비절점 끝단 조건을 지정할 수 있다. 구문은 다음과 같으며 여기에서는 자연 끝단 조건을 선택하였다.

```
from scipy.interpolate import CubicSpline
cs = CubicSpline(x,y,bc_type='natural')
```

cs는 데이터와 일치하는 중단점을 찾을 수 있는 *PPoly* 인스턴스(*PPoly instance*)라고 불리는 형태로 반환된다. 보간을 계산하기 위한 구문은 다음과 같다.

```
yy = cs(xx)
```

여기서 xx는 보간을 위해 원하는 *x*값이고 yy는 보간된 값이다. xx인수는 배열형태일 수 있다.

예제 18.5	파이썬의 내장 함수를 사용한 스플라인

문제 정의 Runge의 함수는 다항식과 잘 맞지 않는 함수의 악명 높은 예이다. 예제 17.6을 상기하라.

$$f(x) = \frac{1}{1 + 25x^2}$$

파이썬을 사용하여 구간 [-1, 1]에서 이 함수에서 샘플링된 동일한 간격의 데이터 점 9개에 3차 스플라인을 적용하고 끝단 조건(자연, 비절점, 기울기가 $f'_1 = 1$ 및 $f''_{n-1} = -4$인 고정 끝단 조건)에 대한 결과를 비교하라.

풀이 첫 9개의 동일한 간격의 점은 다음과 같이 생성할 수 있다.

```
import numpy as np
from scipy.interpolate import CubicSpline

def Runge(x):
    return 1./(1. + 25.*x**2)

x = np.linspace(-1.,1.,9)
y = Runge(y)
```

다음으로, 그래프를 위한 50개의 보간된 값과 함숫값의 배열을 생성할 수 있도록 보다 미세한 간격의 x값 배열을 생성할 수 있다.

```
xx = np.linspace(-1.,1)
```

이제 xx값의 배열과 관련된 보간 값에 대해 CubicSpline 함수를 사용할 수 있다.

```
xx = np.linspace(-1.,1)
cs = CubicSpline(x,y,bc_type='natural')
yy = cs(xx)
```

그리고 xx값에 해당하는 함숫값을 계산할 수 있다.

```
yR = Runge(xx)
```

이것은 보간된 값을 실제 함숫값과 비교하여 그래프를 생성하는 데 필요한 결과를 제공한다.

```
import pylab
pylab.scatter(x,y,c='k',marker='o')
pylab.plot(xx,yy,c='k',ls='--',label='Spline')
pylab.plot(xx,yR,c='k',label='Runge')
pylab.grid()
pylab.xlabel('x')
pylab.ylabel('f(x)')
pylab.legend()
```

그래프는 그림 18.7에 나와 있다. 자연 스플라인은 17장에서 본 거친 진동을 표시하지 않고 Runge의 기능을 따르는 적절한 보간이 수행되었다. 9개 이상의 점을 사용하면 보간이 실제 함수에 더 가까워진다.

이제 비절점 끝단 조건과 고정 끝단 조건을 기반으로 보간을 추가하고 세 가지 보간 유형의 단일 그래프를 생성할 수 있다.

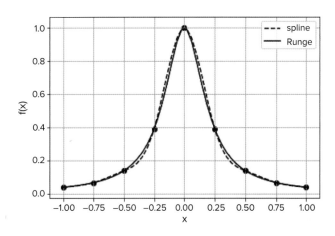

그림 18.7   파이썬의 CubicSpline 함수로 생성된 9점 자연 스플라인과 Runge의 함수 비교.

```
# not-a-knot'
csk = CubicSpline(x,y,bc_type='not-a-knot')
yyk = csk(xx)
# clamped with derivatives spec'd
csc = CubicSpline(x,y,bc_type=((1,1.),(1,-4.)))
yyc = csc(xx)

# plot natural, not-a-knot, and clamped
pylab.figure()
pylab.plot(xx,yy,c='k',label='natural')
pylab.plot(xx,yyk,c='k',ls='--',label='not-a-knot')
pylab.plot(xx,yyc,c='k',ls=':',label='clamped')
pylab.grid()
pylab.xlabel('x')
pylab.ylabel('f(x)')
pylab.legend()
```

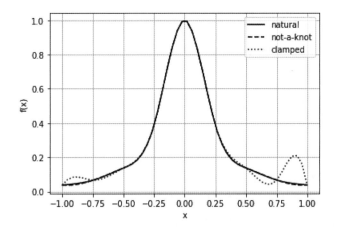

그림 18.8   세 가지 일반적인 끝단 조건을 사용한 3차 스플라인 보간 비교.

그림 18.8에서 자연 끝단 조건과 비절점 끝단 조건 사이에 거의 차이가 없다는 것을 알 수 있었다. 그러나 지정된 미분값이 있는 고정 끝단 조건은 보간 범위의 끝에서 크게 벗어난다. 여기에서 적용된 기울기는 인위적이었기 때문이다. 만약 다른 상황에서는 신뢰할 수 있는 미분값을 설정한다면 고정 끝단 조건의 스플라인도 좋은 성능을 보일 수 있다.

18.5.2 파이썬 SciPy 모듈의 추가적인 보간 함수: `interp1d` 및 `PchipInterpolator`

내장된 `interp1d` 함수는 다양한 유형의 소구간별 1차원 보간을 구현하는 편리한 수단을 제공한다. 선형보간 구문의 예는 다음과 같다.

```
from scipy.interpolate import interp1d
f = interp1d(x,y,kind='linear')
```

반환값 f는 다음과 같이 보간에 사용할 수 있는 함수이다.

```
yy = f(xx)
```

다음은 `interp1d`에서 사용할 수 있는 몇 가지 다양한 방법이다.

- `linear` – 선형 보간
- `nearest` – 가장 가까운 데이터 점를 찾는다. 이것은 때때로 **최근접 이웃 보간**이라고 한다.
- `quadratic` – 2차 스플라인
- `cubic` – 3차 스플라인

18.5절의 보간을 `interp1d`를 사용하여 반복해 보면,

```
import numpy as np
from scipy.interpolate import interp1d
T = np.array([-40.,    0.,   20., 50., 100., 150., 200., 250.,
               300., 400., 500.])
rho = np.array([1.52,  1.29,  1.20,  1.09,  0.946, 0.835,
                 0.746, 0.675, 0.616, 0.525, 0.457])

Tx = 350.
frho = interp1d(T,rho,kind='cubic')
rhox = frho(Tx)
print(rhox)
```

결과는 다음과 같다.

```
0.5666131930705898
```

이는 자연 스플라인의 결과에 매우 유사하다.

여러 보간 함수 중에서 대체 보간 함수는 '소구간별 3차 에르미트(Hermite) 보간'을 의미하는 `PchipInterpolator`다. 이 방법은 3차 다항식을 사용하여 데이터 점들을 연속 1차 도함수와 연결한다. 그러나 2차 도함수가 반드시 연속적이지 않다는 점에서 3차 스플라인과 다르다. 또한 매듭의 1차 도함수는 3차 스플라인의 도함수와 동일하지 않다. 오히려, 보간이 '모양 보존(shape preserving)'이 되도록 명시적으로 선택된다. 즉, 보간된 값은 3차 스플라인에서 때때로 발생할

수 있는 것처럼 데이터 점을 초과하는 경향이 없다.

결과적으로 interp1d/cubic과 PchipInterpolator 기능 사이에는 절충점이 있다. 3차 스플라인 보간을 사용한 결과는 일반적으로 사람의 눈이 2차 도함수의 불연속성을 감지할 수 있기 때문에 더 부드럽게 나타난다. 또한 데이터 값이 평활하면 3차 스플라인이 더 정확하다. 반면에 *pchip* 보간은 데이터가 매끄럽지 않은 경우 과도응답(overshoot)이 적고 진동이 적다. 다음 예제에서는 Runge 함수에 대한 *pchip* 보간을 적용해 보았다. 나중에 데이터에 측정 가능한 임의 오류가 있을 때 적용해야 하는 특정 평활화 기술이 있음을 알 수 있다.

예제 18.6	PchipInterpolator를 Runge 함수에 적용하기

문제 정의 파이썬 SciPy 모듈의 보간 하위 모듈에서 PchipInterpolator 함수를 사용하여 예제 18.5를 확장하자. 결과를 자연 스플라인과 비교해 보라.

풀이 다음 파이썬 스크립트를 사용하여 두 가지 방법에 대한 보간을 생성하고 $x = [-1, 1]$ 범위에서 Runge 함수 곡선과 함께 그래프로 나타내 보자.

```
import numpy as np
import scipy.interpolate as intr

def Runge(x):
    return 1./(1. + 25.*x**2)

x = np.linspace(-1.,1.,9)
y = Runge(x)

xx = np.linspace(-1.,1)
cs = intr.CubicSpline(x,y,bc_type='natural')
yy = cs(xx)

cchip = intr.PchipInterpolator(x,y)
ychip = cchip(xx)
```

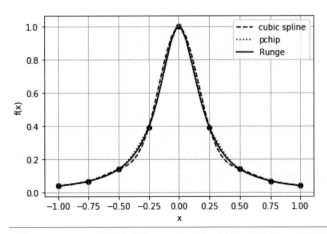

그림 18.9   Runge 함수에 대한 *pchip* 보간법과 자연 3차 스플라인의 비교.

```
      yR = Runge(xx)

      import pylab
      pylab.scatter(x,y,c='k',marker='o')
      pylab.plot(xx,yy,c='k',ls='--',label='cubic spline')
      pylab.plot(xx,ychip,c='k',ls=':',label='pchip')
      pylab.plot(xx,yR,c='k',label='Runge')
      pylab.grid()
      pylab.xlabel('x')
      pylab.ylabel('f(x)')
      pylab.legend()
```

결과는 그림 18.9에 나와있다. 자세히 관찰하면 *pchip* 곡선이 Runge 함수의 실제 곡선에 더 가깝다. 우리는 3차 스플라인의 과도(overshoot)/과부족(undershoot) 현상이 *pchip* 방법에 의해 조절되었음을 알 수 있다.

18.6 다차원 보간

1차원 문제에 대한 보간 방법은 다차원 보간으로 확장될 수 있다. 이 절에서는 직교(Cartesian) 좌표에서 2차원 보간의 가장 간단한 경우를 설명한다. 또한 다차원 보간을 위한 파이썬의 함수를 설명한다.

18.6.1 이중선형 보간

2차원 보간은 두 변수 $z = f(x_i, y_i)$의 함수에 대한 중간 값을 결정하는 것을 처리한다. 그림 18.10과 같이 $f(x_1, y_1)$, $f(x_2, y_1)$, $f(x_1, y_2)$, $f(x_2, y_2)$의 4개 점에 값이 있다. 이 점들 사이를 보간하여 중간점 $f(x_i, y_i)$에서 값을 추정하려고 한다. 선형 함수를 사용하면 결과는 그림 18.10과 같이 점을 연결

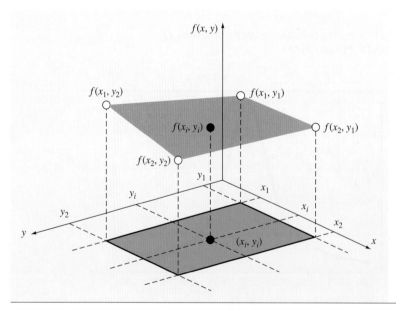

그림 18.10   중간값(채워진 원)이 4개의 주어진 값(열린 원)을 기반으로 추정되는 2차원 이중선형 보간의 그래픽 묘사.

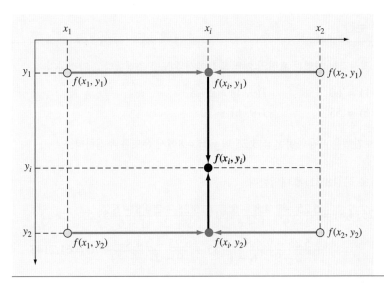

그림 18.11 2차원 이중선형 보간은 먼저 x차원을 따라 1차원 선형 보간을 적용하여 x_i에서 값을 결정함으로써 구현될 수 있다. 그런 다음 이 값을 사용하여 y차원을 따라 선형으로 보간하여 x_i, y_i에서 최종 결과를 얻을 수 있다.

하는 평면이 된다. 이러한 함수를 **이중선형**이라고 한다.

이중선형 함수를 개발하기 위한 간단한 접근 방식이 그림 18.11에 나와 있다. 먼저 y값을 고정하고 x방향으로 1차원 선형 보간을 적용할 수 있다. 라그랑주(Lagrange) 형식을 사용하면 (x_i, y_1)에서의 결과는 다음과 같다.

$$f(x_i, y_1) = \frac{x_i - x_2}{x_1 - x_2} f(x_1, y_1) + \frac{x_i - x_1}{x_2 - x_1} f(x_2, y_1) \tag{18.28}$$

그리고 (x_i, y_2)에서는

$$f(x_i, y_2) = \frac{x_i - x_2}{x_1 - x_2} f(x_1, y_2) + \frac{x_i - x_1}{x_2 - x_1} f(x_2, y_2) \tag{18.29}$$

그런 다음 이러한 점을 사용하여 y차원을 따라 선형으로 보간하여 최종 결과를 얻을 수 있다.

$$f(x_i, y_i) = \frac{y_i - y_2}{y_1 - y_2} f(x_i, y_1) + \frac{y_i - y_1}{y_2 - y_1} f(x_i, y_2) \tag{18.30}$$

식 (18.28) 및 식 (18.29)을 식 (18.30)에 대입하여 단일 방정식을 얻을 수 있다.

$$\begin{aligned} f(x_i, y_i) = {} & \frac{x_i - x_2}{x_1 - x_2} \frac{y_i - y_2}{y_1 - y_2} f(x_1, y_1) + \frac{x_i - x_1}{x_2 - x_1} \frac{y_i - y_2}{y_1 - y_2} f(x_2, y_1) \\ & + \frac{x_i - x_2}{x_1 - x_2} \frac{y_i - y_1}{y_2 - y_1} f(x_1, y_2) + \frac{x_i - x_1}{x_2 - x_1} \frac{y_i - y_1}{y_2 - y_1} f(x_2, y_2) \end{aligned} \tag{18.31}$$

예제 18.7	이중선형 보간

문제 정의 직사각형 가열판 표면의 여러 좌표에서 온도를 측정했다고 가정하자.

$$T(2, 1) = 60 \qquad T(9, 1) = 57.5$$
$$T(2, 6) = 55 \qquad T(9, 6) = 70$$

이중선형 보간법을 사용하여 $x_i = 5.25$ 및 $y_i = 4.8$에서 온도를 추정하라.

풀이 이 값을 식 (18.31)에 대입한다.

$$f(5.25, 4.8) = \frac{5.25 - 9}{2 - 9}\frac{4.8 - 6}{1 - 6}60 + \frac{5.25 - 2}{9 - 2}\frac{4.8 - 6}{1 - 6}57.5$$
$$+ \frac{5.25 - 9}{2 - 9}\frac{4.8 - 1}{6 - 1}55 + \frac{5.25 - 2}{9 - 2}\frac{4.8 - 1}{6 - 1}70 = 61.2143$$

18.6.2 파이썬의 다차원 보간

파이썬 SciPy 모듈에 있는 interpolate 하위 모듈에는 다차원 보간을 위한 수많은 함수가 포함되어 있다.[1] 이 함수 패키지들 중에서 여기에서 선택한 함수는 interp2d이다. 이 함수는 앞에서 설명한 interp1d 함수를 2차원으로 확장한 것으로 구문은 다음과 같다.

```
f = interp2d(x,y,z,kind='linear')
```

cubic 및 quintic 유형 옵션도 있지만 linear이 기본값이다.

x및 y인수는 두 독립변수의 배열이며 z배열은 일반적으로 x및 y축에 해당하는 종속변수 값을 갖는 2차원 배열이다. 이 함수를 설명하는 간단한 파이썬 스크립트는 다음과 같다.

```
import numpy as np
from scipy.interpolate import interp2d

x = np.array([2., 9.])
y = np.array([1., 6.])
z = np.array([[60., 57.5],[55., 70.]])

f = interp2d(x,y,z)
print(f(5.25,4.8))
```

$x = 5.25$ 및 $y = 4.8$에 대한 보간 결과는 다음과 같다.

```
[61.21428571]
```

---

[1] 제공되는 흥미로운 기능은 CloughTocher2DInterpolator이다. 해당 기능은 이 책의 공동 저자와 관련이 없다.

18.7 데이터 계열의 평활화(Smoothing of data series)

이 장에서 지금까지 소개한 방법은 데이터 계열이 실험 오차/잡음에 의해 손상되지 않고 외관이 매끈할 때 가장 잘 적용된다. 이것은 주의 깊게 통제된 실험실 조건에서 데이터를 수집하는 경우에 해당한다. 많은 물리적 및 화학적 특성 표가 이 요구 사항을 준수하고 있다. 데이터 계열이 평활하지 않은 무작위 동작을 나타낼 때 중간 값의 보간 또는 예측을 위한 다른 접근 방식이 필요하다. 14장과 15장에서 회귀분석은 잡음이 있는 데이터를 처리하는 한 가지 방법을 보여 준다. 이 절에서는 또 다른 유용한 접근 방식인 데이터 평활화(*data smoothing*)를 설명하고자 한다.

회귀의 기초는 데이터 계열을 나타내는 기본 모델이 있다는 가정이다. 어떤 경우에는 기본 원칙에 따라 모델을 가정한 다음 회귀를 사용하여 모델을 검증하고 해당 매개변수를 추정할 수 있다. 그러나 순전히 경험적 모델을 사용할 때 이것이 데이터를 생성하는 기본 프로세스를 진정으로 나타낸다는 가정을 확장한다. 이러한 경우에는 평활화 기술을 사용하는 것이 좋다.

이 절에서는 두 가지 일반적인 평활화 방법을 고려할 것이다. 먼저, 평활화를 달성하기 위해 3차 스플라인의 적용을 확장할 것이다. 둘째, 실행 가능한 대안으로 LOESS 평활화를 도입할 것이다.

18.7.1 3차 스플라인 평활화

3차 스플라인으로 평활화를 수행하려면 3차 방정식이 잡음이 있는 데이터 점 $\{x_i, y_i, i = 0, ..., n\}$과의 연속성을 충족해야 한다는 요구사항을 완화해야 한다. 평활화 스플라인 함수 $s_i(x)$는 '평활화(Smoothing)' 목적 함수를 최소화하기 위해 다음과 같이 표현된다.

$$L = \lambda \sum_{i=0}^{n} \left[\frac{y_i - s_i(x_i)}{\sigma_i} \right]^2 + (1 - \lambda) \sum_{i=0}^{n-1} \int_{x_i}^{x_{i+1}} [s''(x)]^2 dx \tag{18.32}$$

여기서 3차 스플라인 함수를 상기하면,

$$s_i(x) = a_i + b_i(x - x_i) + c_i(x - x_i)^2 + d_i(x - x_i)^3 \tag{18.33}$$

식 (18.32)의 첫 번째 항은 스플라인 함수가 3차 스플라인을 보간하는 연속성 요구사항을 충족함에 따라 작아지고, 마찬가지로 함수가 평활도를 달성하기 위해 데이터에서 벗어날수록 커진다. 두 번째 항은 전체 스플라인 기능이 평활할 때 작고 구간별 스플라인이 연속성을 충족하기 위해 거칠기를 나타낼 때 커진다. 람다(lambda, λ) 매개변수는 평활화 정도를 조정하기 위한 것으로, $\lambda = 1$일 때 평활화가 없는 3차 스플라인 보간이 되고, $\lambda \rightarrow 0$일 수록 평활화가 극심해진다. σ_i값은 일반적으로 y_i 계열의 표준편차 추정치이며 단일 추정치 σ를 사용하는 것이 일반적이다.

여기에 유도 과정의 세부 사항을 제시하지 않았지만,[2] 기본적인 전략은 3차 스플라인 다항식의 미정계수를 풀고 목적 함수를 최소화하는 것이다. 이를 위해 먼저 평활 스플라인 함수에 대한 해

---

2)   완성도를 위해 부록 B에 자세한 유도과정이 나와 있다.

를 선형방정식의 삼중대각행렬로 표현한다. 여기에서 a 매개변수 값은 보간을 사용할 때와 달리 더 이상 y_i값과 동일하지 않으며, 연속성에서 벗어나므로 다른 방식으로 결정해야 한다.

$$\begin{bmatrix} p_1 & h_1 & 0 & \cdots & 0 & 0 \\ h_1 & p_2 & h_2 & \cdots & 0 & 0 \\ 0 & h_2 & p_3 & \cdots & 0 & 0 \\ \vdots & \vdots & \vdots & \ddots & \vdots & \vdots \\ 0 & 0 & 0 & \cdots & p_{n-2} & h_{n-2} \\ 0 & 0 & 0 & \cdots & h_{n-2} & p_{n-1} \end{bmatrix} \begin{bmatrix} c_1 \\ c_2 \\ c_3 \\ \vdots \\ c_{n-2} \\ c_{n-1} \end{bmatrix} = \begin{bmatrix} r_0 & f_1 & r_1 & 0 & \cdots & 0 & 0 \\ 0 & r_1 & f_2 & r_2 & \cdots & 0 & 0 \\ \vdots & \vdots & \vdots & \vdots & \ddots & \vdots & \vdots \\ 0 & 0 & 0 & 0 & \cdots & r_{n-2} & 0 \\ 0 & 0 & 0 & 0 & \cdots & f_{n-1} & r_{n-1} \end{bmatrix} \begin{bmatrix} a_0 \\ a_1 \\ a_2 \\ a_4 \\ \vdots \\ a_{n-1} \\ a_n \end{bmatrix}$$

여기서 $p_i = 2(h_{i-1} - h_i)$, $r_i = 3/h_i$, $f_i = -3(1/h_{i-1} + 1/h_i)$이다. 행렬의 적절한 정의를 통해 이러한 방정식은 다음과 같이 간결한 형식으로 작성할 수 있다.

$$\mathbf{Rc} = \mathbf{Q}'\mathbf{a}$$

이 관계를 L에 통합하고 벡터에 대해 미분함으로써 $\mathbf{c}$를 풀기 위한 일련의 선형방정식을 유도할 수 있다.

$$(\mu \mathbf{Q}' \Sigma \mathbf{Q} + \mathbf{R})\mathbf{c} = \mathbf{Q}'\mathbf{y}$$

여기서

$$\mu = \frac{2(1-\lambda)}{3\lambda} \text{ and } \Sigma = \begin{bmatrix} \sigma_0 & 0 & 0 & 0 \\ 0 & \sigma_1 & 0 & 0 \\ \vdots & \vdots & \ddots & \vdots \\ 0 & 0 & 0 & \sigma_n \end{bmatrix}.$$

$\mathbf{c}$값이 주어지면 다음을 사용하여 $\mathbf{a}$를 구할 수 있다.

$$\mathbf{a} = \mathbf{y} - \mu \Sigma \mathbf{Qc}$$

$c_0 = c_n = 0$인 자연 끝단 조건에서 다항식의 $\mathbf{d}$ 및 $\mathbf{b}$ 계수는 다음을 사용하여 계산된다.

$$d_i = \frac{c_{i+1} - c_i}{3h_i} \quad \text{and} \quad b_i = \frac{a_{i+1} - a_i}{h_i} - \frac{1}{3}(c_{i+1} - 2c_i)h_i \quad \text{for } i = 0, \ldots, n - 1$$

그러면 다항식에 대한 모든 계수가 구해진다.

$$s_i(x) = a_i + b_i(x - x_i) + c_i(x - x_i)^2 + d_i(x - x_i)^3 \quad i = 0, \ldots, n - 1$$

파이썬으로 코딩된 csplinesm 함수는 그림 18.12에 나와 있다. 함수에 대한 입력 인수는 x 및 y배열, 특정 보간에 대한 xx값, λ값 1am 및 표준편차 추정값인 sdest이다. 이 함수는 xx입력에 해당하는 보간된 yy값과 3차 스플라인 평활 다항식 행렬에 대한 계수 배열을 반환한다. 후자는 주어진 x 및 y데이터 행렬에 대해 보간이 필요할 때마다 함수 및 모든 계산을 호출하지 않고도 함수 외부의 후속 보간에 사용할 수 있다.

잡음이 있는 화학물질 농도 측정 데이터로 해당 함수를 테스트할 것이다. 이것들은 부록 B에 나열되어 있으며 파이썬 스크립트에 입력할 수 있도록 텍스트 파일 형태로 사용할 수 있다.

```
conc = np.loadtxt(fname='ConcentrationData.txt')
n = len(conc)
samp = np.zeros((n))
for i in range(n):
    samp[i] = float(i)
xx = 100.5
lam = 0.001
sconc = np.std(conc)

concint,a,b,c,d = csplinesm(samp,conc,xx,lam,sconc)
print(concint)

import pylab
pylab.scatter(samp,conc,c='k',marker='s')
pylab.plot(samp,a,c='k')
pylab.grid()
pylab.xlabel('sample number')
pylab.ylabel('concentration')
```

스크립트는 $x = 100.5$에 대한 보간을 요청한 다음 데이터 값에 해당하는 평활화된 값을 도시한다. 표준편차 추정치는 데이터에서 계산되며 람다 가중치 계수는 상당한 양의 평활을 제공하기 위해 0.001로 매우 작게 설정되었다. 원하는 평활화 정도를 제공하기 위해 람다 인자를 조정할 수 있다. 이 예에서 $x = 100.5$에서 보간된 값은 16.710944281895063이고 평활화 스플라인과 함께 데이터의 그래프는 다음과 같다.

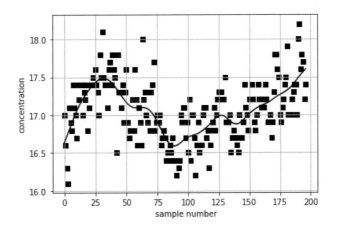

파이썬의 많은 수치적 방법과 마찬가지로 3차 스플라인 평활화를 수행하는 데 사용할 수 있는 리소스가 있다. 그중 하나는 **https://pypi.org/project/csaps/**에서 사용할 수 있는 csaps 함수이다.

```python
import numpy as np

def csplinesm(x,y,xx,lam,sdest):
    mu = 2*(1-lam)/lam/3
    m = len(x)
    if len(y) != m: return 'x and y arrays must be the same length'
    n = m - 1
    h = np.zeros((n))  # compute x intervals
    for i in range(n):
        h[i] = x[i+1] - x[i]
    # compute elements for R and Q' matrices
    p = np.zeros((n))
    for i in range(1,n):
        p[i] = 2*(-h[i]+h[i-1])
    r = np.zeros((n))
    for i in range((n)):
        r[i] = 3/h[i]
    f = np.zeros((n))
    for i in range(1,n):
        f[i] = - 3*(1/h[i-1]+1/h[i])
    # compose R matrix
    R = np.zeros((n-1,n-1))
    for i in range(n-2):
        R[i,i] = p[i]
        R[i+1,i] = h[i]
        R[i,i+1] = h[i]
    R[n-2,n-2] = p[n-2]
    Qp = np.zeros((n-1,n+1))
    for i in range(n-2):
        Qp[i,i] = r[i]
        Qp[i,i+1] = f[i+1]
        Qp[i,i+2] = r[i+1]
    Qp[n-2,n-1] = f[n-1]
    Qp[n-2,n-2] = r[n-2]
    Qp[n-2,n] = r[n-1]
    #  Q from Q'
    Q = np.transpose(Qp)
    # diagonal matrix of sigma estimates
    SigMat = np.zeros((n+1,n+1))
    for i in range(n+1):
        SigMat[i,i] = sdest
    # set up linear equations to solve for c
    Qt = np.dot(Qp,SigMat)
    Qcoef = np.dot(Qt,Q)
    Qcoef = Qcoef*mu + R
    const = np.dot(Qp,y)
    # solve for c
    c = np.linalg.solve(Qcoef,const)
    # solve for d
    SigQ = np.dot(SigMat,Q)
    yc = np.dot(SigQ,c)
    yc = yc*mu
    a = y - yc
    # solve for d and b
    d = np.zeros((n))
    b = np.zeros((n))
    cx = np.zeros((n))
```

그림 18.12   3차 스플라인의 평활화를 위한 파이썬 함수 csplinesm.

```
for i in range(1,n-1):
    cx[i] = c[i-1]
for i in range(0,n-1):
    d[i] = (cx[i+1]-cx[i])/3/h[i]
    b[i] = (a[i+1]-a[i]/h[i])
# compute interpolation
for i in range(n):    # calculate interpolation
    if xx == x[i]:  # check for an exact match
        return y[i],a,b,c,d
    elif x[i] > xx: # check for upper interval
        i2 = i-1
        break
yy = a[i2] + b[i2]*(xx-x[i2]) + c[i2]*(xx-x[i2])**2 + d[i2]*(xx-x[i2])**3
# return interpolated value and spline coefficient arrays
return yy,a,b,c,d
```

그림 18.12 (*continued*)

18.7.2 LOESS 평활화

LOESS[3) 방법의 기초는 직관적으로 매력적인 평활화 기법이다. 하나는 일반적으로 2차인 저차 다항식을 데이터에 적합하지만 보간 부근에서만 적용된다. 이 개념은 그림 18.13에 나와 있다.

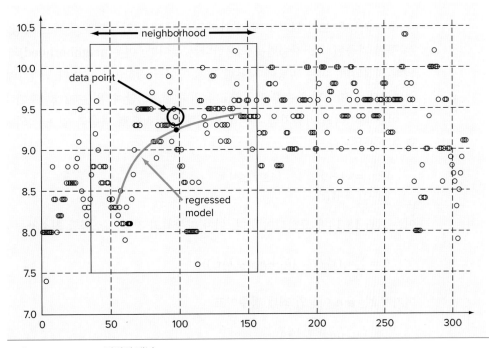

그림 18.13 LOESS 방법의 개념.

---

3) 영어에서는 LOESS를 'low-ess'로 발음한다. 이 방법은 독일 명사 der Löβ에서 파생된 것으로, 수직 단면이 있는 강 계곡의 지질학적 절벽으로 미세한 점토나 미사 퇴적물이 통과한다. Löβ의 퇴적물은 일련의 데이터를 통과하는 부드러운 곡선과 유사한 곡선 지층으로 나타난다. 이 이름은 또한 '로컬 추정 산점도 평활화'의 약어를 영리하게 나타낸다.

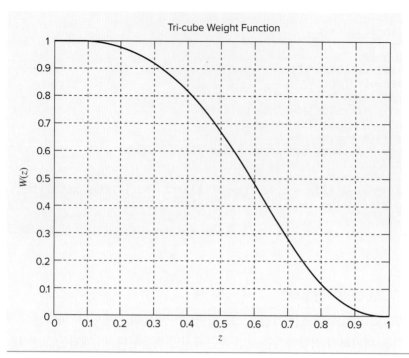

그림 18.14   LOESS 방법에서 최소자승법과 함께 사용되는 3차 입방체(Tri-Cube) 가중치 함수.

추가 기능은 보간 위치 x_0에 더 가까운 점이 멀리 있는 것보다 커브 피팅에 더 많은 영향을 미치는 곳에 가중된 최소자승법을 적용한다는 것이다. 이웃(neighborhood)의 너비는 매개변수 α에 의해 결정되며, 이는 피팅에 사용할 전체 데이터 집합의 비율이다. α가 1에 가까울수록 평활도가 높아진다. 다항식의 차수를 제외하고 유일하게 조정할 수 있는 매개변수가 된다.

이웃 데이터의 가중치를 부여하기 위해 일반적으로 다음과 같이 정의된 **3차 입방체**(*tri-cube*) 함수가 사용된다.

$$W(z) = (1 - z^3)^3 \qquad 0 \le z \le 1$$
$$W(-z) = W(z)$$

이는 그림 18.14에 묘사되어 있다. 이차 다항식의 경우 최소화할 최소자승 기준은 다음과 같다.

$$L = \sum_{i=1}^{k} w_i(x_0)(y_i - (b_0 + b_1 x_i + b_2 x_i^2))^2$$

여기서 k는 $\alpha \cdot n$ 이상인 최대 정수이고

$$w_i(x_0) = W\left(\frac{|x_i - x_0|}{\Delta_k(x_0)}\right)$$

$\Delta k(x_0)$는 x_0에서 k번째로 가장 가까운 이웃까지의 거리이다.

가중 최소자승해는 벡터 행렬 형식으로 다음과 같이 설명할 수 있다.

$$L = \mathbf{e}'\mathbf{W}\mathbf{e} \qquad \text{where} \qquad \mathbf{e} = \mathbf{y} - \mathbf{X}\mathbf{b} \quad \text{and} \quad \mathbf{W} = diag(\mathbf{w})$$

그런 다음 $\partial L / \partial \mathbf{b} \Rightarrow 0$은 $\mathbf{b}$값에 대해 풀 수 있는 가중 정규 방정식을 생성한다. 결과 다항식은 주어진 x값(x_0)에서 평활값 $\hat{y}$을 계산하는 데 사용된다.

그림 18.15는 주어진 데이터 집합 $\{x_i, y_i, i = 1, ..., n\}$에 대해 평활화된 y값을 계산하는 파이썬 함수 loess를 보여준다. α값을 0.35를 사용하여 이전 절의 동일한 농도 데이터에 대해 이 함수를 적용할 수 있다. 이전 절과 유사한 그림을 포함하여 코드 및 결과가 아래에 나와 있다.

```
conc = np.loadtxt(fname='ConcentrationData.txt')
n = len(conc)
samp = np.zeros((n))
for i in range(n):
    samp[i] = float(i)
xx = 100.5
alpha = 0.35

concint = loess(xx,samp,conc,alph
print(concint)

concsm = np.zeros((n))
for i in range(n):
    concsm[i] = loess(samp[i],samp,conc,alpha)

import pylab
pylab.scatter(samp,conc,c='k',marker='s')
pylab.plot(samp,concsm,c='k')
pylab.grid()
pylab.xlabel('sample number')
pylab.ylabel('concentration')
```

결과는 다음과 같다.

```
16.66655022336913
```

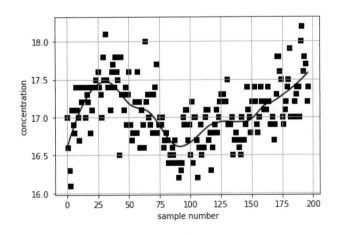

파이썬용 statsmodels 모듈은 lowess 함수를 제공한다.

이제 인기 있는 두 가지 평활 방법을 도입했으므로 "어느 것이 가장 좋은가?"라는 질문이 생길 것이다. 우리는 3차 스플라인과 LOESS 평활화 사이에서 유사한 결과를 확인했다. 전체 데이터 계열의 평활화를 고려할 때 3차 스플라인 평활화는 더 적은 계산을 필요로 한다. 하나는 단일 선형 방정식 세트를 풀고 데이터 범위 전체에 걸쳐 다중 예측에 사용할 수 있는 다항식 계수 집합을 얻는다. LOESS 평활화에는 더 작은 정규 방정식 집합의 해를 필요로 하지만 이러한 방정식은 이웃이 이동함에 따라 보간된 각 점에 대해 해결되어야 한다. 보간 횟수가 적으면 LOESS가 매력적이다. 현대 컴퓨터의 속도를 감안할 때 두 기술 간의 실행 시간에 큰 차이가 없을 수도 있다.

경험적 회귀 대신 평활화를 사용하는 경우는 언제인가? 예를 들어, 다항식 회귀를 사용하는 것은 보간된 값을 예측하는 데 사용되는 모델을 개발하는 일반적인 방법이다. 종종 데이터를 생성하는 과정에 대한 '실제의(true)' 기본 모델에 대한 강력한 주장이 없다. 많은 경우에, 경험적 모델의 회귀는 부적절하며, 평활화 기술을 회귀의 대안으로 고려하는 것이 유용하지만 항상 선호되는 것은 아니다. 그리고 원활한 데이터를 위해서는 3차 스플라인과 같은 보간 기법을 고려해야 한다.

```python
import numpy as np

def loess(x0,x,y,alpha):
    """
    loess smoothing applied to the series {x,y}
    Input:
        x0 = independent variable value for interpolation
        x = independent variable series
        y = dependent variable series
        alpha = smoothing parameter between 0 and 1
    Output:
        ys = smoothed values of y
    """
    n = len(x)
    if n != len(y): return 'x and y series must be of same length'
    k = int(alpha*n)  # how many data for loess?
    # compute distance array
    dist = np.zeros((n))
    for i in range(n):
        dist[i] = abs(x0-x[i])
    # sort the distance array
    # with an accompanying index array
    sdist,ind = sortdist(dist,n)
    # extract nearest x and y data to x0
    Nx = np.zeros((k))
    Ny = np.zeros((k))
    for i in range(k):
        Nx[i] = x[ind[i]]
        Ny[i] = y[ind[i]]
    # set value for weight calculation
    # based on farthest distance
    delx0 = sdist[k]
    # zero out the rest of the sdist array
    for i in range(k,n):
        sdist[i] = 0
    # compute the weights and the diagonal
    # weight matrix
    z = np.zeros((k))
    w = np.zeros((k))
    for i in range(k):
        z[i] = sdist[i]/delx0
        w[i] = (1-z[i]**3)**3
```

그림 18.15   파이썬의 loess 함수 코드.

```
        W = np.zeros((k,k))
        for i in range((k)):
            W[i,i] = w[i]
        # build the X matrix
        X = np.zeros((k,3))
        for i in range(k):
            X[i,0] = Nx[i]**2
            X[i,1] = Nx[i]
            X[i,2] = 1
        # formulate the coefficient matrix
        # and constant vector
        # for the normal equations
        Xt = np.transpose(X)
        XtW = np.dot(Xt,W)
        Xcoef = np.dot(XtW,X)
        const = np.dot(XtW,Ny)
        # solve the normal equations
        b = np.linalg.solve(Xcoef,const)
        # use the coefficients for the interpolation
        yhat0 = b[0]*x0**2 + b[1]*x0 + b[2]
        return yhat0

def sortdist(dist,n):
    """
    function to sort the dist array
    into the sdist array
    using an insertion sort
    the original indices of the distances
    are retained in ind
    """
    pos = np.zeros((n),dtype=np.bool)
    ind = np.zeros((n),dtype=np.int16)
    sdist = np.zeros((n))
    for i in range(n):
        pos[i] = False
    maxdist = np.max(dist)
    for i in range(n):
        mindist = maxdist
        for j in range(n):
            if dist[j] <= mindist and not pos[j]:
                mindist = dist[j]
                minloc = j
        sdist[i] = mindist
        ind[i] = minloc
        pos[minloc] = True
    return sdist,ind
```

그림 18.15   (*continued*)

사례연구 18.8   호수에서의 열 전달

배경 온대 지역의 호수는 여름철에 열적으로 성층화될 수 있다. 그림 18.16에서 볼 수 있듯이 호수 표면 근처의 따뜻하고 부력 있는 물은 더 차갑고 밀도가 높은 바닥 물 위에 있다. 이러한 층화는 호수를 수직으로 두 개의 층으로 효과적으로 나눈다. 수온약층(*thermocline*)이라고 하는 평면에 의해 분리된 에피림니온(*Epilimnion*)과 하이포림니온(*Hypolimnion*)이다.

사례연구 18.8   continued

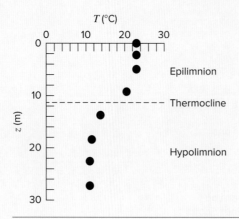

그림 18.16   플랫 호수의 여름 동안 기온과 수심에 대한 그래프.

열적 층화는 그러한 시스템을 연구하는 환경 공학자 및 과학자에게 큰 의미가 있다. 특히 수온약층은 두 층 사이의 혼합을 크게 감소시킨다. 결과적으로 유기물의 분해는 고립된 바닥 해수에서 심각한 산소 고갈로 이어질 수 있다. 지구 온난화가 향후 수십 년 동안 이 문제를 심화시킬 것이라는 가설이 세워져 있다.

수온약층의 위치는 수심 대비 온도 곡선의 변곡점으로 정의할 수 있다. 즉, $d^2T/dz^2 = 0$인 지점이다. 또한 도함수 또는 기울기의 절댓값이 최대가 되는 지점이기도 하다.

온도 구배는 푸리에의 법칙과 함께 수온약층을 가로지르는 열유속을 결정하는 데 사용할 수 있기 때문에 그 자체로 중요하다.

$$J = -D\rho c_P \frac{dT}{dz}$$

(18.34)

여기서 J는 열유속 [J/(m²·s)], D는 소용돌이 확산 계수 (m²/s), ρ는 밀도 ($\cong$ 1000 kg/m³), c_P는 열용량 [$\cong$ 4186 J/(kg·°C)]을 의미한다.

문제 정의 미시간의 플랫 호수에 대한 온도 수심 대 온도 데이터는 표 18.4에 나와 있다. 자연 3차 스플라인을 사용하여 이 호수의 수온약층 깊이와 온도 구배를 결정하라. 이 데이터는 $D = 10^{-6}$m²/s일 때 열유속을 결정하는 데 사용할 수도 있다.

풀이 그림 18.6에 표시한 데이터들에 대해 자연 끝단 조건(경계에서 2차 도함수가 0인)을 갖는 3차 스플라인 보간에 대한 파이썬 함수(cspline)를 적용해 보고자 한다. 1차 및 2차 도함수를 추정하려면 3차 스플라인 다항식의 계수도 필요하다. 이는 cspline 함수의 두 반환문을 수정하여 쉽게 얻을 수 있다.

표 18.4   플랫(Platte) 호수의 여름철 수심 대비 온도 측정값.

z, m	0	2.3	4.9	9.1	13.7	18.3	22.9	27.2
T, °C	22.8	22.8	22.8	20.6	13.9	11.7	11.1	11.1

사례연구 18.8 **continued**

```
        return y[i],b,c,d
.
.
    return yy,b,c,d
```

이러한 계수를 사용하여 함수의 1차 미분 및 2차 미분값을 계산할 수 있다.

$$f_i(x) = y_i + b_i(x - x_i) + c_i(x - x_i)^2 + d_i(x - x_i)^3$$
$$f_i'(x) = b_i + 2\,c_i(x - x_i) + 3\,d_i(x - x_i)^2$$
$$f_i''(x) = 2\,c_i + 6\,d_i(x - x_i)$$

다음 파이썬 스크립트는 수정된 `cspline` 함수를 사용하여 온도 및 도함수 곡선을 계산하고 그래프로 나타 낸다.

```
z = np.array([0., 2.3, 4.9, 9.1, 13.7, 18.3, 22.9, 27.2])
T = np.array([22.8, 22.8, 22.8, 20.6, 13.9, 11.7, 11.1, 11.1])

zz = 10.
TT,b,c,d = cspline(z,T,zz)

zplot = np.linspace(0.,27.2)
n = len(zplot)
m = len(z)
Tplot = np.zeros((n))
dTplot = np.zeros((n))
d2Tplot = np.zeros((n))
for i in range(n):
    for j in range(m-1):
        if z[j] > zplot[i]:
            j2 = j-1

            break
    Tplot[i] = T[j2]+b[j2]*(zplot[i]-z[j2])+c[j2]*(zplot[i]-z[j2])**2 \
    + d[j2]*(zplot[i]-z[j2])**3
    dTplot[i] = b[j2]+2*c[j2]*(zplot[i]-z[j2])+3*d[j2]*(zplot[i]-z[j2])**2
    d2Tplot[i] = 2*c[j2]+6*d[j2]*(zplot[i]-z[j2])

import matplotlib.pyplot as plt
fig = plt.figure()
ax1 = fig.add_subplot(131)
fig.subplots_adjust(wspace=0.5)
ax1.plot(Tplot,zplot,c='k')
ax1.scatter(T,z,c='k',marker='s')
ax1.set_ylim(30.,0.)
ax1.set_title('T vs. z')
ax1.set_ylabel('Depth, z in m')
ax1.set_xlabel('degC')
ax1.grid()
```

```
ax2 = fig.add_subplot(132)
ax2.plot(dTplot,zplot,c='k')
ax2.set_ylim(30.,0.)
ax2.set_title('dT/dz vs. z')
ax2.set_xlabel('degC/m')
ax2.grid()

ax3 = fig.add_subplot(133)
ax3.plot(d2Tplot,zplot,c='k')
ax3.set_ylim(30.,0.)
ax3.set_title('d2T/dz2 vs. z')
ax3.set_xlabel('degC/m2')
ax3.grid()
```

그림 18.17에는 세 가지 곡선이 나와 있다. 파이썬 코드는 Matplotlib 모듈의 pyplot 하위 모듈을 사용하여 수직 축 스케일이 반전된 수직 그래프를 만드는 방법을 보여 준다. 1차 도함수 그래프의 최댓값과 2차 도함수 그래프의 0점 교차에 주목하면 수온약층은 약 11.5 m 깊이에 위치하는 것으로 보인다. 0점을 찾기 위해 2차 도함수에 대한 해찾기(root-finding)를 사용하거나 최댓값을 찾고 이 추정치를 수정하기 위해 1차 도함수에 대한 최적화를 사용할 수 있다. 그 결과 수온약층은 기울기가 -1.61 ℃/m인 11.35 m 깊이에 위치하게 된다.

기울기는 식 (18.34)를 사용하여 수온약층을 가로지르는 열유속을 계산하는 데 사용할 수 있다.

$$J = -\left(1 \times 10^{-6}\,\frac{m^2}{s}\right)\left(1{,}000\,\frac{kg}{m^3}\right)\left(-1.61\,\frac{°C}{m}\right)\left(\frac{86{,}400\,s}{d}\right) \cong 5.82 \times 10^5\,\frac{J}{m^2{\cdot}s}$$

위의 분석은 스플라인 보간이 공학 및 과학적 문제 해결에 어떻게 사용될 수 있는지 보여 준다. 그러나 수치 미분의 예이기도 하다. 이와 같이 다양한 주제 영역의 수치적 접근 방식이 문제 해결을 위해 함께 사용될 수 있다. 수치 미분에 대해서는 21장에서 자세히 설명하겠다.

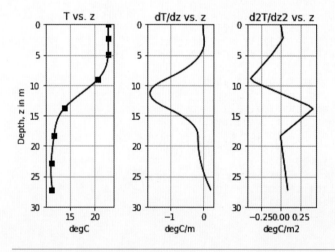

그림 18.17   자연 3차 스플라인 보간에 의해 생성된 온도, 기울기 및 수심 (m)에 대한 2차 도함수의 그래프.

18.1 다음과 같은 데이터에 대해

x	1	2	2.5	3	4	5
f(x)	1	5	7	8	2	1

이 데이터를 (a) 자연 끝단 조건이 있는 3차 스플라인, (b) 비절점 끝단 조건이 있는 3차 스플라인, (c) 소구간별 3차 에르마이트 보간법으로 커브 피팅을 수행하라. 이때, 영역($1 \leq x \leq 5$)에 대해 동일한 간격의 보간점 50개를 선정하여 각각의 기법에 대한 그래프를 그려보고 이에 대한 고찰을 기술하라. 이를 위해 적절한 파이썬 함수의 사용이 가능하다.

18.3 다음은 humps 함수의 특정 형식이다.

$$f(x) = \frac{1}{(x-0.3)^2 + 0.01} + \frac{1}{(x-0.9)^2 + 0.04} - 6$$

humps 함수는 x에 대한 상대적으로 짧은 영역에 걸쳐 평평하고 가파른 영역을 모두 나타낸다. 다음은 이 함수에 대해 구간 $0 \leq x \leq 1$에서 0.1간격으로 생성된 값이다.

x	0	0.1	0.2	0.3	0.4	0.5
f(x)	5.176	15.471	45.887	96.500	47.448	19.000
x	0.6	0.7	0.8	0.9	1	
f(x)	11.692	12.382	17.846	21.703	16.000	

이 데이터를 (a) 비절점 끝단 조건이 있는 3차 스플라인 및 (b) 소구간별 3차 에르마이트 보간법으로 커브 피팅을 수행하고, humps 함수를 이용해서 두 방법을 비교하는 그래프를 그려라.

18.5 다음 데이터는 그림 18.1에 표시된 단위 계단함수를 통해 얻은 결과이다.

x	-1	-0.6	-0.2	0.2	0.6	1
f(x)	0	0	0	1	1	1

이 데이터를 (a) 비절점 끝단 조건이 있는 3차 스플라인, (b) 고정 끝단 조건이 있는 3차 스플라인(0 도함수) 및 (c) 소구간별 3차 에르마이트 보간(pchip)을 사용하여 그래프를 그려보고, 이상적인 단위 계단함수 그래프를 함께 도시하여 비교하라.

18.7 다음 데이터는 아래의 5차 다항식에 대한 데이터이다.

$$f(x) = 0.0185x^5 - 0.444x^4 + 3.9125x^3 - 15.456x^2 + 27.069x - 14.1$$

x	1	3	5	6	7	9
f(x)	1.000	2.172	4.220	5.430	4.912	9.120

(a) 이 데이터를 자연 끝단 조건을 가진 3차 스플라인 함수를 구하고 상기 함수와 비교하는 그래프를 그려라. (b) (a)를 반복하되 끝단 도함수가 함수를 미분하여 결정된 정확한 값으로 설정되는 고정 끝단 조건을 사용하라.

18.9 다음 데이터는 담수에 대한 용존 산소의 해수면 농도를 온도의 함수로 정의한 결과이다.

T, °C	0	8	16	24	32	40
o, mg/L	14.621	11.843	9.870	8.418	7.305	6.413

파이썬을 사용하여 (a) 소구간별 선형보간, (b) 5차 다항 보간 및 (c) 3차 스플라인 보간으로 데이터를 커브 피팅한 후 그 결과를 그래프로 표시하라. 또한, 각 접근 방식을 사용하여 $o(27)$에 대한 값을 추정하라. 참고로 정확한 결과는 7.986 mg/L이다.

18.11 Runge 함수는 다음과 같이 정의된다.

$$f(x) = \frac{1}{1 + 25x^2}$$

구간 $[-1,1]$에 대해 이 함수의 등간격의 값 5개를 생성하고, 이 데이터를 (a) 4차 다항식, (b) 선형 스플라인, (c) 비절점 끝단 조건이 있는 3차 스플라인으로 커브 피팅을 수행하라. 해당 결과는 하나의 그래프에 표시하여 서로 비교하라.

18.13 스포츠 공과 같은 구의 항력계수는 관성력과 점성력의 비율을 나타내는 무차원 수인 레이놀즈 수(Re)의 함수로 알려져 있다.

$$Re = \frac{\rho VD}{\mu}$$

여기서 ρ는 유체 밀도 (kg/m^3), V는 속도 (m/s), D는 직경 (m), μ는 유체 점도 $(Pa \cdot s)$를 나타낸다. 항력과 레이놀즈 수의 관계가 방정식 형식으로 제공되는 경우도 있지만 풍동에서 세심한 실험 측정을 통해 표로 만드는 경우가 많다. 예를 들어, 다음 표는 부드러운 구형 공에 대한 측정값이다.

Re (×10⁻⁴)	2	5.8	16.8	27.2	29.9	33.9	
C_D	0.52	0.52	0.52	0.5	0.49	0.44	
Re (×10⁻⁴)	36.3	40	46	60	100	200	400
C_D	0.18	0.074	0.067	0.08	0.12	0.16	0.19

(a) C_D값을 레이놀즈 수의 함수로 반환하기 위해 적절한 보간 방법을 사용하는 파이썬 함수를 작성하라. 함수 정의의 첫 번째 줄은 다음과 같아야 한다.

```
def Drag(ReCDTable,ReIn):
```

그리고 마지막 반환을 위한 코드는 다음과 같아야 한다.

```
return CD
```

여기서 ReCDTable은 테이블 데이터를 포함하는 2행 배열이고 ReIn은 항력을 추정하려는 레이놀즈 수이다. 반환되는 C_D는 ReIn에 해당하는 예상 항력 계수이다.

(b) (a)에서 작성한 함수를 사용하여 항력 대 속도의 그래프를 생성하는 파이썬 스크립트를 작성하라(1.4절 참조). 스크립트에 매개변수 값으로는 $D = 22$ cm, $\rho = 1.3$ kg/m^3, $\mu = 1.78 \times 10^{-5}$ Pa·s를 사용하고, 그래프는 4 ~ 40 m/s의 속도 범위를 사용한다.

18.15 미국 표준 대기모델(The U.S. Standard Atmosphere)은 해발 고도의 함수로 대기 특성을 정리한 것이다. 다음 표는 고도에 따른 온도, 압력 및 밀도 값을 보여 준다.

Altitude (km)	T(℃)	p(atm)	ρ (kg/m^3)
−0.5	18.4	1.0607	1.2850
2.5	−1.1	0.73702	0.95697
6	−23.8	0.46589	0.66015
11	−56.2	0.22394	0.36481
20	−56.3	0.054557	0.088911
28	−48.5	0.015946	0.025076
50	−2.3	7.8721×10^{-4}	1.0269×10^{-3}
60	−17.2	2.2165×10^{-4}	3.0588×10^{-4}
80	−92.3	1.0227×10^{-5}	1.9992×10^{-5}
90	−92.3	1.6216×10^{-6}	3.1703×10^{-6}

주어진 고도에 대한 세 가지 속성값을 반환하는 StdAtm이라는 파이썬 함수를 작성하라. 이때 SciPy interpolate 하위 모듈의 PchipInterpolator 함수를 기반으로 StdAtm 함수를 구성하라. 함수의 입력 고도를 확인하여 테이블 범위 내에 있는지 확인하고 만약 그렇지 않은 경우에는 오류 메시지를 반환하라. 함수 정의는 다음과 같아야 한다.

```
def StdAtm(z,T,p,rho,zz):
    .
    .
    .
return Tint,pint,rhoint
```

그림 P18.15에 제시된 것과 유사한 세 개의 서브 그래프를 생성하는 스크립트를 작성한 후 작성한 StdAtm 함수를 적용하여 세 개의 그래프를 생성하라.

18.17 연습문제 15.17에서 황산 용액의 열용량은 H$_2$SO$_4$의 농도와 관련이 있으며, 이 특성은 아래 표에 제시된 데이터와 같이 실험실에서 주의 깊게 측정되었다.

wt% H$_2$SO$_4$	C_P kJ/(kg·K)	wt% H$_2$SO$_4$	C_P kJ/(kg·K)
0.34	4.173	35.25	3.030
0.68	4.160	37.69	2.940
1.34	4.135	40.49	2.834
2.65	4.087	43.75	2.711
3.50	4.056	47.57	2.576
5.16	3.998	52.13	2.429
9.82	3.842	57.65	2.269
15.36	3.671	64.47	2.098
21.40	3.491	73.13	1.938
22.27	3.465	77.91	1.892
23.22	3.435	81.33	1.876
24.25	3.403	82.49	1.870
25.39	3.367	84.48	1.846
26.63	3.326	85.48	1.820
28.00	3.281	89.36	1.681
29.52	3.231	91.81	1.586
30.34	3.202	94.82	1.488
31.20	3.173	97.44	1.425
33.11	3.107	100.00	1.403

연습문제 15.17을 통해 이러한 데이터를 고차 다항식으로 커브 피팅하는 것은 적절하지 않다는 결론을 얻었다. 반면, 자연 스플라인은 다항식 회귀에 어려움을 주는 곡선에 대해 약간의 유동성을 제공하고 있음을 알았고, 18장에서 테이블 형식 속성 데이터에서 값을 검색하고 보간하기 위한 회귀에 대한 대체 접근 방식을 배웠다. 이에 상기 데이터에 대한 자연 3차 스플라인을 적용하고 스플라인 보간 곡선과 데이터의 그래프를 표시하라. 그리고 다항식 회귀가 할 수 없는 것을 수행하기 위한 스플라인 회귀에 대해 논하라.

18.19 2020~2021년의 비극적인 코로나바이러스 COVID-19의 팬데믹(pandemic)은 입원 및 사망에 대한 과도한 데이터를 제공했다. 해당 데이터에서 관심 지역(국가, 주/도, 도시)을 선택하고

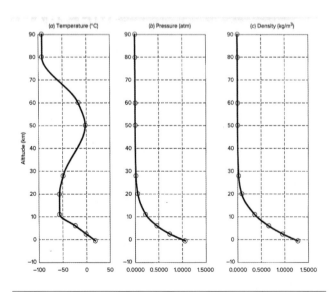

그림 P18.15

선택한 통계에 대해 다운로드 가능한 빈도 데이터(누적 데이터가 아님)를 찾은 후 해당 데이터에 3차 스플라인 또는 LOESS 평활화를 적용하라. 평활화를 조정하여 데이터의 일반적인 추세를 나타낸 후, 완만한 곡선의 모양과 그것이 팬데믹 기간 동안 사회 조건과 어떻게 관련되는지에 대해 논하라.

PART 05 | 적분과 미분
Integration and Differentiation

5.1 개요

고등학교 또는 대학 초년생 시절에 미분과 적분을 배웠다. 그 당시에 해석적으로 정확하게 도함수와 적분을 구하는 기법을 터득하였다.

수학적으로 도함수는 독립변수에 대한 종속변수의 변화율을 의미한다. 예를 들어 물체의 위치를 나타내는 시간의 함수 $y(t)$가 주어지면 미분은 다음과 같이 그 물체의 속도를 나타내는 수단을 제공한다.

$$v(t) = \frac{d}{dt} y(t)$$

그림 PT5.1a에서와 같이 도함수는 함수의 기울기로 시각화된다. 적분은 미분의 역이다. 미분이 순간적인 변화를 정량화하기 위해 차이를 이용하는 것처럼 적분은 어떤 구간에 대한 전체 결과를 얻기 위해 순간적인 정보를 합하는 것이다. 따라서 속도가 시간의 함수로 주어지는 경우에 초기 위치로부터 이동한 거리를 구하기 위해 다음과 같이 적분을 이용한다.

$$y(t) = \int_0^t v(t) \, dt$$

그림 PT5.1b에서와 같이 수평축 위에 놓인 함수에 대해서 적분은 0에서 t까지 구간에서 곡선 $v(t)$ 아래의 면적으로 시각화될 수 있다. 결론적으로 도함수가 기울기로 간주될 수 있는 것과 같이, 적분은 합으로 간주될 수 있다.

미분과 적분은 밀접한 관계가 있기 때문에 5부에서는 미분과 적분을 함께 다루고자 한다. 무엇보다도 미분과 적분의 유사성과 차이점을 수치적 측면에서 살펴볼 것이다. 더구나 여기서 다루는 내용은 추후에 미분방정식을 다루는 부분과도 깊이 관련된다.

비록 미적분학에서는 미분을 적분보다 먼저 다루지만 이 책에서는 그 순서를 바꾸었다. 이렇게 하는 데에는 여러 가지 이유가 있다. 첫째로 이미 4장에서 수치미분의 기본적인 사항을 소개했다. 둘째로 수치적분은 반올림오차에 덜 민감하기 때문에 수치기법에서는 더 발전된 분야라고 볼 수 있다. 마지막으로 비록 수치미분이 광범위하게 사용되지는 않지만 미분방정식의 해를 구하는 데에 있어서 매우 중요하다. 따라서 6부에서 미분방정식을 취급하기에 앞서 수치미분을 마지막 주제로 다루는 것이 타당하다.

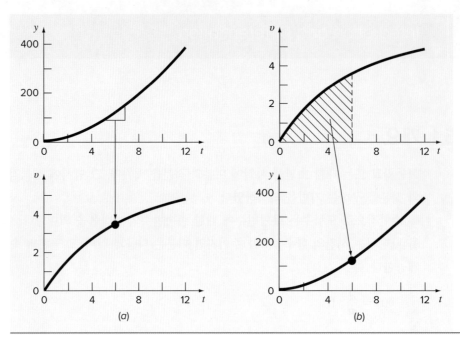

그림 PT5.1   (*a*) 미분과 (*b*) 적분의 대비.

5.2 구성

19장은 수치적분의 가장 일반적인 접근법인 *Newton-Cotes* 공식을 중점적으로 다룬다. 이 방법은 복잡한 함수나 표로 주어진 데이터를 적분하기 쉬운 간단한 다항식으로 바꾸는 것에 기초를 두고 있다. Newton-Cotes 공식 중에서 특히 많이 사용되는 세 가지 공식인 **사다리꼴 공식**, *Simpson 1/3 공식*, 그리고 *Simpson 3/8 공식*에 대해 상세히 논의한다. 이러한 공식은 등간격으로 주어지는 데이터를 적분하고자 할 때 사용하기 위한 것이다. 추가로 부등간격으로 주어지는 데이터에 대한 수치적분에 관해서도 논의한다. 이것은 매우 중요한 주제인데 그 이유는 실제 응용에서는 대부분 이러한 형태로 데이터가 주어지기 때문이다.

이상에서 다루는 주제는 모두 적분구간의 양끝에서 함숫값이 알려진 **폐구간 적분**이다. 19장의 끝에서 **개구간 적분 공식**을 소개하는데, 이 공식은 주어진 데이터의 범위를 넘어선 구간에 대해 적분하는 것이다. 비록 이러한 공식이 정적분의 계산에 많이 이용되지는 않으나 여기서 소개하는 이유는 6부에서 상미분방정식의 해를 구하는 데 유용하게 이용되기 때문이다.

19장에서 다룬 공식은 표로 주어진 데이터나 방정식을 해석할 때 모두 사용될 수 있다. 20장에서는 방정식이나 함수를 적분하기 위해 특별히 고안된 두 가지 기법인 *Romberg* 적분과 *Gauss* 구적법에 대해 다룬다. 이 두 방법에 대한 컴퓨터 알고리즘이 제공되며, 추가로 적응식 적분도 논의된다.

21장에서는 4장에서 소개된 수치미분을 보완하기 위해 수치미분에 관한 추가적인 정보가 제공된다. 다룰 주제는 **고정확도 유한차분 공식**, *Richardson* 외삽법, 부등간격 데이터에 대한 미분을 포함한다. 오차가 수치미분과 수치적분에 미치는 영향에 대해서도 논의한다.

수치적분 공식

Numerical Integration Formulas

학습 목표

이 장의 주요 목표는 수치적분을 소개하는 것이다. 특정한 목표와 다루는 주제는 다음과 같다.

- 복잡한 함수나 표로 주어진 데이터를 적분하기 쉬운 다항식으로 대체하는 Newton-Cotes 적분 공식의 기본 개념
- 단일구간 Newton-Cotes 공식을 실행하는 방법
  사다리꼴 공식
  Simpson 1/3 공식
  Simpson 3/8 공식
- 합성 Newton-Cotes 공식을 실행하는 방법
  사다리꼴 공식
  Simpson 1/3 공식
- Simpson 1/3 공식과 같은 짝수 구간-홀수 점 공식의 정확도에 대한 이해
- 사다리꼴 공식을 이용하여 부등간격 데이터를 적분하는 방법
- 개구간 적분과 폐구간 적분 공식의 차이점

이런 문제를 만나면

자유 낙하하는 사람의 속도는 시간의 함수로 다음과 같이 계산된다.

$$v(t) = \sqrt{\frac{gm}{c_d}} \tanh\left(\sqrt{\frac{gc_d}{m}} t\right)$$

(19.1)

만일 어떤 t시간 동안 사람이 기준 위치로부터 낙하한 수직거리 z를 알고 싶다고 하자. 그 거리는 다음과 같은 적분을 통하여 계산할 수 있다.

$$z(t) = \int_0^t v(t)\, dt$$

(19.2)

식 (19.1)을 식 (19.2)에 대입하면 다음 식을 얻는다.

$$z(t) = \int_0^t \sqrt{\frac{gm}{c_d}} \tanh\left(\sqrt{\frac{gc_d}{m}} t\right) dt$$

(19.3)

따라서 적분은 속도로부터 거리를 결정할 수 있게 한다. 미적분학을 이용하여 식 (19.3)을 풀면 다음과 같다.

$$z(t) = \frac{m}{c_d} \ln\left[\cosh\left(\sqrt{\frac{gc_d}{m}} t\right)\right]$$

(19.4)

이 경우에 위와 같이 해석해를 구할 수 있었지만, 적분에서 해석해를 구할 수 없는 함수도 많

다. 더욱이 사람이 떨어지는 동안에 여러 시각에서 속도를 측정할 수 있는 방법이 있다면 이 시간에 따라 측정된 속도들은 이산값으로 이루어진 표로 정리할 수 있을 것이다. 이런 경우에 이산 데이터를 적분하여 거리를 구할 수 있을 것이다. 이 두 가지 경우에 수치적분 방법은 해를 구하는 데 유용하다. 19장과 20장에서 이 방법들을 소개할 것이다.

19.1 소개 및 배경

19.1.1 적분이란 무엇인가?

사전적 정의에 의하면 적분은 '부분들을 모아 전체가 되게 함, 통합함, 총량을 나타냄…' 등을 의미한다. 수학적으로 정적분은 다음과 같이 표현한다.

$$I = \int_a^b f(x)\,dx \tag{19.5}$$

이 식은 $x = a$에서 $x = b$까지의 독립변수 x에 대한 함수 $f(x)$의 적분을 의미한다.

사전의 정의가 제시하듯이 식 (19.5)의 '의미'는 $x = a$와 $x = b$ 사이의 범위에서 $f(x)\,dx$의 총량 또는 합계이다. 사실 기호 $\int$은 적분과 합계 사이의 밀접한 관계를 표시할 목적으로 도안된 대문자 S자이다.

그림 19.1은 적분 개념을 명확히 보여 주고 있다. x축 위에 있는 함수에 대하여 식 (19.5)가 표현하는 적분은 $x = a$와 $x = b$ 사이에서 곡선 $f(x)$ 아래의 면적을 뜻한다.

수치적분을 때로는 **구적법**(*quadrature*)이라 한다. 이는 원래 곡선으로 이루어진 도형과 동일한 면적을 가지는 사각형을 구축한다는 것을 의미하는 고어이며, 오늘날 구적법이라는 말은 일반적으로 수치 정적분과 같은 뜻으로 사용된다.

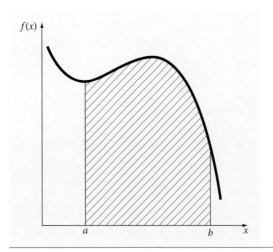

그림 19.1   구간 $x = a$와 b 사이에서 함수 $f(x)$에 대한 적분을 그래프로 표현함. 적분은 곡선 아래의 면적과 같다.

19.1.2 공학과 과학 분야에서의 적분

적분은 매우 많은 공학과 과학 문제에 적용되므로, 대학 1학년에서 이미 적분 강좌를 이수하였을 것이다. 적분의 응용에 관련된 많은 구체적인 예제는 공학과 과학의 모든 분야에서 찾아볼 수 있다. 그중 다수의 예제들은 곡선 아래의 면적으로 간주하는 적분 개념에 직접적으로 관련되어 있다. 그림 19.2는 이러한 목적으로 사용되는 몇 가지 경우를 보여 준다.

또 다른 일반적인 응용 예는 적분과 합계의 유사성에 관련된다. 예를 들면 연속 함수의 평균값을 결정하는 것이다. n개의 이산 데이터들에 대한 평균값은 식 (14.2)에 의해 계산될 수 있음을 기억하라.

$$\text{Mean} = \frac{\sum_{i=1}^{n} y_i}{n} \tag{19.6}$$

여기서 y_i는 개별적인 측정값이다. 이산 데이터에 대한 평균값의 결정은 그림 19.3a에 도시된다.

이와 대조적으로 그림 19.3b에서와 같이 y를 독립변수 x에 대한 연속함수라 하자. 이 경우에 a와 b 사이에는 무수히 많은 값이 존재한다. 식 (19.6)이 이산 데이터에 대한 평균값을 결정하는 데 적용되듯이, 구간 a와 b 사이의 연속함수 $y = f(x)$의 평균값을 계산하는 데도 역시 관심이 있을 것이다. 적분은 이와 같은 목적을 위하여 다음과 같이 사용된다.

$$\text{Mean} = \frac{\int_a^b f(x)\,dx}{b - a} \tag{19.7}$$

이 공식은 수많은 공학과 과학 문제에 사용되고 있다. 예를 들면 기계공학이나 토목공학에서 나타나는 불규칙한 현상 가지는 물체의 무게중심 계산과 전기공학에서 나타나는 평균제곱근(root-mean-square) 전류를 결정하는 데 사용된다.

또한 공학자와 과학자는 적분을 사용하여 주어진 물리적 변수의 총합 또는 총량을 계산한다. 적분은 선, 면적, 체적에 걸쳐 계산된다. 예를 들어 반응기 내부에 포함된 화학물질의 전체 질량은

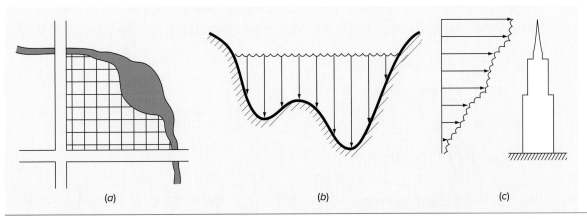

(a)　　　　　　　　　　(b)　　　　　　　　　　(c)

그림 19.2　공학과 과학적인 응용에서 적분을 이용하여 면적을 계산하는 방법을 보여 주는 예. (a) 측량기사는 굽이쳐 흐르는 강과 두 개의 길로 둘러싸여 있는 들판의 면적을 알고자 한다. (b) 수문학자는 강의 단면적을 알고자 한다. (c) 구조공학자는 고층 건문의 측면에 부는 불균일한 바람에 의한 유효 힘을 알고자 한다.

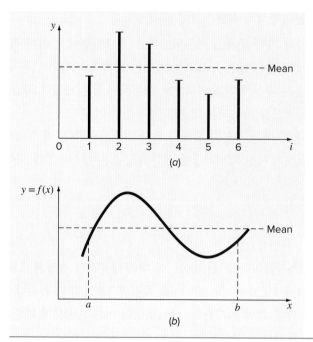

그림 19.3   (a) 이산 데이터와 (b) 연속 데이터에 대한 평균값에 대한 설명.

화학물질의 농도와 반응기 부피의 곱으로 다음과 같다.

질량 = 농도 × 부피

여기서 농도는 부피당 질량의 단위를 가진다. 그러나 반응기 내부에서 농도가 위치별로 다르다면 국부 농도 c_i와 그에 해당하는 요소 부피 ΔV_i의 곱의 합을 계산하는 것이 필요하다.

$$\text{Mass} = \sum_{i=1}^{n} c_i \Delta V_i$$

여기서 n은 이산 부피의 개수이다. 연속인 경우에 $c(x, y, z)$는 알려진 함수이며, x, y와 z가 직교 좌표계에서 위치를 나타내는 독립변수일 때 적분은 질량을 계산하기 위하여 다음과 같이 사용된다.

$$\text{Mass} = \iiint c(x, y, z) \, dx \, dy \, dz$$

또는

$$\text{Mass} = \iiint_V c(V) \, dV$$

이 식을 체적 적분(volume integral)이라고 한다. 여기서 합계와 적분은 매우 유사하다는 점을 주목하라.

비슷한 예들을 공학과 과학의 다른 분야에서도 찾아볼 수 있다. 예를 들어 평판을 통과하는 총 에너지 전달율은 위치 함수인 플럭스[$J/(cm^2 \cdot sec)$]를 이용하여 다음과 같이 쓸 수 있다.

$$\text{Flux} = \iint_A \text{flux}\, dA$$

이 식은 **면적 적분**(*area integral*)이라 하며, A는 면적을 나타낸다.

　위의 예들은 전공 공부에서 접할 수 있는 적분의 몇 가지 응용문제에 불과하다. 함수가 간단할 경우에는 보통 해석적 방법으로 그 함수를 적분한다. 그러나 보다 실제적인 공학 문제에서 일반적으로 나타나는 것처럼 함수가 복잡할 경우에는 해석적인 방법을 적용하는 것이 어렵거나 불가능하다. 더욱이 적분할 함수는 종종 잘 알려지지 않거나, 단지 이산 점에서의 측정값으로만 제공될 뿐이다. 위의 두 가지 중 어떠한 경우든지 다음에 논의할 수치해석 기법을 이용하여 적분의 근삿값을 구할 수 있는 능력을 갖추어야 한다.

19.2 Newton-Cotes 공식

Newton-Cotes 공식은 가장 널리 사용되는 수치적분 방법이다. 이 방법은 복잡한 함수나 도표화된 데이터를 적분하기 쉬운 다항식으로 대체하는 방식에 근거하고 있다.

$$I = \int_a^b f(x)\, dx \cong \int_a^b f_n(x)\, dx \tag{19.8}$$

여기서 $f_n(x)$는 다음과 같은 형태로 표시되는 다항식이다.

$$f_n(x) = a_0 + a_1 x + \cdots + a_{n-1} x^{n-1} + a_n x^n \tag{19.9}$$

여기서 n은 다항식의 차수이다. 예를 들어 그림 19.4a에서는 1차 다항식(직선)이 근사 함수로 사용되었으며, 그림 19.4b에서는 포물선이 근사 함수로 사용되었다.

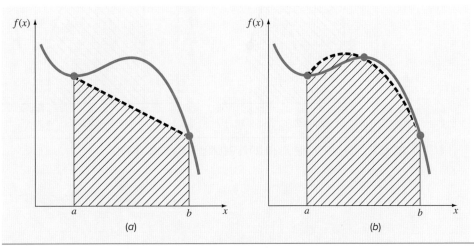

그림 19.4　(*a*) 한 개의 직선과 (*b*) 한 개의 포물선 아래에 있는 면적으로 적분을 근사함.

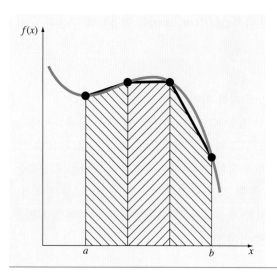

그림 19.5   세 개의 직선선분 아래의 면적으로 적분을 근사함.

적분은 또한 함수식이나 데이터를 일정한 길이를 갖는 여러 소구간으로 나누어, 소구간별로 일
련의 다항식을 적용함으로써 근삿값을 구할 수 있다. 예를 들어 그림 19.5는 적분을 근사하기 위
해 세 개의 직선선분이 사용된 경우이며, 고차 다항식도 같은 목적으로 사용될 수 있다.

Newton-Cotes 공식에는 폐구간법과 개구간법이 있다 **폐구간법**(*closed form*)은 적분 상한과
하한에서의 데이터값이 알려진 경우이고(그림 19.6*a*), **개구간법**(*open form*)은 적분구간이 주어진
데이터값의 범위를 벗어나는 경우이다(그림 19.6*b*). 이 장에서는 폐구간법을 주로 다루고, 19.7절
에서 Newton-Cotes 개구간 공식에 대한 설명도 간략하게 소개할 것이다.

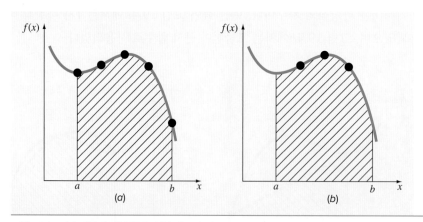

그림 19.6   (*a*) 폐구간 적분 공식과 (*b*) 개구간 적분 공식 사이의 차이점.

19.3 사다리꼴 공식

Newton-Cotes 폐구간 적분 공식의 첫 번째 방법은 사다리꼴 공식이다. 이는 식 (19.8)의 다항식이 1차인 경우에 해당된다.

$$I = \int_a^b \left[f(a) + \frac{f(b) - f(a)}{b - a} (x - a) \right] dx \tag{19.10}$$

이 적분의 결과는 다음과 같다.

$$I = (b - a) \frac{f(a) + f(b)}{2} \tag{19.11}$$

이 식을 **사다리꼴 공식**(*trapezoidal rule*)이라 한다.

기하학적으로 사다리꼴 공식은 그림 **19.7**에서 $f(a)$와 $f(b)$를 연결하는 직선 아래의 사다리꼴의 면적을 구하는 것과 같다. 기하학에서 사다리꼴 면적의 계산 공식은 높이와 상하변의 평균의 곱이라는 것을 상기하자. 이 경우에는 개념은 같으나 사다리꼴의 상하변이 측면에 존재하는 것만 다를 뿐이다. 그러므로 적분 추정값은 다음과 같다고 볼 수 있다.

$$I = \text{width} \times \text{average height} \tag{19.12}$$

또는

$$I = (b - a) \times \text{average height} \tag{19.13}$$

앞의 사다리꼴 공식에서 평균 높이는 적분구간의 양 끝점에서의 함숫값의 평균으로 $[f(a) + f(b)]/2$이다.

모든 Newton-Cotes 폐구간 공식들은 일반적으로 식 (19.13)과 같이 표현할 수 있다. 이 공식들은 단지 평균 높이를 구하는 계산식만 다를 뿐이다.

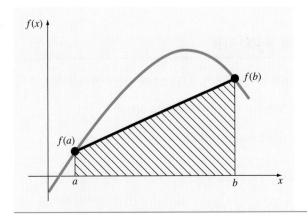

그림 19.7 사다리꼴 공식을 그래프로 표현함.

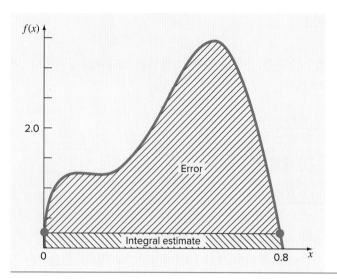

그림 19.8   구간 x = 0부터 0.8에서 함수 $f(x) = 0.2 + 25x - 200x^2 + 675x^3 - 900x^4 + 400x^5$의 적분 근삿값을 구하기 위해서 한 개의 구간에 사다리꼴 공식을 적용한 경우를 그래프로 표현함.

19.3.1 사다리꼴 공식의 오차

곡선 아래의 적분 근삿값을 구하기 위해 직선 선분 아래의 적분을 사용하면 상당한 크기의 오차를 초래할 수 있다(그림 19.8). 한 개의 구간에 대해 사다리꼴 공식을 적용할 때 발생되는 국부절단오차(local truncation error)는 다음과 같다.

$$E_t = -\frac{1}{12} f''(\xi)(b - a)^3 \tag{19.14}$$

여기서 ξ는 구간 a와 b 사이에 있다. 식 (19.14)에서 적분할 함수가 선형이면, 직선에 대한 2차 도함수가 0으로 사다리꼴 공식은 정확한 해를 주게 된다. 그렇지 않을 경우 즉, 적분할 함수가 2차와 고차 도함수를 갖는 함수(즉, 곡률이 있는 경우)이면 얼마간의 오차가 발생할 수 있다.

예제 19.1	단일구간에 대한 사다리꼴 공식의 적용

문제 정의 $a = 0$에서 $b = 0.8$까지의 구간에서 식 (19.11)을 사용하여 다음 식을 수치적으로 적분하라.

$$f(x) = 0.2 + 25x - 200x^2 + 675x^3 - 900x^4 + 400x^5$$

이 식에 대한 적분의 정확한 값은 1.640533이다.

풀이 함숫값 $f(0) = 0.2$와 $f(0.8) = 0.232$를 식 (19.11)에 대입하면 다음과 같다.

$$I = (0.8 - 0)\frac{0.2 + 0.232}{2} = 0.1728$$

오차를 구하면 $E_t = 1.640533 - 0.1728 = 1.467733$이며, 이는 $\varepsilon_t = 89.5\%$의 백분율 상대오차에 해당한다. 이와 같이 오차가 큰 이유는 그림 19.8로부터 명백히 알 수 있다. 즉, 직선 아래의 면적은 직선 위에 놓여 있는 상당히 큰 부분에 대한 적분을 무시하고 있음에 유의하라.

실제 상황에서 참값을 미리 알 수 없으므로, 근사적인 오차 추정값이 필요하게 된다. 오차 추정값을 계산하기 위해 해당 구간에서의 방정식의 2차 도함수는 원래 식을 두 번 미분함으로써 다음과 같이 계산될 수 있다.

$$f''(x) = -400 + 4{,}050x - 10{,}800x^2 + 8{,}000x^3$$

식 (19.7)을 이용하여 2차 도함수의 평균값을 계산하면 다음과 같다.

$$\bar{f}''(x) = \frac{\int_0^{0.8} (-400 + 4{,}050x - 10{,}800x^2 + 8{,}000x^3)\, dx}{0.8 - 0} = -60$$

이를 식 (19.14)에 대입하면 다음과 같다.

$$E_a = -\frac{1}{12}\,(-60)(0.8)^3 = 2.56$$

이 결과는 참오차와 크기가 유사하고 같은 부호를 가진다. 그러나 여기서 두 값이 다른 이유는 이러한 크기의 구간에서는 평균 2차 도함수가 $f''(\xi)$에 대한 정확한 근삿값이 아니기 때문이다. 그러므로 오차는 정확한 값을 나타내는 E_t를 사용하기보다는 E_a를 사용하여 오차가 근삿값인 것을 표현한다.

19.3.2 합성 사다리꼴 공식

사다리꼴 공식의 정확도를 향상시키는 한 가지 방법은 a에서 b까지의 적분구간을 다수의 소수 구간으로 구분하여, 사다리꼴 공식을 각 구간에 적용하는 것이다(그림 19.9). 이렇게 구한 각 구간의 면적을 더하면 전체 구간에 대한 적분을 얻을 수 있다. 이와 같은 방법으로 구한 식을 **합성**(*composite*) 또는 **다구간**(*multiple-segment*) 적분 공식이라고 한다.

그림 19.9는 합성 적분 공식을 규정하는 데 사용하는 일반적인 형식과 기호를 보여 주고 있다.

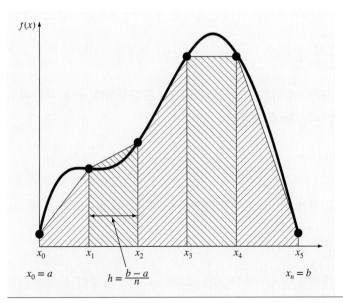

그림 19.9 합성 사다리꼴 공식.

$(n + 1)$개의 등간격으로 분포된 기본점 $(x_0, x_1, x_2, ..., x_n)$이 있으며, 따라서 n개의 등간격 구간이 존재한다.

$$h = \frac{b - a}{n} \tag{19.15}$$

만약 a와 b를 각각 x_0와 x_n으로 표시하면 전체 적분은 다음과 같이 나타낼 수 있다.

$$I = \int_{x_0}^{x_1} f(x)\,dx + \int_{x_1}^{x_2} f(x)\,dx + \cdots + \int_{x_{n-1}}^{x_n} f(x)\,dx$$

사다리꼴 공식을 각각 적분식에 적용하면 다음 식이 된다.

$$I = h\frac{f(x_0) + f(x_1)}{2} + h\frac{f(x_1) + f(x_2)}{2} + \cdots + h\frac{f(x_{n-1}) + f(x_n)}{2} \tag{19.16}$$

또는 각 항들을 그룹으로 묶으면 다음과 같이 된다.

$$I = \frac{h}{2}\left[f(x_0) + 2\sum_{i=1}^{n-1} f(x_i) + f(x_n) \right] \tag{19.17}$$

식 (19.15)를 이용하여 식 (19.17)을 식 (19.13)과 같은 일반적 형태로 표현하면 다음과 같다.

$$I = \underbrace{(b - a)}_{\text{Width}} \underbrace{\frac{f(x_0) + 2\sum_{i=1}^{n-1} f(x_i) + f(x_n)}{2n}}_{\text{Average height}} \tag{19.18}$$

이 식에서 분자 항에 있는 $f(x)$의 계수의 합을 $2n$으로 나눈 값이 1과 같기 때문에, 평균 높이는 함숫값의 가중평균값(weighted average)을 나타낸다. 식 (19.18)에 의하면 내부 점들은 양 끝점 $f(x_0)$와 $f(x_n)$의 두 배의 가중값을 가지는 것을 볼 수 있다.

합성 사다리꼴 공식의 오차는 각 구간에 대한 개별적인 오차를 더함으로써 다음과 같이 구할 수 있다.

$$E_t = -\frac{(b - a)^3}{12n^3} \sum_{i=1}^{n} f''(\xi_i) \tag{19.19}$$

여기서 $f''(\xi_i)$는 구간 i에 위치한 점 ξ_i에서의 2차 도함수이다. 전체 구간에 대한 2차 도함수의 평균값을 다음과 같이 계산할 수 있다.

$$\bar{f}'' \cong \frac{\sum_{i=1}^{n} f''(\xi_i)}{n} \tag{19.20}$$

그러므로 $\sum f''(\xi_i) \cong n\bar{f}''$이며, 식 (19.19)는 다음과 같이 다시 쓸 수 있다.

$$E_a = -\frac{(b - a)^3}{12n^2} \bar{f}'' \tag{19.21}$$

따라서 구간의 개수가 두 배가 되면 절단오차는 1/4이 될 것이다. 또 식 (19.20) 자체가 근사식이므로 식 (19.21)은 근사오차임을 유의한다.

예제 19.2	합성 사다리꼴 공식의 적용

문제 정의 두 개의 구간에 대한 사다리꼴 공식을 이용하여 $a = 0$에서 $b = 0.8$까지의 범위에서 다음 식의 적분 값을 계산하라.

$$f(x) = 0.2 + 25x - 200x^2 + 675x^3 - 900x^4 + 400x^5$$

오차 계산을 위하여 식 (19.21)을 사용하며, 이 적분의 정확한 해는 1.640533임을 기억하라.

풀이 $n = 2(h = 0.4)$에 대하여

$$f(0) = 0.2 \qquad f(0.4) = 2.456 \qquad f(0.8) = 0.232$$

$$I = 0.8 \frac{0.2 + 2(2.456) + 0.232}{4} = 1.0688$$

$$E_t = 1.640533 - 1.0688 = 0.57173 \qquad \varepsilon_t = 34.9\%$$

$$E_a = -\frac{0.8^3}{12(2)^2}(-60) = 0.64$$

여기서 −60은 예제 19.1에서 이미 계산된 평균 2차 도함숫값이다.

표 19.1은 3구간에서 10구간에 대한 사다리꼴 공식의 적용 결과와 함께 앞의 예제의 결과를 요약하고 있다. 구간의 개수가 증가함에 따라 오차가 어떻게 감소하고 있는지 살펴보라. 그러나 오차의 감소율은 점진적이라는 것을 주목하라. 이는 오차가 n의 제곱에 역으로 비례하기 때문이다 [식 (19.21)]. 그러므로 구간의 개수가 두 배가 되는 것은 오차를 1/4로 만들게 된다. 다음 절에서는 구간의 개수가 증가함에 따라 적분의 참값에 보다 정확하고 빠르게 수렴하는 공식을 만들고자 한다. 그러나 이러한 공식을 공부하기 전에, 사다리꼴 공식을 적용하는 파이썬 프로그램을 우선 논의하기로 한다.

표 19.1   구간 $x = 0$과 0.8 사이에서 $f(x) = 0.2 + 25x - 200x^2 + 675x^3 - 900x^4 + 400x^5$의 적분을 계산하기 위한 합성 사다리꼴 공식의 결과. 정확한 해는 1.640533이다.

n	h	I	ε_t (%)
2	0.4	1.0688	34.9
3	0.2667	1.3695	16.5
4	0.2	1.4848	9.5
5	0.16	1.5399	6.1
6	0.1333	1.5703	4.3
7	0.1143	1.5887	3.2
8	0.1	1.6008	2.4
9	0.0889	1.6091	1.9
10	0.08	1.6150	1.6

19.3.3 파이썬 함수: `trap`

합성 사다리꼴 공식을 실행하는 간단한 알고리즘은 그림 19.10과 같다. 적분할 함수는 적분의 한계와 구간의 개수와 함께 trap 함수로 전달된다. 식 (19.18)에 의한 적분값을 구하기 위해 루프가 사용된다.

파이썬 함수의 한 가지 응용 예로서 식 (19.3)의 적분을 계산하여 자유낙하하는 사람이 처음 3초 동안 낙하하는 거리를 구하는 것을 고려한다. 이 예제에 대하여 매개변수 값은 $g = 9.21$ m/s^2, $m = 68.1$ kg 그리고 $c_d = 0.25$ kg/m로 가정한다. 이 적분의 정확한 값은 식 (19.4)를 이용하면 41.94805로 계산된다.

적분할 함수는 def 형식 또는 lambda 형식으로 각각 다음과 같이 작성할 수 있다.

```
import numpy as np

def zint(t):
    return np.sqrt(m*g/cd)*np.tanh(np.sqrt(g*cd/m)*t)
```

또는

```
zint = lambda t: np.sqrt(m*g/cd)*np.tanh(np.sqrt(g*cd/m)*t)
```

아래 lambda 형식의 경우, trap 함수에 직접 삽입할 수 있다. 이를 응용해 5개 구간의 적분을 다음과 같이 작성할 수 있다.

```
z = trap(lambda t: np.sqrt(m*g/cd)*np.tanh(np.sqrt(g*cd/m)*t),0.,3.,5)
print(z)
```

결과값은 다음과 같다.

```
def trap(func,a,b,n=100):
    """
    Composite trapezoidal rule quadrature
    Input:
        func = name of function to be integrated
        a,b = integration limits
        n = number of segments (default = 100)
    Output:
        I = estimate of integral
    """
    if b <= a: return 'upper bound must be greater than lower bound'
    x = a
    h = (b-a)/n
    s = func(a)
    for i in range(n-1):
        x = x + h
        s = s + 2*func(x)
    s = s + func(b)
    I = (b-a)*s/2/n
    return I
```

그림 19.10   합성 사다리꼴 공식을 실행하는 파이썬 함수 `trap`.

41.86992959072735

이 결과는 0.186%의 참오차를 갖는다. 보다 정확한 결과를 얻기 위해 다음과 같이 100개 구간의 적분을 작성할 수 있다.

```
z = trap(lambda t: np.sqrt(m*g/cd)*np.tanh(np.sqrt(g*cd/m)*t),0.,3.)
print(z)
```

그리고 아래의 결과는 참값에 훨씬 더 가까운 값이다.

41.94785498810134

19.4 Simpson 공식

사다리꼴 공식을 조밀한 구간에 적용하여 적분값을 얻는 방법과 별도로, 보다 정확한 적분값을 구하는 또 다른 방법은 데이터 점들을 연결하는 고차 다항식을 사용하는 것이다. 예를 들어 $f(a)$ 점과 $f(b)$ 점 중간에 추가점이 있다면, 세 점을 포물선으로 연결할 수 있을 것이다(그림 19.11a). 만약 $f(a)$ 점과 $f(b)$ 점 사이에 등간격으로 두 점이 있다면, 네 점을 3차 다항식으로 연결할 수 있을 것이다(그림 19.11b). 이 다항식에 대한 적분을 취하여 얻은 공식을 *Simpson 공식*(*Simpson's rule*)이라고 한다.

19.4.1 Simpson 1/3 공식

Simpson 1/3 공식은 식 (19.8)의 다항식이 2차인 경우에 해당한다.

$$I = \int_{x_0}^{x_2} \left[\frac{(x-x_1)(x-x_2)}{(x_0-x_1)(x_0-x_2)} f(x_0) + \frac{(x-x_0)(x-x_2)}{(x_1-x_0)(x_1-x_2)} f(x_1) + \frac{(x-x_0)(x-x_1)}{(x_2-x_0)(x_2-x_1)} f(x_2) \right] dx$$

여기서 a와 b를 각각 x_0와 x_2로 설정하였으며, 적분 결과는 다음과 같다.

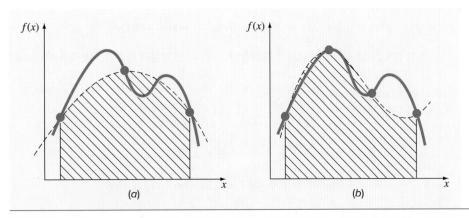

그림 19.11   (*a*) Simpson 1/3 공식을 그래프로 표현함. 세 점을 연결하는 포물선 아래에 있는 면적을 구하는 것이다. (*b*) Simpson 3/8 공식을 그래프로 표현함. 네 점을 연결하는 3차 방정식 아래에 있는 면적을 구하는 것이다.

$$I = \frac{h}{3} \left[f(x_0) + 4f(x_1) + f(x_2) \right]$$

(19.22)

여기서 $h = (b - a)/2$이다. 이 식은 *Simpson 1/3 공식(Simpson's 1/3 rule)*으로 알려져 있으며, '1/3'이라는 숫자는 식 (19.22)에서 h가 3으로 나누어진다는 사실에서 비롯한다. Simpson 1/3 공식은 식 (19.13)의 형식을 이용하면 다음과 같이 표현할 수도 있다.

$$I = (b - a) \frac{f(x_0) + 4f(x_1) + f(x_2)}{6}$$

(19.23)

여기서 $a = x_0$, $b = x_2$이고, x_1은 a와 b의 중간점으로 $(a + b)/2$이다. 식 (19.23)에 의하면 중간점에는 2/3 가중값을, 양 끝점에는 1/6의 가중값을 주고 있는 것을 볼 수 있다.

Simpson 1/3 공식을 단일 구간에 적용하면, 다음과 같은 절단오차를 가지는 것을 증명할 수 있다.

$$E_t = -\frac{1}{90} h^5 f^{(4)}(\xi)$$

또는 $h = (b - a)/2$이므로 다음과 같이 된다.

$$E_t = -\frac{(b - a)^5}{2880} f^{(4)}(\xi)$$

(19.24)

여기서 ξ는 구간 a와 b 사이에 존재한다. 그러므로 Simpson 1/3 공식은 사다리꼴 공식보다 더 정확하다. 또한 식 (19.14)와 비교하면 이 공식은 기대보다 더 정확하다는 것을 알 수 있다. 오차는 3차 도함수가 아닌 4차 도함수에 비례하고 있다. 결과적으로 Simpson 1/3 공식은 단지 세 점에 근거한 방법이지만 3차의 정확도를 가지는 방법이다. 즉, 이 방법은 포물선으로부터 유도된 방법이지만, 3차 다항식에 대하여도 정확한 결과를 얻을 수 있다.

예제 19.3   단일구간에 Simpson 1/3 공식 적용

문제 정의 식 (19.23)을 이용하여 구간 $a = 0$과 $b = 0.8$ 사이에서 다음 식을 적분하라.

$$f(x) = 0.2 + 25x - 200x^2 + 675x^3 - 900x^4 + 400x^5$$

식 (19.24)를 사용하여 오차를 계산한다. 그리고 이 적분의 정확한 해는 1.640533임을 기억하라.

풀이 $n = 2(h = 0.4)$이므로

$$f(0) = 0.2 \qquad f(0.4) = 2.456 \qquad f(0.8) = 0.232$$

$$I = 0.8 \frac{0.2 + 4(2.456) + 0.232}{6} = 1.367467$$

$$E_t = 1.640533 - 1.367467 = 0.2730667 \quad \varepsilon_t = 16.6\%$$

이는 단일구간에 적용한 사다리꼴 공식의 결과보다 5배 정도 더 정확하다(예제 19.1). 근사적인 오차는 다음과 같이 계산된다.

$$E_a = -\frac{0.8^5}{2880}(-2400) = 0.2730667$$

여기서 −2400은 주어진 구간에 대한 평균 4차 도함숫값이다. 예제 19.1의 경우와 같이 오차는 근삿값으로 E_a 이며, 그 이유는 일반적으로 평균 4차 도함수가 $f^{(4)}(\xi)$에 대한 정확한 값이 아니기 때문이다. 그러나 이 문제는 5차 다항식을 사용하므로, 결과는 정확하게 일치한다.

19.4.2 합성 Simpson 1/3 공식

사다리꼴 공식에서와 같이 Simpson 공식은 적분구간을 등간격의 다수 구간으로 나눔으로써 개선시킬 수 있다(그림 19.12). 전체 적분은 다음과 같이 표현할 수 있다.

$$I = \int_{x_0}^{x_2} f(x)\,dx + \int_{x_2}^{x_4} f(x)\,dx + \cdots + \int_{x_{n-2}}^{x_n} f(x)\,dx \tag{19.25}$$

각각의 적분함에 Simpson 1/3 공식을 대입하면 다음과 같게 된다.

$$I = 2h\frac{f(x_0) + 4f(x_1) + f(x_2)}{6} + 2h\frac{f(x_2) + 4f(x_3) + f(x_4)}{6}$$

$$+ \cdots + 2h\frac{f(x_{n-2}) + 4f(x_{n-1}) + f(x_n)}{6}$$

같은 항들을 모으고 식 (19.15)를 적용하면 다음과 같다.

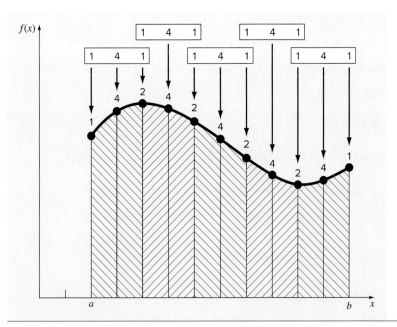

그림 19.12   합성 Simpson 1/3 공식. 상대 가중값이 함숫값 위에 나타나 있다. 이 방법은 구간의 개수가 짝수일 때만 사용할 수 있다는 데 유의하라.

$$I = (b - a) \frac{f(x_0) + 4 \sum_{i=1,3,5}^{n-1} f(x_i) + 2 \sum_{j=2,4,6}^{n-2} f(x_j) + f(x_n)}{3n} \tag{19.26}$$

그림 19.12에서 보는 바와 같이 이 방법을 적용하기 위해서 짝수 개의 구간을 사용해야 하는 것에 주의한다. 또한 식 (19.26)의 계수 4와 2는 언뜻 보기에는 특이하게 보인다. 그러나 이들은 Simpson 1/3 공식의 적용에 따른 자연스러운 결과이다. 그림 19.12에서 보는 바와 같이 홀수 점은 각 구간의 중간 항으로 나타나므로 식 (19.23)으로부터 가중값 4를 갖게 된다. 짝수 점은 인접 구간에서 공통인 항이므로 계산에 두 번 포함된다.

합성 Simpson 공식에 대한 오차 계산은 사다리꼴 공식에서와 같이 각 구간에 대한 개별오차를 더하고, 도함수의 평균을 구하는 방법으로 얻을 수 있으며 다음 식과 같다.

$$E_a = -\frac{(b - a)^5}{180n^4} \bar{f}^{(4)} \tag{19.27}$$

여기서 $f^{(4)}$는 주어진 구간에 대한 평균 4차 도함수이다.

예제 19.4	합성 Simpson 1/3 공식

문제 정의 식 (19.26)을 이용하여 $a = 0$과 $b = 0.8$ 사이에서 $n = 4$일 때 다음 식을 적분하라.

$$f(x) = 0.2 + 25x - 200x^2 + 675x^3 - 900x^4 + 400x^5$$

식 (19.27)을 사용하여 오차를 계산한다. 그리고 정확한 적분값은 1.640533임을 기억하라.

풀이 $n = 4(h = 0.2)$이므로

$$f(0) = 0.2 \qquad f(0.2) = 1.288$$
$$f(0.4) = 2.456 \qquad f(0.6) = 3.464$$
$$f(0.8) = 0.232$$

식 (19.26)으로부터

$$I = 0.8 \frac{0.2 + 4(1.288 + 3.464) + 2(2.456) + 0.232}{12} = 1.623467$$

$$E_t = 1.640533 - 1.623467 = 0.017067 \qquad \varepsilon_t = 1.04\%$$

추정 오차[식 (19.27)]는 다음과 같다.

$$E_a = -\frac{(0.8)^5}{180(4)^4} (-2400) = 0.017067$$

이 값은 예제 19.3과 마찬가지로 정확한 값이다.

예제 19.4에서와 같이 합성 Simpson 1/3 공식은 대부분의 계산에서 사다리꼴 공식에 비해 우수하다고 간주된다. 그러나 앞에 언급하였듯이 Simpson 1/3 합성 공식은 데이터가 등간격으로 분포되어 있는 경우, 더욱이 짝수 개의 구간과 홀수 개의 점이 있는 경우에 한정된다. 따라서 현재의 1/3 공식은 19.4.3절에서 논의되는 합성 Simpson 3/8 공식으로 알려져 있는 홀수 구간-짝수 점 공식과 함께 사용하여, 짝수나 홀수에 관계없이 모든 등간격 구간에 대한 계산도 수행할 수 있게 한다.

19.4.3 Simpson 3/8 공식

사다리꼴 공식과 Simpson 1/3 공식의 유도 과정과 유사한 방법으로, 네 개의 데이터 점에 3차 Lagrange 다항식을 사용하여 적합시키고 이를 적분하면 다음과 같다.

$$I = \frac{3h}{8} \left[f(x_0) + 3f(x_1) + 3f(x_2) + f(x_3) \right]$$

여기서 $h = (b - a)/3$이다. 이 식은 h에 3/8이 곱해지므로 Simpson 3/8 공식(*Simpson 3/8 rule*)으로 알려져 있으며, 세 번째 Newton-Cotes 폐구간 적분 공식이다. 3/8 공식은 또한 식 (19.13)의 형태로 표시하면 다음과 같이 쓸 수 있다.

$$I = (b - a) \frac{f(x_0) + 3f(x_1) + 3f(x_2) + f(x_3)}{8} \tag{19.28}$$

그러므로 두 개의 내부 점은 3/8의 가중값을 가지며, 반면에 양 끝점은 1/8의 가중값을 가진다. 합성 Simpson 3/8 공식은 다음과 같은 오차를 가진다.

$$E_t = -\frac{3}{80} h^5 f^{(4)}(\xi)$$

또는 $h = (b - a)/3$이므로 다음과 같이 된다.

$$E_t = -\frac{(b - a)^5}{6480} f^{(4)}(\xi) \tag{19.29}$$

식 (19.29)의 분모가 식 (19.24)의 분모보다 크므로, 3/8 공식이 1/3 공식에 비해 다소 정확하다.

　Simpson 1/3 공식은 세 개의 데이터 점으로 3차의 정확도를 가지므로, 네 개의 데이터 점이 필요한 3/8 공식에 비해 선호되는 방법이다. 그러나 3/8 공식은 구간의 개수가 홀수인 경우에는 유용하다. 예를 들어 예제 19.4에서는 Simpson 공식을 적용하여 함수를 적분하는 데 네 개의 구간을 사용하였다. 만일 다섯 개의 구간으로 나누어 적분값을 구한다고 생각해 보자. 한 가지 방법은 예제 19.2에서와 같이 합성 사다리꼴 공식을 사용하는 것이다. 그러나 이 방법은 내재하고 있는 큰 절단오차로 인하여 권할 만한 방법은 아니다. 다른 방법은 처음 두 개의 구간에는 Simpson 1/3 공식을 적용하고, 나머지 세 개의 구간에는 Simpson 3/8 공식을 적용하는 것이다(그림 19.13). 이러한 방법으로 전 구간에 걸쳐 3차의 정확도를 가지는 적분 추정값을 구할 수 있다.

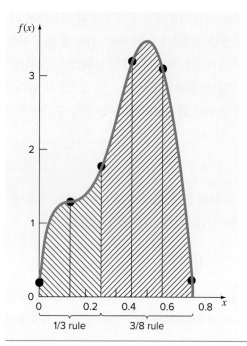

그림 19.13   Simpson 1/3 공식과 Simpson 3/8 공식을 함께 적용하여 홀수 개의 구간을 가지는 다구간 적분을 수행하는 방법에 대한 설명.

예제 19.5   **Simpson 3/8 공식**

문제 정의 **(a)** Simpson 3/8 공식을 이용하여 구간 $a = 0$과 $b = 0.8$ 사이에서 다음 식을 적분하라.

$$f(x) = 0.2 + 25x - 200x^2 + 675x^3 - 900x^4 + 400x^5$$

(b) Simpson 3/8 공식과 Simpson 1/3 공식을 함께 이용하여, 위 함수의 적분값을 다섯 개의 구간에 대하여 구한다.

풀이 **(a)** Simpson 3/8 공식을 단일 구간에 적용하기 위해서 다음 네 개의 등간격 점을 필요로 한다.

$$f(0) = 0.2 \qquad\qquad f(0.2667) = 1.432724$$
$$f(0.5333) = 3.487177 \qquad f(0.8) = 0.232$$

식 (19.28)을 이용하면 다음과 같다.

$$I = 0.8 \, \frac{0.2 + 3(1.432724 + 3.487177) + 0.232}{8} = 1.51917$$

(b) 다섯 개 구간($h = 0.16$)을 적용하는 데 필요한 데이터는 다음과 같다.

$$f(0) = 0.2 \qquad\qquad f(0.16) = 1.296919$$
$$f(0.32) = 1.743393 \qquad f(0.48) = 3.186015$$
$$f(0.64) = 3.181929 \qquad f(0.80) = 0.232$$

Simpson 3/8 공식을 처음 두 개 구간에 적용하여 구한 적분값은 다음과 같다.

$$I = 0.32 \frac{0.2 + 4(1.296919) + 1.743393}{6} = 0.3803237$$

나머지 세 개의 구간에 대하여 Simpson 3/8 공식을 적용하면 다음과 같다.

$$I = 0.48 \frac{1.743393 + 3(3.186015 + 3.181929) + 0.232}{8} = 1.264754$$

전체 적분값은 이 두 결과를 합산하여 구한다.

$$I = 0.3803237 + 1.264754 = 1.645077$$

19.5 고차 Newton-Cotes 공식

앞에서도 언급하였듯이 사다리꼴 공식, Simpson 1/3과 3/8 공식들은 Newton-Cotes 폐구간 적분 공식으로 알려진 적분법에 속하는 공식들이다. 표 19.2는 이러한 공식들과 그들의 절단오차 추정값을 요약하고 있다.

Simpson 1/3, 3/8 공식과 마찬가지로 다섯 점과 여섯 점에 대한 공식도 같은 차수의 오차를 갖는다는 점에 주목하라. 이러한 특성은 더 많은 점에 대한 공식에도 유효하며, 따라서 짝수 구간-홀수 점 공식(예를 들면 1/3 공식과 Boole 공식)을 통상 선호하는 이유이다.

그러나 실제 공학과 과학 문제에 있어서 고차(즉, 네 점 이상)의 공식은 보통 사용되지 않는다. 그 이유는 대부분의 문제에서 Simpson 공식만으로도 충분히 만족할 만한 결과를 얻으며, 정확도는 합성 공식을 사용함으로써 향상시킬 수 있기 때문이다. 더욱이 함수를 알고 있고 높은 정확도가 요구될 때에는, 20장에 기술할 Romberg 적분이나 Gauss 구적법 등과 같은 방법들이 매력적이고 실용 가능한 대안이 된다.

표 19.2   Newton-Cotes 폐구간 적분 공식. 이 공식들은 평균 높이를 추정하는 데이터 점의 가중값을 명확하게 하기 위해 식 (19.13)의 형태로 표현하였다. 간격의 크기는 $h = (b - a)/n$이다.

Segments (n)	Points	Name	Formula	Truncation Error
1	2	Trapezoidal rule	$(b - a) \dfrac{f(x_0) + f(x_1)}{2}$	$-(1/12) h^3 f''(\xi)$
2	3	Simpson's 1/3 rule	$(b - a) \dfrac{f(x_0) + 4f(x_1) + f(x_2)}{6}$	$-(1/90) h^5 f^{(4)}(\xi)$
3	4	Simpson's 3/8 rule	$(b - a) \dfrac{f(x_0) + 3f(x_1) + 3f(x_2) + f(x_3)}{8}$	$-(3/80) h^5 f^{(4)}(\xi)$
4	5	Boole's rule	$(b - a) \dfrac{7f(x_0) + 32f(x_1) + 12f(x_2) + 32f(x_3) + 7f(x_4)}{90}$	$-(8/945) h^7 f^{(6)}(\xi)$
5	6		$(b - a) \dfrac{19f(x_0) + 75f(x_1) + 50f(x_2) + 50f(x_3) + 75f(x_4) + 19f(x_5)}{288}$	$-(275/12{,}096) h^7 f^{(6)}(\xi)$

19.6 부등간격의 적분

지금까지 설명한 수치적분에 대한 모든 공식은 등간격으로 분포된 데이터를 대상으로 하고 있다. 그러나 실제로는 이러한 가정이 성립하지 않을 때가 많으므로 부등간격에 대한 적분을 수행할 수 있어야 한다. 예를 들면 실험으로 얻는 데이터들은 대부분 이러한 형태이다. 이런 경우에 사용할 수 있는 한 가지 방법은 사다리꼴 공식을 각각의 구간에 적용하고 그 결과를 합하는 것이다.

$$I = h_1 \frac{f(x_0) + f(x_1)}{2} + h_2 \frac{f(x_1) + f(x_2)}{2} + \cdots + h_n \frac{f(x_{n-1}) + f(x_n)}{2} \tag{19.30}$$

여기서 h_i는 구간 i의 폭이다. 이 식은 합성 사다리꼴 공식에서 사용하였던 것과 같은 방법임을 유의하라. 그리고 식 (19.16)과 식 (19.30)의 서로 다른 점은 단지 식 (19.16)의 h가 상수라는 점이다.

예제 19.6	부등간격에 대한 사다리꼴 공식

문제 정의 표 19.3에 나타난 데이터들은 예제 19.1에서 사용하였던 것과 같은 다항식을 이용하여 구한 값들이다. 식 (19.30)을 이용하여 이들 데이터에 대한 적분값을 구하라. 정확한 적분값은 1.640533임을 기억하라.

표 19.3 x가 부등간격으로 분포하는 경우. 함수 $f(x) = 0.2 + 25x - 200x^2 + 675x^3 - 900x^4 + 400x^5$의 데이터.

x	$f(x)$	x	$f(x)$
0.00	0.200000	0.44	2.842985
0.12	1.309729	0.54	3.507297
0.22	1.305241	0.64	3.181929
0.32	1.743393	0.70	2.363000
0.36	2.074903	0.80	0.232000
0.40	2.456000		

풀이 식 (19.30)을 적용하면 다음과 같다.

$$I = 0.12 \frac{0.2 + 1.309729}{2} + 0.10 \frac{1.309729 + 1.305241}{2}$$

$$+ \cdots + 0.10 \frac{2.363 + 0.232}{2} = 1.594801$$

이 경우에 절대 백분율 상대오차는 $\varepsilon_t = 2.8\%$이다.

19.6.1 파이썬 함수: `trapuneq`

부등간격으로 위치하는 데이터에 대하여 사다리꼴 공식을 실행하는 간단한 알고리즘은 그림 19.14와 같이 작성할 수 있다. 독립변수와 종속변수들을 포함하는 두 개의 배열(array) x와 y가 파이썬 함수로 전달된다. 두 개의 에러 함정이 (a) 두 개의 배열과 같은 길이이며 (b) x는 오름차순임

```
def trapuneq(x,y):
    """
    trapezoidal rule for unequally spaced data
    returns an array of cumulative sums
    Input:
        x = array of independent variable values
        y = array of dependent variable values
        x and y arrays must be of equal length
            and in ascending order of x
    Output:
        s = array of sums
    """
    n = len(x)
    if len(y) != n: return 'x and y arrays must be of equal length'
    for i in range(n-1):
        if x[i+1] < x[i]: return 'x array not in ascending order'
    s = 0
    for k in range(0,n-1):
        s = s + (x[k+1]-x[k])*(y[k+1]+y[k])/2
    return s
```

그림 19.14   부등간격 데이터에 대하여 사다리꼴 공식을 실행하는 파이썬 함수 trapuneq.

을 명확히 하기 위하여 포함되어 있다. 적분값을 구하기 위하여 루프를 사용한다.

예제 19.6과 같은 문제에 대한 trapuneq 함수의 응용 예는 다음과 같이 작성할 수 있다.

```
import numpy as np

x = np.array([0.,0.12,0.22,0.32,0.36,0.4,0.44,0.54,0.64,0.7,0.8])
y = 0.2 + 25.*x - 200.*x**2 + 675.*x**3 - 900.*x**4 + 400.*x**5

Iest = trapuneq(x,y)
print('Integral estimate = {0:6.4f}'.format(Iest))
```

결과는 다음과 같고, 이는 예제 19.6에서 얻은 결과와 동일하다.

```
Integral estimate = 1.5948
```

19.6.2 파이썬 함수: trapz와 trap_cumulative

파이썬에 포함된 NumPy 모듈은 방금 그림 19.14에 나타낸 trapuneq 함수와 같은 방법으로 데이터에 대한 적분값을 계산하는 내장함수를 가진다. 특히, x와 y인수는 trapz 함수의 호출 용도로 예약된다. trapz 함수를 사용하여 표 19.3의 데이터를 적분을 다음과 같이 작성할 수 있다.

```
import numpy as np

x = np.array([0.,0.12,0.22,0.32,0.36,0.4,0.44,0.54,0.64,0.7,0.8])
y = 0.2 + 25.*x - 200.*x**2 + 675.*x**3 - 900.*x**4 + 400.*x**5

Iest = np.trapz(y,x)
print('Integral estimate = {0:6.4f}'.format(Iest))
```

결과는 다음과 같고, 이는 trapuneq 함수로 얻은 결과와 동일하다.

```
Integral estimate = 1.5948
```

적분영역에 따라 적분값 누적치를 추적하고 싶을 때 쓰는 응용법의 한 예시로 확률 밀도로부터 누적 확률을 생성하는 방법이 있다. 다음은 적분값 누적치 배열(array)을 구하기 위해 그림 19.14의 trapuneq 함수를 수정한 것이다.

```python
def trap_cumulative(x,y):
    """
    trapezoidal rule for unequally spaced data

    returns an array of cumulative sums
    Input:
        x = array of independent variable values
        y = array of dependent variable values
        x and y arrays must be of equal length
            and in ascending order of x
    Output:
        s = array of sums
    """
    n = len(x)
    if len(y) != n: return 'x and y arrays must be of equal length'
    for i in range(n-1):
        if x[i+1] < x[i]: return 'x array not in ascending order'
    s = np.zeros((n))
    for k in range(1,n):
        s[k] = s[k-1] + (x[k]-x[k-1])*(y[k]+y[k-1])/2
    return s
```

표 19.3의 데이터를 수정된 함수에 적용하면, 결과는 다음과 같다.

```python
import numpy as np

x = np.array([0.,0.12,0.22,0.32,0.36,0.4,0.44,0.54,0.64,0.7,0.8])
y = 0.2 + 25.*x - 200.*x**2 + 675.*x**3 - 900.*x**4 + 400.*x**5

cumI = trap_cumulative(x,y)
print(cumI)

[0.         0.09058376 0.22133228 0.37376401 0.45012994 0.540748
 0.6467277  0.9642418  1.29870309 1.46505096 1.59480096]
```

배열(array)의 마지막 요소(element)가 trapuneq 함수, trapz 함수와 같은 수정 전 함수를 사용하여 얻은 최종 결과치와 같음을 알 수 있다.

| 예제 19.7 | 수치적분을 이용한 누적 정규 확률 계산 |

문제 정의 확률과 통계에서 가장 중요한 함수 중 하나인 가우스 함수 즉, 정규분포의 확률밀도 함수는 다음과 같다.

$$f(x) = \frac{1}{\sqrt{2\pi}\,\sigma} e^{-\frac{(x-\mu)^2}{2\sigma^2}} \qquad -\infty \leq x \leq +\infty$$

이 함수는 전형적인 '종 모양 곡선'으로 정의되며, 간격 [a, b]에서 x가 일어날 확률을 계산하기 위해 적분값을 계산해야 한다.

$$P[a \leq x \leq b] = \int_a^b f(x)dx$$

이 적분에 대한 엄밀해가 없다는 것이 밝혀졌다. 결과적으로, 수치해를 구해야 한다. 또한, 통계학자들은 누적
확률표를 통해 계산한다. 누적 확률표는 다음 식으로부터 개발되었다.

$$P[x \leq b] = F(x) = \int_{-\infty}^x f(x)\,dx$$

이 경우에 적용한다면, 결과는 다음과 같다.

$$P[a \leq x \leq b] = F(b) - F(a)$$

다시 말하지만, 실질적으로 $(x - \mu)/\sigma < -5$ 의 확률 밀도값은 무시할 수 있다.

(a) a, b, μ, σ를 인수로 가지고, $P[a \leq x \leq b]$를 반환하는 파이썬 함수 normprob를 작성하라. $a = -6$, $b = 12$, $\mu = 4$, $\sigma = 5$를 입력하여 프로그램을 확인하라. 100개의 간격을 사용하고, 확률을 퍼센트로 표현하라.

(b) $-5 \leq x \leq 5$ 범위에서 표준 정규 분포 누적치($\mu = 0$, $\sigma = 1$)를 계산하고, 그래프로 나타내는 파이썬 스크립트를 작성하라. 100개의 간격을 사용할 것.

풀이 우리는 가우스 밀도의 해석적 형태를 알기 때문에, 다음과 같이 trap 함수를 문제 (a)에 적용할 수 있다.

```
mu = 4.
sigma = 5.
a = -6.
b = 12.

import numpy as np

def normal_density(x):
    f = 1/np.sqrt(2*np.pi)/sigma*np.exp(-(x-mu)**2/sigma**2/2)
    return f

P = trap(normal_density,a,b)*100
print(P)
```

결과는 다음과 같다.

```
92.24197472531215
```

따라서, 주어진 μ와 σ에 대해 x의 무작위 샘플(ramdom sample)이 -6과 12 사이에 있을 확률은 약 92%이다.
문제 (b)에 trap_cumulative 함수를 다음과 같이 적용할 수 있다.

```
import numpy as np

mu = 0.
sigma = 1.
a = -5.
b = 5.
x = np.linspace(a,b,100)
f = 1/np.sqrt(2*np.pi)/sigma*np.exp(-(x-mu)**2/sigma**2/2)
F = trap_cumulative(x,f)
```

```
import pylab
pylab.plot(x,F,c='k')
pylab.grid()
pylab.xlabel('x')
pylab.ylabel('cumulative probability - %')
pylab.title('Cumulative Standard Normal Probability')
```

이 스트립트의 결과는 그림 19.15에 도시된 바와 같다.

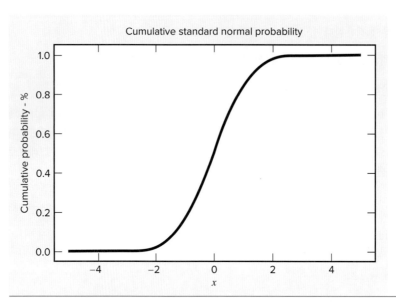

그림 19.15   누적 확률을 구하기 위한 정규 확률 밀도의 적분.

19.7 개구간법

그림 19.6b로부터 개구간 적분 공식은 주어진 데이터의 범위를 벗어나는 적분구간을 갖는다는 점을 기억하라. 표 19.4는 *Newton-Cotes* 개구간 적분 공식을 요약하고 있다. 이 표의 공식들은 가중값 인자를 명확하게 하기 위하여, 식 (19.13)의 형태로 표현되어 있다. 폐구간 적분 공식과 유사하게 연속되는 한 쌍의 공식은 같은 차수의 오차를 가지고 있다. 일반적으로 짝수 구간-홀수 점 공식이 선호되며, 이는 홀수 구간-짝수 점 공식과 같은 정확도를 가지지만 보다 적은 수의 데이터 점이 요구되기 때문이다.

개구간 공식은 정적분 계산에는 많이 사용되지 않는다. 그러나 이들은 이상적분(improper integral)을 수행하는 데 유용하며, 또한 22장과 23장에서 소개할 상미분방정식의 해법에 관한 논의와도 관련된다.

표 19.4   Newton-Cotes 개구간 적분 공식. 이 공식들은 평균 높이를 추정하는 데이터 점의 가중값을 명확하게 하기 위해 식 (19.13)의 형태로 표현하였다. 간격의 크기는 $h = (b - a)/n$ 이다.

Segments (n)	Points	Name	Formula	Truncation Error
2	1	Midpoint method	$(b - a)\, f(x_1)$	$(1/3)\, h^3 f''(\xi)$
3	2		$(b - a)\dfrac{f(x_1) + f(x_2)}{2}$	$(3/4)\, h^3 f''(\xi)$
4	3		$(b - a)\dfrac{2f(x_1) - f(x_2) + 2f(x_3)}{3}$	$(14/45)\, h^5 f^{(4)}(\xi)$
5	4		$(b - a)\dfrac{11f(x_1) + f(x_2) + f(x_3) + 11f(x_4)}{24}$	$(95/144)\, h^5 f^{(4)}(\xi)$
6	5		$(b - a)\dfrac{11f(x_1) - 14f(x_2) + 26f(x_3) - 14f(x_4) + 11f(x_5)}{20}$	$(41/140)\, h^7 f^{(6)}(\xi)$

19.8 다중적분

다중적분의 계산은 공학과 과학 분야에서 널리 사용된다. 예를 들어 2차원 함수의 평균값을 계산하는 일반적인 방정식은 다음과 같이 쓸 수 있다[식 (19.7) 참조].

$$\bar{f} = \frac{\displaystyle\int_c^d \left(\int_a^b f(x, y)\, dx \right) dy}{(d - c)(b - a)} \tag{19.31}$$

여기서 나타나는 분자 항을 **이중적분**(*double integral*)이라 한다.

이 장(그리고 20장)에서 논의된 기법들은 다중적분을 계산하는 데 바로 사용할 수 있다. 간단한 예는 직사각형 면적 위의 함수에 대하여 이중적분을 취하는 것이다(그림 19.16).

이러한 적분은 미적분학으로부터 다음과 같이 반복적분(iterated integral)으로 계산할 수 있음

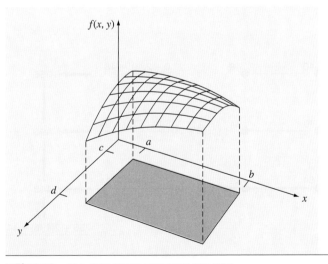

그림 19.16   함수 표면 아래의 부피로서의 이중 적분.

을 기억하라.

$$\int_c^d \left(\int_a^b f(x, y) \, dx \right) dy = \int_a^b \left(\int_c^d f(x, y) \, dy \right) dx \tag{19.32}$$

따라서 차원 중 하나에 대한 적분을 먼저 계산한다. 그리고 이 첫 번째 적분 결과를 두 번째 차원에 대하여 적분한다. 식 (19.32)는 적분의 순서가 중요하지 않음을 보여 준다.

수치적 이중적분도 같은 방법으로 수행한다. 먼저 두 번째 차원의 모든 값을 상수로 간주하고, 합성 사다리꼴 공식 또는 합성 Simpson 공식과 같은 방법들을 첫 번째 차원에 대하여 적용한다. 그 후 두 번째 차원에 대하여 적분 공식을 적용한다. 이와 같은 방법이 다음 예제에 예시되어 있다.

예제 19.8 ▏ 평균 온도를 구하기 위한 이중적분의 사용

문제 정의 직사각형 가열판의 온도가 다음 함수로 표현된다고 가정하자.

$$T(x, y) = 2xy + 2x - x^2 - 2y^2 + 72$$

판의 길이 (x 차원)가 8m이고 폭 (y 차원)이 6 m인 경우에 평균 온도를 계산하라.

풀이 먼저 2구간 사다리꼴 공식을 각각의 차원에 적용하자. 그림 19.17은 필요한 x와 y값에서의 온도를 보여 준다. 여기서 이들 값의 단순 평균값은 47.33인 것을 주목하라. 이 경우 함수를 해석적으로 계산하면 58.66667 의 결과를 얻는다.

같은 계산을 수치적으로 수행하기 위하여 먼저 각각의 y값에 대하여 x차원을 따라 사다리꼴 공식을 실행한다. 이들 값을 y차원을 따라 적분하면 2544의 최종 결과를 얻는다. 이 결과를 면적으로 나누면 평균온도는 $2544/(6 \times 8) = 53$이 된다.

이제 같은 방법으로 단일구간 Simpson 1/3 공식을 적용한다. 이 방법으로 정확한 해인 2816의 적분값과 58.6667의 평균값을 구할 수 있다. 왜 이렇게 될까? Simpson 1/3 공식은 3차 다항식에 대하여 정확한 결과를 산출하는 것을 기억하라. 함수에서 최고차항이 2차이므로 현재의 경우 위와 같은 정확한 해를 얻게 된다.

초월함수뿐만 아니라 고차의 대수함수에 대하여 정확한 적분 추정값을 얻기 위해서는 합성 공식을 사용할

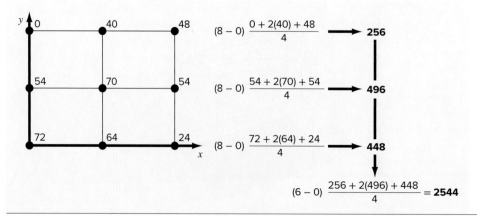

그림 19.17 2구간 사다리꼴 공식을 이용한 이중적분의 수치계산.

필요가 있다. 또한 20장에서는 주어진 함수의 적분값을 계산하는 데 있어 Newton-Cotes 공식보다 더 효율적인 기법들이 소개되며, 이들은 종종 다중적분에 대한 수치적분을 실행하는 데 우수한 수단이 된다.

19.8.1 파이썬 함수: `dblquad and tplquad`

파이썬에 포함된 SciPy intergrate 하위 모듈(SciPy intergrate submodule)은 이중적분과 삼중적분을 수행할 수 있는 함수를 가지고 있다.

`dblquad` 함수는 아래와 같은 적분값을 계산한다.

$$\int_a^b \int_{g(x)}^{h(x)} f(x, y) dy\, dx$$

y에 대한 적분 범위가 x의 함수로 결정된다. 이러한 적분 범위가 상수일 때, $g(x)$와 $h(x)$ 또한 상수로 정의할 수 있다. `dblquad` 구문은 다음과 같다.

```
from scipy.integrate import dblquad
(y,abserr) = dblquad(func,a,b,gfun,hfun)
```

예제 19.8의 이중적분에 적용하면 다음과 같이 작성할 수 있다.

```
from scipy.integrate import dblquad

def f(y,x):
    return 2*x*y + 2*x - x**2 -2*y**2 + 72.

Iest,Ierr = dblquad(f,0.,8.,lambda x: 0.,lambda x: 6.)
print(Iest)
print(Ierr)
```

결과는 다음과 같다.

```
2816.0
3.126388037344441e-11
```

SciPy는 삼중적분이 가능한 `tplquad` 함수 또한 포함하고 있다. 사용 구문은 `dblquad` 구문과 유사하며, 자세한 내용은 스파이더 도움말(Spyder Help)을 통해 제공되는 SciPy 참조 가이드(SciPy Reference Guide)에서 확인 가능하다.

사례연구 19.9 | **수치적분을 이용한 일의 계산**

배경 일의 계산은 공학과 과학의 많은 분야에서 중요한 과제다. 일반적인 공식은 다음과 같다.

일 = 힘 × 거리

고등학교 물리시간에 이 개념을 배웠을 때 간단한 응용은 움직인 거리 동안에 힘이 일정하게 유지되는 경우였다. 그 예로 10 N의 힘으로 어떤 물체를 5 m만큼 움직일 때 한 일은 50 J (1 Joule = 1 N·m)로 계산된다.

사례연구 19.9   continued

이러한 간단한 계산이 개념을 소개하는 데에는 유익하지만 실제로 부딪히는 문제는 이것보다 더 복잡하다. 그 예로 힘이 경로에 따라 변화하는 경우를 고려해 보자. 이러한 경우에 일을 계산하는 식은 다음과 같이 새롭게 표현된다.

$$W = \int_{x_0}^{x_n} F(x)\ dx \tag{19.33}$$

여기서 W는 일 (J), x_0와 x_n은 초기와 최종 위치 (m), 그리고 $F(x)$는 위치에 따라 변화하는 힘 (N)을 나타낸다. 만약 $F(x)$가 쉽게 적분되면 식 (19.33)은 해석적으로 계산이 가능하다. 그러나 실제 상황에서는 힘이 이러한 형태로 주어지지 않을 수도 있다. 실제로 측정된 데이터를 해석할 때는 힘이 표의 형태로만 주어지는 경우도 만나게 된다. 이러한 경우에 계산을 위한 유일한 선택은 수치적분이다.

더욱이 그림 19.18과 같이 힘과 이동 방향 사이의 각도 역시 위치의 함수로 변화하면 더 복잡한 경우가 된다. 일을 계산하는 식은 이러한 효과를 반영하기 위해 다음과 같이 수정되어야 한다.

$$W = \int_{x_0}^{x_n} F(x)\ \cos[\theta(x)]\ dx \tag{19.34}$$

만약 $F(x)$와 $\theta(x)$가 간단한 함수라면 식 (19.34)는 해석적으로 풀린다. 그러나 그림 19.18에서와 같이 함수 관

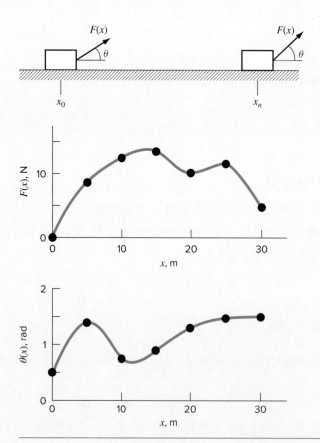

그림 19.18   물체에 변하는 힘이 작용하는 경우, 이 경우에는 힘의 크기뿐만 아니라 방향도 변한다.

사례연구 19.9 | continued

표 19.5   위치 x의 함수로 주어진 힘 $F(x)$와 각도 $\theta(x)$의 데이터.

x, m	$F(x)$, N	θ, rad	$F(x) \cos\theta$
0	0.0	0.50	0.0000
5	9.0	1.40	1.5297
10	13.0	0.75	9.5120
15	14.0	0.90	8.7025
20	10.5	1.30	2.8087
25	12.0	1.48	1.0881
30	5.0	1.50	0.3537

계가 복잡해지는 경우가 더 많아지게 된다. 이러한 상황에서는 수치적 방법이 적분을 계산하는 유일한 대안이다.

그림 19.18과 같이 주어지는 상황에서 일을 계산해야 되는 경우를 고려하자. 그림에서는 $F(x)$와 $\theta(x)$가 연속적인 값을 나타내지만 실험 특성상 $x = 5$ m 간격마다의 이산 측정값만을 얻을 수 있다고 가정한다(표 19.5). 이들 데이터에 대한 일을 계산하기 위해서 단일 또는 합성 사다리꼴 공식, Simpson 1/3과 3/8 공식을 사용하라.

풀이 해석 결과는 표 19.6에 기재된 것과 같다. 백분율 상대오차 ε_t는 적분의 참값인 129.52에 대해 계산된 것인데, 이때 사용된 참값은 그림 19.18에서 1 m 간격으로 얻은 데이터를 바탕으로 추정한 값이다.

결과에서 흥미로운 점은 가장 정확한 값이 단순한 구간 사다리꼴 공식을 사용하였을 때 발생한 것이다. 더 많은 구간으로 나눈 정교한 방법이나 Simpson 공식을 사용하는 경우에 오히려 덜 정밀한 결과를 얻게 된다.

이렇게 직관과 다른 결과를 얻게 된 이유는 힘과 각도의 변화를 포착하기 위해 사용한 간격이 조밀하지 않았기 때문이다. 이것은 $F(x)$와 $\cos[\theta(x)]$의 곱을 연속적인 곡선으로 나타낸 그림 19.19에서 특히 명확하게 드러난다. 주의 깊게 살펴볼 사항은 연속적으로 변하는 함수를 특성 짓기 위해 일곱 개의 점만 사용하는 것은 $x = 2.5$와 12.5 m에서 발생하는 두 피크를 놓친다는 점이다. 이 두 점을 빠뜨린 것이 표 19.6에 기재된 수치적분 값의 정확성을 제한하게 하였다. 2구간 사다리꼴 공식이 가장 정확한 결과를 산출한 것은 이 특별한 문제에서 점을 잡는 위치가 좋았기 때문이다(그림 19.20).

그림 19.20으로부터 도출할 수 있는 결론은 정확한 적분값을 계산하기 위해서는 측정점 개수를 적절하게 선정하여야 한다는 것이다. 지금의 경우에 만약 $F(2.5)\cos[\theta(2.5)] = 3.9007$과 $F(12.5)\cos[\theta(12.5)] = 11.3940$의 데이터가 주어진다면 우리는 개선된 적분 결과를 얻을 수 있다. 그 예로 파이썬 `trapz` 함수를 사용

표 19.6   사다리꼴 공식과 Simpson 공식을 사용하여 계산된 일의 추정값. 백분율 상대오차 ε_t는 적분의 참값(129.52 J)을 기준으로 계산된 것으로 참값은 1m 간격으로 얻은 데이터를 바탕으로 추정되었다.

Technique	Segments	Work	ε_t, %
Trapezoidal rule	1	5.31	95.9
	2	133.19	2.84
	3	124.98	3.51
	6	119.09	8.05
Simpson's 1/3 rule	2	175.82	35.75
	6	117.13	9.57
Simpson's 3/8 rule	3	139.93	8.04

사례연구 19.9 | continued

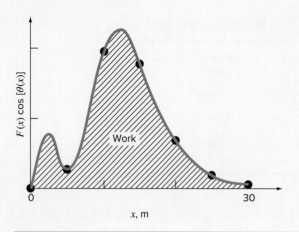

그림 19.19   표 19.6에 기재된 수치적분 값을 얻기 위해 사용된 일곱 개의 이산 점과 위치에 따른 $F(x) \cos[\theta(x)]$의 연속적인 그림. 연속적으로 변하는 함수를 특정짓기 위해 일곱 개의 점을 사용하면 $x = 2.5$와 12.5 m에서 발생하는 두 피크를 놓치게 된다.

하여 다음과 같이 계산할 수 있다.

```
import numpy as np

x = np.array([0., 2.5, 5., 10., 12.5, 15., 20., 25., 30.])
y = np.array([0., 3.9007, 1.5297, 9.5120, 11.3940,
              8.7025, 2.8087, 1.0881, 0.3537])

Iest = np.trapz(y,x)
print(Iest)
```

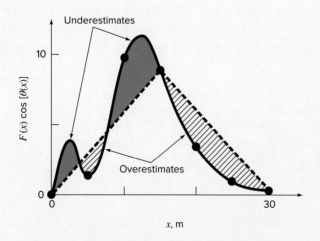

그림 19.20   2구간 사다리꼴 공식이 우수한 결과를 산출하게 된 이유를 그래프로 설명함. 이 경우에는 두 개의 사다리꼴을 사용함으로써 빗금 친 부분과 음영 부분의 면적이 우연하게 거의 일치한다.

사례연구 19.9   continued

결과는 다음과 같이 나타난다.

`132.64575000000002`

두 점을 추가로 포함시키면 개선된 적분 결과인 132.6458 (ε_t = 2.16%)을 얻는다. 따라서 추가로 데이터를 포함하는 것은 앞서 빠뜨렸던 두 피크를 계산에 넣게 되어 결과적으로 더 좋은 적분값을 산출하게 된다.

연습문제

* 짝수번호는 온라인 사이트에 있으며 본 책 '차례' 끝부분 xxi페이지에 사이트주소가 있음.

19.1 식 (19.3)을 적분하여 식 (19.4)를 유도하라.

19.3 다음의 적분을 계산하라.

$$\int_0^{\pi/2} (8 + 4\cos(x))\,dx$$

(a) 해석적인 방법, (b) 단일구간에 대한 사다리꼴 공식, (c) 합성 사다리꼴 공식 (n = 2, 4), (d) 단일구간에 대한 Simpson 1/3 공식, (e) 합성 Simpson 1/3 공식 (n = 4), (f) Simpson 3/8 공식 그리고 (g) 합성 Simpson 공식 (n = 5). (b)에서 (g)까지의 계산 결과에 대하여 (a)에 기초한 참 백분율 상대오차를 계산하라.

19.5 다음 함수 식을 사용하여

$$f(x) = e^{-x}$$

아래 표와 같은 부등간격 데이터를 생성할 수 있다.

x	0	0.1	0.3	0.5	0.7	0.95	1.2
$f(x)$	1	0.9048	0.7408	0.6065	0.4966	0.3867	0.3012

다음의 방법으로 구간 a = 0과 b = 1.2 사이의 적분을 계산하라. (a) 해석적인 방법, (b) 사다리꼴 공식, (c) 사다리꼴 공식과 Simpson 공식의 조합 – 이 경우 가장 높은 정확도를 얻기 위해 가능한 어떤 조합도 좋다. (b)와 (c)에 대한 참 백분율 상대오차를 계산하라.

19.7 다음의 삼중적분을 계산하라.

$$\int_{-4}^{4}\int_{0}^{6}\int_{-1}^{3} [x^3 - 2yz]\,dx\,dy\,dz$$

(a) 해석적인 방법, (b) 단일구간에 대한 Simpson 1/3 공식 그리고 (c) `tplquad` 함수. (b)와 (c)에 대한 참 백분율 상대오차를 계산하라.

19.9 그림 P19.9에서와 같이 댐의 상류면에 물의 압력이 작용한다. 압력은 유체 정역학적 관계를 통해 다음 식으로 서술된다.

$$p(z) = \rho g(D - z)$$

여기서 $p(z)$는 저수지 바닥으로부터 높이 z m에서의 압력 (Pa), ρ는 물의 밀도 (1000 kg/m^3) 그리고 D는 저수지 바닥에서 수면까지의 높이 (m)이다. 위 관계식에 따라, 그림 P19.9a에서 보는 바와 같이 압력은 깊이에 따라 선형적으로 증가한다. 대기 압력을 생략하면, 댐에 가해지는 힘 f_t는 게이지 압력과 그림 P19.9b에서 볼 수 있는 댐의 표면적을 곱하여 결정할 수 있다. 압력과 면적 모두 높이에 따라서 변하므로 전체 힘은 다음 식에 의하여 계산될 수 있다.

$$f_t = \int_0^D [\rho g w(z)(D - z)]\,dz$$

여기서 $w(z)$는 높이 z에서 댐 표면의 폭이다. 작용선은 다음 식을

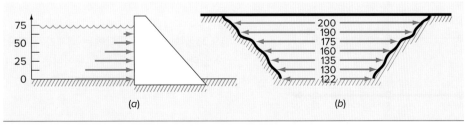

그림 P19.9

사용하여 계산할 수 있다.

$$d = \frac{\int_0^D [\rho gzw(z)(D-z)] \, dz}{\int_0^D [\rho gw(z)(D-z)] \, dz}$$

Simpson 공식을 이용하여 f_t와 d를 계산하라.

19.11 마천루의 측면에 작용하는 풍력은 높이에 따라 다음의 표와 같이 측정된다.

Height l, m	0	30	60	90	120
Force, $F(l)$, N/m	0	340	1200	1550	2700
Height l, m	150	180	210	240	
Force, $F(l)$, N/m	3100	3200	3500	3750	

이러한 풍력 분포에 의한 바람의 순수 힘과 그 작용선을 계산하라.

19.13 밀도가 변하는 막대의 전체 질량은 다음과 같이 주어진다.

$$m = \int_0^L \rho(x) A_c(x) \, dx$$

여기서 m은 질량, $\rho(x)$는 밀도, $A_c(x)$는 단면적, x는 막대의 길이 방향의 거리 그리고 L은 막대의 전체 길이이다. 다음과 같은 데이터가 20 m 길이의 막대에 대해 측정되었을 때, 파이썬 함수 trapz와 simps를 사용하여 막대의 gram 단위 질량을 계산하라. 두 결과의 백분율 차이는 얼마인가?

x, m	0	4	6	8	12	16	20
ρ, g/cm^3	4.00	3.95	3.89	3.80	3.60	3.41	3.30
A_c, cm^2	100	103	106	110	120	133	150

19.15 그림 P19.15의 데이터에 대해 평균값을 구하라. 평균값을 구하기 위해 다음의 식을 순차적으로 적분하라.

$$I = \int_{x_0}^{x_n} \left[\int_{y_0}^{y_m} f(x, y) \, dy \right] dx$$

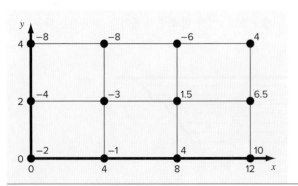

그림 P19.15

정의역이 $a \leq x \leq b$일 때, 함수 $f(x)$의 평균값은 다음과 같음을 참고하라.

$$\bar{f} = \frac{\int_a^b f(x) \, dx}{b - a}$$

19.17 수로의 단면적은 다음과 같이 계산된다.

$$A = \int_0^B H(y) \, dy$$

여기서 B는 수로의 전체 폭 (m)이고 H는 깊이 (m) 그리고 y는 제방으로부터의 거리 (m)이다. 유사한 방법으로 평균 유량 Q (m^3/s)도 다음과 같이 계산된다.

$$Q = \int_0^B U(y) H(y) \, dy$$

여기서 U는 물의 속도 (m/s)이다. 이들 관계식과 수치적분을 이용하여 다음 데이터에 대해 A_c와 Q를 계산하라.

y, m	0	2	4	5	6	9
H, m	0.5	1.3	1.25	1.8	1	0.25
U, m/s	0.03	0.06	0.05	0.13	0.11	0.02

19.19 사례연구 19.9에서와 같이 1 N의 일정한 힘이 각도 θ로 작용하여 다음과 같은 변위가 발생할 때 수행하는 일을 계산하라. trap_cumulative 함수를 이용하여 누적된 일을 구하고 그 결과를 θ에 대해 도시하라.

x, m	0	1	2.8	3.9	3.8	3.2	1.3
θ, deg	0	30	60	90	120	150	180

19.21 가공된 구형 입자의 밀도는 다음 표와 같이 입자의 중심($r = 0$)으로부터의 거리에 따라 변화한다.

r, mm	0	0.12	0.24	0.36	0.49
ρ(g/cm^3)	6	5.81	5.14	4.29	3.39
r, mm	0.62	0.79	0.86	0.93	1
ρ(g/cm^3)	2.7	2.19	2.1	2.04	2

수치적분을 이용하여 입자의 질량 (g)과 평균 밀도 (g/cm^3)를 구하라.

19.23 구형 탱크의 바닥에는 액체가 흘러나오는 원형 오리피스가 있다(그림 P19.23). 다음 데이터는 오리피스를 통과하는 유량을 시간의 함수로 측정한 것이다.

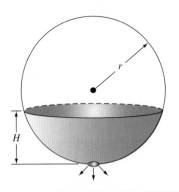

그림 P19.23

t, s	0	500	1000	1500	2200	2900
Q, m³/hr	10.55	9.576	9.072	8.640	8.100	7.560
t, s	3600	4300	5200	6500	7000	7500
Q, m³/hr	7.020	6.480	5.688	4.752	3.348	1.404

다음 각 목적을 위한 지원 함수를 포함하는 스크립트를 작성하라. (a) 전체 측정기간 동안 배수된 유체의 부피 (리터)를 계산하고 (b) $t = 0$초에서 탱크 내의 액체 수준을 계산한다. $r = 1.5$ m 임을 유의하라.

$$V = \pi H^2 \frac{3r - H}{3}$$

19.25 폭풍이 몰아치는 동안, 그림 P19.25에 나타난 것처럼 직사각형 마천루의 한쪽 면을 따라 강한 바람이 분다. 연습문제 19.9에서 기술한 대로, 낮은 차수의 Newton-Cotes 공식(사다리꼴, Simpsons 1/3 및 3/8 공식)을 사용하여 다음을 계산하라.

(a) 빌딩에 가해지는 힘을 킬로뉴턴 단위로 계산하라.

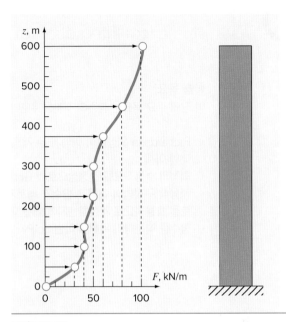

그림 P19.25

(b) 힘의 작용선(line of force)의 위치를 미터 단위로 계산하라.

19.27 다음과 같은 법칙에 따라 엔진 실린더에서 가스가 팽창한다.

$$PV^\gamma = \text{constant}$$

초기 압력은 2550 kPa이고 최종 압력은 210 kPa이다. 만약, 팽창 끝의 부피가 0.75 m³인 경우, 가스가 수행한 일을 계산하라.

$$W = \int_{V_1}^{V_2} P\,dV$$

함수의 수치적분

Numerical Integration of Functions

학습 목표

이 장의 주요 목표는 함수의 적분을 위한 수치방법을 소개하는 것이다. 특정한 목표와 다루는 주제는 다음과 같다.

- Richardson 외삽법이 어떻게 두 개의 덜 정확한 적분값을 조합하여 더 정확한 적분값을 생성할 수 있는지에 대한 이해
- 최적의 수평좌표를 선정함으로써 Gauss 구적법이 어떻게 우수한 적분값을 산출하는지에 대한 이해
- 적응식 구적법이 어떻게 함수가 빠르게 변하는 정제된 분할과 함수가 점차 변하는 거친 분할을 사용하여 적분을 효율적으로 계산하는지에 대한 이해
- 함수를 적분하기 위해 파이썬 SciPy intergrate 하위 모듈 함수들을 사용하는 방법을 숙지

20.1 머리말

19장에서 수치적으로 적분할 함수는 대표적으로 두 가지 형태가 있음을 기술하였다. 즉, 값들이 도표화된 형태와 함수의 형태이다. 데이터의 형태는 적분 계산에 사용할 수 있는 방법에 중요한 영향을 미친다. 도표화된 정보의 경우에 주어진 점들의 개수는 제한된다. 대조적으로 함수가 주어지는 경우에는 만족할 만한 정확도를 얻기 위해 요구되는 $f(x)$값은 얼마든지 만들 수 있다.

겉으로 보기에는 이런 문제를 해결하는 데 합성 Simpson 1/3 공식이 적절한 방법으로 보인다. 그러나 이 방법이 많은 문제에서 분명히 적절하긴 하지만 보다 효율적인 방법들이 이용 가능하다. 이 장에서는 세 가지 방법을 소개하고자 한다. 이 방법들은 모두 수치적분의 효율적인 계산을 위해 함숫값을 생성하는 능력을 이용하고 있다.

첫 번째 방법은 *Richardson 외삽법*(*Richardson extrapolation*)에 기초하고 있으며, 이 방법은 두 개의 수치적분값을 조합하여 제3의 보다 정확한 적분값을 구하는 방법이다. Richardson 외삽법을 매우 효과적으로 구현하기 위한 계산 알고리즘을 *Romberg 적분법*(*Romberg integration*)이라 한다. 이 방법은 미리 설정된 오차의 허용한도 내에서 적분값을 산출하는 데 사용할 수 있다.

두 번째 방법은 *Gauss 구적법*(*Gauss quadrature*)이라 부르는 방법이다. 19장에서 Newton-Cotes 공식에서 사용되는 $f(x)$값은 미리 지정된 x값에 대하여 결정되었다는 것을 기억하라. 예를 들어 적분값을 결정하기 위하여 사다리꼴 공식을 사용한다면, 구간의 양끝에서 $f(x)$의 가중평균값을 취하도록 제한하고 있다. Gauss 구적법은 보다 정확한 적분값을 구할 수 있도록 적분구간 내에 위치한 x값들을 사용한다.

세 번째 방법은 *적응식 구적법*(*adaptive quadrature*)이라 하는 방법이다. 이 방법은 오차 추정값을 계산할 수 있도록, 합성 Simpson 1/3 공식을 적분구간 내의 소구간에 적용한다. 이 오차 추

정값은 더욱 조밀한 소구간에 대한 추정값이 필요한지를 결정하는 데 사용된다. 이러한 방법으로 더욱 조밀한 구간을 필요한 곳에만 적용한다.

20.2 Romberg 적분

Romberg 적분법은 함수에 대한 수치적분을 효율적으로 구하기 위하여 고안된 방법 중의 하나이다. 이 방법은 사다리꼴 공식의 연속적인 적용에 근거하고 있다는 면에서 19장에서 논의되었던 방법들과 매우 유사하다. 그러나 수학적인 조작을 통해서 작은 노력으로 더 우수한 결과를 얻을 수 있게 된다.

20.2.1 Richardson 외삽법

적분값 그 자체를 기초로 하여 수치적분의 결과를 개선하는 방법들이 가능하다. 일반적으로 Richardson 외삽법이라고 하는 방법은 두 개의 적분값을 사용하여 제3의 보다 정확한 근삿값을 계산한다.

합성 사다리꼴 공식에 관련된 적분값과 오차는 일반적으로 다음과 같이 표현된다.

$$I = I(h) + E(h)$$

여기서 I는 정확한 적분값이며, $I(h)$는 $h = (b - a)/n$의 간격 크기를 가진 n개의 구간에 사다리꼴 공식을 적용시켜 나온 근삿값이고, $E(h)$는 절단오차이다. 만일 h_1과 h_2의 간격 크기를 사용하여 두 개의 추정값을 구하고, 오차에 대한 정확한 값을 안다면 다음과 같은 관계를 얻을 수 있다.

$$I(h_1) + E(h_1) = I(h_2) + E(h_2) \tag{20.1}$$

합성 사다리꼴 공식의 오차는 식 (19.21)과 같이 근사적으로 표현될 수 있고, 여기서 $n = (b - a)/h$이다.

$$E \cong -\frac{b - a}{12} h^2 \bar{f}'' \tag{20.2}$$

여기서 $\bar{f}''$가 간격의 크기와 관계없이 일정하다고 가정하면, 식 (20.2)는 두 오차의 비를 결정하는 데 다음과 같이 사용될 수 있다.

$$\frac{E(h_1)}{E(h_2)} \cong \frac{h_1^2}{h_2^2} \tag{20.3}$$

이는 계산 시 $\bar{f}''$항을 제거하는 중요한 효과를 가지고 있다. 이렇게 하여 함수의 2차 도함수에 대한 사전지식 없이 식 (20.2)에 포함되어 있는 정보를 사용할 수 있다. 이를 위해 식 (20.3)을 다시 정리하면 다음과 같다.

$$E(h_1) \cong E(h_2)\left(\frac{h_1}{h_2}\right)^2$$

이 식을 식 (20.1)에 대입하면 다음과 같다.

$$I(h_1) + E(h_2)\left(\frac{h_1}{h_2}\right)^2 = I(h_2) + E(h_2)$$

이 식을 풀면 다음과 같다.

$$E(h_2) = \frac{I(h_1) - I(h_2)}{1 - (h_1/h_2)^2}$$

따라서 절단오차의 추정값을 적분값과 간격의 크기 항으로 전개하였다. 이 추정값을 다음 식에 대입하면

$$I = I(h_2) + E(h_2)$$

다음과 같은 개선된 적분값을 계산할 수 있다.

$$I = I(h_2) + \frac{1}{(h_1/h_2)^2 - 1}[I(h_2) - I(h_1)] \tag{20.4}$$

이 적분값의 오차가 $O(h^4)$임을 증명할 수 있다(Ralston and Rabinowitz, 1978). 그러므로 $O(h^2)$의 오차를 가지는 두 개의 사다리꼴 공식에 의한 적분값을 조합하여, $O(h^4)$의 오차를 가지는 새로운 적분값을 산출하게 된다. 구간 간격이 절반으로 되는 ($h_2 = h_1/2$) 특수한 경우에 이 식은 다음과 같이 쓸 수 있다.

$$I = \frac{4}{3}I(h_2) - \frac{1}{3}I(h_1) \tag{20.5}$$

예제 20.1   **Richardson 외삽법**

문제 정의 Richardson 외삽법을 이용하여 구간 $a = 0$과 $b = 0.8$ 사이에서 함수 $f(x) = 0.2 + 25x - 200x^2 + 675x^3 - 900x^4 + 400x^5$의 적분값을 계산하라.

풀이 단일 및 합성 사다리꼴 공식을 적용하여 다음과 같은 적분값을 구하였다.

Segments	h	Integral	ε_t
1	0.8	0.1728	89.5%
2	0.4	1.0688	34.9%
4	0.2	1.4848	9.5%

위의 결과를 조합하여 개선된 적분값을 얻기 위하여 Richardson 외삽법을 사용할 수 있다. 예를 들어 한 개와 두 개 구간에 대한 적분값을 조합하여 다음 결과를 구할 수 있다.

$$I = \frac{4}{3}(1.0688) - \frac{1}{3}(0.1728) = 1.367467$$

개선된 적분값의 오차는 $E_t = 1.640533 - 1.367467 = 0.273067(\varepsilon_t = 16.6\%)$이며, 이는 현재의 계산에 사용된 각각의 적분값이 가지는 오차보다 우수한 것이다.

같은 방법으로 두 개와 네 개 구간에 대한 적분값을 조합하면 다음과 같은 결과를 얻을 수 있다.

$$I = \frac{4}{3}(1.4848) - \frac{1}{3}(1.0688) = 1.623467$$

여기서 오차 $E_t = 1.640533 - 1.623467 = 0.017067(\varepsilon_t = 1.0\%)$이다.

식 (20.4)는 오차가 $O(h^2)$인 사다리꼴 공식 두 개를 조합하여 오차 $O(h^4)$를 가진 제3의 적분값을 구하는 방법을 보여 준다. 이 방법은 개선된 적분값을 얻기 위해 적분값을 조합하는 것보다 일반적인 방법 중의 하나이다. 예를 들면 예제 20.1에서는 세 개의 사다리꼴 공식의 적분값에 기초하여, 오차 $O(h^4)$를 가지는 두 개의 개선된 적분값을 계산하였다. 이 두 개의 개선된 적분값을 다시 조합하여, 오차 $O(h^6)$를 가지는 것보다 나은 적분값을 산출할 수 있다. 원래의 사다리꼴 공식에 간격의 크기를 계속해서 반분하여 계산하는 특수한 경우, $O(h^6)$의 정확도를 가지는 적분값을 구하기 위해 사용하는 방정식은 다음과 같다.

$$I = \frac{16}{15}I_m - \frac{1}{15}I_l \tag{20.6}$$

여기서 I_m과 I_l는 각각 보다 정확한 적분값과 덜 정확한 적분값이다. 유사한 방법으로 두 개의 $O(h^6)$ 적분값은 $O(h^8)$ 적분값을 계산하기 위하여 다음과 같이 조합될 수 있다.

$$I = \frac{64}{63}I_m - \frac{1}{63}I_l \tag{20.7}$$

예제 20.2	고차 수정

문제 정의 예제 20.1에서 오차가 $O(h^4)$인 두 개의 적분값을 계산하기 위하여 Richardson 외삽법을 사용하였다. 이들 적분값을 조합하여 오차가 (1)인 적분값을 구하기 위하여 식 (20.6)을 사용하라.

풀이 예제 20.1에서 구한 오차 $O(h^4)$의 두 개의 적분값은 1.367467과 1.623467이다. 이 값들을 식 (20.6)에 대입하면 다음과 같이 된다.

$$I = \frac{16}{15}(1.623467) - \frac{1}{15}(1.367467) = 1.640533$$

이는 정확한 적분값이다.

20.2.2 Romberg 적분 알고리즘

외삽법인 식 (20.5), 식 (20.6) 그리고 식 (20.7)에서 계수들의 합이 1이라는 점을 주목하라. 따라서 이 계수들은 정확도가 증가함에 따라, 우수한 적분값에 보다 큰 가중값을 부과하는 가중인자를 나타낸다. 이 공식들은 컴퓨터 실행에 적합한 일반적인 형태로 다음과 같이 표현할 수 있다.

$$I_{j,k} = \frac{4^{k-1} I_{j+1,k-1} - I_{j,k-1}}{4^{k-1} - 1}$$

(20.8)

여기서 $I_{j+1,k-1}$과 $I_{j,k-1}$은 각각 보다 정확한 적분값과 덜 정확한 적분값이며, $I_{j,k}$는 개선된 적분값이다. 첨자 k는 적분의 단계를 나타낸다. 즉, $k = 1$일 때 원래의 사다리꼴 공식의 적분값에 해당하고, $k = 2$일 때 $O(h^4)$의 적분값에 해당하며, $k = 3$일 때 $O(h^6)$에 해당한다. 첨자는 더 정확하고 $(j + 1)$ 덜 정확한 (j) 추정값을 구별하기 위하여 사용된다. 예를 들어 $k = 2$, $j = 1$일 때, 식 (20.8)은 다음과 같이 된다.

$$I_{1,2} = \frac{4I_{2,1} - I_{1,1}}{3}$$

이는 식 (20.5)와 동일하다.

식 (20.8)로 표현되는 일반적인 형식은 Romberg에 의하여 개발되었고, 이를 적분 계산에 체계적으로 적용시킨 것을 Romberg 적분법(Romberg integration)이라 한다. 그림 20.1은 이 방법을 사용하여 적분값을 계산하는 절차를 설명하고 있다. 각 행렬은 한 번의 반복계산에 해당한다. 첫 번째 열은 사다리꼴 공식의 계산결과를 나타내며, 이는 $I_{j,1}$으로 표시된다. 여기서 $j = 1$은 단일 구간을 적용하는 경우(간격의 크기는 $b - a$), $j = 2$는 두 개 구간을 적용하는 경우[간격의 크기는 $(b - a)/2$]이며, $j = 3$은 네 개의 구간을 적용하는 경우[간격의 크기는 $(b - a)/4$]에 대한 것이다. 행렬의 다른 열은 연속적으로 보다 정확한 적분값을 구하기 위하여, 식 (20.8)을 체계적으로 적용하여 구한 것이다.

예를 들어 첫 번째 반복계산(그림 20.1a)에서는 단일 구간과 두 개의 구간에 대한 사다리꼴 공식의 적분값($I_{1,1}$과 $I_{2,1}$) 계산을 수행한다. 그리고 식 (20.8)은 $O(h^4)$의 오차를 가지는 원소 $I_{1,2} = 1.367467$을 계산하는 데 사용한다.

이제 이런 결과가 요구를 충족하는지를 확인하기 위하여 점검해야 한다. 이 책의 다른 근사적인 방법에서와 같이 결과의 정확도를 평가하기 위하여 종료 판정기준이 요구된다. 이런 목적을 위해 도입할 수 있는 한 가지 방법은 다음과 같다.

$$|\varepsilon_a| = \left| \frac{I_{1,k} - I_{2,k-1}}{I_{1,k}} \right| \times 100\%$$

(20.9)

여기서는 ε_a는 백분율 상대오차의 추정값이다. 따라서 다른 반복계산 과정에서 이미 수행하였던 것처럼, 이전 값과 새로운 값을 비교하게 된다. 식 (20.9)에서 이전 값은 전 단계 적분으로부터의 가장 정확한 적분값이다(즉, $j = 2$인 $k - 1$ 적분단계).

ε_a로 표현되는 과거 값과 새로운 값 사이의 차이가 미리 설정된 오차기준 ε_s보다 작을 때 계산은 종료된다. 그림 20.1a에 대하여 이 계산은 첫 번째 반복계산 과정에서 다음의 백분율 변화를 보여주고 있다.

$$|\varepsilon_a| = \left| \frac{1.367467 - 1.068800}{1.367467} \right| \times 100\% = 21.8\%$$

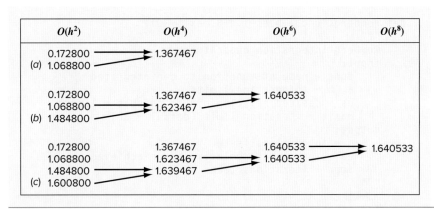

그림 20.1   Romberg 적분법을 이용한 적분계산 순서를 그래프로 표현한다. (*a*) 첫 번째 반복, (*b*) 두 번째 반복, (*c*) 세 번째 반복.

두 번째 반복계산의 목적(그림 20.1*b*)은 오차 $O(h^6)$를 가지는 적분값 $I_{1,3}$을 구하기 위한 것이다. 이를 위하여 네 개의 구간에 대한 사다리꼴 공식의 적분값 $I_{3,1} = 1.4848$을 구한다. 이 값은 식 (20.8)을 사용하여 $I_{2,1}$과 조합하여 $I_{2,2} = 1.623467$을 생성한다. 이 결과는 다시 $I_{1,2}$와 조합하여 $I_{1,3} = 1.640533$을 생성한다. 식 (20.9)를 적용하면 현재의 결과는 이전 결과 $I_{2,2}$와 비교할 때 1%의 변화를 나타냄을 알 수 있다.

세 번째 반복계산(그림 20.1*c*)에서도 같은 방법으로 위의 과정을 계속한다. 이 경우에 여덟 개의 구간에 대한 사다리꼴 공식의 적분값이 첫 번째 열에 더해지고, 보다 정확한 적분값을 연속적으로 계산하기 위해 식 (20.8)은 아래 대각(lower diagonal)을 따라서 적용된다. 현재 5차 다항식을 계산하고 있으므로, 단지 세 번만 반복해도 결과($I_{1,4} = 1,640533$)는 정확한 값이 된다.

Romberg 적분법은 사다리꼴 공식과 Simpson 공식보다 더 효율적이다. 예를 들어 그림 20.1에 나타난 적분의 계산을 위하여, Simpson 1/3 공식은 배정도로 7자리 유효숫자를 가지는 적분값(1.640533)을 구하기 위해 48개의 구간을 필요로 한다. 반면에 Romberg 적분법은 한 개, 두 개, 네 개, 여덟 개의 구간을 가진 사다리꼴 공식을 적용하여 조합함으로써 같은 결과를 산출하고 있다. 단지 15회의 함숫값 계산만으로 충분하다.

그림 20.2는 Romberg 적분법에 대한 파이썬 함수를 보여 준다. 이 알고리즘은 루프를 이용함으로써 Romberg 적분법을 효율적으로 실행한다. 또한 이 함수는 합성 사다리꼴 공식 계산을 수행하기 위하여 trap이라는 또 다른 함수를 사용하고 있음을 유의하라(그림 19.10 참조). 이 함수를 공부하면서, 식 (20.8)과 식 (20.9)의 인덱스 첨자를 파이썬의 0 기반 배열 인덱스로 변환하는 것이 까다롭다는 것을 알 수 있을 것이다. 다음은 예제 20.1의 다항식 적분을 구하기 위해 Romberg 함수를 사용하는 방법을 보여주는 추가 파이썬 코드이다.

```
def romberg(func,a,b,es=1.e-8,maxit=30):
    """
    Romberg integration quadrature
    input:
        func = name of function to be integrated
        a, b = integration limits
        es = desired relative error (default = 1.e-8)
        maxit = iteration limit (defaul = 30)
    output:
        q = integral estimate
        ea = approximate relative error achieved
        iter = iterations taken
    """
    n = 1
    I = np.zeros((2*maxit,maxit+1))
    I[0,0] = trap(func,a,b,n)
    for iter in range(1,maxit+1):
        n = 2**iter
        I[iter,0] = trap(func,a,b,n)
        for k in range(1,iter+1):
            j = iter-k
            I[j,k] = (4**(k)*I[j+1,k-1] - I[j,k-1])/(4**(k)-1)
        ea = abs((I[0,iter]-I[1,iter-1])/I[0,iter])
        if ea <= es: break
    q = I[0,iter]
    return q,ea,iter
```

그림 20.2   Romberg 적분을 구현하기 위한 파이썬 함수.

```
def f(x):
    return 0.2 + 25.*x - 200.*x**2 + 675.*x**3 - 900*x**4 + 400*x**5

Ival,errel,iter = romberg(f,0.,0.8)
print(Ival)
print(errel)
print(iter)
```

표시된 결과는 다음과 같다.

```
1.6405333333333318
0.0
3
```

예제 20.2에서 설명한 바와 같이, 함수는 세 번의 반복으로 정확한 결과를 반환하고, 그 결과 표시된 오류는 0이다.

SciPy 하위 모듈 integrate에는 다음과 같은 구문을 가진 romberg 함수가 있다.

```
from scipy.integrate import romberg
result = romberg(func,a,b)
```

절대 및 상대 허용 오차에 대한 선택적 인수들과 func를 통해 인수들을 전달할 수 있는 인수도 있다. 우리는 코드를 이용해 함수를 테스트할 수 있고,

```
from scipy.integrate import romberg
result = romberg(f,0.,0.8)
print(result)
```

아래와 같은 값을 얻는다.

> 1.6405333333333363

이는 그림 20.2의 함수를 사용하여 얻은 결과와 거의 동일함을 알 수 있다.

20.3 Gauss 구적법

19장에서 Newton-Cotes 방정식을 사용하였다. 이 공식의 특징은 부등간격의 특수한 경우를 제외하고는 적분값이 등간격으로 분포된 함숫값에 근거한다는 점이다. 따라서 이들 식에서 사용되는 기본점들의 위치는 미리 결정되어 있거나 고정되어 있다.

예를 들어 그림 20.3a에서 보여지는 것처럼, 사다리꼴 공식은 적분구간 양 끝점에서의 함숫값을 연결하는 직선 아래의 면적을 취하는 것에 바탕을 두고 있다. 이 면적을 계산하기 위하여 사용되는 공식은 다음과 같다.

$$I \cong (b - a)\frac{f(a) + f(b)}{2} \tag{20.10}$$

여기서 a와 b는 적분한계이며, $b - a$는 적분구간의 폭이다. 사다리꼴 공식은 양 끝점을 지나야 하므로 이 공식은 그림 20.3a와 같이 큰 오차를 초래하는 경우가 있다.

이제 기본점이 고정되어 있다는 제약 조건을 없애고, 곡선상의 임의의 두 점을 지나는 직선 아래의 면적을 자유롭게 계산할 수 있다고 가정하자. 이 점들을 적절히 위치시킴으로써 양의 오차와 음의 오차가 균형을 이룰 수 있는 직선을 정의할 수 있을 것이다. 이와 같은 방법으로 그림 20.3b에서와 같이 개선된 적분값을 구할 수 있다.

Gauss 구적법(*Gauss quadrature*)은 이러한 전략을 구현하는 방법들에 대한 명칭이다. 이 절에서 기술하고 있는 특정 Gauss 구적법 공식을 *Gauss-Legendre* 공식이라고 한다. 이 방법을 기술하기 전에 먼저 미정계수법을 사용하여 사다리꼴 공식과 같은 수치적분 공식을 유도하는 방법을 설명할 것이다. 다음으로 이 방법을 적용하여 Gauss-Legendre 공식을 개발하게 될 것이다.

20.3.1 미정계수법

19장에서 선형 보간다항식의 적분과 기하학적 개념을 이용하여 사다리꼴 공식을 유도하였다. 미정계수법(method of undetermined coefficients)은 Gauss 구적법과 같은 다른 형태의 적분 방법을 유도하는 데 유용한 제3의 방법을 제시한다.

이 방법을 설명하기 위하여 식 (20.10)을 다음과 같이 표현한다.

$$I \cong c_0 f(a) + c_1 f(b) \tag{20.11}$$

여기서 c_0와 c_1은 상수이다. 또한 사다리꼴 공식은 적분할 함수가 상수이거나 직선일 때 반드 시 정확한 해를 산출함을 인식하라. 이런 경우를 대표하는 두 개의 간단한 방정식은 $y = 1$과 $y = x$이다 (그림 20.4). 따라서 다음과 같은 등식이 성립하게 된다.

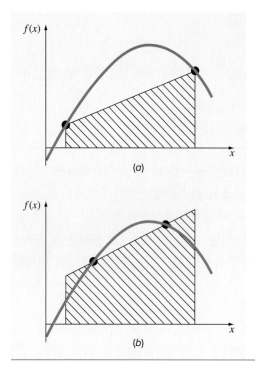

그림 20.3   (a) 고정된 양끝 점을 연결하는 직선 아래의 면적을 나타내는 사다리꼴 공식을 그래프로 표현함. (b) 두 개의 중간 점을 지나는 직선 아래의 면적을 취해서 얻은 개선된 적분. 이들 점을 적절하게 위치시킴으로써 양의 오차와 음의 오차가 균형을 잘 이루어 개선된 적분값을 얻는다.

$$c_0 + c_1 = \int_{-(b-a)/2}^{(b-a)/2} 1 \, dx$$

그리고

$$-c_0 \frac{b-a}{2} + c_1 \frac{b-a}{2} = \int_{-(b-a)/2}^{(b-a)/2} x \, dx$$

또는 적분값을 계산하면 다음과 같다.

$$c_0 + c_1 = b - a$$

그리고

$$-c_0 \frac{b-a}{2} + c_1 \frac{b-a}{2} = 0$$

이들은 두 개의 미지수를 가지는 두 개의 방정식이며, 다음과 같은 해를 구할 수 있다.

$$c_0 = c_1 = \frac{b-a}{2}$$

이들을 식 (20.11)에 다시 대입하면 다음과 같다.

$$I = \frac{b-a}{2} f(a) + \frac{b-a}{2} f(b)$$

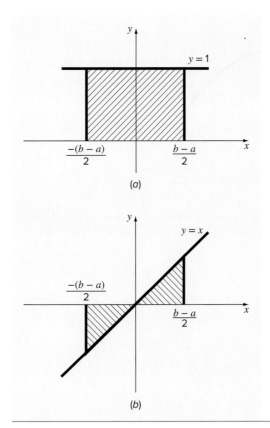

그림 20.4 사다리꼴 공식으로 정확하게 계산할 수 있는 두 가지 적분: (a) 상수, (b) 직선.

이 식은 사다리꼴 공식과 같다.

20.3.2 2점 Gauss-Legendre 공식의 유도

앞서 사다리꼴 공식을 유도한 것과 같이 Gauss 구적법의 목적은 다음 형태의 방정식의 계수를 결정하는 것이다.

$$I \cong c_0 f(x_0) + c_1 f(x_1) \tag{20.12}$$

여기서 c_0와 c_1은 미지계수이다. 그러나 고정된 양끝 점 a와 b를 사용하는 사다리꼴 공식과는 달리, 함수의 변수 x_0와 x_1은 끝점에서 고정되어 있지 않고 미지수이다(그림 20.5). 따라서 계산해야 할 미지수는 모두 네 개가 있고, 이들을 정확하게 결정하기 위하여 네 개의 조건이 필요하다.

사다리꼴 공식과 같이, 식 (20.12)가 상수와 선형함수에 대한 적분과 정확하게 일치한다고 가정하면 두 개의 조건을 구할 수 있다. 나머지 두 개의 조건을 구하기 위하여, 위의 추론을 연장하여 식 (20.12)가 또한 포물선 ($y = x^2$)과 3차 함수 ($y = x^3$)의 적분과도 일치한다고 가정한다. 이러한 방법으로 네 개의 미지수가 결정될 수 있으며, 아울러 3차 다항식에 대하여도 정확한 선형 2점 적분 공식이 유도될 수 있다. 따라서 풀어야 할 네 개의 방정식은 다음과 같다.

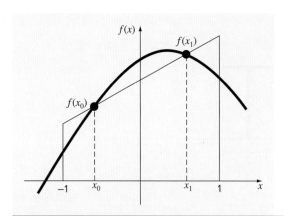

그림 20.5   Gauss 구적법을 사용한 적분에서 미지변수 x_0와 x_1을 그래프로 표현함.

$$c_0 + c_1 = \int_{-1}^{1} 1 \, dx = 2 \tag{20.13}$$

$$c_0 x_0 + c_1 x_1 = \int_{-1}^{1} x \, dx = 0 \tag{20.14}$$

$$c_0 x_0^2 + c_1 x_1^2 = \int_{-1}^{1} x^2 \, dx = \frac{2}{3} \tag{20.15}$$

$$c_0 x_0^3 + c_1 x_1^3 = \int_{-1}^{1} x^3 \, dx = 0 \tag{20.16}$$

식 (20.13)에서부터 식 (20.16)까지 연립하여 풀면 네 개의 미지수를 구할 수 있다. 먼저 식 (20.14)를 c_1에 대하여 풀고, 이 결과를 식 (20.16)에 대입하면 다음 식을 구할 수 있다.

$$x_0^2 = x_1^2$$

여기서 x_0와 x_1은 같을 수 없으므로, $x_0 = -x_1$이 된다. 이 결과를 식 (20.14)에 대입하면 $c_0 = c_1$이다. 결과적으로 식 (20.13)으로부터 다음과 같이 된다.

$$c_0 = c_1 = 1$$

이들 결과를 식 (20.15)에 대입하면 다음을 구할 수 있다.

$$x_0 = -\frac{1}{\sqrt{3}} = -0.5773503 \ldots$$

$$x_1 = \frac{1}{\sqrt{3}} = 0.5773503 \ldots$$

그러므로 2점 Gauss-Legendre 공식은 다음과 같다.

$$I = f\left(\frac{-1}{\sqrt{3}}\right) + f\left(\frac{1}{\sqrt{3}}\right) \tag{20.17}$$

따라서 $x = -1/\sqrt{3}$과 $1/\sqrt{3}$에서의 함숫값을 간단히 합쳐서 3차의 정확도를 가지는 적분값을 산출한다는 흥미 있는 결과에 도달한다.

식 (20.13)에서 식 (20.16)까지 나타나는 적분구간이 -1에서 1까지라는 점을 주목하라. 이는 계산을 단순하게 하고 공식을 가능한 한 일반화하기 위함이다. 다른 적분구간은 간단한 변수 변환을 통하여 이러한 형태로 변환시킬 수 있으며, 이는 새로운 변수 x_d와 원래 변수 x가 다음과 같은 선형적 관계가 있다고 가정함으로써 달성할 수 있다.

$$x = a_1 + a_2 x_d \tag{20.18}$$

만일 하한값인 $x = a$가 $x_d = -1$에 대응된다면, 이 값들을 식 (20.18)에 대입하여 다음 식을 구할 수 있다.

$$a = a_1 + a_2(-1) \tag{20.19}$$

같은 방법으로 상한값인 $x = b$가 $x_d = 1$에 대응되면 다음과 같다.

$$b = a_1 + a_2(1) \tag{20.20}$$

식 (20.19)와 식 (20.20)을 연립하여 풀면

$$a_1 = \frac{b + a}{2} \quad \text{and} \quad a_2 = \frac{b - a}{2} \tag{20.21}$$

이 값들을 식 (20.18)에 대입하면 다음과 같다.

$$x = \frac{(b + a) + (b - a)x_d}{2} \tag{20.22}$$

이 식을 미분하면 다음과 같다.

$$dx = \frac{b - a}{2} dx_d \tag{20.23}$$

적분될 식에서 x와 dx는 각각 식 (20.22)와 식 (20.23)으로 대체될 수 있다. 이런 대체 방법은 적분값의 변화 없이 적분구간을 효과적으로 변환시킨다. 다음의 예는 실제로 이것이 어떻게 적용되는지를 보여 준다.

예제 20.3   2점 Gauss-Legendre 공식

문제 정의 $x = 0$에서 0.8까지의 구간에서 식 (20.17)을 이용하여 다음 식의 적분값을 계산하라.

$$f(x) = 0.2 + 25x - 200x^2 + 675x^3 - 900x^4 + 400x^5$$

정확한 적분값은 1,640533이다.

풀이 함수를 적분하기 전에 적분구간이 -1에서 +1까지 되도록 변수를 변환시켜야 한다. 이를 위해 $a = 0$과 $b = 0.8$을 식 (20.22)와 식 (20.23)에 대입하여 다음을 구한다.

$$x = 0.4 + 0.4x_d \qquad 그리고 \qquad dx = 0.4dx_d$$

앞의 두 식을 원래의 식에 대입하면 다음과 같게 된다.

$$\int_0^{0.8} (0.2 + 25x - 200x^2 + 675x^3 - 900x^4 + 400x^5)\, dx$$

$$= \int_{-1}^1 [0.2 + 25(0.4 + 0.4x_d) - 200(0.4 + 0.4x_d)^2 + 675(0.4 + 0.4x_d)^3$$

$$-900(0.4 + 0.4x_d)^4 + 400(0.4 + 0.4x_d)^5]0.4dx_d$$

그러므로 우변은 Gauss 구적법을 사용하여 계산하기에 적합한 형태이다. 이렇게 변환된 함수는 $x_d = -1/\sqrt{3}$ 에서 0.516741이며 $x_d = 1/\sqrt{3}$에서 1.305837이 된다. 따라서 식 (20.17)에 따른 적분값은 0.516741 + 1.305837 = 1.822578이며, 이는 -11.1%의 백분율 상대오차를 보여 준다. 이 결과는 네 개의 구간에 적용한 사다리꼴 공식의 결과, 혹은 단일 구간에 적용한 Simpson의 1/3과 3/8 공식의 결과와 그 크기가 유사하다. 후 자는 Simpson의 공식 역시 3차의 정확도를 가지기 때문에 예상된 결과이다. 그러나 Gauss 구적법은 기본점을 현명하게 선택하여 단지 두 개의 함숫값에 근거하여 동일한 3차의 정확도를 얻을 수 있다.

20.3.3 다점 공식

앞 절에서 기술한 2점 공식 이외에 여러 점을 이용하는 다점 공식(higher-point formulas)은 다 음과 같은 일반적인 형식으로 전개할 수 있다.

$$I \cong c_0 f(x_0) + c_1 f(x_1) + \cdots + c_{n-1} f(x_{n-1}) \tag{20.24}$$

여기서 n은 관련된 점들의 개수이다. 1점부터 6점까지의 공식에서 사용되는 c와 x의 값이 표 20.1 에 요약되어 있다.

예제 20.4	3점 Gauss-Legendre 공식

문제 정의 표 20.1의 3점 공식을 이용하여 예제 20.3에 있는 함수의 적분값을 계산하라.

풀이 표 20.1에 의하면 3점 공식은 다음과 같다.

$$I = 0.5555556\, f(-0.7745967) + 0.8888889\, f(0) + 0.5555556\, f(0.7745967)$$

이는 다음 식과 같다.

$$I = 0.2813013 + 0.8732444 + 0.4859876 = 1.640533$$

이 결과는 정확한 값이다.

표 20.1   설계문제에서 사용되는 기본 원리.

Points	Weighting Factors	Function Arguments	Truncation Error
1	$c_0 = 2$	$x_0 = 0.0$	$\cong f^{(2)}(\xi)$
2	$c_0 = 1$ $c_1 = 1$	$x_0 = -1/\sqrt{3}$ $x_1 = 1/\sqrt{3}$	$\cong f^{(4)}(\xi)$
3	$c_0 = 5/9$ $c_1 = 8/9$ $c_2 = 5/9$	$x_0 = -\sqrt{3/5}$ $x_1 = 0.0$ $x_2 = \sqrt{3/5}$	$\cong f^{(6)}(\xi)$
4	$c_0 = (18 - \sqrt{30})/36$ $c_1 = (18 + \sqrt{30})/36$ $c_2 = (18 + \sqrt{30})/36$ $c_3 = (18 - \sqrt{30})/36$	$x_0 = -\sqrt{525 + 70\sqrt{30}}/35$ $x_1 = -\sqrt{525 - 70\sqrt{30}}/35$ $x_2 = \sqrt{525 - 70\sqrt{30}}/35$ $x_3 = \sqrt{525 + 70\sqrt{30}}/35$	$\cong f^{(8)}(\xi)$
5	$c_0 = (322 - 13\sqrt{70})/900$ $c_1 = (322 + 13\sqrt{70})/900$ $c_2 = 128/225$ $c_3 = (322 + 13\sqrt{70})/900$ $c_4 = (322 - 13\sqrt{70})/900$	$x_0 = -\sqrt{245 + 14\sqrt{70}}/21$ $x_1 = -\sqrt{245 - 14\sqrt{70}}/21$ $x_2 = 0.0$ $x_3 = \sqrt{245 - 14\sqrt{70}}/21$ $x_4 = \sqrt{245 + 14\sqrt{70}}/21$	$\cong f^{(10)}(\xi)$
6	$c_0 = 0.171324492379170$ $c_1 = 0.360761573048139$ $c_2 = 0.467913934572691$ $c_3 = 0.467913934572691$ $c_4 = 0.360761573048131$ $c_5 = 0.171324492379170$	$x_0 = -0.932469514203152$ $x_1 = -0.661209386466265$ $x_2 = -0.238619186083197$ $x_3 = 0.238619186083197$ $x_4 = 0.661209386466265$ $x_5 = 0.932469514203152$	$\cong f^{(12)}(\xi)$

Gauss 구적법은 적분구간 내에서 부등간격으로 분포된 점들에 대한 함수 계산을 필요로 하므로, 함수가 알려져 있지 않은 경우에는 적합하지 않다. 따라서 도표화된 데이터를 다루는 실제 공학 문제에는 적합하지 않다. 그러나 함수의 형태를 알고 있는 경우에는 이 방법의 효율성은 결정적인 장점이 될 수 있어 많은 적분 계산을 수행할 때 특히 유용하다.

20.4 적응식 구적법

Romberg 적분법이 합성 Simpson 1/3 공식에 비해 더 효율적이지만, 두 가지 방법 모두 등간 격으로 분포된 점을 사용한다는 단점이 있다. 이와 같은 제약조건은 어떤 함수들은 비교적 급격히 변화하는 지역을 포함하고 있어 더욱 조밀한 간격이 필요하다는 점을 고려하지 않는다. 따라서 조밀한 간격이 단지 급격한 변화가 있는 지역에만 필요하더라도 원하는 정확도를 얻기 위해서는 이를 모든 곳에 적용하여야 한다. 적응식 구적법은 이러한 문제를 개선하기 위하여 자동적으로 간격 크기를 조절하게 된다. 따라서 급격하게 변화하는 지역에는 작은 간격을, 함수가 점진적으로 변화하는 지역에는 큰 간격을 취하게 된다.

20.4.1 파이썬 함수: quadadapt

적응식 구적법은 변화가 큰 지역과 점진적인 지역을 동시에 가지고 있는 많은 함수의 계산에 적용된다. 이 방법은 급격한 변화가 있는 곳에서는 작은 간격을, 점진적인 변화가 있는 곳에서는 큰 간격을 사용하도록 간격 크기를 조절한다. 대부분의 이러한 방법들은 합성 사다리꼴 공식이 Richardson 외삽법에 사용되는 방법과 유사하게 합성 Simpson 1/3 공식을 소구간에 적용하는 데 바탕을 두고 있다. 즉, 1/3 공식을 두 단계의 조밀한 간격에 적용하고, 이 두 단계의 차이는 절단오차를 계산하는 데 사용된다. 만약 절단오차가 허용할 만한 수준이면 더 이상의 조밀한 간격은 필요하지 않고, 그 소구간에 대한 적분값은 수용할 만한 것으로 간주한다. 만약 오차가 너무 크면 간격의 크기를 더 조밀하게 하여, 이 과정을 오차가 허용할 만한 수준에 이를 때까지 반복하게 된다. 총 적분값은 소구간에 대한 적분값의 합으로 계산된다.

이 방법의 이론적 근거는 $r = a$에서 $r = b$까지의 구간과 $n = b - a$의 폭에 대해 예시할 수 있다. Simpson 1/3 공식을 이용하면 첫 번째 적분값은 다음과 같다.

$$I(h_1) = \frac{h_1}{6}[f(a) + 4f(c) + f(b)] \tag{20.25}$$

여기서 $c = (a + b)/2$이다.

Richardson 외삽법에서와 마찬가지로 간격 크기를 반분함으로써 더 정확한 값을 구할 수 있다. 즉, $n = 4$인 합성 Simpson 1/3 공식을 적용함으로써 다음 식을 구한다.

$$I(h_2) = \frac{h_2}{6}[f(a) + 4f(d) + 2f(c) + 4f(e) + f(b)] \tag{20.26}$$

여기서 $d = (a + c)/2$, $e = (c + b)/2$ 그리고 $h_2 = h_1/2$이다.

$I(h_1)$과 $I(h_2)$ 모두 같은 적분에 대한 추정값이므로 이들의 차이를 이용하여 오차를 구한다.

$$E \cong I(h_2) - I(h_1) \tag{20.27}$$

또한 이와 관련된 적분값과 오차는 일반적으로 다음과 같이 표현할 수 있다.

$$I = I(h) + E(h) \tag{20.28}$$

여기서 I는 정확한 적분값, $I(h)$는 간격 크기가 $h = (b - a)/n$인 n구간에 대한 Simpson 1/3 공식으로부터의 근삿값 그리고 $E(h)$는 그에 해당하는 절단오차이다.

Richardson 외삽법과 유사한 방법을 사용하여, 더 조밀한 간격에 대한 적분값 $I(h_2)$의 오차 추정값을 두 개의 적분값 차이의 함수로 유도할 수 있다.

$$E(h_2) = \frac{1}{15}[I(h_2) - I(h_1)] \tag{20.29}$$

이 오차를 $I(h_2)$에 더함으로써 보다 나은 적분값을 구할 수 있다.

$$I = I(h_2) + \frac{1}{15}[I(h_2) - I(h_1)] \tag{20.30}$$

이 결과는 Boole 공식(표 19.2)과 같다.

앞서의 식들은 효율적인 알고리즘으로 만들 수 있다. 그림 20.6은 Cleve Moler(2004)에 의해 개발된 알고리즘에 기초한 파이썬 함수를 보여 준다.

함수는 주 호출함수 quadadapt와 실제로 적분을 수행하는 재귀함수(recursive function) quadstep으로 구성된다. 함수 func와 적분한계 a와 b는 주 호출함수 quadadapt로 전달된다. 주 호출함수는 func 함수와 적분 구간 a, b를 포함한다. 수렴 허용오차, tol 또한 함수에 전달되지만, 생략될 경우 기본값인 1×10^{-8}을 가진다. Simpson 1/3 공식(식 20.25)의 초기 적용에 필요한 함숫값이 계산된다. 이들 값과 적분한계, 함수 func, 오차허용는 quadstep으로 전달된다. quadstep 내에서 나머지 간격 크기와 함숫값이 계산되고, 두 개의 적분값[식 (20.25)와 식 (20.26)]이 계산된다.

여기서 오차는 적분값들 사이의 절대로 계산된다. 오차의 값에 따라 두 가지 경우가 발생할 수 있다.

1. 오차가 허용값, tol보다 작거나 같으면, Boole 공식이 생성된다. 함수는 종료되고 quadadapt로 결과를 전달한다.

2. 오차가 허용값보다 크거나 같으면, 현재 호출하고 있는 두 개의 소구간을 계산하기 위해 quadstep을 두 번 부른다.

두 번째 단계에서 두 번의 재귀함수 호출(quadstep 함수는 스스로를 호출한다)은 이 알고리즘의 핵심이다. 이들은 허용오차를 만족할 때까지 계속하여 소구간으로 나눈다. 이 과정에서 이들 결과는 다른 적분값들과 함께 재귀 경로의 첫 부분으로 다시 돌아간다. 마지막 호출이 만족될 때 이 과정은 끝나며, 그 후 총 적분값이 계산되고 이 값은 주 호출함수로 반환된다.

```python
def quadadapt(func,a,b,tol=1.e-8):
    """
    Evaluates the definite integral of f(x) from a to b
    """
    c = (a+b)/2
    fa = func(a) ; fb = func(b) ; fc = func(c)
    q = quadstep(func,a,b,tol,fa,fc,fb)
    return q
def quadstep(func,a,b,tol,fa,fc,fb):
    h = b - a ; c = (a+b)/2
    fd = func((a+c)/2) ; fe = func((c+b)/2)
    q1 = h/6 * (fa + 4*fc + fb)
    q2 = h/12 * (fa + 4*fd + 2*fc + 4*fe + fb)
    if abs(q1-q2) < tol:
        q = q2 + (q2-q1)/15
    else:
        qa = quadstep(func,a,c,tol,fa,fd,fc)
        qb = quadstep(func,c,b,tol,fc,fe,fb)
        q = qa + qb
    return q
```

그림 20.6   Cleve Moler(2004)에 의해 개발된 알고리즘에 기초한 적응식 구적법 알고리즘을 실행하는 파이썬 함수.

그림 20.6의 알고리즘은 SciPy integrate 하위 모듈에 포함되어 있는 quad 함수의 가장 기본적인 내용만을 담고 있는 것을 기억하라. quad 함수는 절대적인 허용 오차 및 상대적인 허용 오차를 모두 제공하는 반면, 이것은 적분값이 존재하지 않는 경우와 같은 예외 조건들에 대해서는 보호하지 않고, 상대적인 허용 오차도 제공하지 않는다. 그럼에도 이 quadadapt 함수는 많은 응용처에서 잘 작동하고, 적응형 구적법이 작동하는 방식을 설명하는 역할을 한다. 다음은 예제 20.1의 다항식 적분을 계산하기 위해 quadadapt를 사용하는 방법을 보여 주는 파이썬 스크립트이다.

```
def f(x):
    return 0.2 + 25.*x - 200.*x**2 + 675.*x**3 - 900*x**4 + 400*x**5

fint = quadadapt(f,0.,0.8)
print(fint)
```

표시된 결과는 다음과 같다.

```
1.6405333333333347
```

20.4.2 파이썬 SciPy integrate 함수: quad

파이썬 SciPy integrate 하위 모듈은 적응식 구적법을 실행하기 위해 하나의 함수를 가지고 있다.

```
from scipy.integrate import quad
Ival,abserr = quad(func,a,b)
```

여기서 func은 적분할 함수이고 a와 b는 적분 구간이다. 이 함수는 적분 추정값, Ival과 절대 오차 추정값, abserr를 반환한다. 절대 및 상대 허용 한계에 대한 선택적 인수들로 epsabs와 epsrel이 있으며 기본값은 1.5×10^{-8}이다. 또한 사용하는 하위 간격 수, limit에도 제한이 있으며 기본값은 50이다. quad에 의한 평가를 통해 func의 추가 인수를 전달할 수 있는 조항이 있다. 자세한 내용은 SciPy 모듈의 Spyder Help를 참조하라.

예제 20.5	적응식 구적법

문제 정의 quad 함수를 사용하여 다음 함수를 적분하라.

$$f(x) = \frac{1}{(x-q)^2 + 0.01} + \frac{1}{(x-r)^2 + 0.04} - s$$

만약 위 식에서 $q = 0.3$, $r = 0.9$와 $s = 6$인 경우, 이 식은 함수 humps의 형태가 된다.[1] 이 humps 함수는 비교적 짧은 x 범위에서 평탄하고 가파른 영역을 모두 나타내므로, quad 같은 함수와 같은 수치적분 방법을 나타내고 테스트할 때 유용하게 사용된다. 이 형태의 humps 함수는 주어진 적분한계 사이에서 해석적으로 적분할 수 있으며, 정확한 적분값은 29.85832539549867이다.

---

[1] *Humps* 함수는 일반적으로 수치 분석가가 근의 위치, 최적화, 적분을 위한 알고리즘을 테스트하기 위해 사용한다.

풀이 다음은 이 적분을 구하기 위한 파이썬 스크립트와 결과이다.

```
from scipy.integrate import quad

q = 0.3
r = 0.9
s = 6.

def f(x):
    return 1./((x-q)**2+0.01) + 1./((x-r)**2+0.04) - s

Ival,abserr = quad(f,0.,1.)
print(Ival)
print(abserr)

29.85832539549867
4.346562361912858e-11
```

이 해는 16자리의 유효숫자를 가지는 정밀도로 나타내어진다.

사례연구 20.5 | **평균 제곱근 전류**

배경 에너지 전달이 효율적이기 때문에 교류 회로의 전류는 종종 다음과 같은 사인파형이다.

$$i = i_{peak} \sin(\omega t)$$

여기서 i는 전류 (A = C/s), i_{peak}는 피크 전류 (A), ω는 각진동수 (radians/s) 그리고 t는 시간 (s)이다. 각진동수는 $\omega = 2\pi/T$의 주기 T(s)와 관계가 있다.

생성되는 전력은 전류의 크기와 관계가 있다. 한 사이클 동안의 평균 전류를 계산하기 위해 적분이 사용된다.

$$\bar{i} = \frac{1}{T} \int_0^T i_{peak} \sin(\omega t) \, dt = \frac{i_{peak}}{T} (-\cos(2\pi) + \cos(0)) = 0$$

이러한 전류는 그 평균은 0이지만 전력을 발생시킬 수 있다. 그러므로 평균 전류를 대체할 수 있는 것이 요구된다. 이를 위해 전기 공학자들과 과학자들은 평균 제곱근 전류 i_{rms} (A)를 다음과 같이 정하고 사용한다.

$$i_{rms} = \sqrt{\frac{1}{T} \int_0^T i_{peak}^2 \sin^2(\omega t) \, dt} = \frac{i_{peak}}{\sqrt{2}} \tag{20.31}$$

그 이름이 나타내듯이 rms 전류는 전류를 제곱해서 평균을 낸 결과에 제곱근을 취한 것이다. $1/\sqrt{2} = 0.70707$이므로 i_{rms}는 우리가 가정한 사인파형의 피크 전류의 약 70%에 해당한다.

이 rms 전류는 교류 회로 내의 요소에 의해 흡수되는 평균 전력과 직접적으로 관계되기 때문에 의미가 있다. 이를 이해하기 위하여 회로 요소에 의해 흡수되는 순간전력은 그것을 통과하는 전류와 전압의 곱과 같다는 Joule의 법칙을 상기하자.

$$P = iV \tag{20.32}$$

여기서 P는 전력 (W = J/s) 그리고 V는 전압 (V = J/C)이다. 저항에 대한 Ohm의 법칙은 전압은 전류에 직접 비례한다는 것이다.

사례연구 20.5   continued

$$V = iR \tag{20.33}$$

여기서 R은 저항 $(\Omega = V/A = J \cdot s/C^2)$이다. 식 (20.33)을 식 (20.32)에 대입하면 다음과 같다.

$$P = i^2R \tag{20.34}$$

평균 전력은 식 (20.34)를 한 주기 동안에 적분하여 다음과 같이 얻을 수 있다.

$$\overline{P} = i_{rms}^2 R$$

따라서 교류 회로는 직류 회로에서 일정 전류가 i_{rms}인 경우에 해당하는 전력을 발생시킨다.

비록 단순한 사인파형이 널리 사용되고 있지만 이러한 파형만 사용되는 것은 아니다. 삼각파형이나 사각파형 같은 경우에도 적분을 이용하여 해석적으로 i_{rms}를 구할 수 있다. 그러나 어떤 파형은 수치적분을 통해서만 구할 수 있다.

이 사례연구에서는 비사인파형(non sinusoidal wave form)의 평균 제곱근 전류를 구한다. 이를 위해 이 장에서 소개된 방법뿐만 아니라 19장에서 다룬 Newton-Cotes 공식도 사용할 것이다.

풀이   계산해야 할 적분은 다음과 같다.

$$i_{rms}^2 = \int_0^{1/2} \left[10e^{-t} \sin(2\pi t) \right] dt \tag{20.35}$$

비교하기 위한 목적으로 이 적분의 참값을 구하면 유효숫자 15자리까지 정확한 값은 15.4126 0804810169 이다.

표 20.2는 사다리꼴 공식과 Simpson 1/3 공식을 적용한 여러 경우에 대한 적분값을 나타낸다. Simpson 공식이 사다리꼴 공식에 비해 더 정확함을 주목하라. 일곱 자리 유효숫자까지 정확한 값은 128구간 사다리꼴 공식과 32구간 Simpson 공식을 이용하여 구할 수 있다. 끝 두 자리 값은 일치하지 않는다.

그림 20.2에 작성된 파이썬 함수는 Romberg 적분법으로 적분 결과를 구하는 데 다음과 같이 이용될 수 있다.

표 20.2   Newton-Cotes 공식을 사용하여 계산한 적분값.

Technique	Segments	Integral	$\varepsilon_t(\%)$
Trapezoidal rule	1	0.0	100.0000
	2	15.163266493	1.6178
	4	15.401429095	0.0725
	8	15.411958360	4.22×10^{-3}
	16	15.412568151	2.59×10^{-4}
	32	15.412605565	1.61×10^{-5}
	64	15.412607893	1.01×10^{-6}
	128	15.412608038	6.28×10^{-8}
Simpson's 1/3 rule	2	20.217688657	31.1763
	4	15.480816629	0.4426
	8	.415468115	0.0186
	16	15.412771415	1.06×10^{-3}
	32	15.412618037	6.48×10^{-5}

사례연구 20.5   **continued**

```python
f = lambda t: (10.*np.exp(-t)*np.sin(2*np.pi*t))**2

Ival,errel,iter = romberg(f,0.,0.5)
print('integral estimate = ',Ival)
print('relative error = ',errel)
print('iterations required = ',iter)

integral estimate =  15.412608042889765
relative error =  1.4800587873269456e-10
iterations required = 5
```

기본적인 종료 조건을 1×10^{-8}으로 놓고 다섯 번 반복계산에 열 자리 유효숫자까지 정확한 결과를 얻는다. 더 엄격한 종료 조건을 사용하면 다음과 같이 더 정확한 결과를 구할 수 있다.

```python
Ival,errel,iter = romberg(f,0.,0.5,es=1.e-15)

integral estimate = 15.412608048101685
relative error = 0.0
iterations required = 7
```

Gauss 구적법을 사용해서 동일한 추정값을 얻을 수도 있다. 먼저 식 (20.22)와 식 (20.23)을 적용하여 다음과 같이 변수를 변환한다.

$$t = \frac{1}{4} + \frac{1}{4}t_d \qquad \text{and} \qquad dt = \frac{1}{4}dt_d\frac{v(t_{i+1}) - v(t_i)}{t_{i+1} - t_i}$$

이 식을 식 (20.35)에 대입하면 다음과 같은 결과를 얻는다.

$$i_{\text{rms}}^2 = \int_{-1}^{1} [10e^{-(0.25+0.25t_d)}\sin(2\pi[0.25 + 0.25t_d])]^2 \, 0.25dt_d$$

2점 Gauss-Legendre 공식을 사용하기 위해 함숫값을 $t_d = -1/\sqrt{3}$과 $1/\sqrt{3}$에 대해 계산하면 각각 7.684096과 4.313728이다. 이 값들을 식 (20.17)에 대입하면 11,99782의 적분값을 얻는데, 이때 오차는 $\varepsilon_t = 22.1\%$이다.

3점 공식은 다음과 같다(표 20.1).

$$I = 0.555556 \cdot 1.237449 + 0.888889 \cdot 15.16327 + 0.555556 \cdot 2.684915 = 15.65755$$

이때 오차는 $\varepsilon_t = 1.6\%$이다. 다점 공식을 사용할 때의 결과는 표 20.3과 같이 요약된다.

마지막으로 SciPy 하위 모듈 integrate quad 함수를 사용하여 사용하여 적분을 계산하면 다음과 같다.

표 20.3   Gauss 구적법을 여러 점에 적용하여 추정한 적분값.

Points	Estimate	ε_t (%)
2	11.9978243	22.1
3	15.6575502	1.59
4	15.4058023	4.42×10^{-2}
5	15.4126391	2.01×10^{-4}
6	15.4126109	1.82×10^{-5}

사례연구 20.5 **continued**

```
from scipy.integrate import quad
irms2,irmserr = quad(f,0.,0.5)
print(irms2)

15.412608048101674
```

이 결과는 열 다섯자리 유효숫자까지 정확하다.

이제 적분의 제곱근을 취하여 i_{rms}를 구할 수 있다. 그 예로 quad을 사용한 결과를 이용하면 다음과 같다.

```
irms = np.sqrt(irms2)
print(irms)

3.925889459485796
```

이 결과는 전력 손실 계산과 같이 회로의 설계와 조정의 측면에서 이용될 수 있다.

식 (20.31)에서 간단한 사인파형을 다루었듯이, 한 가지 흥미로운 계산은 이 결과를 피크 전류와 비교하는 것이다. 이것은 최적화 문제이므로 그 값을 계산하기 위해서 바로 SciPy 하위 모듈 optimize으로부터 minimize_scalar 함수를 사용할 수 있다. 또한 최댓값을 찾고 있으므로 음의 함수를 계산한다.

```
from scipy.optimize import minimize_scalar
func = lambda t: - 10.*np.exp(-t)*np.sin(2.*np.pi*t)
result = minimize_scalar(func,bounds=(0.,0.5),method='bounded')
print(result.x)
print(-func(result.x))

0.22487940319319893
7.886853873932577
```

최대 전류는 $t = 0.2249$ s에서 7.887 A이다. 그러므로 이 특수한 파형에 대해 평균 제곱근의 값은 최댓값의 약 49.8%에 해당된다.

연습문제

* 짝수번호는 온라인 사이트에 있으며 본 책 '차례' 끝부분 xxi페이지에 사이트주소가 있음.

20.1 Romberg 적분을 사용하여 $\varepsilon_s = 0.5\%$의 정확도까지 다음 식을 계산하라.

$$I = \int_1^2 \left(x + \frac{1}{x}\right)^2 dx$$

계산한 결과를 그림 20.1의 형식으로 표현한다. 이 적분의 해석해를 이용하여 Romberg 적분으로 구한 결과의 백분율 상대오차를 계산하라. 또한 ε_t가 ε_s보다 작은지를 확인하라.

20.3 다음의 적분을 계산하라. (a) Romberg 적분 ($\varepsilon_s = 0.5\%$), (b) 2점 Gauss 구적법 공식 그리고 (c) 파이썬 SciPy 하위 모듈 integrate의 quad 함수.

$$I = \int_0^3 xe^{2x} dx$$

20.5 경주용 보트의 돛대에 작용하는 힘은 다음의 함수로 표현될 수 있다.

$$F = \int_0^H \left[200\left(\frac{z}{5+z}\right) e^{-\frac{2z}{H}}\right] dz$$

여기서 z는 갑판에서부터의 높이이며, H는 돛대의 높이이다. 다음을 이용하여 $H = 30$인 경우의 F를 계산하라. (a) 허용오차 $\varepsilon_s = 0.5\%$ 내에서의 Romberg 적분, (b) 2점 Gauss-Legendre 공식, (c) 파이썬 SciPy 하위 모듈 integrate의 quad 함수.

20.7 어떤 재료가 ΔT(℃)의 온도 변화를 발생하는 데 필요한 열량 ΔH (kJ)는 다음과 같이 계산된다.

$$\Delta H = m \int_{T_0}^T C_P(T)\, dT$$

여기서 m은 질량 (kg), $C_p(T)$는 열용량 [kJ/(kg·℃)]이다. 열용량은 다음 식과 같이 온도 T(℃)에 따라 증가한다.

$$C_p(T) = 3.431 \times 10^{-2} + 5.469 \times 10^{-5}T + 3.661 \times 10^{-9}T^2 - 1.10 \times 10^{-11}T^3$$

ΔT와 ΔH의 관계를 나타내는 그래프를 그리기 위해 qaud 함수를 사용하는 스크립트를 작성하라. 단, $m = 1$ kg, 초기 온도는 0 ℃이고 ΔT는 100에서 1200 ℃ 범위에 있다.

20.9 다음의 이중적분을 계산하라.

$$\int_{-2}^{2}\int_{0}^{4}(x^2 - 3y^2 + xy^3)dx\,dy$$

(a) 해석적 방법과 (b) 파이썬 SciPy 하위 모듈 integrate의 quad 함수.

20.11 사례연구 20.5에서와 같은 계산을 수행하되 전류는 다음과 같이 주어진다.

$$I = 6e^{-1.25t}\sin(2\pi t) \qquad 0 \le t \le T/2$$
$$I = 0 \qquad T/2 \le t \le T$$

여기서 T는 1초이다.

20.13 저항을 통과하는 전류는 다음의 함수로 기술된다고 가정하자.

$$i(t) = (60 - t)^2 + (60 - t)\sin(\sqrt{t})$$

그리고 저항은 다음과 같은 전류의 함수이다.

$$R = 10i + 2i^{2/3}$$

$t = 0$에서 60까지에 대해 합성 Simpson 1/3 공식을 이용하여 평균 전압을 계산하라.

20.15 물체에 행해지는 일은 힘과 힘의 방향으로 움직인 거리의 곱과 같다. 힘 방향의 물체 속도는 다음과 같이 주어진다.

$$v = 4t \qquad 0 \le t \le 5$$
$$v = 20 + (5 - t)^2 \qquad 5 \le t \le 15$$

여기서 v의 단위는 m/s이다. 모든 t에 대해 200 N의 일정한 힘이 작용할 때 일을 구하라.

20.17 관 속을 흐르는 유체의 속도분포는 그림 P20.17과 같이 알려져 있고, 유량 Q(단위 시간당 관을 통과하는 물의 부피)는 다음과 같이 계산된다.

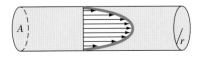

그림 P20.17

$$Q = \int v\,dA$$

여기서 v는 속도이고, A는 관의 단면적이다. 원통 관에 대해 $A = \pi r^2$, $dA = 2\pi r\,dr$이므로 Q는 다음과 같다.

$$Q = \int_{0}^{r_0} v(2\pi r)\,dr$$

여기서 r_0는 관 내부의 반경이다. 난류 흐름에서 속도 프로파일의 전형적인 모델은 다음과 같다.

$$v = 2\left(1 - \frac{r}{r_0}\right)^{1/6}$$

$r_0 = 3$ cm이고, v가 cm/s 단위일 때, 합성 사다리꼴 공식을 이용하여 cm^3/s 단위의 Q를 구하고 결과를 논의하라.

20.19 다음과 같이 로켓의 수직 속도가 주어질 때 수직으로 이동한 거리를 계산하라.

$$v = \begin{cases} 11t^2 - 5t & 0 \le t \le 10 \\ 1100 - 5t & 10 \le t \le 20 \\ 50t + 2(t - 20)^2 & 20 \le t \le 30 \end{cases}$$

20.21 Weibull 통계 분포는 공정 및 장비의 신뢰성을 모델링하는데 자주 사용되며 아래와 같은 밀도 함수로 나타낸다.

$$f(x) = \frac{\beta}{\delta}\left(\frac{x}{\delta}\right)^{\beta - 1}e^{-\left(\frac{x}{\delta}\right)^{\beta}}$$

위 식에서 스케일 모수 $\delta > 0$, 형상 모수 $\beta > 0$이고, 이러한 변수들은 공정 혹은 장비 연구에 적합하다. 샤프트의 베어링 고장 시간 (Hr), t는 $\beta = 0.5$, $\delta = 5000$시간인 Weibull 분포로 모델링된다. Weibull 밀도의 적분을 이용하여 베어링의 수명이 7500 시간을 초과할 확률을 구하여라. (아래 식 참고)

$$P[\text{failure} < t_f] = \int_{0}^{t_f} f(t)\,dt$$

20.23 번지점프하는 사람의 낙하 속도는 식 (1.9)와 같이 해석적으로 계산된다.

$$v(t) = \sqrt{\frac{mg}{c_d}}\tanh\left(\sqrt{\frac{gc_d}{m}}\,t\right)$$

여기서 $v(t)$는 속도 (m/s), t는 시간 (s), g는 9.81 m/s^2, m은 질량 (kg), c_d는 항력계수 (kg/m)이다.

(a) Romberg 적분을 이용하여, 자유낙하 초기 8초 동안에 점프하는 사람이 낙하하는 거리를 계산하라. 여기서 $m = 80$ kg이고 $c_d = 0.2$ kg/m이다. 답을 $\varepsilon_s = 1\%$의 정확도로 계산하라.

(b) integral을 이용하여 같은 계산을 수행하라.

20.25 다음 표에 나타나 있듯이 지구의 밀도는 지구 중심 ($r = 0$)

으로부터의 거리의 함수로 변화한다.

r, km	0	1100	1500	2450	3400	3630	4500
ρ, kg/m³	13000	12400	12000	11200	9700	5700	5200

r, km	5380	6060	6280	6380
ρ, kg/m³	4700	3600	3400	3000

SciPy interpolate 하위 모듈의 PchipInterpolator 함수를 사용하여 데이터를 적합하는 스크립트를 작성하라. 적합 곡선과 데이터 점들을 나타내는 그림을 도시하라. SciPy integrate 하위 모듈의 함수들 중 하나를 이용하여 interpld 함수의 출력값을 적분함으로써 지구의 질량을 미터법 tonne 단위로 계산하라.

20.27 그림 20.6의 적응식 구적법 함수를 사용하여 연습문제 20.20을 풀어라.

20.29 4점 Gauss 구적법을 사용하여 $x = 1$과 $x = 5$ 사이의 다음 함수의 평균값을 구하라.

$$f(x) = \frac{2}{1 + x^2}$$

20.31 *humps* 함수의 예시 버전은 다음과 같다.

$$f(x) = \frac{1}{(x - 0.3)^2 + 0.01} + \frac{1}{(x - 0.9)^2 + 0.04} - 6$$

파이썬 SciPy integrate 하위 모듈 quad 함수를 사용하여 다음을 계산하라.

$$\int_0^2 f(x)\,dx$$

수치미분

Numerical Differentiation

학습 목표

이 장의 주요 목표는 수치미분을 소개하는 것이다. 특정한 목표와 다루는 주제는 다음과 같다.

- 등간격으로 분포된 데이터에 고정확도(high-accuracy) 수치미분 공식을 적용하는 것에 대한 이해
- 부등간격으로 분포된 데이터에 대해 도함수를 구하는 방법
- 수치미분에 적용되는 Richardson 외삽법에 대한 이해
- 데이터에 포함된 오차에 대한 수치미분의 민감도에 대한 인식
- MATLAB에서 `diff`와 `gradient` 함수를 사용해서 도함수를 구하는 방법
- MATLAB에서 등고선과 벡터장을 그리는 방법

이런 문제를 만나면

번지점프하는 사람의 자유낙하 속도는 시간의 함수로 다음과 같이 계산할 수 있음을 기억하자.

$$v(t) = \sqrt{\frac{gm}{c_d}} \tanh\left(\sqrt{\frac{gc_d}{m}}\, t\right) \tag{21.1}$$

19장을 시작할 때 사람이 시간 t까지 낙하한 수직거리 z를 구하기 위해 미적분학을 사용하여 이 방정식을 적분해서 다음의 결과를 얻었다.

$$z(t) = \frac{m}{c_d} \ln\left[\cosh\left(\sqrt{\frac{gc_d}{m}}\, t\right)\right] \tag{21.2}$$

이제는 문제가 반대로 주어진다고 가정하자. 즉, 사람의 위치가 시간의 함수로 주어질 때 속도를 구하는 문제를 풀어야 한다. 이것은 적분의 역이므로 미분을 사용하여 구할 수 있다.

$$v(t) = \frac{dz(t)}{dt} \tag{21.3}$$

식 (21.2)를 식 (21.3)에 대입하여 미분하면 식 (21.1)을 얻게 된다.

속도는 물론이고 가속도까지 구해야 되는 경우도 생기게 된다. 이를 위해 속도에 1차 도함수를 취하거나 변위에 2차 도함수를 취하면 된다.

$$a(t) = \frac{dv(t)}{dt} = \frac{d^2 z(t)}{dt^2} \tag{21.4}$$

어떤 경우에서든 결과는 다음과 같다.

$$a(t) = g\, \text{sech}^2\left(\sqrt{\frac{gc_d}{m}}t\right) \tag{21.5}$$

537

이 경우에는 정해가 수식으로 얻어졌지만 해석적으로 미분하기가 힘들거나 불가능한 함수도 있다. 더 나아가 사람이 낙하하는 동안에 여러 시점에서 위치를 측정할 수 있는 방법이 있다고 가정하면 시간에 따른 낙하 거리를 이산 데이터로 구성된 표로 정리할 수 있다. 이러한 상황에서 이산 데이터를 바탕으로 속도와 가속도를 결정하는 방법이 유용할 것이다. 미분하기 힘든 함수 또는 이산 데이터로 위치가 주어질 때 해를 얻기 위해서 수치미분 방법이 사용된다. 이 장에서는 수치미분에 사용되는 몇 가지 방법을 소개할 것이다.

21.1 소개 및 배경

21.1.1 미분이란 무엇인가?

미적분학은 변화의 수학이다. 공학자나 과학자는 끊임없이 변화하는 시스템이나 공정을 다루어야 하기 때문에 미적분학은 그들의 업무에서 필수적이다. 미적분학의 핵심은 미분의 수학적 개념이다.

사전적 정의에 의하면 미분은 '차이에 따라 나눔, 구분함, 안에서 또는 사이에서 차이를 인식함…' 등을 의미한다. 수학적으로 미분의 기본이 되는 도함수는 독립변수에 대한 종속변수의 변화율을 나타낸다. 그림 21.1에 도시한 바와 같이 도함수의 수학적인 정의는 다음과 같은 차분 근사로 시작한다.

$$\frac{\Delta y}{\Delta x} = \frac{f(x_i + \Delta x) - f(x_i)}{\Delta x} \tag{21.6}$$

여기서 y와 $f(x)$는 종속변수를 나타내며, x는 독립변수이다. 만약Δx가 0으로 접근하면 그림 21.1a에서 c로 가면서 변하는 것과 같이 차분은 도함수가 된다.

$$\frac{dy}{dx} = \lim_{\Delta x \to 0} \frac{f(x_i + \Delta x) - f(x_i)}{\Delta x} \tag{21.7}$$

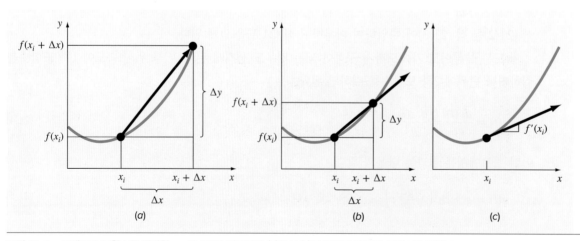

그림 21.1   그래프로 도함수를 정의함. Δx가 0으로 접근하면 (a)에서 (c)로 변하여 차분은 도함수가 된다.

여기서 dy/dx는[y' 또는 $f'(x_i)$로도 표시된다.][1] x_i에서 계산된 x에 대한 y의 1차 도함수이다. 그림 21.1c에서 볼 수 있듯이 도함수는 x_i에서 곡선에 대한 접선의 기울기이다.

2차 도함수는 다음과 같이 1차 도함수의 도함수를 나타낸다.

$$\frac{d^2y}{dx^2} = \frac{d}{dx}\left(\frac{dy}{dx}\right) \tag{21.8}$$

따라서 2차 도함수는 기울기가 얼마나 빠르게 변화하는가를 알려 준다. 2차 도함수를 종종 곡률이라고도 하는데 그 이유는 2차 도함수의 값이 크면 곡률도 크기 때문이다.

마지막으로 함수가 두 개 이상의 변수에 의존하면 편도함수를 사용한다. 편도함수는 한 변수를 제외한 나머지 모든 변수를 일정하게 놓고 그 변수에 대해 한 점에서 함수의 도함수를 취하는 것으로 생각할 수 있다. 그 예로 함수 f가 x와 y에 의존할 때 임의의 점 (x, y)에서 x에 대한 f의 편도함수는 다음과 같이 정의된다.

$$\frac{\partial f}{\partial x} = \lim_{\Delta x \to 0} \frac{f(x + \Delta x, y) - f(x, y)}{\Delta x} \tag{21.9}$$

마찬가지로 y에 대한 f의 편도함수는 다음과 같이 정의된다.

$$\frac{\partial f}{\partial y} = \lim_{\Delta y \to 0} \frac{f(x, y + \Delta y) - f(x, y)}{\Delta y} \tag{21.10}$$

편도함수를 직관적으로 이해하기 위해서는 두 변수에 의존하는 함수는 곡선이 아니고 면이라는 것을 인식하라. 등산을 하는데 등산로의 고도는 경도(동-서 방향으로 x축)와 위도(남-북 방향으로 y축)에 따라 정해지는 함수 f로 표시된다고 하자. 한 지점 (x_0, y_0)에서 멈춰 섰을 때 동쪽 방향의 기울기는 $\partial f(x_0, y_0)/\partial x$로, 북쪽 방향의 기울기는 $\partial f(x_0, y_0)/\partial y$로 표시된다.

21.1.2 공학과 과학 분야에서의 미분

함수의 미분은 공학과 과학 분야에서 너무 광범위하게 응용되기 때문에 대학 초년생 때에 미적분학을 수강토록 한다. 응용되는 구체적인 예는 공학과 과학의 전 분야에 걸쳐 찾을 수 있다. 공학과 과학 분야에서 미분은 매우 흔하게 나타나며, 이는 시간과 공간에 따라 변수의 변화를 특징짓는 일이 너무 많기 때문이다. 실제로 우리의 전공에서 주목을 끄는 많은 법칙이나 일반화된 원리는 물리 세계에서 그 변화를 명백하게 예측할 수 있는 방법에 기초하고 있다. 대표적인 예가 뉴턴의 운동 제2법칙으로 그 주 논점은 물체의 위치가 아니고 시간에 대한 위치의 변화이다.

이러한 시간에 대한 예뿐만 아니라 변수의 공간 거동을 포함하는 수많은 법칙이 도함수로 표시된다. 이러한 법칙 중에서 가장 보편적인 것이 포텐셜이나 구배가 물리적 과정에 어떻게 영향을 주는가를 정의하는 **구성법칙**(*constitutive laws*)이다. 그 예로 푸리에 **열전도 법칙**은 온도가 높은 지

---

1) dy/dx의 형태는 Leibnitz에 의해 고안되었으며, y'은 Lagrange에 의한 것이다. Newton은 소위 점(dot) 표기법을 사용하였음에 주목하라. 오늘날에는 점 표기법은 일반적으로 시간 도함수에 대해 사용된다.

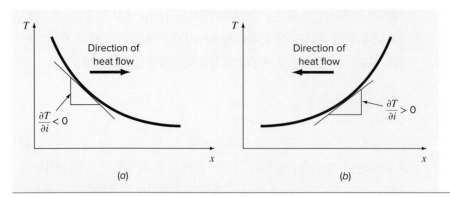

그림 21.2   그래프로 온도 구배를 설명함. 열은 온도가 높은 곳에서 낮은 곳으로 움직이기 때문에 (a)에서의 흐름은 왼쪽에서 오른쪽이다. 그러나 직교좌표계의 방향 때문에 이 경우의 기울기는 음의 값을 갖는다. 따라서 음의 구배가 양의 흐름을 일으킨다. 이것이 푸리에 열전도 법칙에 음의 부호가 나오게 된 기원이다. 반대의 경우는 (b)와 같이 도시되며 양의 구배가 음의 흐름을 일으켜 열이 오른쪽에서 왼쪽으로 흐른다.

역에서 낮은 지역으로 열이 흐르는 현상을 정량화한다. 1차원인 경우에 이 방정식은 다음과 같이 수학적으로 표현된다.

$$q = -k\frac{dT}{dx} \tag{21.11}$$

여기서 $q(x)$는 열유속 (W/m^2), k는 열전도계수 [W/(m·K)], T는 온도 (K) 그리고 x는 거리 (m)이다. 따라서 도함수 또는 구배는 공간에서 온도가 변화하는 강도의 척도를 결정하여 그림 21.2와 같이 열전달을 일으키도록 한다.

비슷한 법칙이 공학과 과학의 많은 다른 영역에서 유용한 모델들을 제공하며, 이들은 유체 역학, 물질전달, 화학반응속도론, 전기, 고체역학 등의 모델링을 포함한다(표 21.1). 도함수를 정확

표 21.1   공학과 과학 분야에서 흔히 사용되는 구성방정식의 1차원 형태.

Law	Equation	Physical Area	Gradient	Flux	Proportionality
Fourier's law	$q = -k\frac{dT}{dx}$	Heat conduction	Temperature	Heat flux	The ma nducti ity
Fick's law	$J = -D\frac{dc}{dx}$	Mass diffusion	Concentration	Mass flux	Diffusivity
Darcy's law	$q = -k\frac{dh}{dx}$	Flow through porous media	Head	Flow flux	Hydraulic conductivity
Ohm's law	$J = -\sigma\frac{dV}{dx}$	Current flow	Voltage	Current flux	Electrical conductivity
Newton's viscosity law	$\tau = \mu\frac{du}{dx}$	Fluids	Velocity	Shear Stress	Dynamic viscosity
Hooke's law	$\sigma = E\frac{\Delta L}{L}$	Elasticity	Deformation	Stress	Young's modulus

하게 예측할 수 있는 능력이 이러한 영역에서 일을 효율적으로 처리할 수 있는 중요한 요소이다.

수치미분은 공학과 과학 분야에 직접적으로 응용되는 것 외에도, 다른 수치해석 분야를 포함하여 일반적인 수학 분야에서도 다양하게 활용된다는 점에서 중요하다. 그 예로 6장에서 다룬 할선법은 도함수의 유한차분 근사에 기초하였음을 상기하라. 더욱이 수치미분의 가장 중요한 응용은 미분방정식의 해를 구하는 것이라고 볼 수 있다. 우리는 이미 1장에서 오일러법의 형태로 한 가지 예를 접했다. 24장에서는 수치미분이 어떻게 상미분방정식의 경곗값 문제를 푸는 데 근거를 제공하는지를 검토할 것이다. 앞서 언급한 것들은 우리 일상 업무에서 마주치는 미분 응용 예의 극히 일부일 뿐이다. 해석하고자 하는 함수가 간단한 경우에는 보통 해석적으로 해를 구하는 방법을 택한다. 그러나 함수가 복잡해지면 해석적인 방법은 힘들거나 불가능하다. 더 나아가 함수가 알려지지 않고, 단지 몇 개의 점에서의 측정값만 알려질 때도 있다. 이 두 경우에도 다음에 설명할 수치 기법을 이용하여 도함수의 값을 근사적으로 구할 수 있는 능력을 갖추어야 한다.

21.2 고정확도 미분 공식

도함수의 유한차분 근사를 유도하기 위하여 테일러 급수전개를 사용했던 것을 상기하자. 4장에서 1차와 고차 도함수에 대해 전향, 후향 그리고 중심차분 근사를 정의하였다. 이러한 공식들은 기껏해야 $O(h^2)$의 오차 즉, 간격 크기의 제곱에 비례하는 오차를 가진다는 것을 기억하자. 정확도의 수준은 이러한 공식을 유도하는 과정에서 테일러 급수의 항을 몇 개나 취하는지에 따라 정해진다. 이제 테일러 급수전개에서 몇 개의 항을 추가시켜 보다 정확한 유한차분 공식을 유도할 것이다.

그 예로 전향 테일러 급수전개는 다음과 같이 표현된다[식 (4.13) 참조].

$$f(x_{i+1}) = f(x_i) + f'(x_i)h + \frac{f''(x_i)}{2!}h^2 + \cdots \tag{21.12}$$

이 식을 다음과 같이 정리할 수 있다.

$$f'(x_i) = \frac{f(x_{i+1}) - f(x_i)}{h} - \frac{f''(x_i)}{2!}h + O(h^2) \tag{21.13}$$

4장에서는 2차 이상의 고차 도함수 항을 무시하여 절단함으로써 다음과 같은 전향차분 공식을 얻었다.

$$f'(x_i) = \frac{f(x_{i+1}) - f(x_i)}{h} + O(h) \tag{21.14}$$

이러한 접근법과는 대조적으로 이제 2차 도함수 항을 남겨 두어, 식 (21.13)에 다음과 같은 2차 도함수에 대한 전향차분 근사를 대입하자.

$$f''(x_i) = \frac{f(x_{i+2}) - 2f(x_{i+1}) + f(x_i)}{h^2} + O(h) \tag{21.15}$$

그 결과로 얻는 식은 다음과 같다.

$$f'(x_i) = \frac{f(x_{i+1}) - f(x_i)}{h} - \frac{f(x_{i+2}) - 2f(x_{i+1}) + f(x_i)}{2h^2}\, h + O(h^2) \tag{21.16}$$

항들을 정리하면 다음과 같다.

$$f'(x_i) = \frac{-f(x_{i+2}) + 4f(x_{i+1}) - 3f(x_i)}{2h} + O(h^2) \tag{21.17}$$

유의할 사항은 2차 도함수를 포함시킴으로써 정확도가 $O(h^2)$로 개선되었다는 점이다. 이와 유사한 방법으로 고차 도함수의 근사뿐만 아니라 후향차분과 중심차분 공식에 대해서도 개선된 유한차분 근사를 유도할 수 있다. 유도된 공식들을 그림 21.3에서 그림 21.5까지 정리하였으며, 4장에서 소개된 저차 공식도 함께 수록하였다. 다음의 예제는 도함수를 계산하는 데 이러한 공식들을 어떻게 이용하는지를 보여 준다.

First Derivative   **Error**

$$f'(x_i) = \frac{f(x_{i+1}) - f(x_i)}{h} \qquad\qquad O(h)$$

$$f'(x_i) = \frac{-f(x_{i+2}) + 4f(x_{i+1}) - 3f(x_i)}{2h} \qquad\qquad O(h^2)$$

Second Derivative

$$f''(x_i) = \frac{f(x_{i+2}) - 2f(x_{i+1}) + f(x_i)}{h^2} \qquad\qquad O(h)$$

$$f''(x_i) = \frac{-f(x_{i+3}) + 4f(x_{i+2}) - 5f(x_{i+1}) + 2f(x_i)}{h^2} \qquad\qquad O(h^2)$$

Third Derivative

$$f'''(x_i) = \frac{f(x_{i+3}) - 3f(x_{i+2}) + 3f(x_{i+1}) - f(x_i)}{h^3} \qquad\qquad O(h)$$

$$f'''(x_i) = \frac{-3f(x_{i+4}) + 14f(x_{i+3}) - 24f(x_{i+2}) + 18f(x_{i+1}) - 5f(x_i)}{2h^3} \qquad\qquad O(h^2)$$

Fourth Derivative

$$f''''(x_i) = \frac{f(x_{i+4}) - 4f(x_{i+3}) + 6f(x_{i+2}) - 4f(x_{i+1}) + f(x_i)}{h^4} \qquad\qquad O(h)$$

$$f''''(x_i) = \frac{-2f(x_{i+5}) + 11f(x_{i+4}) - 24f(x_{i+3}) + 26f(x_{i+2}) - 14f(x_{i+1}) + 3f(x_i)}{h^4} \qquad\qquad O(h^2)$$

그림 21.3 전형 유한차분 공식: 각각의 도함수에 대해 두 공식이 제시되었다. 후자는 테일러 급수전개에 더 많은 항이 포함되어 결과적으로 더 정확하다.

First Derivative   Error

$$f'(x_i) = \frac{f(x_i) - f(x_{i-1})}{h}$$ $O(h)$

$$f'(x_i) = \frac{3f(x_i) - 4f(x_{i-1}) + f(x_{i-2})}{2h}$$ $O(h^2)$

Second Derivative

$$f''(x_i) = \frac{f(x_i) - 2f(x_{i-1}) + f(x_{i-2})}{h^2}$$ $O(h)$

$$f''(x_i) = \frac{2f(x_i) - 5f(x_{i-1}) + 4f(x_{i-2}) - f(x_{i-3})}{h^2}$$ $O(h^2)$

Third Derivative

$$f'''(x_i) = \frac{f(x_i) - 3f(x_{i-1}) + 3f(x_{i-2}) - f(x_{i-3})}{h^3}$$ $O(h)$

$$f'''(x_i) = \frac{5f(x_i) - 18f(x_{i-1}) + 24f(x_{i-2}) - 14f(x_{i-3}) + 3f(x_{i-4})}{2h^3}$$ $O(h^2)$

Fourth Derivative

$$f''''(x_i) = \frac{f(x_i) - 4f(x_{i-1}) + 6f(x_{i-2}) - 4f(x_{i-3}) + f(x_{i-4})}{h^4}$$ $O(h)$

$$f''''(x_i) = \frac{3f(x_i) - 14f(x_{i-1}) + 26f(x_{i-2}) - 24f(x_{i-3}) + 11f(x_{i-4}) - 2f(x_{i-5})}{h^4}$$ $O(h^2)$

그림 21.4   후향 유한차분 공식: 각각의 도함수에 대해 두 공식이 제시되었다. 후자는 테일러 급수전개에 더 많은 항이 포함되어 결과적으로 더 정확하다.

First Derivative   Error

$$f'(x_i) = \frac{f(x_{i+1}) - f(x_{i-1})}{2h}$$ $O(h^2)$

$$f'(x_i) = \frac{-f(x_{i+2}) + 8f(x_{i+1}) - 8f(x_{i-1}) + f(x_{i-2})}{12h}$$ $O(h^4)$

Second Derivative

$$f''(x_i) = \frac{f(x_{i+1}) - 2f(x_i) + f(x_{i-1})}{h^2}$$ $O(h^2)$

$$f''(x_i) = \frac{-f(x_{i+2}) + 16f(x_{i+1}) - 30f(x_i) + 16f(x_{i-1}) - f(x_{i-2})}{12h^2}$$ $O(h^4)$

Third Derivative

$$f'''(x_i) = \frac{f(x_{i+2}) - 2f(x_{i+1}) + 2f(x_{i-1}) - f(x_{i-2})}{2h^3}$$ $O(h^2)$

$$f'''(x_i) = \frac{-f(x_{i+3}) + 8f(x_{i+2}) - 13f(x_{i+1}) + 13f(x_{i-1}) - 8f(x_{i-2}) + f(x_{i-3})}{8h^3}$$ $O(h^4)$

Fourth Derivative

$$f''''(x_i) = \frac{f(x_{i+2}) - 4f(x_{i+1}) + 6f(x_i) - 4f(x_{i-1}) + f(x_{i-2})}{h^4}$$ $O(h^2)$

$$f''''(x_i) = \frac{-f(x_{i+3}) + 12f(x_{i+2}) - 39f(x_{i+1}) + 56f(x_i) - 39f(x_{i-1}) + 12f(x_{i-2}) - f(x_{i-3})}{6h^4}$$ $O(h^4)$

그림 21.5   중심 유한차분 공식: 각각의 도함수에 대해 두 공식이 제시되었다. 후자는 테일러 급수전개에 더 많은 항이 포함되어 결과적으로 더 정확하다.

예제 21.1	고정확도 미분 공식

문제 정의 다음 함수의 도함수를 $x = 0.5$에서 유한차분과 간격 크기 $h = 0.25$를 사용하여 계산하였음을 상기하면,

$$f(x) = -0.1x^4 - 0.15x^3 - 0.5x^2 - 0.25x + 1.2$$

다음 표에 기재된 것과 같다. 여기서 오차는 참값 $f'(0.5) = -0.9125$를 기준으로 계산되었다.

	Backward $O(h)$	Centered $O(h^2)$	Forward $O(h)$
Estimate	-0.714	-0.934	-1.155
ε_t	21.7%	-2.4%	-26.5%

그림 21.3에서 그림 21.5까지의 고정확도 공식을 사용하여 이 계산을 다시 하라.

풀이 이 예제에 필요한 데이터는 다음과 같다.

$$x_{i-2} = 0 \qquad f(x_{i-2}) = 1.2$$
$$x_{i-1} = 0.25 \qquad f(x_{i-1}) = 1.1035156$$
$$x_i = 0.5 \qquad f(x_i) = 0.925$$
$$x_{i+1} = 0.75 \qquad f(x_{i+1}) = 0.6363281$$
$$x_{i+2} = 1 \qquad f(x_{i+2}) = 0.2$$

정확도 $O(h^2)$를 갖는 전향차분(그림 21.3)은 다음과 같이 계산된다.

$$f'(0.5) = \frac{-0.2 + 4(0.6363281) - 3(0.925)}{2(0.25)} = -0.859375 \qquad \varepsilon_t = 5.82\%$$

정확도 $O(h^2)$를 갖는 후향차분(그림 21.4)은 다음과 같이 계산된다.

$$f'(0.5) = \frac{3(0.925) - 4(1.1035156) + 1.2}{2(0\ 25)} = -0.878125 \qquad \varepsilon_t = 3.77\%$$

정확도 $O(h^4)$를 갖는 중심차분(그림 21.5)은 다음과 같이 계산된다.

$$f'(0.5) = \frac{-0.2 + 8(0.6363281) - 8(1.1035156) + 1.2}{12(0.25)} = -0.9125 \qquad \varepsilon_t = 0\%$$

예측했듯이 전향과 후향 차분에 대한 오차는 문제에서 제시한 결과보다 훨씬 줄어들었다. 그리고 놀랍게도 중심차분은 $x = 0.5$에서의 정해를 산출하였다. 이는 테일러 급수에 기초를 둔 공식이 주어진 데이터를 지나는 4차 다항식과 동일하기 때문이다.

21.3 Richardson 외삽법

이제 우리는 유한차분을 이용할 때 도함숫값을 개선하는 두 가지 방법을 알게 되었다. 그중에 하나는 간격 크기를 줄이는 것이고, 나머지는 더 많은 점을 포함하는 고차 공식을 이용하는 것이다. 또 다른 방법은 Richardson 외삽법에 기초하여 도함수의 두 계산값을 이용하여 보다 정확한 세 번째 근삿값을 구하는 것이다.

20.2.1절에서 Richardson 외삽법은 개선된 적분값을 구하는 수단으로 다음의 공식[식 (20.4)]을 제공했음을 기억하자.

$$I = I(h_2) + \frac{1}{(h_1/h_2)^2 - 1}[I(h_2) - I(h_1)] \qquad\qquad (21.18)$$

여기서 $I(h_1)$와 $I(h_2)$는 두 간격 크기 h_1과 h_2를 사용했을 때 계산된 적분값이다. 컴퓨터 알고리즘으로 작성하기에 편리하도록 이 공식을 보통 $h_2 = h_1/2$인 경우에 대해 다음과 같이 적는다.

$$I = \frac{4}{3}I(h_2) - \frac{1}{3}I(h_1) \qquad\qquad (21.19)$$

유사한 방법으로 도함수를 구하기 위해 식 (21.19)는 다음과 같이 표현된다.

$$D = \frac{4}{3}D(h_2) - \frac{1}{3}D(h_1) \qquad\qquad (21.20)$$

오차가 $O(h^2)$인 중심차분 근사에 대해 이 공식을 적용하면 오차가 $O(h^4)$인 새로운 도함숫값이 산출된다.

예제 21.2	Richardson 외삽법

문제 정의 예제 21.1에서 다룬 함수를 사용하여 $h_1 = 0.5$와 $h_2 = 0.25$인 두 간격 크기를 사용했을 때 $x = 0.5$에서의 1차 도함수를 추정하라. 그리고 Richardson 외삽법으로 개선된 값을 계산하기 위해 식 (21.20)을 사용하라. 참값이 -0.9125임을 기억하라.

풀이 중심차분으로 1차 도함숫값은 다음과 같이 계산된다.

$$D(0.5) = \frac{0.2 - 1.2}{1} = -1.0 \qquad \varepsilon_t = -9.6\%$$

그리고

$$D(0.25) = \frac{0.6363281 - 1.103516}{0.5} = -0.934375 \qquad \varepsilon_t = -2.4\%$$

식 (21.20)을 적용하여 개선된 값을 계산하면 다음과 같다.

$$D = \frac{4}{3}(-0.934375) - \frac{1}{3}(-1) = -0.9125$$

이 결과는 정확한 해이다.

　　방금 전의 예제에서 정해를 산출하였는데 그 이유는 해석 대상의 함수가 4차 다항식이기 때문이다. 정확한 결과가 나오게 된 이유는 Richardson 외삽법은 실제로 주어진 데이터를 지나는 고차 다항식으로 적합한 후 중심 제차분으로 그 다항식의 도함수를 구하는 것과 같기 때문이다. 따라서 이 예제의 경우에는 4차 다항식의 도함수와 정확하게 일치하였다. 물론 대부분의 다른 함수에서는 이렇게 특수한 경우가 발생하지는 않지만 도함숫값은 개선된다. 따라서 Richardson 외삽법을 적용하는 경우와 마찬가지로, 주어진 오차 기준을 결과가 만족할 때까지 Romberg 알고리즘을 반복적으로 적용할 수 있다.

21.4 부등간격으로 분포된 데이터의 도함수

　　지금까지 다룬 방법들은 주로 주어진 함수의 도함수를 구하기 위한 것이다. 21.2절의 유한차분 근사에 대해서 데이터는 등간격으로 분포되어야 한다. 21.3절의 Richardson 외삽법에 대해서도 데이터는 등간격으로 주어져야 하며 계속적으로 간격이 반분되어야 한다. 이러한 데이터의 간격 조절은 일반적으로 함수가 주어져서 그 함숫값을 표로 만들 수 있을 때에만 가능하다.

　　대조적으로 실험적으로 유도된 정보 즉, 실험을 통해 얻는 데이터는 종종 부등간격으로 수집된다. 지금까지 다룬 방법으로는 이러한 정보를 해석할 수 없다.

　　부등간격으로 분포된 데이터를 다루는 한 가지 방법은 도함수를 구하고자 하는 위치와 그 인접한 점들에 대해 Lagrange 보간다항식으로 적합하는 것이다. 이 다항식은 점들이 반드시 등간격일 필요가 없다. 다항식을 해석적으로 미분하면 도함수를 추정하는 데 사용할 수 있는 공식을 얻는다.

　　예를 들어 인접한 세 점 (x_0, y_0), (x_1, y_1) 그리고 (x_2, y_2)를 접함하는 2차 Lagrange 다항식을 얻을 수 있다. 이 다항식을 미분하면 다음과 같다.

$$f'(x) = f(x_0) \frac{2x - x_1 - x_2}{(x_0 - x_1)(x_0 - x_2)} + f(x_1) \frac{2x - x_0 - x_2}{(x_1 - x_0)(x_1 - x_2)} + f(x_2) \frac{2x - x_0 - x_1}{(x_2 - x_0)(x_2 - x_1)} \qquad (21.21)$$

$$f'(x_i) \cong \frac{f(x_i) - f(x_{i-1})}{h} \qquad (21.21\text{-}1)$$

여기서 x는 도함수를 추정하고자 하는 점이다. 비록 이 식은 분명히 그림 21.3에서 21.5까지의 1차 도함수 근사보다 복잡하지만 중요한 장점을 가진다. 첫째, 세 점으로 규정된 범위 내의 어느 곳에서도 추정이 가능하다. 둘째, 점들이 등간격으로 분포될 필요가 없다. 셋째, 도함수의 추정값은 중심차분[식 (21.21-1) 참조]과 같은 정확도를 갖는다. 실제로 점들이 등간격인 경우, $x = x_1$에서 계산된 식 (21.21)은 식 (21.21-1)이 된다.

예제 21.3	부등간격으로 분포된 데이터의 미분

문제 정의 그림 21.6에서와 같이 땅속의 온도 구배를 측정할 수 있다. 흙과 공기의 경계면에서 열유속은 푸리에 법칙(표 21.1)을 이용해서 다음과 같이 계산된다.

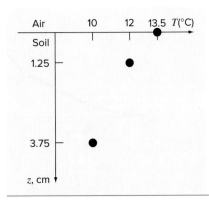

그림 21.6   땅의 깊이에 따른 온도.

$$q(z = 0) = -k \left. \frac{dT}{dz} \right|_{z=0}$$

여기서 $q(z)$는 열유속 (W/m²), k는 흙의 열전도계수 [= 0.5 W/(m·K)], T는 온도 (K) 그리고 z는 지면에서 땅속으로 내려가며 측정한 거리 (m)이다. 열유속이 양의 값이면 공기에서 흙으로 열이 전달된다는 것을 의미한다. 수치미분을 이용하여 흙과 공기의 경계면에서의 온도 구배를 구하고, 이 값을 사용하여 공기에서 흙으로의 열유속을 구하라.

풀이 식 (21.21)은 흙과 공기의 경계면에서 도함수를 구하는 데 다음과 같이 사용될 수 있다.

$$f'(0) = 13.5 \frac{2(0) - 0.0125 - 0.0375}{(0 - 0.0125)(0 - 0.0375)} + 12 \frac{2(0) - 0 - 0.0375}{(0.0125 - 0)(0.0125 - 0.0375)}$$

$$+ 10 \frac{2(0) - 0 - 0.0125}{(0.0375 - 0)(0.0375 - 0.0125)}$$

$$= -1440 + 1440 - 133.333 = -133.333 \text{ K/m}$$

이 값은 다음과 같이 유속을 결정하는 데 이용된다.

$$q(z = 0) = -0.5 \frac{\text{W}}{\text{m K}} \left(-133.333 \frac{\text{K}}{\text{m}} \right) = 66.667 \frac{\text{W}}{\text{m}^2}$$

21.5   오차를 가지는 데이터에 대한 도함수와 적분

실험 데이터의 미분과 관련된 또 다른 문제는 부등간격 외에도 종종 측정 오차가 포함되어 있다는 점이다. 수치미분의 단점은 데이터 내의 오차를 증폭시키는 경향이 있다는 것이다.

그림 21.7a는 오차가 없는 매끄러운 데이터를 미분할 때 매끄러운 결과(그림 21.7b)를 얻는다는 것을 보여 준다. 반면에 그림 21.7c는 동일한 데이터에 약간의 상하 변동이 포함된 경우를 나타내며, 이와 같은 작은 수정은 거의 눈에 띄지 않는다. 그러나 미분한 결과는 그림 21.7d에서와 같이 심각하다.

미분은 뺄셈 과정이므로 오차의 증폭이 발생한다. 따라서 임의로 나타나는 양과 음의 오차는

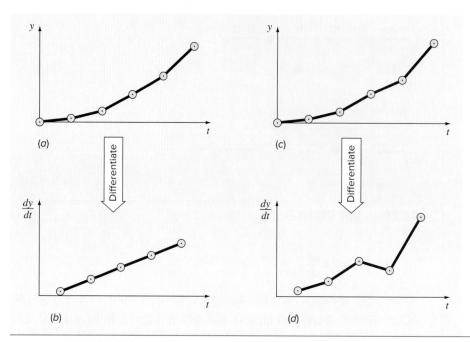

그림 21.7   데이터에 포함된 작은 오차가 수치미분을 통해 얼마나 증폭되는지를 나타내는 그림. (a) 오차가 없는 데이터, (b) 곡선 (a)의 수치미분 결과, (c) 약간 수정된 데이터 그리고 (d) 증가된 변동을 분명히 보여 주는 곡선 (c)의 수치미분 결과, 대조적으로 반대 연산인 적분곡선 (d) 아래의 면적을 취함으로써 (d)에서 (c)로 이동함은 오차를 줄이거나 완화시킨다.

더해진다. 이와 대조적으로 적분은 덧셈 과정이므로 불확실한 데이터에 대해 매우 관대하다. 즉, 적분값을 계산하기 위해 점들이 더해지면서 임의로 나타나는 양과 음의 오차는 서로 상쇄된다.

아마 여러분이 예상하였듯이, 부정확한 데이터에 대한 도함수를 구하는 기본적인 접근법은 데이터에 매끄럽고 미분 가능한 함수를 적합하기 위해 최소제곱 회귀분석을 사용하는 것이다. 다른 정보가 없을 때에는 저차의 다항식 회귀분석이 좋은 선택이 될 수 있다. 종속변수와 독립변수 사이에 정확한 함수 관계식이 알려진 경우에는 이 관계식을 기초로 최소제곱 적합이 이루어져야 한다.

21.6   편도함수

1차원 편도함수는 일반 도함수와 같은 방법으로 계산된다. 예를 들어 2차원 함수 $f(x, y)$에 대해 편도함수를 구하는 문제가 있다고 하자. 등간격으로 분포된 데이터에 대해 1차 편도함수는 중심차분을 사용하면 다음과 같이 근사적으로 표현할 수 있다.

$$\frac{\partial f}{\partial x} = \frac{f(x + \Delta x, y) - f(x - \Delta x, y)}{2\Delta x} \tag{21.22}$$

$$\frac{\partial f}{\partial y} = \frac{f(x, y + \Delta y) - f(x, y - \Delta y)}{2\Delta y} \tag{21.23}$$

지금까지 논의된 모든 다른 공식과 방법은 편도함수를 계산하는 데 유사하게 적용할 수 있다.

고차 도함수를 구하기 위해서, 함수를 두 개 이상의 다른 변수에 대해 미분할 수도 있다. 이와 같은 편도함수를 혼합 **편도함수**(*mixed partial derivative*)라 한다. 그 예로 $f(x, y)$의 편도함수를 다음과 같이 두 독립변수에 대해 취하는 경우를 고려하자.

$$\frac{\partial^2 f}{\partial x \partial y} = \frac{\partial}{\partial x}\left(\frac{\partial f}{\partial y}\right) \tag{21.24}$$

유한차분 근사를 얻기 위해서 우선 y에 대한 편도함수에 x에 대한 차분을 취한다.

$$\frac{\partial^2 f}{\partial x \partial y} = \frac{\frac{\partial f}{\partial y}(x + \Delta x, y) - \frac{\partial f}{\partial y}(x - \Delta x, y)}{2\Delta x} \tag{21.25}$$

그리고 y에 대한 편도함수를 계산하기 위하여 다음과 같이 유한차분을 이용한다.

$$\frac{\partial^2 f}{\partial x \partial y} = \frac{\frac{f(x + \Delta x, y + \Delta y) - f(x + \Delta x, y - \Delta y)}{2\Delta y} - \frac{f(x - \Delta x, y + \Delta y) - f(x - \Delta x, y - \Delta y)}{2\Delta y}}{2\Delta x} \tag{21.26}$$

항들을 정리하면 최종적으로 다음과 같은 결과를 얻는다.

$$\frac{\partial^2 f}{\partial x \partial y} = \frac{f(x + \Delta x, y + \Delta y) - f(x + \Delta x, y - \Delta y) - f(x - \Delta x, y + \Delta y) + f(x - \Delta x, y - \Delta y)}{4\Delta x \Delta y} \tag{21.27}$$

21.7 파이썬을 이용한 수치미분

파이썬에 내장된 NumPy 모듈은 주로 diff와 gradient라는 두 가지 함수를 사용하여 데이터의 도함수를 구할 수 있는 기능을 제공한다.

21.7.1 파이썬 NumPy 함수: diff

파이썬에서 간단한 자체 함수를 만들어 데이터 배열을 구별하는 것은 충분히 가능하고, 가능한 형태는 아래와 같다.

```
import numpy as np
def diffdata(x):
    n = len(x)
    xd = np.zeros(n-1)
    for i in range(n-1):
        xd[i] = x[i+1] - x[i]
    return xd
```

이 코드는 균일 분포에서 가져온 난수 배열을 사용하는 파이썬 스크립트로 테스트할 수 있다.

```
x = np.random.uniform(-1.,1.,100)
xdiff = diffdata(x)
```

```
import pylab
pylab.plot(x,c='k',ls=':',label='x data')
pylab.plot(xdiff,c='k',lw=0.5,label='diff data')
pylab.grid()
pylab.legend()
```

그 결과, 아래와 같은 그래프를 생성한다.

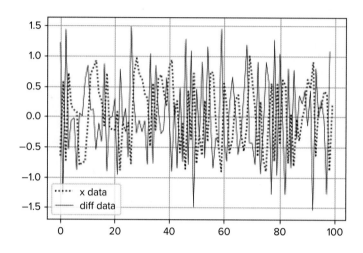

주의 깊게 살펴보면 차분 데이터가 원본 데이터보다 큰 분산을 가진다는 것을 알 수 있다. 이것이 무작위로 데이터를 구별할 때의 특성이다. 적분은 노이즈를 감소시키고 미분은 노이즈를 증폭시킨다.

파이썬 NumPy 모듈의 `diff` 함수는 위의 diffdata 함수와 동일하게 작동한다. 다음 예에 설명된 대로 `diff`를 사용하여 1차 도함수의 유한차분 근사를 구할 수 있다.

| 예제 21.4 | **`diff`를 이용한 미분** |

문제 정의 파이썬 `diff` 함수가 r = 0에서 0.8까지 다음 함수의 미분을 구하기 위해 어떻게 이용되는지를 보라. 그리고 계산결과를 다음의 정해와 비교하라.

$$f(x) = 0.2 + 25x - 200x^2 + 675x^3 - 900x^4 + 400x^5$$
$$f'(x) = 25 - 400x + 2025x^2 - 3600x^3 + 2000x^4$$

풀이 먼저 $f(x)$를 무명함수로 나타낸다.

```
f = lambda x: 0.2 + 25.*x -200.*x**2 + 675*x**3 - 900.x**4 +400.*x**5
```

그리고 독립변수를 등간격으로 취하고 그에 따른 종속변수를 다음과 같이 생성한다.

```
import numpy as np
x = np.arange(0.,0.9,0.1)
y = f(x)
```

다음과 같이 diff 함수는 각 벡터의 인접한 원소 사이의 차분을 구하는 데 이용된다.

```
dx = np.diff(x)
print(dx)

    [0.1 0.1 0.1 0.1 0.1 0.1 0.1 0.1]
```

예상한 대로, 제시된 결과는 x의 원소 각 쌍에 대한 차분을 나타낸다. 도함수의 제차분 근사를 계산하기 위하여 단지 y의 차분을 x의 차분으로 나누는 벡터 나눗셈을 수행하면 된다.

```
dy = np.diff(y)
dydx = dy/dx
print(dydx)

[ 1.089e+01 -1.000e-02  3.190e+00  8.490e+00  8.690e+00  1.390e+00
 -1.101e+01 -2.131e+01]
```

주목할 점은 등간격을 사용했기 때문에 x값을 생성한 후에 위의 계산을 다음과 같이 간략하게 수행할 수도 있었다는 것이다.

```
dydx = np.diff(f(x)/0.1
```

배열(array) dydx는 인접한 원소 사이의 중점에 해당하는 도함수의 추정값을 그 원소로 갖는다. 따라서 이 결과를 도시하기 위해서 우선 각 구간의 중점에 해당하는 x값을 갖는 벡터를 다음과 같이 생성해야 한다.

```
n = len(x)
xmid = []
for i in range(n-1):
    xmid.append((x[i]+x[i+1])/2.)
```

마지막으로, 비교하기 위한 그림을 그리기 위해 다음과 같이 보다 조밀한 간격으로 해석적인 도함숫값을 계산할 수 있다.

```
xa = np.linspace(0.,0.8,100)
ya = 25. - 400.*xa + 2025.*xa**2 - 3600.*xa**3 + 2000.*xa**4
```

다음과 같이 입력하여 수치해와 해석해의 그림을 생성한다.

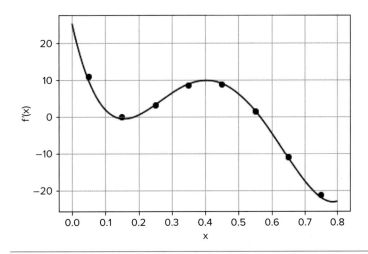

그림 21.8   정확한 도함숫값(실선)과 파이썬 NumPy의 diff 함수를 사용해서 계산한 수치 결과(점)의 비교.

```
import pylab
pylab.scatter(xmid,dydx,c='k')
pylab.plot(xa,ya,c='k')
pylab.grid()
pylab.xlabel('x')
pylab.ylabel("f'(x)")
```

그림 21.8에 나타낸 바와 같이, 이 경우에 두 결과는 잘 일치한다.

도함수를 평가하는 것 외에도 diff 함수는 배열의 어떤 특성을 테스트하기 위한 프로그래밍 도구로서 유용하다. 예를 들어, 다음 코드 행은 배열의 간격이 동일하지 않으면 오류 메시지를 표시한다.

```
if np.any(np.diff(np.diff(x)) >= 1.e-15): print('unequal spacing')
```

정밀도 한계로 반올림 차이가 있기 때문에 '0과 같지 않음'을 테스트할 때 주의해야 한다. 만약 위 문구를 아래와 같이 수정한다면,

```
if np.any(np.diff(np.diff(x)) != 0 ): print('unequal spacing')
```

(표면적으로) 동일한 간격으로 생성된 x 배열에 대해서도 '동일하지 않은 간격' 표시가 나타난다.

또한, 배열이 오름차순인지 내림차순인지를 감지할 때에도 사용할 수 있다. 예를 들어, 다음 코드 행은 오름차순이 아닌 배열을 거부한다.

```
if np.any(np.diff(x) < 0): print('not in ascending order')
```

위 코드에서 '<' 부호를 '>'로 바꾸어 주면 내림차순 테스트를 할 수 있다. 인접한 값이 중복되지 않도록 하려면 테스트 연산자에 등호를 포함한다(<= 또는 >=).

21.7.2 파이썬 NumPy 함수: gradient

NumPy의 gradient 함수도 차분을 계산하여 반환한다. 그러나 반환되는 차분은 주어진 값 사이의 구간에서보다는 그 값에서의 도함수를 구하는 것이 더 적합하도록 계산된다. gradient 함수를 위한 구문은 다음과 같다.

```
fx = np.gradient(f)
```

여기서 f는 원소의 수가 n인 1차원 배열이고, fx는 f에 기초하여 계산된 n개의 차분을 포함하는 벡터이다. diff 함수에서와 같이, 반환되는 첫 번째 값은 f의 첫째와 둘째 값 사이의 차분이다. 그러나 중간에서의 값들은 다음과 같이 인접한 값들의 중심차분을 계산하여 반환한다.

$$diff_i = \frac{f_{i+1} - f_{i-1}}{2}$$

마지막 값은 f의 최종 두 값 사이의 차분이다. 따라서 계산결과는 모든 중간 값에서는 중심차분을 이용하고, 끝단에서는 전향차분과 후향차분을 이용하는 것과 유사하다.

점들 사이의 간격은 1로 가정했음에 유의하자. 만일 벡터가 등간격으로 주어진 데이터를 나타
낸다면 다음 구문은 모든 결과를 간격으로 나누어 계산한 도함수의 실제값을 반환한다.

```
fx = gradient(f,h)
```

여기서 h는 점들 사이의 간격이다. 부등간격 데이터에 대해 대체 구문을 사용할 수 있다.

```
fx = gradient(f,x)
```

여기서 x는 nf값에 해당하는 독립변수 값을 성분(n개)으로 갖는 배열이다.

예제 21.5	gradient를 이용한 미분

문제 정의 예제 21.4에서 diff 함수로 해석한 5차 다항식을 미분하기 위하여 gradient 함수를 사용하라.

풀이 예제 21.4에서와 같이 등간격을 갖는 독립변수와 그에 해당하는 종속변수를 다음과 같이 생성할 수 있다.

```
f = lambda x: 0.2 + 25.*x -200.*x**2 + 675.*x**3 - 900.*x**4 + 400.*x**5
import numpy as np
x = np.arange(0.,0.9,0.1)
y = f(x)
```

그러면 gradient 함수를 이용하여 도함수를 다음과 같이 구할 수 있다.

```
dydx = np.gradient(y,0.1)
print(dydx)

[ 10.89   5.44   1.59   5.84   8.59   5.04  -4.81 -16.16 -21.31]
```

예제 21.4에서처럼 해석적인 도함숫값을 생성해서 수치 결과와 해석 결과 모두를 다음과 같이 그릴 수 있다.

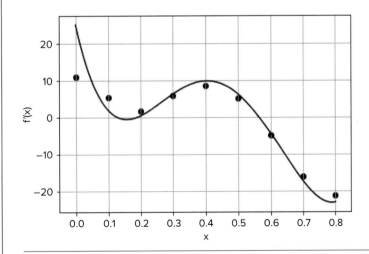

그림 21.9 정확한 도함숫값(실선)과 파이썬 NumPy의 gradient 함수를 사용해서 계산한 수치 결과(원)의 비교.

```
import pylab
pylab.scatter(x,dydx,c='k')
pylab.plot(xa,ya,c='k')
pylab.grid()
pylab.xlabel('x')
pylab.ylabel("f'(x)")
```

그림 21.9에 나타난 것처럼, 결과는 예제 21.4에서 diff 함수를 사용해서 얻은 것만큼 정확하지 못하다. 이는 gradient가 diff(0.1)을 사용할 때에 비해 두 배의 큰 간격(0.2)을 사용하기 때문이다.

gradient 함수는 1차원 배열뿐만 아니라 다차원 배열의 편도함수를 구하는 데에도 특히 적합하다. 그 예로 2차원 배열 f에 대해 gradient 함수는 다음과 같이 호출된다.

```
fx, fy = np.gradient(f,h)
```

여기서 fx는 x(열) 방향의 차분, fy는 y(행) 방향의 차분 그리고 h는 점들 사이의 간격이다. 만약 h가 생략되면 두 방향 모두에서 점들 사이의 간격은 1로 가정된다. 또는, 이러한 차원에서 hx와 hy를 다른 간격으로 지정할 수 있으며, x와 y의 배열을 부등간격으로 제공할 수 있다. 다음 절에서는 gradient를 이용하여 어떻게 벡터장을 가시화하는지를 설명할 것이다.

사례연구 21.8　　**벡터장의 가시화**

배경　gradient 함수는 1차원 도함수의 계산은 물론 2차원 이상의 차원에서 편도함수를 계산하는 데에도 매우 유용하게 사용된다. 특히 파이썬 Matplotlib 모듈과 연계하여 사용하면 벡터장의 가시화도 가능하다.

이와 같은 벡터장의 가시화가 어떻게 이루어지는지를 알아보기 위하여 21.1.1절의 마지막 부분에 있는 편도함수를 논의한 곳으로 돌아가자. 산의 고도를 2차원 함수의 예로 사용했다는 것을 상기하자. 이러한 함수는 수학적으로 다음과 같이 표시된다.

$$z = f(x, y)$$

여기서 z는 고도, x는 동서 축으로 측정한 거리 그리고 y는 남북 축으로 측정한 거리이다.

이 예에서 편도함수는 축방향의 기울기를 제공한다. 그러나 여러분이 등산을 한다면 아마도 최대 기울기의 방향을 구하는 데 훨씬 더 관심을 가질 것이다. 두 편도함수를 벡터의 성분으로 생각하면, 그 답은 다음과 같이 주어진다.

$$\nabla f = \frac{\partial f}{\partial x}\mathbf{i} + \frac{\partial f}{\partial y}\mathbf{j}$$

여기서 ∇f는 함수 f의 **구배**(gradient)라고 한다. 가장 가파른 기울기를 나타내는 이 벡터의 크기는 다음과 같다.

$$|\nabla f| = \sqrt{\left(\frac{\partial f}{\partial x}\right)^2 + \left(\frac{\partial f}{\partial y}\right)^2}$$

그리고 그 방향은 다음과 같다.

사례연구 21.8   continued

$$\angle(\nabla f) = \theta = \tan^{-1}\left(\frac{\partial f / \partial y}{\partial f / \partial x}\right)$$

여기서 θ = x축으로부터 반시계방향으로 측정한 각도다.

이제 x-y 평면에서 점들의 격자를 생성하고 각 점에서 구배 벡터를 그리기 위해 앞서의 방정식들을 이용한다고 가정하자. 그 결과는 각 점에서 정상을 향하는 가장 가파른 등산로를 나타내는 화살표들이 될 것이다. 역으로 음의 구배를 그린다면, 이는 어느 점에서든지 공이 아래로 굴러가는 방향을 나타낼 것이다.

이러한 그래프를 이용한 표현은 매우 유용하게 쓰이기 때문에, 이와 같은 그래프를 그리기 위해 MATLAB에는 quiver라는 이름의 특수한 함수가 있다. 그 구문은 다음과 같이 간단하다.

```
import matplotlib.pyplot as plt
plt.quiver([X,Y],U,V,[C])
```

여기서 X와 Y는 위치 좌표를 포함하는 2차원 배열이고, U와 V는 편도함수를 포함하는 2차원 배열이다. C는 색상을 지정하는 선택적 인수이다. 다음의 예는 quiver를 사용하여 벡터장을 가시화하는 것을 보여 준다.

문제 정의 다음과 같은 2차원 함수의 편도함수를 $x = -2$에서 2까지, $y = 1$에서 3까지의 범위에서 구하기 위해 gradient 함수를 사용하라.

$$f(x, y) = y - x - 2x^2 - 2xy - y^2$$

풀이 먼저 다음과 같이 $f(x, y)$를 무명의 lambda 함수로 표현한다.

```
f = lambda x,y: y - x - 2.*x**2 -2.*x*y - y**2
```

일련의 등간격의 독립변수 x와 y와 그에 상응하는 z값을 다음의 코드로 생성한다.

```
import numpy as np
x = np.arange(-2.,0.25,0.25)
y = np.arange(1.,3.25,0.25)
X,Y = np.meshgrid(x,y)
Z = f(X,Y)
```

편도함수를 구하기 위해 gradient 함수를 사용한다.

```
fx,fy = np.gradient(Z,0.25)
```

그 결과를 등고선으로 다음과 같이 그릴 수 있다.

```
fig = plt.figure()
ax = fig.add_subplot(111)
ax.contour(X,Y,Z,colors='k')
ax.grid()
```

마지막으로 편도함수의 계산 결과를 벡터 배열로 표시하여 등고선도에 중첩시킨다.

```
plt.quiver(X,Y,-fx,-fy,color='k',width=0.005)
```

아래로 내려가는 방향을 가리키도록 음의 결과를 나타내고 있음을 유의한다.

결과는 그림 21.10에 도시된 바와 같다. 함수의 정점은 $x = -1$과 $y = 1.5$에서 발생하며 고도는 모든 방향

사례연구 21.8   continued

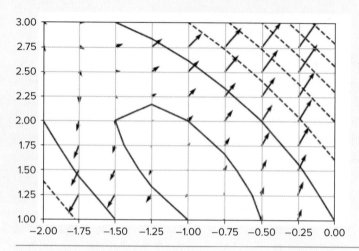

그림 21.10   파이썬 Matplotlib은 2차원 함수의 등고선을 생성하며 편도함수의 결과를 화살표로 나타낸다.

으로 떨어진다. 기울기가 북동쪽과 남서쪽으로 더 가파르다는 것은 화살표의 길이가 알려 준다.

연습문제

* 짝수번호는 온라인 사이트에 있으며 본 책 '차례' 끝부분 xxi페이지에 사이트주소가 있음.

21.1 $x = \pi/4$에서의 $y = \sin(x)$의 1차 도함수를 오차가 $O(h)$와 $O(h^2)$인 전향차분과 후향차분 근사와 오차가 $O(h^2)$와 $O(h^4)$인 중심차분 근사로 $h = \pi/12$의 값을 사용하여 구하라. 각각의 근사에 대해 참 백분율 상대오차 ε_t를 구하라.

21.3 3차 도함수에 대하여 테일러 급수전개를 이용하여 2차 정확도로 계산되는 중심차분 근사 공식을 유도하라. 이를 위해 점 x_{i-2}, x_{i-1}, x_{i+1} 그리고 x_{i+2}에 대해 네 개의 다른 급수전개를 사용해야 한다. 각 경우의 급수전개는 모두 점 x_i를 중심으로 행한다. 간격 Δx가 $i - 1$과 $i + 1$에 대해, 간격 $2\Delta x$가 $i - 2$와 $i + 2$에 대해 각각 사용된다. 그 후에 네 방정식을 1차와 2차 도함수를 소거하는 방법으로 더해야 한다. 근사의 차수를 결정짓기 위해 절단될 충분한 항을 사용하라.

21.5 연습문제 21.4를 다시 풀되, 간격 크기는 $h_1 = 2$와 $h_2 = 1$을 사용하고 $x = 5$에서의 $y = \ln(x)$의 1차 도함수를 구하라.

21.7 등간격으로 주어진 점들에 대해 식 (21.21)은 $x = x_1$에서 식 (21.21-1)로 됨을 증명하라.

21.9 부등간격의 데이터에 대해 1차 도함수를 구하기 위한 파이

썬 스크립트를 작성하라. 아래의 데이터를 이용하여 프로그램을 확인하라.

x	0.6	1.5	1.6	2.5	3.5
$f(x)$	0.9036	0.3734	0.3261	0.08422	0.01596

x에 따른 도함수 추정치와 x에 따른 도함수 참값의 그래프를 그려라. 여기서 $f'(x) = 5e^{-2x} - 10xe^{-2x}$이다. 계산결과를 도함수의 참값과 비교하라.

21.11 다음 데이터는 로켓이 시간에 따라 이동한 거리를 수집한 것이다. 수치미분을 사용하여 각 시점에서의 로켓의 속도와 가속도를 구하라. 또한, 계산을 수작업으로 해보아라.

t, s	0	25	50	75	100	125
y, km	0	32	58	78	92	100

21.13 다음 데이터를 이용하여 $t = 10$초에서의 속도와 가속도를 구하라. 이때 2차 정확도의 (a) 중심차분, (b) 전향차분 그리고 (c) 후향차분으로 계산하라.

Time, t, s	0	2	4	6	8	10	12	14	16
Position, x, m	0	0.7	1.8	3.4	5.1	6.3	7.3	8.0	8.4

21.15 2차, 3차, 4차 다항식 회귀분석을 사용하여 다음 데이터에 대한 각 시점의 가속도를 구하고, 그 결과를 도시하라.

t	1	2	3.25	4.5	6	7	8	8.5	9.3	10
v	10	12	11	14	17	16	12	14	14	10

21.17 다음 데이터는 표준 정규 분포로부터 생성되었다. 파이썬을 이용하여 이들 데이터의 변곡점을 구하라.

z	−2	−1.5	−1	−0.5	0
$f(z)$	0.05399	0.12952	0.24197	0.35207	0.39894
z	0.5	1	1.5	2	
$f(z)$	0.35207	0.24197	0.12952	0.05399	

21.19 이 문제의 목적은 어떤 함수의 1차 도함수에 대한 2차 정확도의 전향, 후향 그리고 중심 유한차분 근삿값과 실제 도함숫값을 비교하는 것이다. 주어진 함수는 다음과 같다.

$$f(x) = e^{-2x} - x$$

(a) 미적분학으로 $x = 2$에서 도함수의 정확한 값을 계산하라.

(b) 중심 유한차분 근사를 계산하기 위한 파이썬 함수를 작성하라. $\Delta x = 0.5$로 놓고 계산을 시작한다. 즉, 첫 번째 계산을 위해 $x = 2 \pm 0.5$ 또는 $x = 1.5$와 2.5를 사용한다. 그리고 증분을 0.01씩 감소시켜 최종적으로 0.01까지 계산한다.

(c) 2차의 전향과 후향차분에 대해 (b)를 반복한다. 중심차분이 계산되는 루프 속에서, 이들 계산이 동시에 수행될 수 있다는 점을 유념한다.

(d) Δx에 대해 (b)와 (c)의 결과를 도시하고, 비교를 위해 그림에 정확한 해도 포함시켜라.

21.21 평판 위를 지나는 공기의 속도 v (m/s)는 표면으로부터 수직으로 y (m)만큼 떨어진 위치에서 측정된다. 뉴턴의 점성법칙을 사용하여 표면 ($y = 0$)에서의 전단응력 τ (Pa)를 계산하라.

$$\tau = \mu \frac{du}{dy}$$

여기서 점성계수의 값 $\mu = 1.8 \times 10^{-5}$ Pa·s이다.

y, m	0	0.002	0.006	0.012	0.018	0.024
u, m/s	0	0.287	0.899	1.915	3.048	4.299

21.23 다음 데이터는 유조선을 기름으로 채울 때 수집된 것이다. 각 시점에서 h^2의 정확도로 유량 $Q (= dV/dt)$를 계산하라.

t, min	0	10	20	30	45	60	75
V, 10^6 barrels	0.4	0.7	0.77	0.88	1.05	1.17	1.35

21.25 특정 깊이에서 호수의 수평면적 A_s (m^2)는 체적으로부터 미분을 통해 계산된다.

$$A_s(z) = -\frac{dV}{dz}(z)$$

여기서 V는 체적 (m^3), z는 표면에서 아래로 측정한 깊이 (m)이다. 깊이에 따라 변하는 물질의 평균 농도 $\bar{c}$ (g/m^3)는 다음의 적분으로 계산된다.

$$\bar{c} = \frac{\int_0^Z c(z)\,A_s(z)\,dz}{V_T}$$

여기서 Z는 총 깊이 (m)이다. 그리고 호수의 총 면적 V_T는 다음과 같다.

$$V_T = \int_0^Z A_s(z)\,dz$$

다음 데이터를 근거로 평균 농도를 계산하라.

z, m	0	4	8	12	16
V, 10^6 m^3	9.8175	5.1051	1.9635	0.3927	0.0000
c, g/m^3	10.2	8.5	7.4	5.2	4.1

21.27 물체의 냉각 속도(그림 P21.27)는 다음과 같이 표시된다.

$$\frac{dT}{dt} = -k(T - T_a)$$

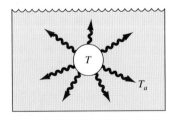

그림 P21.27

여기서 T는 물체의 온도 (℃), T_a는 주변 매질의 온도 (℃), 그리고 k는 분당 비례상수 (min^{-1})이다. Newton 냉각법칙이라고 하는 이 식은 냉각 속도가 물체(물체 전체의 온도가 상대적으로 일정하다고 가정)와 주변 매질의 온도차에 비례한다고 규정한다. 80 ℃로 가열된 금속 구를 $T_a = 20$ ℃로 유지되는 물에 담글 때 구의 온도는 다음 표와 같이 변한다.

Time, min	0	5	10	15	20	25
T, ℃	80	44.5	30.0	24.1	21.7	20.7

수치미분을 이용하여 매 시점의 dT/dt를 구하라. $(T\text{-}T_a)$에 대해 dT/dt를 도시하고 선형회귀분석을 사용해서 k를 구하라.

21.29 표면 위를 흐르는 유체의 경우, 전도에 의한 표면으로의 열유속은 푸리에 법칙으로 다음과 같이 계산될 수 있다.

$$q = -k\frac{dT}{dy}$$

y, cm	0	1	3	5
T, K	900	480	270	210

평판의 길이가 200 cm이고 폭이 50 cm이며, k는 0.028 W/(m·K)일 때, 표면에서의 열유속을 구하고, 전달되는 전체열을 와트로 표시하라.

21.31 벤젠의 열 용량에 대한 다음 데이터는 다항식 모델로 생성된 것이다. 수치 미분법을 사용하여 다항식 차수 n을 결정하라.

T, K	300	400	500	600
C_p, kJ/(kmol·K)	82.888	112.136	136.933	157.744
T, K	700	800	900	1000
C_p, kJ/(kmol·K)	175.036	189.273	200.923	210.450

21.33 단일 반응물의 농도에만 의존하는 화학반응을 모델링하는데 다음과 같은 n차 반응속도 법칙이 종종 사용된다.

$$\frac{dc}{dt} = -kc^n$$

여기서 c는 농도 (mole), t는 시간 (min), n은 반응차수 (무차원), 그리고 k는 반응속도 [$\text{min}^{-1}\cdot(\text{mol/L})^{1-n}$]이다. 차분 방법이 매개변수 k와 n을 구하는 데 사용된다. 여기서 반응속도 법칙에 로그 변환을 취하면 다음과 같게 된다.

$$\log\left(-\frac{dc}{dt}\right) = \log(k) + n\log(c)$$

위에는 상용 로그 ($\log_{10}$)나 자연 로그 ($\ln$) 중 하나를 적용할 수 있다. 반응 속도식이 유효하다면, $\log(c)$에 대해 $\log(-dc/dt)$를 도시하면 기울기가 n이고 절편이 $\log(k)$인 직선을 얻어야 한다. 암모늄시안산이 요소(urea)로 변환할 때 다음과 같이 주어지는 데이터에 대해 차분 방법과 선형 회귀분석을 이용하여 k와 n을 구하라.

$$\log\left(-\frac{dc}{dt}\right) \text{ vs. } \log(c)$$

t, min	0	5	15	30	45
c, mol/L	0.750	0.594	0.420	0.291	0.223

21.35 다음 식은 분포 하중을 받는 균일 보를 해석하기 위해 사용된다.

$$\frac{dy}{dx} = \theta(x) \qquad \frac{d\theta}{dx} = \frac{M(x)}{EI} \qquad \frac{dM}{dx} = V(x) \qquad \frac{dV}{dx} = -w(x)$$

여기서 x는 보의 길이 (m), y는 보의 처짐 (m), $\theta(x)$는 기울기 (m/m), E는 탄성계수 (Pa), I는 관성 모멘트 (m^4), $M(x)$는 모멘트 (N·m), $V(x)$는 전단 (N), 그리고 $w(x)$는 분포 하중 (N/m)이다. 하중이 선형으로 증가하는 경우(그림 P5.15 참조), 기울기는 다음 식과 같이 해석적으로 계산된다.

$$\theta(x) = \frac{w_0}{120\,EIL}(-5x^4 + 6\cdot L^2x^2 - L^4) \qquad \text{(P21.35)}$$

(a) 수치적분을 사용하여 보의 처짐 y를 계산하라. (b) 수치미분을 사용하여 모멘트 M과 전단 V를 계산하라. 3 m 길이의 보에 대해 $\Delta x = 0.125$ m의 등간격으로 식 (P21.35)를 계산한 기울기 값에 근거하여 수치계산을 수행하라. 다음 매개변수 값을 계산에 사용하라. $E = 200$ GPa, $I = 0.0003$ m^4, $w_0 = 2.5$ kN/cm. 또한 보의 양끝에서의 처짐은 $y(0) = y(L) = 0$이다. 단위에 주의하라.

21.37 $x = y = 1$에서 다음 함수에 대해 $\partial f/\partial x$, $\partial f/\partial y$와 $\partial^2 f/(\partial x \partial y)$를 구하라. (a) 해석적 방법, (b) 수치적 방법($\Delta x = \Delta y = 0.0001$).

$$f(x, y) = 3xy + 3x - x^3 - 3y^3$$

21.39 어떤 물체의 속도 (m/s)는 시간 t초에서 다음과 같이 주어진다.

$$v = \frac{2t}{\sqrt{1 + t^2}}$$

Richardson 외삽법을 이용하여 시간 $t = 5$초일 때 그 물체의 가속도를 구하라. 이때 $h = 0.5$와 $h = 0.25$의 경우를 고려하라. 엄밀해를 이용하여 각 추정값의 참 백분율 상대오차를 계산하라.

상미분방정식(ODE)

Ordinary Differential Equations

6.1 개요

물리학, 역학, 전기 및 열역학의 기본 법칙은 일반적으로 시스템의 물리적 특성과 상태의 변화를 설명하는 경험적 관찰을 기반으로 하며, 보통의 경우 물리적 시스템의 상태를 직접 설명하는 대신 공간적, 시간적 변화가 어떠한가의 관점으로 설명된다. 즉, 이러한 법칙은 시공간에 따른 변화의 메커니즘을 정의하며, 에너지, 질량 또는 운동량에 대한 보존법칙과 결합하여 미분방정식이 생성된다. 이러한 미분방정식을 적분하면 에너지, 질량 또는 속도 변화의 관점에서 시스템의 공간 및 시간 상태를 설명하는 수학 함수가 생성된다. 그림 PT6.1과 같이 미분방정식의 해는 적분을 통해 해석적으로 풀이되거나 컴퓨터를 이용하여 수치적으로 계산될 수 있다.

1장에서 소개된 번지점프하는 사람의 자유낙하 문제는 기본법칙에서 미분방정식을 유도한 하나의 예이다. 번지점프하는 사람이 낙하할 때의 속도 변화율에 관한 상미분방정식(ODE, Ordinary Differential Equation)의 유도에 뉴턴의 운동 제2법칙이 사용되었다.

$$\frac{dv}{dt} = g - \frac{c_d}{m}v^2 \qquad \text{(PT6.1)}$$

여기서 g는 중력 상수, m은 질량, c_d는 항력 계수이며, 미지의 함수와 그 도함수로 구성된 이러한 방정식을 **미분방정식**(*differential equation*)이라고 한다. 변수의 변화율을 변수 및 매개변수의 함수로 표현하기 때문에 이를 때로는 **변화율방정식**(*rate equation*)이라고도 한다. 식 (PT6.1)에서 미분되는 양 v를 종속변수, v를 미분하는 양 t를 독립변수라고 한다. 함수가 오직 하나의 독립 변수만을 포함하는 방정식을 **상미분방정식**(*ODE*)이라고 하고, 이는 두 개 이상의 독립 변수를 포함하는 **편미분방정식**(*PDE*)과 대조된다.

미분방정식은 **차수**에 따라서도 분류된다. 예를 들면, 식 (PT6.1)은 가장 높은 차수의 도함수가 1차 도함수이기 때문에 **1차 미분방정식**이라고 하고, 만약 2차 도함수가 최고차 미분으로 포함되면 **2차 미분방정식**이라고 한다. 예를 들어, 강체 질량이 스프링에 의해 운동하는 시스템이 감쇠를 겪는 운동을 할 때 위치 x를 설명하는 다음의 방정식은 2차 미분방정식이다.

$$m\frac{d^2x}{dt^2} + c\frac{dx}{dt} + kx = 0 \qquad \text{(PT6.2)}$$

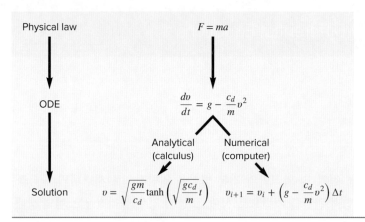

그림 PT6.1 과학 및 공학 문제의 상미분방정식(ODE) 해를 구하는 작업 및 과정의 순서로서 번지점프하는 사람의 자유낙하 운동 속도를 계산하는 사례를 제시함.

여기서 m은 질량, c는 감쇠 계수, k는 스프링 상수이다. 이와 유사하게 n차 방정식은 n차 도함수를 최고차항으로 포함한다.

그러나 종속변수의 1차 도함수를 새로운 변수로 정의하고, 그 이상의 도함수도 마찬가지로 새로운 변수로 정의함으로써 고차 미분방정식을 여러 개의 1차 미분방정식 시스템으로 축소할 수 있다. 식 (PT6.2)의 경우 위치의 미분값을 속도로 새롭게 정의하면,

$$v = \frac{dx}{dt} \tag{PT6.3}$$

속도 v의 1차 미분은 다음과 같이 위치 x의 2차 미분을 대체한다.

$$\frac{dv}{dt} = \frac{d^2x}{dt^2} \tag{PT6.4}$$

따라서 식 (PT6.3) 및 식 (PT6.4)를 식 (PT6.2)에 대입하여 다음의 1차 미분방정식을 만들게 된다.

$$m\frac{dv}{dt} + cv + kx = 0 \tag{PT6.5}$$

따라서 최종적으로 우리는 식 (PT6.3)과 식 (PT6.5)를 변화율방정식으로 다음과 같이 표현한다.

$$\frac{dx}{dt} = v \tag{PT6.6}$$

$$\frac{dv}{dt} = -\frac{c}{m}v - \frac{k}{m}x \tag{PT6.7}$$

따라서 식 (PT6.6)과 식 (PT6.7)은 원래 주어진 2차 미분방정식을 1차 미분방정식 한 쌍으로 표현한 것으로 원래의 2차 방정식[식 (PT6.2)]과 같다. 이와 같은 방식으로 n차 미분방정식의 차수를 줄여 나가면 n개의 1차 미분방정식으로 변환할 수 있기 때문에, 이 책에서는 1차 미분방정식의 해법에 집중하고자 한다.

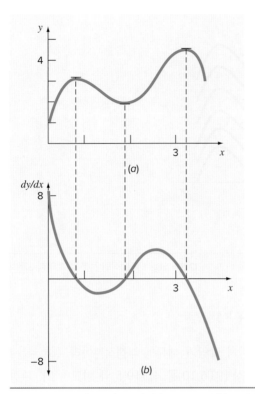

그림 PT6.2 식 (PT6.8)에 대한 (*a*) *x* 대비 *y* 및 (*b*) *x* 대비 *dy/dx*의 그림.

상미분방정식의 해는 원래의 미분방정식을 만족시키는 형태로 표현된 독립변수 및 매개변수로 조합된 함수이다. 이러한 개념을 설명하기 위해 간단한 4차 다항식을 해로 가지는 한 예부터 시작해 보자.

$$y = -0.5x^4 + 4x^3 - 10x^2 + 8.5x + 1 \tag{PT6.8}$$

만약에 식 (PT6.8)을 미분하면 다음의 ODE를 얻게 된다.

$$\frac{dy}{dx} = -2x^3 + 12x^2 - 20x + 8.5 \tag{PT6.9}$$

이 방정식은 식 (PT6.8)과는 다른 방식으로 다항식의 동작을 설명한다. 식 (PT6.9)는 *x*의 각 값에 대해 *y*의 값을 명시적으로 나타내는 대신 *x*의 모든 값에 대한 *y*의 변화율(즉, 기울기)을 제공한다. 그림 PT6.2는 함수와 도함수를 함께 *x*에 대해 그린 것으로, 도함수가 0인 위치가 원래 함수가 평평한 곳, 즉 기울기가 0인 점에 대응되는 것에 주목하라. 또한 도함수의 최대 절댓값은 함수의 기울기가 가장 큰 구간의 양끝에 위치한다. 위에서 설명했듯이 원시함수가 주어지면 미분방정식을 결정할 수 있지만, 이 장에서 배우고자 하는 바는 미분방정식이 주어진 경우에 원시함수를 결정하는 방법에 대한 것이며, 이 원시함수가 바로 미분방정식의 해가 된다.

컴퓨터를 이용하지 않는 경우 ODE는 일반적으로 미적분학을 사용하여 해석적으로 풀게 된다. 예를 들어, 식 (PT6.9)에 *dx*를 곱하고 적분하면 다음의 적분식을 구하게 된다.

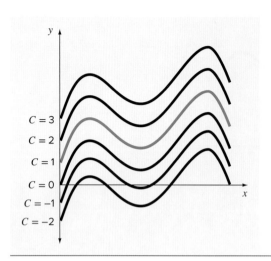

그림 PT6.3 적분상수 C값의 차이에 따른 $(-2x^3 + 12x^2 - 20x + 8.5)$식의 적분 해에 대한 6개의 예시.

$$y = \int (-2x^3 + 12x^2 - 20x + 8.5)\, dx \tag{PT6.10}$$

이때 우변의 적분 구간이 정해지지 않았기 때문에 **부정적분**이라고 부르는데, 이는 5부에서 배운 **정적분**의 개념과는 크게 다르다[식 (PT6.10)를 식 (19.5)와 비교하라]. 부정적분이 함수의 형태로 정확하게 계산되는 경우에는 식 (PT6.10)의 수학적 해가 구해진다. 간단히 계산 가능한 위에서 주어진 문제의 해는 다음과 같다.

$$y = -0.5x^4 + 4x^3 - 10x^2 + 8.5x + C \tag{PT6.11}$$

이 해는 원시함수와 거의 같은 형태를 갖지만 한 가지 주목할 만한 예외가 존재한다. 즉, 미분하고 적분하는 과정에서 원래의 방정식에 있던 상수값 1을 잃고 C값을 얻었다. 이 C를 **적분상수**라고 하는데, 이러한 임의의 상수가 나타난다는 사실은 해가 유일하지 않음을 의미한다. 사실 미분 방정식을 만족하는 함수는 무한히 많고(무한 개의 C값이 가능), 원래의 식은 이 중 하나일 뿐이다. 예를 들어, 그림 PT6.3은 식 (PT6.11)를 만족하는 6가지 함수의 사례를 C를 변화시켜 가면서 보여준다.

따라서 해를 완전하게 지정하려면 일반적으로 미분방정식에 보조조건이 수반되어야 한다. 1차 ODE의 경우 적분상수를 결정하고 고유한 해를 얻으려면 초깃값이라고 하는 일종의 보조 조건이 필요하다. 예를 들어, 원래의 미분방정식이 $x = 0$일 때 $y = 1$이라는 초기조건을 수반한다면, 이러한 조건은 식 (PT6.11)에서 $C = 1$을 결정한다. 따라서 미분방정식과 지정된 초기조건을 모두 만족하는 고유해는 다음과 같다.

$$y = -0.5x^4 + 4x^3 - 10x^2 + 8.5x + 1$$

이와 같이 미분방정식에 초기조건을 부여함으로써 해를 '고정', 즉 식 (PT6.11)이 주어진 초기조건을 통과하도록 강제함으로써, 이 상미분방정식의 해인 식 (PT6.8)을 구하게 된다.

초기조건의 변화는 일반적으로 물리 문제에 대해 설정된 미분방정식에 가변적인 해석을 제공한다. 예를 들어, 앞서 다룬 번지점퍼의 문제에서 초기조건으로 시간이 0일 때 수직 속도가 0이라는 물리적 사실을 반영했는데, 점퍼가 이미 시간 0에서 수직 방향으로 특정한 속도로 움직이고 있다면 그 속도가 초깃값이 되도록 해가 수정된다.

n차 미분방정식의 유일한 해를 얻기 위해서는 n개의 조건이 필요하다. 모든 조건이 동일한 독립변수(예를 들면, x 또는 $t = 0$에서)에 대해 부여되는 문제를 **초깃값 문제**라고 하고, 이는 서로 다른 독립변수 값에 대해서 조건을 지정하는 **경곗값 문제**와 대조된다. 22장과 23장은 초깃값 문제에 초점을 맞추고 24장에서는 경곗값 문제를 다룬다.

6.2 구성

22장에서는 초깃값 상미분방정식을 단일구간(*one-step*) 계산으로 풀 수 있는 방법을 제시한다. 이름에서 알 수 있듯이 **단일구간 방법**은 단일 지점 y_i의 정보만을 기반으로 미래의 값 y_{i+1}을 계산하고 다른 이전 구간 간격 정보는 사용하지 않는다. 이는 새로운 값을 외삽하기 위해 여러 이전 지점의 정보를 사용하는 **다구간(*multi-step*) 접근** 방식과 대조된다.

약간의 예외를 제외하고 대부분의 단일구간 방법이 22장에서 *Runge-Kutta* 방법이라고 기술된 방식에 속한다. 이 장을 이론적인 개념 중심으로 구성할 수도 있었지만 간단한 그래프로 설명되는 직관적인 접근 방식을 선택했다. 우선, 매우 간단한 그래프로 설명할 수 있는 오일러(*Euler*) 방법을 설명하는 것으로 22장을 시작한다. 이미 이전에 1장에서 오일러의 방법을 소개했으므로 이번 장에서는 절단오차를 정량화하고 미분방정식 풀이법의 안정성을 설명하는 데 중점을 둔다.

다음으로 오일러 방법의 두 가지 개선된 버전인 *Heun*과 **중간점 기법**을 소개하고 정확도가 개선되는 것을 그래프로 시각화하였다. 이후에 Runge-Kutta(또는 RK) 접근 방식의 개념을 공식적으로 개발함으로써 앞서 설명된 방법들이 실제로 1차 및 2차 RK 방법으로 일반화된다는 것을 설명한다. 이후 공학 및 과학적 문제 해결에 자주 사용되는 고차 RK 공식에 대한 논의와 *ODE* 시스템에 대한 단일구간 방법의 적용을 다룬다. 22장의 응용 문제들은 모두 구간 간격 크기를 일정하게 유지하는 경우로 제한하였음에 유의하라.

23장에서는 비선형성이 큰 초깃값 문제를 해결하기 위한 진일보된 방법을 다룬다. 먼저, 계산의 절단오차에 대한 응답으로 계산 간격의 크기를 자동으로 조정하는 **적응형 RK 방법**을 설명한다. 이 방법은 파이썬에서 ODE를 풀기 위해서 적절하게 사용된다.

다음으로 다구간 방법을 다루게 되는데, 앞서 언급한 바와 같이 이 알고리즘은 이전 계산 단계에서 얻어진 정보를 이용함으로써 비교적 큰 구간 간격을 쓰면서도 계산의 정확도를 유지할 수 있다는 장점이 있다. 구간 간격을 바꿀 때 절단오차가 어떻게 달라지는지를 추정하는 방법과 **비자발적 *Heun* 방법**을 소개한다.

마지막으로 급작스럽게 해가 변화하는 구간을 가진 **강성이 큰 상미분방정식**에 대해 설명한다. 이는 빠르게 변화하는 요소와 느리게 변화하는 요소를 모두 포함하는 단일 상미분방정식 또는 연립 상미분방정식인데, 해를 구하기 위한 특별한 해석 기법으로 일반적으로 사용되는 내재적 (*implicit*) 해석법의 아이디어를 소개하고 또한 강성 미분방정식을 풀기 위한 파이썬의 내장함수에 대해서도 설명한다.

24장에서는 경곗값 문제 상미분 방정식에 대한 해를 얻기 위한 두 가지 접근 방식인 **사격법** 및 **유한차분 방법**을 설명하고, 미분으로 표현된 **도함수 경계조건**과 **비선형 상미분방정식**을 처리하는 방법을 배운다.

초깃값 문제

Initial-Value Problems

학습 목표

이 장의 주요 목적은 상미분방정식(ODE)의 초깃값 문제를 푸는 방법을 소개하는 것으로 다음의 목표와 주제를 다룬다.

- ODE를 풀기 위한 단일구간 방법의 국부 및 광역 절단오차 의미와 구간 간격과의 관계 이해
- 단일 ODE 풀이를 위한 Runge-Kutta(RK) 방법
  - Euler
  - Heun
  - 중간점
  - 4차 RK
- Heun 방법의 수정자를 반복하는 방법
- 연립 ODE 풀이를 위한 Runge-Kutta 방법
  - Euler
  - 4차 RK

이 책의 초기에 다룬 번지점퍼의 자유낙하 운동에 따른 속도를 시뮬레이션하는 문제가 바로 이번 장에서 다루는 상미분방정식을 수식화하고 계산하는 경우에 해당된다. 다시 자유낙하 문제로 돌아가서, 번지점퍼가 줄의 끝단에 이른 이후의 운동을 계산하는 것에 대해서 생각해 보자. 만약 줄이 느슨하거나 늘어져 있는 경우에는 중력과 마찰력만 존재하는 상황이지만 줄의 끝단에서는 위아래로 번지점퍼가 움직일 수도 있기 때문에 마찰력의 부호가 항상 속도를 늦추는 방향이 되도록 힘의 부호를 아래와 같이 수정해야 한다.

$$\frac{dv}{dt} = g - \text{sign}(v)\frac{c_d}{m}v^2 \tag{22.1a}$$

여기서 v는 속도 (m/s), t는 시간 (s), g는 중력 가속도 (9.81 m/s²), c_d는 항력계수 (kg/m), m은 질량 (kg)이다. *signum* 함수 sign(x)[1]는 x가 양수인지 음수인지에 따라 각각 -1 또는 1을 반환하는 함수이다. 따라서 점퍼가 아래로 떨어질 때(양의 속도, 부호 = 1)나 다시 위로 움직일 때(음의 속도, 부호 = −1) 모두 마찰력은 속도의 절댓값을 감소시키는 방향으로 작용한다.

최저점에 도달한 후 줄이 다시 수축하기 시작하면 점퍼에게 위쪽으로 힘을 가하는데, 8장에서 다룬 Hooke의 법칙이 이 힘을 설명하는 가장 간단한 근사식이다. 이와 동시에 줄이 늘어나고 수

---

[1] 어떤 컴퓨터 언어에서는 signum 함수를 sgn(x)로 표현하기도 한다. 여기서 표현된 바와 같이 이 책에서는 sign(x)로 표시하며 파이썬의 NumPy 모듈을 이용하여 구현 가능하다.

축할 때의 마찰 효과에 의해서 감쇠력이 추가되고, 앞서 언급한 중력 및 마찰력에 더해져서 다음의 식으로 표현된다.

$$\frac{dv}{dt} = g - \text{sign}(v)\frac{c_d}{m}v^2 - \frac{k}{m}(x - L) - \frac{\gamma}{m}v \tag{22.1b}$$

이때 k는 줄의 스프링 상수 (N/m), x는 번지점프 플랫폼에서 아래쪽으로 측정한 수직 거리 (m), L은 늘어나지 않은 코드의 원래 길이 (m), γ는 감쇠계수 (N·s/m)이다. 식 (22.1b)는 줄이 늘어날 때만($x > L$) 유지되며, 스프링 상수에 의한 복원력은 항상 음수로서 점퍼를 위로 당기는 역할을 한다. 감쇠력은 점퍼의 속도가 증가함에 따라 크기가 증가하고 항상 점퍼의 속력을 늦추는 역할을 한다. 점퍼의 속력을 시뮬레이션할 때 끝단에 도달하기 전에는 먼저 식 (22.1a)을 이용하여 계산한 후에 위치가 줄의 최대 길이 L보다 커진 경우에만 식 (22.1b)로 전환한다. 이는 점퍼의 위치 x에 대한 지식이 전체 미분방정식에서 필요하다는 것을 의미하며, 이를 위해 거리와 속도의 관계에 대한 다음의 미분방정식을 추가로 계산해야 한다.

$$\frac{dx}{dt} = v \tag{22.2}$$

따라서 번지점퍼의 속력을 구하는 문제는 종속변수 하나의 값이 또 다른 종속변수 값에 영향을 주는 두 개의 1차 상미분방정식을 푸는 것과 같다. 22장과 23장에서는 이와 유사한 상미분방정식의 해를 구하는 방법을 다룬다.

22.1 개요

이 장에서는 다음과 같은 형태의 상미분방정식을 계산하는 기법에 대해서 다룬다.

$$\frac{dy}{dt} = f(t, y) \tag{22.3}$$

앞서 배웠던 바와 같이,

새로운 값 = 기존 값 + 기울기 × 구간 간격(step) 크기

또는 수학 계산 항으로는 다음과 같이 표현된다.

$$y_{i+1} = y_i + \int_{t_i}^{t_{i+1}} f(t)\ dt = y_{i+1} = y_i + \phi h \tag{22.4}$$

이때 기울기 ϕ를 증분 함수(*incremental function*)라고 하는데, ϕ의 기울기 추정값과 거리 h를 곱해서 이전 값 y_i에서 새 값 y_{i+1}으로 외삽하는 용도로 사용된다. 이 공식을 여러 구간에 적용하여 미래에 얻게 될 해의 궤적을 추적할 수 있다. 이러한 접근 방식은 증분함수의 값이 단일 지점 i의 정보만을 기반으로 하기 때문에 단일구간 방법이라고 하며, 1900년대 초에 처음으로 이에 대해 논의한 두 응용 수학자의 이름을 따서 *Runge-Kutta* 방법이라고도 한다. 이와 달리 다구간 방법은 몇 개

의 이전 지점 정보를 미래의 새 값을 추정하기 위한 기초로 사용한다. 다구간 방법은 23장에서 간략하게 설명한다.

모든 단일구간 방법은 식 (22.4)의 일반 형식으로 표현되고, 유일한 차이점은 기울기가 추정되는 방식이다. 가장 간단한 접근법은 t_i에서 1차 도함수 형태의 기울기를 추정하기 위해 미분방정식을 사용하는 방법으로서, 다시 말하면 구간 시작의 기울기를 전체 구간에 대한 평균 기울기의 근사치로 간주하는 방법이다. 오일러 방법이라고 하는 이 접근 방식과 이보다 더 정확한 예측을 가능하게 하는 대체 기울기 추정치를 사용하는 다른 단일구간 방법들이 향후 설명될 예정이다.

22.2 오일러(Euler) 방법

그림 22.1에서 보이는 t_i에서의 곡선의 기울기는 $\phi = f(t_i, y_i)$이며, 이때 $f(t_i, y_i)$는 t_i 및 y_i에서 계산된 y에 대한 시간 미분식이다. 이를 이용하여 식 (22.1)의 근사식을 구하면 다음과 같다.

$$y_{i+1} = y_i + f(t_i, y_i)h \qquad (22.5)$$

이 식을 **오일러 방법**(또는 Euler-Cauchy 혹은 point-slope 방법)이라고 명명한다. 새로 계산된 y 값은 다시 기울기를 추정하는 데 사용되며, 구간 간격 h를 곱하여 선형적으로 외삽된다.

22.2.1 오일러 방법의 오차 해석

4장에서 다룬 바와 같이 수치해석으로 구한 상미분방정식의 해는 두 가지 종류의 오차를 가진다.

1. **절단오차**(*Truncation* error): 함숫값을 추정하는 수치해석 기법의 특성에 의해 발생
2. **반올림오차**(*Roundoff* error): 컴퓨터가 부동소수점 연산에 사용하는 자리수가 한정되어 있음으로 인해 발생

이때 절단오차는 두 부분으로 구성되는데, 첫 번째는 단일구간에서 주어진 수치해석 방법을

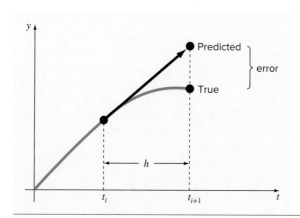

그림 22.1 오일러 방법.

적용하여 문제를 풀 때 발생하는 **구간절단오차**(*local truncation error* 또는 **구간오차**)[2]이고 두 번째는 이전 구간에서 생성된 근삿값이 다음 구간에 전파되면서 생기는 **전파절단오차**(*propagated truncation error*)이다. 이 둘의 합이 총 오차인데, 이를 **전역절단오차**(*global truncation error* 또는 **전역오차**)라고 한다.

테일러 급수 전개에서 직접 오일러 방법을 유도하면 절단오차의 크기와 속성에 대해 분석할 수 있다. 이를 위해 적분되는 미분방정식은 식 (22.3)이고 여기서 $dy/dt = y'$, t와 y는 각각 독립변수와 종속변수이다. 만약에 이 식의 해가 연속적으로 미분 가능하다면 t_i 및 y_i를 시작점으로 하는 테일러 급수로 표현될 수 있다[식 (4.13) 참조].

$$y_{i+1} = y_i + y_i'h + \frac{y_i''}{2!}h^2 + \cdots + \frac{y_i^{(n)}}{n!}h^n + R_n \tag{22.6}$$

이때 $h = t_{i+1} - t_i$이며, R_n은 다음과 같이 정의되는 나머지이다.

$$R_n = \frac{y^{(n+1)}(\xi)}{(n+1)!}h^{n+1} \tag{22.7}$$

이때 ξ는 t_i와 t_{i+1} 사이의 임의의 값으로 선택된다. 식 (22.3)을 식 (22.6) 및 식 (22.7)에 대입하여 다음과 같이 또 다른 형태의 식을 구할 수 있는데,

$$y_{i+1} = y_i + f(t_i, y_i)h + \frac{f'(t_i, y_i)}{2!}h^2 + \cdots + \frac{f^{(n-1)}(t_i, y_i)}{n!}h^n + O(h^{n+1}) \tag{22.8}$$

여기서 $O(h^{n+1})$은 구간오차가 구간 간격의 $(n+1)$제곱에 비례한다는 것을 뜻한다.

식 (22.5)와 식 (22.8)을 비교해 보면 오일러 방법이 테일러 급수의 $f(t_i, y_i)h$를 포함한 항까지 일치하는 것을 알 수 있다. 따라서 여기에 포함되지 않은 테일러 급수의 나머지 부분은 절단오차가 된다. 식 (22.8)에서 식 (22.5)를 뺀 나머지 값은 다음의 오차를 만들게 되는데,

$$E_t = \frac{f'(t_i, y_i)}{2!}h^2 + \cdots + O(h^{n+1}) \tag{22.9}$$

이 값이 참 구간오차이다. 충분히 작은 h를 곱할수록 식 (22.9)의 고차항이 작아지므로 이중 가장 차수가 낮은 항이 가장 중요한 오차의 근원이 된다. 결과적으로 근사 구간오차는,

$$E_a = \frac{f'(t_i, y_i)}{2!}h^2 \tag{22.10}$$

또는

$$E_a = O(h^2) \tag{22.11}$$

로 표현된다.

---

2) 19장에서는 이를 국부절단오차라고 명명했는데 차분법의 관점에서 단일 구간 내에서의 오차라는 의미를 강조하기 위해 이번 장에서는 구간오차라고 이름붙이기로 한다.

식 (22.11)에 의해서 구간오차는 구간 간격의 제곱과 해당 위치의 1차 도함수 값에 비례한다. 이에 비해서 전역오차는 이러한 오차가 계산에 의해서 반복되는 과정에서 누적이 되기 때문에 $O(h)$의 특성을 가진다. 즉, 구간오차에 비해서 더 큰 오차를 가지게 된다. 이 내용을 통해서 다음의 사항을 파악할 수 있다.

1. 전역오차는 구간 간격을 줄이면 감소한다.
2. 만약 정확한 해가 선형식 (1차식)이라면 오차가 없어진다.

두 번째 특성은 오일러 방법이 직선으로 해를 근사하는 과정을 거치므로 직관적으로 이해된다. 따라서 오일러 방법을 1차($first\ order$) 방법이라고 한다.

고차의 정확도를 가지는 단일구간 방법이 다음 페이지에 언급될 텐데, 마찬가지로 n차의 정확도를 지니는 수치해석 방법은 n차 다항식이 해가 되는 경우는 정확하게 기술할 수 있다. 이때도 마찬가지로 구간오차는 $O(h^{n+1})$이고 전역오차는 $O(h^n)$이다.

22.2.2 오일러 방법의 안정성

이전 절에서 오일러 방법의 정확도 문제를 다루었는데, 이와 더불어 수치해석의 안정성에 대한 분석이 매우 중요하다. 왜냐하면 수치해석 기법의 정확도가 낮은 경우에는 참값에 비해서 오차는 크지만 실제 해의 경향성을 따르는 해석 결과를 얻는 경우도 많기 때문에 어느 정도 예측에 사용될 수 있지만, 아예 해를 구하지 못하고 계산 값이 발산하는 경우도 종종 발생하기 때문에 이런 상황에 대해 이해하는 것이 필요하다. 구간 간격이 오일러 방법의 안정성에 대해 미치는 영향을 이해하기 위해서 다음의 경우를 고려하자.

$$\frac{dy}{dt} = -ay \tag{22.12}$$

이 식의 초깃값을 $y(0) = y_0$로 정할 경우 정확한 해는 $y = y_0 e^{-at}$로 시간이 지남에 따라 0으로 수렴한다. 그러나 같은 식을 오일러 방법을 이용하여 수치해석으로 계산하는 경우,

$y_{i+1} = y_i + \frac{dy_i}{dt}h$를 식 (22.12)에 대입하면

$y_{i+1} = y_i - ay_i h$ 또는 다음 식으로 전개된다.

$$y_{i+1} = y_i (1 - ah) \tag{22.13}$$

이 식에서 괄호 안의 수치 $(1 - ah)$를 증폭인자라고 하는데, 이 값의 절댓값이 만약 1보다 큰 경우에는 시간이 지남에 따라 수치해가 무한히 증가하게 된다. 따라서 안정성의 조건은 $1 - ah$의 절댓값이 1보다 큰가 작은가의 여부에 의해 결정된다. $h > 2/a$인 경우에 $i \to \infty$일 때 $|y_i| \to \infty$가 되므로 불안정하다. 이와 반대의 경우에는 오일러 방법이 안정적인 해를 갖게 된다. 이와 같이 특정 조건에 대해서만 오일러 방법의 안정성이 유지되므로 **조건적 안정성**($conditional\ stability$)을 가진 방법이라고 한다.

앞에서 언급한 해가 항상 발산하는 조건에 대해서 **나쁜 조건**(*ill-conditioned*) 미분방정식이라고 한다.

종종 부정확성(inaccuracy)과 불안정성(instability)이 혼동되는데, 두 경우 모두 구간 간격에 의해 좌우되고 정확한 해에서 벗어난 결과를 준다는 공통점이 있지만 확연하게 구별되어야 한다. 가령 부정확한 수치해석 기법이 매우 안정적인 경우도 있다. 이 주제에 대해서는 23장에서 강성 (stiff) 시스템을 다루면서 다시 언급한다.

22.2.3 파이썬 함수: eulode

우리는 이미 3장에서 번지점프를 하는 사람의 자유낙하 운동을 기술하는 간단한 파이썬 스크립트를 작성하였다. 사례연구 3.6을 되돌아 보면 오일러 방법을 이용하여 일정 시간 이후의 속도에 대해서 계산한 식이 제시되었는데, 그림 22.2에서 이 함수를 eulode라는 이름으로 구현한 사례를 보여 준다. 미분방정식의 우변을 계산하는 함수의 이름을 dydt로 하여 eulode 함수에 전달되고 독립변수의 초깃값과 최종값이 배열 tspan으로 전달된다. 초깃값과 원하는 구간 간격은 각각 y0 및 h로 전달된다. 특히 eulode 함수는 dydt 함수에 전달할 수 있는 추가 인수 *args도 허용하는

```python
import numpy as np

def eulode(dydt,tspan,y0,h,*args):
    """
    solve initial-value single ODEs with the Euler method
    input:
        dydt = function name that evaluates the derivative
        tspan = array of [ti,tf] where
            ti and tf are the initial and final values
            of the independent variable
        y0 = initial value of the dependent variable
        h = step size
        *args = additional argument to be passed to dydt
    output:
        t = an array of independent variable values
        y - an array of dependent variable values
    """
    ti = tspan[0] ; tf = tspan[1]
    if not(tf>ti+h): return 'upper limit must be greater than lower limit'
    t = []
    t.append(ti) # start the t array with ti
    nsteps = int((tf-ti)/h)
    for i in range(nsteps): # add the rest of the t values
        t.append(ti+(i+1)*h)
    n = len(t)
    if t[n-1] < tf: # check if t array is short of tf
        t.append(tf)
        n = n+1
    y = np.zeros((n)) ; y[0] = y0 # initialize y array
    for i in range(n-1):
        y[i+1] = y[i] + dydt(t[i],y[i],*args)*(t[i+1]-t[i]) # Euler step
    return t,y
```

그림 22.2   오일러 방법을 구현하는 파이썬 함수 예.

데, 이 방법을 활용하면 dydt 내에서 사용할 매개변수를 직접 지정해 줄 수 있다.

이 함수의 계산 과정을 살펴보면, 먼저 증분 h를 사용하여 독립변수의 원하는 범위에 대해 배열 t를 생성하는데, 구간 간격으로 계산 구간을 균등하게 나눌 수 없는 경우에는 마지막 값은 지정한 범위의 최종 값에 미치지 못하게 되므로, 이 경우에는 시리즈가 전체 범위에 걸쳐 있도록 최종 값이 t 배열에 하나 더 추가된다. 또한 종속변수 y의 배열이 생성되고 첫 번째 요소가 y0으로 설정된다.

이후 오일러 방법[식 (22.5)]이 다음과 같이 간단한 루프로 구현된다.

```
for i in range(n-1):
    y[i+1] = y[i] + dydt(t[i],y[i],*args)*h
```

함수 dydt가 독립변수 및 종속변수의 값을 이용하여 도함수 값을 생성하는 데 어떻게 사용되는지와 t 배열에서 시간간격이 계산되는 방식 등을 프로그램에서 확인할 수 있다.

해석하고자 하는 상미분방정식은 두 가지 방법으로 설정할 수 있다. 첫 번째 방법은 lambda 익명함수를 이용해서 표현하는 방식으로 그 사례는 다음과 같다.

```
for i in range(n-1):
    y[i+1] = y[i] + dydt(t[i],y[i],*args)*(t[i+1]-t[i])

    dydt = lambda t,y,a,b,c: b*np.exp(a*t) - c*y
```

여기서 b 및 c는 eulode를 통해 dydt로 전달되어야 하는 추가 매개변수이다.

다음 스크립트를 사용하여 해를 생성할 수 있다.

```
tspan = np.array([0.,4.])
y0 = 2.
h = 1.0
a = 0.8
b = 4.
c = 0.5
t,y = eulode(dydt,tspan,y0,h,a,b,c)
n = len(t)
for i in range(n):
    print('{0:4.1f} {1:7.4f}'.format(t[i],y[i]))
```

이 경우는 다음의 결과를 얻는다.

```
0.0   2.0000
1.0   5.0000
2.0  11.4022
3.0  25.5132
4.0  56.8493
```

만약 tf-ti를 정수개로 나눌 수 없는 구간 간격이 주어진 경우에는 구간의 끝값을 다음과 같이 잘라서 사용하게 된다.

```
h = 0.9

0.0   2.0000
0.9   4.7000
1.8   9.9810
2.7  20.6840
3.6  42.5923
4.0  62.5767
```

지금 다룬 예에서는 lambda 함수를 사용하는 것이 가능하지만 ODE 정의에 대해서 여러 줄의 코드가 필요한 더 복잡한 경우에는 lambda 함수 사용이 어렵기 때문에, 이러한 경우 def를 사용하여 dydt 함수를 생성해야 한다.

22.3 오일러 방법의 향상 방안

오일러 방법에서 발생하는 오차의 근본적인 원인은 구간의 시작 위치에서 계산된 도함수가 전체 구간에 동일하게 적용된다고 가정한 점인데, 이 단점을 피하기 위해 간단한 두 가지 수정 방식을 사용할 경우 오차를 줄일 수 있다.

22.3.1 Heun 방법

구간 내에서 보다 정확한 기울기를 추정하기 위해서 시작 위치에서의 도함수 대신 시작점과 끝점에서의 두 개의 도함수를 이용해서 결정하는 방법이 있다. 이때 조심해야 할 점은 아직 끝점에서의 정확한 함숫값이 계산되지 않았다는 점인데, 이를 다시 오일러 방법으로 추정해서 사용하는 방식을 이용한다.

초기에 오일러 방법을 이용하여

$$y_i' = f(t_i, y_i) \tag{22.14}$$

y_{i+1}의 값을 다음과 같이 추정한다.

$$y_{i+1}^0 = y_i + f(t_i, y_i)h \tag{22.15}$$

아직 이 값은 최종값이 아니기 때문에 추정값을 뜻하는 의미에서 위첨자 0을 붙인다. 보통의 오일러 방법에서는 이 값을 계산한 것으로 끝나지만 Heun 방법에서는 이를 이용하여 다시 한 번 최종값을 계산한다. 식 (22.15)를 예측식(*predictor equation*)이라고 한다. 이를 통해 구간의 끝점에서의 기울기를 다음과 같이 예측할 수 있고,

$$y_{i+1}' = f(t_{i+1}, y_{i+1}^0) \tag{22.16}$$

최종적으로 시작점에서 구했던 기울기와 구간 종착점에서 구한 기울기의 평균값을 이용하여 구간의 끝값을 다음과 같이 예측한다.

$$y_{i+1} = y_i + \frac{f(t_i, y_i) + f(t_{i+1}, y_{i+1}^0)}{2} h \tag{22.17}$$

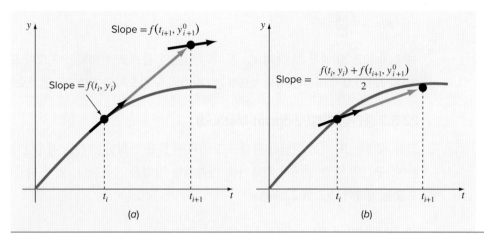

그림 22.3   Heun 방법에 대한 그림 묘사. (*a*) 예측자 (*b*) 보정자.

이 식을 **보정식**(*corrector equation*)이라고 한다.

이처럼 Heun 방법은 **예측-보정 방식**(*predictor-corrector approach*)을 이용한다. 예측과 보정의 단계를 여러회 수행할 수도 있는데, 이를 요약해서 정리하면 다음의 두 식과 같다.

예측 (그림 22.4*a*): $\qquad y_{i+1}^0 = y_i^m + f(t_i, y_i)h$ (22.18)

보정 (그림 22.4*b*): $\qquad y_{i+1}^j = y_i^m + \dfrac{f(t_i, y_i^m) + f(t_{i+1}, y_{i+1}^{j-1})}{2}\,h$

$$\text{(for } j = 1, 2, \ldots, m)$$ (22.19)

이에 대한 전개 과정은 그림 **22.4**에 설명되었다. 이처럼 반복적인 보정 과정을 거치는 경우, 예측-보정 루프를 벗어나 조건은 이전 계산값 대비 보정을 통해 변화한 값이 일정 조건 이하로 되도록 추정오차에 대한 제약 조건을 주는 방식을 택한다.

Heun 방법의 오차에 대한 해석은 적분 계산 시 구간 내에서 사다리꼴로 계산하는 경우의 오차 해석과 유사한 양상을 보이게 된다.

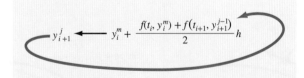

그림 22.4   개선된 추정값을 얻기 위한 Huen 방법의 보정자 반복에 대한 그림 표현.

최종적으로 구해진 오차는 사다리꼴 적분 방식의 구간오차[식 (19.14)]와 마찬가지로 다음과 같다.[3]

---

3)   역자 주: 원서의 식 중 가장 최종 식만을 표시하였다.

$$E_t = -\frac{f''(\xi)}{12} h^3 \tag{22.20}$$

이때 식 (22.20)에서 ξ는 t_i와 t_{i+1} 사이의 임의의 값으로 선택되는데, 2차 도함수의 값이 0인 경우에는 오차가 0이 되지만 일반적으로는 $O(h^3)$의 구간오차와 $O(h^2)$의 전역오차를 갖게 된다.

22.3.2 중간점 방법(Midpoint Method)

그림 22.5는 또 다른 간단한 형태로 오일러 방법을 변형한 방식을 제시한다. 이를 **중간점 방법**이라 하며, 구간의 중간 점에서 기울기를 예측하는 방법을 사용한다. 먼저 다음의 식으로 중간점의 함숫값을 예측하고(그림 22.5a),

$$y_{i+1/2} = y_i + f(t_i, y_i)\frac{h}{2} \tag{22.21}$$

이렇게 예측한 값을 중간점에서의 기울기를 구하는 데 사용한다.

$$y'_{i+1/2} = f(t_{i+1/2}, y_{i+1/2}) \tag{22.22}$$

계산된 중간점의 기울기를 전 영역의 기울기의 평균값을 대표하는 값으로 사용하여 t_i에서 t_{i+1}으로 전개하여 새로운 y_{i+1}을 계산한다(그림 22.5b).

$$y_{i+1} = y_i + f(t_{i+1/2}, y_{i+1/2})h \tag{22.23}$$

이 경우에는 앞서 언급한 Heun 방법과 달리 y_{i+1}이 양변에 존재하는 것이 아니므로 반복 계산을 통해 오차를 줄여 가는 예측-보정 기법을 사용할 수 없다.

Heun 방법에 대한 설명에서 다룬 바와 같이 중간점 방법도 Newton-Cotes 적분 방식에 기반하여 오차를 계산할 수 있다.

$$\int_a^b f(x)\,dx \cong (b - a)\,f(x_1) \tag{22.24}$$

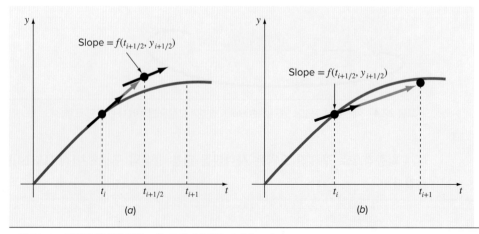

그림 22.5 중간점 방법에 대한 그림 묘사. (*a*) 예측자, (*b*) 보정자.

식 (22.24)에서 보인 바와 같이 주어진 구간의 적분값을 구간 내 중간 위치 x_1에서의 함숫값과 구간 간격의 곱으로 다룰 수 있다면, 지금 다루고 있는 중간점 방법의 경우 다음의 식으로 표현할 수 있게 된다.

$$\int_{t_i}^{t_{i+1}} f(t)\,dt \cong h f(t_{i+1/2}) \tag{22.25}$$

이 식을 식 (22.4)에 대입하면 식 (22.23)을 얻게 되며, 마치 수치미분의 경우 중간차분법이 전향차분법 또는 후향차분법에 비해서 더 작은 오차를 가진 것과 같이 중간점 방법이 $O(h^3)$의 구간오차와 $O(h^2)$의 전역오차로 기본적인 오일러 방법에 비해서 더 작은 오차를 갖게 되는 것을 알 수 있다.

22.4 Runge-Kutta 방법

Runge-Kutta(RK) 방법은 더 높은 도함수를 도입하지 않고도 테일러 급수 방식의 고차항에 해당하는 정확도를 달성할 수 있는 방법이다. 많은 변형이 존재하지만 모두 식 (22.4)의 일반화된 형태로 다루어질 수 있다.

$$y_{i+1} = y_i + \phi h \tag{22.26}$$

이때 구간 내에서의 기울기 ϕ를 **증분함수**(*incremental function*)라고 하는데 일반적인 형태로 다음과 같이 표현된다.

$$\phi = a_1 k_1 + a_2 k_2 + \cdots + a_n k_n \tag{22.27}$$

이때 계수 a_i는 상수이고 k_i는 다음과 같이 계산된다.

$$k_1 = f(t_i, y_i) \tag{22.27a}$$
$$k_2 = f(t_i + p_1 h, y_i + q_{11} k_1 h) \tag{22.27b}$$
$$k_3 = f(t_i + p_2 h, y_i + q_{21} k_1 h + q_{22} k_2 h) \tag{22.27c}$$
$$\vdots$$
$$k_n = f(t_i + p_{n-1} h, y_i + q_{n-1,1} k_1 h + q_{n-1,2} k_2 h + \cdots + q_{n-1,n-1} k_{n-1} h) \tag{22.27d}$$

이때 p 및 q는 오차를 가장 최소화할 수 있는 상수로 고정되어 있고, k_i는 앞서 계산된 값을 다시 재사용하는 순환적인 관계라서 컴퓨터 계산을 효율적으로 만든다. 서로 다른 n값을 사용함으로써 오차의 최소 차수와 이를 최소화할 수 있는 a와 p, q의 값이 달라지게 된다. 가령 $n = 1$은 오일러 방법이고 $O(h)$의 전역오차를 가진다. 2차항의 전역오차를 가지는 경우는 $n = 2$로 구현 가능하며 이 경우의 계수들은 오차를 최소화하는 조건에 따른 계산을 통해 구할 수 있다. 다음의 각 하위 항목에서 2차 및 4차 RK 방법에 대해서 다룬다.

22.4.1 2차 RK 방법

식 (22.26)의 2차 표현은 다음과 같다.

$$y_{i+1} = y_i + (a_1 k_1 + a_2 k_2)h \tag{22.28}$$

이때

$$k_1 = f(t_i, y_i) \tag{22.28a}$$

$$k_2 = f(t_i + p_1 h, y_i + q_{11} k_1 h) \tag{22.28b}$$

이고, 각각의 계수 a_1, a_2, p_1, q_{11}은 식 (22.28)이 테일러 급수의 2차항까지 동일해지도록 맞추는 방법으로 결정된다. 정확한 계산 방법은 Chapra and Canale(2010)논문을 참고하면 최종적인 계산식은 식 (22.29) ~ 식 (22.31)과 같이 구해진다. 4개의 미지수에 대해서 3개의 조건만 주어졌기 때문에 이 값들은 유일하게 결정되지 않으며, 외부에서 추가로 값을 하나 더 부여해야 한다.

$$a_1 + a_2 = 1 \tag{22.29}$$

$$a_2 p_1 = 1/2 \tag{22.30}$$

$$a_2 q_{11} = 1/2 \tag{22.31}$$

가령 a_2를 특정 값으로 지정한 경우를 생각해보면 식 (22.29) ~ 식 (22.31)은 다음과 같이 a_2의 식으로 간략화할 수 있다. 현재로서는 a_2를 선택하는 방식에 대해서 자유도가 있기 때문에 우리는 무한히 많은 경우의 2차 RK(RK2) 방법을 만들 수 있지만 해가 상수, 1차식, 2차식이 아닌 경우에는 항상 오차가 존재하게 된다. 널리 사용되는 RK2 방법은 다음과 같다.

한 개의 수정자를 가진 Heun 방법($a_2 = 1/2$)

이때 $a_1 = 1/2$, $p_1 = q_{11} = 1$이며 식 (22.28)은 다음과 같이 표현된다.

$$y_{i+1} = y_i + \left(\frac{1}{2} k_1 + \frac{1}{2} k_2 \right) h \tag{22.32}$$

$$k_1 = f(t_i, y_i) \tag{22.32a}$$

$$k_2 = f(t_i + h, y_i + k_1 h) \tag{22.32b}$$

이때 k_1 및 k_2는 각각 구간의 시작점과 끝점에서의 기울기를 의미한다. 따라서 이 방식의 RK2 방법은 예측-수정 보정에 대한 반복 계산을 한 번만 사용한 Heun 방법과 일치한다.

중간점 방법($a_2 = 1$)

이때 $a_1 = 0$, $p_1 = q_{11} = 1/2$이며 식 (22.28)은 다음과 같이 표현된다.

$$y_{i+1} = y_i + k_2 h \tag{22.33}$$

$$k_1 = f(t_i, y_i) \tag{22.33a}$$

$$k_2 = f(t_i + h/2, y_i + k_1 h/2) \tag{22.33b}$$

Ralston 방법($a_2 = 3/4$)

Ralston(1962) 및 Ralston과 Rabinowitz(1978)은 RK2 방법의 절단오차를 최소화하기 위해 $a_2 = 3/4$를 사용했으며, 이 경우 $a_1 = 1/4$, $p_1 = q_{11} = 2/3$으로 식 (22.28)은 다음과 같이 표현된다.

$$y_{i+1} = y_i + \left(\frac{1}{4}k_1 + \frac{3}{4}k_2\right)h \tag{22.34}$$

$$k_1 = f(t_i, y_i) \tag{22.34a}$$

$$k_2 = f\left(t_i + \frac{2}{3}h, y_i + \frac{2}{3}k_1 h\right) \tag{22.34b}$$

22.4.2 고전적인 4차 RK 방법

가장 널리 사용되는 Runge-Kutta 방법은 4차 RK(RK4) 방법으로서 2차의 경우와 마찬가지로 매우 많은 공식의 형태가 존재한다. 이 중에서 가장 보편적으로 널리 사용되는 방식은 다음과 같으며, 이 방식을 고전적인 RK4 방법이라고 한다.

$$y_{i+1} = y_i + \frac{1}{6}(k_1 + 2k_2 + 2k_3 + k_4)h \tag{22.35}$$

$$k_1 = f(t_i, y_i) \tag{22.35a}$$

$$k_2 = f\left(t_i + \frac{1}{2}h, y_i + \frac{1}{2}k_1 h\right) \tag{22.35b}$$

$$k_3 = f\left(t_i + \frac{1}{2}h, y_i + \frac{1}{2}k_2 h\right) \tag{22.35c}$$

$$k_4 = f(t_i + h, y_i + k_3 h) \tag{22.35d}$$

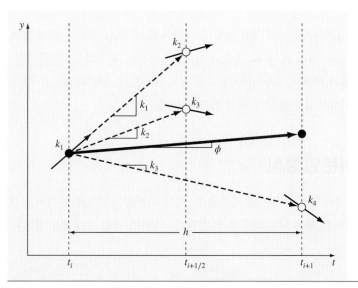

그림 22.6　4차 RK 방법을 구성하는 기울기 추정의 그림 묘사.

4차 RK 방법의 효율성을 2차 RK 방법과 비교해 보자. 만약 2차 RK 방법에서 구간 간격을 h = 10^{-4}로 계산했다면 h^2은 10^{-8}이므로 4차 RK 방법을 사용하는 경우에는 h = 0.01로 100배 증가시켜도 비교적 동일한 수준의 오차를 유지할 수 있다. (이때 앞에 곱해진 계수는 무시하고 차수만 관찰하도록 하자.) 비록 매번 새로운 시간마다 k_i를 계산하는 과정이 두 배 더 추가되기는 했지만, 구간 간격을 100배 증가시킬 수 있기 때문에 실제 계산의 효율은 50배가량 향상되었다고 볼 수 있다. 따라서 고차 RK 방법이 계산의 정확도를 유지하면서도 계산 속도를 빨리 하는 데 매우 유리하다.

이보다 더 높은 5차 및 고차 RK 방법 역시 가능하다. 한 예로서 Butcher(1964)의 5차 RK 방법은 다음과 같다.

$$y_{i+1} = y_i + \frac{1}{90}(7k_1 + 32k_3 + 12k_4 + 32k_5 + 7k_6)h \tag{22.36}$$

$$k_1 = f(t_i, y_i) \tag{22.36a}$$

$$k_2 = f\left(t_i + \frac{1}{4}h, y_i + \frac{1}{4}k_1h\right) \tag{22.36b}$$

$$k_3 = f\left(t_i + \frac{1}{4}h, y_i + \frac{1}{8}k_1h + \frac{1}{8}k_2h\right) \tag{22.36c}$$

$$k_4 = f\left(t_i + \frac{1}{2}h, y_i - \frac{1}{2}k_2h + k_3h\right) \tag{22.36d}$$

$$k_5 = f\left(t_i + \frac{3}{4}h, y_i + \frac{3}{16}k_1h + \frac{9}{16}k_4h\right) \tag{22.36e}$$

$$k_6 = f\left(t_i + h, y_i - \frac{3}{7}k_1h + \frac{2}{7}k_2h + \frac{12}{7}k_3h - \frac{12}{7}k_4h + \frac{8}{7}k_5h\right) \tag{22.36f}$$

이는 앞서 19장에서 다룬 Boole의 공식과 매우 유사하며(표 19.2), $O(h^5)$의 전역절단오차를 가진다.

비록 이 방식이 보다 정확하다고 해도, 위의 수식에서 보인 바와 같이 6회의 함숫값 계산이 필요하다. 4차 버전까지는 n차 RK 방법에 대해 n개의 함수 계산이 필요했던 것에 비해서 4보다 높은 차수의 경우는 하나 또는 두 개의 추가 함수 계산이 필요하다. 연산에서 함수 계산이 가장 많은 시간을 차지하기 때문에 5차 이상의 방법은 일반적으로 4차 버전보다 상대적으로 덜 효율적인 것으로 간주되어 4차 RK 방법이 가장 인기가 있다.

22.5 연립 상미분방정식

공학 및 과학 분야에서 다루는 문제들은 한 개의 미분방정식으로 구성되는 경우보다 여러 개의 연립 상미분방정식으로 표현되는 경우가 빈번한데, 이러한 연립 상미분방정식은 다음의 일반식으로 표현된다.

```
import numpy as np

def rk4sys(dydt,tspan,y0,h=-1.,*args):
    """
    fourth-order Runge-Kutta method
    for solving a system of ODEs
    input:
        dydt = function name that evaluates the derivatives
        tspan = array of independent variable values where either
            ti and tf are the initial and final values
            of the independent variable when h is specified,
            or the array specifies the values of t for
            solution (h is not specified)
        y0 = initial value of the dependent variable
        h = step size, default = 0.1
        *args = additional argument to be passed to dydt
    output:
        t = array of independent variable values
        y = array of dependent variable values
    """
    if np.any(np.diff(tspan) < 0): return 'tspan times must be ascending'
    # check if only ti and tf spec'd and no value for h
    if len(tspan) == 2 and h != -1.:
        ti = tspan[0] ; tf = tspan[1]
        nsteps = int((tf-ti)/h)
        t = []
        t.append(ti)
        for i in range(nsteps):  # add the rest of the t values
            t.append(ti+(i+1)*h)
        n = len(t)
        if t[n-1] < tf:  # check if t array is short of tf
            t.append(tf)
            n = n+1
    else:
        n = len(tspan)  # here if tspan contains step times
        t = tspan
    neq = len(y0)
    y = np.zeros((n,neq))  # set up 2-D array for dependent variables
    for j in range(neq):
        y[0,j] = y0[j]  #  set first elements to initial conditions
    for i in range(n-1):  # 4th order RK
        hh = t[i+1] - t[i]
        k1 = dydt(t[i],y[i,:],*args)
        ymid = y[i,:] + k1*hh/2.
        k2 = dydt(t[i]+hh/2.,ymid,*args)
        ymid = y[i,:] + k2*hh/2.
        k3 = dydt(t[i]+hh/2.,ymid,*args)
        yend = y[i,:] + k3*hh
        k4 = dydt(t[i]+hh,yend,*args)
        phi = (k1 + 2.*(k2+k3) + k4)/6.
        y[i+1,:] = y[i,:] + phi*hh
    return t,y
```

그림 22.7   연립 ODE를 풀기 위한 RK4 방법을 구현한 파이썬 함수 rk4sys.

$$\frac{dy_1}{dt} = f_1(t, y_1, y_2, \ldots, y_n)$$

$$\frac{dy_2}{dt} = f_2(t, y_1, y_2, \ldots, y_n)$$

$$\vdots$$

$$\frac{dy_n}{dt} = f_n(t, y_1, y_2, \ldots, y_n)$$

(22.37)

이러한 연립방정식의 해는 n개의 초기조건을 인가하는 경우 유일하게 결정된다.

한 예로서, 이미 앞서 설명한 바와 같이 위치의 미분으로 속도를 표시하고 속도의 미분으로 가속도를 표시한 아래의 식 역시 연립 미분방정식의 한 형태이다. 이 경우에는 초기위치와 초기속도를 동시에 줘야 해를 구할 수 있다.

$$\frac{dx}{dt} = v$$

(22.38)

$$\frac{dv}{dt} = g - \frac{c_d}{m}v^2$$

(22.39)

22.5.1 파이썬 함수: rk4sys

그림 22.7은 연립 ODE를 풀기 위한 RK4 방법을 구현하는 파이썬 함수 rk4sys를 제공한다. 여기에 있는 코드는 오일러 방법으로 단일 ODE를 풀기 위해 이전에 개발한 함수(그림 22.2)와 여러 면에서 유사하다. 예를 들어, 도함수를 정의하는 함수 이름 dydt가 첫 번째 인수로 전달되고, tspan, 초깃값 y0, h값들이 그다음에 입력되는 방식이 그러하다.

그러나 구간 간격 h가 rk4sys에 대한 호출에 지정되었는지 여부에 따라 두 가지 방법으로 출력을 생성할 수 있는 추가 기능이 포함되었다. 가령, h값이 함께 지정된 경우 tspan 배열은 ti 및 tf의 두 값만 포함해야 하고, h가 인수로 포함되지 않은 경우의 해는 tspan 배열의 값에서 발생한다. 이 경우 tspan 배열에 ti와 tf의 두 값만 있으면 RK4 방법은 한 단계만 수행하며, tspan 배열에 여러 값이 있는 경우에는 해당 값이 해를 구하는 단계로 사용된다.

사례연구 22.6 ### 포식자-먹이 모델(Predator-Prey Model)과 혼돈현상(Chaos)

배경 엔지니어와 과학자가 다루는 다양한 비선형 상미분방정식 문제 중에서 두 가지 예를 다루고자 한다. 첫 번째는 자연계에 존재하는 포식자와 먹이의 개체수를 조절하는 관계식을 연구한 포식자-먹이 모델로서 이탈리아의 수학자 Vito Volterra와 미국의 생물학자 Alfred Lotka에 의해 독립적으로 개발되었다. 따라서 이 모델은 종종 *Lotka-Volterra* 모델이라고 불린다. 가장 간단한 형태는 다음과 같은 두 쌍의 상미분방정식으로서,

$$\frac{dx}{dt} = ax - bxy$$

(22.40)

$$\frac{dy}{dt} = -cy + dxy$$

(22.41)

사례연구 22.6　continued

이때 x, y는 먹이와 포식자의 개체수를 의미하고 a는 번식에 의한 먹이 개체의 자연 증가율, c는 포식자의 자연 사망률, b와 d는 먹이의 사망 및 포식자의 생장율과 관련된 먹이와 포식자의 상호작용 비율을 뜻한다. 식 (22.49)는 먹이 개체수의 시간에 따른 변화는 자연 증가율에 따라 증가하고 포식자에 잡아먹혀서 사망하는 비율에 따라 감소하는 작용이 합해진 것임을 뜻하고, 식 (22.41)은 포식자 개체수의 시간에 따른 변화는 포식자의 사망률에 의해 감소하며 먹이를 잡아서 생장을 하면서 증가하는 것의 합으로 표현되는 것을 의미한다. 이 경우는 포식자 개체의 번식에 의한 자연증가율이나 먹이 개체의 자연 사망률이 다른 항들에 비해서 작다고 가정된 간단한 모델을 이용하였다.

프로그램 정의　수치해석 방법을 이용하여 Lotka-Volterra 방정식을 풀고 각 개체수가 시간에 따라 변화하는지를 시각화하고 또한 종속변수 간의 상호 관계에 대한 그림을 그린다. 포식자 시뮬레이션에 사용할 매개변수 값은 $a = 1.2$, $b = 0.6$, $c = 0.8$ 및 $d = 0.3$이고, 초기조건은 $x = 2$ 및 $y = 1$이며 0.0625의 시간간격을 사용하여 0에서 30까지의 시간 범위에서 해를 찾는다.

풀이　파이썬으로 미분방정식을 계산할 수 있도록 다음과 같이 프로그램을 작성한다.

```
import numpy as np

def predprey(t,y,a,b,c,d):
    dy = np.zeros((2))
    dy[0] = a*y[0] - b*y[0]*y[1]
    dy[1] = -c*y[1] + d*y[0]*y[1]
    return dy
```

다음 스크립트는 이 함수를 사용하여 오일러 및 4차 RK 방법으로 솔루션을 생성한다. eulersys 함수는 수정된 rk4sys 함수에 기반을 두고 있다(그림 22.7). 해에 대한 시계열 그림[$x(t)$ 및 $y(t)$]으로 표시하는 것뿐만 아니라 y 대 x를 함께 그리는 위상 평면 플롯을 제시하는데, 이는 시계열 그림에서 분명하게 보이지 않을 수 있는 모델의 기본 구조의 특징을 설명하는 데 종종 유용하다.

```
import matplotlib.pyplot as plt

h = 0.0625
tspan = np.array([0.,40.])
y0 = np.array([2.,1.])
a = 1.2 ; b = 0.6 ; c = 0.8 ; d = 0.3

t,y = eulersys(predprey,tspan,y0,h,a,b,c,d)
fig = plt.figure()
ax1 = fig.add_subplot(221)
ax1.plot(t,y[:,0],c='k',label='prey')
ax1.plot(t,y[:,1],c='k',ls='--',label='predator')
ax1.grid()
ax1.set_xlabel('a) Euler time plot')

ax2 = fig.add_subplot(222)
ax2.plot(y[:,0],y[:,1],c='k')
ax2.grid()
ax2.set_xlabel('b) Euler phase plot')
```

continued

```
t,y = rk4sys(predprey,tspan,y0,h,a,b,c,d)
ax3 = fig.add_subplot(223)
ax3.plot(t,y[:,0],c='k',label='prey')
ax3.plot(t,y[:,1],c='k',ls='--',label='predator')
ax3.grid()
ax3.set_xlabel('c) RK4 time plot')
ax4 = fig.add_subplot(224)
ax4.plot(y[:,0],y[:,1],c='k')
ax4.grid()
ax4.set_xlabel('d) RK4 phase plot')
plt.subplots_adjust(hspace=0.5)
```

오일러 방법으로 구한 해는 그림 22.8의 상단에 표시되었는데, 시간이 지남에 따라 진동의 진폭이 확장되는 것(그림 22.8a)이 위상 평면 그림에서 더욱 명확하게 보인다(그림 22.8b). 이러한 결과는 오일러 방법의 불안정성에 기인하며, 정확한 결과를 얻기 위해서는 훨씬 더 작은 시간간격을 써야 함을 의미한다. 그러나 이와 대조적으로, RK4 방법은 절단오차가 훨씬 작기 때문에 동일한 시간간격을 사용할 때 오일러 방법보다 더 좋은 결과를 산출한다. 4차의 정확도를 가지는 계산을 통해서 얻은 결과 그림 22.8c와 같이 시간이 지남에 따라 비선형 진동이 순환하는 패턴이 나타난다. 처음에 포식자 개체수(점선)가 작을 때는 먹이 개체수(실선)가 기하급수적으로 자라지만 특정 시점에서 먹이가 너무 많아져 포식자의 개체수가 증가하기 시작하고 결국 증가된 포식자는 먹이를 감소시킨다. 이러한 감소는 시간이 지남에 따라 다시 포식자의 감소로 이어지며, 결국 이러한 과정이 계속 반복된다. 예상되는 바대로 포식자 개체수의 최대값은 먹이 개체수의 최댓값에 비해서 뒤처져서 나타난다. 또한 이 전체적인 과정이 정해진 시간에 반복되는 주기함수의 형태로 나타난다.

보다 정확한 RK4 해에 대한 위상 평면 표현(그림 22.8d)은 포식자와 먹이 사이의 상호 작용이 닫힌 반시계 방향 궤도에 해당한다는 것을 나타낸다. 흥미롭게도 궤도의 중심에는 정지점(resting point) 또는 임계점(*critial point*)이 있는데, 이 지점의 정확한 위치는 식 (22.40) 및 식 (22.41)의 시간에 대한 미분항을 0으로 설정하여 결정할 수 있다. 정상 상태($dy/dt = dx/dt = 0$)의 해는 $(x, y) = (0, 0)$ 또는 $(c/d, a/b)$임을 알 수 있는데, 전자는 포식자도 먹이도 없는 경우, 즉 아무 일도 일어나지 않는 의미 없는 결과이다. 후자는 초기조건이 $x = c/$

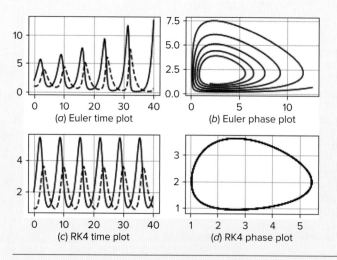

그림 22.8   Lotka-Volterra 모델의 해를 오일러 방법으로 구한 (*a*) 시계열 및 (*b*) 위상면 그림과 RK4 방법으로 구한 (*c*) 시계열 및 (*d*) 위상면 그림.

사례연구 22.6   continued

d 및 $y = a/b$로 설정되면 도함수가 0이 되고 모집단이 일정하게 유지된다는 흥미로운 결과이다. 또 다른 비선형 연립 미분방정식의 사례로서, 미국의 기상학자 Edward Lorenz가 대기에서 서로 다른 방향의 유체 흐름을 기술하는 식으로 제시한 다음의 세 개의 연립방정식을 들 수 있다. 이 식을 *Lorenz* 방정식이라고 하며, 비선형 혼돈 현상(Chaos)의 연구에 매우 중요한 역할을 하였다.

$$\frac{dx}{dt} = -ax + ay$$

$$\frac{dy}{dt} = rx - y - xz$$

$$\frac{dz}{dt} = -bz + xy$$

앞의 문제와 동일한 접근 방식을 사용하여 다음 매개변수 값으로 Lorenz 방정식의 궤적을 조사해 보자. $a = 10$, $b = 8/3$ 및 $r = 28$. $x = y = z = 5$의 초기조건을 사용하고 $t = 0$에서 20까지 RK4 방법을 사용하여 시간 간격 0.03125으로 적분한다.

이 문제의 결과는 앞서 다룬 Lotka-Volterra 방정식과 상당히 다른 동작을 보인다. 그림 22.9에서 볼 수 있듯이 변수 x는 음수값에서 양수값으로 뛰는 거의 무작위 패턴의 진동을 보이고, 그림 22.10에서 보이는 바와 같이 다른 변수 y와 z도 비슷한 동작을 보인다. 그러나 패턴에 임의의 특성이 있음에도 불구하고 진동의 주파수와 진폭은 상당히 일관된 것처럼 보임으로써, 부작위성 내에 어느정도의 규칙성이 있다는 것도 알 수 있다.

이러한 해석 결과의 흥미로운 기능은 x의 초기조건을 5에서 5.001로 약간 변경하는 경우 발생하는데, 이 결과는 그림 22.9에서 점선으로 중첩되어 있다. 인접한 초기조건을 가진 두 해는 초기부터 약 $t = 15$의 시간 동안은 거의 일치하지만, 이후 매우 큰 차이를 보인다. 따라서 로렌츠 방정식이 초기 조건에 대해 매우 민감함을 알 수 있는데, 혼돈이라는 용어가 이러한 해를 설명하는 데 사용되기 시작했다.

그의 원래 연구에서 Lorenz는 이를 통해 초기조건에 민감한 비선형 시스템인 기후 문제의 특성상 장기 일기 예보가 어렵다는 결론을 내렸다. 초기조건의 작은 섭동에 대한 역학 시스템의 민감도를 **나비효과**라고 하는데, 이는 나비의 날개짓이 대기에 작은 변화를 일으켜 궁극적으로 토네이도나 사이클론과 같은 대규모 기상 현

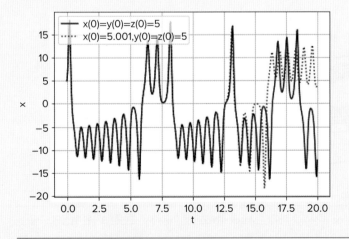

그림 22.9   Lorenz 방정식의 x에 대한 시계열 그림. 실선은 초기조건 (5,5,5)를 이용한 경우, 점선은 초기조건 (5.001, 5, 5)를 사용한 경우를 나타낸다.

사례연구 22.6

continued

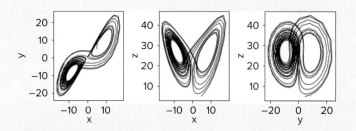

그림 22.10   Lorenz 효과에 대한 위상면: (a) *xy*, (b) *xz*, (c) *yz* 평면의 투영도.

상으로 이어질 수 있다는 것을 말한다.

비록 시간에 따른 변화값이 예측불가해 보이기는 하지만 위상 평면에서의 그래프는 기본적인 구조를 가지고 있다는 것을 알 수 있다. 그림 22.10은 세 가지 종속변수의 쌍을 *xy*, *xz*, *zy* 평면에서 투영한 것으로서, 패턴의 구조적 특성을 보여 준다. 이 연립 미분방정식의 해는 두 개의 임계점을 중심으로 궤도를 형성하는데, 이러한 임계점을 **끌개**(attractor)라 한다.

```
from mpl_toolkits.mplot3d import Axes3D
fig1 = plt.figure(figsize=[7.,4.])
ax = fig1.add_subplot(111,projection='3d')
ax.plot(y[:,0],y[:,1],y[:,2],c='k',lw=0.7)
ax.grid()
ax.set_xlabel('x')
ax.set_ylabel('y')
ax.set_zlabel('z')
```

2차원 그림뿐만 아니라 파이썬의 Matplotlib 모듈을 이용해서 그린 3차원 위상평면 영상이 그림 22.11에 제시되어 있다. 하나의 끌개 주변에서 매우 안정적인 운동을 하다가도 예측할 수 없는 갑작스러운 순간에 또 다른쪽 끌개로 빨리 전이될 수 있음을 보여 준다. 이러한 예측 불가능성이 혼돈 현상의 중요한 특징 중 하나이다.

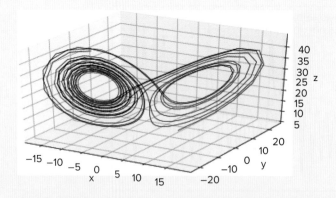

그림 22.11   Lorenz 방정식을 파이썬 Matplotlib 모듈을 이용해서 표현한 3차원 위상면 그림.

연습문제

* 짝수번호는 온라인 사이트에 있으며 본 책 '차례' 끝부분 xxi페이지에 사이트주소가 있음.

22.1 아래의 초깃값 상미분 문제를 $y(0) = 1$인 경우에 대해서 $t = 0$부터 $t = 2$ 구간에서 아래에서 주어진 방법대로 풀이하고 모든 계산 결과를 동일한 그래프에 표시하라.

$$\frac{dy}{dt} = yt^2 - 1.1y$$

(a) 해석적 방법

(b) $h = 0.5$ 및 0.25를 사용한 오일러 방법

(c) $h = 0.5$를 이용한 중간점 방법

(d) $h = 0.5$를 이용한 4차 RK 방법

손으로 계산하거나 각각의 방법에 대한 함수를 정의한 파이썬 스크립트를 제작하는 방법을 선택하라.

22.3 다음 문제의 해를 $t = 0$에서 3까지의 구간에서 간격크기 0.25와 초기조건 $y(0) = 1$를 이용하여 계산하고 모든 계산 결과를 동일한 그래프에 표시하라.

$$\frac{dy}{dt} = -y + t^2$$

다음의 방법으로 해를 구하라. (a) 수정자의 반복이 없는 Heun 방법, (b) $\varepsilon_s < 0.1\%$의 조건이 만족될 때까지 주성자의 반복이 있는 Heun 방법, (c) 중간점 방법, (d) Ralston 방법

손으로 계산하거나 각각의 방법에 대한 함수를 정의한 파이썬 스크립트를 제작하는 방법을 선택하라.

year	1960	1965	1970	1975	1980	1985	1990
Population (10^6)	3.035	3.340	3.700	4.079	4.458	4.871	5.327

year	1995	2000	2005	2010	2015	2020
Population (10^6)	5.744	6.143	6.542	6.957	7.380	7.795

22.5 연습문제 22.4의 모델은 인구가 무한히 증가하는 경우에는 유효하지만 식량부족, 공해, 질병, 주거공간 부족 등 성장을 저해하는 요소가 있는 경우에는 잘 맞지 않는다. 이런 경우에는 증가율이 일정하지 않으므로 다음의 수식을 사용한 모델을 이용한다.

$$k_g = k_{gm}\left(1 - \frac{p}{p_{max}}\right)$$

이때 p_{max}은 제약조건이 없는 경우의 최대 증가율, p는 인구, p_{max}는 제약조건이 주어진 경우의 최대 인구를 의미하며, p_{max}는 종종 수용한계라고 일컬어진다. 따라서 $p \ll p_{max}$인 경우에는 $k_g \to k_{gm}$이고 p가 p_{max}에 가까운 값이 될수록 증가율을 0에 수렴한다. 이러한 증가율 식을 사용하면 인구 변화율은 다음의 식으로 모델링할 수 있다.

$$\frac{dp}{dt} = k_{gm}\left(1 - \frac{p}{p_{max}}\right)p$$

이 식을 이름하여 로지스틱 모델(logistic model)이라고 한다.

$$p = p_0 \frac{p_{max}}{p_0 + (p_{max} - p_0) \cdot e^{-k_{gm}t}}$$

이 1960년에서 2060년까지의 세계 인구 변화를 (a) 해석해를 이용하여 구하고 (b) 5년 간격으로 4차 RK 방법으로 구하라. 이때 초기조건 및 파라미터 값은 다음과 같다.

$$p_0 = 3.035 \text{ billion} \qquad k_{gm} = 0.0281 \qquad p_{max} = 12.06 \text{ billion}$$

k_{gm}에 대해서는 1960년도의 값을 $t = 0$로 여기고 계산하였다. 문제 22.4의 데이터를 이용하여 연도별 인구수에 대한 그림으로 결과를 나타내라.

22.7 다음과 같은 한 쌍의 연립 상미분방정식의 해를 $t = 0$에서 4까지 간격크기 0.1로 구하라. 초기 조건은 $y(0) = 2$, $z(0) = 4$이다. 해를 (a) 오일러 방법 및 (b) 4차 RK 방법으로 구하고 결과를 그래프로 나타내라.

$$\frac{dy}{dt} = -2y + 4e^{-t}$$

$$\frac{dz}{dt} = -\frac{yz^2}{3}$$

22.9 초기 조건이 $y(0) = 1$, $y'(0) = 0$인 경우 아래의 초기값 문제 상미분방정식을 구간 $t = 0$에서 4까지 구하라.

$$\frac{d^2y}{dt^2} + 9y = 0$$

간격 크기 0.1을 이용하여 해를 (a) 오일러 방법 및 (b) 4차 RK 방법으로 구하고 두 결과값을 정확한 해인 $y = \cos(3t)$와 동일한 그래프에서 그려라.

22.11 단일 상미분방정식을 중간점 방법으로 계산하는 파이썬 스크립트를 작성하라. 함수의 정의문을 다음과 같이 사용하라.

```
def midpt(dydt,tspan,y0,h,*args)
```

이때 dydt는 독립변수와 종속변수들을 이용하여 미분식을 기술하는 함수와 이에 대해 추가로 필요한 인수들을 포함하며 이들은 후에 *args로 주어진다. tspan은 독립변수의 초깃값부터 최종값까지의 구간을 포함하는 배열이며, y0는 종속변수의 초깃값, h는 구간 간격 크기, *args는 dydt로 전달되는 추가 인수들을 의미한다. 만들어진 함수를 연습문제 22.2의 미분방정식을 풀이하는 데 사용하라. 이때 간격 크기를 0.05로 대신 사용하고 결과를 그래프로 그려라.

22.13 단일 상미분방정식을 오일러 방법으로 계산하는 파이썬 스크립트를 작성하라. 함수의 정의문을 다음과 같이 사용하라.

```
def eulsys(dydt,tspan,y0,h,*args)
```

이때 dydt는 독립변수와 종속변수들을 이용하여 미분식을 기술하는 함수와 이에 대해 추가로 필요한 인수들을 포함하며 이들은 후에 *args로 주어진다. tspan은 독립변수의 초기값부터 최종값까지의 구간을 포함하는 배열이며, y0는 종속변수의 초기값, h는 구간 간격 크기, *args는 dydt로 전달되는 추가 인수들을 의미한다. 만들어진 함수를 연습문제 22.7의 미분방정식을 풀이하는 데 사용하라. 이때 간격 크기를 0.005로 대신 사용하고 결과를 그래프로 그려라.

22.15 감쇠를 포함한 용수철-질량 시스템(그림 P22.15)은 다음의 상미분방정식으로 기술된다.

$$m\frac{d^2x}{dt^2} + c\frac{dx}{dt} + kx = 0$$

여기서 x는 평형위치로부터의 변위 (m), t는 시간 (s), c는 감쇠계수 (N·s/m)이다. 세 가지 조건에 대한 감쇠계수 5(부족감쇠), 40(임계감쇠), 200(초과감쇠)를 이용하고 용수철 계수 k를 20 N/m, 초기속도를 0, 초기변위를 1 m로 가정하자. 이 식을 0부터 15초까지의 시간 주기에 대해서 본인이 선택한 수치해석 방법으로 풀이하고 위의 세 가지 감쇠 계수를 사용한 경우에 대해서 시간에 따라 변화하는 변위를 동일한 그림상에서 그려라.

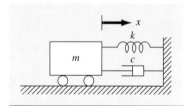

그림 P22.15

22.17 살인사건 또는 사고사에 대한 조사에서는 사망 시간을 추정하는 것이 중요하다. 실험적 관찰로부터 물체의 표면 온도는 물체 온도와 주위 온도의 차이에 비례해서 변화하는 것으로 알려졌고 이를 Newton의 냉각법칙이라고 한다. 따라서, 시간 t에서의 물체 표면의 온도를 $T(t)$라 하고 T_a를 일정한 주위 온도라고 하면 다음 식이 성립한다.

$$\frac{dT}{dt} = -K(T - T_a)$$

이때 K는 양의 값을 가지는 비례상수이다. 시간 $t = 0$에서 시신이 발견되었는데 그 온도가 T_0으로 측정되었고 사망시의 온도 T_d가 정상값인 37 °C라 가정하자. 발견되었을 때의 온도가 29.5 °C

이고 주위온도 20 °C에서 이로부터 2시간 후에 23.5 °C가 되었다고 가정하고 물음에 답하라.

(a) K 및 사망 시간을 구하라.

(b) 상미분방정식을 수치적으로 풀고 시간에 따른 시체 온도를 그림으로 그려라.

22.19 비등온성 반응기가 아래의 식으로 기술되는 경우를 고려하자.

$$\frac{dC}{dt} = -0.35e^{-\frac{10}{T+273}}C$$

$$\frac{dT}{dt} = 1000e^{-\frac{10}{T+273}}C - 15(T - 20)$$

이때 C는 반응물의 농도 (mol/L), T는 반응기의 온도 (°C), t는 분으로 표시된 시간이다. 초기에 반응기의 온도가 15 °C이고 C가 1.0 mol/L인 경우, 농도와 온도를 시간의 함수로 구하고 그래프로 나타내라.

22.21 그림 P22.21에 보이는 바와 같이 연못의 물이 파이프를 통해 배수될 때, 몇 가지 단순화된 가정을 이용하면 시간에 따른 수위의 변화를 아래의 미분방정식으로 표현할 수 있다.

$$\frac{dh}{dt} = -\frac{\pi d^2}{4A(h)}\sqrt{2g(h + e)}$$

이때 h는 수심 (m), t는 시간 (s), d는 파이프의 지름 (m), $A(h)$는 수심에 따라 변화하는 연못의 표면 면적 (m^2), e는 연못 바닥 아래에서 파이프 출구까지의 깊이 (m)이다. 아래의 면적-깊이 표를 이용하여 $h(0) = 6$ m, $d = 0.25$ m, $e = 1$ m일 때 연못 물이 모두 비워지는 데 걸리는 시간을 미분방정식을 풀어서 계산하라. 시간에 따른 수위의 그래프를 그려라.

h, m	6	5	4	3	2	1	0
$A(h)$, 10^4 m^2	1.17	0.97	0.67	0.45	0.32	0.18	0

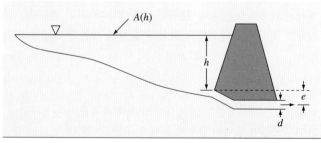

그림 P22.21

22.23 사례연구 22.6에서 Lorenz 방정식 모사와 동일한 계산을 중간점 방법을 이용하여 수행하라.

22.25 그림 P22.25는 연속흐름 교반 반응조(CSTR, continuous-flow stirred-tank reactor) 내의 박테리아와 영양원의 기질 농도에 대한 동적 상호작용 지배방정식을 보인다. 박테리아 바이오매스 X (gC/m³)와 기질 농도 S (gC/m³)의 질량 평형은 다음의 식으로 표현된다.

$$\frac{dX}{dt} = \left(k_{g,max} \frac{S}{K_s + S} - k_d - k_r - \frac{1}{\tau_w} \right) X$$

$$\frac{dS}{dt} = \left(-\frac{1}{Y} k_{g,max} \frac{S}{K_s + S} + k_d \right) X + \frac{1}{\tau_w} (S_{in} - S)$$

이때 t는 시간 (h), $k_{g.max}$는 최대 박테리아 성장률 (1/h), K_s는 반포화상수 (gC/m³), k_d는 사멸률 (1/h), k_r은 호흡률 (1/h), Y는 합성수율 (gC-세포/gC-기질), S_{in}은 유입 기질 농도 (mgC/m³)이고, τ_w는 반응기 체류시간 (h)으로서 $\tau_w = V/Q$으로 표현된다. 이때 V는 반응기 부피 (m³), Q는 단위 시간당 유량 (m³/h)이다. 이러한 반응기에서 박테리아와 기질의 농도가 20, 10, 5 h 세 가지 체류시간에 대해서 어떻게 100시간 동안의 운전 과정에서 변화하는지 계산하라. 이때 다음의 조건을 이용한다. $X(0) = 100$ gC/m³, $S(0) = 0$, $k_{g.max} = 0.2$/h, $K_s = 150$ gC/m³, kd = kr =

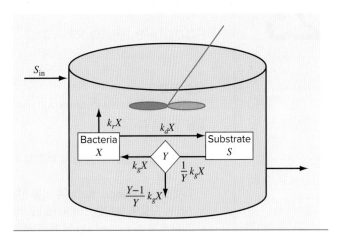

그림 P22.25 미생물 성장을 위한 연속흐름 교반 반응조(CSTR).

0.01/h, $Y = 0.5$ gC-세포/gC-기질, $S_{in} = 1000$ gC/m³. 결과물을 하나의 그림에서 X값을 왼쪽 축에 그리고 S값을 오른쪽 축에 그리는 그래프로 나타내라. (힌트: 3.2절 참고)

적응식 방법과 강성시스템

Adaptive Methods and Stiff Systems

학습 목표
이 장의 주요 목적은 상미분방정식(ODE)의 초깃값 문제를 푸는 보다 진일보된 방법을 소개하는 것으로, 다음과 같은 주제를 다룬다.

- 구간 간격 조절을 위한 오차 추정시 차수가 다른 RK법을 이용하는 Runge-Kutta-Felberg(RKF) 방법에 대한 이해
- 4차 및 5차 Runge-Kutta 수식을 이용한 RKF45 방법을 파이썬으로 구현하기
- SciPy 모듈에 내장된 `intergate` 서브 모듈을 이용하여 ODE를 풀이하는 방법에 친숙해지기
- 파이썬 함수 `solve_ivp`의 옵션 사용방법 및 도함수 계산을 위한 인수 전달 방법 이해
- ODE 풀이를 위한 단일 구간 및 다구간 방법의 차이점 이해
- 강성의 의미와 그 영향에 대한 이해

23.1 적응식 Runge-Kutta법

지금까지 배운 내용에서는 상미분방정식을 풀이할 때 일정한 구간 간격을 사용하는 방법만을 다뤘다. 그러나 많은 문제에서 구간 간격을 일정하게 사용하는 경우 계산이 효율적이지 않게 된다. 가령, 그림 23.1과 같이 특정 시간에 매우 갑작스럽게 변화하는 해를 가지는 상미분방정식을 계

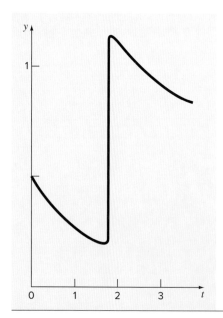

그림 23.1 자동적으로 구간 간격을 조정하는 적응식 방법이 큰 잇점을 가지는 급격한 변화를 포함한 상미분방정식의 해 사례.

산한다고 가정하자. 이 문제를 올바르게 풀기 위해서는 해가 급작스럽게 변화하는 $t = 1.75$에서 2.25 사이의 영역에서는 매우 작은 구간 간격을 이용해서 계산해야 하지만 기타 영역에서는 이러한 제한 조건을 똑같이 적용할 경우 방대한 계산량이 필요하여 전체 계산 시간을 너무 길게 만드는 요소가 된다.

이러한 이유로 인해서 구간간격의 크기를 자동으로 조절하는 알고리즘이 요구된다. 이러한 알고리즘은 해를 따라서 구간 간격을 스스로 조정하므로 적응식(adaptive)이라는 이름을 붙였다. 이 방법의 적용을 위해서는 현재 사용하고 있는 구간 간격으로부터 발생하는 절단오차가 문제에 적합한지를 추정하는 기술이 필요한데, 여기서는 두 가지의 주요 방법을 소개한다. 그중 하나는 구간 간격 전체를 이용한 값과 1/2로 줄여서 두 번 계산한 값 사이에 발생하는 차이를 이용하여 국부절단오차를 주청하는 간격반분(step halving)법이다. 만약에 그 오차가 크다면 시간 간격을 줄여서 수치해석을 수행하도록 프로그램이 구성된다.

두 번째 방법은 차수가 다른 두 개의 RK법을 통해 예측한 결과들의 차이를 이용하여 국부 절단오차를 추정하는 내장(embedded) RK법이다. 이 방법은 Fehlberg에 의해 최초에 개발되었는데, 따라서 이 방법을 *RKF법*이라고 한다. 앞서 설명한 간격반분법에 비해 이 방법이 계산량이 적기 때문에 현재는 더 많이 사용되고 있다. 그럼에도 불구하고 다른 차수의 예측 계산을 두 번씩 수행하는 것은 계산 비용이 많이 드는 작업이다. 가령 4차와 5차 RK법은 각각 식 (22.44) 및 (22.45)에 보이는 바와 같이 10회의 함수 연산을 해야 한다. Fehlberg는 이러한 연산의 비효율성을 극복하기 위해서 5차 RK법을 유도할 때 4차 RK법에서 이용되는 함수들을 다시 사용하는 형태로 식을 구성하여 비효율성 문제를 해결하였다. 그 결과로 오차 추정을 위해 함숫값을 계산하는 횟수가 6회로 줄어들었다.

23.1.1 RKF 4/5 알고리즘을 위한 파이썬 함수: `rkf45`

위에 언급한 바와 같이 RKF 알고리즘의 기본 개념은 주어진 구간 간격에 대해 서로 다른 추정값을 계산하여 그 차이가 큰 경우 구간 간격을 줄이고 차이가 작다면 오히려 구간 간격을 늘리는 방식을 이용하는 것이다. 가장 널리 사용되는 RKF 알고리즘은 4차와 5차 RK법을 6개의 함수계산을 이용해서 표현하는 방법이다.

풀이하고자 하는 미분 방정식을 $dy/dx = f(x, y)$라 하고 $\{x_k, y_k\}$에서 $\{x_{k+1}, y_{k+1}\}$로 변화하는 현재의 구간에서 간격 h를 사용하여 4차 및 5차 RK법에서 이용 가능한 6개의 계산식을 유도하면 다음과 같다.

$$k_1 = hf(x_k, y_k)$$

$$k_2 = hf\left(x_k + \frac{1}{4}h, y_k + \frac{1}{4}k_1\right)$$

$$k_3 = hf\left(x_k + \frac{3}{8}h, y_k + \frac{3}{32}k_1 + \frac{9}{32}k_2\right)$$

$$k_4 = hf\left(x_k + \frac{12}{13}h, y_k + \frac{1932}{2197}k_1 - \frac{7200}{2197}k_2 + \frac{7296}{2197}k_3\right)$$

(23.1)

$$k_5 = hf\left(x_k + h, y_k + \frac{439}{216}k_1 - 8k_2 + \frac{3680}{513}k_3 - \frac{845}{4104}k_4\right)$$

$$k_6 = hf\left(x_k + \frac{1}{2}h, y_k - \frac{8}{27}k_1 + 2k_2 - \frac{3544}{2565}k_3 + \frac{1859}{4104}k_4 - \frac{11}{40}k_5\right)$$

단일구간에서 이 값들을 이용하여 계산된 4차 및 5차 정확도를 지니는 추정값들은 다음과 같다.

$$y_{k+1}^{[4]} = y_k + \frac{25}{216}k_1 + \frac{1408}{2565}k_3 + \frac{2197}{4101}k_4 - \frac{1}{5}k_5$$

(23.2)

$$y_{k+1}^{[5]} = y_k + \frac{16}{135}k_1 + \frac{6656}{12825}k_3 + \frac{28561}{56430}k_4 - \frac{9}{50}k_5 + \frac{2}{55}k_6$$

(23.3)

이 두 식에서 k_2는 나타나지 않았지만 상위의 값들을 계산될 때 반드시 필요하다. 두 계산방법의 차이로 인해 추정된 오차는 다음과 같이 계산된다.

$$e_{k+1} = \left| \frac{y_{k+1}^{[5]} - y_{k+1}^{[4]}}{y_{k+1}^{[5]}} \right|$$

이 값을 통해서 구간 간격을 어떻게 변화시킬 것인가를 추정해야 하는데, 다음과 같이 크기척도 (scale factor) s를 이용하여 계산한다.

$$s = \left(\frac{\varepsilon_s}{2e_{k+1}}\right)^{1/4} \cong 0.84\left(\frac{\varepsilon_s}{e_{k+1}}\right)^{1/4}$$

이때 ε_s는 사용자가 지정한 국부오차허용값(local error tolerance)이다. 예를 들어 $0.25 \le s \le 4$ 범위에 있다면 새로운 구간 간격은 다음과 같이 변경된다.

$$h^{\text{new}} = sh$$

이러한 수학적인 알고리즘을 이용해서 파이썬 함수를 만들고자 할 때 몇 가지 더 현실적인 문제점들을 고려해야 한다.

1. 계산 중에 결정해야 하는 독립변수의 특정값이 있다(예를 들면 구간의 마지막 값). 만약 h의 새 값이 이 값들 중 하나를 초과하면 h는 여기에 맞게 조절되어야 한다.

2. 연립 미분방정식의 경우의 오차 기준은 2개 이상의 주어진 조건을 동시에 만족시키도록 정해져야 한다. 이런 경우에는 각각의 종속변수에 대해 계산된 s값의 norm을 이용해 새로 적용될 구간 간격을 계산한다.

3. 미분방정식을 풀고자 하는 사용자 함수에 매개변수 등의 추가 인자를 포함시킬 경우에 대한 규정이 있어야 한다.

```
def rkf45(dydx,xspan,y0,es=1.e-6,maxit=50,hmin=1.e-15,*args):
    """
    Runge-Kutta-Fehlberg 4/5 algorithm for the
    solution of one or more ODEs
    input:
        dydx = function name that evaluates the derivatives
        xspan = an array of independent variable values
            where the solution will be returned
        y0 = an array initial values of the dependent variable(s)
        es = local relative error tolerance (default = 1.e-10)
        hmin = minimum step size
        *args = additional arguments to be passed to dydt
    output:
        t = array of independent variable values
        y = array of dependent variable values
    """
    # compute all coefficients
    a2 = 0.25 ; a3 = 0.375 ; a4 = 12./13. ; a5 = 1.; a6 = 0.5
    b21 = 0.25 ;
    b31 = 3./32. ; b32 = 9./32.
    b41 = 1932./2197. ; b42 = -7200./2197. ; b43 = 7296./2197.
    b51 = 439./216. ; b52 = -8. ; b53 = 3680./513. ; b54 = -845./4104.
    b61 = -8./27. ; b62 = 2. ; b63 = -3544./2565. ; b64 = 1859./4104.
    b65 = -11./40.
    c1 = 25./216. ; c3 = 1408./2565. ; c4 = 2197./4101. ; c5 = -0.2
    d1 = 16./135. ; d3 = 6656./12825. ; d4 = 28561./56430.
    d5 = -9./50. ; d6 = 2./55.

    n = len(xspan)  # here if tspan contains step times
    x = xspan
    neq = np.size(y0)  # determine no. of ODEs
    y = np.zeros((n,neq))  # set up 2-D array for dependent variables
    if neq > 1:  # set initial conditions
        y[0,:] = y0[:]
    else:
        y[0] = y0
    cd =-1  # set code to h < hmin exit
    hnew = x[1]-x[0]
    for i in range(n-1): # integrate steps given in tspan
        h = hnew
        xk = x[i] ; yk = y[i,:]
        while True:  # while loop until next x[i+1] met
            for k in range(maxit):  # for loop to meet tolerance
                if xk + h > x[i+1]:  # if necessary, reduce h to
                    h = x[i+1] - xk  # meet x[i+1]
                k1 = h*dydx(xk,yk,*args)  # compute k factors
                k2 = h*dydx(xk+a2*h,yk+b21*k1,*args)
                k3 = h*dydx(xk+a3*h,yk+b31*k1+b32*k2,*args)
                k4 = h*dydx(xk+a4*h,yk+b41*k1+b42*k2+b43*k3,*args)
                k5 = h*dydx(xk+a5*h,yk+b51*k1+b52*k2+b53*k3+b54*k4,*args)
                k6 = h*dydx(xk+a6*h,yk+b61*k1+b62*k2+b63*k3+b64*k4+b65*k5,*args)
                y4 = yk + c1*k1 + c3*k3 + c4*k4 + c5*k5  # 4th-order
                y5 = yk + d1*k1 + d3*k3 + d4*k4 + d5*k6 + d6*k6  # 5th order
                yerr = y5 - y4
                ynorm = np.linalg.norm(y4)
                # error, perhaps array of errors
                yerrm = np.linalg.norm(yerr)/ynorm  # normed error
                s = 1.
```

그림 23.2   Runge-Kutta-Fehlberg 알고리즘을 구현한 파이썬 함수 rkf45.

```
        if yerrm != 0:
            s = 0.84 * (es/yerrm)**0.25  # s factor
            if s < 0.125:  # clamp s factor, if necessary
                s = 0.125
            elif s > 4.0:
                s = 4.0
        hnew = s*h  # adjust h for next iteration
        if yerrm < es: break  # check if tolerance met
        if hnew < hmin: return x,y,cd  # bail out if hnew < hmin
        h = hnew  # set h for next iteration
    if k == maxit-1: # check iteration limit
        cd = 0  # exit with this code if limit reached
        return x,y,cd
    if abs(xk + h - x[i+1]) < hmin: break  # check if at x[i+1]
    xk = xk + h ; yk = y4 ; h = hnew  # update for next step
    y[i+1,:] = y4  # store y
cd=1 # set success code value
return x,y,cd
```

그림 23.2   (*continued*)

4. 가끔씩 미분방정식의 해에 특별한 '사건(event)'이 일어난 경우에 이를 더 정확하게 다루기를 원한다. 가령, 종속변수가 특정한 값에 도달한 경우에 더 자세하게 문제를 관찰하기를 바라거나, 계산을 종료하기를 원할 수 있다. 이렇게 사건이 일어난 경우를 수용하여 계산하는 것이 진보된 RKF45 함수에서 다뤄질 수 있지만, 지금 다루는 기본적인 파이썬 프로그램에서는 생략한다.

5. 구간 간격의 최솟값에 대한 기준과 기본값이 필요하다. 컴퓨터의 machine epsilon보다 약간 더 큰 값을 고려해야 한다.

이러한 고려사항을 염두에 두고 작성한 파이썬 함수가 그림 23.2에 나와 있다. 함수의 인자로는 도함수를 계산할 함수이름 dydx, 독립변수의 영역에 대한 배열 xspan이 포함되며, 종속변수들의 초깃값 정보를 저장한 배열 y0, 국부오차허용값 es, 구간 간격의 최솟값 hmin 그리고 dydx 함수에 전달될 매개변수가 포함된 *args 등이 포함된다.

작성된 rkf45 함수를 시험하기 위해서 다음의 문제를 풀어 보자.

$$\frac{dy_1}{dt} = -2y_1^2 + 2y_1 + y_2 - 1 \qquad\qquad y_1(0) = 2$$

$$\frac{dy_2}{dt} = -y_1 - 3y_2^2 + 2y_2 + 2 \qquad\qquad y_2(0) = 0$$

이를 위해 연립 미분방정식의 함수 표현을 dydtsys(t,y)로 다음과 같이 정의한 후에 연산을 수행한다.

```
def dydtsys(t,y):
    n = len(y)
    dy = np.zeros((n))
    dy[0] = -2.*y[0]**2 +2.*y[0] + y[1] - 1.
    dy[1] = -y[0] -3*y[1]**2 +2.*y[1] + 2.
    return dy

tspan = np.linspace(0.,2.)
y0 = np.array([2.,0.])
t,y,cd = rkf45(dydtsys,tspan,y0)
print(cd)
```

rkf45 함수를 호출 후 반환(return)되는 코드의 값 cd가 1이면 연산이 성공적으로 끝났다는 것을 의미한다. 만약 코드값 cd = -1이라면 최대 반복허용회수 maxit 내에서 수렴이 되지 않았다는 뜻이고 cd = 0이라면 설정된 최소 구간 간격에 도달해서 연산이 성공적으로 끝나지 못했다는 것을 의미한다. 이 결과물을 그림으로 그리면 22장에서 설명된 rk4sys 함수로 계산된 값과 같은 그림이 얻어진다.

비록 지금 작성한 rkf45 함수가 Runge-Kutta-Fehlberg 방법을 잘 구현했지만 보다 복잡한 알고리즘을 이용하여 얻을 수 있는 몇 가지 중요한 특징을 놓치고 있으므로 파이썬 SciPy 라이브러리에 내장된 integrate 모듈을 다음 절에서 소개한다.

23.1.2 초깃값 문제 상미분방정식을 풀기 위한 파이썬 함수: solve_ivp (SciPy integrate 패키지)

파이썬 라이브러리 SciPy는 미분방정식 풀이에 적합한 적분(integrate) 모듈을 제공하는데 이 중 하나가 적분법을 이용하여 미분방정식의 초기치문제를 계산하는 solve_ivp 함수이다. 이 함수를 호출하는 문법은 다음과 같다.

```
result = solve_ivp(dydt,(ti,tf),y0,method='RK45',t_eval=tspan)
```

이때 dydt는 앞서의 경우와 마찬가지로 독립변수 t 및 종속변수 y의 함수로 표현된 도함수이고, (ti,tf)는 계산하고자 하는 독립변수 구간의 초깃값 및 최종값, y0는 종속변수 초깃값의 배열을 뜻한다. method는 계산에 사용되는 알고리즘인데, RK45를 사용하도록 선택했다. t_eval 인자는 해를 계산해서 반환하는 독립변수의 배열을 지정한다. 여기에 추가적으로 args=(…) 형태로 추가 인자를 더 지정해서 dydt 함수로 전달하는 방법이 가능하다.

아래에 주어진 함수 수식에 대해서 solve_ivp를 이용해서 단일 상미분방정식에 3개의 매개인자를 전달해서 계산하는 방법을 파이썬 구문으로 표현하였다. dydt 함수에서 매개변수 a, b, c를 인자로 받도록 작성한 후에 solve_ivp에서 args=(a,b,c)의 형태로 전달하는 것을 볼 수 있다.

$$\frac{dy}{dt} = ae^{bt} - cy \qquad 0 \le t \le 4 \qquad y(0) = 2$$

$$a = 4, \, b = 0.8, \, c = 0.5$$

아래 스크립트는 tspan을 구간 간격 1.0으로 직접 입력한 후 계산된 해를 출력하게 한다.

```
import numpy as np
from scipy.integrate import solve_ivp

a = 4.
b = 0.8
c = 0.5

def dydt(t,y,a,b,c):
    return a*np.exp(b*t)-c*y

ti = 0 ; tf = 4.
y0 = [2.]
tspan = np.array([0.,1.,2.,3.,4.])
result = solve_ivp(dydt,(ti,tf),y0,t_eval=tspan,args=(a,b,c))
t = result.t
y = result.y

print('  t      y')
for i in range(5):
    print('{0:4.1f} {1:6.3f}'.format(t[i],y[0,i]))
```

22장 마지막 부분에서 다뤘던 포식자-먹이 모델의 다음과 같은 비선형 미분방정식을 초깃값 $y_1(0) - 2$, $y_2(0) = 1$을 이용하여 $t = 0$에서 20까지 계산하는 경우를 고려하자.

$$\frac{dy_1}{dt} = 1.2y_1 - 0.6y_1y_2 \qquad \frac{dy_2}{dt} = -0.8y_2 + 0.3y_1y_2$$

별도의 파일로 아래의 스크립트를 저장(가령, Example231dydt.py)한 후

```
def dydt(t,y):
    n = len(y)
    dy = np.zeros((n))
    dy[0] = 1.2*y[0] - 0.6*y[0]*y[1]
    dy[1] = -0.8*y[1] + 0.3*y[0]*y[1]
    return dy
```

또 다른 새로운 파일에 다음의 스크립트를 저장한다. 프로그램이 길어지면 이렇게 별도의 스크립트를 각각의 파일로 저장하여 함수를 구획화하고 개별 요소들을 바이트크기(bitesize)로 저장하여 별도로 시험하고 검증되게 만드는 과정이 효율적이다.

```
import numpy as np
from scipy.integrate import solve_ivp
import pylab
from Example231dydt import dydt

ti = 0. ; tf = 20.
y0 = np.array([2.,1.])
tspan = np.linspace(ti,tf,100)
result = solve_ivp(dydt,(ti,tf),y0,t_eval=tspan)
t = result.t
y = result.y

pylab.plot(t,y[0,:],c='k',label='y1')
pylab.plot(t,y[1,:],c='k',ls='--',label='y2')
pylab.grid()
pylab.xlabel('t')
pylab.ylabel('y')
pylab.legend()
```

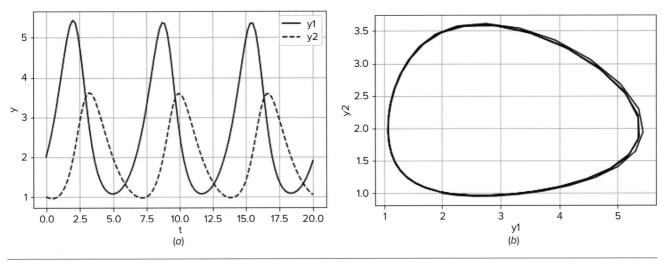

그림 23.3 (*a*) 파이썬의 `solve_ivp` 함수로 표현된 포식자–먹이 모델의 해 및 (*b*) 이 모델의 위상면 그림.

이상의 작업을 마친 후 계산 결과를 그림으로 그리면 그림 23.3이 얻어진다. 이 경우 별도로 y_1 대비 y_2의 위상그림을 추가하였다.

```
pylab.figure()
pylab.plot(y[0,:],y[1,:],c='k')
pylab.grid()
pylab.xlabel('y1')
pylab.ylabel('y2')
```

이 외에도 `solve_ivp` 함수에 적분 방식에 대한 추가적인 매개변수를 지정할 수 있는데, 각각은 다음과 같다.

rtol   상대오차 허용값

atol   절대오차 허용값

first_step   초기 구간 간격

max_step   허용된 최대 구간 간격

이 경우 프로그램 내에서 구간절단오차는 `atol + rtol*abs(y)` 이내로 유지된다.

예제 23.1 **solve_ivp 함수의 적분법 선택을 위한 매개변수**

문제 정의 오차허용치(tolerance)를 바꾼 경우에 해가 어떻게 차이가 나는지를 다음의 함수에 대해서 $t = 0$에서 4까지 풀이하여 그림 23.4에 표시하였다.

$$\frac{dy}{dt} = 10e^{-(t-2)^2/(2 \cdot 0.075^2)} - 0.6y \qquad y(0) = 0.5$$

이를 파이썬 스크립트로 나타낸 후

```
dydt = lambda t,y: 10.*np.exp(-(t-2.)**2/(2*0.075**2)) - 0.6*y
```

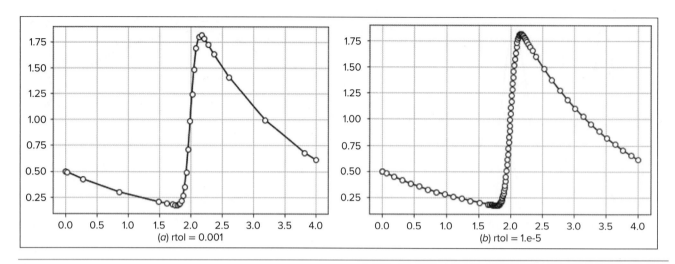

그림 23.4 파이썬의 `solve_ivp` 함수로 계산된 ODE 해. (*a*) 상대 오차 허용값 0.001을 사용한 경우와 (*b*) 이보다 100배 더 작게 한 경우를 비교하면 후자의 경우가 더 많은 수의 구간에서 계산된다.

아래와 같이 구간을 지정하고 `solve_ivp` 함수를 호출한다.

```
ti = 0. ; tf = 4.
tspan = np.linspace(0.,4.,100)
y0 = [0.5]

res = solve_ivp(dydt,(ti,tf),y0,method='RK23')
t = res.t
y = res.y[0,:]
```

이 결과물을 그림으로 그리는 스크립트는 다음과 같다.

```
pylab.plot(t,y,c='k',marker='o',markerfacecolor='w')
pylab.grid()
pylab.xlabel('a) rtol = 0.001')
```

이번에는 오차를 더 줄여서 계산하고 위와 마찬가지 방법으로 그림으로 그려 보자.

```
res = solve_ivp(dydt,(ti,tf),y0,method='RK23',rtol=1.e-5)
t1 = res.t
y1 = res.y[0,:]
```

두 가지 방법을 이용해서 얻은 결과들이 그림 23.4에 주어졌다. 첫 번째 그림은 기본값으로 `rtol=0.001`을 사용한 경우이고, 두 번째 그림은 $rtol = 10^{-5}$으로 100배 더 줄인 경우인데, 결과를 보면 후자의 경우가 훨씬 더 많은 점으로 계산하는 것을 알 수 있다.

23.1.3 사건(event) 판정

초깃값 문제 미분방정식을 푸는 파이썬 함수 `solve_ivp`에는 특정 상황이 발생했을 때 처리하는 기능이 추가되어 있는데, 그 두 가지 예는 다음과 같다.

- `terminal` 만약 이 변수의 설정이 True가 되면 적분을 멈춘다.

- direction   만약 이 값이 +1이면 음수에서 양수로 증가할 때만, 그리고 반대의 경우는 양수에서 음수로 감소할 때만 판정

사건이 일어났는지 판정하는 방법을 별도의 함수로 표현을 해줘야 한다. 가령 초기에 높이 200 m에서 중력과 반대방향의 초기속도 -20 m/s로 뛰어내리는 자유낙하운동을 고려해 보자. 앞서 다뤘던 번지점퍼의 자유낙하 운동은 모두 시작 위치를 $x = 0$으로 잡고 낙하하는 방향을 양으로 정해서 위치 $x(t)$를 계산했기 때문에, 땅의 위치를 0으로 잡은 새로운 좌표축에서는 초기 위치를 $y(0)$ = -200 m, 초기 속도는 -20 m/s으로 지정한다. 이제부터 자유낙하운동의 문제에서 위치가 0이 되면 계산을 멈추도록 해보자.

가장 먼저 파이썬의 내장함수 라이브러리를 호출하고 프로그램을 작성한다.

```
import numpy as np
import math
from scipy.integrate import solve_ivp
import pylab
```

자유낙하운동에 대한 식은 이미 앞서 설명했듯이 다음과 같이 표현된다. 이때 cd와 m은 마찰계수 및 질량으로 매개변수 args = (cd,m)의 형태로 함수에 전달된다.

```
def dydt(t,y,cd,m):
    v = y[1]
    dy = np.zeros((2))
    dy[0] = v
    dy[1] = g - cd/m*v*abs(v)
    return dy
```

사람이 땅에 도달했는가 아닌가를 판단하기 위해서 아래와 같이 수직방향 위치를 반환하는 함수를 작성했다. 이때 y[0]의 값은 음수로부터 시작한다는 것에 유의하자.

```
def hit_ground(t,y,cd,m):
    return y[0]
```

위치의 함숫값 y[0]가 0이 되면 변화가 일어나도록 다음과 같이 속성을 부여한다. 즉, 초기부터 y[0]값은 0이 아닌 상태에서 시작된다.

```
hit_ground.terminal = True
```

이러한 준비과정을 걸쳐 최종적으로 사건이 일어나는 경우에 프로그램을 종료시키도록 작성된 파이썬 스크립트는 다음과 같다.

```
y0 = np.array([-200, -20])
ti = 0 ; tf = math.inf
result = solve_ivp(dydt,(ti,tf),y0,rtol=1.e-8, \
                   events=hit_ground,args=(cd,m))
t = result.t
y = result.y
x = y[0,:]
v = y[1,:]
n = len(t)
print(t[n-1],x[n-1],v[n-1])
```

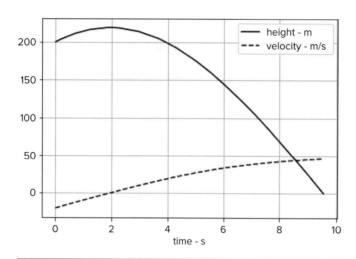

그림 23.5 줄 없이 자유낙하할 때의 번지점프하는 사람의 지면 위 고도 및 속도에 대한 파이썬 그래프.

```
pylab.plot(t,-x,c='k',label='height - m')
pylab.plot(t,v,c='k',ls='--',label='velocity - m/s)')
pylab.grid()
pylab.xlabel('time -s')
pylab.legend()
```

이때 마지막 시간 tf를 math 모듈을 이용하여 무한대로 지정했는데 이는 사건발생 시(즉, 위치가 0이 될 때) 프로그램이 자동적으로 끝나는 것이 예상되기 때문이다. 사건을 판단하는 events 인자에 함수 이름 hit_ground을 지정하였다. 상대적으로 매우 작은 허용오차 10^{-8}을 설정한 이유는 그림을 그리기 위해 계산에서 매우 많은 점이 이용되기를 원했기 때문이다. 이때 t_eval 인자를 설정하지 않았는데 이는 사건 판정을 하는 events 인자와 충돌하지 않게 하기 위함이다. 그림 23.5에서는 높이가 0이 되는 순간 계산이 끝난 것이 보인다.

이와 마찬가지 방법으로 번지점퍼의 최고 정점을 파악하고자 한다면, 속도가 음에서 양으로 바뀌는 지점을 고려할 수 있다. 이를 위해서 속도를 기준으로 판단할 수 있도록 다음의 함수를 지정한 후

```
def apex(t,y,cd,m):
    return y[1]
```

solve_ivp의 events 인자에서 함수명을 포함시키면 이 값이 0이 되는 순간을 사건으로 처리하게 된다.

```
result = solve_ivp(dydt,(ti,tf),y0,rtol=1.e-8, \
                   events=(hit_ground,apex),args=(cd,m))
```

이 경우에는 앞서와 달리 terminal 속성을 apex 함수에 포함시키지 않았다. 이는 최고점에 도달한 이후에도 계산을 지속적으로 하고 hit_ground 사건이 발생했을 때에야 비로소 종료시키는 형태로 계산을 하기 위함이다. 이렇게 지정한 후에 언급된 사건이 언제 일어나는가를 보기 위해 다음과 같이 출력하면

```
print(result.y_events)
```

아래와 같이 hit_ground 사건이 발생하여 위치 y[0]가 0이 된 시점 (정확하게는 오차범위 이내로 y[0]값이 작아진 시점) 및 apex 사건이 발생하여 속도 y[1]이 0이 된 시점 (마찬가지로 오차 범위 이내로 y[1]이 작아진 시점)이 나타난다. 이를 통해 땅에 떨어진 시점의 속도와 속도가 0이 될 때의 최대지점 위치도 구할 수 있게 된다.

```
[array([[-2.66453526e-14,  4.62275082e+01]]), array([[-2.18998493e+02,
1.11022302e-15]])]
```

만약 이 값들보다 사건이 일어났던 시간이 궁금하다면

```
print(result.t_events)
```

를 출력하여 다음의 결과를 얻을 수 있다.

```
[array([9.54802784]), array([1.94527347])]
```

이는 각각 땅에 떨어진 순간 및 최고점에 도달한 순간의 시간을 의미한다. 이상의 내용을 통해서 땅에 떨어지는 시간은 대략 9.548초이고, 최고점에 도달한 시간은 1.945초이며, 최고점의 높이는 대략 219 m, 땅에 도달하는 순간의 속도는 46.23 m/s임을 알 수 있다.

23.2 다구간(multi-step) 방법

앞절에서 설명된 단일구간 적분 방법은 그림 23.6a와 같이 t_{i+1} 시간의 종속변수 y_{i+1}을 계산하기 위해서 그 직전 단계의 단일점 t_i에서 얻어진 정보만을 이용했다. 그러나 다구간 방법은 그림 23.6b에서 보이는 바와 같이 이전의 여러 구간에서 얻어진 정보를 모두 해가 변화하는 궤적을 구하는 데 사용한다. 이러한 방법을 사용하는 경우 단일점의 정보만을 사용하는 경우보다 정확도가 높아진다.

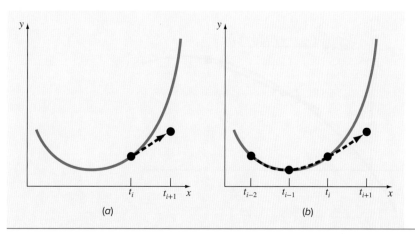

그림 23.6   (a) 단일구간 및 (b) 다구간 방법을 이용한 ODE 해법의 차이점에 대한 그림 묘사.

23.2.1 비자발적 Heun 방법

Heun 방법의 추정값을 구할 때 오일러 방법[식 (22.15)]을 사용하고

$$y_{i+1}^0 = y_i + f(t_i, y_i)h \tag{23.4}$$

보정식으로 사다리꼴 적분법[식 (22.17)]을 이용한다는 것을 기억하자.

$$y_{i+1} = y_i + \frac{f(t_i, y_i) + f(t_{i+1}, y_{i+1}^0)}{2} h \tag{23.5}$$

따라서 예측식과 보정식은 각각 국소오차 $O(h^2)$ 및 $O(h^3)$을 가진다. 이를 통해 예측 시에 오차가 커져서 연결고리가 느슨하다는 것을 알 수 있다. 이러한 약점은 반복계산을 통한 보정값이 초기 예측의 정확도에 의존한다는 점에서 심각한 영향을 미친다. 따라서 오일러 방법에 그 이전 점 y_{i-1}의 값을 다음과 같이 추가함으로써 구간절단오차를 $O(h^3)$로 줄여서 Heun 방법을 향상시킬 수 있는 방법이 제시되었다.

$$y_{i+1}^0 = y_{i-1} + f(t_i, y_i)2h \tag{23.6}$$

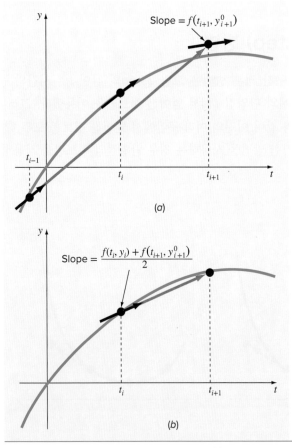

그림 23.7   비자발적 Heun 방법의 그래프 표현. (*a*) 예측에 중간점 방법, (*b*) 보정에 사다리꼴 방법이 사용된다.

앞의 식은 $2h$의 큰 구간 간격을 사용하면서도 $O(h^3)$ 오차를 유지한다. 다만 이 경우에는 종속변수 y_{i-1}가 항상 필요한데, 최초에 초기조건으로도 주어지지 않은 값이 요구되므로 식 (23.5)와 식 (23.6)을 비자발적(*non-self-starting*) *Heun* 방법이라고 한다. 그림 23.7에서 보이는 바와 같이, 식 (23.6)의 도함수 추정값은 예측이 이루어지는 구간의 시작점이 아니라 중간점에서 계산되므로 구간 오차가 $O(h^3)$으로 향상된다.

이상을 정리하면 다음과 같다.

$$\text{Predictor (Fig. 23.7}a\text{):} \quad y_{i+1}^0 = y_{i-1}^m + f(t_i, y_i^m)2h \tag{23.7}$$

$$\text{Corrector (Fig. 23.7}b\text{):} \quad y_{i+1}^j = y_i^m + \frac{f(t_i, y_i^m) + f(t_{i+1}, y_{i+1}^{j-1})}{2}h \tag{23.8}$$

$$(\text{for } j = 1, 2, \ldots, m)$$

이때 위첨자는 더 세밀한 해를 구하기 위해 보정값을 $j = 1$부터 m까지 반복적으로 계산하는 것을 뜻하고, 이러한 반복은 다음과 같이 계산된 근사 오차 추정치 $|\varepsilon_a|$가 미리 지정된 오차 허용값 ε_s보다 작아질 때 종료된다.

$$|\varepsilon_a| = \left| \frac{y_{i+1}^j - y_{i+1}^{j-1}}{y_{i+1}^j} \right| \times 100\% \tag{23.9}$$

이 방법은 초깃값을 특정하기 용이한 일부 문제에 대해서는 아직 사용되기도 하지만 공학 및 과학 분야에서 접하게 되는 대부분의 문제에서는 선택되지 않는 방법이므로 이 정도의 간단한 소개로 마치고자 한다.

23.3 강성

강성은 상미분방정식의 해에서 발생하는 특수한 문제로서, 매우 빠르게 변화하는 부분과 매우 느리게 변화하는 부분이 공존하는 시스템이다. 어떤 경우에는 빠르게 변화하는 요소는 순간적으로만 존재하다가 급속하게 감쇠되고 그 후에는 느리게 변화하는 요소만으로 시스템이 구성된다. 비록 급속하게 변화하는 현상이 짧은 기간 동안에만 나타나지만 적분법을 이용해서 해를 구하는 경우에는 이때의 해석이 전체 시간 간격에 큰 영향을 미칠 수 있다.

다음과 같이 주어진 상미분방정식의 초기조건을 $y(0) = 0$으로 준 경우

$$\frac{dy}{dt} = -1000y + 3000 - 2000e^{-t} \tag{23.10}$$

해석적인 해는 다음과 같다.

$$y = 3 - 0.998e^{-1000t} - 2.002e^{-t} \tag{23.11}$$

이를 나타낸 그림 23.8b에 강성 시스템의 사례가 보이는데, 이 함수의 경우 $t = 0$부터 0.005 사이

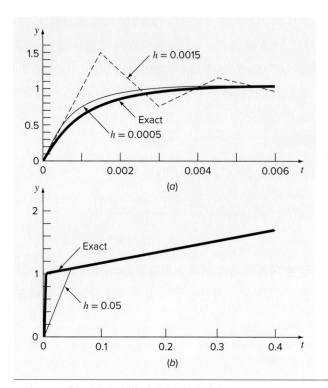

그림 23.8   (*a*) 외재적 및 (*b*) 내재적 오일러 방법으로 계산한 강성 ODE의 해.

에 매우 급격한 함수의 변화가 존재한다.

해를 안정적으로 계산할 수 있는 구간 간격 설정에 관한 통찰력을 얻기 위해 식 (23.10)의 제차해(homogeneous solution)를 계산해보자.

$$\frac{dy}{dt} = -ay \tag{23.12}$$

외재적(explicit) 오일러 방법에서는 $y_{i+1} = y_i + \frac{dy_i}{dt}h$ 이므로 식 (23.12)에 대입하면

$y_{i+1} = y_i - ay_ih$ 이고 따라서

$$y_{i+1} = y_i(1 - ah) \tag{23.13}$$

이다. 이 식의 안정성을 분석해 보면 $|1 - ah| < 1$인 조건에서만 안정적이라는 것을 앞서 22.2.2절에서 다루었다. 만약 $h > 2/a$이면 i가 증가할수록 y_i가 점점 커지므로 $i \to \infty$이면 $|y_i| \to \infty$이다. 따라서 이러한 차분법은 조건에 따라 안정적(*conditionally stable*)이라고 한다.

이렇게 급격히 변화하는 구간이 존재하는 경우 그림 23.8*a*에서 보인 바와 같이 구간 간격을 $h = 0.0005$에서 $h = 0.0015$로 조금만 크게 증가시켜도 진동하는 형태의 해를 갖게 되어 해석이 어려워진다. 사실 이 문제를 정확히 파악하고 있다면 $0 < t < 0.005$ 사이의 시간 동안 일어났다가 급속하게 사라지는 현상을 정밀하게 분해하는 계산을 하지 않더라도 그 이후의 시간 동안 천천히 변화하는 현상을 느린 시간 간격을 가지고도 충분히 계산할 수 있다는 것을 알고 있지만, 수치해

석의 입장에서 보면 초기에 급격하게 변화하는 시간을 제대로 분석하지 못하면 해의 불안정성이 생기고 경우에 따라 계산값이 발산하는 경우도 생긴다.

이런 문제를 해결하기 위해 **내재적 방법**(*implicit method*)을 사용하는 수치해석 기법이 유용하게 사용된다. 이 방법은 Euler 방법으로 표현된 차분방정식을 시간에 대해서 후향차분시킴으로써 도함수의 값을 미래에 예측될 값으로 사용하는 특징이 있다.

이와 달리 내재적 오일러 방법에서는

$y_{i+1} = y_i + \dfrac{dy_{i+1}}{dt} h$ 이므로 $y_{i+1} = y_i - ay_{i+1} h$이고, 이를 정리하면 다음과 같다.

$$y_{i+1} = \frac{y_i}{1 + ah} \tag{23.14}$$

이 경우에는 어떤 시간 간격을 쓰더라도 $i \rightarrow \infty$이면 $|y_i| \rightarrow 0$이다. 따라서 이러한 차분법을 **무조건 안정적**(*unconditionally stable*)이라고 한다.

내재적 오일러 방법으로 적분된 미분방정식 문제는 큰 시간 간격을 쓰는 경우 정확도는 떨어질 지언정 불안정한 해를 갖지는 않는다. 그림 23.8*b*에 보이듯, $0 < t < 0.005$ 사이의 시간 동안 계산 결과는 오차가 크지만 그 이후의 시간에 대해서는 거의 정확하게 모든 값을 계산할 수 있다는 것을 알 수 있다. 따라서, 순간적으로 급격히 변화하는 구간이 존재해서 외재적 방법이 불안정성을 일으킬 가능성이 있는 미분방정식의 경우는 내재적 방법을 사용해서 이런 구간에서 해가 발산하는 현상을 막을 수 있다. 물론 해당 구간에서의 오차는 내재적 방법을 사용하더라도 그대로 남게 되지만 그 현상이 일시적으로 사라지는 것이라면 이 오차의 영향이 다음 구간의 계산에서 지속적으로 남지 않게 된다.

23.3.1 강성 문제에 대한 파이썬 ODE Solver

파이썬 SciPy 라이브러리 integrate 모듈 내에 강성 미분방정식을 효과적으로 계산하는 방법을 제시하였다. 그 내용을 요약하면 다음과 같다.

solve_ivp	방법 인수에 'LSODA'를 지정하여 강성을 자동으로 파악하고 알고리즘을 변환하는 Adams/BDF 방법이 내재되었다. 이는 포트란(Fortran) 솔버인 ODEPACK(Hindmarsh, Lawrence Livermore Laboratory)에서 가져온 알고리즘을 사용한다.
LSODA	LSODA 알고리즘을 직접 제공하는 함수
odeint	ODEPACK에서 도입된 알고리즘을 이용한 초기버전
ode	미국 로렌스 리버모어 연구소(Lawrence Livermore Laboratory)의 Hindmarsh가 만든 소스에 근간한 변환차수(variable-order) ODE 솔버(VODE)를 활용한 다양한 방법들 제공

진공관의 전기 회로 해석에서 나타나는 *van der Pol* 방정식이라고 알려진 강성 문제를 파이썬의 라이브러리를 이용하여 해석해 보자.

$$\frac{d^2y_1}{dt^2} - \mu\left(1 - y_1^2\right)\frac{dy_1}{dt} + y_1 = 0 \tag{23.15}$$

첫 번째 단계는 주어진 2차 상미분방정식을 두 개의 1차 상미분방정식으로 변환하는 작업이다.

$$\frac{dy_1}{dt} = y_2$$

$$\frac{dy_2}{dt} = \mu\left(1 - y_1^2\right)y_2 - y_1$$

이 내용은 다음과 같이 파이썬 함수로 표현된다.

```
def dydt(t,y,mu):
    dy = np.zeros((2))
    dy[0] = y[1]
    dy[1] = mu*(1-y[0]**2)*y[1]-y[0]
```

이때 매개변수 μ는 앞서 설명했던 바와 같이 solve_ivp 함수 호출 시 args=(mu,)의 형태로 받을 수 있다. 이때 콤마가 반드시 필요하다는 점에 유의하기 바란다. 계산할 구간 및 초기조건 등을 다음과 같이 설정한 후에 solve_ivp 함수를 호출하여 미분방정식을 계산한다. 이때 RK45 방법이 기본값으로 이용되고 있다.

```
mu = 1.
ti = 0. ; tf = 20.
tspan = np.linspace(ti,tf,100)
y0 = np.array([1.,1.])
soln = solve_ivp(dydt,(ti,tf),y0,t_eval=tspan,args=(mu,))
# method RK45 is the default

t = soln.t
y = soln.y

pylab.plot(t,y[0,:],c='k',label='y1')
pylab.plot(t,y[1,:],c='k',ls='--',label='y2')
pylab.grid()
pylab.xlabel('a) mu = 1')
pylab.legend()
```

$\mu = 1$인 경우에는 그림 23.9a에 보인 바와 같이 이 시스템 자체가 그리 큰 강성을 갖고 있지 않아서 계산에 큰 문제가 되지 않는다. 그러나 만약 $\mu = 1000$으로 매우 강성이 강한 상황을 만든다면 위와 같은 방법으로는 해를 구하는 데 실패하게 된다. 이를 해결하기 위해서 이번에는 LSODA 방법을 도입한 프로그램을 제시한다.

```
mu = 1000.
ti = 0. ; tf = 6000.
tspan = np.linspace(ti,tf,100)
y0 = np.array([1.,1.])
soln = solve_ivp(dydt,(ti,tf),y0,t_eval=tspan,method='LSODA',args=(mu,))
```

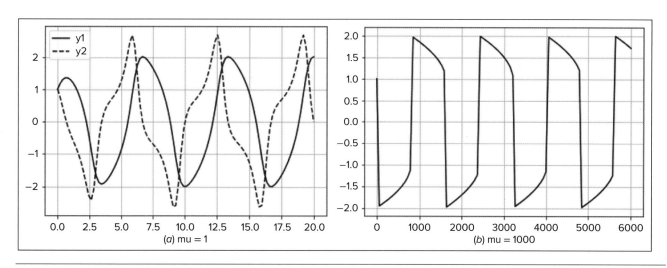

그림 23.9 Van der Pol 방정식의 해를 (*a*) RK45 방법으로 계산한 비강성 버전 및 (*b*) LSODA 방법으로 계산한 강성 버전.

```
t = soln.t
y = soln.y

pylab.figure()
pylab.plot(t,y[0,:],c='k')
pylab.grid()
pylab.xlabel('a) mu = 1000')
```

앞서의 경우와 달리 method='LSODA' 인자가 solve_ivp 함수 내에 사용되었다. 이렇게 해를 구할 경우 그림 23.9*b*와 같이 짧은 구간에서 매우 가파르게 변화하는 함수를 계산할 수 있다는 걸 알 수 있다. 그림 23.9*b*에서는 오직 y_1 항에 대해서만 그래프로 나타냈는데, 그 이유는 y_2는 상대적으로 매우 작은 영역에서 y_1에 비해서 매우 빠르게 변화하는 값을 가지므로 함께 그리기 어려웠기 때문이다. 별도의 그래프를 추가할 수 있었으나 지면에 제약이 있어 그렇게 하지 않았는데, 여러분이 직접 그림을 그려 관찰해 보기를 권한다. 그림 23.9*a*와 23.9*b*에서 나타난 두 변수의 동적 응답시간의 차이를 보면 두 번째 경우가 강성 문제를 명시하고 있다는 것을 알 수 있다.

연습문제 * 짝수번호는 온라인 사이트에 있으며 본 책 '차례' 끝부분 xxi페이지에 사이트주소가 있음.

23.1 그림 P23.1*a*와 같이 반지름 R_T인 원통에 일정한 유입량 Q_{in}으로 공급되는 물의 수위 y가 y_{high}에 도달하면 분수에서 $Q_{out} = C\pi r^2 \sqrt{2gy}$ 의 방출량으로 물이 나오기 시작하다가 수위가 y_{low} 이하로 낮아지면 분수가 멈추게 된다. 이때 g는 중력가속도, C는 비례상수이다. 이를 Pliny의 간헐적 분수라고 하며, 다음의 식으로 해석할 수 있다.

$$\frac{dy}{dt} = \frac{Q_{in} - siphon(y)C\pi r^2 \sqrt{2gy}}{\pi R_T^2}$$

이때 우변 분자의 두 번째 항에 포함된 *siphon*(*y*) 함수는 위에서 언급한 조건에서만 분수가 작동하는 것을 나타낸 것으로 y값이 증가 또는 감소하는 경로에 따라 그림 P23.1*b*와 같이 달리 작동하는 이력현상(hysteresis)을 보인다. 아래에 주어진 조건에서 파이썬 함수 solve_ivp를 사용하여 초기값 $y(0) = 0$, 구간 간격 $h = 0.01$일 때 100초 동안의 수위 변화를 계산하는 프로그램을 작성하라. 이때 $R_T = 0.05$ m, $r = 7$ mm, $y_{low} = 25$ mm, $y_{high} = 0.1$ m, $C = 0.6$, $Q_{in} = 50$ cm^3/s를 사용한다.

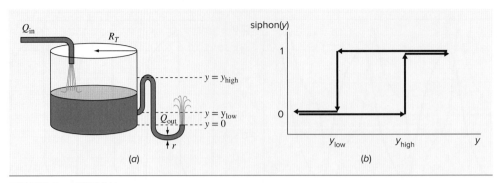

그림 P23.1   간헐적 분수.

solve_ivp에서 기본값으로 지정했던 상대오차 허용값 rtol = 10^{-3}을 10^{-5} 및 10^{-8}로 바꿔 계산을 수행하고, 세 가지 해석방법에 대한 결과물을 subplot으로 함께 그려서 차이를 관찰하라.

23.3   아래의 초깃값 문제 미분방정식을 $t = 2$에서 3까지 구간에서 계산하라.

$$\frac{dy}{dt} = -0.5y + e^{-t}$$

비자발적 Heun 방법을 사용하여 간격크기 0.5와 초기조건 $y(1.5)$ = 5.222138 및 $y(2.0)$ = 4.143883인 경우에 대해서 계산하라. 수정자를 ε_s = 0.1%가 될 때까지 반복하라. 해석적으로 구한 정해 $y(2.5)$ = 3.273888과 $y(3.0)$ = 2.577988을 기준으로 계산 결과의 백분율 상대오차를 구하라.

23.5   아래에 주어진 미분방정식에 대해서 물음에 답하라.

$$\frac{dy}{dt} = -100{,}000y + 99{,}999e^{-t}$$

(a)   외재적 오일러 방법을 이용할 때 해의 안정성을 유지하기 위한 간격 크기를 추정하라.

(b) $y(0) = 0$일 때 내재적 오일러 방법으로 $t = 0$에서 2까지의 해를 간격 크기 0.1을 이용하여 계산하라.

23.7   다음과 같이 주어진 미분방정식에 대해서

$$\frac{dx_1}{dt} = 999x_1 + 1999x_2$$

$$\frac{dx_2}{dt} = -1000x_1 - 2000x_2$$

$x_1(0) = x_2(0) = 1$일 때 $t = 0$에서 0.2까지의 해를 간격 크기 0.5을 이용하여 (a) 외재적 및 (b) 내재적 오일러 방법으로 계산하라.

23.9   아래의 함수는 비교적 짧은 x 구간에서 평평한 곳과 급격히 변화하는 곳을 모두 가지고 있음을 상기하자.

$$f(x) = \frac{1}{(x - 0.3)^2 + 0.01} + \frac{1}{(x - 0.9)^2 + 0.04} - 6$$

SciPy의 integrate 서브 모듈에 포함된 (a) quad 함수와 (b) solve_ivp 함수를 이용하여 $x = 0$부터 1까지의 구간에서 $f(x)$의 정적분을 추정하라. 만약 후자가 전자에 비해 크게 차이가 난다면 rtol의 값을 줄여 가면서 다시 비교하라.

23.11 23.1.2절에서 설명된 solve_ivp 함수의 events 특성을 활용하여 1 m 길이의 선형 진자에 대해서 다음의 초기조건을 가질 때의 주기를 계산하라. (a) $\theta = \pi/8$, (b) $\theta = \pi/4$, (c) $\theta = \pi/2$. 이 세가지 경우 모두 각 속도의 초기조건은 0으로 한다. 주기를 계산하는 좋은 방법은 진자가 최저점($\theta = 0$)에 도착하는 시간을 구하는 것이다.

23.13 다음 시스템은 화학반응속도 모델링에서 나타나는 강성 상미분방정식의 고전적 사례이다.

$$\frac{dc_1}{dt} = -0.013c_1 - 1000c_1c_3$$

$$\frac{dc_2}{dt} = -2500c_2c_3$$

$$\frac{dc_3}{dt} = 0.013c_1 - 1000c_1c_3 - 2500c_2c_3$$

$t = 0$부터 2까지의 구간에서 $c_1(0) = c_2(0) = 1$, $c_3(0) = 0$의 초기조건을 이용하여 계산하라. solve_ivp 함수를 이용하는 경우의 해를 RK45와 LSODA 방법을 이용하는 경우와 비교하라. 각 경우에 대해서 c_1, c_2를 동시에 비교하고 c_3를 별도로 보인 그림을 작성하라.

23.15 그림 P23.15에 보이는 바와 같이 길이가 l(이 문제에서는 0.5 m)인 가는 봉이 평면에서 회전하는 경우를 고려하자. 봉의 한쪽 끝단을 핀으로 고정하고 다른 쪽 끝단에 질량 m인 물체를 달면 이 시스템은 다음과 같이 기술된다.

$$\ddot{\theta} - \frac{g}{l}\theta = 0$$

$\theta = 0$, $\dot{\theta} = 0.25$ rad/s이라 하고 이 장에서 사용한 아무 방법을

이용하여 계산을 수행하라. 각도가 60°가 되었을 때 계산을 중단하고 시간에 대한 각변위를 각도 단위로 그려라. (힌트: 2차 상미분방정식을 두 개의 1차 상미분방정식으로 나눠라.)

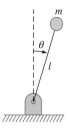

그림 P23.15

23.17 $t = 0$부터 2까지의 구간에서 아래의 미분방정식을 다음 방법을 사용하여 계산하라.

$$\frac{dy}{dt} = -10y \qquad y(0) = 1$$

(a) 해석적 방법, (b) 외재적 오일러 방법, (c) 내재적 오일러 방법 (b)와 (c)에 대해서는 각각 $h = 0.1$ 및 0.2를 사용하고 결과를 그래프로 그려라.

23.19 두 개의 질량을 가진 물체가 선형 용수철 2개로 연결되어 벽에 부착되었다(그림 P23.19). 뉴턴의 운동 제2법칙에 의한 힘의 평형은 다음의 식으로 기술된다.

$$\frac{d^2x_1}{dt^2} = -\frac{k_1}{m_1}(x_1 - L_1) + \frac{k_2}{m_1}(x_2 - x_1 - w_1 - L_2)$$

$$\frac{d^2x_2}{dt^2} = -\frac{k_2}{m_2}(x_2 - x_1 - w_1 - L_2)$$

이때 k는 용수철 상수, m은 질량, L은 늘어나기 전의 용수철 길이, w는 질량체의 폭을 의미한다. 각 질량체의 변위를 다음의 매개변수 값을 이용하여 계산하라. $k_1 = k_2 = 5$, $m_1 = m_2 = 2$, $w_1 = w_2 = 5$, $L_1 = L_2 = 2$. 변위의 초기조건 $x_1 = L_1$과 $x_1 = L_1 + w_1 + L_2 + 6$ 및 초기속도가 0인 조건을 이용하여 $t = 0$에서 20까지의 구간에서 계산을 수행하라. 두 물체의 변위 및 속도의 시간에 따른 변화를 동일한 그래프에서 그려라. 또한 x_1 대비 x_2의 위상면 그림을 그려라.

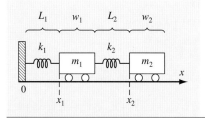

그림 P23.19

23.21 연습문제 22.22에서 1층의 변위를 다룬 계산 방법을 기반으로 연습문제 23.20과 동일한 계산을 수행하라.

23.23 그림 P23.23은 열기구 시스템에 작용하는 힘을 보여 준다. 항력은 다음과 같이 구해지는데

$$F_D = \frac{1}{2}\rho_a v^2 A C_d$$

이때 ρ_a는 공기밀도 (kg/m^3), v는 속도 (m/s), A는 진행방향으로 투영된 면적 (m^2), C_d는 무차원 항력계수(구체의 경우 $\cong 0.47$)이다. 풍선의 총 질량은 두 개의 성분의 합으로, $m = m_G + m_P$, 이때 m_G는 풍선 내의 기체 질량 (kg)이고 m_P는 적재물의 질량으로 바구니, 승객, 팽창되기 이전의 풍선 질량의 총 합으로서 265 kg이다. 이상기체 상태방정식($P = \rho RT/MW$)이 성립하고 지름 17.3 m인 풍선이 완벽한 구형이며 풍선 내부의 가열된 공기와 외부 공기가 거의 같은 압력을 가지고 있다고 가정하자. 추가로 필요한 매개변수는 공기의 분자무게 $MW = 28.97$ kg/kmol, 표준 대기압 $P = 101,300$ Pa, 사용하는 단위에 맞춘 기체상수 $R = 8314.5$ m^3·Pa/(kmol·K), 풍선 내부의 평균온도 $T = 100$ °C 그리고 표준 공기밀도 $\rho_a = 1.2$ kg/m^{3}이다.

(a) 힘의 평형 원리를 이용하여 주어진 매개변수로 표현된 dv/dt의 미분방정식을 개발하라.

(b) 정상상태에서 풍선의 종단속도를 계산하라.

(c) 위에서 주어진 매개변수와 초기조건 $v(0) = 0$에 대해 solve_ivp 함수를 이용하여 $t = 0$에서 60 s 구간에서 풍선의 속도와 위치를 계산하고 결과를 그림으로 그려라.

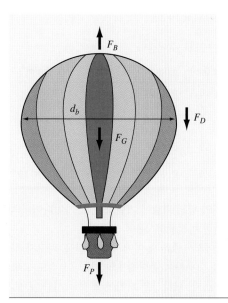

그림 P23.23

23.25 2주간의 휴가를 위해서 애완 금붕어 'Freddie'를 욕조에 넣는다. 먼저 물의 염소를 제거해야 한다. 이후 'Freddie'를 고양이 'Killer'로부터 보호하기 위해서 밀폐식 아크릴 덮개를 덮는다. 바쁜 나머지 실수로 설탕 한 스푼(15 mL)을 물고기 먹이로 착각하고 욕조에 섞었다. 불행하게도 염소가 제거된 욕조 내에 박테리아가 있어서 설탕을 분해하며 용존 산소를 소모한다. 산화 반응은 $k_d = 0.029/d$의 반응률로 1차 반응속도식을 따른다. 욕조 내 초기 설탕 농도가 20 mgO$_2$/L(산소당량으로 표현)이고 초기 산소 농도가 8.4 mgO$_2$/L이다. 설탕과 용존산소의 질량평형식은 다음과 같다.

$$\frac{dL}{dt} = -k_d L$$

$$\frac{do}{dt} = -k_d L$$

이때 L은 산소당량으로 표시된 설탕 농도 (mgO$_2$/L), t는 시간 (d), o는 용존산소 농도 (mgO$_2$/L)이다. 따라서, 설탕이 산화됨에 따라 같은 양의 산소가 욕조 내에서 소실된다. solve_ivp 함수를 이용하여 두 물질의 농도를 시간의 함수로 계산하고 결과를 그림으로 그려라. 파이썬 event 함수의 특성을 이용하여 산소농도가 2 mgO$_2$/L 이하일 때 Freddie가 사망하게 되는 것으로 계산을 멈추도록 한다. 이 결과에 따라서 2주간의 휴가 계획을 바꿔야 할지 말지를 결정할 수 있다.

23.27 많은 사람들이 매우 높은 고도에서 스카이다이빙을 한다. 체중이 80 kg인 스카이다이버가 지면으로부터 36.5 km 높이에서 출발하고, 투영단면적 $A = 0.55$ m^2, 무차원 항력계수 $C_d = 0.94$ 이며 중력가속도가 고도 (m) z에 따라 다음과 같이 달라진다.

$$g = 9.806412 - 3.039734 \times 10^{-6} z$$

공기밀도는 다음과 같이 표로 주어진다.

z (km)	ρ (kg/m³)	z (km)	ρ (kg/m³)	z (km)	ρ (kg/m³)
−1	1.3470	6	0.6601	25	0.04008
0	1.2250	7	0.5900	30	0.01841
1	1.1120	8	0.5258	40	0.003996
2	1.0070	9	0.4671	50	0.001027
3	0.9093	10	0.4135	60	0.0003097
4	0.8194	15	0.1948	70	8.283×10^{-5}
5	0.7364	20	0.08891	80	1.846×10^{-5}

(a) 중력과 항력 사이의 힘의 평형에 기반하여, 스카이다이버의 속도와 고도에 대한 미분방정식을 유도하라.

(b) 다이버가 지표면에서 1 km 높이에서 낙하산을 펴고자 하는데, 수치해석을 이용하여 종단속도의 값과 이 속도가 얻어지는 고도를 구하라. 낙하산을 펴기에 적절한 시간, 속도, 고도 등의 조건을 표시하고 결과를 그래프로 그려라.

23.29 그림 P23.29에 보인 바와 같이 외팔보의 탄성 곡선에 대한 미분방정식은 다음과 같다.

$$EI \frac{d^2 y}{dx^2} = -P(L - x)$$

이때 E는 탄성계수, I는 관성모멘트이다. solve_ivp 함수를 이용하여 보의 처짐을 계산하라. 이때 사용할 매개변수는 $E = 2 \times 10^{11}$ Pa, $I = 0.00033$ m^4, $P = 4.5$ kN, $L = 3$ m이다. 계산 결과를 아래의 해석해와 함께 그려라.

$$y = -\frac{PLx^2}{2EI} + \frac{Px^3}{6EI}$$

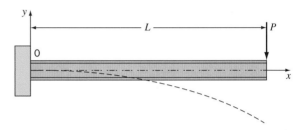

그림 P23.29

23.31 광화학적 이성질체화로 알려진 10개의 반응종을 포함한 복잡한 화학반응 시스템이 8개의 가역 화학반응으로 표현된다. 각각의 종들을 따라가기 위한 2차반응속도식에 기반한 10개의 상미분방정식은 다음과 같이 주어진다.

$$y_1 \underset{k_{-1}}{\overset{k_1}{\rightleftharpoons}} y_2 + y_{10} \qquad y_2 \underset{k_{-2}}{\overset{k_2}{\rightleftharpoons}} y_3$$

$$y_3 \underset{k_{-3}}{\overset{k_3}{\rightleftharpoons}} y_4 \qquad y_4 + y_{10} \underset{k_{-4}}{\overset{k_4}{\rightleftharpoons}} y_5$$

$$y_5 \underset{k_{-5}}{\overset{k_5}{\rightleftharpoons}} y_6 + y_{10} \qquad y_6 \underset{k_{-6}}{\overset{k_6}{\rightleftharpoons}} y_7$$

$$y_7 \underset{k_{-7}}{\overset{k_7}{\rightleftharpoons}} y_8 \qquad y_8 + y_{10} \underset{k_{-8}}{\overset{k_8}{\rightleftharpoons}} y_9$$

$$\dot{y}_1 = -k_1 y_1 + k_{-1} y_2 y_{10}$$
$$\dot{y}_2 = -k_{-1} y_2 y_{10} - k_2 y_2 + k_{-2} y_3 + k_1 y_1$$
$$\dot{y}_3 = k_2 y_2 - k_{-2} y_3 - k_3 y_3 + k_{-3} y_4$$
$$\dot{y}_4 = k_3 y_3 - k_{-3} y_4 - k_4 y_4 y_{10} + k_{-4} y_5$$
$$\dot{y}_5 = k_4 y_4 y_{10} - k_{-4} y_5 - k_5 y_5 + k_{-5} y_6 y_{10}$$
$$\dot{y}_6 = k_5 y_5 - k_{-5} y_6 y_{10} - k_6 y_6 + k_{-6} y_7$$
$$\dot{y}_7 = k_6 y_6 - k_{-6} y_7 - k_7 y_7 + k_{-7} y_8$$
$$\dot{y}_8 = k_7 y_7 - k_{-7} y_8 - k_8 y_8 y_{10} + k_{-8} y_9$$
$$\dot{y}_9 = k_8 y_8 y_{10} - k_{-8} y_9$$
$$\dot{y}_{10} = k_1 y_1 - k_{-1} y_2 y_{10} - k_4 y_4 y_{10} + k_{-4} y_5 - k_{-5} y_6 y_{10} - k_8 y_8 y_{10} + k_{-8} y_9$$

이때, k로 표시되는 각 종별 반응률은 다음과 같다.

$$k_1 = 5 \qquad k_{-1} = 10^{10}$$
$$k_2 = 10^6 \qquad k_{-2} = 10^6$$
$$k_3 = 10^5 \qquad k_{-3} = 2 \times 10^5$$
$$k_4 = 10^6 \qquad k_{-4} = 10^{-2}$$
$$k_5 = 10 \qquad k_{-5} = 10^9$$
$$k_6 = 10^6 \qquad k_{-6} = 10^6$$
$$k_7 = 5 \times 10^5 \qquad k_{-7} = 10^5$$
$$k_8 = 5 \times 10^5 \qquad k_{-8} = 2.5 \times 10^{-4}$$

그리고 초깃값은 다음과 같이 주어진다.

$$y_1(0) = 0.1$$
$$y_{10}(0) = 1$$
$$y_2(0) = y_3(0) = \cdots = y_9(0) = 0$$

k값들의 차이에서 보인 바와 같이 각 화학반응의 상대속도는 여러 자리수의 차이가 생길 만큼 큰 차이가 난다. 이는 극단적인 경우 이 시스템이 강성이라는 것을 의미한다. 이러한 반응 시스템을 전통적인 RK 방법으로 해석하는 것은 불가능하고 따라서 일반적으로 이 방법은 Gear(1969)의 선구적인 작업 같은 적응식 강성 적분 방법이 도입되기 전까지는 풀 수가 없었다.

solve_ivp 함수를 이용하여 $0 \leq t \leq 10^6$ s 구간에서 이 시스템을 계산하라. 해는 1000개의 로그스케일로 배분된 $t = 10^{-14}$ 부터 10^6까지의 20승배의 차이가 나는 시간에서 계산되어야 하며 (힌트: np.logspace 옵션을 사용) LSODA 방법을 활용해서 강성 시스템을 다뤄야 한다. rtol 및 atol을 1×10^{-12}을 사용하라. 결과물을 서로 다른 색과 스타일을 이용하여 10개의 종에 대한 그림을 log-log 스케일로 그려라.

경곗값 문제

Boundary-Value Problems

학습 목표

이 장의 주요 목적은 상미분방정식(ODE)의 경곗값 문제를 소개하는 것으로, 특정 목표와 주제는 다음과 같다.

- 초깃값 문제와 경곗값 문제의 차이점 이해
- n차 상미분방정식을 n개의 연립 1차 상미분방정식으로 표현하는 방법
- 선형 상미분방정식에서 사격법을 이용하는 방법
- 경곗값 문제를 유한차분법으로 풀이하는 방법
- 도함수로 주어진 경계조건을 유한차분법에 도입하는 방법
- 비선형대수방정식의 근 구하기 방법을 이용하여 비선형 상미분방정식을 유한차분법으로 풀이하는 방법
- 경곗값 문제를 위한 SciPy integrate 서브모듈의 파이썬 함수인 solve_bvp 사용 방법 익히기

풀고자 하는 문제

지금까지는 단일 상미분방정식으로 설명되는 번지점퍼의 자유낙하 운동에서 시간에 따라 변화하는 속도를 다음의 식으로 계산했다.

$$\frac{dv}{dt} = g - \frac{c_d}{m}v^2 \tag{24.1}$$

이제부터는 속도 대신 낙하한 위치가 시간에 따라 변화하는 문제를 다룬다고 가정하자. 이런 문제의 경우는 위치와 거리의 관계식

$$\frac{dx}{dt} = v \tag{24.2}$$

을 이용해서 문제를 기술하며, 속도와 위치에 대한 두 개의 상미분방정식을 풀어야 한다. 두 개의 1차 도함수로 이루어진 해를 구하기 위해서는 두 개의 조건이 필요하다. 이미 이전의 학습을 통해 위치와 속도의 초기조건으로 해를 구하는 방법을 습득하였다.

$$x(t = 0) = x_i$$
$$v(t = 0) = v_i$$

이런 조건이 주어진 경우에는 22장과 23장에서 배운 여러 수치해석 기법을 이용하여 상미분방정식을 적분하는 방식으로 문제를 풀 수 있고, 이를 **초깃값 문제**(*initial value problem*)라고 한다. 적분으로 문제를 풀기 위해서는 최초 시간에 주어진 모든 변수값들을 알고 있어야 한다.

그러나 만약 최초 시간에서의 모든 변수값이 조건으로서 한꺼번에 주어진 것이 아니라 다음과 같이 초기시간의 위치와 종단시간의 위치를 알려 준 경우에는 속도의 초기조건을 모르기 때문에

적분을 이용한 해법을 이용할 수 없게 된다.

$$x(t = 0) = x_i$$
$$x(t = t_f) = x_f$$

이러한 문제를 **경곗값 문제**(*boundary value problem*)라 하는데, 이러한 경계조건에 대해서는 기존에 이용했던 적분 방정식과 다른 특별한 해석 기법이 필요하다. 앞서 언급한 초깃값 문제와 연관된 해법도 있지만 경우에 따라서는 전혀 다른 방법을 사용한다. 이 장에서는 경곗값 문제에 대한 이들 방법 중 보다 보편적인 방법을 소개한다.

24.1 소개와 배경

24.1.1 경곗값 문제란 무엇인가?

앞서 다루었던 초깃값 문제에서는 미분방정식의 적분을 기본적인 해법으로 사용했는데, 이는 반드시 $t = 0$에서의 종속변수들의 값을 요구한다. 가령 n차 방정식의 경우 n개의 초기조건이 필요하다. 그림 24.1에서 초깃값 문제와 경곗값 문제 상미분방정식의 차이점을 설명하고 있는데, 모든 종속변수가 초기 시간에 주어진 경우(그림 24.1a)와 이와 달리 구간의 양 끝값이 주어진 경우, 즉

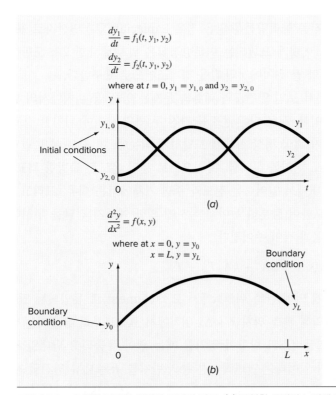

그림 24.1 초깃값 문제와 경곗값 문제의 비교: (*a*) 동일한 독립변수 값에 대해 종속변수의 조건이 지정된 초깃값 문제 및 (*b*) 두 개의 서로 다른 독립변수 값에 대해서 종속변수의 조건이 지정된 경곗값 문제.

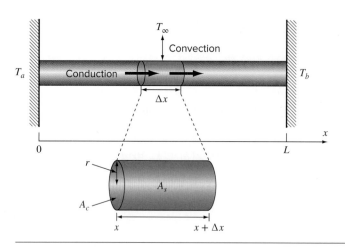

그림 24.2 가열된 봉의 특정 미분요소에서 바라본 전도 및 대류에 의한 열평형.

서로 다른 독립변수에 대해서 종속변수의 조건이 주어진 경우(그림 24.1b)를 비교하고 있다. 많은 경우 초깃값 문제는 독립변수가 시간인 경우에 흔히 나타나고, 경곗값 문제는 독립변수가 공간 좌표인 경우에 주로 나타난다.

24.1.2 공학 및 과학 분야에서 다루는 경곗값 문제

공학 및 과학 분야의 많은 문제들을 지배하는 방정식은 결국 미분방정식으로 표현되는데, 이중 시공간에서 변화하는 각종 물리량들은 많은 경우 Laplacian(∇^2) 연산자로 표현되는 형태의 미분방정식 항을 포함한다. 이렇게 표현되는 미분방정식은 위치에 대한 2차 도함수를 지닌 형태이기 때문에 보통은 구간의 양 끝 위치에서의 값을 경계조건으로 요구한다.

가령 그림 24.2에서 보인 열전도와 대류의 문제는 양쪽 끝 위치에서의 함수 조건이 주어진 대표적인 경곗값 문제이다. 서로 다른 온도를 가진 두 벽면 사이에 위치한 길고 가는 봉의 온도가 시간에 따라 변화하다가 결국 정상 상태에 도달하게 되는데, 이 경우 봉의 반경이 충분히 작아서 반지름 방향으로의 온도 변화를 무시할 수 있으므로 봉의 온도는 축방향 좌표 x만의 함수로 표현된다. 열의 전달은 봉 내에서 일어나는 전도와 주변 기체에서는 대류, 그리고 복사의 형태로 설명된다. 고체 봉의 열전도율이 충분히 높아서 복사에 의한 에너지 전달을 무시하는 경우 정상 상태의 열평형 방정식은 다음과 같이 주어진다.

$$0 = q(x)A_c - q(x + \Delta x)A_c + hA_s(T_\infty - T) \tag{24.3}$$

이때 $q(x)$는 열전도에 의해 관측 위치 x에서 요소(element)로 유입되는 열플럭스 [J/(m²·s)], $q(x + \Delta x)$는 열전도에 의해 관측 위치 $x + \Delta x$ 위치에서 요소로부터 유출되는 열플럭스를 뜻한다. 요소의 표면 방향과 열플럭스의 방향이 일치할 때는 열이 유출되고 반대일 경우에는 유입이 된다. $A_c = \pi r^2$는 열전도가 일어나는 단면적, r은 봉의 반지름, h는 대류 열전달 계수 [J/(m²·K·s)] $A_s = 2\pi r \Delta x$는 요소의 표면적, T_∞는 정상 상태의 주위 기체 온도 [K] 그리고 $T(x)$는 위치 x에서의 봉의 온도 [K]이다. 식 (24.3)의 좌변이 0인 것은 시간에 대한 변화가 없는 정상 상태라는 것을 뜻하고, 우변의 첫 번째 및 두 번째 항은 열전도에 의해 유입되고 유출되는 단위 시간당 에너지, 세 번째 항은 대류에 의해서 공기로 유출되는 단위 시간당 에너지를 뜻한다. 세 번째 항에서 봉의 온도가 대기 온도보다 높은($T > T_\infty$) 경우는 대류에 의해서 에너지가 유출되며, 반대의 경우에는 에너지가 봉으로 유입된다. 식 (24.3)을 요소의 부피 $\pi r^2 \Delta x$로 나눠서 표현하면 다음의 식이 나오고,

$$0 = \frac{q(x) - q(x + \Delta x)}{\Delta x} + \frac{2h}{r}(T_\infty - T)$$

$\Delta x \rightarrow 0$인 극한 조건에서는 다음의 식이 유도된다.

$$0 = -\frac{dq}{dx} + \frac{2h}{r}(T_\infty - T) \tag{24.4}$$

이때 열플럭스는 또한 *Fourier*의 법칙에 의해 다음과 같이 온도로 표현 가능하다.

$$q = -k\frac{dT}{dx} \tag{24.5}$$

이때 k는 열전도 계수 [J/(s·m·K)]이다. 식 (24.5)를 식 (24.4)에 대입하면 우변의 첫 번째 항은 공간에 대한 2차 미분으로 표현되고, 다음의 식으로 변환된다.

$$0 = \frac{d^2T}{dx^2} + h'(T_\infty - T) \tag{24.6}$$

이때 $h' = 2h/(rk)$는 대류와 열전도의 상대적인 비를 반영하는 용적 열전달 매개변수(bulk heat-transfer parameter) [m^{-2}]이다.

식 (24.6)은 정상 상태에서 봉의 축방향 온도 분포를 계산할 수 있는 지배방정식이다. 이 식은 위치 x에 대해 2차 상미분방정식의 형태를 취하므로 유일한 해를 구하기 위해서는 두 개의 조건이 필요하다. 이러한 열전달 문제는 봉의 양 끝단의 온도가 고정된 경우가 일반적인데, 좌측 및 우측 위치에서의 온도를 다음과 같이 수학적으로 표현하는 경우,

$$T(0) = T_a$$
$$T(L) = T_b$$

이 두 값이 바로 경계조건이 된다. 이와 같이 다루고자 하는 시스템의 '경계'에서의 함숫값을 지정해 준다는 의미에서 이를 경계조건이라고 한다.

위에서 주어진 식 (24.6)의 경우, $T(x)$는 두 번 미분한 꼴이 자기 자신과 유사한 형태를 가져야 하므로 그 해는 지수함수가 된다는 것을 쉽게 알 수 있다. 즉, $T(x) = Ae^{\lambda x} + Be^{-\lambda x}$이고 $\lambda = \sqrt{h'}$이 므로 위에서 주어진 두 개의 경계조건으로 미지수 A, B를 구하게 된다.

그림 24.3은 $h' = 0.05$ m^{-2}, $T_a = 300$ K, $T_b = 400$ k, $T_\infty = 200$ K, $L = 10$ m인 경우에 대해 해를 구하여 그래프로 나타낸 것인데, 간단한 계산을 통해 $A = 20.4671$, $B = 79.5329$임을 알수 있다.

그래프로부터 봉의 좌우측 경계에서의 온도는 각각 300 K, 400 K임을 알 수 있다. 가운데 영

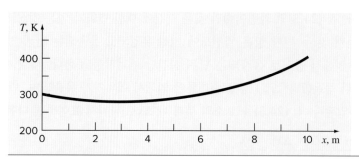

그림 24.3   가열된 봉의 온도에 대한 해석해.

역의 온도가 좌우보다 더 낮아진 이유는 노출된 표면에서 대류에 의해 에너지를 잃어버리기 때문이다.

24.2   사격법

위에서 언급한 경계조건의 문제는 앞서 다뤘던 적분법으로 풀 수 없으므로 다른 해결책을 찾아야 하는데, 대표적인 사례가 두 개의 경계조건 중 하나를 대체하는 임의의 초기조건을 설정한 후 이 초기조건을 이용하여 적분법으로 계산되는 해가 선택되지 않은 실제 경계조건의 값과 일치하도록 반복하여 선택한 초기조건을 수정하는 방식이다. 이 방식은 고차의 비선형 미분방정식에도 적용할 수 있다는 장점을 가지는데, 간단한 예로서 앞 절에서 설명된 가열된 봉을 설명하는 2차 선형 상미분방정식 문제를 다루고자 한다.

$$0 = \frac{d^2T}{dx^2} + h'(T_\infty - T) \tag{24.7}$$

앞에서 다룬 바와 같이 공간에 대해서 2차 상미분방정식으로 표현된 이 식은 2개의 1차 연립미분방정식으로 표현된다.

새로운 변수 z를 도입하면,

$$\frac{dT}{dx} = z \tag{24.8}$$

식 (24.7)은 새로운 변수 z에 대해서 1차식으로 표현되므로,

$$\frac{dz}{dx} = -h'(T_\infty - T) \tag{24.9}$$

우리가 구하고자 하는 해는 두 개의 1차 미분방정식인 식 (24.8)과 식 (24.9)를 연립해서 풀면 된다. 이 경우 $x = 0$에서 $T(0) = T_a$ 초기조건과 더불어 $z(0)$의 조건이 주어지면 초깃값 문제로 환원되어 적분법으로 문제를 해결할 수 있다. 즉, $x = 0$ 위치에서 온도의 공간변화율(기울기)을 초기조건으로 추정[$z(0) = z_{a1}$]하여 계산을 마친 후, 계산된 $T(L) = T_{b1}$ 값을 경계조건 T_b와 비교하여 보정하는 절차를 수행한다. 만약 $T_{b1} > T_b$라면 초기 기울기를 더 낮춰야 한다는 것을 의미하므로 새

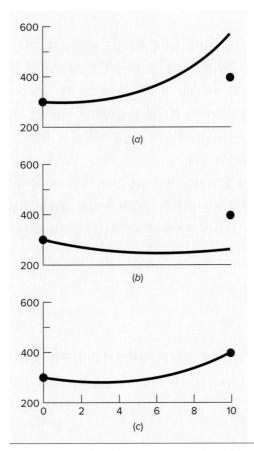

그림 24.4 사격법으로 계산된 거리 (m) 대비 온도 (K) 그래프의 (*a*) 첫 번째 '사격', (*b*) 두 번째 '사격', (*c*) 세 번째 '명중'.

로운 초기 기울기 z_{a2}를 이용하여 $T(L) = T_{b2}$를 새롭게 계산하고 다시 T_b와 비교하여 보정하는 절차를 수행한다. 앞서 두 번의 수행에서 얻어진 시도를 이용하여 새로운 초기조건 보정 작업을 하는 방법은 다음의 식을 이용한다.

$$z_a = z_{a1} + \frac{z_{a2} - z_{a1}}{T_{b2} - T_{b1}}(T_b - T_{b1}) \tag{24.10}$$

이때 초기조건의 새로운 보정값은 z_a, 아래 첨자의 숫자는 앞서 시도한 횟수를 의미한다. 가령, 그림 24.4는 앞서 그림 24.3에서 다룬 문제와 동일한 조건에서 정확한 경계조건 $T_b = 400$ K을 맞추기 위해서 1차, 2차, 3차 사격을 통해서 정확한 해를 찾아가는 과정을 보여 준다. 1차 시도에서 $z_{a1} = -5$ K/m를 사용하여 구간의 끝값 $T_{b1} = 569.7539$를 얻었다(그림 24.4*a*). 이 값이 너무 크므로 2차 시도에서는 $z_{a2} = -20$ K/m를 사용하여 $T_{b2} = 259.5153$을 구했다(그림 24.4*b*). 최종적으로 식 (24.10)을 이용하여 $z_a = -13.2075$을 대입했을 때 최종값은 정확한 값 400 K과 거의 같게 구해진다.

24.2.1 도함수 경계조건

지금까지 논의된 고정된 경계조건을 Dirichlet 경계조건이라 하는데, 이는 공학 및 과학 문제에서 다루어지는 여러 경계조건 중 하나에 불과하다. 또 다른 경계조건으로서 함숫값 대신 도함수 값이 주어진 경계조건이 있는데, 이를 Neumann 경계조건이라고 한다. 2차 상미분방정식의 사격법은 이미 종속변수와 그 도함수 값을 계산하는 형태로 만들어졌기 때문에 도함수에 대한 경계조건을 사격법에 포함시키는 것은 수월하다. 도함수 경계조건을 이용하는 사격법의 한 예로서 그림 24.5에 주어진 조건에 대해서 문제를 풀어 보자.

만약 좌측 경계에 일정한 온도를 가지는 경계면을 두는 대신 공기중에 노출을 시킨다면, 앞서 다루었던 봉의 온도 계산 문제에서 모든 조건은 동일하고 왼쪽 끝단의 온도를 300 K이라는 조건 대신 대류의 영향을 받는 조건으로 식을 변경한 경우가 된다. 앞서와 마찬가지로 지배방정식은 다음과 같다.

$$\frac{dT}{dx} = z$$
$$\frac{dz}{dx} = -0.05(200 - T)$$

좌측면에서의 경계조건은 열플럭스와 온도의 상관관계를 설명한 푸리에 법칙[식 (24.5)]에 의해서 결정된다. 즉, 대류에 의한 열손실이 좌측면에서의 열플럭스와 일치해야 하므로

$$hA_c(T_\infty - T(0)) = -kA_c\frac{dT}{dx}(0) \tag{24.11}$$

위 식에서 보이는 바와 같이 $x = 0$ 위치에서의 온도 대신 그 위치에서의 온도구배가 경계조건으로 정해진다. 이 문제를 사격법을 이용해서 푸는 경우는 앞서의 문제와 달리 $z(0)$ 대신 $T(0) = T_{a1}$을 초깃값으로 가정하여 마찬가지로 문제를 풀 수 있다. 가령 $T_{a1} = 300$ K를 이용한 경우 z_{a1} 역시 다음과 같이 계산된다.

$$z_{a1} = \frac{dT}{dx}(0) = \frac{1}{200}(300 - 200) = 0.5 \tag{24.12}$$

이때 주의해야 할 점은 T_{a1}의 변화에 따라 z_{a1}역시 달라진다는 점인데, 이는 식 (24.11)에서 온도의 도함수가 가진 특징에 기인하기 때문이다. 문제에 따라서는 도함수가 일정한 값(가령 0)을 가

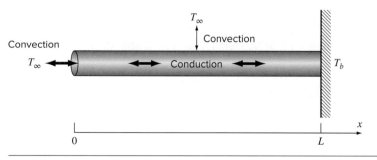

그림 24.5   한쪽 끝이 대류에 의한 경계조건을 가지고 다른 쪽 끝은 고정 온도를 가지는 봉.

지는 경우도 많은데, 이런 경우에는 더 쉽게 문제를 해결할 수 있다.

이 문제의 해는 미분방정식을 구간 $x = 0$에서 10까지 적분법으로 계산하는 다음의 파이썬 프로그램을 이용하여 구할 수 있다.

```
xi = 0. ; xf = 10.
xspan = np.linspace(xi,xf)
y0 = np.array([300.,0.5])
res = solve_ivp(dydx,(xi,xf),y0,t_eval=xspan)
t = res.t
T = res.y[0,:]
n = len(t)
print('Tb1 = {0:7.2f} K'.format(T[n-1]))

Tb1 = 683.53 K
```

이로부터 계산된 값 $T_{b1} = 683.53$ K은 우리가 원하는 경계조건 값 $T_b = 400$ K와 차이가 많이 난다. 그러므로 초기온도를 좀 더 낮춘 $T_{a2} = 150$ K을 이용하여 계산을 다시 수행한다. 이때의 초기 경계조건을 계산해 보면 $z_{a2} = -0.25$가 된다.

```
y0 = np.array([150.,-0.25])

Tb1 = -41.76 K
```

이번에 구한 최종 결과는 정확한 경계조건 값에 비해서 오히려 매우 낮아졌다. 두 번의 시행을 수행했으므로 이번에도 마찬가지로 식 (24.10)의 선형보간식을 이용하여 가장 적절한 z_a 및 T_a의 추정값을 계산할 수 있다.

$$T_a = 300 + \frac{150 - 300}{-41.76 - 683.53}(400 - 683.53) \cong 241.36 \text{ K}$$

이때에 부합하는 초기 기울기는 $z_a = 0.207$이며, 이 두 값을 초기조건으로 문제를 풀이하면 그림 24.6의 결과를 얻게 된다.

또 다른 확인 방법으로 이 초기조건들을 식 (24.11)에 대입했을 때 경계조건이 매우 잘 맞는다는 것을 알 수 있다.

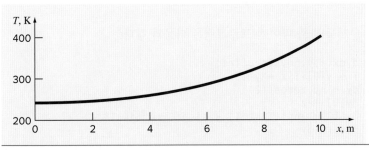

그림 24.6 한쪽 끝이 대류에 의한 경계조건을 가지고 다른 쪽 끝은 고정 온도를 가지는 봉의 온도에 대한 2차 상미분방정식의 해.

24.2.2 비선형 상미분방정식의 사격법

앞서 다룬 선형 미분방정식의 경우는 두 번의 사격법 시행을 통해 구한 값들로 선형보간법 또는 외삽법을 이용해서 정확한 해를 구할 수 있는 초기조건 값을 추정할 수 있었지만, 비선형 미분방정식의 경우는 이런 방식으로 반드시 적절할 초기조건 값을 구할 수 있다고 장담할 수 없다. 이에 대한 다른 대안은 사격법을 세 번 수행 후 선형보간 대신 2차 보간다항식에 적용하는 방식을 이용하는 것인데, 이 역시 정확한 초기조건 값을 산출한다는 보장을 할 수 없으므로 해를 구하기 위해서는 추가적인 반복이 필요하다.

비선형 문제의 사격법 풀이에서 적절한 초기조건을 찾는 또다른 방식은 방정식의 해 구하기 문제로 변환하는 것이다. 방정식의 해를 구하는 것은 $f(x) = 0$을 만족시키는 x를 구하는 것이므로 초기조건에 대한 예측식을 이러한 형태로 만들면 해를 구하는 것이 가능하다.

다시 봉의 온도 계산 문제를 생각해 보면, 봉의 좌측 위치에서의 온도기울기 z_a는 우측 끝단의 온도 T_b에 영향을 주므로 $T_b = f(z_a)$로 표현할 수 있고, 이 문제는 결국 방정식의 해 구하기 문제가 된다. 이때 우리가 구하고자 하는 값은 가장 적절한 초기조건 z_a이므로 원하는 경계조건 값과 계산된 값 사이의 차이를 다음과 같이 표현할 수 있다.

$$res(z_a) = f(z_a) - 400$$

즉, 우리의 목적은 $res(z_a) = 0$인 해를 구하는 것이다.

앞서 계산했던 봉의 온도를 계산한 미분방정식이 선형 미분방정식이었기 때문에 특별히 비선형 항을 가미하기 위해 복사에 의한 에너지 손실을 포함한 새로운 식으로 문제를 다루고자 한다.

$$0 = \frac{d^2T}{dx^2} + h'(T_\infty - T) + \sigma'(T_\infty^4 - T^4)$$

이때 $\sigma' = 2.7 \times 10^{-9}$ $K^{-3}m^{-2}$은 복사와 전도의 상대적인 비율을 통해 계산된 용적 열전달 매개변수(bulk heat-transfer parameter)이다. 우변의 첫 두 항은 기존에 다룬 항들이고, 세 번째 항은 복사에 의한 단위 시간당 에너지 손실을 뜻한다. 앞서 다룬 바와 마찬가지로 이 2차 상미분방정식을 두 개의 1차 상미분방정식으로 표현하면

$$\frac{dT}{dx} = z$$
$$\frac{dz}{dx} = -h'(T_\infty - T) - \sigma'(T_\infty^4 - T^4)$$

이고, 이 문제를 다룰 파이썬 프로그램은 다음과 같다.

```
def dydx(x,y,hp,sigp,Tinf):
    T = y[0] ; z = y[1]
    dy = np.zeros((2))
    dy[0] = z
    dy[1] = -hp*(Tinf-T) - sigp*(Tinf**4-T**4)
    return dy
```

앞서 언급한 바와 같이 참값과의 차이를 0으로 만들기 위해 다음의 함수를 정의한다.

```
def res(za,hp,sigp,L,Tinf,T0,TL):
    xi = 0. ; xf = L
    y0 = np.array([T0,za])
    result = solve_ivp(dydx,(xi,xf),y0,args=(hp,sigp,Tinf))
    n = len(result.t)
    return result.y[0,n-1]-TL
```

이를 통해 계산에 필요한 함수들은 준비가 되었다. 두 개의 연립 미분방정식을 풀기 위해서 앞서 설명한 solve_ivp 함수를 이용하여 봉의 끝단에서의 온도 result.y[n-1]을 계산한 후에 SciPy optimization submodule에서 제공되는 brentq 함수를 이용하여 z_a를 계산한다.

다음과 같이 초기조건을 넣어 준 후에 계산을 하면

```
L = 10  # m
hp = 0.05  # 1/m2
sigp = 2.7e-9  #  1/(K3*m2)
Tinf = 200.  # K
TL = 400.  # K
T0 = 300.  # K

za_soln = brentq(res,-10.,-100.,args=(hp,sigp,L,Tinf,T0,TL))
print('za = {0:7.2f} K/m'.format(za_soln))
```

결과에서 얻어지는 z_a의 계산값은 다음과 같다.

```
za = -41.74 K/m
```

해가 제대로 구해졌는지를 보여 주기 위해서 아래와 같이 계산 결과를 그래프로 그리는 파이썬 프로그램을 작성하여 그림 24.7을 얻었다. 이 결과물로부터 복사열 방출에 의한 비선형 항이 없는 경우(Linear)에 비해서 비선형(Nonlinear) 항이 포함된 경우에는 봉의 온도가 중심부에서 더 많이 내려가는 것을 알 수 있다.

```
xi = 0. ; xf = L
xspan = np.linspace(xi,xf)
y0 = np.array([T0,za_soln])
sol_out = solve_ivp(dydx,(xi,xf),y0,t_eval=xspan,args=(hp,sigp,Tinf))
x = sol_out.t
T = sol_out.y[0,:]

pylab.plot(x,T,c='k')
pylab.grid()
pylab.xlabel('distance - m')
pylab.ylabel('temperature - K')
```

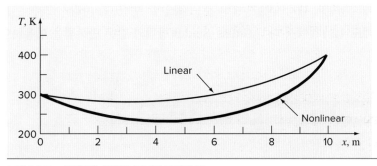

그림 24.7   사격법을 이용한 비선형 문제의 해.

24.3 유한차분법

경곗값 문제의 해를 구하는 문제에서 사격법의 대안으로 많이 사용되는 방법은 유한차분법으로서, 원래의 지배방정식에 표현된 도함수를 21장에서 배운 차분식으로 표현하여 연산을 수행한다. 이 방법을 도입하면 선형 미분방정식의 문제는 선형대수방정식으로 변환되어 3부에서 다룬 다양한 방법으로 쉽게 계산할 수 있게 된다.

다시 한 번 앞서 다룬 가열된 봉의 1차원 모델식인 식 (24.6)을 이용하면 다음과 같은데,

$$0 = \frac{d^2T}{dx^2} + h'(T_\infty - T) \tag{24.13}$$

이 문제를 풀기에 앞서 제목에서 언급된 바와 같이 해를 구하고자 하는 공간을 일련의 간격으로 잘라서 점들로 나누고 각 점에서 방정식의 도함수에 대한 유한차분법 근사식을 쓴다. 가령 우변의 2차 도함수는 구간 간격에 대해 2차 정확도를 가지는 중간차분법을 이용하면 다음과 같고,

$$\frac{d^2T}{dx^2} = \frac{T_{i-1} - 2T_i + T_{i+1}}{\Delta x^2} \tag{24.14}$$

이를 식 (24.13)에 대입하면 다음의 식이 유도되며,

$$\frac{T_{i-1} - 2T_i + T_{i+1}}{\Delta x^2} + h'(T_\infty - T_i) = 0$$

모든 항들에 대해서 모아서 정리하면 다음과 같다.

$$-T_{i-1} + (2 + h'\Delta x^2)T_i - T_{i+1} = h'\Delta x^2 T_\infty \tag{24.15}$$

이를 공간의 모든 점들에 대해서 배열하면 연립방정식이 된다. 즉, 미분방정식이 차분방정식으로 바뀌면서 $(n - 1)$개의 내부점들 사이의 상관관계를 표시하는 선형대수의 문제로 변환되었다.

구간의 첫 점 T_0와 마지막 점 T_n은 각각 경계조건에 의해서 지정된 값이므로 미지수는 $(n - 1)$개이고 이에 대한 조건은 $(n - 1)$개의 연립 선형대수방정식으로 주어진다. 이 방식은 크게 두 가지 장점이 있다. 첫째, 1차원 문제의 경우 서로 인접한 세 점들의 관계식이 주어지므로 삼중대각행렬로 표현되는 선형대수 방정식이 만들어진다. 앞서 9.4절에서 다룬 바와 같이 삼중대각행렬을 매우 빠르고 효율적인 알고리즘을 이용해서 해를 쉽게 구할 수 있다. 또 다른 중요한 사항으로서 주어진 삼중대각행렬이 대각지배 행렬인 것도 확인할 수 있다. 따라서 2차원 내지 3차원 문제로 확장되었을 때도 12.1절에서 다룬 Gauss-Seidel 방법과 같은 반복법을 이용하여 해를 구할 수 있다.

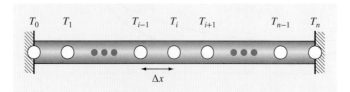

그림 24.8   유한차분법을 도입하기 위해 가열된 봉의 계산 위치를 등간격 노드 점으로 나눈 사례.

24.3.1 Dirichlet 경계조건에 대한 유한차분법

한 예로서, 앞서 계산한 양단의 경곗값이 300 K, 400 K으로 주어진 봉의 온도분포 문제를 유한차 분법으로 계산해 보자. 모든 매개변수에 대해서 동일한 조건을 사용하고 공간을 $\Delta x = 2$ m간격으 로 나누어 계산해 보면, 식 (24.15)는 다음과 같이 변형된다.

$$-T_0 + 2.2T_1 - T_2 = 40$$

전체 계산점 6개에 대해서 $i = 0$부터 $i = 5$까지 값을 대입하면, 양 끝점은 $T_0 = 300$, $T_5 = 400$으 로 경계조건으로 주어진 경우이므로 우변으로 이항하여 다음의 행렬식을 얻게 된다.

$$\begin{bmatrix} 2.2 & -1 & 0 & 0 \\ -1 & 2.2 & -1 & 0 \\ 0 & -1 & 2.2 & -1 \\ 0 & 0 & -1 & 2.2 \end{bmatrix} \begin{bmatrix} T_1 \\ T_2 \\ T_3 \\ T_4 \end{bmatrix} = \begin{bmatrix} 340 \\ 40 \\ 40 \\ 440 \end{bmatrix}$$

이 행렬은 삼중대각행렬이면서 대각항이 주요한 대칭행렬이다. 이 해를 구하는 파이썬 프로그램 은 다음과 같다.

```
import numpy as np

A = np.array([[2.2, -1., 0., 0.],
              [-1., 2.2, -1., 0.],
              [0., -1., 2.2, -1.],
              [0., 0., -1., 2.2]])
b = np.array([340., 40., 40., 440.])
T = np.linalg.solve(A,b)
for i in range(4):
    print('{0:7.2f}'.format(T[i]))
```

이로부터 얻어지는 결과는 다음과 같다.

```
283.27
283.19
299.74
336.25
```

표 24.1에는 해석적으로 계산한 해와 사격법, 유한차분법으로 계산한 해를 비교하고 있다. 이 표를 토대로 보면 유한차분법의 오차가 사격법에 비해서는 큰 것처럼 보이지만 이는 단지 5개의

표 24.1 온도에 대한 정확한 해석해와 사격법, 유한차분법으로 구한 해의 비교.

x	Analytical Solution	Shooting Method	Finite-Difference
0	300	300	300
2	282.8634	282.8889	283.2660
4	282.5775	282.6158	283.1853
6	299.0843	299.1254	299.7416
8	335.7404	335.7718	336.2462
10	400	400	400

점으로 계산을 수행했기 때문이고, 실제로는 더 많은 점을 이용해서 계산을 한다. 이 문제의 경우 계산 속도는 유한차분법이 사격법에 비해서 압도적으로 빠르면서, 성긴 구간 간격을 사용했음에도 불구하고 계산 결과가 비교적 잘 맞는다.

24.3.2 Neumann 경계조건에 대한 유한차분법

이번에는 앞서의 경우와 달리 식 경계조건이 도함수의 형태로 주어진 경우에 대해서 해를 구해 보자. 아래와 같이 경계조건이 주어진 경우, 우측 경계면에는 온도값을, 좌측 경계면에는 온도구배를 지정하게 된다.

$$\frac{dT}{dx}(0) = T_a'$$

$$T(L) = T_b$$

T_0의 값이 경계조건으로 특정되지 않았기 때문에 미지수로 처리해야 하며,

$$-T_{-1} + (2 + h'\Delta x^2)T_0 - T_1 = h'\Delta x^2 T_\infty \tag{24.16}$$

따라서 앞선 경우에 비해서 계산해야 할 변수가 하나 더 늘어난다. 이 점에서의 지배방정식을 고려하면 그림 24.9에 나타난 바와 같이 좌측면에서의 T_0를 계산할 때는 가상의 점에서의 함숫값 T_{-1}을 함께 사용해야 한다. 이 값이 얼마인지를 추정하는 것이 난감해 보이지만, $x = 0$에서의 도함수경계조건에 의해 계산이 가능하다. 중간차분 1차 미분식을 도입하면

$$\frac{dT}{dx} = \frac{T_1 - T_{-1}}{2\Delta x}$$

이므로

$$T_{-1} = T_1 - 2\Delta x \frac{dT}{dx}$$

이고, 이 값을 식 (24.16)에 대입하면 T_0와 T_1 사이에는 다음의 관계식이 구해진다.

$$(2 + h'\Delta x^2)T_0 - 2T_1 = h'\Delta x^2 T_\infty - 2\Delta x \frac{dT}{dx} \tag{24.17}$$

이 식의 우변에 온도의 도함수가 포함되어 있으므로 경계조건이 해를 구하는 데 반영되었다.

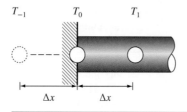

그림 24.9 가열된 봉의 좌측에 열원이 존재하는 경우에는 경계면에서의 미분값을 계산하기 위해 Δx만큼 떨어진 위치의 가상 노드가 존재하는 것으로 가정.

열전달 문제의 도함수 경계조건의 흔한 사례는 끝부분에 단열이 되어 있어 열전달이 일어나지 않는 경우이다. 이런 경우는 푸리에 법칙[식 (24.5)]에서 온도구배가 0이 되어야 함을 뜻하므로, 간단하게 우변에 있는 도함수가 0이 된다.

이상의 내용을 이용해서 앞서 계산했던 봉의 온도분포 문제를 좌측 경계가 단열이 된 경우로 해석을 하면, 식 (24.17)은 다음과 같이 표현된다.

$$2.2T_0 - 2T_1 = 40$$

이후의 점들에 대한 경계조건은 앞의 절에서 다룬 바와 동일하므로, 전체 점들에 대한 행렬식을 구하면 다음과 같다.

$$\begin{bmatrix} 2.2 & -2 & & & \\ -1 & 2.2 & -1 & & \\ & -1 & 2.2 & -1 & \\ & & -1 & 2.2 & -1 \\ & & & -1 & 2.2 \end{bmatrix} \begin{Bmatrix} T_0 \\ T_1 \\ T_2 \\ T_3 \\ T_4 \end{Bmatrix} = \begin{Bmatrix} 40 \\ 40 \\ 40 \\ 40 \\ 440 \end{Bmatrix}$$

앞서 계산한 Dirichlet 경계조건과 달리 미지수가 하나 더 늘어났고 첫 행의 계수가 다른 행의 계수와 약간 차이가 난다. 만약 좌측 끝단에서의 온도구배를 −20으로 주는 경우에는 연립방정식에서 다음과 같이 행렬식의 우변 값이 달라지고

$$\begin{bmatrix} 2.2 & -2 & & & \\ -1 & 2.2 & -1 & & \\ & -1 & 2.2 & -1 & \\ & & -1 & 2.2 & -1 \\ & & & -1 & 2.2 \end{bmatrix} \begin{Bmatrix} T_0 \\ T_1 \\ T_2 \\ T_3 \\ T_4 \end{Bmatrix} = \begin{Bmatrix} 120 \\ 40 \\ 40 \\ 40 \\ 440 \end{Bmatrix}$$

이로 인한 해의 차이는 그림 24.10에 보인다. 온도구배가 없는 경우에 음인 경우보다 좌측 끝단에서 온도가 내려가는 것을 알 수 있다.

24.3.3 비선형 상미분방정식에 대한 유한차분법

앞 절에서 다룬 선형 상미분방정식은 유한차분법에 의해 미분방정식이 선형대수방정식으로 바뀐다는 큰 장점이 있었으나, 비선형 상미분방정식의 경우 선형대수방정식으로 간단하게 처리되지

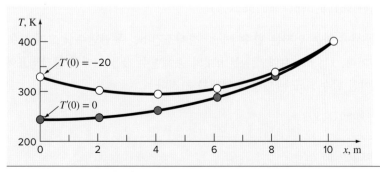

그림 24.10   왼쪽 경계면에 온도구배 경계조건, 오른쪽 경계면에 고정 온도 경계조건을 가지는 경우의 2차 상미분방정식의 해를 $x = 0$에서 두 가지 온도구배 조건에 대해서 계산한 사례.

않고 복잡한 다항식 혹은 특수함수를 포함한 형태로 표현되어 계산이 어렵게 된다. 한 예로서 복사열전달에 의한 항을 포함한 봉의 온도분포 계산 문제를 고려해 보자.

$$0 = \frac{d^2T}{dx^2} + h'(T_\infty - T) + \sigma''(T_\infty^4 - T^4)$$

이 문제의 미분항을 2차 정확도를 가지는 중간차분법으로 차분화시키면 다음과 같다.

$$0 = \frac{T_{i-1} - 2T_i + T_{i+1}}{\Delta x^2} + h'(T_\infty - T_i) + \sigma''(T_\infty^4 - T_i^4)$$

이를 항별로 정리하면 다음과 같은데

$$-T_{i-1} + (2 + h'\Delta x^2)T_i - T_{i+1} = h'\Delta x^2 T_\infty + \sigma''\Delta x^2(T_\infty^4 - T_i^4)$$

이 식은 4차 다항식이므로 행렬식으로 표현할수 없다. 비록 우변에는 비선형 항이 존재하지만 좌변에는 대각행렬이 지배하는 형태로 나타난 점에 착안해서 반복계산법을 도입하는 경우에는 이 문제를 풀 수 있다. 즉, 좌변에서 계산되는 항은 새로운 반복연산에서 구할 온도값이고, 우변에서 사용되는 값은 이전 계산의 결과물로부터 얻어진 값이라면 T_i^4항은 더 이상 미지수가 아니라 지난 단계의 계산에서 구한 아는 값이다. 이러한 방식의 연산을 계속 수행하기 위해 Gauss-Seidel 방법을 사용한다. 경우에 따라서는 비선형 특성에 의해 강성이 발생하여 이러한 연산 방법이 수렴하지 않을 수도 있지만, 물리 현상으로 관측되는 많은 문제의 경우는 해가 수렴하므로 공학, 과학 문제를 해결하는 데 매우 유용하다.

24.4 파이썬 함수: solve_bvp

파이썬 SciPy 라이브러리의 적분 모듈 integrate에서 제공되는 solve_bvp 함수는 경곗값 문제의 상미분방정식을 푸는 데 매우 유용하게 사용된다. 이 함수는 **감쇠 Newton 방법**(dampled Newton's method)과 합성된 **4차 결합**(fourth-order colloation) 방법이라는 진보된 유한차분 알고리즘을 사용한다. 이에 대한 문법은 다음과 같다.

```
from scipy.integrate import solve_bvp
sol = solve_bvp(func,bc,x,y)
```

이때 제공해야 하는 인자는 함수 func, 경계조건 bc, 독립변수 x 그리고 초기조건으로 주어진 종속변수 y이다. x는 $m \times 1$ 배열, y는 n개의 종속변수 값을 m개의 공간좌표에서 표현한 $n \times m$ 배열이다. 주어진 함수 func는 다음의 형태를 가진다.

```
def func(x,y):
    .
    .
    return dy
```

경계조건의 경우 다음과 같이 정의되는데, ya와 yb는 구간의 양 끝에서의 경계조건으로 주어진 종속변수 n개에 대한 $n \times 1$배열이고, res는 이 경곗값과의 차이로 계산된 잔차를 뜻한다.

```
def bc(ya,yb):
    .
    .
    return res
```

이에 대한 예제로서 다음의 미분방정식을 고려하자.

$$\frac{d^2y}{dx^2} + y = 1$$

경계조건으로 $y(0) = 1$, $y(\pi/2) = 0$을 이용한다.

이 문제의 경우 2차 미분방정식을 2개의 1차 상미분방정식으로 분해하면 다음과 같으므로

$$\frac{dy}{dx} = z$$

$$\frac{dz}{dx} = 1 - y$$

파이썬 프로그램에서 dydx 함수를 다음과 같이 정의할 수 있다.

```
def dydx(x,y):
    dy = []
    dy.append(y[1])
    dy.append(1.-y[0])
    return dy
```

경계조건의 잔차를 지정하는 함수는 다음과 같이 정할 수 있다. 왼쪽 및 오른쪽 경계조건을 ya[0], ya[1], yb[0], yb[1] 이렇게 각각 2개씩 지정한 후에 잔차함수를 다음과 같이 정한다.

```
def bc(ya,yb):
    return np.array([ya[0]-1,yb[0]])
```

최종적으로 구간 0에서 $\pi/2$를 10개의 등간격 구간으로 나눈 점들에 대해서 초깃값 $y = 1$, $z = -1$을 넣고 계산 후 그래프를 구하는 프로그램을 다음과 같이 작성하였다.

```
x = np.linspace(0.,np.pi/2,10)
y = np.zeros((2,10))
y[0,:] = 1 ; y[1,:] = -1
sol = solve_bvp(dydx,bc,x,y)
y = sol.y[0,:]

pylab.plot(x,y,c='k')
pylab.grid()
pylab.xlabel('x')
pylab.ylabel('y')
```

이 스크립트의 수행 결과는 다음의 그래프와 같다.

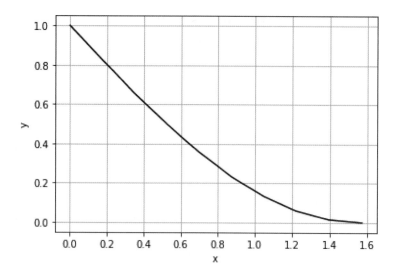

24.1 봉의 정상 상태의 에너지 평형 방정식은 다음과 같이 주어진다.

$$\frac{d^2T}{dx^2} - 0.15\,T = 0$$

길이 $L = 10$ m인 봉에 대해서 경계조건 $T(0) = 240$과 $T(L) = 150$을 이용하여 다음의 방법으로 해를 구하라.

(a) 해석적 방법

(b) 사격법

(c) $\Delta x = 1$ m인 유한차분법

24.3 사격법을 이용하여 경계조건이 $y(0) = 5$이고 $y(20) = 8$인 경우에 다음의 상미분방정식을 계산하라.

$$7\frac{d^2y}{dx^2} - 2\frac{dy}{dx} - y + x = 0$$

24.5 아래의 비선형 상미분방정식을 24.3.3절에서 다루었다.

$$0 = \frac{d^2T}{dx^2} + h'(T_\infty - T) + \sigma'(T_\infty^4 - T^4) \qquad \text{(P24.5)}$$

이와 같은 방정식은 종종 해를 근사하기 위해서 선형화된다. 1차 테일러 급수로 전개하여 방정식의 4차 항을 다음과 같이 선형화한다.

$$T^4 \cong \bar{T}^4 + 4 \cdot \bar{T}^3 \cdot (T - \bar{T})$$

이때 $\bar{T}$는 선형화를 위한 기준온도이다. 이 조건을 식 (P24.5)에 대입하여 얻어진 선형 상미분방정식을 유한차분법으로 계산하라. $\bar{T} = 300$, $\Delta x = 1$ m. 그리고 그림으로 그려라.

24.7 다음과 같은 Dirichlet 경계조건을 가지는 선형 2차 상미분방정식을 유한차분법으로 구현한 파이썬 함수 lin_finite을 개발하고 연습문제 24.1b를 이 프로그램으로 계산하라.

$$a\frac{d^2y}{dx^2} + b\frac{dy}{dx} + c\,y = f(x) \quad L_1 \le x \le L_2 \quad y(L_1) = y_1 \quad y(L_2) = y_2$$

24.9 열원 분포가 아래와 같이 공간에 대해서 변화하는 경우에 연습문제 24.8을 계산하라.

$$f(x) = 0.12\,x^3 - 2.4\,x^2 + 12\,x$$

24.11 합성물 A가 4 cm 길이의 관을 통하여 확산하면서 반응한다. 반응하는 확산 과정에 대한 지배방정식은 다음과 같다.

$$D\frac{d^2A}{dx^2} - kA = 0$$

이때 D는 확산계수 (cm^2/s), A는 몰농도 (M), k는 반응률 (s^{-1})을 의미한다. 튜브의 왼쪽 끝 $(x = 0)$에 대량 공급원이 있어 A가 0.1 M로 고정되어 있고 다른 쪽 끝에는 빠르게 A를 흡수하는 물질이 있어 몰농도가 0이다. $D = 1.5 \times 10^{-6}$ cm^2/s이고 $k = 5 \times 10^{-6}$ s^{-1}일 때, 관의 위치별로 몰농도 A를 계산하라.

24.13 일련의 1차 액상 반응은 원하는 생성물 B와 원치 않는 부산물 C를 생성한다.

$$A \xrightarrow{\ k_1\ } B \xrightarrow{\ k_2\ } C$$

만약 그림 P24.12의 튜브형 축방향 분산 반응기 내에서 반응이 일어난다면 정상 상태의 질량 평형을 이용하여 다음의 2차 상미

분방정식이 얻어진다.

$$D\frac{d^2c_a}{dx^2} - U\frac{dc_a}{dx} - k_1 c_a = 0$$

$$D\frac{d^2c_b}{dx^2} - U\frac{dc_b}{dx} + k_1 c_a - k_2 c_b = 0$$

$$D\frac{d^2c_c}{dx^2} - U\frac{dc_c}{dx} + k_2 c_b = 0$$

유한차분법을 이용하여 각 물질의 농도를 위치의 함수로 계산하시오. 이때 사용할 매개변수는 다음과 같다. $D = 0.1$ m^2/min, U = 1 m/min, $k_1 = 3$ min^{-1}, $k_2 = 1$ min^{-1}, $L = 0.5$ m, $c_{a.in} = 1$ mol/L. $\Delta x = 0.05$ m인 중심차분법 가정과 연습문제 24.12에서 소개된 Danckwerts 경계조건을 이용하여 해를 구하라. 또한, 반응물의 합을 길이의 함수로 계산하라. 구해진 결과가 타당한가?

24.15 그림 P24.15와 같이 두 지지점 A, B 사이에 케이블이 걸려 있고 케이블의 분포하중이 x의 함수로 다음과 같이 주어졌다.

$$w = w_0\left[1 + \sin\left(\frac{\pi x}{2l_A}\right)\right]$$

이때 $w_0 = 450$ N/m이다. 케이블의 가장 낮은 점인 $x = 0$ 위치에서의 기울기(dy/dx)는 0이며, 이 지점에서의 인장력 역시 최소값인 T_0이다. 케이블의 위치에 대한 지배방정식은 다음과 같다.

$$\frac{d^2y}{dx^2} = \frac{w_0}{T_0}\left[1 + \sin\left(\frac{\pi x}{2l_A}\right)\right]$$

수치해석 기법으로 이 문제를 풀고 케이블의 모양을 그려라(y 대비 x). 이때 T_0가 미지수이므로 사격법과 유사하게 T_0를 다양하게 바꿔가면서 높이 h_A를 맞추도록 반복하는 기법을 이용해서 해를 구해야 한다.

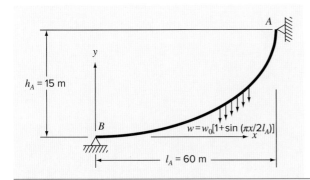

그림 P24.15

24.17 연습문제 24.16에서 균일 하중을 받는 보의 탄성곡선에 대한 기본 미분방정식을 다음과 같이 제시하였다.

$$EI\frac{d^2y}{dx^2} = \frac{wLx}{2} - \frac{wx^2}{2}$$

우변이 x의 함수로 모멘트를 나타내는 것을 주목하라. 등가의 식을 탄성곡선의 4차 미분방정식으로 다음과 같이 표현할 수 있다.

$$EI\frac{d^4y}{dx^2} = -w$$

이 식에서는 네 개의 경계조건이 필요하다. 그림 P24.16에서 보인 경우에 대해서는 양 끝점에서의 변위가 0, 즉 $y(0) = y(L) = 0$ 이고, 끝점에서의 모멘트도 0이므로 $y''(0) = y''(L) = 0$이다. Δx = 0.6 m인 유한차분법을 이용하여 보의 처짐을 구하라. 이때 다음의 매개변수를 사용한다. $E = 200$ GPa, $I = 30,000$ cm^4, $w = 15$ kN/m, $L = 3$ m. 계산 결과를 연습문제 24.16에서 제시한 해석해와 비교하라.

24.19 연습문제 24.18에서는 지하수 대수층의 높이에 대해 선형화된 모델이 사용되었는데, 아래의 비선형 상미분방정식 모델을 사용하는 경우 더 현실적인 결과를 얻을 수 있다.

$$\frac{d}{dx}\left(Kh\frac{dh}{dx}\right) + N = 0$$

이때 x는 거리 (m), K는 투수계수 (m/d), h는 지하수면의 높이 (m), $\bar{h}$는 지하수면의 평균 높이 (m) 그리고 N은 침투율 (m/d)이다. 연습문제 24.18과 동일한 조건에서 지하수면의 높이를 사격법으로 구하라.

24.21 낙하하는 물체의 위치가 아래의 미분방정식으로 표현되는 경우에 대해서 사격법을 이용하여 해를 구하라.

$$\frac{d^2x}{dt^2} + \frac{c}{m}\frac{dx}{dt} - g = 0$$

이때 c는 1차 항력계수 (12.5 kg/s), m은 질량 (70 kg), g는 중력 가속도 (9.81 m/s^2)이다. 경계조건은 다음과 같다.

$$x(0) = 0. \qquad x(12) = -500$$

24.23 연습문제 24.22를 관이 단열되고 오른쪽 끝단의 온도가 300 K으로 고정된 경우에 대해서 계산하라.

24.25 그림 P24.25a는 선형적으로 증가하는 분포하중을 받는 균일한 보를 보인다. 이때 발생하는 탄성곡선은 다음의 미분방정식으로 주어진다(그림 P24.25b 참조).

$$EI\frac{d^2y}{dx^2} - \frac{w_0}{6}\left(0.6Lx - \frac{x^3}{L}\right) = 0$$

이 탄성곡선의 해석해는 다음과 같다.

$$y = \frac{w_0}{120EIL}(-x^5 + 2L^2x^3 - L^4x)$$

`solve_bvp` 함수를 이용해서 위의 미분방정식을 계산하고 해석

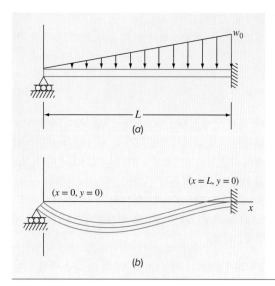

그림 P24.25

해와 수치해를 동일한 그래프에 그려라. 이때 다음의 매개변수 값들을 사용하라. $L = 600$ cm, $E = 50,000$ kN/cm^2, $I = 30,000$ cm^4, $w_0 = 2.5$ kN/cm.

24.27 내부 열원 S가 있는 원형 막대의 온도분포를 나타내는 다음의 무차원화된 상미분방정식을 solve_bvp 함수를 이용해서 $0 \le r \le 1$ 영역에서 계산하라.

$$\frac{d^2T}{dr^2} + \frac{1}{r}\frac{dT}{dr} + S = 0$$

이때 경계조건은 다음과 같다.

$$\frac{dT}{dr}(0) = 0 \qquad T(1) = 1$$

$S = 1, 10, 50$ K/m^{2}인 경우에 대해 각각 계산하여 동일한 그래프에서 그림을 그려라.

부록 A
MATPLOTLIB

Matplotlib 모듈은 파이썬 프로그램의 그래픽 지원을 위한 다양한 기능을 제공한다. 학생들(특히 파이썬을 처음 접하는 학생들)이 사용하기가 간단하고 쉽기 때문에 이 텍스트에서 하위 집합 모듈인 pylab의 사용에 중점을 두었다. 본 교재에서 학생들이 숙제 및 기타 학업 프로젝트에서 참고할 만한 예제를 제공하면서도 많은 설명 없이 Matplotlib의 응용 프로그램을 포함했기 때문에, 이 부록에서는 그림을 만들 때 엔지니어와 과학자가 필요로 하는 Matplotlib 및 해당 모듈 pyplot의 응용 프로그램을 보다 철저하게 적용할 수 있는 안내를 하고자 한다. 즉 Matplotlib의 포괄적인 설명이 아니라 책의 본문에서 다뤘던 내용의 실질적인 확장을 목적으로 한다.

Matplotlib에는 수많은 좋은 리소스가 있는데, 우선 Spyder Help 메뉴를 통해 접근할수 있는 Matplotlib 사이트는 많은 기능과 사용법에 대한 교육 자료가 포함되어 있어 큰 도움이 된다. 여기에서 소개하는 것보다 훨씬 더 포괄적인 자료를 제공하고 있으므로 이 사이트를 통해 자신의 지식, 경험 및 능력을 확장하는 것을 추천한다. 문서화된 형태로는 Devert(2014), Wood(2015) 및 Hill(2015)의 책과 같이 좋은 참고자료를 활용할 것을 권장한다.

이 부록에서 다루는 주제는 다음과 같다.

A.1   간단한 그림 만들기 기초
A.2   선그리기 기능 선택 및 사용자 지정 추가
A.3   통계 도표: 오차 표시줄, 히스토그램, 상자 도표
A.4   한 그림에 여러 플롯 넣기, 축 객체
A.5   3차원 그림 그리기: 등고선 및 표면 플롯

A.1   간단한 그림 만들기 기초

첫 번째 단계는 Matplotlib의 pyplot 모듈을 가져오는 것이다.

```
import matplotlib.pyplot as plt
```

여기서 약어 plt를 선택한 것이 필수는 아니지만 대부분의 파이썬 응용 프로그램에서 그림을 그릴때 이러한 작명을 쓰므로 권장한다. 이것은 마치 NumPy 모듈을 호출할 때 np를 사용하는 것과

유사하다. 다음으로 그리고자 하는 데이터가 필요한데, 일반적으로 연속 함수의 계산에서 나온 데이터는 기호가 아닌 연결선으로 표시된다. 실험 측정을 나타내는 데이터는 실제 데이터가 주어진 위치에서는 표시기호를 넣고 이들을 선으로 연결하는 방식이 패턴 인식을 향상시키므로 널리 사용된다. 시계열과 같은 수백(또는 수천)의 순차적 데이터 포인트를 그릴 때도 너무 많은 기호가 오히려 시각적으로 좋지 않을 수 있어서 일반적으로 기호를 생략하고 선만 사용한다.

첫 번째 예로서, 연속 함수를 그리는 스크립트를 만들면 다음과 같다. 이때 사용한 함수는 *humps* 함수의 한 버전인데, 사용자가 원하는 임의의 함수를 선택할 수 있다. 아래의 용례에 보인 바와 같이 함수를 지정하고, 그림을 그리고자 하는 독립변수의 구간을 정하고, plot을 이용해서 선으로 표시된 그림을 만든다. 사용 환경에 따라 화면에 그림을 보이는 명령이 필요할 경우 show를 이용한다.

$$f(x) = \frac{1}{(x-0.3)^2 + 0.01} + \frac{1}{(x-0.9)^2 + 0.04} - 6$$

```
import numpy as np
x = np.linspace(0,1)
f = lambda x: 1/((x-0.3)**2+0.01)+1/((x-0.9)**2+0.04)-6
plt.plot(x,f(x))
plt.show()
```

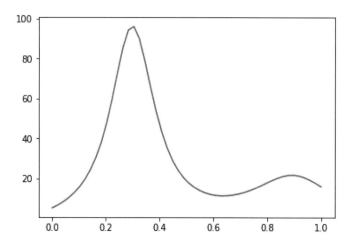

여기서 구간을 등간격을 나누기 위해서 linspace 함수를 사용하는데, 이를 이용하여 독립변수의 배열을 생성하기 위해 NumPy 모듈을 가져와야 한다. 그림의 선은 실제로 생성될 때는 파이썬에서 선택한 값은 파란색이지만 색을 변경하는 것이 가능하다. plt.show() 명령은 Spyder IDE에서 작동하는 경우에는 필요하지 않지만 스크립트가 해당 환경 외부에서 실행되는 경우 필요할 수도 있다.

여기까지는 가장 기본적인 경우이고 이를 기준으로 다양한 변형이 가능하다. 가령 함수 대신 데이터 조합을 이용해서 그림을 그린다든지, 그려진 점들을 선으로 이어서 보여준다든지, 아주 많은 자료를 저장된 파일로부터 읽어서 그림을 그린다든지 등의 사례를 아래의 스크립트를 통해서 확인하도록 하자. 우선 아래의 스크립트는 그리고자 하는 자료 배열을 직접 지정 후 scatter 명령으로 뿌려주는 그래프를 그린 사례이다.

```
x = np.array([350,370,461,306,313])
y = np.array([0.,29.6,15.2,66.5,2.3])
plt.scatter(x,y)
plt.show()
```

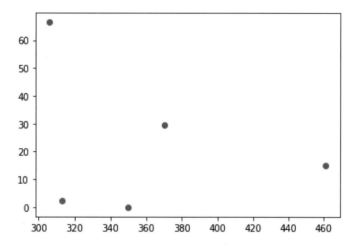

만약 자료들을 선으로 연결하고 싶다면 scatter 대신에 plot 명령을 사용하면 된다. 이때 사용한 표시기호(marker) 's'는 사각형(square) 점을 의미한다.

```
x = np.array([350,370,461,306,313])
y = np.array([0.,29.6,15.2,66.5,2.3])
plt.plot(x,y,marker='s')
plt.show()
```

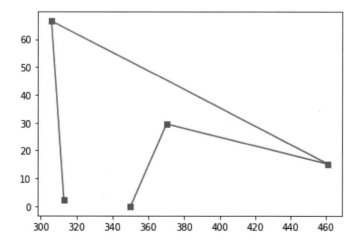

그러나 이경우에는 위의 그림과 같이 배열의 순서대로 선이 연결되므로 다소 산만한 그림이 된다. 독립변수가 순차적으로 증가하는 순서로 자료를 그리는 것이 일반적이므로, 이를 위해서는 직접 데이터의 순서를 다시 고친 후 실행을 해야 보기 좋은 그림이 구해진다.

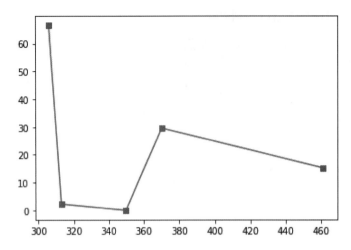

자료의 양이 많은 경우 데이터를 직접 손으로 재배열하는 대신 순차적으로 분류(sorting)하는 파이썬 코드를 작성해서 데이터 순서를 바꾼 후 그림을 그리는 것이 좋다. 만약 많은 자료를 저장한 텍스트(text) 파일이 있는 경우, 자료를 읽어들이는 NumPy 명령 loadtxt를 이용한다.

```
y = np.loadtxt('visc.txt')
plt.plot(y)
plt.show()
```

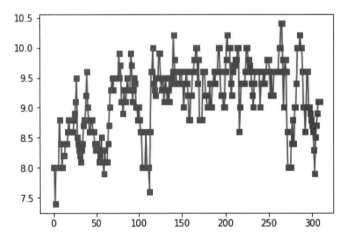

이때 plt 함수에 y만을 전달한 경우 x축의 값은 데이터의 순서로 지정된다. 그러나 이 그래프에서 선을 제외하기 위해서 scatter 명령을 사용하려면 반드시 x축의 배열을 미리 지정해줘야 한다. 가장 간단하게 x좌표를 지정하는 방법은 순차적으로 번호를 매겨서 자료의 개수 n개 만큼의 배열을 만드는 것이다.

```
y = np.loadtxt('visc.txt')
n = len(y)
x = []
for i in range(n):
    x.ap end(i)
plt.scatter(x,y)
plt.show()
```

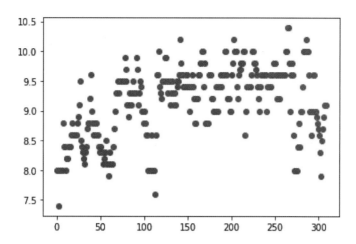

위의 그림과 같이 너무 많은 자료를 마커를 이용해서 표시할 때는 시각적으로 그리 좋지 않아 보이기 때문에 그냥 선으로 연결해서 보여주는 것이 나을 때도 있다. 사용자가 그림의 양식이나 그리기 방식, 색 등 모든 것을 지정할 수 있다.

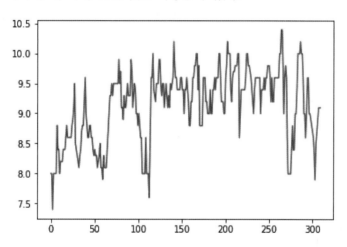

A.2 선그리기 기능 선택 및 사용자 지정 추가

보통의 경우 선 그리기를 수행할 때 필요한 정보는 다음과 같다.

- 선 색, 스타일, 두께
- 그리드 라인 유무
- 축 표현(label) 및 그림 제목
- 축의 영역 범위
- 다중선의 범례 표시
- 다중 그림(multiple plots) 표현

선의 색 및 스타일 지정을 선택할 때는 다음의 용례를 따른다.

Character	Color
k	black
b	blue
g	green
r	red
c	cyan
m	magenta
y	yellow
w	white

Character	Style
−	solid
−−	dashed
:	dotted
−.	dash-dot

앞서 그림 그렸던 humps 함수를 검은색으로 dash-dot 스타일로 그리고자 할 때 다음과 같이 plot 명령 내부에 색 지정('c') 및 선 스타일 지정('ls') 문법을 따른다. 원래 이름은 'color' 및 'linestyle'이지만 이를 축약하여 'c' 및 'ls'만 적어도 된다.

```
x = np.linspace(0,1)
f = lambda x: 1/((x-0.3)**2+0.01)+1/((x-0.9)**2+0.04)-6
plt.plot(x,f(x),c='k',ls='-.')
plt.show()
```

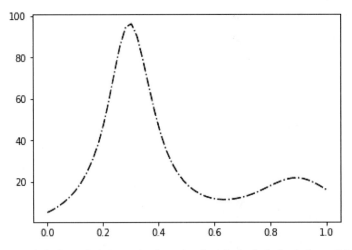

하나의 곡선만을 그릴 때는 꼭 필요하지 않지만 여러 곡선을 하나의 그림에 함께 그릴 때는 서로 다른 선 스타일을 사용하여 구별되게 해주는 것이 좋다. 특히 출력물이 천연색이 아니라 흑백으로 표시되는 경우에는 색을 지정한 선들의 구별이 잘 안되는 경우가 많기 때문에 선 스타일 지정이 매우 중요하다. 엔지니어들이나 과학자들은 그림에서 그려진 자료의 정확한 값을 쉽게 파악하고자 격자(grid)를 뒤에 표시하는 것을 종종 선호하는데, 이 경우에는 grid 명령을 사용한다. 토의 자료 또는 보고서 용도의 그림에는 격자를 넣는 것이 자료를 이해시키는데 도움이 되겠지만 그림이 너무 복잡하게 보일 수 있다. 또한 전문 과학기술논문에서는 격자를 표시하지 않는 것을 기본 원칙으로 한다는 점에 유의하자.

```
x = np.linspace(0,1)
f = lambda x: 1/((x-0.3)**2+0.01)+1/((x-0.9)**2+0.04)-6
plt.plot(x,f(x),c='k',ls='-.')
plt.grid()
plt.show()
```

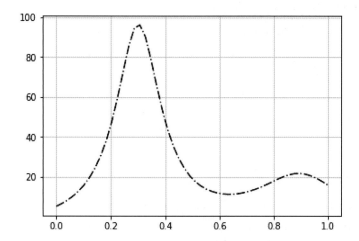

이때 격자지정 명령 grid()에 괄호가 있다는 것은 이 명령 내부에 사용자가 자유롭게 지정할 수 있는 더 많은 옵션을 제공하고 있다는 것을 뜻한다. 이에 대한 자세한 설명은 Spyder Help 또는 Matplotlib에 대한 안내자료에서 찾아볼 수 있다. 주눈금, 부눈금, 또는 모두를 선택할지, 선의 종류와 색, 두께, 어느 축을 이용할지 등의 다양한 특성을 지정할 수 있다.

---

matplotlib.pyplot.grid(*b=None*, *which='major'*, *axis='both'*, ***kwargs*)   [SOU

Configure the grid lines.

Parameters:	**b** : 격자선을 보일지 말지 여부를 결정(0이면 안보이고 0이 아닌 값이면 보임)
	만약 *kwargs*가 주어지면 격자선이 보이도록 선택됨
	*b*가 None이면 선이 보이지 않고 *kwargs*도 주어지지 않음
	which : {'major', 'minor', 'both'}, optional
	변화를 줄 격자선의 위치 선택(tick 항목 참고)
	axis : {'both', 'x', 'y'}, optional
	변화를 줄 격자선 축 선택
	****kwargs** : Line2D properties
	격자선의 특성 지정 (색, 선 스타일, 선 두께 등)

```
grid(color='r', linestyle='-', linewidth=2)
```

그림에서 선의 두께는 linewidth으로 지정할 수 있다. 프로그램에서 지정된 기본값은 두께가 1.0 인데 선을 더 두껍거나 얇게 하려면 적절한 배수를 정해주면 된다.

```
x = np.linspace(0,1)
f = lambda x: 1/((x-0.3)**2+0.01)+1/((x-0.9)**2+0.04)-6
plt.plot(x,f(x),c='k',lw = 2.5)
plt.grid()
plt.show()
```

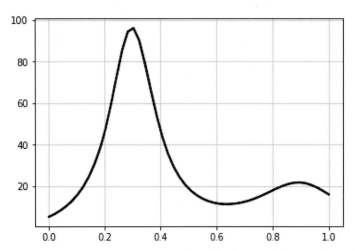

과학 기술용 그래프를 그릴 때 축의 정보를 지정하지 않는 것은 좋지 않은 습관이므로 항상 이에 대한 정보를 적어줘야 한다. 이러한 내용을 지정하는 명령이 아래에 부각되어 표시되어 있고 그 결과물이 그림으로 보여진다. 참고로 과학기술 논문에서는 오히려 그림 제목(title)은 사용하지 않는 것이 원칙이다.

```
x = np.linspace(0,1)
f = lambda x: 1/((x-0.3)**2+0.01)+1/((x-0.9)**2+0.04)-6
plt.plot(x,f(x),c='k')
plt.grid()
plt.xlabel('x')
plt.ylabel('y')
plt.title('humps function')
plt.show()
```

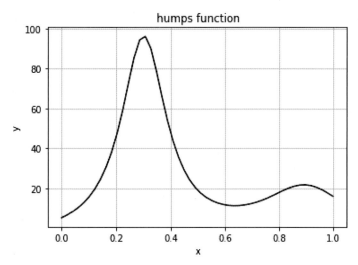

많은 경우에 그림에서 보여주는 영역을 조절해야 할 필요성이 생기는데, 이를 각 축의 limit을 지정하는 명령인 xlim, ylim을 이용해서 조정할 수 있다. 이와 더불어 각 축의 값을 보여주는 위치를 틱(tick)이라고 하는데, 일반적으로 이 위치는 격자선의 위치와 일치하므로 이를 조정할 필요도 있다. 이에 대해서는 뒤에 다시 다룬다.

```python
x = np.linspace(0,1)
f = lambda x: 1/((x-0.3)**2+0.01)+1/((x-0.9)**2+0.04)-6
plt.plot(x,f(x),c='k')
plt.grid()
plt.ylim(0.,120.)
plt.xlabel('x')
plt.ylabel('y')
plt.title('humps function')
plt.show()
```

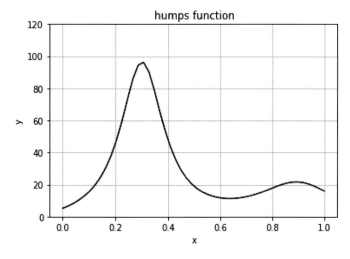

동일한 그림에서 여러 선을 그리게 되는 경우 이를 분간할 수 있게 표시해야 하는데, 보통 선의 스타일, 두께, 색을 달리하여 분류하는 방식을 사용한다. 파이썬에서 제공하는 선 스타일은 4

가지이지만, 4가지 이상의 선들을 동시에 그리는 경우는 두께와 색을 조합하면 더 많은 분류가 가능하므로 큰 제약이 아니며, 너무 선이 많으면 그래프가 복잡하고 빽빽하게 보이므로 권장하지 않는다. 아래의 그림에서는 하나의 예로서 서로 다른 주기를 가지는 사인함수의 그래프를 함께 그린 사례를 보인다. 많은 선들을 동시에 그리는 경우 각각이 무엇인지 표시하는 방법으로서 범례(legend)를 함께 표시하는데 이에 대한 자세한 설명은 뒤에 계속된다.

```
x = np.linspace(0,np.pi,100)
f1 = lambda x: np.sin(x)
f2 = lambda x: np.sin(2*x)
f3 = lambda x: np.sin(3*x)
plt.plot(x,f1(x),c='k',label='sin(x)')
plt.plot(x,f2(x),c='k',ls='--',label='sin(2x)')
plt.plot(x,f3(x),c='k',ls=':',label='sin(3x)')
plt.grid()
plt.xlabel('x')
plt.ylabel('f(x)')
plt.title('sine functions')
plt.legend()
plt.show()
```

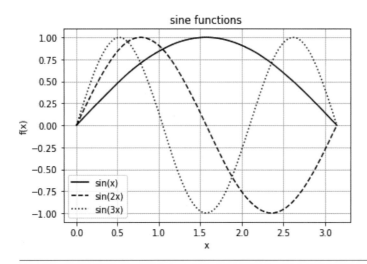

그림 A.1   세가지 다른 주기의 사인함수.

plt.legend() 명령의 사용법에서 loc = 'legend location' 옵션을 통해 범례가 표시된 창을 넣는 위치를 선택하는 것이 가능하다. 기본값으로는 'best'가 지정되어 있다.

Location String	Location Code
'best'	0
'upper right'	1
'upper left'	2
'lower left'	3
'lower right'	4
'right'	5
'center left'	6
'center right'	7
'lower center'	8
'upper center'	9
'center'	10

경우에 따라서 여러개의 자료에 대한 그림이 서로 다른 척도(scale)에서 비교되는 것이 보기에 좋을 때가 있는데, 이럴 때는 그림의 우측에 새로운 척도를 추가한다.

```
t,y1,y2 = np.loadtxt(fname='FurnaceData.txt',unpack=True)
plt.figure()
plt.plot(t,y1,c='k',label='y1')
plt.xlabel('x')
plt.ylabel('y1')
plt.grid()
plt.twinx()
plt.plot(t,y2,c='k',ls='--',label='y2')
plt.ylabel('y2')
```

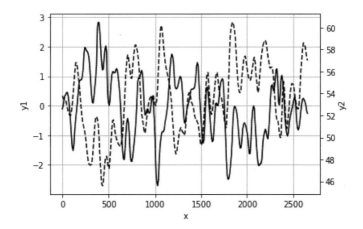

이때 twinx()라는 명령은 두 개의 수직축에 대해서 그림을 표현한 것을 의미한다. 먼저 위에서 배운 바와 같이 y1에 대한 자료를 먼저 그림으로 그린 후, 새로운 좌표축을 이용하고자 할 때 twinx() 명령을 호출해서 그림을 그리면 새로운 ylabel을 지정할 수 있게 된다. 만약에 서로 다른 척도를 가진 두 그래프에 대해서 범례를 창으로 표시하고자 한다면 약간 복잡한 과정을 거쳐야 한다. 아래에 제시된 예시문에서는 각 곡선 그래프 curve1 및 curve2를 잡아서 전체 curves라는 독립체에 결합시킨 후 범례를 만드는 사례를 보여준다. 이 방식이 상당히 어색해 보이지만 서로 다른 y방향 좌표축을 가지는 그림에서 범례를 만들기에 좋은 방법으로, Hill(2015)의 방식을 따른다.

```
t,y1,y2 = np.loadtxt(fname='FurnaceData.txt',unpack=True)
plt.figure()
curve1 = plt.plot(t,y1,c='k',label='y1')
plt.xlabel('x')
plt.ylabel('y1')
plt.grid()
plt.twinx()
curve2 = plt.plot(t,y2,c='k',ls='--',label='y2')
plt.ylabel('y2')
curves = curve1 + curve2
labels = []
for curve in curves:
    labels.append(curve.get_label())
plt.legend(curves,labels)
```

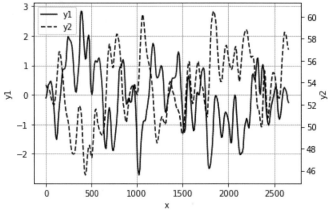

이 절의 마지막 주제는 좌표축에 대응되는 변수를 자유롭게 선택하는 방법이다. 가령 그림 A.1에서 서로 다른 파장을 가지는 세 가지 사인함수의 그림을 독립변수 x에 대해서 그렸는데, x축과 y축을 기존과 달리 $\sin(x)$ 및 $\sin(2x)$로 바꿔서 그리기를 원한다고 가정하자. 그림 A.1에서 사용한 스크립트를 그대로 사용하고 그 아래에 다음의 스크립트를 추가하면 새로운 그림이 만들어진다.

```
plt.figure()
plt.plot(f1(x),f2(x),c='k')
plt.grid()
plt.xlabel('sin(x)')
plt.ylabel('sin(2x)')
plt.show
```

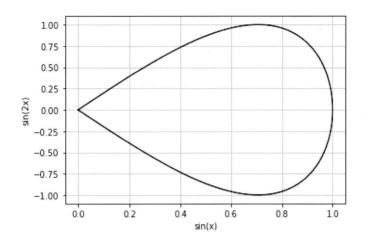

A.3   통계 도표: 오차 막대, 히스토그램, 상자 도표

과학기술의 다른 영역에서 얻어진 데이터는 때로는 간단히 선그리기보다 통계적 분석에 용이한 다른 형태로 그리는 것이 좋은 경우가 있는데, 특히 응용통계나 신호처리 분야에서 이러한 문제를 만나게 된다. 대표적인 사례는 오차표시줄 넣기, 히스토그램 그래프, 상자(box) 그림 등이 있다.

A.3.1 오차 표시줄(error bar)을 이용한 그림

실험에서 측정된 많은 데이터는 관측 방법이 지닌 오차를 내재하고 있기 때문에 반복 실험을 통해서 통계적인 분석을 해야 하는 경우가 많다. 오차의 효과를 제거하기 위해서 반복 실험으로부터 얻어진 평균 및 분산, 분포 영역, 표준편차, 중앙 절대편차(MAD, median absolute deviation) 등의 통계를 실험값의 순서와 관계없이 더 중요한 지표로 사용한다. 하나의 예로서 아래의 표는 세 번의 실험을 통해 얻어진 값들의 평균과 표준편차 추정값 $(\text{max} - \text{min})/\sqrt{3}$ 을 보여준다. 이를 이용해서 그림을 그릴 때는 각각의 실험 데이터는 큰 의미가 없고 평균과 표준편차가 더 중요하게 여겨지므로 오차 표시줄을 넣은 그림을 이용한다.

x	Measurements			Average	Std Dev Est
1	2.11	1.16	1.53	1.60	0.54
5	5.90	5.92	6.32	6.05	0.24
10	7.64	9.84	9.49	8.99	1.27
15	11.13	11.13	11.49	11.25	0.21
20	12.52	12.71	12.34	12.52	0.21
30	12.53	13.65	14.87	13.68	1.35
40	12.02	13.38	13.28	12.89	0.79
50	12.80	12.61	13.77	13.06	0.67
75	12.06	12.21	12.80	12.35	0.43
100	11.60	11.64	13.08	12.11	0.86

```
x = np.array([1,5,10,15,20,30,40,50,75,100])
yavg = np.array([1.6,6.05,8.99,11.25,12.52,13.68,12.89,13.06,12.35,12.11])
stdest = np.array([0.54,0.24,1.27,0.21,0.21,1.35,0.79,0.67,0.43,0.86])
plt.errorbar(x,yavg,stdest,c='k',capsize=3)
plt.grid()
plt.xlabel('x')
plt.ylabel('y')
plt.title('error bars at +/- 1 std dev estimated')
```

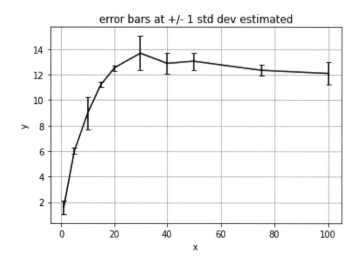

오차 표시줄 기능을 선택하는 다양한 옵션이 있는데, 위의 그림에서는 `plt.errorbar(x, ...)` 방식으로 지정하여 오차표시줄을 수평선으로 표시하였다. `capsize`는 오차표시줄의 크기, `c`는 색 지정을 의미한다. 경우에 따라서 자료가 x축 방향으로 오차를 가지는 경우가 있는데 이때는 `plt.errorbar(y, ...)` 방식의 표현을 통해 x축 변수가 변화한다는 것을 표시할 수 있다. 마찬가지로 Matplotlib Help를 사용할 것을 권장한다.

A.3.2 히스토그램(Histogram)

불규칙한 특성을 가진 자료를 해석하기 위해서는 자료가 만들어진 순서보다는 분포도가 어떠한가를 판단하는 것이 필요한데, `pyplot`에 내장된 `hist` 함수가 이러한 기능을 제공한다. 아래의 예제는 Weibull 분포에서 1000개 정도의 자료에 무작위로 추출하여 이를 25개의 영역(bin)으로 분리한 후 각각의 영역에 대해 발생한 빈도를 그림으로 나타낸 사례이다.

```
x = np.random.weibull(2.3,1000)
plt.hist(x,25,rwidth=0.75)
plt.grid()
plt.xlabel('x')
plt.ylabel('frequency')
```

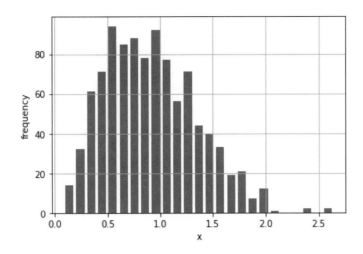

막대(bar)를 선택하는 보다 유연한 기능이 있는데, 14.1.3절에서 이미 보였으므로 여기서 다시 반복하는 것은 생략한다.

A.3.3 상자(Box) 그림

상자 그림은 데이터의 이상값을 식별하고 여러 자료 집단의 변동 범위를 비교하여 얼마나 많이 겹쳐지는가 혹은 다른가를 판단하는 데 주로 사용된다. pyplot 모듈에서 제공되는 boxplot은 텍스트 파일로 저장된 데이터 세트를 읽어서 비교하는 기능을 지닌다. 아래의 스크립트에서 읽어들인 자료는 두 개의 x1, x2 배열에 저장된다. 이름이 x로 지정되어 있으면 상자그림은 각각의 x값에 대해서 그려진다. 상자그림은 중간값, 제1사분위값(quartile), 제3 사분위값을 동시에 보여줌으로써 자료의 분포를 이해하는 데 도움을 준다. 이때, 첫 번째 사분위값은 전체 자료를 순차적으로 나열했을 때 25% 순서에 해당하는 자료이고 세 번째 사분위값은 75%째 순서에 해당하는 것을 뜻하므로, 이 두 사분위값이 차지하는 영역인 사분위범위(IQR, interquartile range)는 전체 자료 분포의 50%를 차지하게 된다. 그래프를 표시할 때는 제1사분위값과 제3사분위값을 이용한 박스를 그리고 중간값에 해당하는 위치에 수평선을 그린다. boxplot 내의 notch 인자의 의미는 중간값 위치에 아래 그림과 같이 홈을 표시할 것인가를 뜻한다. 제1사분위값보다 IQR의 1.5배만큼 작은 값과 제3사분위값보다 IQR의 1.5배만큼 큰 값을 수평선으로 표시하여 데이터가 주로 분포하는 범주를 그리게 되는데, 이 영역보다도 더 바깥에 분포하는 값들은 분포가 희귀한 특이점들로서 아래 그림에서 보이는 바와 같이 원으로 따로 표시되었다.

```
x1,x2 = np.loadtxt(fname='BoxPlotData.csv',delimiter=',',unpack=True)
plt.boxplot((x1,x2),notch=True)
plt.grid(axis='y')
```

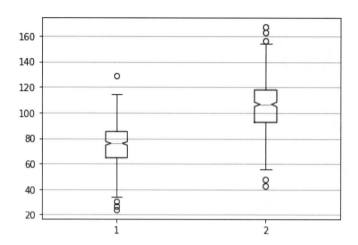

A.4　한 그림에 여러 플롯 넣기, 축 객체

보다 확장성있게 그림을 그리기 위해서 그림의 틀(frame)를 다루는 방법을 소개한다. 이를 위해서는 다음의 두 문장으로 축 객체(axis object)를 지정하면 된다.

```
fig = plt.figure()  # name a figure object
ax = fig.add_subplot(111)  # create axes object for a single plot
```

축 객체를 지정한 후에 만들어지는 그림들은 지정된 객체(object)에 속하게 된다. 이 경우는 가로세로 각각 1개의 그림을 그리고 그중 1번 객체라는 뜻이다. 만약 다음과 같이 add_subplot() 명령으로 그림을 그리는 영역을 지정해주면, 세로로 1개, 가로로 2개의 그림을 지정하고 1번 및 2번 객체에 두 개의 그림을 각각 그리게 된다.

```
fig = plt.figure()  # name a figure object
ax1 = fig.add_subplot(121)  # create axes object for one row, two columns
# the last 1 signifies the first plot in the arrangement
x = np.linspace(0,10)
y = np.exp(-x/2.5)*np.sin(2*np.pi/5*x)
ax1.plot(x,y,c='k')
ax1.grid()
ax1.set_xlabel('x')
ax1.set_ylabel('y')

ax2 = fig.add_subplot(122)  # for the 2nd plot in the arrangement
y2 = np.sin(2*np.pi/5*x)
ax2.plot(x,y2,c='k')
ax2.grid()
ax2.set_xlabel('x')
ax2.set_ylabel('y')
plt.show()
```

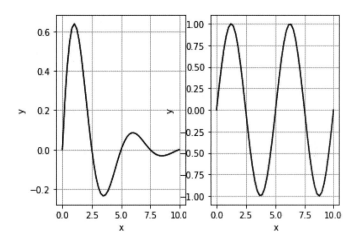

이전에는 좌표축의 이름을 지정하는 방식이 `plt.xlabel('x')`와 같은 형식이었지만 여기서는 `plt.set_xlabel('x')`의 형태로 기존에 이용했던 명령과 차이를 보인다는 것에 유념하자. 그런데 위의 그림에서는 중간에 여분의 공간 없이 두 그림이 중첩되는 단점이 있다. 이를 해결하기 위해서 wspace 인자를 지정하여 그림 사이의 간격을 넓힐 수 있다.

```
fig.subplots_adjust(wspace=0.5)
```

이렇게 하면 아래의 그림이 얻어진다.

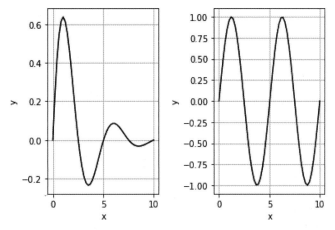

세로 방향으로 그림간격을 조절하고자 하면 hspace 인자를 지정해주면 된다. 또한, 이 그림에서 각각의 그림이 보인 가로세로 비율이 마음에 들지 않는다면, 다음과 같이 figsize 인자를 지정해서 가로 대비 세로 비율을 조절할 수도 있다.

```
fig = plt.figure(figsize=(8,3))
```

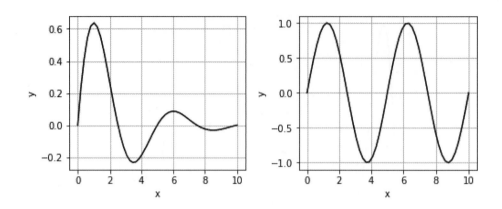

A.5   3차원 그림 그리기: 등고선 및 표면 그림

과학 및 공학에서 연구되는 많은 현상들이 2개 이상의 입력변수를 가지기 때문에 이를 그래픽으로 묘사해야 할 필요성이 생긴다. 2개의 독립변수를 가지는 함수에 대해서 그림을 그리는 경우는 3차원 그림이 되며, 그 이상의 독립변수가 있는 경우에는 두 개의 변수를 선택하여 보여주는 방법을 취하게 된다. 3차원 그림의 가장 일반적인 방법은 등고선 그림과 표면 그림이다. 등고선 그림은 지형도의 등고선 또는 기상도의 등압선과 유사하며, 표면 플롯은 3차원 값 자체를 표시한다. 두 가지 그리기 방법 모두 음영으로 값의 변화를 표시하는 방법, 선으로 값을 표시하는 방법을 이용한다.

먼저, 등고선 그림의 한 사례를 다음의 스크립트를 통해서 살펴보자. 먼저 함수 f(x,y)를 정의한 후 x축 구간 [-2:2], y축 구간 [-2:2]으로 나눈다. linespace()에서 구간의 개수를 지정하지 않았을 때의 **data**의 기본값은 50개이므로 각 구간 간격은 4/49임에 유의하자. x 및 y는 1차원 배열이지만 실제 그림은 2차원 배열에서 그려야 하므로 *meshgrid* 명령을 이용하여 2차원 배열 X, Y를 만들어서 각각의 그리드 위치를 표시한 후에 함수 Z = f(x,y)를 그리게 하였다.

```
def f(x,y):
    return 95.+0.05*x-0.145*y-8.13*x**2-5.87*y**2-6.25*x*y

x = np.linspace(-2.,2.)
y = np.linspace(-2.,2.)
X,Y = np.meshgrid(x,y)
Z = f(X,Y)

plt.figure()
contplt = plt.contour(X,Y,Z,[80.,85.,88.,92.,95.],colors='k')
plt.grid()
plt.clabel(contplt)
plt.xlabel('x')
plt.ylabel('y')
```

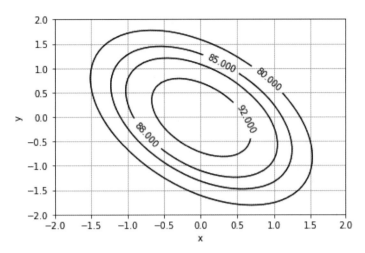

이때 또 주의깊게 봐야 하는 것은 contour의 윤곽에 대한 기준값들을 넣었다는 점이다. 윤곽수준 (contour level)을 직접 숫자 배열로 넣었다는 점에 유의하자. 위의 격우는 색 지정을 검은색으로 정했는데, 원하는 경우 각각의 윤곽 수준에 맞춰 다른 선색을 선택하는 것도 가능하다. clabel 명령이 추가된 경우 등고선 그림에서 label이 추가된다.

또 다른 대안으로 contourf 명령을 이용해서 구간 사이의 색을 채우는 방법도 가능하다.

```
plt.figure()
plt.contourf(X,Y,Z,[80.,85.,88.,92.,95.],colors=['b','g','c','m'])
plt.grid()
plt.xlabel('x')
plt.ylabel('y')
```

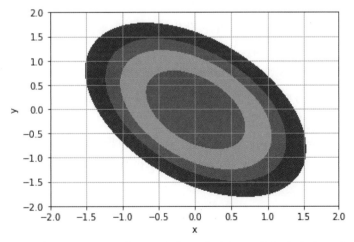

등고선의 수준을 수치로 표시하는 방법은 그림이 복잡해 보이므로 많은 경우 사용하지 않는다. 매우 복잡한 색을 선택하거나 이미 만들어진 팔레트 색상을 이용하는 방법이 제시되었으므로 더 자세한 사항은 Help 메뉴를 이용해서 확인하는 것을 권한다.

나아가서, Matplotlib에서 제시하는 3차원 그림을 이용하기 위해서는 툴키트에서 mplot3d를 불러와야한다.

```
from mpl_toolkits.mplot3d import Axes3D
```

아래의 스크립트를 이용하면 아래의 그림을 wireframe으로 구하게 된다.

```
fig = plt.figure()
ax = fig.add_subplot(111,projection='3d')
ax.plot_wireframe(X,Y,Z,color='g',rstride=5,cstride=5)
ax.grid()
ax.set_xticks([-2.,-1.,0.,1.,2.])
ax.set_yticks([-2.,-1.,0.,1.,2.])
ax.set_zlim(0.,100.)
ax.set_zticks([0.,20.,40.,60.,80.,100.])
plt.xlabel('x')
plt.ylabel('y')
plt.zlabel('z')
```

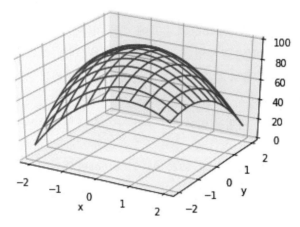

3차원 그림을 위해서 add_subplot 명령 내부에 projection='3d' 인자를 포함시킨 것에 유의해야 한다. rstride 및 cstride 인자는 각각 열(row)과 행(column)에서의 샘플 추출 간격을 의미한다. 이 값이 커질수록 듬성듬성하게 추출을 하게 되므로 그래프의 품질은 떨어지지만 화면에 출력하는 시간은 더 빨라진다. 또한 x축 및 y축에서 값을 보여주는 위치인 tick를 지정하는 명령으로 set_xticks, set_yticks를 보여준다. z 방향에 대해서도 마찬가지로 set_zticks를 0에서 100까지 20만큼의 간격으로 지정하였다.

3차원 그림은 보는 각도를 지정할 수 있는데, 바라보는 시점이 수직축과 이루는 각도와 x축과 이루는 각도 두 가지를 조정할 수 있다. 가령, 다음의 명령으로 수직축과 이루는 각도를 35°로 조정할 수 있다.

```
ax.view_init(35)
```

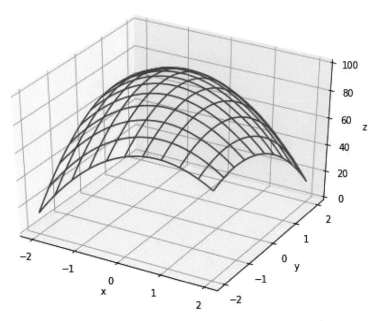

여기에 추가하여 수평각도도 바꾸고자 하면 'ax.view_init(elev=D1, azim=D2)'의 형식으로 지정하면 된다. 이때 D1과 D2는 각각 각도를 의미한다.

마지막으로 그림에 음영이나 색을 넣는 방법이 있는데, 단순히 wireframe 대신 mesh 명령어를 이용해서 선의 높이에 따라 색을 넣을 수도 있고, surface 명령을 이용해서 면을 채워서 색을 입힌 그림을 그릴 수도 있다.

```python
import numpy as np
import matplotlib.pyplot as plt
from mpl_toolkits.mplot3d import Axes3D
from matplotlib import cm

def f(x,y):
    return 95.+0.05*x-0.145*y-8.13*x**2-5.87*y**2-6.25*x*y

x = np.linspace(-2.,2.)
y = np.linspace(-2.,2.)

X,Y = np.meshgrid(x,y)
Z = f(X,Y)

fig = plt.figure(figsize=(8,6))
ax = fig.add_subplot(111,projection='3d')
ax.plot_surface(X,Y,Z,cmap=cm.gray)
ax.grid()
ax.set_xticks([-2.,-1.,0.,1.,2.])
ax.set_yticks([-2.,-1.,0.,1.,2.])
ax.set_zlim(0.,100.)
ax.set_zticks([0.,20.,40.,60.,80.,100.])
ax.set_xlabel('x')
ax.set_ylabel('y')
ax.set_zlabel('z')
```

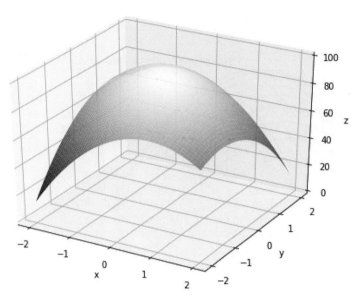

위의 그림에서는 surface 명령을 수행하면서 인자로서 colormap (㎝)을 함께 선택했는데, gray 는 흑백 음영을 준 사례이다. Matplotlib에서는 gray 이외에도 다양한 종류의 색 팔레트를 제공 한다. 이러한 구체적인 내용은 Matplotlib의 gallery에서 찾아볼 것을 권장한다. (https://matplotlib.org/stable/gallery/index.html)

맺음말

Matplotlib을 이용하여 그림을 작성하는 방법은 소개된 내용 이외에도 다양하며 책 전체가 이를 다루는 참고 서적도 많다. Matplotlib에서 제공하는 도움말 사이트에도 많은 동영상 강의 자료를 접할 수 있다. 이 부록에서는 많이 사용되는 그림 그리기 기법에 대해 겉을 훑어보는 정도로만 다 루었으나, 독자들이 관련된 책이나 웹사이트[1], 동영상 등을 탐색하여 다른 유형의 그림 그리기를 스스로 할 수 있을 것으로 확신하며 또한 이를 권장한다.

---

1)　역자 주: https://matplotlib.org/stable/gallery/index.html 등

부록 B
매끄러운 3차 스플라인

18.7.1절에서 파이썬 함수 `csplinesm()` 함수를 설명하기 위해 많은 정보와 함께 설명하였다. 이 부록의 목적은 세부적으로 유도과정을 설명하는데 있다. 페이지 넘기는 불편함을 해소하고자 18장의 두 단락은 그대로 사용하고 시작한다.

3차 스플라인 적합을 위해서 노이즈가 있는 데이터 점을 연속적으로 만족시키는 3차방정식의 요구사항에 대한 완화가 필요하다. $\{x_i, y_i, i = 0, ..., n\}$. 대신, 스플라인 적합함수, $s_i(x)$는 목적함수를 최소화하도록 선택된다.

$$L = \lambda \sum_{i=0}^{n} \left[\frac{y_i - s_i(x_i)}{\sigma_i} \right]^2 + (1 - \lambda) \sum_{i=0}^{n-1} \int_{x_i}^{x_{i+1}} [s''(x)]^2 \, dx \qquad (18.32)$$

여기서, 상기하면

$$s_i(x) = a_i + b_i(x - x_i) + c_i(x - x_i)^2 + d_i(x - x_i)^3$$

식 (18.32)의 첫 항은 적합함수가 3차 스플라인 보간의 연속조건을 만족시켜가면서 작아지고, 함수가 매끄러운 함수로부터 멀어질수록 커지게 된다. 두 번째 항은 전체 스플라인 함수가 매끄러워지면서 작아지게되고 부분 스플라인들이 연속조건을 만조시키기 위해 거칠어지면서 커지게 된다. 람다 변수, λ는 매끄러운 정도를 조정하기위해 이용된다. $\lambda = 1$일 때 매끄러움은 없이 3차 스플라인 보간식을 얻는다. λ가 0으로 접근할수록 매끄러움은 최대에 도달한다. 여기서 σ_i값은 일반적으로 y_i값들에 대한 개별 요소 사이의 표준편차를 예측한다. 각 y값에 대한 표준편차를 얻기 어려운 경우에 대해서는, 종종 y값들과 단일 예측, 표준편차 σ를 사용하는 것이 일반적이다.

여기에 소개된 유도과정은 Pollock의 자료를 이용하였다. $s_i''(x)$는 3차 스플라인 요소의 이차 미분을 나타내고, 선형함수로써 i번째 요소에 대해서 x_i에서 x_{i+1}로 변화할 때 계수는 $2c_i$에서 $2c_{i+1}$로 변한다. 이와 같은 내용으로, 다음과 같이 정리할 수 있다.

$$\int_{x_i}^{x_{i+1}} [s_i''(x)]^2 \, dx = 4 \int_0^{h_i} \left[c_i \left(1 - \frac{x}{h_i} \right) + c_{i+1} \frac{x}{h_i} \right]^2 dx$$
$$= \frac{4h_i}{3} \left(c_i^2 + c_i c_{i+1} + c_{i+1}^2 \right) \qquad h_i \triangleq x_{i+1} - x_i$$

최솟값을 위한 목적함수는 다음과 같다.

$$L = \lambda \sum_{i=0}^{n} \left[\frac{y_i - a_i}{\sigma_i} \right]^2 + (1 - \lambda) \sum_{i=0}^{n-1} \frac{4h_i}{3} \left(c_i^2 + c_i c_{i+1} + c_{i+1}^2 \right)$$

여기에서 자연 스플라인에 대한 해를 고려하자. 즉, $s''(x) = 2c_0 = 0$과 $s''(x_n) = 2c_n = 0$을 만족한다. 추가로 고려할 사항은 a_i값을 결정하기 위한 y_i값이 더 이상 없다는 것이다. 이 전략은 변수들 d_i, b_i, $i = 1, ..., n - 1$을 소거하고, 변수들 c_i, a_i, $i = 1, ..., n - 1$을 결정하는 것이다.

노트 $\{x_i, y_i\}$와 $\{x_{i+1}, y_{i+1}\}$ 사이의 구간을 연결하는 i번째 3차식의 조건을 고려하자. 이는 다음과 같다.

at $\{x_i, a_i\}$　　　　$s_i(x_i) = a_i$　　　　$s_i''(x_i) = 2c_i$

at $\{x_{i+1}, a_{i+1}\}$　　　$s_i(x_{i+1}) = a_{i+1}$　　　$s_i''(x_{i+1}) = 2c_{i+1}$

첫 번째 끝단 조건을 아래와 같이 정리할 수 있다.

$$a_i + b_i h_i + c_i h_i^2 + d_i h_i^3 = a_{i+1}$$

그리고 b_i에 대하여 풀면

$$b_i = \frac{a_{i+1} - a_i}{h_i} - d_i h_i^2 + c_i h_i$$

두 번째 끝단 조건을 통해

$$2c_{i+1} = 6d_i h_i + 2c_i \quad \Rightarrow \quad d_i = \frac{c_{i+1} - c_i}{3h_i}$$

마지막 두 결과로부터 b_i, d_i를 c_i와 a_i의 항으로 얻을 수 있다.

연속조건을 위한 1차 미분은 $s_{i-1}'(x_i) = s_i'(x)$, 이는 다음과 같다.

$$3d_{i-1} h_{i-1}^2 + 2c_{i-1} h_{i-1} + b_{i-1} = b_i$$

d_i를 대입하면 다음과 같다.

$$h_{i-1} c_{i-1} + 2(-h_{i-1} + h_i)c_i + h_i c_{i+1} = \frac{3}{h_i}(a_{i+1} - a_i) - \frac{3}{h_{i-1}}(a_i - a_{i-1})$$

이 결과를 $i = 1, ..., n - 1$으로 종합하여 정리하면 다음의 선형대수방정식의 형태가 된다.

$$\begin{bmatrix} p_1 & h_1 & 0 & \cdots & 0 & 0 \\ h_1 & p_2 & h_2 & \cdots & 0 & 0 \\ 0 & h_2 & p_3 & \cdots & 0 & 0 \\ \vdots & \vdots & \vdots & \ddots & \vdots & \vdots \\ 0 & 0 & 0 & \cdots & p_{n-2} & h_{n-2} \\ 0 & 0 & 0 & \cdots & h_{n-2} & p_{n-1} \end{bmatrix} \begin{bmatrix} c_1 \\ c_2 \\ c_3 \\ \vdots \\ c_{n-2} \\ c_{n-1} \end{bmatrix} = \begin{bmatrix} r_0 & f_1 & r_1 & 0 & \cdots & 0 & 0 \\ 0 & r_1 & f_2 & r_2 & \cdots & 0 & 0 \\ \vdots & \vdots & \vdots & \vdots & \ddots & \vdots & \vdots \\ 0 & 0 & 0 & 0 & \cdots & r_{n-2} & 0 \\ 0 & 0 & 0 & 0 & \cdots & f_{n-1} & r_{n-1} \end{bmatrix} \begin{bmatrix} a_0 \\ a_1 \\ a_2 \\ a_3 \\ \vdots \\ a_{n-1} \\ a_n \end{bmatrix}$$

여기서, $p_i = 2(h_{i-1} - h_i)$, $r_i = 3/h_i$ 그리고 $f_i = -3(1/h_{i-1} + 1/h_i)$이다. 행렬의 적합한 정의를 사용하면, 이 식은 다음과 같이 간단하게 나타낼 수 있다.

$$\mathbf{Rc} = \mathbf{Q}'\mathbf{a}$$

목적함수는 다음과 같이 쓸 수 있다.

$$L = \lambda(\mathbf{y} - \mathbf{a})'\boldsymbol{\Sigma}^{-1}(\mathbf{y} - \mathbf{a}) + \frac{2}{3}(1 - \lambda)\mathbf{b}'\mathbf{Rb}$$

여기서, $\boldsymbol{\Sigma} = \text{diag}[\sigma_0, \sigma_1, ..., \sigma_n]$. 만일 σ가 상수라면 $\boldsymbol{\Sigma} = \sigma\mathbf{I}$. 위로부터 $\mathbf{c} = \mathbf{R}^{-1}\mathbf{Q}'\mathbf{a}$, 따라서

$$L = \lambda(\mathbf{y} - \mathbf{a})'\boldsymbol{\Sigma}^{-1}(\mathbf{y} - \mathbf{a}) + \frac{2}{3}(1 - \lambda)\mathbf{a}'\mathbf{QR}^{-1}\mathbf{Q}'\mathbf{a}$$

$\mathbf{a}$에 대해 미분한 후 0으로 놓음으로써 L을 최소화할 수 있다.

$$-2\lambda(\mathbf{y} - \mathbf{a})'\boldsymbol{\Sigma}^{-1} + \frac{4}{3}(1 - \lambda)\mathbf{a}'\mathbf{QR}^{-1}\mathbf{Q}'\mathbf{a} = \mathbf{0}$$

다시 정리하면

$$\lambda\boldsymbol{\Sigma}^{-1}(\mathbf{y} - \mathbf{a}) = \frac{2}{3}(1 - \lambda)\mathbf{Qc}$$

이제 양변에 $\frac{1}{\lambda}\mathbf{Q}'\boldsymbol{\Sigma}$을 곱하고 $\mathbf{Rc} = \mathbf{Q}'\mathbf{a}$을 이용하면 다음과 같다.

$$(\mu\mathbf{Q}'\boldsymbol{\Sigma}\mathbf{Q} + \mathbf{R})\mathbf{c} = \mathbf{Q}'\mathbf{y}$$

여기서

$$\mu = \frac{2(1 - \lambda)}{3\lambda}.$$

선형방정식들의 풀이를 통해 $\mathbf{c}$값을 구할 수 있고, 주어진 $\mathbf{c}$값들에 대하여 다음 식으로 $\mathbf{a}$를 구할 수 있다.

$$\mathbf{a} = \mathbf{y} - \mu\boldsymbol{\Sigma}\mathbf{Qc}$$

자연 끝단 조건들 $c_0 = c_n = 0$로부터 다항식 $\mathbf{d}$와 $\mathbf{b}$의 계수들을 다음 식을 이용하여 구할 수 있다.

$$d_i = \frac{c_{i+1} - c_i}{3h_i} \quad \text{and} \quad b_i = \frac{a_{i+1} - a_i}{h_i} - \frac{1}{3}(c_{i+1} - 2c_i)h_i \quad \text{for } i = 0, ..., n - 1$$

이에 다항식들에 대한 모든 계수를 구할 수 있다.

$$s_i(x) = a_i + b_i \cdot (x - x_i) + c_i(x - x_i)^2 + d_i(x - x_i)^3 \quad \text{for } i = 0, ..., n - 1$$

여기, 단계별로 3차 스플라인 보간을 위한 절차는 나타내면 다음과 같다.

1. 초기 데이터, $\{x_i, y, i = 0, ..., n\}$를 획득하고, 매끄러움 조정 변수 λ를 선택한 후 다음을 계산한다.

$$\mu = \frac{2(1 - \lambda)}{3\lambda}.$$

2. 계산한다.

$$h_i = x_{i+1} - x_i \qquad i = 0, ..., n-1$$
$$p_i = 2(h_{i-1} - h_i) \qquad i = 1, ..., n-1$$
$$r_i = 3/h_i \qquad i = 0, ..., n-1$$
$$f_i = -(r_{i+1} + r_i) \qquad i = 1, ..., n-1$$

3. $\mathbf{R}$과 $\mathbf{Q}$를 구성한다.

4. $\sigma_0, ..., \sigma_n$에 대한 예측값들을 구하거나 σ를 구한다. 그리고 $\mathbf{\Sigma} = \text{diag}[\sigma_0, \sigma_1 ..., \sigma_n]$을 구성하거나 $\mathbf{\Sigma} = \sigma\mathbf{I}$.

5. $(\mu\mathbf{Q}'\mathbf{\Sigma}\mathbf{Q} + \mathbf{R})\mathbf{c} = \mathbf{Q}'\mathbf{y}$으로부터 $\mathbf{c}$를 구한다.

6. $\mathbf{a} = \mathbf{y} - \mu\mathbf{\Sigma}\mathbf{Q}\mathbf{c}$으로부터 $\mathbf{a}$를 구한다.

7. $\mathbf{d}$와 $\mathbf{b}$를 다음 식으로부터 구한다.

$$\left.\begin{array}{l} d_i = \dfrac{c_{i+1} - c_i}{3h_i} \\[2ex] b_i = \dfrac{a_{i+1} - a_i}{h_i} - \dfrac{1}{3}(c_{i+1} - 2c_i)h_i \end{array}\right\} i = 1, ..., n-1$$

8. 보간과 도식화를 위해 위 단계로 결정된 매끄러운 3차 스플라인 방정식을 활용한다.

$$s_i(x) = a_i + b_i(x - x_i) + c_i(x - x_i)^2 + d_i(x - x_i)^3 \qquad i = 0, ..., n-1$$

18장에서는 위에서 소개한 알고리즘을 잡음이 있는 화학농도 측정시험하였다. (그림 18.12에서 파이썬으로 적용하였다.) 표 B.1은 당신의 개별 알고리즘을 시험하기위한 이들 데이터를 나타낸다.

참고문헌

Pollock, D. S. G. Smoothing with cubic splines. Tech. rep., Queen Mary and Westeld College, University of London, London, 1993.

Pollock, D. S. G. Smoothing with Cubic Splines, Dept. of Economics, Queen Mary and Westfiled College, University of London, London, Paper No. 291, 1994.

표 B.1 잡음이 있는 화학농도 측정 c (g/L)자료. 부록 그리고 18장에서(Box et al., 2015) 설명한 파이썬 보간 알고리 즘을 시험하는데 활용.

Sample Number	c (g/L)	Sample Number	c (g/L)	Sample Number	c (g/L)	Sample Number	c (g/L)	Sample Number	c (g/L)
1	17	41	17.6	81	16.8	121	16.9	161	17.1
2	16.6	42	17.5	82	16.7	122	17.1	162	17.1
3	16.3	43	16.5	83	16.4	123	16.8	163	17.1
4	16.1	44	17.8	84	16.5	124	17	164	17.4
5	17.1	45	17.3	85	16.4	125	17.2	165	17.2
6	16.9	46	17.3	86	16.6	126	17.3	166	16.9
7	16.8	47	17.1	87	16.5	127	17.2	167	16.9
8	17.4	48	17.4	88	16.7	128	17.3	168	17
9	17.1	49	16.9	89	16.4	129	17.2	169	16.7
10	17	50	17.3	90	16.4	130	17.2	170	16.9
11	16.7	51	17.6	91	16.2	131	17.5	171	17.3
12	17.4	52	16.9	92	16.4	132	16.9	172	17.8
13	17.2	53	16.7	93	16.3	133	16.9	173	17.8
14	17.4	54	16.8	94	16.4	134	16.9	174	17.6
15	17.4	55	16.8	95	17	135	17	175	17.5
16	17	56	17.2	96	16.9	136	16.5	176	17
17	17.3	57	16.8	97	17.1	137	16.7	177	16.9
18	17.2	58	17.6	98	17.1	138	16.8	178	17.1
19	17.4	59	17.2	99	16.7	139	16.7	179	17.2
20	16.8	60	16.6	100	16.9	140	16.7	180	17.4
21	17.1	61	17.1	101	16.5	141	16.6	181	17.5
22	17.4	62	16.9	102	17.2	142	16.5	182	17.9
23	17.4	63	16.6	103	16.4	143	17	183	17
24	17.5	64	18	104	17	144	16.7	184	17
25	17.4	65	17.2	105	17	145	16.7	185	17
26	17.6	66	17.3	106	16.7	146	16.9	186	17.2
27	17.4	67	17	107	16.2	147	17.4	187	17.3
28	17.3	68	16.9	108	16.6	148	17.1	188	17.4
29	17	69	17.3	109	16.9	149	17	189	17.4
30	17.8	70	16.8	110	16.5	150	16.8	190	17
31	17.5	71	17.3	111	16.6	151	17.2	191	18
32	18.1	72	17.4	112	16.6	152	17.2	192	18.2
33	17.5	73	17.7	113	17	153	17.4	193	17.6
34	17.4	74	16.8	114	17.1	154	17.2	194	17.8
35	17.4	75	16.9	115	17.1	155	16.9	195	17.7
36	17.1	76	17	116	16.7	156	16.8	196	17.2
37	17.6	77	16.9	117	16.8	157	17	197	17.4
38	17.7	78	17	118	16.3	158	17.4		
39	17.4	79	16.6	119	16.6	159	17.2		
40	17.8	80	16.7	120	16.8	160	17.2		

부록 C
파이썬 내장 핵심어
함수, 메소드, 연산자, 형식

Keyword	Module	Page	Keyword	Module	Page
abs	Python	35	format	Python	51
acos	Math	36	gradient	NumPy	552
add_subplot	Matplotlib.pyplot	200	help	Python	35
and	Python	59	hist	pylab	338
append	Python	40	histogram	NumPy	337
arange	NumPy	28	hstack	NumPy	222
*args	Python	78	if	Python	60
array	NumPy	25	index	Python	31
asin	Math	36	inner	NumPy	219
atan	Math	36	int	Python	81
atan2	Math	36	interp1d	SciPy.interpolate	459
average	NumPy	42	interp2d	SciPy.interpolate	462
Axes3D	mpl_toolkits.mplot3d	200	inv	NumPy.linalg	221
bar	Matplotlib.pyplot	337	isalpha	Python	31
break	Python	68	isdigit	Python	31
brentq	SciPy.optimize	170	**kwargs	Python	78
cholesky	SciPy.linalg	268	lambda	Python	73
cond	NumPy.linalg	279	len	Python	31
contour	Matplotlib.pyplot	200	linspace	NumPy	29
cos	Math	36	load	NumPy	57
cosh	NumPy	74	loadtxt	NumPy	56
cross	NumPy	34	log	Math	37
CubicSpline	SciPy.interpolate	456	log10	Math	37
dblquad	SciPy.integrate	507	log10	NumPy	363
degrees	Math	37	log2	NumPy	135
delete	NumPy	44	logspace	NumPy	29
det	NumPy.linalg	237	lower	Python	31
diff	NumPy	549	lu	SciPy.linalg	265
docstring	Python	49	matrix	NumPy	26
dot	Python	34	matrix_rank	NumPy.linalg	221
dstack	NumPy	222	max	Python	36
eig	NumPy.linalg	319	mean	NumPy	336
eigvals	NumPy.linalg	319	median	NumPy	336
elif	Python	61	median_absolute_deviation	SciPy.stats	336
else	Python	61	meshgrid	NumPy	200
exp	Math	36	min	Python	36
eye	NumPy	28	minimize	SciPy.optimize	201
factorial	Math	92	minimize_scalar	SciPy.optimize	197
fft	SciPy.fft	410	mode	SciPy.stats	336
figure	Matplotlib.pyplot	200	norm	NumPy.linalg	221
finfo	NumPy	116	norm.pdf	SciPy.stats	338
float	Python	31	normal	NumPy.random	342
for	Python	63	normalvariate	random	69

Keyword	Module	Page	Keyword	Module	Page
not	Python	59	show	Matplotlib.pyplot	200
ones	NumPy	28	sign	NumPy	61
ones	NumPy	220	sin	Math	37
or	Python	59	size	NumPy	442
outer	NumPy	219	solve	NumPy.linalg	224
PChipInterpolator	SciPy.interpolate	459	solve_bvp	SciPy.integrate	624
pi	NumPy	74	solve_ivp	SciPy.integrate	593
plot	pylab	43	sqrt	Math	36
plot_wireframe	Matplotlib.pyplot	200	sqrt	NumPy	124
poly	NumPy	173	startswith	Python	30
poly1d	NumPy	173	std	NumPy	51
polyfit	NumPy	364	stem	Matplotlib.pyplot	412
polyval	NumPy	173	str	Python	30
print	Python	31	subplot	Matplotlib.pyplot	200
quad	SciPy.integrate	530	sum	NumPy	44
quiver	Matplotlib.pyplot	555	tan	Math	36
radians	Math	37	tanh	NumPy	75
range	Python	64	trace	NumPy	222
romberg	SciPy.integrate	520	transpose	NumPy	39
root	SciPy.optimize	299	trapz	NumPy	501
roots	NumPy	173	twinx	Pylab	55
round	Python	36	type	Python	442
save	NumPy	57	uniform	NumPy.random	339
savetxt	NumPy	56	upper	Python	31
set_printoptions	NumPy	42	var	NumPy	336
set_title	Matplotlib.pyplot	200	vstack	NumPy	222
set_xlabel	Matplotlib.pyplot	200	weibull	random	연습문제 짝수번호 파일 7
set_xticks	Matplotlib.pyplot	200	while	Python	67
set_ylabel	Matplotlib.pyplot	200	zeros	NumPy	27
set_yticks	Matplotlib.pyplot	200			

부록 D
교재에서 제공한 파이썬 함수와 스크립트

주의: 아래 내용은 함수와 긴 코드의 일부분임.

참고문헌

Anscombe, F. J., "Graphs in Statistical Analysis," *Am. Stat.*, 27(1):17–21, 1973.

Bird, R. B., W. E. Stewart, and E. N. Lightfoot, *Transport Phenomena*, 2nd ed., Wiley, New York, 2007.

Bogacki, P., and L. F. Shampine, "A 3(2) Pair of Runge-Kutta Formulas," *Appl. Math. Lett.*, 2(1989):1–9, 1989.

Box, G. E. P., et al., *Time Series Analysis: Forecasting and Control*, 5th ed., Wiley, New York, 2015.

Brent, R. P., *Algorithms for Minimization Without Derivatives*, Prentice Hall, Englewood Cliffs, NJ, 1973.

Butcher, J. C., "On Runge-Kutta Processes of Higher Order," *J. Austral. Math. Soc.*, 4:179, 1964.

Carnahan, B., H. A. Luther, and J. O. Wilkes, *Applied Numerical Methods*, Wiley, New York, 1969.

Chapra, S. C., and R. P. Canale, *Numerical Methods for Engineers*, 8th ed., McGraw-Hill, New York, 2021.

Cooley, J. W., and J. W. Tukey, "An Algorithm for the Machine Calculation of Complex Fourier Series," *Math. Comput.*, 19:297–301, 1965.

Dekker, T. J., "Finding a Zero by Means of Successive Linear Interpolation." In B. Dejon and P. Henrici (editors), *Constructive Aspects of the Fundamental Theorem of Algebra*, Wiley-Interscience, New York, 1969, pp. 37–48.

Devaney, R. L. *Chaos, Fractals, and Dynamics: Computer Experiments in Mathematics*, Addison-Wesley, Menlo Park, CA, 1990.

Dormand, J. R., and P. J. Prince, "A Family of Embedded Runge-Kutta Formulae," *J. Comp. Appl. Math.*, 6:19–26, 1980.

Draper, N. R., and H. Smith, *Applied Regression Analysis*, 2nd ed., Wiley, New York, 1981.

Fadeev, D. K., and V. N. Fadeeva, *Computational Methods of Linear Algebra*, Freeman, San Francisco, 1963.

Forsythe, G. E., M. A. Malcolm, and C. B. Moler, *Computer Methods for Mathematical Computation*, Prentice Hall, Englewood Cliffs, NJ, 1977.

Gabel, R. A., and R. A. Roberts, *Signals and Linear Systems*, 3rd ed., Wiley, New York, 1987.

Gander, W., and W. Gautschi, *Adaptive Quadrature–Revisited, BIT Num. Math.*, 40:84–101, 2000.

Gear, C. W., "The automatic integration of stiff ordinary differential equations," *Information Processing*, 68, A. J. H. Morell, Ed., North Holland, Amsterdam, pp. 187–193, 1969.

Gerald, C. F., and P. O. Wheatley, *Applied Numerical Analysis*, 6th ed., Addison-Wesley, Reading, MA, 1998.

Hayt, W. H., and J. E. Kemmerly, *Engineering Circuit Analysis*, McGraw-Hill, New York, 1986.

Heideman, M. T., D. H. Johnson, and C. S. Burrus, "Gauss and the History of the Fast Fourier Transform," *IEEE ASSP Mag.*, 1(4):14–21, 1984.

Hill, C., *Learning Scientific Programming with Python*, Cambridge University Press, Cambridge, 2015.

Hornbeck, R. W., *Numerical Methods*, Quantum, New York, 1975.

James, M. L., G. M. Smith, and J. C. Wolford, *Applied Numerical Methods for Digital Computations with FORTRAN and CSMP*, 3rd ed., Harper & Row, New York, 1985.

Moler, C. B., *Numerical Computing with MATLAB*, SIAM, Philadelphia, 2004.

Montgomery, D. C., and G. C. Runger, *Applied Statistics and Probability for Engineers*, 6th ed., Wiley, New York, 2014.

Munson, B. R., D. F. Young, T. H. Okiishi, and W. D. Huebsch, *Fundamentals of Fluid Mechanics*, 7th ed., Wiley, Hoboken, NJ, 2013.

Nagar, S., *Introduction to Python for Engineers and Scientists*, Apress-Springer, New York, 2018.

Ortega, J. M., *Numerical Analysis–A Second Course*, Academic Press, New York, 1972.

Press, W. H., S. A. Teukolsky, W. T. Vetterling, and B. P. Flannery, *Numerical Recipes in Fortran: The Art of Scientific Computing*, Cambridge University Press, Cambridge, 1992.

Ralston, A., "Runge-Kutta Methods with Minimum Error Bounds," *Match. Comp.*, 16:431, 1962.

Ralston, A., and P. Rabinowitz, *A First Course in Numerical Analysis*, 2nd ed., McGraw-Hill, New York, 1978.

Ramalho, L., *Fluent Python*, O'Reilly, Sebastopol, CA, 2015.

Ramirez, R. W., *The FFT, Fundamentals and Concepts*, Prentice Hall, Englewood Cliffs, NJ, 1985.

Recktenwald, G., *Numerical Methods with MATLAB*, Prentice Hall, Englewood Cliffs, NJ, 2000.

Scarborough, I. B., *Numerical Mathematical Analysis*, 6th ed., The Johns Hopkins University Press, Baltimore, MD, 1966.

Shampine, L. F., *Numerical Solution of Ordinary Differential Equations*, Chapman & Hall, New York, 1994.

Tale, S., *Python – The Ultimate Beginners Guide*, Create Space, 2016.

Tale, S., *Python 3 – The Ultimate Beginners Guide for Python 3 Programming*, Create Space, 2017.

Tukey, J. W. *Exploratory Data Analysis*, Addison-Wesley, Reading, MA, 1971.

VanderPlas, J., *Python Data Science Handbook*, O'Reilly, Sebastopol, CA, 2017.

Van Valkenburg, M. E., *Network Analysis*, Prentice Hall, Englewood Cliffs, NJ, 1974.

White, F. M., *Fluid Mechanics*. 8th ed., McGraw-Hill, New York, 2015.

찾아보기